개념 학습과 정리가 한번에 끝나는 기본서

개념풀

통합사회

쉽게 풀어 이해가 잘 되는

개념책

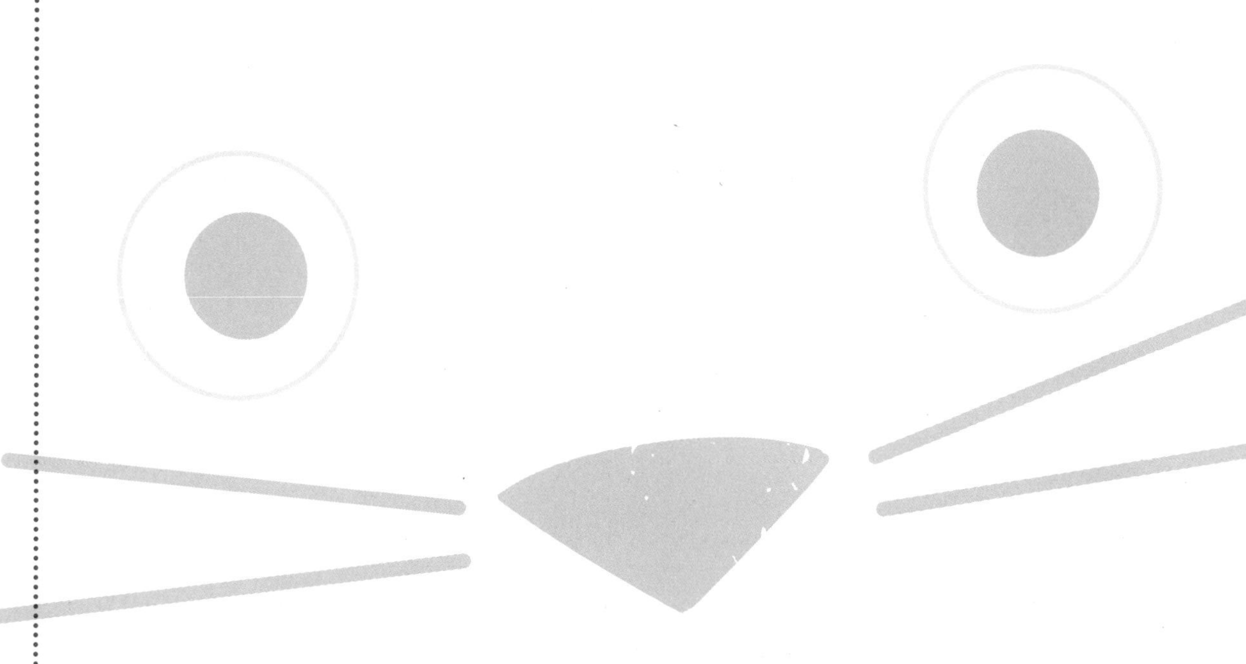

개념풀 통합사회

교재 구성과 학습 시스템

교재 구성

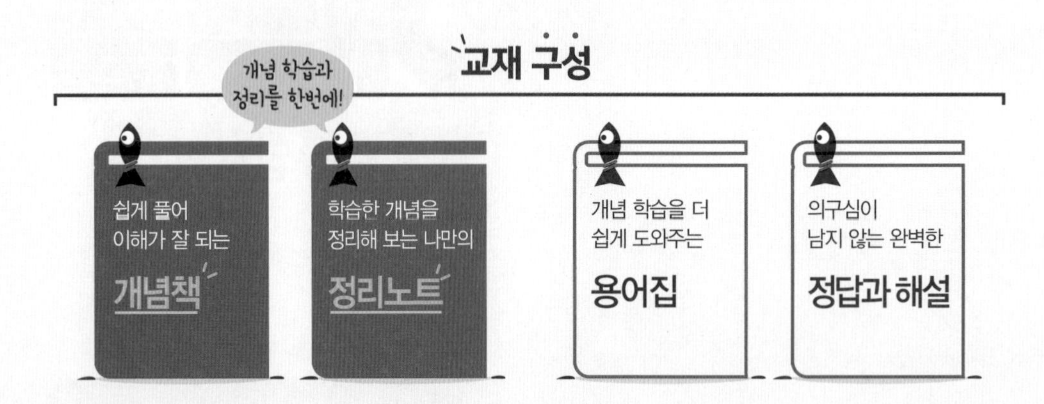

학습 시스템

개념의 기초를 세운다.

학습 시작 전, 통합사회에 나오는 핵심 용어를 쉽고 가볍게 익힌다.

준비물 용어집

용어를 점검하면
공부가 쉬워진다~옹!

개념을 익힌다.

통합사회에 나오는 모든 개념을 구조와 흐름으로 술술 익힌다.

준비물 개념책, 정답과 해설

읽으면, 나도 모르게
개념이 쏙쏙
들어온다~옹!

3rd

개념을 완성한다.

개념책 맞춤 정리노트로 통합사회 개념을 확실히 완성한다.

준비물 개념책, 정리노트

내 입맛대로
노트를 정리하면,
개념 공부는 끝이다~옹!

쉽게 풀어 이해가 잘 되는 개념책

이해하기 쉬운 개념 학습

▪ 대단원 도입 학습

키워드로 대단원의 흐름을 한눈에 파악할 수 있습니다.

❶ 중단원별 핵심 개념어 한눈에 파악
❷ 짧은 스토리로 단원의 흐름 전개

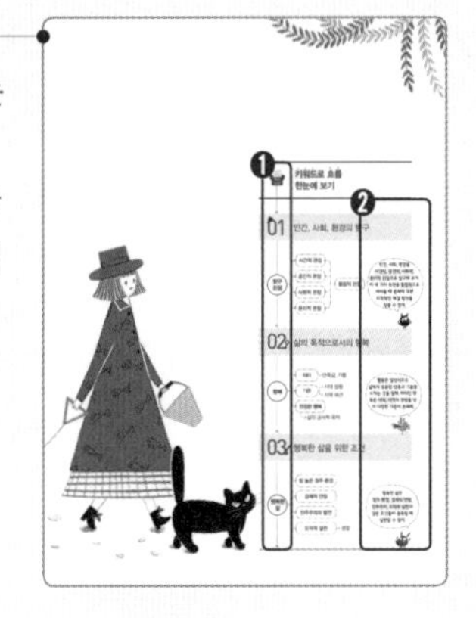

▪ 본문 학습

최적의 개념 학습을 위한 코너와 주제별 흐름으로 구성하였습니다.

❶ '물음으로 흐름잡기'로 중단원 전체 흐름 한눈에 파악
❷ 최적의 개념 학습을 위한 소주제별 구성 & 소주제의 핵심 내용을 미리 제시하는 '한줄단서'
❸ 본문에서 궁금했던 내용 재밌게 풀어주는 '궁금해?' 코너

▪ 자료 학습

개념 이해에 꼭 필요한 자료를 꼼꼼하게 학습할 수 있습니다.

❶ 5종 교과서의 핵심 자료를 철저하게 분석해주는 '자료분석' 코너
❷ 해당 자료의 핵심을 한 문장으로 콕 짚어주는 '한줄핵심'
❸ 해당 자료와 관련된 필수 개념까지 꼼꼼하게학습할 수 있는 '키워드 체크'

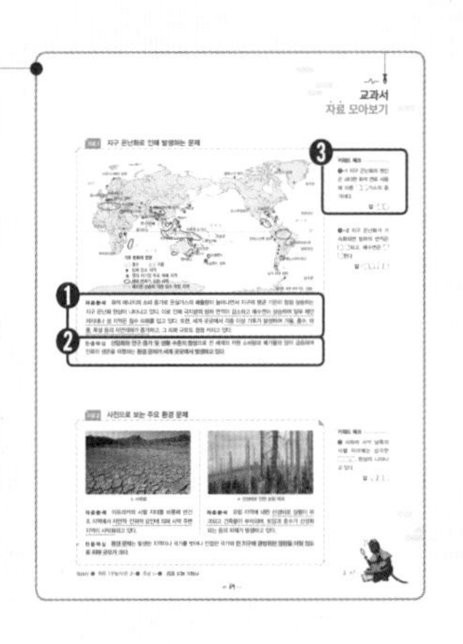

다양한 유형의 단계별 문제

▪ 콕콕! 개념 확인

개념 확인에 적합한 유형을 엄선하여 구성하였습니다.

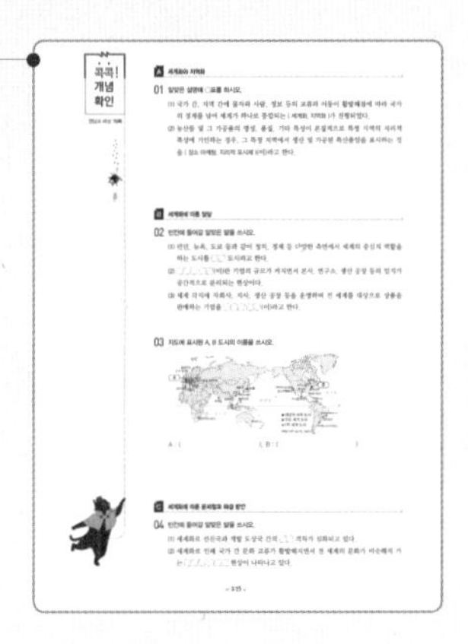

▪ 탄탄! 내신 문제

학교 시험 빈출 유형과 적합한 난이도로 구성하였습니다.

▪ 도전! 1등급 문제

1등급을 위한 높은 수준의 문제로 엄선하였습니다.

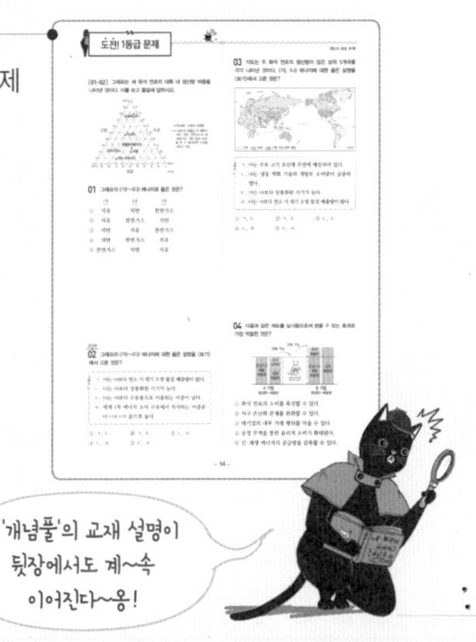

쉽게 풀어 이해가 잘 되는 **개념책**

학교 시험에 강해지는 대단원 정리와 문제

▪한눈에 보는 대단원 정리

핵심 내용을 깔끔하게 정리하였습니다.

❶ 중단원별 핵심 개념어 해쉬태그#로 파악　❷ 표로 깔끔하게 정리한 내용

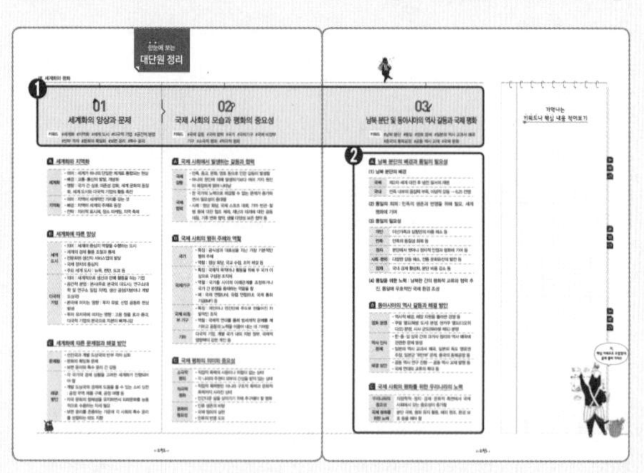

▪한번에 끝내는 대단원 문제

학교 시험에 더 강해지는 문제로 구성하였습니다.

❶ 학교 시험에 적합한 난이도와 유형으로 구성한 대단원 핵심 문제

❷ 학교 시험에 꼭 나오는 단답형과 서술형을 세트 문제로 구성

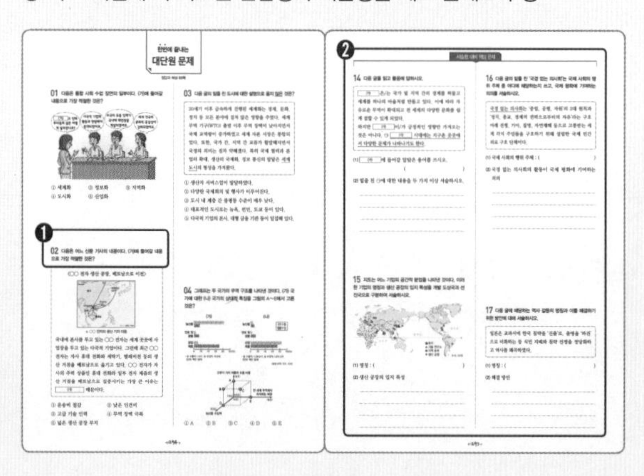

사고력 문제 해결력을 높여주는 특별 코너

▪통합 주제 탐구

통합적 관점으로 주제를 탐구할 수 있는 특별 코너입니다.

❶ 관련 자료를 모아 통합적 관점에서 탐구해 보는 '통합 주제 스토리'

❷ 통합 주제 탐구에서 꼭 기억해야 하는 핵심을 짚은 '이것만은 꼭!'

▪통합 주제 해결하기

특별 코너의 자료를 문제로 풀어 볼 수 있도록 구성하였습니다.

❶ 통합 주제 탐구의 자료를 활용하여 복합 문제, 세트 문제로 풀어보는 '도전 1등급' 문제 속 통합 주제 해결하기

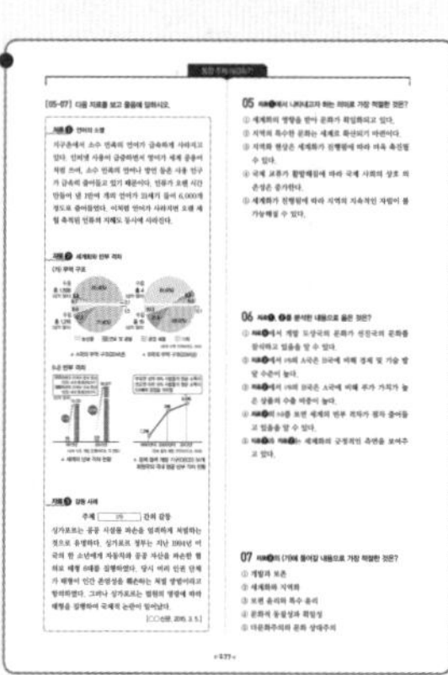

꼼꼼하고 정확한 정답과 해설

❶ 직관적인 첨삭

❷ 친절하고 자세한 자료 분석과 선택지 분석

학습한 개념을 정리해서 보는 나만의 **정리노트**

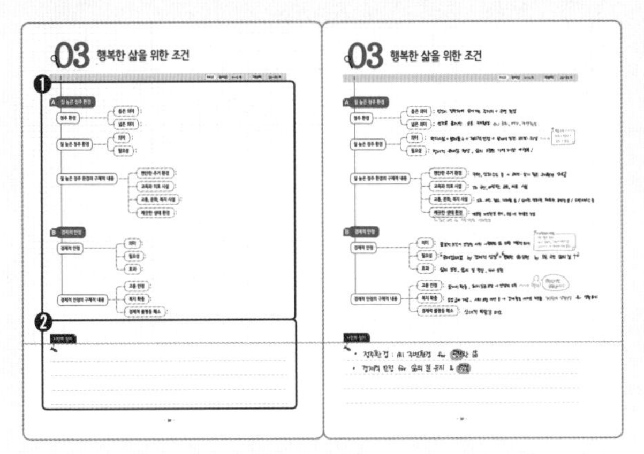

중단원별 2쪽 구성으로, 중단원 전체 중요한 내용을 개념책과 교과서를 보면서 단권화 할 수 있도록 최적의 형태로 구성한 특별 부록입니다.

❶ 개념책의 흐름을 한눈에 살펴보고 스스로 정리해 볼 수 있도록 충분한 여백을 두고 구성하였습니다.

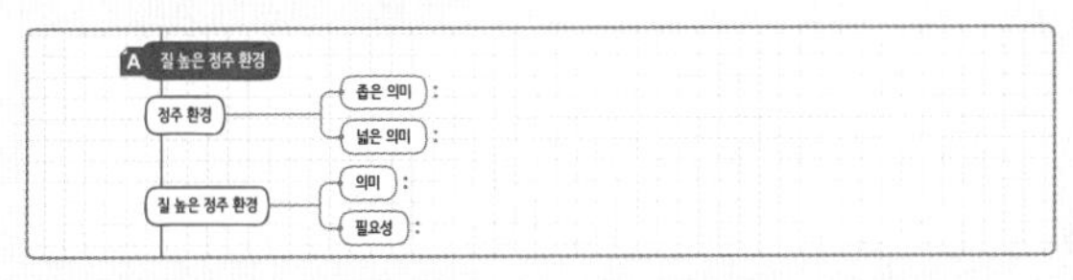

❷ 시험에 꼭 나오는 개념과 그래프, 사진과 그림 자료에 스스로 필기를 하며 학습할 수 있도록 최적의 배치와 공간을 마련하였습니다.

나만의 정리

개념 학습을 더 쉽게 도와주는 **용어집**

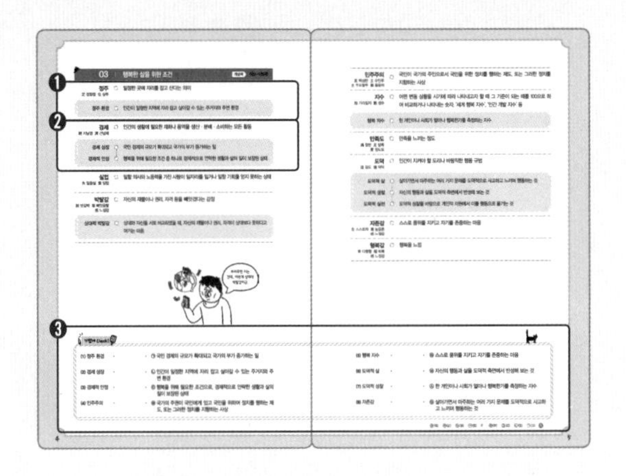

❶ 한자 풀이와 뜻풀이로 통합사회에 꼭 나오는 핵심용어의 의미를 파악할 수 있습니다.

정주 定 정할정 住 살주 ▢ 일정한 곳에 자리를 잡고 산다는 의미

❷ 어렵지 않은 국어 단어를 먼저 학습하고, 통합사회에서 꼭 다루어지는 핵심 개념어를 이어서 학습할 수 있도록 구성하였습니다.

경제 經 지날경 濟 건널제 ▢ 인간의 생활에 필요한 재화나 용역을 생산 · 분배 · 소비하는 모든 활동

경제 성장 ▢ 국민 경제의 규모가 확대되고 국가의 부가 증가하는 일

경제적 안정 ▢ 행복을 위해 필요한 조건 중 하나로 경제적으로 안락한 생활과 삶의 질이 보장된 상태

❸ 바로 위에서 학습한 통합사회 용어를 선 긋기로 가볍게 확인해 볼 수 있도록 하였습니다.

가볍게 Check!

(1) 정주 환경 · · ㉠ 국민 경제의 규모가 확대되고 국가의 부가 증가하는 일

(2) 경제 성장 · · ㉡ 인간이 일정한 지역에 자리 잡고 살아갈 수 있는 주거지와 주변 환경

개념풀 통합사회

교재 차례

학습이 끝나면 ☑표 하세요.

Ⅰ. 인간, 사회, 환경과 행복

Ⅱ. 자연환경과 인간

Ⅲ. 생활 공간과 사회

Ⅳ. 인권 보장과 헌법

Ⅴ. 시장 경제와 금융

무엇을 공부할지 함께 확인해 볼까~옹?

개념풀과 우리 학교 교과서 **비교**

교과서랑 비교하며 공부할 때 유용하다~옹!

우리 학교 교과서가 개념풀의 어느 단원에 해당하는지 알려 주는 표시입니다.

	Ⅰ. 인간, 사회, 환경과 행복	Ⅱ. 자연환경과 인간	Ⅲ. 생활 공간과 사회	Ⅳ. 인권 보장과 헌법
개념풀	❶ 인간, 사회, 환경의 탐구 12~19쪽 ❷ 삶의 목적으로서의 행복 20~25쪽 ❸ 행복한 삶을 위한 조건 26~35쪽	❶ 자연환경과 인간 생활 44~57쪽 ❷ 인간과 자연의 관계 58~67쪽 ❸ 환경 문제 해결을 위한 방안 68~73쪽	❶ 산업화와 도시화 82~91쪽 ❷ 교통·통신의 발달과 정보화 92~101쪽 ❸ 우리 지역의 변화와 발전 102~109쪽	❶ 인권의 의미와 현대 사회의 인권 118~125쪽 ❷ 인권 보장을 위한 헌법의 역할과 시민 참여 126~135쪽 ❸ 인권 문제의 양상과 해결 방안 136~143쪽
지학사	01. 인간, 사회, 환경의 탐구 12~19쪽 ❶ 02. 삶의 목적으로서의 행복 20~27쪽 ❷ 03. 행복한 삶을 위한 조건 28~35쪽 ❸	01. 자연환경과 인간 생활 42~51쪽 ❶ 02. 인간과 자연의 관계 52~59쪽 ❷ 03. 환경 문제 해결을 위한 방안 60~69쪽 ❸	01. 산업화·도시화에 따른 변화와 문제점 74~81쪽 ❶ 02. 교통·통신의 발달과 정보화에 따른 변화와 문제점 82~89쪽 ❷ 03. 우리 지역의 변화와 발전 90~99쪽 ❸	01. 인권의 의미와 현대 사회의 인권 104~111쪽 ❶ 02. 인권 보장을 위한 헌법의 역할과 시민 참여 112~119쪽 ❷ 03. 인권 문제의 양상과 해결 방안 120~129쪽 ❸
동아	01. 인간, 사회, 환경의 탐구에 통합적 관점이 필요한 이유는? 14~17쪽 ❶ 02. 시대와 지역에 따른 행복의 기준은? 18~21쪽 ❷ 03. 삶의 목적으로서 행복의 의미는? 22~25쪽 ❷ 04. 행복한 삶의 조건은? - 질 높은 정주 환경과 경제적 안정 26~29쪽 ❸ 05. 행복한 삶의 조건은? - 민주주의의 발전과 도덕적 실천 30~37쪽 ❸	01. 자연환경이 인간 생활에 미치는 영향은? 42~45쪽 ❶ 02. 자연재해를 극복하고 안전하게 살아가려면? 46~49쪽 ❶ 03. 자연에 대한 인간의 다양한 관점은? 50~53쪽 ❷ 04. 인간과 자연의 바람직한 관계는? 54~57쪽 ❷ 05. 환경 문제 해결을 위한 노력과 실천 방안은? 58~65쪽 ❸	01. 산업화·도시화로 나타난 생활 공간의 변화는?70~73쪽 ❶ 02. 산업화·도시화로 나타난 생활 양식의 변화는?74~79쪽 ❶ 03. 교통·통신의 발달로 나타난 변화와 문제점은? 80~83쪽 ❷ 04. 정보화로 나타난 변화와 문제점은? 84~87쪽 ❷ 05. 지역의 공간 변화로 나타난 문제점과 해결 방안은? 88~93쪽 ❸	01. 역사 속에서 인권이 확립되어 온 과정은? 100~103쪽 ❶ 02. 현대 사회에 새롭게 등장한 인권은? 104~107쪽 ❶ 03. 인권 보장을 위한 헌법의 역할은? 108~111쪽 ❷ 04. 준법 의식과 시민 불복종이 필요한 이유는? 112~115쪽 ❷ 05. 우리 사회의 인권 문제에 대한 해결 방안은? 116~119쪽 ❸ 06. 지구촌 인권 문제의 해결 방안은? 120~127쪽 ❸
미래엔	01. 인간, 사회, 환경에 대한 통합적 관점 이해 12~17쪽 ❶ 02. 행복의 의미와 기준 18~23쪽 ❷ 03. 행복한 삶을 실현하기 위한 조건 24~29쪽 ❸	01. 자연환경과 인간 생활 36~41쪽 ❶ 02. 안전하고 쾌적한 환경에서 살아갈 권리 42~45쪽 ❶ 03. 인간과 자연의 바람직한 관계 46~51쪽 ❷ 04. 환경 문제의 발생과 해결을 위한 노력 52~58쪽 ❸	01. 산업화와 도시화에 따른 우리 생활의 변화 64~67쪽 ❶ 02. 산업화와 도시화에 따른 문제점과 해결 방안 68~73쪽 ❶ 03. 교통·통신의 발달과 정보화에 따른 우리 생활의 변화 74~77쪽 ❷ 04. 교통·통신의 발달과 정보화에 따른 문제점과 해결 방안 78~83쪽 ❷ 05. 우리 지역의 공간 변화 84~89쪽 ❸	01. 인권의 의미와 발전 과정 94~97쪽 ❶ 02. 현대 사회의 인권 98~103쪽 ❶ 03. 인권 보장을 위한 헌법의 역할 104~107쪽 ❷ 04. 준법 의식과 시민 참여 108~111쪽 ❷ 05. 우리 사회의 인권 문제 112~115쪽 ❸ 06. 국제 사회의 인권 문제 116~121쪽 ❸
비상	01. 인간, 사회, 환경을 바라보는 시각 10~17쪽 ❶ 02. 행복의 의미와 기준 18~25쪽 ❷ 03. 행복한 삶을 실현하기 위한 조건 26~33쪽 ❸	01. 자연환경과 인간 생활 38~47쪽 ❶ 02. 인간과 자연의 관계 48~55쪽 ❷ 03. 환경 문제 해결을 위한 노력 56~63쪽 ❸	01. 산업화와 도시화 68~77쪽 ❶ 02. 교통·통신의 발달과 정보화 78~87쪽 ❷ 03. 지역 공간의 변화 88~93쪽 ❸	01. 인권의 의미와 변화 양상 98~105쪽 ❶ 02. 헌법의 역할과 시민 참여 106~113쪽 ❷ 03. 인권 문제의 양상과 해결 114~123쪽 ❸
천재	01. 인간, 사회, 환경의 탐구와 통합적 관점 14~21쪽 ❶ 02. 행복의 의미와 기준 22~29쪽 ❷ 03. 행복한 삶을 실현하기 위한 조건 30~37쪽 ❸	01. 자연환경과 인간 생활 42~53쪽 ❶ 02. 자연에 대한 다양한 관점 54~61쪽 ❷ 03. 환경 문제 해결을 위한 노력 62~69쪽 ❸	01. 산업화·도시화에 따른 변화 74~81쪽 ❶ 02. 교통·통신의 발달과 정보화에 따른 변화 82~91쪽 ❷ 03. 내가 사는 지역의 공간 변화 92~99쪽 ❸	01. 인권의 의미와 변화 양상 108~115쪽 ❶ 02. 인권 보장을 위한 다양한 노력 116~127쪽 ❷ 03. 국내외 인권 문제와 해결 방안 128~135쪽 ❸

I

인간, 사회, 환경과 행복

키워드로 흐름 한눈에 보기

01 인간, 사회, 환경의 탐구

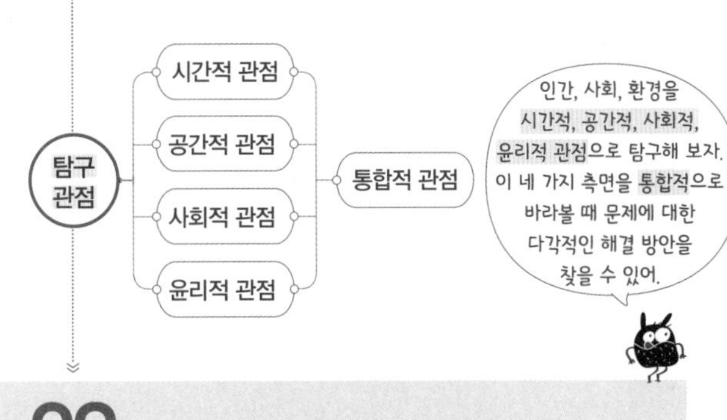

02 삶의 목적으로서의 행복

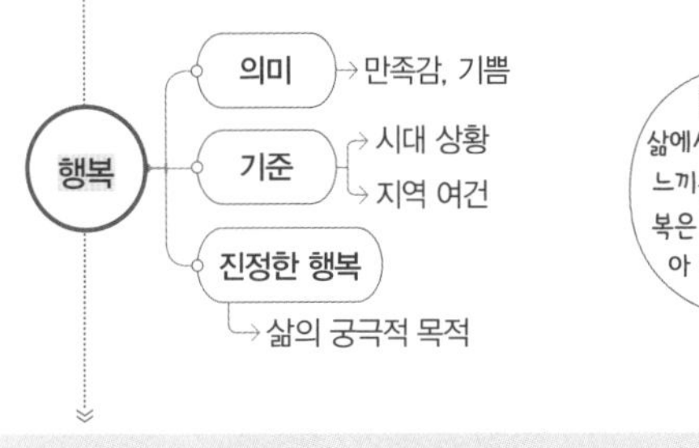

행복은 일반적으로 삶에서 충분한 만족과 기쁨을 느끼는 것을 말해. 하지만 행복은 시대, 지역의 영향을 받아 다양한 기준이 존재해.

03 행복한 삶을 위한 조건

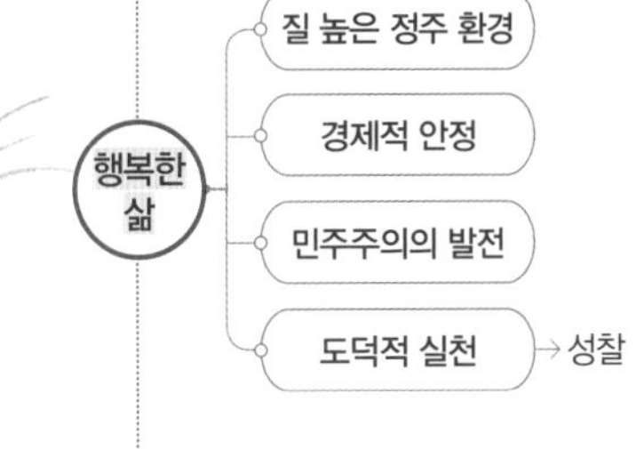

→ 성찰

행복한 삶은 정주 환경, 경제적 안정, 민주주의, 도덕적 실천과 같은 조건들이 충족될 때 실현될 수 있어.

01 인간, 사회, 환경의 탐구

흐름 잡기

탐구 관점

사회 현상을 보는 다양한 관점은? A

통합적 관점의 의미와 필요성은? B

A 인간, 사회, 환경을 보는 다양한 관점

한·줄·단·서 인간, 사회, 환경을 바라보는 관점에는 크게 **시간적, 공간적, 사회적, 윤리적 관점**이 있어.

1. 인간, 사회, 환경의 탐구

① **인간, 사회, 환경** : 서로 상호 작용하며 영향을 주고받는 관계임

② **인간, 사회, 환경의 탐구** : 한 사회 현상을 다양한 관점에서 바라봐야 함

2. 인간, 사회, 환경을 바라보는 관점

① **시간적 관점**

- **의미** : 사회 현상이나 사건을 시대적 배경과 맥락을 통해 살펴보는 것
- **특징** : 과거의 사실과 사건, 제도나 가치 등을 통해 현재 나타나고 있는 사회 현상을 이해하는 데 도움을 줌
- **탐구 방법** : 과거의 자료나 역사적 정보를 수집 → 과거와 현재의 관계를 탐구
- **탐구 사례** : "아동 노동은 언제부터 시작되었을까?", "독도가 우리의 고유 영토임을 보여주는 문헌에는 무엇이 있을까?" 자료 1

② **공간적 관점**

- **의미** : 장소나 위치, 영역이나 네트워크 등 공간 정보를 바탕으로 사회 현상을 이해하는 것
- **특징** : 여러 지역 간의 유사점과 차이점을 이해할 수 있고, 지역이나 공간이 사회 현상에 미치는 영향을 파악하는 데 도움을 줌 자료 2
  (각 지역이 어떻게 네트워크를 형성하고 상호 작용하는지 이해할 수 있게 해 줘.)
- **탐구 방법** : 자연환경 및 인문 환경, 지역의 위치나 형태에 관한 공간 정보를 수집 → 인간과 사회, 인간과 자연이 상호 작용하는 방식을 탐구
- **탐구 사례** : "세계 어느 곳에서 아동 노동이 이루어지고 있을까?", "화장장 건설에 최적의 입지 장소는?"
  (화장장: 죽은 사람의 시신을 불태워서 처리하는 장소)

③ **사회적 관점** (개인과 사회는 상호 밀접한 연관성이 있다고 보는 관점이야.)

- **의미** : 사회 현상을 *사회 구조 및 제도, 정책의 측면에서 살펴보는 것
- **특징** : 사회의 구조와 법·제도 등이 사회 현상에 미치는 영향 파악, 사회 문제를 해결하기 위한 정책 대안을 마련하는 데 도움을 줌
- **탐구 방법** : 정치적, 경제적, 문화적 구조나 제도, 정책 등을 탐색
- **탐구 사례** : "아동의 인권을 보호하는 법이나 제도에는 무엇이 있을까?"(아동 노동), "늘어나는 노인 인구의 부양을 위한 복지 부담을 해결하기 위한 정책에는 무엇이 있을까?" 자료 3

④ **윤리적 관점**

- **의미** : 사회 현상을 도덕적, 규범적 측면에서 살펴보는 것
- **특징** : 한 사회가 나아가야 할 바람직한 방향을 모색하는 데 도움을 줌
- **탐구 방법** : *인간 존엄성, 인권, 자유와 평등 등 인류의 보편적 가치 및 한 사회의 도덕적 행위의 기준이나 가치를 탐색 → 어떤 규범을 적용할지 판단
- **탐구 사례** : "아동 인권의 범위를 국가가 임의대로 정해도 되는 것일까?"(아동 노동), "화장장 건설을 둘러싸고 어떤 대립이 발생하였을까?" 자료 4

• 사회 구조
개인 간의 끊임없는 상호 작용으로 나타난 사회적 관계의 틀을 의미한다.

• 인간 존엄성
인간은 인간이라는 이유만으로 존재 가치가 있으며, 그 인격을 존중받아야 한다는 이념을 뜻한다.

궁금해? 욕구? 양심?

욕구	시공간에 따라 달라질 수 있는 생물학적 본성
양심	시공간을 초월하여 보편적으로 존재하는 도덕적 본성

윤리적 관점은 문제에 대한 욕구와 양심을 비교하여 올바른 판단을 하려는 특징이 있어.

자료 1 시간적 관점에서 본 독도 문제

일본은 독도가 자국의 영토라는 왜곡된 주장을 계속해서 펼치고 있다. 하지만 독도가 대한민국의 고유 영토라는 사실은 『삼국사기』(1145년), 『팔도총도』(1531년) 등 다수의 옛 문헌과 지도에서 확인되고 있다. 과거 일본 정부도 독도가 한국의 영토라는 사실을 인정하였다. 1877년 일본의 최고 행정 기관인 태정관은 "독도는 일본과 관계없다는 사실을 명심하라."라고 분명히 지시하였다.

자·료·분·석 다수의 문헌에서 드러난 역사적 사실을 통해 독도가 과거로부터 우리가 영유해 온 대한민국의 고유 영토임을 확인할 수 있는데, 이는 시간적 관점에서 독도 문제를 탐구한 것이다.

한·줄·핵·심 시간적 관점은 어떤 현상이나 사건의 시대적 배경과 맥락을 살펴보는 것이다.

키워드 체크

❶ 과거의 사실과 사건, 제도나 가치 등을 통해 현재 일어나고 있는 일들을 올바르게 보도록 돕는 관점은?

답 : □□□ 관점

자료 2 공간적 관점으로 본 네덜란드와 스위스

네덜란드는 해발 고도가 낮아 갯벌이 많고 비가 자주 내려 사람들은 일찍이 질퍽한 땅에 빠지지 않기 위해 나막신처럼 생긴 클로그(clog)를 신어 왔다. 반면, 알프스 산맥이 국토의 대부분을 차지하는 스위스는 16세기부터 겨울철에 등산할 때 신는 아이젠과 유사한 신발을 신어 왔다. 또한, 두 지역 다 목축업이 발달하였는데, 네덜란드는 치즈를 굳혀서 요리에 활용하지만, 겨울철이 특히 한랭한 스위스는 치즈를 녹여 여러 가지 음식에 찍어 먹는 고열량의 퐁듀 요리가 발달하였다.

자·료·분·석 네덜란드에서는 클로그를 신고 치즈를 굳혀서 요리에 활용하는 반면, 스위스에서는 아이젠와 유사한 신발과 퐁듀 요리가 발달하였다. 이 같은 사실은 인간을 둘러싼 환경이나 지역적 특성이 문화에 많은 영향을 끼쳤다는 것을 보여준다.

한·줄·핵·심 공간적 관점은 공간 정보를 바탕으로 서로 다른 지역의 공통점과 차이점을 이해할 수 있게 해 준다.

키워드 체크

❷ 여러 지역 간의 유사점과 차이점을 밝히고, 각 지역이 어떻게 네트워크를 형성하여 상호 작용하는지 살펴보는 데 유용한 관점은?

답 : □□□ 관점

자료 3 사회적 관점에서 본 고령화 현상

자·료·분·석 우리나라는 출산율 저하 및 평균 수명 증가 등으로 고령화 현상이 나타나면서 노년 부양비도 점점 증가하였다. 사회적 관점으로 보면, 노인 부양을 위한 사회 복지 부담은 고령화 현상으로 인해 늘어나게 된 것이다.

한·줄·핵·심 사회적 관점은 사회 구조적·제도적·정책적 영향력을 고려하여 사회 현상을 살펴보는 것이다.

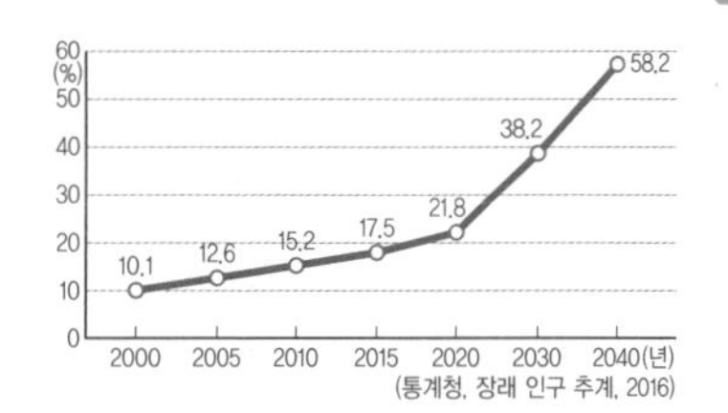

▲ 우리나라의 노년 부양비 추이
15~64세의 생산 가능 인구 대비 65세 이상 인구의 비율

키워드 체크

❸ 사회 현상을 사회 구조 및 제도의 측면에서 분석하고 대안을 살펴보는 관점은?

답 : □□□ 관점

자료 4 윤리적 관점에서 본 화장장 설립 문제

화장장이 들어오면 주변 지역은 이익을 보지만, 설립 지역은 환경오염 등의 피해를 입기 쉬워.

자·료·분·석 화장장 설립과 같은 기피 시설의 건립 추진은 여러 지역 간의 이익이 충돌할 수 있는 사회 현상이므로, 윤리적 관점을 바탕으로 문제 해결의 바람직한 방향이 무엇인지 도덕적, 규범적 측면에서 가치 판단을 할 필요가 있다.

한·줄·핵·심 윤리적 관점은 사회 현상에 적용할 규범을 제시하여 사회가 나아가야 할 바람직한 방향을 모색하는 데 도움을 준다.

▲ 화장장 설립에 반대하는 주민들

키워드 체크

❹ 사회 현상을 도덕적, 규범적 측면에서 살펴보는 관점은?

답 : □□□ 관점

키워드 체크 정답 ❶ 시간적 ❷ 공간적 ❸ 사회적 ❹ 윤리적

B 통합적 관점의 이해

한·줄·단·서 사회 현상을 **종합적으로 이해하고 해결**하기 위해서는 **통합적 관점**으로 볼 필요가 있어.

1. 통합적 관점 자료 5

① **통합적 관점의 의미 :** 시간적 관점, 공간적 관점, 사회적 관점, 윤리적 관점을 모두 고려한 종합적이고 균형 있는 관점

② **통합적 관점의 필요성 :** 인간과 사회에 관한 통찰력을 기르고, 사회 현상에 대한 근본적인 해결책 획득

사회 현상의 복합성	사회 현상은 다양한 요인들이 복잡하게 얽혀있으며, 사실과 가치의 문제가 함께 섞여 나타나기 때문에 종합적으로 볼 필요가 있음
개별적 관점의 한계	하나의 관점에만 의존하여 사회 현상을 보면 인간, 사회, 환경의 상호 작용 속에 담긴 다면적 의미를 제대로 파악하지 못함

궁금해? 아동 노동의 실태

전 세계 아동의 11%인 1억 6,800만 명은 농장, 공장, 광산 또는 길거리에서 노동을 착취당하고 있으며, 노동을 위한 인신매매의 위험에 노출되어 있다.

이러한 아동 노동 문제는 통합적 관점으로 살펴볼 필요가 있어.

2. 통합적 관점을 적용한 탐구

① **과정**

시간적, 공간적, 사회적, 윤리적 관점을 모두 적용해서 탐구해야 해.

주제 선정 ➡ 자료 수집 ➡ 자료 탐구 ➡ 탐구 내용 종합

② **통합적 관점의 적용 사례 :** 아동 노동 문제

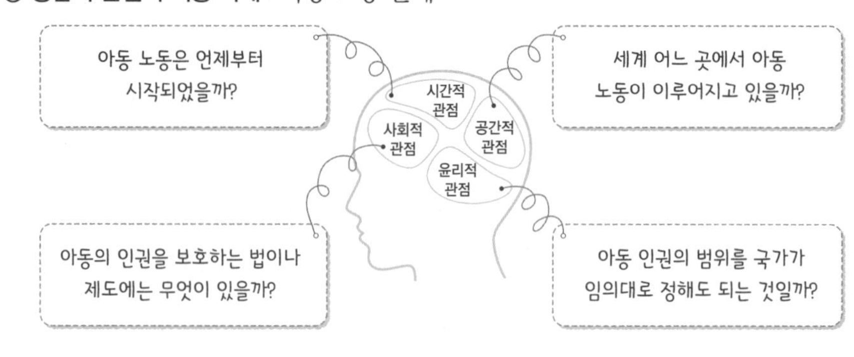

교과서 자료 모아보기

키워드 체크

❺ □□□ 관점이란 사회 현상을 다면적으로 바라보는 것을 의미하며, 이를 통해 다각적인 해결책을 도출할 수 있다.

답 : □□□ 관점

자료 5 코끼리를 통해 본 통합적 관점의 중요성

옛날 어떤 왕이 눈이 안 보이는 사람들을 모아 놓고 코끼리를 만져보게 한 뒤 코끼리가 어떻게 생겼느냐고 물었다. 코끼리의 코를 만진 사람은 '구부러진 막대'와 같다고 하였고, 다리를 만진 사람은 '나무'와 같다고 했으며, 꼬리를 만진 사람은 '밧줄'과 같다고 하였다. 그들은 온전한 코끼리의 모습을 파악할 수 없었다.

자·료·분·석 제시된 이야기는 거대한 코끼리를 하나의 감각만으로는 정확히 이해할 수 없다는 것을 보여 주고 있다. 사회 현상 역시 하나의 관점으로만 본다면 제대로 파악하기 어렵다. 따라서 우리는 사회 현상을 파악할 때 통합적 관점에서 부분이 아닌 전체를 보려는 자세를 가져야 한다.

한·줄·핵·심 인간의 삶과 사회 현상을 제대로 파악하기 위해서는 시간적, 공간적, 사회적, 윤리적 관점을 모두 고려한 통합적 관점이 필요하다.

키워드 체크 정답 ❺ 통합적

통합적 관점으로 본 기후 변화

통합적 관점이란, 시간적, 공간적, 사회적, 윤리적 관점을 모두를 고려하여 사회 현상을 통합적으로 살펴보는 것이다. 통합적 관점을 바탕으로 다음 자료를 통해 기후 변화 현상을 이해해 보자.

자료 ❶ 온실가스 배출량 증가와 지구 온난화의 영향

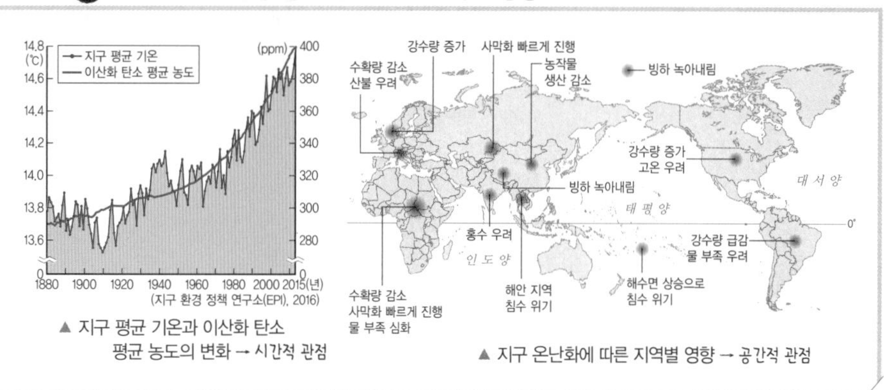

▲ 지구 평균 기온과 이산화 탄소 평균 농도의 변화 → 시간적 관점

▲ 지구 온난화에 따른 지역별 영향 → 공간적 관점

자료 ❷ 전 세계적 기후 협약

1990년 세계 기후 회의를 거쳐 1992년 유엔 기후 변화 협약이 정식 체결되었다. 이후 1997년 채택된 교토 의정서는 선진국들의 온실가스 배출량을 1990년보다 적어도 5.2% 감축할 것을 목표로 하였다. 하지만 이는 개발 도상국인 중국이 감축 의무에서 빠지고 미국과 일본 등 선진국이 자국 산업 보호를 이유로 이탈하면서 반쪽짜리 규약이 되었다. 2015년 체결된 파리 협정은 선진국과 개발 도상국 모두 온실가스 배출량을 감축하기로 하는 내용의 구속력이 있는 합의를 이끌어 냈다. [○○뉴스, 2015. 12. 13.]

자료 ❸ 기후 변화 문제의 해결

기후 변화는 선진국과 개발 도상국 간의 정의, 그리고 미래 세대에 대한 책임과도 관련이 있다. 온실가스를 많이 배출하는 국가는 보통 선진국이지만, 피해를 보는 국가는 이와 관련이 없는 경우가 많고, 동시에 원인을 제공한 현세대보다 미래 세대가 그 피해를 받게 될 가능성이 있다. 기후 변화에 따른 문제를 해결하려면 투발루처럼 기후 변화로 위기에 직면한 국가뿐만 아니라 전 세계가 함께 나서서 지구 온난화 문제를 고민하고 실천해야 한다.

▲ 투발루 공화국의 전 총리, 이엘레미아
└ 지구 온난화로 인한 해수면 상승으로 국토의 대부분이 물에 잠기고 있는 나라야.

통합 주제 story

자료❶
왼쪽 그래프는 시간적 관점에서 이산화 탄소 배출량 증가로 지구 평균 기온이 지속적으로 상승하였음을 보여주며, 오른쪽 지도는 공간적 관점에서 이러한 지구 온난화로 전 세계가 피해를 입고 있음을 보여준다.

자료❷
신문 기사는 국제 사회의 기후 변화 대처 노력을 시간적 관점에서 서술하고 있으며, 제시된 여러 협약이나 규약은 사회적 관점에서 기후 변화 문제를 해결하려는 노력들이다.

자료❸
이엘레미아 전 총리는 윤리적 관점에서 기후 변화로 인한 피해는 전 세계적인 문제이며, 이를 해결하는 것은 미래 세대에 대한 배려이므로, 전 세계가 함께 기후 변화 문제를 해결해야 한다고 주장하고 있다.

이것만은 꼭!

- **통합적 관점**은 '기후 변화'와 같은 하나의 사회 현상을 **시간적, 공간적, 사회적, 윤리적 관점을 모두 고려**하여 통합적으로 살펴보는 것이다.
- **통합적 관점**은 인류의 삶을 더 나은 방향으로 개선하는 **다각적 해결 방안을 모색**하게 해 준다.

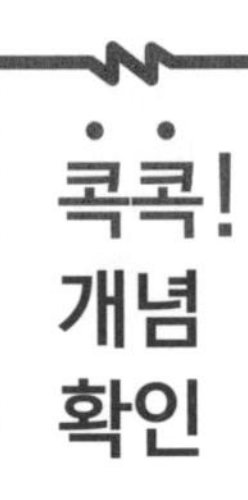

콕콕! 개념 확인

정답과 해설 2쪽

A 인간, 사회, 환경을 보는 다양한 관점

01 빈칸에 알맞은 말을 쓰시오.

(1) □□□ 관점은 과거의 다양한 사례들을 참고하여 현재의 문제를 올바른 방향으로 이해하고 해결할 수 있도록 도와준다.

(2) □□□ 관점은 도덕적, 규범적 측면에서 사회 현상을 살펴보는 것이다.

(3) □□□ 관점은 개인이 사회 제도나 사회 규범에 큰 영향을 받는 점을 고려하여, 사회 현상을 사회 구조적·제도적·정책적 측면에서 파악하는 것이다.

(4) □□□ 관점은 장소나 위치, 영역이나 네트워크 등의 정보를 바탕으로 사회 현상을 이해하는 것이다.

B 통합적 관점의 이해

02 알맞은 설명에 ○표를 하시오.

(1) 통합적 관점으로 사회 현상을 이해하면 (다면적, 일차원적)으로 사회에 대해 파악할 수 있다.

(2) 시간적 관점, 공간적 관점, 사회적 관점, 윤리적 관점을 모두 이용하여 사회 현상을 탐구하는 것을 (총체적, 통합적) 관점이라고 한다.

03 다음은 '커피 소비'와 관련된 대화 내용이다. 이에 대한 옳은 설명에 ○표, 틀린 설명에 ×표를 하시오.

* **공정 무역** 개발 도상국 생산자의 경제적 자립과 지속 가능한 발전을 위해 생산자에게 더 유리한 무역 조건을 제공하는 무역 형태

(1) 진희는 커피 소비 현상을 공간적 관점에서 바라보고 있다. ( )

(2) 동규는 커피 소비 현상을 윤리적 관점에서 살펴보고 있다. ( )

(3) 화성이는 커피 소비가 확산될 수 있었던 배경을 시간적 관점에서 파악하고 있다. ( )

(4) 지은이는 도덕적, 규범적 측면에서 공정 무역 커피를 소비하자고 주장하고 있으므로 윤리적 관점에서 커피 소비 현상을 살펴본 것이다. ( )

(5) 커피 소비 현상과 같은 사회 현상은 하나의 관점에서 바라보아야 정확한 이해가 가능하다. ( )

탄탄! 내신 문제

A 인간, 사회, 환경을 보는 다양한 관점

01 다음 설명이 나타내는 ㉠에 들어갈 알맞은 말은?

> ㉠ 관점은 변화하는 사회 속에서 어떻게 하면 바람직하고 행복한 삶을 살아갈 수 있을까를 성찰하고 바람직한 사회의 방향을 찾는 데 도움을 준다.

① 공간적 ② 윤리적 ③ 사회적
④ 경제적 ⑤ 시간적

02 다음 설명과 관련이 깊은 관점은?

▲ 클로그

> 네덜란드를 상징하는 것 중의 하나가 나막신처럼 생긴 '클로그'이다. 네덜란드는 비가 자주 내려 진창길이 많고 유럽에서 해발 고도가 가장 낮아 갯벌이 많다. 그래서 네덜란드 사람들은 질퍽한 땅에 발이 빠지지 않기 위해 나무로 만든 전통 신발인 '클로그'를 신어 왔다.

① 시간적 관점 ② 공간적 관점 ③ 사회적 관점
④ 윤리적 관점 ⑤ 통합적 관점

03 다음에서 알 수 있는 내용으로 적절하지 않은 것은?

> 커피가 아라비아 반도에 전파된 이후 이슬람 각국에 빠르게 전파될 수 있었던 것은 종교 때문이다. 이슬람교에서는 술이 금지되어 있어 대체 음료로 커피를 많이 선택하였다.

① 개인과 사회는 밀접한 관련이 있다.
② 종교적인 이유가 커피 확산을 촉진시켰다.
③ 사회적 관점으로 커피의 확산에 대해 조사한 결과이다.
④ 커피가 전파된 이유를 윤리적 관점으로 접근한 내용이다.
⑤ 사회 구조나 제도가 얼마나 인간에게 큰 영향을 주는지 알 수 있다.

04 다음은 혜원이가 정리한 자료이다. 혜원이가 조사하려는 연구의 주제로 가장 적절한 것은?

> 멧돼지가 도심에 출현하는 문제의 원인으로 인간의 욕망으로 인한 무분별한 난개발을 들 수 있다. 멧돼지는 활엽수가 우거진 숲에서 주로 서식한다. 하지만 인간의 자연 파괴로 인해 멧돼지의 서식지가 급속도로 줄어들었고, 숲이 없어지자 먹잇감이 부족해진 멧돼지는 결국 도시로 내려오게 된 것이다.

① 경제적 관점으로 본 멧돼지의 도심 출현 원인
② 공간적 관점으로 본 멧돼지의 도심 출현 원인
③ 사회적 관점으로 본 멧돼지의 도심 출현 원인
④ 윤리적 관점으로 본 멧돼지의 도심 출현 원인
⑤ 예술적 관점으로 본 멧돼지의 도심 출현 원인

05 다음 글에 나타난 관점에 대한 설명으로 옳은 것은?

> 스페인 '프리메라리가' 리그의 최대 라이벌인 '레알 마드리드'와 'FC 바르셀로나'의 경기를 '엘 클라시코(고전의 승부)'라고 부른다. 엘 클라시코 경기가 있는 날이면 거리가 한산해지고, 팬들은 마치 전쟁처럼 열정적인 응원을 펼친다. 이러한 현상은 15세기 바르셀로나가 속한 카탈루냐 지방이 에스파냐에 강제적으로 통합된 역사에서 기인한다. 또한, 20세기 독재자 프랑코가 '레알 마드리드'를 지지하고 'FC 바르셀로나'를 탄압한 역사도 엘 클라시코를 치열하게 만든 원인이다.

① 공간이 사회 현상에 미치는 영향이 무엇인지 파악할 수 있다.
② 공간 정보를 통해 여러 지역 간의 유사점과 차이점을 이해할 수 있다.
③ 과거를 돌아봄으로써 현재 나타나고 있는 사회 현상을 이해할 수 있다.
④ 인류의 보편적 가치는 바람직한 삶을 위한 방향을 찾는 데 도움을 준다.
⑤ 개인을 둘러싼 사회 구조, 사회 정책, 사회 제도의 영향력을 분석할 수 있다.

06 인간, 사회, 환경을 보는 다양한 관점에 대한 옳은 설명을 〈보기〉에서 고른 것은?

보기
ㄱ. 욕구와 양심에 초점을 맞추는 것은 윤리적 관점으로 볼 수 있다.
ㄴ. 윤리적 관점의 전제는 사회 제도가 개인에게 큰 영향을 미친다는 것이다.
ㄷ. 시간적 관점을 통해 과거를 분석하여 현재의 문제나 현상에 대해 이해할 수 있다.
ㄹ. 사회적 관점을 통해 각 지역이 어떻게 네트워크를 형성하고 상호 작용하는지 알 수 있다.

① ㄱ, ㄴ ② ㄱ, ㄷ ③ ㄴ, ㄷ
④ ㄴ, ㄹ ⑤ ㄷ, ㄹ

07 다음은 기후 변화에 대해 조사한 탐구 자료이다. 이 자료와 관련 있는 관점은?

파리 협정은 2015년 12월 12일 파리에서 열린 21차 유엔 기후 변화 협약 당사국 총회 본회의에서 195개 당사국이 채택한 협정이다. 이 협정은 산업화 이전 수준 대비 지구 평균 온도가 2℃ 이상 상승하지 않도록 온실가스 배출량을 단계적으로 감축하는 내용을 담고 있다.

① 시간적 관점 ② 공간적 관점 ③ 사회적 관점
④ 윤리적 관점 ⑤ 통합적 관점

08 다음 〈보기〉는 기후 변화를 여러 관점에서 살펴본 것이다. 이 중 옳은 내용을 고른 것은?

보기
ㄱ. 시간적 관점으로 보면 기후 변화는 전 지구적인 책임일 수 있다.
ㄴ. 공간적 관점으로 볼 때 기후 변화는 전 지구적으로 영향을 주고 있다.
ㄷ. 공간적 관점으로 볼 때 기후 변화는 산업화 이후 급속도로 진행되었다.
ㄹ. 사회적 관점에서 기후 변화를 극복하기 위해 여러 협약이 체결되고 있다.

① ㄱ, ㄴ ② ㄱ, ㄷ ③ ㄴ, ㄷ
④ ㄴ, ㄹ ⑤ ㄷ, ㄹ

B 통합적 관점의 이해

09 다음에 공통적으로 제시된 ㉠의 관점에 관한 설명으로 옳은 것은?

[㉠] 관점은 시간적 관점, 공간적 관점, 사회적 관점, 윤리적 관점을 모두 고려한 균형 있는 관점이다. 사회 현상을 통합적으로 살펴보고 종합적으로 이해하여 다각적인 해결 방안을 모색하기 위해서는 [㉠] 관점이 필요하다.

① 적은 시간을 들여 빠르게 사회 현상을 알아보는 데 유리하다.
② 해결책을 도출하기보다 문제의 원인을 파악하는 데 더 유리하다.
③ 사회 현상에 대해 개별적 관점보다 더 깊이 있는 이해를 하도록 돕는다.
④ 너무 많은 관점을 살펴봐야 하기 때문에 문제에 제대로 접근하기 어렵다.
⑤ 복합적인 요인들이 얽혀있는 사회 현상을 다양한 관점으로 보는 것은 불가능하다.

10 다음 내용을 바탕으로 고령화 현상을 탐구하기 위해 필요한 관점으로 가장 적절한 것은?

고령화 현상을 단순히 '우리나라의 고령 인구 비율 추이'라는 시간적 관점에서만 바라보고 분석하면, 고령화의 정도가 도시와 농촌이라는 공간적 차이에 따라 다르게 나타난다는 사실을 놓칠 수 있다. 또한, 고령화에 따라 사회 복지 부담이 증가할 것이라는 사회적 관점의 분석은, 노인 부양을 누가 책임져야 하는지에 관한 사람들의 가치관을 함께 고려할 때 구체적인 해결책으로 이어질 수 있다.

① 시간적 관점 ② 공간적 관점
③ 사회적 관점 ④ 윤리적 관점
⑤ 통합적 관점

도전! 1등급 문제

통합 주제 해결하기

정답과 해설 3쪽

01 다음은 영찬이와 지수가 사회 현상에 대해 분석한 결과이다. 이들이 사회 현상을 바라보는 관점을 바르게 연결한 것은?

스위스에서는 목동들이 눈이 쌓여 경사진 곳, 얼음으로 덮인 길에서 미끄러지지 않고 걷기 위해 아이젠과 같은 신발을 고안하였어.

은어 문화는 빠른 속도를 추구하는 정보 사회, 재미를 중요시하는 대중문화의 모습이 모두 반영되어 나타난 현상이야.

	영찬	지수
①	시간적 관점	공간적 관점
②	사회적 관점	통합적 관점
③	공간적 관점	사회적 관점
④	윤리적 관점	시간적 관점
⑤	통합적 관점	윤리적 관점

고난도

02 다음 글에서 알 수 있는 내용을 〈보기〉에서 있는 대로 고른 것은?

> 우리나라의 지역 축제는 고구려의 '동맹'이나 동예의 '무천'과 같은 제천 행사에서 유래를 찾을 수 있다. 지역 축제는 주로 지역의 고유성인 환경과 특산물을 반영하는데, 이와 같은 지역 축제가 많이 열리는 이유는 지방 자치 단체가 자율적으로 재정을 운영하면서 지역을 홍보하고 수익도 창출하려는 목적에서이다.

〈보기〉

ㄱ. 지방 자치 단체의 정책에 대해 살펴본 것은 사회적 관점에 해당한다.
ㄴ. 지역 축제가 주로 지역의 고유성을 반영했다는 분석은 공간적 관점에 해당한다.
ㄷ. 지역 홍보와 수익 창출을 목적으로 지역 축제가 열린다는 내용은 윤리적 관점에 해당한다.
ㄹ. 고구려나 동예의 축제에 대해 살펴본 것은 과거를 통해 현재를 이해하는 시간적 관점에 해당한다.

① ㄱ, ㄴ　② ㄴ, ㄹ　③ ㄱ, ㄴ, ㄷ
④ ㄱ, ㄴ, ㄹ　⑤ ㄴ, ㄷ, ㄹ

[03-04] 다음은 기후 변화 현상을 분석한 자료이다. 이를 보고 물음에 답하시오.

(가)

▲ 지구 온난화로 인한 기후 변화 현상

(나) 1990년 세계 기후 회의를 거쳐 1992년 유엔 기후 변화 협약이 정식 체결되었다. 이후 1997년 채택된 교토 의정서는 선진국들의 온실가스 배출량을 1990년보다 적어도 5.2% 감축할 것을 목표로 하였다. 하지만 이는 개발 도상국인 중국이 감축 의무에서 빠지고 미국과 일본 등 선진국이 자국 산업 보호를 이유로 이탈하면서 반쪽짜리 규약이 되었다.

03 위의 (가)와 (나)에 나타난 관점을 바르게 연결한 것은?

	(가)	(나)
①	공간적 관점	사회적 관점
②	시간적 관점	사회적 관점
③	시간적 관점	공간적 관점
④	공간적 관점	윤리적 관점
⑤	사회적 관점	윤리적 관점

04 위의 (가)와 (나)에 대한 설명으로 적절하지 않은 것은?

① (가)는 공간적 관점에서 기후 변화 현상이 전 지구적 차원에서 영향을 미친다는 점을 분석하였다.
② (나)의 기후 변화 협약은 사회적 관점에서 현상을 분석한 사례이다.
③ (나)와 같은 관점은 도덕적, 규범적 차원에서 올바른 가치 판단을 도와준다.
④ (가)에 나타난 문제는 (나)의 기후 변화 협약에서 이탈한 선진국들을 설득함으로써 해결의 실마리를 찾을 수 있다.
⑤ (가)와 (나)를 포함하여 기후 변화 현상을 다양한 관점에서 살펴보려는 노력이 필요하다.

02 삶의 목적으로서의 행복

흐름 잡기

행복

행복이란 무엇일까? A

행복의 기준은 무엇일까? B

진정한 행복의 의미는? C

A 행복의 의미

한·줄·단·서 **행복**은 일반적으로 삶 속에서 느끼는 **만족감이나 기쁨**을 의미해.

1. 행복의 의미 삶에서 충분한 만족이나 기쁨을 느끼어 흐뭇한 상태 → 인간이 살아가면서 하는 모든 활동의 궁극적인 목적

2. 사상가들이 본 행복의 의미

행복을 인간 존재의 궁극적인 목적이자 이유라고 하였어.

① **아리스토텔레스** : 최고의 선(善), 덕을 갖춘 이성적 활동을 잘 수행하는 것 자료1

② **디오게네스** : 스스로 만족하고 평정심을 잃지 않는 것

③ **석가모니** : 괴로움을 벗어난 상태

④ **노자** : 욕심을 버리고 물처럼 자연의 이치를 따르는 무위자연의 삶

인위적이지 않은 자연 그대로의 삶

B 행복의 다양한 기준

한·줄·단·서 **시대 상황**과 **지역 여건**에 따라 **행복의 기준은 다양**할 수 있어.

1. 행복의 기준

① **의미** : 개인이나 집단의 행복을 결정하는 요인

② **특징**

예 권력, 명예, 부, 성취감, 화목한 가정, 현재에 만족하는 삶, 봉사하는 삶 등

- 개인 혹은 집단이 추구하는 가치에 따라 행복의 기준은 다양함 자료2
- 시대 상황, 지역 여건은 동시대를 살아가는 사람들이 추구하는 가치에 영향을 줌

인간은 사회적 동물이라 자신이 속한 사회의 시대 상황과 지역 여건에 영향을 받아. 그래서 시대 상황과 지역 여건에 따라 행복의 기준도 다양한 거야.

2. 시대 상황에 따른 행복의 기준

시대	시대 상황	행복의 기준
선사 시대	외부 위협	자연재해를 피하고 먹을 것을 얻는 생존
헬레니즘 시대	계속되는 전쟁	불안하지 않은 마음의 평온
서양 중세	신 중심	종교적인 실천을 통한 신의 구원
근대 사회	인간 중심	자유와 평등과 같은 인간의 기본적 권리
식민지 시대	주권의 상실	나라의 독립과 국권 회복
현대 사회	자아실현, 개인주의 확산	개인이 느끼는 주관적 만족감

주관적 만족감: 행복의 기준이 과거에 비해 훨씬 복잡하고 다양해졌어.

3. 지역 여건에 따른 행복의 기준 자료3

① 자연환경(기후, 지형 등)에 따른 행복의 기준

지역	자연환경·상황	행복의 기준
사막 지역	마실 물 부족	깨끗한 물을 얻는 것
북유럽 지역	일조량 부족	햇볕을 쬘 수 있는 것
척박한 기후 지역	기아와 질병 만연	빈곤 탈출, 의료 혜택

② 인문 환경(종교, 문화, 산업 등)에 따른 행복의 기준

- **종교적 전통이 강한 지역** : 종교의 교리에 따라 살아가는 것이 행복
- **분쟁이 심한 지역(민족·종교·정치 갈등 등)** : 평화와 정치적 안정이 행복

정치 갈등: 서남아시아와 일부 아프리카 국가에서는 정치적 갈등으로 인한 잦은 내전으로 국민들의 삶이 위협받고 있어.

궁금해? 주요 국가 행복 지수 순위

•총 157개국 대상 조사

국가	순위	점수
덴마크	1	7.526
스위스	2	7.509
아이슬란드	3	7.501
노르웨이	4	7.498
핀란드	5	7.413
캐나다	6	7.404
네덜란드	7	7.339
뉴질랜드	8	7.334
오스트레일리아	9	7.313
스웨덴	10	7.291
미국	13	7.104
일본	53	5.921
대한민국	58	5.835
중국	83	5.245

(국제 연합 지속 가능 발전 해법 네트워크(SDSN), 2016)

우리나라는 경제력에 비해 국민의 행복 수준이 그리 높지 않아.

교과서 자료 모아보기

자료 1 아리스토텔레스의 행복론

> 행복이 최고의 선이라는 것은 누구나 다 아는 이야기다. 행복에 관해 살펴보려면 먼저 인간의 기능에 관해 알아야 한다. …… 인간의 세 가지 기능 가운데 생명의 기능은 식물에도 있으며, 감각과 운동의 기능은 동물에게도 있다. 따라서 사람만이 지닌 특별한 기능은 정신의 이성적 활동 기능이다. 사람의 이성적 활동은 그 활동에 알맞은 행동의 규범, 즉 덕을 가지고 수행할 때 보다 잘할 수 있다. …… 이성적 활동도 사람에 따라 정도의 차이가 있기 마련이다. 그러므로 참된 행복은 이성을 아주 잘 실현할 때 이루어진다.
>
> [아리스토텔레스, 『니코마코스 윤리학』]

자·료·분·석 아리스토텔레스는 행복을 최고의 선으로 보았다. 그는 인간은 인간의 고유한 기능인 이성을 가지고 있는데, 행동의 규범인 덕을 갖추고 이성적 활동을 잘 수행할 때 참된 행복을 이룰 수 있다고 보았다.

한·줄·핵·심 아리스토텔레스는 이성을 아주 잘 실현할 때 참된 행복이 이루어진다고 하였다.

키워드 체크

❶ 아리스토텔레스는 인간 고유의 기능인 □□을/를 잘 발휘할 때 행복을 이룰 수 있다고 보았다.

답 : □□

자료 2 빅 데이터로 본 행복의 다양한 기준

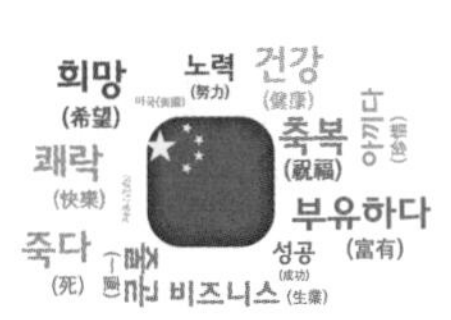

▲ 한국, 중국, 일본, 미국 사람들이 생각하는 행복

자·료·분·석 빅 데이터 분석(다양한 형태의 데이터 자료를 다량으로 분석하여 경향 및 연관성을 찾아내는 것)으로 유교 문화권인 한국, 중국, 일본과 개인주의로 대표되는 미국 사람들이 무엇에서 행복을 느끼는지 분석하였다. 한국은 4개국 중 유일하게 '가족'을 행복 연관어로 꼽았는데, 이는 가족이나 인간관계에서 행복이 파생됨을 보여준다. 중국은 '부유하다', '비즈니스', '성공' 등 일이나 돈과 관련된 단어가 많았는데, 이는 급속한 산업화를 겪고 있는 중국인들이 중요시하는 가치를 보여준다. 일본은 국가를 포함한 공동체에 대한 관심을 나타내는 단어가 비교적 많았으며, 미국은 행복 연관어가 가장 많고 행복한 순간의 감정을 표현하는 단어가 많았다.

한·줄·핵·심 행복의 기준은 다양하며, 개인 혹인 집단이 중요시하는 가치를 반영한다.

키워드 체크

❷ 행복의 기준은 □□하며 개인 혹은 집단이 중요시하는 □□을/를 반영한다.

답 : □□, □□

자료 3 행복의 기준에 영향을 미치는 요인

자·료·분·석 사막 지역에서는 '생존에 필요한 물'이, 특정 종교를 강요하는 사회에서는 '종교의 자유'가 행복의 기준일 수 있다. 이처럼 자연환경이나 인문 환경과 같은 지역 여건은 행복에 큰 영향을 끼친다.

한·줄·핵·심 행복의 기준은 자연환경이나 인문 환경과 같은 지역 여건에 영향을 받는다.

내가 사는 지역은 사막이어서 마실 물조차 부족해. 그래서 오염된 물을 마시곤 하는데, 이 때문에 많은 주민이 각종 질병에 시달려.

내가 사는 사회에서는 내가 믿는 종교를 금지하고 있어. 다른 종교로 개종하라고 강요해서 몹시 괴로워.

키워드 체크

❸ 행복의 기준은 기후, 지형 등의 □□ 환경이나 종교, 문화 등의 □□ 환경에 따라 다양하다.

답 : □□, □□

키워드 체크 정답 ❶ 이성 ❷ 다양, 가치 ❸ 자연, 인문

C 진정한 행복의 실현

한·줄·단·서 **행복**은 **삶의 궁극적인 목적**으로, 행복하려면 **삶에 대한 성찰**과 지속적인 **노력**이 필요해.

궁금해? 도구적? 본질적?
'도구적'이라는 것은 어떠한 목적을 위한 수단이라는 의미이고, '본질적'이라는 것은 그 자체로서 목적이라는 뜻이다.

1. 진정한 행복의 의미

① **삶의 궁극적인 목적 :** 인간이 추구하는 물질적 부, 학업 성취, 명예 등은 행복을 위한 도구적 가치임

② **장기적으로 만족을 주며 노력을 통해 성취할 수 있는 본질적인 것 :** 행복은 쾌락처럼 일시적이고 감각적인 것을 의미하지 않음

③ **물질적 가치와 정신적 가치의 조화 :** 물질적 조건(의식주, 경제력, 사회적 지위 등)과 정신적 만족감(사랑, 우정, 자아실현 등)이 조화를 이룬 상태

2. 행복을 위한 노력

① **삶에 대해 성찰하기 :** 수치화하여 나타낼 수 있는 객관적 기준뿐만 아니라 주관적 기준도 고려 → 장기적으로 자신에게 행복감을 주는 본질 찾기 자료 4
(성찰: 자신이 한 일을 깊이 되돌아보는 일 / 객관적 기준: 주거, 소득, 고용, 수명 등 / 주관적 기준: 삶의 만족도나 일상생활에서 느끼는 행복감 등)

② **의미 있는 목표 설정과 추구 :** 목표를 이루기 위해 노력하는 과정에서 자아실현이 이루어져 행복감을 느낌

③ **사회 구성원으로서 공동체의 행복 고려하기 :** 개인은 사회 속에서 살아가는 존재 → 공동체의 행복은 개인의 행복에 영향을 끼침

교과서 자료 모아보기

자료 4 행복한 삶을 위한 노력

키워드 체크
❹ 자신이 가진 것을 인정하고, 자신이 어떤 상황에서 만족감을 느끼는지 알기 위해서는 삶에 대한 □□이/가 필요하다.
답 : □□

(가) 저는 정신과 의사 꾸뻬예요. 반복되는 일상생활 속에서 따분하기는 하지만 그런대로 만족하며 살고 있었죠. 그런데 문득 저는 스스로 "정신과 의사로서 환자들을 진정으로 돕는 것이 가능할까, 나는 혹시 사기꾼이 아닐까?"라고 고민했죠. 그래서 '행복이란 무엇인가?'에 대해 깊이 생각하다가 그 답을 찾기 위해 세계 여행을 떠났어요. 저는 여러 나라에서 다양한 사람들을 만났고, 그들과의 만남을 통해 환자를 진심으로 돕는 데서 행복을 느끼는 의사로 변화되었어요.

(나) 힘든 수험 생활을 거쳐 입학한 대학을 스스로 박차고 나가는 학생들이 늘고 있다. 대학 졸업장을 필수로 여기는 부모와 사회적 편견에 떠밀려 입학한 대학 생활이 자신의 행복한 삶을 보장해 주지 않는다는 자각 때문이다. ○○씨는 성적에 맞춰 대학에 진학했지만 요즘 자퇴를 고민하고 있다. "고3 때를 돌이켜보면 '대학 간판' 수준을 높이기 위해 공부했을 뿐 진로에 대해 충분히 생각하지 못했다."라며 자퇴를 고민하게 된 배경에 대해 설명했다. 그는 "이제 진짜 어른으로서 원하는 삶을 스스로 선택하고 그 책임을 지겠다."라며 새로운 각오를 다지고 있다. [△△경제, 2016. 5. 16.]

자·료·분·석 (가)의 꾸뻬 씨와 (나)의 ○○씨는 모두 진정한 행복을 고민하고, 자신의 삶에 대해 성찰하며 행복해지기 위해 스스로 노력하고 있다. 사례에서 행복한 삶을 실현하기 위해 (가)의 꾸뻬 씨는 행복의 의미를 찾기 위한 세계 여행을 선택하였으며, (나)의 ○○씨는 주변의 기대와 사회적 편견으로부터 벗어나 새로운 각오를 다지며 자퇴를 고민하고 있다.

한·줄·핵·심 진정한 행복을 찾기 위해서는 자신의 삶에서 행복의 의미를 능동적으로 성찰하고 행복한 삶을 살기 위해 노력하는 자세가 중요하다.

키워드 체크 답 ❹ 성찰

콕콕! 개념 확인

정답과 해설 4쪽

A 행복의 의미

01 다음 빈칸에 공통적으로 들어갈 용어를 쓰시오.

> 사람은 누구나 (   )하게 살고 싶다고 말한다. (   )은/는 사전적 의미로 '생활에서 충분한 만족과 기쁨을 느끼어 흐뭇한 상태'를 말한다. 아리스토텔레스는 "인간 존재의 궁극적인 목적이자 이유는 (   )(이)다."라고 말하였다.

02 다음은 사상가들이 말하는 '행복'의 의미이다. 빈칸에 알맞은 말을 쓰시오.

(1) 아리스토텔레스 : 덕을 갖춘 (   )적 활동을 잘 수행하는 것

(2) 디오게네스 : 스스로 만족하고 (   )을/를 잃지 않는 것

(3) (   ) : 괴로움을 벗어난 상태, 해탈의 경지에 오른 상태

(4) 노자 : 욕심을 버리고 물처럼 자연의 이치를 따르는 (   )의 삶

B 행복의 다양한 기준

03 알맞은 설명에 ○표를 하시오.

(1) 종교나 문화와 같은 (자연환경, 인문 환경)은 행복의 기준에 영향을 미친다.

(2) 일제 식민 지배를 받았던 우리 국민에게 나라의 독립이 행복의 기준이 되었던 것은 (시대, 지역) 상황에 따라 행복의 기준이 영향을 받은 것이다.

04 자료를 보고 물음에 답하시오.

내가 사는 ㉠ 지역은 사막이어서 마실 물조차 부족해. 그래서 오염된 물을 마시곤 하는데, 이 때문에 많은 주민이 각종 질병에 시달려.

내가 사는 ㉡ 지역에서는 내가 믿는 종교를 금지하고 있어. 다른 종교로 개종하라고 강요해서 몹시 괴로워.

(1) ㉠과 ㉡ 지역에서의 행복의 기준을 각각 쓰시오.

㉠ 지역 : (   )

㉡ 지역 : (   )

(2) ㉠과 ㉡ 지역의 행복의 기준이 다른 이유를 쓰시오.

(   )

C 진정한 행복의 실현

05 빈칸에 알맞은 말을 쓰시오.

(1) 진정한 행복이란 삶의 궁극적인 □□이며, 쾌락처럼 일시적이고 감각적인 것이 아니라 □□적인 것이다.

(2) 행복의 실현을 위해서는 물질적 가치와 정신적 가치의 □□이/가 필요하다.

(3) 삶에 대한 □□을/를 통해 삶의 모습을 이해하고 능동적인 자세로 행복의 의미를 찾기 위해 노력해야 한다.

탄탄! 내신 문제

정답과 해설 4쪽

A 행복의 의미

01 다음에 제시된 개념에 대한 사상가들의 주장으로 옳은 것을 <보기>에서 고른 것은?

• 삶에서 충분한 만족이나 기쁨을 느끼어 흐뭇한 상태
• 인간이 살아가면서 하는 모든 활동의 궁극적인 목적

보기
ㄱ. 노자 : 해탈의 경지에 이르는 것
ㄴ. 디오게네스 : 스스로 만족하고 평정심을 잃지 않는 것
ㄷ. 석가모니 : 욕심을 버리고 물처럼 자연의 이치를 따르는 삶
ㄹ. 아리스토텔레스 : 덕을 갖춘 이성적 활동을 잘 수행하는 것

① ㄱ, ㄴ ② ㄱ, ㄷ ③ ㄴ, ㄷ
④ ㄴ, ㄹ ⑤ ㄷ, ㄹ

B 행복의 다양한 기준

02 다음 (가)와 (나)에서 추구할 행복의 조건을 바르게 연결한 것은?

(가) 아프리카 수단에서는 마실 물을 긷기 위해 연못까지 하루에 여덟 시간을 걷는다. 어렵게 길어 온 이 물은 기생충과 세균에 오염되어 있어 마시고 나면 아프기 일쑤이다.

(나) 그들이 전쟁을 하고 있는 것 못지않게 나도 식량과의 전쟁을 하고 있었다. 빨리 세상이 바뀌길 바라는 건, 이제 자유니 민주주의니 하는 이념의 문제가 아니었다. [박완서, 『그 산이 정말 거기 있었을까』]

	(가)	(나)
①	자아실현	식량의 확보
②	종교의 자유	자아실현
③	자유와 평등	종교의 자유
④	깨끗한 물의 확보	식량의 확보
⑤	깨끗한 물의 확보	자유와 민주주의

03 다음에서 알 수 있는 행복에 관한 내용으로 가장 적절한 것은?

고대 중국인은 자신이 어떤 집단의 구성원, 특히 가족의 구성원이라는 점을 중요한 사실로 교육받았다. 그래서 중국인에게 행복이란 '화목한 인간관계를 맺고 평범하게 사는 것'이었다. 이 때문에 중국의 도자기나 화폭에는 가족의 일상이나 농촌의 한가로운 정경이 자주 등장한다. [니스벳, 『생각의 지도』]

① 현재 중국인의 행복의 기준은 고대 중국인의 기준과 같다.
② 사회 구성원의 물질적 풍요는 행복과 정비례 관계에 있다.
③ 한 사회의 가치관은 구성원의 행복의 기준에 영향을 미친다.
④ 고대 중국인에게 행복이란 부와 명예를 추구하는 것과 관련이 있다.
⑤ 화목한 인간관계와 같은 정신적 가치는 물질적 가치보다 중요하지 않다.

C 진정한 행복의 실현

04 다음에서 강조하는 내용으로 적절하지 않은 것은?

대학을 자퇴하는 학생들이 늘고 있다. 대학 졸업장을 필수로 여기는 부모와 사회적 편견에 떠밀려 입학한 대학 생활이 자신의 행복한 삶을 보장해 주지 않는다는 자각 때문이다. …… ○○씨도 자퇴를 고민하고 있다. ○○씨는 "이제 진짜 어른으로서 원하는 삶을 스스로 선택하고 그 책임을 지겠다."라며 새로운 각오를 다지고 있다. [△△경제, 2016. 5. 16.]

① 성찰을 통해 자신이 만족하는 삶을 찾아야 한다.
② 삶의 목적을 실현하기 위해 현재의 행복은 희생할 필요가 있다.
③ '대학 졸업장'이 자신의 행복한 삶을 보장해 주지 않을 수도 있다.
④ 자신에게 의미 있는 목표를 설정하고 그것을 위해 노력해야 한다.
⑤ ○○씨가 자퇴를 고민하는 것은, 자신의 삶에 대해 스스로 고민하고 책임지려는 모습이다.

도전! 1등급 문제

정답과 해설 4쪽

01 다음 (가)와 (나)에 대한 설명으로 옳은 것은?

(가)

▲ 일조량이 부족한 북유럽

(나)

▲ 이슬람교를 생활화하는 무슬림

① (가) : 일조량이 부족한 것은 행복에 아무런 영향을 끼치지 않는다.

② (가) : 햇살이 풍부한 지역의 사람들이 생각하는 행복의 기준과 동일할 것이다.

③ (나) : 물질적인 풍요로움이 행복의 기준일 것이다.

④ (나) : 다른 종교를 가지고 있는 사람들과 행복의 기준은 같을 것이다.

⑤ (가), (나) : 지역의 자연환경이나 인문 환경에 따라 행복의 기준은 다를 수 있다.

02 다음 선생님의 질문에 가장 알맞은 대답을 한 학생은?

> 지금은 남의 땅 – 빼앗긴 들에도 봄은 오는가?
> 나는 온몸에 햇살을 받고
> 푸른 하늘 푸른 들이 맞붙은 곳으로
> 가르마 같은 논길을 따라 꿈속을 가듯 걸어만 간다.
> …(중략)…
> 그러나 지금은 – 들을 빼앗겨
> 봄조차 빼앗기겠네.
>
> 선생님 : 이 시의 시적 화자가 원하는 행복의 기준은 무엇일까요?

① 아이린 : 남북한의 통일이요.

② 조이 : 가족과의 화목함이요.

③ 슬기 : 나라의 독립과 국권 회복이요.

④ 웬디 : 경제적인 부가 충족되는 것이요.

⑤ 예리 : 깨끗한 식수의 공급 및 위생적인 생활 환경이요.

03 다음 내용에 대한 분석으로 옳은 것은?

> 미국과 일본 대학생들에게 작은 휴대용 컴퓨터를 나누어 주고, 신호가 울릴 때마다 자신의 감정 상태를 컴퓨터로 실시간 보고하도록 했다. 그 결과 일본 학생들은 미국 학생들보다 친구와 함께 있을 때 더 행복하다는 보고가 많았으나, 미국 학생들은 선물을 받거나 과제를 성공적으로 완수했을 때 더 많은 행복을 느꼈다. [최현석, 『인간의 모든 감정』]

① 미국과 일본 학생들은 유사한 상황에서 행복을 느끼고 있다.

② 미국 학생들은 집단과의 관계 속에서 행복을 찾는 경향이 있다.

③ 일본 학생들은 주로 개인적인 성취나 획득에서 행복감을 느낀다.

④ 미국 학생들과 일본 학생들의 행복의 기준이 다른 원인은 시대 상황의 차이 때문이다.

⑤ 미국 학생들은 친구와 같은 사회적 관계보다 개인을 중시하는 사고방식을 가지고 있는 것으로 보인다.

고난도

04 다음에서 희원이가 진수에게 할 수 있는 조언으로 가장 적절한 것은?

> • 희원 : 사람들은 자기 삶의 주인이기 때문에, 다양한 행복의 기준과 그에 따라 살아가는 삶의 모습을 이해하고 주인으로서 자신의 삶을 결정해야 해.
> • 진수 : 나는 성적에 맞춰 대학에 진학했지만 요즘 자퇴를 고민하고 있어. 대학 진학만을 목표로 공부하였을 뿐 진로에 대해 충분히 생각하지 못한 것이 후회스러워.

① 사회적 인식을 고려해서 대학은 다녀야 해.

② 자신의 쾌락을 위해 자퇴를 하는 것은 괜찮아.

③ 대학 진학을 목표로 공부했기에 자퇴는 잘못된 선택이야.

④ 스스로 삶의 목표를 선택하고 책임지는 자세를 가져야 해.

⑤ 성찰을 통해 자신보다 좋은 대학에 간 친구들과 비교해야 해.

03 행복한 삶을 위한 조건

흐름 잡기

행복한 삶

행복한 삶을 위한 환경적 조건은? A

행복한 삶을 위한 경제적 조건은? B

행복한 삶을 위한 정치적 조건은? C

행복한 삶을 위한 도덕적 조건은? D

A 질 높은 정주 환경

한·줄·단·서 **정주 환경**은 주거를 포함한 모든 주변 환경으로, 행복한 삶을 위한 **환경적 조건**이야.

1. *정주 환경

① **좁은 의미** : 인간이 정착하고 살아가고 있는 주거지와 그 주변 환경

② **넓은 의미** : 문화, 여가, 자연환경 등 일상생활의 전 영역을 광범위하게 일컫는 말로, 인간을 둘러싼 모든 주변 환경

2. 질 높은 정주 환경의 의미와 필요성

① **일반적 의미** : 생활에 필요한 편의 시설이 잘 갖추어져 있고, 범죄율이 낮고 정치적으로 안정되어 있으며, 살기에 안전하고 쾌적하며 위생적인 곳 자료1
(낙후된 환경에서는 쾌적하고 인간다운 삶을 살기 어려워.)

② **필요성**

- **정서적 유대감 형성** : 인간의 지각, 태도, 감정에 영향을 미쳐 특정한 장소에 정서적 유대감을 느끼게 함 → 물리적 환경 이상의 의미를 지녀 행복에 기여
- **삶의 소중한 기억 저장** : 그곳에서 살아가는 사람들의 기억과 역사를 담고 있는 저장고 → 인간의 행복과 긴밀한 관련

3. 질 높은 정주 환경의 구체적 내용

(정부의 주택 개발 정책은 편안한 주거 환경 조성을 위한 노력이야.)

편안한 주거 환경	주택과 상하수도 시설 등 → 쾌적하고 살기 좋은 주거 환경 제공
교육과 의료 시설	일정한 교육 서비스와 의료 혜택 제공
교통, 문화, 복지 시설	• 교통 시설 : 도로, 버스, 철도, 지하철 등 • 문화·예술·체육 시설 : 도서관, 영화관, 체육관, 공연장 등 • 복지 시설 및 서비스 : 노인 복지 시설, 아동 복지 시설, 치안 서비스 등
깨끗한 생태 환경	물, 대기, 토양 등 깨끗한 자연환경 유지, 도심 내 녹지 공간 조성

● **오늘날의 정주 환경**
오늘날의 정주 환경은 일반적으로 주거지 주변의 자연환경을 포함하여 각종 교통 및 통신 시설, 교육 시설과 공공 시설, 상업 및 문화 시설 등 인문 환경을 포함하는 개념이다.

궁금해? 행복의 가장 중요한 조건

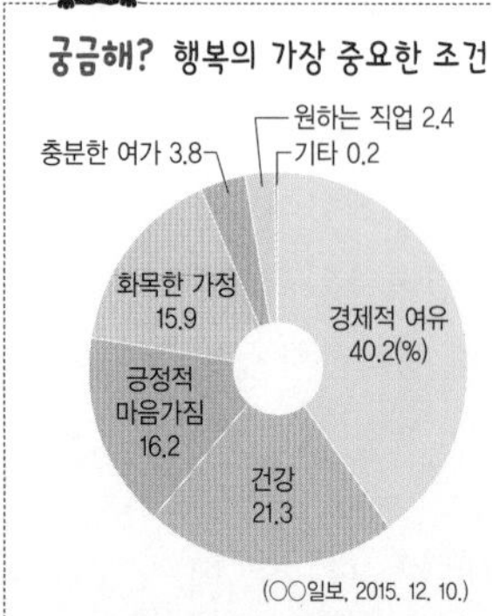

(○○일보, 2015. 12. 10.)

많은 사람이 경제적 안정을 행복 실현을 위한 가장 중요한 조건으로 생각하고 있어.

B 경제적 안정

한·줄·단·서 국민들이 **삶의 질을 유지**하고 행복을 느끼기 위해서는 **경제적 안정**이 필요해.

1. 경제적 안정

① **의미** : 물질적 조건이 안정된 상태 → 행복한 삶을 위한 기본적 토대

② **필요성** : 경제 성장 과정에서 나타난 문제점을 해결하고, 모든 국민의 삶의 질을 높여 행복한 삶 실현 자료2
(문제점: 소득의 양극화와 빈부 격차, 고용의 불안정성으로 인한 실업의 위험 등)

③ **효과**

- **삶의 안정** : 의식주와 같은 기본적인 욕구 충족, 생계 유지 및 자신의 필요 충족
- **삶의 질 향상** : 교육 및 의료 혜택, 문화생활 등 사회·문화적 욕구까지 충족
- **자아실현** : 삶의 여유를 가지고 새로운 일에 도전할 가능성 증가

2. 경제적 안정의 구체적 내용

① **고용 안정** : 일자리 확충, *최저 임금 보장 → 안정적 소득 확보 자료3

② **복지 확충** : 실업 급여 제공, 사회 보험 마련 등 → 경제 활동이 어려운 국민들의 생활 유지를 위한 최소한의 생계 보장

③ **경제적 불평등 해소** : 사회 구성원들이 불행하다고 느끼는 상대적 박탈감 해소
(박탈감: 재물이나 권력 따위를 빼앗긴 느낌)

● **최저 임금**
국가가 근로자의 생활 안정을 위하여 최저로 설정한 임금으로, 이 최저 임금 이상의 임금이 지급되어야 한다.

교과서
자료 모아보기

자료 1 택리지를 통해 보는 정주 환경

사람이 살 터를 정할 때는 다음 네 가지를 참고해야 한다. 첫째는 지리(地理)가 좋아야 하고, 둘째는 생리(生利)가 좋아야 하며, 셋째는 인심(人心)이 좋아야 하고, 넷째는 산수(山水)가 좋아야 한다. 이 중 하나라도 모자라면 좋은 땅이라 할 수 없다. 지리가 뛰어나도 생리가 부족하면 오래 살 수 없고, 생리가 좋아도 지리가 나쁘면 그 또한 오래 살 수 없다. 지리와 생리가 모두 좋아도 인심이 나쁘면 반드시 후회할 일이 생기고, 가까운 곳에 즐길 만한 산수가 없으면 마음을 풍요롭게 가꿀 수 없다. [이중환, 『택리지』]

자·료·분·석 『택리지』에는 우리 조상들이 중시했던 질 높은 정주 환경의 조건이 서술되어 있는데, 풍수적으로 길지인지를 보는 '지리(地理)', 생존에 유리한 환경인지를 보는 '생리(生利)', 지역의 인심과 풍속이 좋은지를 보는 '인심(人心)', 자연 경관이 아름다운지를 보는 '산수(山水)'가 그것이다.

한·줄·핵·심 택리지는 행복에 필요한 조건 중 질 높은 정주 환경의 중요성을 보여준다.

키워드 체크

❶ □□ 환경은 인간이 살아가는 터전과 주변 환경을 뜻하며, 인간의 행복에 영향을 준다.

답 : □□ 환경

자료 2 맹자가 말하는 경제적 안정의 중요성

맹자(孟子)가 말년에 고향에 돌아왔을 때의 일이다. 근처에 작은 나라의 왕인 문공(文公)이 맹자를 모셔 치국(治國)의 방책을 물었다. 그는 문공에게 "유항산(有恒産)이면 유항심(有恒心)입니다."라고 말하였다. 이것은 '변치 않는 재산이 있으면 변치 않는 마음도 있는 법'이라는 뜻이다.

자·료·분·석 맹자는 일반 백성들은 고정적인 생업이 있을 때[有恒産] 흔들림 없는 도덕적 마음이 생긴다[有恒心]고 주장하였다. 그는 현명한 군주라면 백성들에게 항산(恒産)이 가능하도록 해 줘야 하며, 경제적 안정이 이루어진 다음에 백성들을 도덕적으로 이끌어야 한다고 하였다.

한·줄·핵·심 맹자는 흔들림 없는 도덕적 마음을 가지기 위해서는 경제적 안정이 중요하다고 강조하였다.

키워드 체크

❷ 맹자는 "유항산(有恒産)이면 유항심(有恒心)이다."를 통해 □□□ 안정을 강조하였다.

답 : □□□ 안정

자료 3 소득과 행복의 관계

(가) 리처드 이스털린 교수는 소득이 행복과 관련된 것은 맞지만, 장기적으로 소득 증가가 행복 증대로 이어지는 것은 아니라고 주장하였다(이스털린의 역설). 또한, 소득이 높은 사람일수록 대체로 행복하다고 응답하지만, 1인당 국민 소득이 일정 수준을 넘어선 나라의 경우 그 나라 국민의 행복이 소득과 비례하지는 않는다고 주장하였다.

(나) 앵거스 디턴 교수는 동료 교수와 함께 돈과 행복의 상관관계를 연구하였다. 이들은 미국 시민 45만 명을 대상으로 조사하여 "소득이 높아질수록 삶에 대한 만족도는 높아지지만, 행복감은 연봉 7만 5,000달러(약 8,500만 원)에서 멈춘다."는 결론을 내렸다.

자·료·분·석 (가)와 (나)는 소득이 증가한다고 해서 행복이 반드시 그만큼 증가하지 않을 수 있다는 주장들이다. 이는 경제적 부가 행복의 절대적 조건은 아니며, 소득이 일정 수준에 도달하고 기본적 욕구가 충족되면 행복은 돈 이외의 요소에도 영향을 받을 수 있음을 보여 준다.

한·줄·핵·심 어느 정도의 소득에 도달하면, 행복감은 소득에 비례하여 증가하지는 않는다는 연구 결과가 많다.

키워드 체크

❸ 소득이 행복과 관련된 것은 맞지만, 장기적으로 소득 증가가 행복 증대로 이어지는 것은 아니라는 주장은?

답 : □□□□의 역설

키워드 체크 정답 ❶ 정주 ❷ 경제적 ❸ 이스털린

C 민주주의의 발전

한·줄·단·서 **민주주의**가 발전한 국가에서는 **시민의 정치 참여 및 자유와 평등이 보장**되어 국민들이 행복한 삶을 살아갈 수 있어.

1. 민주주의

① **의미 :** 국민이 국가의 주인으로서 권력을 행사하는 정치 체제

② **필요성**

- **국민의 기본권인 인권 보장 :** 독재 국가나 권위주의적 정치 체제에서는 국민의 인권이 침해되기 쉬워 국민 행복에 악영향을 미침
- **시민으로서의 만족감 상승 :** 정치적 의사를 자유롭게 표현하고 국민의 의사가 정책에 반영되면 시민들이 삶에 대한 만족과 행복을 더 느낄 수 있음

2. 민주주의의 발전과 행복의 관계 자료 4

① 민주주의가 발전한 나라의 시민들의 행복감이 더 높음

② 정치 과정에 참여하는 것만으로도 시민들의 행복감이 높아짐

└ 정치 참여를 통해 민주주의의 핵심 가치인 자유와 평등을 누릴 수 있기 때문이야.

3. 민주주의 발전의 구체적 내용

① **•민주적 제도 :** 의회 제도, 복수 정당 제도, 권력 분립 제도, 법치주의 등

② 시민의 의사를 반영한 정책 수립 및 실현

③ 시민 참여에 열린 정치 문화 형성 예 언론의 자유 보장

4. 민주주의의 발전을 위한 정치 참여 방법

기본적인 정치 참여	선거를 통해 투표권 행사
직접적인 정치 참여	• 자신이 직접 입후보하여 공직자로 선출되어 정치 활동 • 집회, 시위 등에 참여하여 직접적인 의사 표현
감시와 견제 활동	언론 매체에 투고, 행정 기관에 진정, 건의, 청원 등
단체에 가입하여 활동	정당, 이익 집단, 시민 단체 등에 가입하여 활동

궁금해? 민주주의 지수와 행복 지수의 상관관계

국가 \ 지수	세계 민주주의 지수	세계 행복 지수
노르웨이	1위	4위
아이슬란드	2위	3위
스웨덴	3위	10위
뉴질랜드	4위	8위
덴마크	5위	1위
스위스	6위	2위
캐나다	7위	6위
핀란드	8위	5위

[이코노미스트/국제 연합, 2016]

※세계 민주주의 지수는 167개국 간, 세계 행복 지수는 157개국 간 비교임

•민주적 제도

- 복수 정당 제도 : 정당 설립이 자유로워야 하며 두 개 이상의 정당이 항상 존재할 수 있도록 하는 제도
- 권력 분립 제도 : 국가 권력을 여러 기관에 나누어 맡겨 견제와 균형을 통해 국민의 자유와 권리를 보장하는 제도
- 법치주의 : 국가의 통치 작용은 의회가 제정한 법률에 의해서만 이루어져야 한다는 통치 원리

D 도덕적 실천과 성찰하는 삶

한·줄·단·서 **도덕적 성찰**을 통해 나와 공동체를 모두 배려하는 **도덕적 실천**을 할 때 행복해질 수 있어.

1. 도덕적 실천

① **의미 :** 바람직한 삶에 대한 도덕적 성찰을 바탕으로 자신을 비롯하여 타인과 공동체의 문제를 해결하려고 노력하는 것

└ 성찰: 자신의 언행에 도덕적으로 부족함이나 잘못이 없는지 반성하고 살펴서 바로잡는 것

② **필요성** 자료 5

- **공동체의 행복 증진 :** 현대 사회의 복잡성으로 타인에 무관심 → 공동체 전체의 행복감 감소 → 공동체와 자신의 행복을 위해 도덕적 실천과 성찰 필요
- **•자신의 자존감 증진 :** 도덕적 실천을 통해 스스로 당당해지고 타인에게 도움이 되는 사람이라는 인식이 생겨 자존감 상승 → 행복감도 상승

2. 도덕적 실천의 내용 자료 6

┌ 도덕적 실천은 상대방을 기쁘게 하려는 목적이 크지만, 실천 당사자도 그에 못지않게 행복감을 느끼게 돼.

① 타인의 삶에 관심을 가지려는 노력, 이웃에 대한 관용적 태도

② **역지사지의 마음 :** 다른 사람의 입장에서 상황을 바라보기

③ **사회적 약자 배려 :** 사회적 약자의 고통에 공감 → 기부나 사회봉사 등을 실천

•선한 삶이 지니는 가치

"하루하루 더 나은 사람이 되려고 노력하는 삶보다 아름다운 삶은 없습니다. 자신이 더 나은 사람으로 발전하고 있다는 것을 느끼는 것보다 큰 기쁨은 세상에 존재하지 않지요. 그것이 바로 제가 오늘날까지 경험해 온 행복입니다." [소크라테스]

자료 4 정치 참여로 행복을 실현하는 스위스

스위스는 세계 행복 지수 2위 국가로 행복 지수가 높은 국가에 속한다. 스위스 직접 민주주의의 상징인 '란트슈게마인데'는 일부 주에서 매년 5월 첫째 주 일요일에 시민들이 시청사와 법정의 야외에 모여 법률과 재정 문제에 관해 토론하고 결정하는 제도이다. 란트슈게마인데를 통해 스위스의 어린이, 청소년들은 정치 참여를 자연스럽게 배운다.

▲ 란트슈게마인데(Landsgemeinde)

자·료·분·석 스위스는 '란트슈게마인데'와 같은 제도로 시민들의 정치 참여를 보장하고 있다. 이와 같은 민주적 정치 제도를 통한 민주주의의 발전은 시민들의 행복도에 영향을 끼친다. 즉 민주주의가 발전한 나라일수록 대체로 국민들의 행복 지수도 높게 나타난다.

한·줄·핵·심 사회 구성원은 정치 참여를 통해 민주주의를 실현함으로써 행복한 삶을 살아갈 수 있다.

키워드 체크

❹ 스위스처럼 □□□□이/가 발달한 나라에서는 국민의 행복감이 더 클 수 있다.

답 : □□□□

자료 5 루소와 달라이 라마의 행복

- 나는 선을 행하는 것이 인간의 마음이 맛볼 수 있는 가장 진실한 행복임을 알고 있으며, 실제로 그렇게 느낀다. [루소, 『에밀』]
- 행복은 다른 사람을 배려하고 다른 사람의 행복을 진정으로 바랄 때 생긴다. 돈, 권력, 사회적 지위로 우정과 애정을 만들 수 있지만, 돈과 권력이 사라지면 이 또한 사라진다. 상대방에 대한 순수한 배려, 행복을 위한 마음이 진정한 행복을 가져다준다. [달라이 라마, 『달라이 라마의 행복』, 2015]

자·료·분·석 루소와 달라이 라마는 자신만의 이익이나 만족이 아니라 타인과 공동체까지 생각하는 마음을 가지면 행복해질 수 있다고 말한다. 이들에게 행복이란 도덕적 실천을 통한 도덕적 완성이라고 할 수 있다.

한·줄·핵·심 도덕적 성찰을 통한 도덕적 실천은 행복한 삶을 실현하기 위한 기본적인 조건이다.

키워드 체크

❺ 루소와 달라이 라마는 행복한 삶을 위해 도덕적 성찰을 통한 □□□ 실천을 강조하였다.

답 : □□□ 실천

자료 6 행복의 비결, 도덕적 실천

수많은 사회학자, 경제학자, 철학자는 행복의 원인이 무엇인지 규명하려고 노력했다. 그 결과 거의 모두가 한 가지 사실에 합의하였다. 그것은 바로 개인 간의 신뢰가 행복 방정식의 핵심 요소라는 사실이다. …… 어느 날 오빠가 슈퍼마켓에 갔다가 사과가 가득 담긴 진열대에서 500크로네(약 6만 8,000원)를 주웠고 그 돈을 슈퍼마켓 관리인에게 맡겼다고 했다. 슈퍼마켓 영업이 끝날 무렵, 돈을 잃어버린 여자가 찾아왔다. 슈퍼마켓 관리인은 그녀에게 500크로네를 돌려주었다. 그녀는 감사하는 마음으로 오빠에게 100크로네를 남겼다. [말레네 뤼달, 『덴마크 사람들처럼』]

자·료·분·석 위 사례 속에 등장하는 '오빠'는 돈을 주웠지만, 자신이 갖는 것은 도덕적으로 옳지 않아 그 돈을 슈퍼마켓 관리인에게 맡겼다. 이후 돈 주인은 돈을 찾고 감사한 마음에 '오빠'에게 사례하였다. 이처럼 나만 생각하는 것이 아니라 우리를 생각하는 도덕적 실천을 통해 나와 공동체의 행복 실현을 가능하게 할 수 있다.

한·줄·핵·심 사회 구성원이 도덕적으로 성찰하고 행동하는 삶을 추구한다면 개인뿐만 아니라 사회 전체의 행복감도 높아질 수 있다.

키워드 체크

❻ 인간은 도덕적으로 성찰하고 행동하는 삶을 통해 궁극적으로 더 □□해질 수 있다.

답 : □□

키워드 체크 정답 ❹ 민주주의 ❺ 도덕적 ❻ 행복

다양한 행복의 조건

행복이란, 질 높은 정주 환경, 경제적 안정, 민주주의의 발전, 도덕적 실천과 같은 다양한 요인들이 복합적으로 작용하여 얻어지는 만족감이다. 다음의 자료를 통해 다양한 행복의 조건을 알아보자.

통합 주제 story

자료❶
독일의 프라이부르크는 자연을 보호하면서도 인간의 편리한 생활에 도움을 주는 다양한 정책으로 질 높은 정주 환경을 조성하고 있다.

자료❷
스위스에서는 주민들이 정치에 직접 참여하여 자신의 의사를 정치에 반영하면서 행복을 스스로 실현하기 위해 노력하고 있다.

자료❸
신문 기사를 통해 남을 돕는 도덕적 행위가 돕는 사람에게도 유익한 행복감을 가져다준다는 것을 알 수 있다.

자료 ❶ 독일의 생태 도시, 프라이부르크

▲ 태양광 에너지를 이용한 친환경 주택 단지

독일의 생태 도시 프라이부르크는 녹색 교통망, 저탄소 에너지, 물 자원 순환 시스템 등 다양한 생태적 정주 환경을 갖추고 있다. 'Park & Ride' 시스템으로 전차나 도보, 자전거를 이용하여 도심에 진입하게 유도되어 있고, 모든 대중교통을 이용할 수 있는 환경 정기권을 보조금으로 지원하여 시민들에게 공급한다. 또한, 공공시설은 태양광 등 재생 가능 에너지로 운영되고 있으며, 특히 150여 채의 태양광 주택으로 건설된 보봉 마을은 독일에서 가장 에너지 효율이 좋은 주택 단지이다.

자료 ❷ 민주주의가 성숙한 나라, 스위스

스위스는 1848년 내전 이후 연방을 구성하여 합의제 민주주의를 지속적으로 발전시켜 왔다. 지금까지 스위스에서 연방 단위로 시민 발의를 통해 통과된 주요 안건은 '연방 의회 비례 대표제 선거(1918)', '직접 민주주의의 부활(1949)', '스위스의 국제 연합(UN) 가입(2002)', '성범죄자 등에 대한 종신형 허용(2004)', '기업 임원 최고 연봉 통제(2013)', '유럽 연합(EU) 이민자 금지(2014)' 등으로, 국내 제도, 생활, 미래, 국제 관계에 이르기까지 그 범위가 다양하다.

자료 ❸ 선행의 치유력이 주는 행복

조건 없이 남을 도왔을 때 느끼는 심리적 만족감을 헬퍼스 하이(Helper's High)라고 한다. 이 느낌을 갖게 되면 혈압과 콜레스테롤 수치는 떨어지고 엔도르핀은 정상치의 3배 이상 올라가고 면역 항체도 강화되는 효과가 있다. 또한, 1998년 하버드대 의대의 연구는 테레사 수녀처럼 남을 위해 봉사활동을 하거나 심지어 선한 행동을 하는 것을 보기만 해도 인체의 면역 기능이 크게 향상된다고 하였다. 이는 '마더 테레사 효과' 또는 '슈바이처 효과'라고도 불린다. [○○경제, 2017. 3. 6.]

이것만은 꼭!

- **질 높은 정주 환경**이 조성되려면 **깨끗한 자연환경**을 바탕으로 **삶의 질을 높이기 위한 노력**이 필요하다.
- **민주주의가 성숙**한 나라일수록 시민의 **인권이 존중**되고, 시민 각자가 원하는 **삶의 방식을 자유롭게 추구**할 수 있다.
- 남을 돕는 이타적 행위와 같은 **도덕적 실천**은 **행복한 삶**을 사는 데 긍정적인 영향을 미친다.

콕콕! 개념 확인

정답과 해설 5쪽

A 질 높은 정주 환경

01 다음 내용이 옳으면 ○표, 틀리면 ×표를 하시오.

(1) 정주 환경은 주거 환경이라는 물리적 공간 이상의 가치를 가진다. ( )

(2) 교통 시설과 문화·예술·체육 시설은 정주 환경에 속하지 않는다. ( )

B 경제적 안정

02 알맞은 말에 ○표를 하시오.

(1) (최고, 최저) 임금의 보장은 행복을 위한 기본적인 조건인 경제적 안정을 보장하기 위한 제도이다.

(2) 경제적인 안정을 실현하기 위해서는 경제적 불평등을 (심화, 해소)시켜 나가야 한다.

(3) 경제적으로 안정되면 삶의 여유를 갖거나 새로운 일에 도전하여 자아실현을 할 가능성이 더 (높아, 낮아)진다.

03 다음 글에서 도덕적 마음을 가지기 위해 맹자가 강조한 개념을 빈칸에 쓰시오.

> 백성은 고정적인 생업이 없으면 흔들림 없는 도덕적인 마음도 없어진다. 그러므로 지혜로운 왕은 백성들의 생업을 제정해 주되 반드시 위로는 부모를 섬기기에 충분하게 하고 아래로는 자녀를 먹여 살릴 만하게 하여, 풍년에는 언제나 배부르고 흉년에도 죽음을 면하게 한다. [맹자, 『맹자』]

□□□ □□

C 민주주의의 발전

04 빈칸에 알맞은 말을 쓰시오.

(1) 민주주의가 발전한 나라일수록 시민의 인권이 존중되고 시민 각자가 원하는 삶의 방식을 자유롭게 추구할 수 있어 시민들의 □□□이/가 더 높다.

(2) 민주주의 국가에서는 주권자인 시민의 의사를 반영하여 정책으로 실현하기 위해 의회 제도, 두 개 이상의 정당을 인정하는 ㉠ □□ □□ 제도, 국가 권력을 여러 기관에 나누어 맡기는 ㉡ □□ □□ 제도 등과 같은 민주적 제도를 갖추고 있다.

D 도덕적 실천과 성찰하는 삶

05 밑줄 친 부분을 바르게 고쳐 빈칸에 쓰시오.

(1) 도덕적 실천은 바람직한 삶에 대한 도덕적 해탈을 바탕으로 타인과 공동체의 문제를 해결하려고 노력하는 것이다. ( )

(2) 도덕적 실천을 위해서는 사회적 강자를 배려하고 그들이 고통을 공감해야 한다. ( )

(3) 도덕적 실천은 상대방 못지않게 실천 당사자도 우월감을 느끼게 된다. ( )

탄탄! 내신 문제

정답과 해설 5쪽

A 질 높은 정주 환경

01 A 지역에 필요한 정주 환경으로 가장 적절한 것은?

> A 지역은 환경이 매우 열악하다. 주민들은 쓰레기 더미 위에 살며 그곳에서 의식주를 해결한다.

① 아름다운 자연 경관
② 신뢰가 돈독한 이웃 주민
③ 오염물을 제거한 쾌적한 환경
④ 오페라 극장과 같은 문화 시설
⑤ 교통의 편리성을 높여 주는 지하철

02 질 높은 정주 환경의 조건으로 가장 적절하지 않은 것은?

① 우수한 교육 시설
② 치안 및 방범 서비스의 구축
③ 함부로 살 수 없는 고가의 주택
④ 버스, 철도, 지하철 등 대중교통의 편리성
⑤ 인간과 자연이 공존을 이루는 깨끗한 자연환경

03 다음 글에 나타난 행복한 삶을 위한 정주 환경의 조건을 〈보기〉에서 고른 것은?

> 오스트리아 빈은 문화, 예술, 교육, 환경의 조건을 두루 갖춘 도시로, 매년 '전 세계에서 가장 살기 좋은 도시' 조사에서 1, 2위를 차지하는 곳이다. 이곳은 베토벤, 모차르트 등과 같은 세계적인 음악가를 배출한 음악의 도시이면서, 다양한 공원과 박물관도 많아 시민들이 여가와 예술 활동을 생활 속에서 쉽게 즐길 수 있다. 또한, 역사적인 건축물들이 잘 보존되어 있으며, 도시의 절반이 숲으로 조성되어 있다.

〈보기〉
ㄱ. 자연과 공존할 수 있는 공원
ㄴ. 인간다운 생활을 위한 문화 시설
ㄷ. 최고급 주택과 상하수도 시설의 확충
ㄹ. 역사적인 공간 대신 만든 현대적인 건축물

① ㄱ, ㄴ ② ㄱ, ㄷ ③ ㄴ, ㄷ
④ ㄴ, ㄹ ⑤ ㄷ, ㄹ

B 경제적 안정

04 다음과 같은 지역 여건을 가지고 있는 사회에서 필요한 행복의 조건을 추론한 것으로 적절하지 않은 것은?

> 이 지역은 잔혹한 내전을 겪고 있다. 특히 전쟁과 굶주림으로 부모를 잃고 고아가 된 아이들이 눈에 띈다. 밤이 되자 한 무리의 아이들이 허름한 창고로 가는 것이 보였다. 그 안에서 아이들은 촛불 앞에 옹기종기 모여 공부를 하고 있었다.

① 내전을 멈추는 것이 아이들을 행복하게 할 것이다.
② 아이들이 마음껏 공부할 수 있는 교육 시설이 필요하다.
③ 아이들이 인간다운 삶을 살 수 있도록 경제적 지원이 필요하다.
④ 아이들이 굶주림에서 벗어날 수 있도록 충분한 식량이 필요하다.
⑤ 전쟁에서 이기고 고통을 벗어날 수 있도록 더 좋은 무기를 제공해야 한다.

05 다음의 학자들이 공통적으로 강조하는 내용으로 가장 적절한 것은?

◀ 스티븐슨

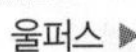

울퍼스 ▶

① 소득이 증가할수록 행복도 증가한다.
② 경제적으로 안정된 삶은 필요하지 않다.
③ 쾌락을 추구하는 삶이 바로 행복한 삶이다.
④ 소득이 증가해도 어느 순간 행복은 정체된다.
⑤ 경제적 불평등이 해소되어야 행복은 실현된다.

06 다음 글에서 강조하는 내용으로 가장 적절한 것은?

> 이웃 나라의 왕인 문공(文公)이 맹자를 모셔 나라를 다스리는 방책을 물었다. 맹자는 문공에게 "유항산(有恒産)이면 유항심(有恒心)입니다."라고 말하였다. 이것은 '변치 않는 재산이 있으면 변치 않는 마음도 있는 법'이라는 뜻이다. 맹자는 현명한 군주라면 백성들에게 충분할 정도로 생업을 이루게 해 주어야 하며, 그런 연후에 그가 백성들을 선으로 인도할 때 백성들이 그에 따를 수 있다고 하였다.

① 행복한 삶을 위해서는 생업이 보장되어야 한다.
② 행복한 삶은 물질적 가치를 배제할 때 실현 가능하다.
③ 행복한 삶은 외적인 조건에 있는 것이 아니라 내적 만족에 있다.
④ 행복한 삶을 위해서는 의식주의 해결보다 도덕적 실천이 중요하다.
⑤ 행복은 인간이 궁극적으로 도달할 수 없는 이상적인 목표에 불과하다.

C 민주주의의 발전

07 다음에서 A국이 갖추어야 할 행복한 삶을 위한 조건으로 적절하지 않은 것은?

> A국은 1960년대 이후 독재 정권하에서 정경 유착, 부정부패가 심해지면서 경제가 어려워졌다. A국은 당시 발생한 채무 280억 달러에 대한 이자를 갚아야 했으며, 1인당 국내 총생산(GNP)은 2015년 기준 우리나라의 10분의 1 수준이다. 또한, 극빈층이 전체 인구의 30% 가량을 차지하며, 고질적인 빈부 격차와 높은 범죄율 등의 문제로 고통받고 있다.

① 권력 분립 제도
② 국가 권력에 대한 감시 체제
③ 참여 중심의 정치 문화 성립
④ 언론 매체의 자유로운 보도 권리
⑤ 강력한 군사력을 갖춘 국가 건설

08 다음 (가), (나)의 제도들을 통해 실현할 수 있는 행복한 삶을 위한 조건에 해당하는 것은?

> (가) 정당 설립이 자유로워야 하며 두 개 이상의 정당이 항상 존재할 수 있도록 하는 제도
> (나) 국가 권력을 여러 기관에 나누어 맡겨 견제와 균형을 통해 국민의 자유와 권리를 보장하는 제도

① 경제적 안정
② 민주주의의 발전
③ 질 높은 정주 환경
④ 개인의 도덕적 실천
⑤ 사회적 도덕 수준의 향상

D 도덕적 실천과 성찰하는 삶

09 다음 밑줄 친 ㉠과 같은 현상이 나타난 원인을 가장 적절하게 답변한 학생은?

> 어느 심리학 실험에서 한 무리의 참가자를 대상으로 오전에 행복감을 측정하였다. 그런 후에 각 사람에게 봉투 하나씩을 나눠주었다. 거기에는 5달러 혹은 20달러 지폐가 들어있었다. 그리고 실험자는 참가자의 절반에게 "이 돈을 전부 자기 자신을 위해 쓰시오." 라고 지시했고, 다른 절반에게는 "이 돈을 전부 다른 사람을 위해 쓰시오." 라고 지시하였다. 오후가 되어 돈을 다 사용하고 실험실로 돌아온 참가자들을 대상으로 행복감을 다시 한 번 측정하였다. ㉠ 그 결과 남을 위해 돈을 쓴 사람들의 행복감이 더욱 증가하였다.

① 시우민 : 이 결과는 그저 우연의 일치야.
② 수호 : 자기 자신에게 쓰기에 너무 적은 돈이기 때문이야.
③ 디오 : 처음부터 실험자의 돈이었기 때문에 관련이 없어.
④ 카이 : 타인의 행복에 대한 고려는 자신의 행복에도 도움을 주기 때문이야.
⑤ 백현 : 누군가의 욕망을 채워주는 것은 언제나 행복을 가져다주기 때문이야.

도전! 1등급 문제

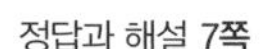

정답과 해설 7쪽

01 다음 글에 제시된 질 높은 정주 환경으로 적절하지 <u>않은</u> 것은?

> 사람이 살 터를 정할 때 첫째는 지리(地理)가 좋아야 하고, 둘째는 생리(生利)가 좋아야 하며, 셋째는 인심(人心)이 좋아야 하고, 넷째는 산수(山水)가 좋아야 한다. 이 중 하나라도 모자라면 좋은 땅이라 할 수 없다. 지리가 뛰어나도 생리가 부족하면 오래 살 수 없고, 생리가 좋아도 지리가 나쁘면 그 또한 오래 살 수 없다. 지리와 생리가 모두 좋아도 인심이 나쁘면 반드시 후회할 일이 생기고, 가까운 곳에 즐길 만한 산수가 없으면 마음을 풍요롭게 가꿀 수 없다.

① 풍수 지리적으로 좋은 위치
② 자연을 감상할 수 있는 공간
③ 사회 구성원들 간의 신뢰감 있는 관계
④ 시민들의 주권을 보장하는 민주적인 제도
⑤ 풍부한 생산물을 바탕으로 한 생존에 유리한 환경

02 다음에서 A국의 사례를 바탕으로 B 사상가를 비판한 내용으로 가장 적절하지 <u>않은</u> 것은?

A국	A국은 첫눈이 오면 학교나 일터로 가지 않고 집에서 가족과 함께 낭만을 즐긴다. 국가는 모든 공교육과 의료 서비스를 무상으로 제공한다. 1인당 국민 소득이 불과 3,000 달러도 되지 않지만, A국의 행복 지수는 세계 1위이다.
B 사상가	"부유한 국가의 국민이 가난한 국가의 국민보다 더 행복하고, 국가가 부유해질수록 국민의 행복 수준은 더 높아집니다."

① 낭만과 여유가 보장된 사회는 구성원의 행복감을 이끌어낼 수 있다.
② 기본적인 생활을 위한 소득이 없더라도 행복한 삶을 실현할 수 있다.
③ 소득이 높은 국가가 가난한 국가보다 무조건 행복하다고 말할 수 없다.
④ 행복은 경제적 순위만으로 결정되는 것이 아니며 정서적 가치도 중요하다.
⑤ 아무리 국가가 부유해도 훌륭한 정치가 바탕이 되지 않으면 국민을 위해 사용되지 않을 수 있다.

03 다음 글의 늑대가 개를 비판할 수 있는 내용으로 가장 적절한 것은?

> 어느 날, 개와 늑대가 우연히 만났다. 늑대가 물었다. "자네는 잘 먹고 사는 것 같군." 개는 대답했다. "먹을 거라면 난 걱정이 없어. 자네도 우리 집에 같이 가겠나?" 굶주림에 지친 늑대는 개의 집으로 함께 향했다. 그런데 문득 늑대는 개의 목에 난 상처를 보았다. "이 상처는 뭐야?" 그러자 개는 "주인님은 화가 나거나 손님이 오면 나를 쇠사슬로 묶어 두거든. 그것만 참으면 항상 배부르게 먹을 수 있어." 그 말을 들은 늑대는 말했다. "난 종일 굶더라도 자유롭게 사는 게 더 좋아. 내가 살던 곳으로 돌아가겠네."

① 행복은 고통이 없는 상태여야 해.
② 굶주림에서 벗어나는 것이 가장 행복해.
③ 주인님의 사랑을 받는 것이 가장 중요해.
④ 함께 살아갈 존재가 있다는 것이 행복한 삶이야.
⑤ 자유롭게 내 삶의 방향을 선택하고 권리를 보장받는 것이 행복이야.

고난도

04 다음 글에서 강조하는 내용으로 옳지 <u>않은</u> 것은?

> 어느 날 길에서 한 노인이 갑자기 쓰러졌다. 당시 노인 옆에 있던 4명의 남녀는 아무런 조치를 취하지 않고 자리를 떴고, 뒤늦게 발견된 노인은 결국 사망하였다. 이에 경찰은 현장의 폐회로 텔레비전(CCTV)을 분석하여 당시 현장에 있던 4명을 체포하였다. 이처럼 충분히 도울 수 있음에도 타인의 위험을 고의로 무시하며 돕지 않은 사람을 처벌하는 법을 '착한 사마리아인 법'이라고 한다.

① 인간은 타인과 함께 살아가는 존재이다.
② 역지사지의 자세로 타인을 배려하는 것이 중요하다.
③ 타인을 배려하는 삶이 자신의 자존감을 높여주지는 않는다.
④ 타인의 행복을 포함한 공동체의 행복 실현이 자신에게 행복을 가져다준다.
⑤ 자신이 할 수 있는 한 타인을 위한 배려를 실천하는 삶은 개인과 사회의 행복을 위해 필요하다.

[05-07] 다음 자료를 보고 물음에 답하시오.

자료 ❶

독일의 생태 도시 프라이부르크는 녹색 교통망, 저탄소 에너지, 물 자원 순환 시스템 등 다양한 생태적 정주 환경을 갖추고 있다. 'Park & Ride' 시스템과 환경 정기권 보조금 지원 등을 통해 친환경 대중 교통망을 조성하고 있으며, 특히 150여 채의 태양광 주택으로 건설된 보봉 마을은 독일에서 가장 에너지 효율이 좋은 주택 단지이다.

자료 ❷

스위스는 세계 행복 지수 2위의 국가이다. 스위스는 내전 이후 연방을 구성하여 합의제 민주주의를 지속적으로 발전시켜 왔다. 지금까지 스위스에서 연방 단위로 시민 발의를 통해 통과된 주요 안건은 '직접 민주주의의 부활', '스위스의 국제 연합 가입', '기업 임원 최고 연봉 통제', '유럽 연합 이민자 금지' 등이다.

자료 ❸

조건 없이 남을 도왔을 때 느끼는 심리적 만족감을 헬퍼스 하이(Helper's High)라고 한다. 이 느낌을 갖게 되면 혈압과 콜레스테롤 수치는 떨어지고 엔도르핀은 정상치의 3배 이상 올라가고 면역 항체도 강화되는 효과가 있다. 이처럼 남을 위해 봉사활동을 하거나 심지어 선한 행동을 하는 것을 보기만 해도 인체의 면역 기능이 크게 향상되는데, 이를 '마더 테레사 효과' 또는 '슈바이처 효과'라고도 부른다.

05 위의 자료를 바르게 해석한 사람은?

① 두준 : **자료❶**에서는 물질적 풍요가 실현된 나라일수록 행복 지수가 높다는 것을 알 수 있어.
② 기광 : **자료❷**를 통해 경제적 안정이 있어야 도덕적인 마음도 지켜질 수 있음을 알 수 있어.
③ 요섭 : **자료❸**을 통해 조건 없는 배려가 자신의 행복에 기여할 수 있다는 것을 알 수 있어.
④ 동운 : **자료❶**과 **자료❷**를 종합해 보면 개인의 도덕적 양심이 행복 실현의 조건이야.
⑤ 준형 : **자료❷**와 **자료❸**을 통해 질 높은 정주 환경이 행복에 미치는 영향이 크다는 것을 알 수 있어.

06 다음은 **자료❷**와 **자료❸**을 본 한 학생의 서술형 답안지이다. 답안지의 밑줄 친 ㉠~㉤ 중 틀린 곳은?

[서·논술형 1] **자료❷**와 **자료❸**을 통해 알 수 있는 행복의 조건을 비교하여 서술하시오.

2018학년도 1학기 중간고사 [통합사회]
서·논술형 답안지

문항	정답
서·논술형 1	㉠ **자료❷**는 민주주의의 발전과 구성원의 행복 증진의 관련성을 보여준다. 그리고 ㉡ **자료❸**은 타인을 위한 도덕적 행위가 자신의 심리적, 신체적 만족감을 증진하는 데 기여한다는 것을 보여준다. 또한 ㉢ **자료❸**은 인간의 삶에 영향을 미치는 정신적 가치가 중요하다는 것을 보여준다. 따라서 ㉣ **자료❷**보다 **자료❸**이 경제적 안정이 인간의 삶의 질을 어떻게 향상시킬 수 있는지를 보여준다. ㉤ **자료❷**와 **자료❸**은 모두 행복한 삶을 위한 조건을 설명하는 글이다.

① ㉠ ② ㉡ ③ ㉢ ④ ㉣ ⑤ ㉤

07 다음 글에서 강조하는 행복의 조건과 동일한 행복의 조건을 강조하는 자료를 바르게 고른 사람은?

"나는 선을 행하는 것이 인간의 마음이 맛볼 수 있는 가장 진실한 행복임을 알고 있으며, 실제로 그렇게 느낀다." [루소, 『에밀』]
"행복은 다른 사람을 배려하고 다른 사람의 행복을 진정으로 바랄 때 생긴다. 돈, 권력, 사회적 지위로 우정과 애정을 만들 수 있지만, 돈과 권력이 사라지면 이 또한 사라진다. 상대방에 대한 순수한 배려, 행복을 위한 마음이 진정한 행복을 가져다준다."
[달라이 라마, 『달라이 라마의 행복』, 2015]

① 넉살 : **자료❶**
② 우찬 : **자료❷**
③ 원재 : **자료❸**
④ 한해 : **자료❶**, **자료❸**
⑤ 행주 : **자료❷**, **자료❸**

한눈에 보는
대단원 정리

01 인간, 사회, 환경의 탐구

키워드 #시간적 관점 #공간적 관점 #사회적 관점 #윤리적 관점 #통합적 관점

A 인간, 사회, 환경을 보는 다양한 관점

(1) 시간적 관점

의미	시대적 배경과 맥락을 통해 사회 현상을 살펴보는 것
특징	과거의 사실과 사건 등을 통해 현재 나타나고 있는 사회 현상을 이해하는 데 도움을 줌
탐구 방법	과거의 자료나 역사적 정보를 수집 → 과거와 현재의 관계를 탐구

(2) 공간적 관점

의미	공간 정보를 바탕으로 사회 현상을 이해하는 것
특징	여러 지역 간의 유사점과 차이점 이해, 지역이나 공간이 사회 현상에 미치는 영향 파악
탐구 방법	자연환경 및 인문 환경, 지역의 위치나 형태에 관한 공간 정보를 수집

(3) 사회적 관점

의미	사회 현상을 사회 구조 및 사회 제도, 정책의 측면에서 살펴보는 것
특징	사회 구조, 법, 제도가 사회 현상에 미치는 영향 파악
탐구 방법	정치적, 경제적, 문화적 구조나 제도, 정책 등을 탐색

(4) 윤리적 관점

의미	사회 현상을 도덕적, 규범적 측면에서 살펴보는 것
특징	한 사회가 나아가야 할 바람직한 방향을 모색
탐구 방법	인류의 보편적 가치 및 한 사회의 도덕적 행위의 기준이나 가치를 탐색

B 통합적 관점의 이해

의미·특징	시간적·공간적·사회적·윤리적 관점을 모두 고려한 종합적이고 균형 있는 관점 → 사회 현상에 대한 근본적인 해결책 획득
필요성	사회 현상의 복합성, 개별적 관점의 한계
탐구 방법	주제 선정 → 자료 수집 → 자료 탐구 → 탐구 내용 종합

02 삶의 목적으로서의 행복

키워드 #행복 #행복의 기준 #시대 상황 #지역 여건 #진정한 행복 #정신적 가치 #삶에 대한 성찰

A 행복의 의미

의미	삶에서 충분한 만족이나 기쁨을 느끼어 흐뭇한 상태 • 아리스토텔레스 : 덕을 갖춘 이성적 활동을 잘 수행하는 것 • 석가모니 : 괴로움을 벗어난 상태

B 행복의 다양한 기준

(1) 시대 상황에 따른 행복의 기준

선사 시대	자연재해를 피하고 먹을 것을 얻는 생존
헬레니즘	불안하지 않은 마음의 평온
서양 중세	종교적인 실천을 통한 신의 구원
근대 사회	자유와 평등과 같은 인간의 기본적 권리
식민지 시대	나라의 독립과 국권 회복
현대 사회	개인이 느끼는 주관적 만족감

(2) 지역 여건에 따른 행복의 기준

① 자연환경(기후, 지형 등)에 따른 행복의 기준

사막	마실 물 부족 → 깨끗한 물을 얻는 것
북유럽	일조량 부족 → 햇볕을 쬘 수 있는 것
척박한 기후	기아와 질병 → 빈곤 탈출, 의료 혜택

② 인문 환경(종교, 문화, 산업 등)에 따른 행복의 기준

종교적 전통이 강함	종교와 교리에 따라 살아가는 것
분쟁이 심함	평화와 정치적 안정

C 진정한 행복의 실현

의미	• 삶의 궁극적인 목적 • 수단이 아닌 본질적인 것 • 물질적 가치와 정신적 가치의 조화
노력	• 삶에 대해 성찰하기 • 의미 있는 목표 설정과 추구 • 사회 구성원으로서 공동체의 행복 고려하기

03 행복한 삶을 위한 조건

키워드 #행복의 조건 #정주 환경 #경제적 안정 #민주주의 #도덕적 성찰 #도덕적 실천

A 질 높은 정주 환경

(1) 정주 환경

좁은 의미	인간이 정착하고 살아가고 있는 주거지와 그 주변 환경
넓은 의미	일상생활의 전 영역을 광범위하게 일컫는 말로, 인간을 둘러싼 모든 주변 환경

(2) 질 높은 정주 환경

의미	생활에 필요한 편의 시설이 잘 갖추어져 있고, 살기에 안전하고 쾌적하며 위생적인 곳
내용	편안한 주거 환경, 교육과 의료 시설, 교통·문화·복지 시설, 깨끗한 생태 환경 등

B 경제적 안정

의미	물질적 조건이 안정된 상태
필요성	경제 성장 과정에서 나타난 문제점을 해결하고, 모든 국민의 삶의 질을 높여 행복한 삶 실현
효과	삶의 안정, 삶의 질 향상, 자아실현
내용	고용 안정(일자리 확대, 최저 임금 보장 등), 복지 정책 시행, 경제적 불평등 해소 등

C 민주주의의 발전

민주주의	국민이 국가의 주인으로서 권력을 행사하는 정치 체제
필요성	국민의 인권 보장, 시민으로서의 만족감 상승
내용	• 민주적 제도 시행 : 의회 제도, 복수 정당 제도, 권력 분립 제도, 법치주의 등 • 시민의 정치 참여 : 선거, 감시와 견제 활동 등

D 도덕적 실천과 성찰하는 삶

의미	바람직한 삶에 대한 도덕적 성찰을 바탕으로 자신과 공동체의 문제를 해결하려고 노력하는 것
필요성	공동체의 행복 증진, 자신의 자존감 증진
내용	역지사지의 마음, 사회적 약자에 대한 배려 등

기억나는
키워드나 핵심 내용 적어보기

A B

A B C

A B C D

한번에 끝내는
대단원 문제

정답과 해설 8쪽

01 인간, 사회, 환경을 이해하기 위한 관점으로 옳지 않은 것은?

① 시대적 배경과 맥락을 탐구해야 한다.
② 사회의 제도, 구조, 정책 등 사회적 특성을 탐구해야 한다.
③ 공간에 따라 다르게 나타나는 지리적 특성을 살펴봐야 한다.
④ 인간은 독립적 존재이므로 인간 중심으로 현상을 이해해야 한다.
⑤ 사회가 바람직한 방향으로 나아갈 수 있도록 도덕적 판단을 해야 한다.

02 다음 글에 나타난 인간, 사회, 환경을 보는 관점에 대한 옳은 설명을 〈보기〉에서 고른 것은?

> 우리나라는 사계절의 구분이 뚜렷한 온대성 기후에 해당하며, 우리나라의 한옥은 이러한 기후에 영향을 받아 지어졌다. 예를 들어 겨울의 추운 북서풍을 막기 위해 남동 방향으로 바람길을 만들거나, 여름의 무더위를 견디기 위해 넓은 마루를 놓는 등 개방적인 구조로 집을 지었다.

〈보기〉
ㄱ. 한옥의 구조를 설명하고 있으므로 사회적 관점에 해당한다.
ㄴ. 사계절의 변화를 강조하였으므로 시간적 관점에 해당한다.
ㄷ. 공간 정보를 통해 한옥이 지금의 모습을 형성하게 된 이유를 파악했다.
ㄹ. 우리나라의 기후가 거주지에 영향을 준 것은 공간적 관점으로 이해할 수 있다.

① ㄱ, ㄴ ② ㄱ, ㄷ ③ ㄴ, ㄷ
④ ㄴ, ㄹ ⑤ ㄷ, ㄹ

03 다음 (가)와 (나)는 특정 관점으로 커피 산업을 분석한 것이다. 해당 관점을 바르게 연결한 것은?

> (가) 커피는 17세기 이후 본격적으로 유럽 각지로 확산되었다. 18세기부터 커피 수요가 급증하자 유럽인은 본격적으로 동남아시아나 남아메리카 지역의 식민지에서 플랜테이션 방식으로 커피를 재배하기 시작하였다.
> (나) 커피 생산 과정에서 아동이 노동 착취를 당하거나 생산자가 얻는 이익이 부당하게 적은 사례가 많다. 이러한 대기업의 착취를 막기 위해 공정 무역 커피를 마셔야 한다.

	(가)	(나)
①	시간적 관점	윤리적 관점
②	시간적 관점	사회적 관점
③	사회적 관점	공간적 관점
④	사회적 관점	시간적 관점
⑤	공간적 관점	윤리적 관점

04 다음의 (가)의 관점에서 (나)의 A에게 할 수 있는 조언으로 가장 적절한 것은?

> (가) 인간을 둘러싸고 발생하는 현상은 다양한 요인이 서로 영향을 주고받으면서 나타나므로, 다양한 관점을 이용해 바라보아야 한다.
> (나) A는 한국의 고령화 사회에 대해 조사하라는 과제를 받았다. A는 인터넷을 통해 출산율 저하가 고령화 사회에 영향을 준 원인이라는 점을 알게 되었다. 하지만 그 외에 다른 자료는 찾아보지 않았다.

① 윤리적 관점에 대한 분석이 부족해.
② 사회적 관점으로 조사해 보는 것이 어떨까?
③ 공간적 관점으로 조사하는 것이 더 좋을 거야.
④ 하나의 관점으로 자세하게 조사하는 자세가 필요해.
⑤ 고령화 사회와 같은 복잡한 문제는 통합적 관점으로 조사해야 돼.

05 다음 글의 주인공인 '나'의 행복에 영향을 미치는 요인으로 가장 적절한 것은?

> 그들이 전쟁을 하고 있는 것 못지않게 나도 식량과의 전쟁을 하고 있었다. 빨리 세상이 바뀌길 바라는 건, 이제 자유니 민주주의니 하는 이념의 문제가 아니었다. 우리 집 식량이 바닥나기 전에 먹을 것이 유통되고, 먹을 걸 살 돈이 없으면 하다못해 구호물자라도 얻어먹을 수 있는 세상이 와야만 했다.

① 기본적인 생존을 보장받기 위한 의식주 보장
② 자유와 인권이 보장되는 민주주의 사회 건설
③ 종교가 제시하는 교리와 계율의 철저한 실천
④ 빼앗긴 주권의 회복과 자주적인 독립 국가 건설
⑤ 지적인 욕구를 충족시켜줄 수 있는 교육 환경 개선

06 다음 제시문을 통해 알 수 있는 옳은 내용을 〈보기〉에서 고른 것은?

> 우리나라, 중국, 일본, 미국의 누리 소통망(SNS)에 행복과 함께 언급된 단어 1억 개를 분석해 연관성이 높은 것만 표시한 빅 데이터 분석 자료를 산출하였다. 미국은 동양 3국보다 '아름다움'과 '웃다' 등 행복한 순간의 감정을 표현하는 단어가 많았다. 한국은 4개국 중 유일하게 '가족'을 행복 연관어로 꼽았다. 일본은 '정치', '나라', '모임', '법' 등 국가를 포함한 공동체에 관한 관심을 나타내는 단어가 비교적 많았다. 중국은 '비즈니스', '성공', '부유하다'와 같은 일과 관련된 단어가 많았는데, 이는 급속한 산업화를 겪고 있는 중국인들이 사회적인 성공을 중요한 가치로 삼고 있음을 보여준다.

〈보기〉
ㄱ. 행복의 기준은 지역에 따라 다르게 나타난다.
ㄴ. 행복의 기준은 국가마다 가지고 있는 가치관과는 관련이 없다.
ㄷ. 유교 문화권이라는 공통점으로 인해 한국, 중국, 일본의 행복의 기준이 같다.
ㄹ. 지역의 인문 환경은 개인의 가치관에 영향을 미쳐 행복의 기준에 영향을 주기도 한다.

① ㄱ, ㄴ　② ㄱ, ㄹ　③ ㄴ, ㄷ
④ ㄴ, ㄹ　⑤ ㄷ, ㄹ

07 다음 대화에서 을이 강조하는 행복의 조건을 〈보기〉에서 고른 것은?

> 갑 : 자네는 왜 이렇게 사나? 왕한테 가서 고개를 숙이면 콩깍지를 삶아 먹지 않아도 될 텐데.
> 을 : 쯧쯧, 콩깍지를 삶아 먹는 것만 배우면 그렇게 굽실거리며 살지 않아도 된다네.

〈보기〉
ㄱ. 행복의 가장 중요한 요소는 권력을 바탕으로 한 경제적 안정이다.
ㄴ. 행복은 외적인 환경이 아니라 내적으로 만족하는 삶에서 비롯된다.
ㄷ. 진정한 행복은 자기 자신의 상황에 만족하고 처한 상황에서 즐거움을 누리는 삶이다.
ㄹ. 경제적으로 안정된 삶을 살기 위해서는 높은 지위에 있는 사람의 명령을 따라야 한다.

① ㄱ, ㄴ　② ㄱ, ㄷ　③ ㄴ, ㄷ
④ ㄴ, ㄹ　⑤ ㄷ, ㄹ

08 다음 내용을 읽고 진정한 행복을 위해 해야 할 노력을 가장 바르게 이해한 사람은?

> 그리스 신화에 나오는 미다스(Midas) 왕은 큰 부자가 되면 행복해질 것이라 믿었다. 그래서 무엇이든 소원을 들어주겠다는 신에게, 자신의 손이 닿는 모든 것을 황금으로 변하게 해달라고 간청하였다. 신은 미다스 왕의 소원을 들어주었다. 크게 기뻐하며 황금을 만드는 일에 몰두하던 미다스 왕은 어느 순간 자신의 능력이 행복이 아니라 불행의 원천임을 깨달았다. 그가 손을 대는 음식과 포도주가 황금으로 변해서 먹을 수 없게 된 것이다. 심지어는 사랑하는 딸을 만지자 그 딸이 왕의 눈앞에서 황금 상(像)으로 변해버렸다.

① 성소 : 남들과 자신의 행복을 비교해야 해.
② 미연 : 자신이 원하는 것은 모두 이루어야 해.
③ 일원 : 현재의 삶에 만족하는 자세를 가져야 해.
④ 진수 : 행복에는 경제적 안정이 무엇보다 중요해.
⑤ 화영 : 진정한 행복이 무엇인지 성찰한 후에 행동해야 해.

09 다음을 통해 알 수 있는 질 높은 정주 환경의 조건으로 가장 적절한 것을 〈보기〉에서 고른 것은?

> 내가 사는 곳은 비가 오면 강물이 넘치고 집이 물에 잠긴다. 바닥에는 냄새나는 녹색 물이 고여 있어 지나다닐 곳이 없다. 4살짜리 아이는 기관지염과 말라리아에 걸렸고, 이제는 티푸스까지 걸렸다. 의사는 아이를 잘 보살피지 않으면 아이를 잃게 될 것이라고 했다. [마이크 데이비드, 『슬럼, 지구를 뒤덮다』]

〈보기〉
ㄱ. 마음을 풍요롭게 할 아름다운 자연 경관이 필요하다.
ㄴ. 거주지를 포함한 주변 환경은 위생적인 공간이어야 한다.
ㄷ. 집은 다른 사람과 소통하는 생활의 기반이므로 교통의 요지에 있어야 한다.
ㄹ. 정주 환경은 인간이 외부의 위협으로부터 안정을 취할 수 있는 공간이어야 한다.

① ㄱ, ㄴ ② ㄱ, ㄷ ③ ㄴ, ㄷ
④ ㄴ, ㄹ ⑤ ㄷ, ㄹ

10 다음 글을 통해 추론할 수 있는 내용으로 가장 적절한 것은?

> 전국 남녀 1,000명을 대상으로 "행복을 위한 조건으로 무엇이 가장 중요합니까?"라는 질문에 대한 응답을 받은 결과, 응답자의 40.2%가 '경제적 여유'를 행복의 가장 중요한 조건으로 꼽았다. 뒤이어 건강(21.3%), 긍정적인 마음가짐(16.2%), 화목한 가정(15.9%), 충분한 여가(3.8%) 등이 행복을 위한 중요한 조건으로 꼽혔다. [○○일보, 2015. 12. 10.]

① 삶의 질을 보장할 수 있는 경제적 안정을 강조하였다.
② 개인의 이익만을 추구하는 삶을 행복한 삶으로 보았다.
③ 신체적으로 고통이 없는 상태를 가장 중요하게 생각하였다.
④ 행복의 조건 중 정서적 안정이 가장 중요한 조건임을 알 수 있다.
⑤ 자신의 삶의 목적을 설정하고 자아를 실현할 수 있는 시간을 가장 중요하게 생각하였다.

11 다음 글에서 강조하는 행복의 조건에 대한 설명으로 옳지 않은 것은?

> '란트슈게마인데'란 스위스의 일부 주에서 주민들이 광장에 모여 직접 정책을 결정하는 제도로, 스위스 직접 민주주의의 상징이다. 매년 5월 첫째 주 일요일에는 시민들이 시청사와 법정의 야외에 모여 법률과 재정 문제에 관해 토론하고 결정한다. 란트슈게마인데를 통해 스위스의 어린이, 청소년들은 정치 참여를 자연스럽게 배운다.

① 자유와 평등을 보장해 준다.
② 독재와 부패를 감시할 수 있다.
③ 시민의 정치적 의사가 잘 반영된다.
④ 비도덕적인 일탈을 하지 않도록 도와준다.
⑤ 시민들은 자신의 의견을 자유롭게 표현할 수 있다.

12 다음 (가)와 (나)에 대한 설명으로 옳은 것은?

> (가) 하루하루 더 나은 사람이 되려고 노력하는 삶보다 아름다운 삶은 없습니다. 자신이 더 나은 사람으로 발전하고 있다는 것을 느끼는 것보다 큰 기쁨은 세상에 존재하지 않지요. 그것이 바로 제가 오늘날까지 경험해 온 행복입니다.
> (나) 생각하면 생각할수록 새롭고 무한한 감탄과 존경을 불러일으키는 두 가지가 있습니다. 그것은 하늘에 반짝이는 별과 내 마음속의 도덕 법칙입니다.

① (가) : 자신의 발전을 위해서 타인에게 피해를 주는 것을 어느 정도 허용하고 있다.
② (나) : 신적 존재에 대한 경외심과 존경심을 강조하고 있다.
③ (나) : 도덕 법칙을 별에 비유하면서 두려워해야 할 것으로 보고 있다.
④ (가), (나) : 타인에 대한 무조건적인 희생을 강조하고 있다.
⑤ (가), (나) : 자기 자신의 삶을 도덕적으로 성찰하는 것의 중요성을 강조하고 있다.

13 다음 글을 읽고 물음에 답하시오.

> 옛날 어떤 왕이 눈이 보이지 않는 사람들에게 코끼리가 어떻게 생겼는지 물어보았다. 하지만 아무도 정확하게 코끼리의 생김새를 맞힌 사람은 없었다. 왕은 코끼리와 같이 큰 동물은 다른 여러 감각을 동원하여 파악해야 정확하게 이해할 수 있다는 것을 깨달았다. 사회 현상 역시 하나의 관점으로만 본다면 제대로 파악하기 어려울 것이다.

(1) 위 글에서 강조하는 인간, 사회, 환경을 바라보는 관점을 쓰시오. (　　　　　　　　)

(2) (1)의 관점이 필요한 이유를 서술하시오.

14 다음 글을 읽고 물음에 답하시오.

> 성공이는 업무 실적이 우수하여 포상 휴가를 받아 모처럼 여행을 떠났다. 성공이는 여행지의 바닷가에서 여유롭게 앉아 낚시를 즐기는 한 어부를 만났다.
>
> 성공이 : 바다에 나가 그물을 던지면 고기를 많이 잡아 돈을 더 버실 수 있지 않아요?
>
> 어부 : 돈을 많이 벌어서 뭐하게요?
>
> 성공이 : 지금의 저처럼 이렇게 여유와 휴식을 즐길 수 있지 않습니까?
>
> 어부 : 나는 매일 그렇게 사는 걸요.

(1) 위 글에서 성공이가 생각하는 '돈'의 의미를 추론하여 쓰시오. (　　　　　　　　)

(2) 위의 글이 주는 교훈을 서술하시오.

15 다음 글을 읽고 물음에 답하시오.

> [　㉠　]의 발전은 사회 구성원이 행복한 삶을 살아가는 데 필요한 기본적인 조건이다. [　㉠　] 사회에서는 법치주의와 선거 제도, 언론의 자유 보장 등을 통해 권력자에 의한 자의적 지배를 막고 국민의 자유와 권리를 보장한다.

(1) 위 글의 ㉠에 공통으로 들어갈 단어를 쓰시오.

(　　　　　　　　)

(2) ㉠의 발전을 위해 우리가 할 수 있는 실천 방안을 두 가지만 서술하시오.

16 다음 글을 읽고 물음에 답하시오.

> 공자가 살던 춘추 시대는 전쟁이 끊이지 않던 혼란한 시대였다. 공자에게는 혼란한 세상을 개혁해 질서를 회복하는 것이 ㉠ 도를 세우는 일이었다. 공자는 세속에 아첨하고 불의를 일삼는 위선자들은 '덕을 훔치는 도둑'이며, 인간이 해야만 하는 도리를 팽개치고 이익을 탐하는 자들은 '소인배'라고 말했다. 도덕이 힘을 잃으면 세상에는 이러한 소인배와 덕을 훔치는 도둑들이 득세하기 마련이고, 그만큼 백성의 삶은 피폐해지고 어려워진다.

(1) 위 글에서 공자가 밑줄 친 ㉠을 통해 강조하고 있는 행복의 조건을 쓰시오.

(　　　　　　　　)

(2) (1)의 조건이 중요한 이유를 서술하시오.

II

자연 환경과 인간

키워드로 흐름 한눈에 보기

01 자연환경과 인간 생활

- 자연환경
  - 기후에 따른 생활
  - 지형에 따른 생활
  - → 자연환경의 극복
  - → 안전하고 쾌적한 환경에서 살 권리

기후와 지형 등 자연환경은 인간 생활에 많은 영향을 주고 있으며, 우리는 쾌적한 환경 속에서 살아갈 권리가 있음을 알아야 해.

02 인간과 자연의 관계

- 인간과 자연
  - 인간 중심주의
  - 생태 중심주의
  - → 공존이 필요, 유기적 관계

인간 중심주의와 생태 중심주의의 관점과 사례를 배우고, 인간과 자연은 서로 유기적인 관계라는 것을 깨달을 필요가 있어.

03 환경 문제 해결을 위한 방안

- 환경 문제
  - 발생 원인 → 인구 증가, 산업화, 무분별한 개발
  - 환경 문제 유형 → 지구 온난화, 사막화 등
  - 해결 방안 → 국제 사회, 정부, 시민 단체, 개인의 노력
  - → 주요 국제 협약 : 기후 변화 협약, 람사르 협약, 사막화 방지 협약, 바젤 협약 등

환경 문제의 종류를 알아보고, 환경 문제의 해결을 위한 국제 사회, 정부, 시민 단체, 기업, 개인적 노력의 사례를 알아둘 필요가 있어.

01 자연환경과 인간 생활

흐름 잡기

인간 생활

기후에 따른 생활 양식의 차이는? A

지형에 따른 생활 양식의 차이는? B

자연환경의 극복 사례는? C

안전하게 살아갈 시민의 권리는? D

A 기후에 따른 생활 양식

한·줄·단·서 기후는 크게 **열대, 온대, 냉대, 한대, 건조 기후**로 구분하는데, 각 기후에 따라 **생활 양식**에 차이가 있어!

1. 기후의 의미와 특징

① **의미** : 일정한 지역에서 장기간에 걸쳐 나타나는 대기의 평균적인 상태

② **특징**

- 의·식·주 등 인간 생활에 많은 영향을 끼침
- 위도, 해발 고도, 수륙 분포 등 다양한 요인에 의해 달라짐

2. 기후 구분

① **구분 기준** : 기온과 강수량에 큰 영향을 받는 식생을 기준으로 구분

② **세계의 기후 구분** : 크게 열대, 온대, 냉대, 한대, 건조 기후로 구분 자료 1

3. 기후에 따른 생활 양식의 차이 자료 2,3

생활 양식: 사회나 집단이 공통적으로 생활하는 방식

① **열대 기후**

- **특징** : 일사량이 많아 연중 기온이 높음
- **의복** : 얇고 간편한 의복
- **음식** : 기름에 볶거나 튀기는 요리 발달, 향신료를 많이 사용
- **가옥** : 고상(高床) 가옥 발달, 빗물이 쉽게 흘러내리도록 지붕의 경사를 급하게 만듦, 개방적인 가옥 구조
- **산업** : 전통적으로 *이동식 화전 농업 발달, 계절풍이 부는 지역은 벼농사 발달

계절풍: 계절에 따라 방향이 달라지는 바람이야.

② ***온대 기후**

- **특징** : 계절의 변화가 뚜렷함 → 더위와 추위를 모두 극복할 수 있는 생활 양식이 나타남
- **가옥** : 여름이 고온 건조한 지중해 연안은 하얀색 집을 지음
- **산업** : 여름 기온이 높고 강수량이 많은 온대 기후 지역에서는 벼농사 발달

③ **냉대 기후**

- **특징** : 겨울이 길고 추움
- **가옥** : 풍부한 침엽수를 이용하여 통나무집을 지음 (통나무집: 창문이 작고 난방 시설을 잘 갖추고 있음)
- **산업** : 타이가라고 불리는 침엽수림 지대에서는 임업 발달

④ **한대 기후**

- **특징** : 겨울이 길고 몹시 추움
- **의복** : 동물의 가죽이나 털로 만든 의복
- **음식** : 열량이 높은 육류를 많이 먹음, 저장 음식 발달
- **가옥** : 눈과 얼음을 이용, 폐쇄적인 가옥 구조

⑤ **건조 기후**

- **특징** : 연 강수량이 적어 물이 부족하기 때문에 인간 거주에 불리
- **의복** : 온몸을 완전히 감싸는 옷(주로 사막 지역) (강한 햇빛을 막고 수분 증발을 억제하기 위해서야.)
- **가옥** : 흙벽돌집, 천막집 (사막 지역에서는 나무가 부족한 자연환경 때문에 흙벽돌을 사용한 집을 짓는데, 흙벽돌집은 단열 효과가 뛰어나 기온의 일교차가 큰 사막 지역에 적합해.)
- **산업** : 유목과 오아시스 농업

유목: 물과 풀을 찾아다니면서 양, 염소 등을 기르는 목축업

● **이동식 화전 농업**
열대 기후 지역은 토양이 척박하기 때문에 숲에 불을 지른 뒤, 그곳에서 농작물을 기르다가 3~5년 후 토양이 척박해지면 다시 다른 곳으로 이동하여 불을 지르고 농업을 시작하는데, 이러한 전통적인 농업 방식을 이동식 화전 농업이라고 한다. 얌, 카사바 등을 주로 재배한다.

● **온대 기후의 구분**
지중해 연안처럼 여름이 고온 건조한 기후를 지중해성 기후라고 하고, 우리나라와 같이 여름 기온이 높고 강수량이 많은 기후를 온대 계절풍 기후라고 하며, 영국과 같이 연중 강수량이 고른 기후를 서안 해양성 기후라고 한다.

자료 1 세계의 기후 지역

자·료·분·석 적도 주변에 분포하는 열대 기후 지역은 연중 기온이 높고, 중위도에 분포하는 온대 기후 지역은 계절의 변화가 뚜렷하고 기온이 온화하며, 고위도에 분포하는 냉대 기후 지역은 겨울이 길고 춥다. 북극과 남극 주변에 분포하는 한대 기후 지역은 겨울이 길고 몹시 추워 인간이 거주하기 어렵고, 연 강수량이 적은 건조 기후 지역은 물이 부족해 식물 성장과 인간 거주에 불리하다.

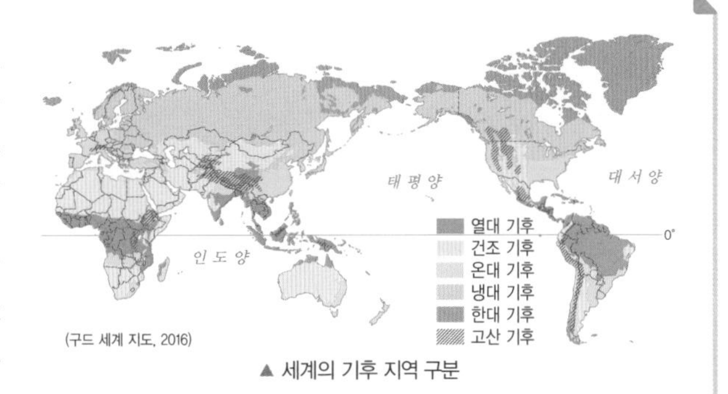

▲ 세계의 기후 지역 구분

한·줄·핵·심 대체로 저위도에서 고위도로 가면서 열대, 건조, 온대, 냉대, 한대 기후가 나타난다.

키워드 체크

❶ 저위도에서 고위도로 가면서, □□, 건조, □□, □□, 한대 기후가 나타난다.

답 : □□, □□, □□

자료 2 기후에 따른 전통적인 가옥의 형태

▲ 열대 기후 지역

▲ 한대 기후 지역

▲ 온대 기후 지역(지중해 연안)

자·료·분·석
- 열대 기후 지역에서는 지면에서 올라오는 지열과 습기, 해충을 막기 위해 바닥을 지면에서 띄워 짓는 고상 가옥이 발달하였다.
- 한대 기후 지역에서는 추위를 이기기 위해 주변에서 구할 수 있는 눈과 얼음을 이용하여 이글루와 같은 집을 짓는다.
- 지중해 연안 지역의 가옥은 햇빛을 차단하고 열기가 집으로 들어오는 것을 막기 위해 흰색으로 칠해져 있고, 벽의 두께가 두껍고 창문이 작다.
- 건조 기후 지역에서는 벽이 두껍고 창이 작은 흙벽돌집이 발달하였으며, 유목이 발달한 지역에서는 이동에 편리한 천막집이 발달하였다.

▲ 건조 기후 지역

한·줄·핵·심 기후에 따라 전통적인 주거 양식이 다르게 나타난다.

키워드 체크

❷ 열대 기후 지역에서는 바닥을 지면에서 띄워 짓는 □□ □□을 짓는다.

답 : □□ □□

자료 3 기후 차이에 따른 의복의 다양성

▲ 열대 기후

▲ 건조기후

▲ 한대 기후

자·료·분·석 열대 기후 지역의 주민들은 얇고 간편한 옷을 즐겨 입으며, 건조 기후 지역의 주민들은 얇은 천으로 온몸을 감싸는 옷을 주로 입는다. 한대 기후 지역에서는 동물의 털이나 가죽으로 만든 옷을 입는다.

한·줄·핵·심 의복의 주요 목적은 피부 보호와 체온 유지이다. 따라서 의복에는 지역의 기후 특성이 반영된다.

키워드 체크

❸ □□ 기후 지역의 주민들은 얇은 천으로 온몸을 감싼 옷을 주로 입는다.

답 : □□

키워드 체크 정답 ❶ 열대, 온대, 냉대 ❷ 고상 가옥 ❸ 건조

B 지형에 따른 생활 양식

한·줄·단·서 지형에 따라 크게 **산지, 평야, 해안 지역**으로 구분하며, 각 지형에 따라 **생활 양식**에 차이가 나타나!

1. 산지 지역

① **특징** : 사면의 경사가 급하고 해발 고도가 높아 인간 거주에 불리

② **산업**

- 농업에 불리하여 밭농사와 목축업 발달, 임산물 채취
- 농사짓기에 유리한 기후 조건을 갖춘 산지의 경우 계단식으로 농경지 조성
- 아름답고 독특한 산지 경관을 활용한 관광 산업 발달

③ **도시**

•고산 도시	• 위치 : 적도 부근의 해발 고도가 높은 지역 • 기후 : 연중 봄과 같은 온화한 날씨가 나타남 • 농목업 : 감자와 옥수수 재배, 가축 사육(라마, 알파카, 야크 등)
광업 도시	석탄이나 구리 등 지하자원이 풍부한 산지 지역에서 발달

2. 평야 지역

① **특징** (하천 주변에는 하천에 의해 퇴적된 충적 평야가 발달해.)

- 해발 고도가 낮고 지표면이 평평해 인간 생활에 가장 적합
- 하천 주변의 평야는 토양이 비옥하여 농업이 발달 → 세계 4대 문명 형성 자료4
- 도시가 발달하거나 각종 산업 시설이 입지해 경제 활동의 주요 공간이 됨

② **산업** : •아시아 지역의 벼농사, 유럽과 아메리카 지역의 밀 농사

3. 해안 지역

① **특징** : 다른 지역과의 교류가 편리함, 국가 간 교역이 증대하면서 대규모 항구와 산업 단지 조성

② **산업** : 주로 어업이나 양식업 발달, 평야가 발달한 지역은 농업이 이루어짐, 모래 해안·갯벌 등의 해안 지형을 이용한 관광 산업 발달

4. 독특한 지형 경관이 나타나는 지역 자료5

① **화산 지형** : 화산 활동으로 형성, 간헐천·활화산·노천 온천 등을 이용한 관광 산업 발달 (간헐천: 뜨거운 물과 증기 등이 일정한 간격을 두고 주기적으로 분출하는 온천이야.)

② **•카르스트 지형** : 석회암의 용식 작용으로 형성, 경관이 아름다워 관광 산업 발달

C 자연환경의 극복

한·줄·단·서 과학 기술이 발달하면서 인간은 **기후**와 **지형** 등 **자연환경의 제약을 극복**했지!

1. 기후의 극복

① **열대 기후 지역** : 냉장·냉동 보관 기술의 발달로 음식을 오랫동안 보관할 수 있음

② **건조 기후 지역** : 관개 시설의 확충으로 사막에서도 농업 가능 자료6 (관개 시설: 농경지에 물을 공급하는 시설로, 저수지, 보, 수로, 댐 등)

③ **한대 기후 지역** : 석유, 천연가스 등 에너지 자원 개발

2. 지형의 극복

① **인공 구조물 건설** : 하천 주변에 제방을 쌓거나 다목적 댐 건설 → 홍수, 가뭄 대비

② **간척 사업** : 갯벌을 간척하여 농경지와 주거지 등으로 이용

③ **에너지 생산** : 수력 발전(산지 지형), •지열 발전(화산 지형), 조력 발전(해안 지형) (조력 발전: 조수 간만의 차를 이용한 발전)

•고산 도시

▲ 고산 도시인 에콰도르의 키토

저위도 지역의 고산 지대는 연중 온화한 날씨가 나타나기 때문에, 무덥고 습한 저지대보다 더 많은 사람이 거주하여 고산 도시가 발달하였다.

궁금해? 아시아에 벼농사가 발달한 이유

벼는 성장기에 고온 다습해야 잘 자라는 작물이다. 따라서 동아시아의 온대 계절풍 지역과 동남 및 남부 아시아의 열대 계절풍 지역에서 주로 재배된다.

여름에 기온이 높고 강수량이 많으며, 하천의 범람으로 평야가 형성되어 있어 벼농사에 유리해.

•카르스트 지형

석회암의 주성분인 탄산칼슘이 이산화 탄소를 포함한 빗물이나 지하수에 녹아서 나타나는 지형을 말한다.

•지열 발전(아이슬란드)

아이슬란드는 화산 지대의 지열을 이용하여 에너지를 생산하고 있다.

자료 4 지형과 고대 문명의 발상지

자·료·분·석 세계 4대 문명은 나일강, 인더스강, 황허강, 티그리스강과 유프라테스강 유역으로, 모두 대하천 유역에서 형성되었다는 공통점이 있다. 산업 혁명 이전까지만 해도 농업은 사람들의 가장 중요한 경제 활동이었다. 고대의 대하천 주변은 하천의 범람으로 만들어진 비옥한 땅이 있어 농업이 발달하는 데 유리한 조건을 갖추고 있었다. 또한, 물을 구하기 쉬워 다른 지역보다 문명이 발달할 수 있는 여건이 마련되었다.

▲ 나일강 주변에 형성된 이집트 문명 유적

한·줄·핵·심 하천 주변에 형성된 충적 평야는 토양이 비옥하여 농업에 유리하기 때문에 이 지역에 사는 주민들은 주로 농사를 지으며 살아왔다.

키워드 체크

❹ 세계 4대 문명은 모두 □□□ 유역에서 형성되었다.

답 : □□□

자료 5 세계의 다양한 지형 경관

▲ 아이슬란드의 간헐천

자·료·분·석 대서양 해령에서 발생한 화산 활동으로 형성된 아이슬란드는 간헐천, 활화산, 노천 온천 등이 있어 많은 관광객이 찾고 있다. 또한, 아이슬란드는 전력 생산과 난방 및 온수 공급 등에 지열을 많이 활용하고 있다.

▲ 베트남의 할롱 베이

자·료·분·석 베트남의 할롱 베이에는 석회암이 오랜 침식 작용을 받아 형성된 크고 작은 섬과 기암괴석이 솟아 있다. 경관이 아름답고 자연적 가치를 인정받아 유네스코 세계 자연 유산으로 지정되어 있다.

한·줄·핵·심 지형은 주민 생활, 산업 활동 등에 영향을 끼치고, 지역의 특성을 살릴 수 있는 요소가 된다. 지형을 이용하여 국내외 관광객들을 유치하면 지역 경제에 도움이 되기도 한다.

키워드 체크

❺ 베트남의 할롱 베이는 석회암이 용식 작용을 받아 형성된 □□□□ 지형에 속한다.

답 : □□□□

자료 6 건조 기후 지역의 변화

자·료·분·석 건조 기후 지역은 연 강수량이 적고, 강수량보다 증발량이 많아 농업에 불리하다. 따라서 사막에서는 물을 구할 수 있는 오아시스와 외래 하천 주변에서 소규모 형태로 대추야자, 밀, 목화 등을 재배하는 오아시스 농업과 관개 농업이 발달하였다. 오늘날에는 과학 기술의 발달로 현대식 스프링클러를 설치하여 지하수를 퍼 올려 대규모 관개 농업을 하는 곳도 있다.

한·줄·핵·심 과학 기술이 발달하면서 인간은 자연환경의 제약을 극복하고 자연환경을 이용하며 생활하게 되었다.

▲ 현대식 스프링클러를 이용한 원형 경작지(요르단)

키워드 체크

❻ 오아시스 농업과 관개 농업이 발달한 지역은 대체로 어떤 기후 지역에 속하는가?

답 : □□ 기후

키워드 체크 정답 ❹ 대하천 ❺ 카르스트 ❻ 건조

D 안전하고 쾌적한 환경에서 살아갈 권리

한·줄·단·서 자연재해에는 **홍수, 가뭄, 폭설** 등의 기상 재해와 **지진, 화산 활동** 등의 지형(지질) 재해가 있어.

1. 자연재해 기후, 지형 등의 자연환경 요소들이 인간의 안전한 생활을 위협하면서 피해를 주는 자연 현상 자료7

2. 자연재해의 유형과 특징

① 기상 재해

- 의미 : 기후적 요인에 의한 자연재해
- 유형

홍수	일시에 많은 비가 내릴 때 발생 → 시가지와 농경지 등이 침수
가뭄	오랫동안 비가 내리지 않아 발생 → 식수와 농업용수 부족
폭설	많은 눈이 단시간에 집중해 내림 → 교통 혼란 초래, 비닐하우스 붕괴 등
열대 저기압	태풍, 허리케인, 사이클론 등은 강한 바람과 많은 강수를 동반함

열대 저기압: 열대 지역에서 발생하여 중위도 지역으로 이동하는 저기압으로, 발생하는 지역에 따라 이름이 달라.

② 지형(지질) 재해

- 의미 : 지형적 요인에 의한 자연재해
- 유형

*지진	• 땅이 갈라지고 흔들리면서 건축물과 도로 등이 붕괴 • 바다 밑에서 지진이 발생하면 대규모의 *지진 해일이 일어남
화산 활동	• 용암과 함께 화산 가스, 화산재 등이 분출함 • 화산재는 항공기 운항에 지장을 초래하기도 함

③ 최근의 자연재해

- 특징 : 인간 활동으로 자연환경 파괴, 환경 오염 → 자연재해의 피해 규모가 커짐
- 종류 : 태풍의 횟수와 강도 증가, 해수면이 상승하면서 저지대의 생활 터전 침수, 무분별한 산지 개발로 홍수 시 산사태 발생의 위험도가 커짐

태풍의 횟수와 강도 증가: 지구 온난화로 해수 온도가 상승하면서 더욱더 많은 수증기를 공급받기 때문이야.
해수면이 상승: 지구 온난화에 따른 기상 이변 때문이야.
산사태: 호우나 지진 등에 의해 발생하여, 많은 양의 토사가 가옥과 도로를 덮쳐 피해를 줘.

3. 자연재해에 대한 대응 자료8

① 특정 지역에서의 반복적 발생 → 재해 예방 대책으로 대비
② 평상시 예보 활동과 대피 훈련을 통해 피해를 최소화함
③ 재해 발생 시 신속하게 복구할 수 있는 대응 체계 마련

4. 안전하고 쾌적한 환경에서 살아갈 시민의 권리

① 헌법에 보장된 권리

헌법: 국가 통치의 기본 방침, 국민의 권리와 의무 등을 규정하는 한 국가의 최고의 법

- 헌법 조항 : 우리나라 헌법 제34조, 제35조
- 헌법을 바탕으로 한 법률 제정 : 「자연재해 대책법」, 「재난 및 안전 관리 기본법」, 「국민 안전 교육 진흥 기본법」 등

② 권리 보장을 위한 노력

국가	• 재해 예방을 비롯해 복구와 지원에 대한 정책 수립 • 첨단 기술을 활용한 *스마트 재난 관리 시스템 구축 • 재난이 발생하면 즉각적인 복구와 이에 대한 보상 및 지원
시민	• 재난 대응 훈련에 적극적으로 참여 • 위험 인지 능력과 위기 대응 능력 구축 • 개인의 이익만을 추구하기보다 공동체의 빠른 회복을 위해 함께 노력하는 성숙한 시민 의식 필요

• 우리나라의 지진

❶ 규모 5.8 2016년 9월 12일(경북 경주시 남서쪽)
❷ 5.3(비공식) 1980년 1월 8일(평안북도 의주 귀성)
❸ 5.2 2004년 5월 29일(경북 울진 해역)
5.2 1978년 9월 16일(충북 속리산 부근)
❺ 5.1 2016년 9월 12일(경북 경주시 남서쪽)
5.1 2014년 4월 1일(충남 태안 해역)
❼ 5.0 2016년 7월 5일(울산 해역)
5.0 2003년 3월 30일(인천 백령도 해역)
5.0 1978년 10월 7일(충남 홍성읍)
❿ 4.9 2013년 5월 18일(인천 백령도 해역)
4.9 1994년 7월 26일(전남 신안군 해역)

동해
황해
남해

▲ 역대 국내 지진 규모 10 순위

최근 한반도의 지진 발생 및 횟수가 급증하고 있다. 특히, 우리나라는 높은 인구 밀도, 난개발, 내진 설계 미비 등으로 지진에 취약한 상황이다. 따라서 건축물을 지을 때 내진 설계 등이 중요하다.

• 지진 해일

바다 밑에서 일어나는 지진이나 화산 폭발 등의 급격한 지각 변동으로 인해 바닷물이 상하로 진동하고 이것이 대규모 파동으로 성장하여 발생하는 해일로, '쓰나미'라고도 불린다.

궁금해? 자연재해와 관련된 헌법 조항

- 제34조 6항
  국가는 재해를 예방하고 그 위험으로부터 국민을 보호하기 위하여 노력하여야 한다.
- 제35조 1항
  모든 국민은 건강하고 쾌적한 환경에서 생활할 권리를 가지며, 국가와 국민은 환경 보전을 위하여 노력하여야 한다.

안전하고 쾌적한 환경에서 살아갈 권리는 헌법에도 보장되어 있어.

• 스마트 재난 관리 시스템

기상청의 기상 정보, 국토 교통부의 교통 정보, 소방 안전 본부의 119 신고 내용 등 기관이나 부서별로 관리되는 CCTV 영상 정보, 통계 정보 등 각종 재난 관련 정보를 통합하고, 연계한 재난 정보 통합 시스템을 말한다.

자료 7 세계의 주요 자연재해

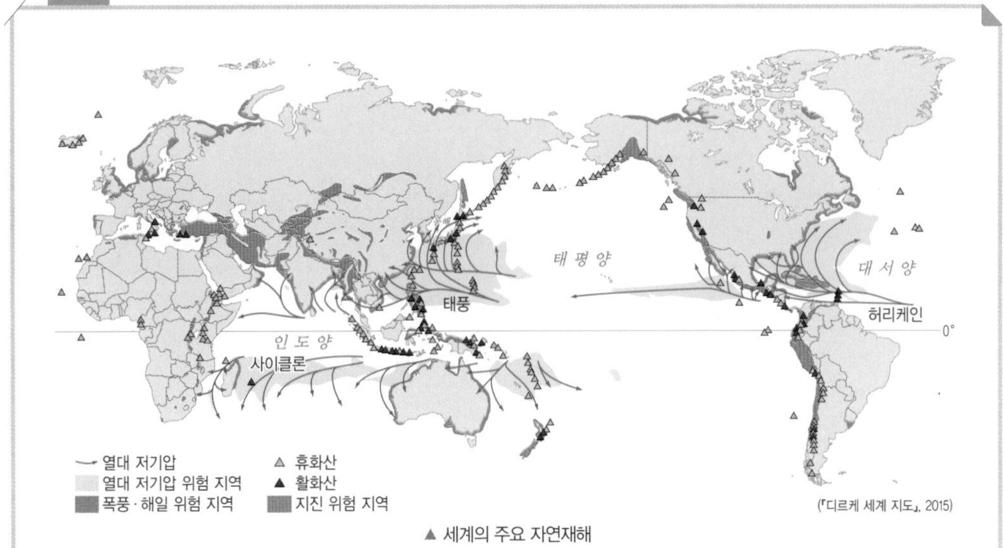

▲ 세계의 주요 자연재해

자·료·분·석 기후적 요인에 의한 자연재해에는 홍수, 가뭄, 폭설, 열대 저기압 등이 있다. 이 중 열대 저기압은 강한 바람과 많은 강수를 동반하여 피해가 크게 나타난다. 지형적 요인에 의한 자연재해는 지진과 화산 활동이 대표적이다. 지진과 화산 활동은 환태평양 조산대와 알프스·히말라야 조산대 등 판의 움직임이 활발한 판과 판의 경계 지역에서 주로 발생한다. 특히 환태평양 조산대는 전 세계에서 발생하는 지진과 화산 활동의 상당 부분이 집중되어 있다.

└ 화산과 지진이 자주 발생하여 '불의 고리'라고도 불려.

한·줄·핵·심 자연재해란 기후, 지형 등의 자연환경 요소들이 인간의 안전한 생활을 위협하면서 피해를 주는 현상을 말한다.

키워드 체크

❼-1 홍수, 가뭄, 폭설 등은 □□□ 요인에 의한 자연재해이고, 지진과 화산 활동 등은 □□□ 요인에 의한 자연재해이다.

답 : □□□, □□□

❼-2 □□□□ 조산대는 지진과 화산 활동이 빈번해 '불의 고리'라고 불린다.

답 : □□□□

자료 8 지진 피해와 대응

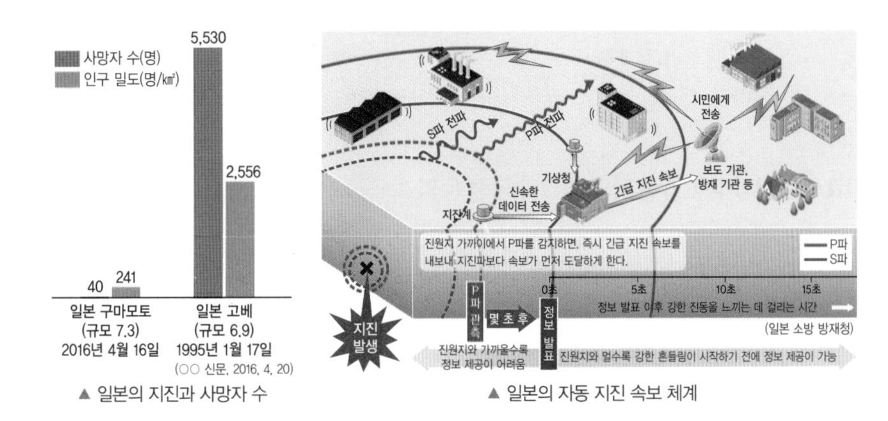

▲ 일본의 지진과 사망자 수 ▲ 일본의 자동 지진 속보 체계

자·료·분·석 일본은 1995년 고베에서 지진이 발생했을 당시 5,500여 명이 사망한 것을 계기로 지진 대응 체계를 전면 수정하였다. 대대적인 연구와 투자를 거쳐 지진 발생이 예측될 경우, 5~10초 안에 비상 경보를 방송국과 통신사에 자동으로 전파하는 긴급 지진 속보 시스템을 마련하고, 현대식 건물을 지을 때에는 반드시 내진 설계를 하도록 의무화하였다. 또한 국민들이 재난 대응 방재 교육과 실습 훈련을 의무적으로 받도록 하는 등 지진 피해를 최소화하기 위해 노력하였다. 이로 인해 2016년 4월 일본의 구마모토현에서 발생한 지진은 규모 7.3의 큰 지진이었음에도 사망자 수는 40여 명으로 많지 않았다.

한·줄·핵·심 자연재해는 정확히 예측하기 어려운 경우가 많기 때문에 평상시 대피 훈련을 하여 피해를 최소화하고, 재해 발생 시 신속하게 복구할 수 있는 대응 체계를 마련해야 한다.

키워드 체크

❽ 지진의 피해를 최소화하기 위해 건축물을 지을 때 □□ 설계를 의무화하고, 재난 대응 방재 교육을 지속적으로 시행해야 한다.

답 : □□

키워드 체크 정답 ❼-1 기후적, 지형적 ❼-2 환태평양 ❽ 내진

커피와 인간 생활

커피는 전 세계 사람들이 즐겨 마시는 기호 식품으로, 하나의 문화이자 산업으로 발달하였다. 다음 자료를 통해 커피의 생산국 및 소비국, 커피 생산이 지역 경제와 사람들의 생활에 미치는 영향, 커피의 유통과 관련된 공정 무역 등을 알아보자.

통합 주제 story

자료❶

제시된 국가는 세계 1~5위까지의 커피 생산국을 나타낸다. 커피의 생산은 주로 열대 및 아열대 지역에서 플랜테이션 형태로 재배된다.

▶ 플랜테이션 : 열대 기후 지역에서 선진국의 자본과 기술에 원주민의 노동력을 결합하여 상품 작물을 대량으로 재배하는 농업 방식

자료❷

자료를 살펴보면, 커피 생산량은 꾸준히 증가하고 있으며, 커피의 주요 생산국과 주요 소비국이 다르다는 것을 알 수 있다.

자료❸

자료와 같은 부작용을 최소화하기 위해 최근에는 생산지의 노동자에게 정당한 노력의 대가를 지급하고 직거래를 통해 소비자에게 상품을 제공하려는 공정 무역 운동이 활성화되고 있다.

자료 ❶ 주요 커피 생산국과 생산 지역

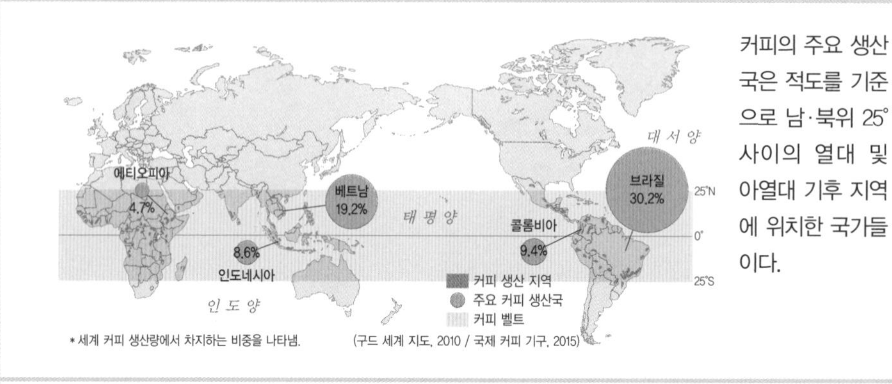

* 세계 커피 생산량에서 차지하는 비중을 나타냄.

(구드 세계 지도, 2010 / 국제 커피 기구, 2015)

커피의 주요 생산국은 적도를 기준으로 남·북위 25° 사이의 열대 및 아열대 기후 지역에 위치한 국가들이다.

자료 ❷ 커피 생산량과 주요 커피 소비국

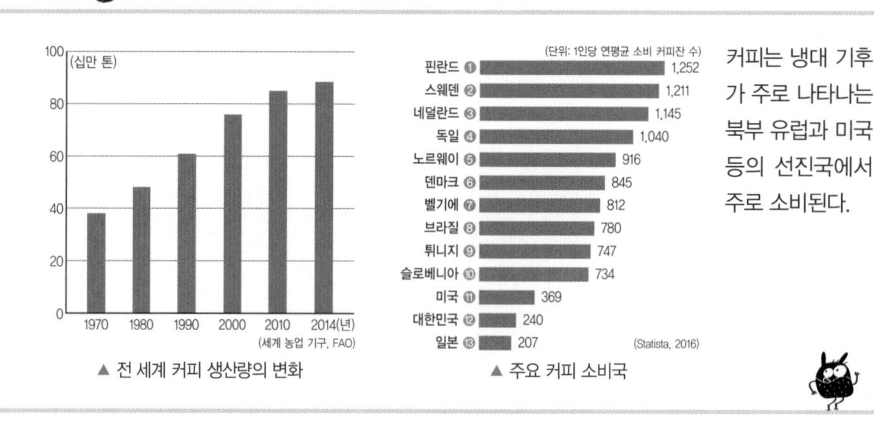

▲ 전 세계 커피 생산량의 변화

▲ 주요 커피 소비국

커피는 냉대 기후가 주로 나타나는 북부 유럽과 미국 등의 선진국에서 주로 소비된다.

자료 ❸ 커피 생산 노동자의 임금과 공정 무역

세계 최고의 커피를 생산하는 에티오피아 사람들은 세상에서 가장 가난한 사람들이기도 하다. 대규모 커피 농장에서 일하는 남자의 하루 임금은 약 2~3달러 수준이고, 커피 가공 창고에서 일하는 여자의 임금은 더 낮다. 이러한 일이 세계적으로 알려지면서 생산 노동자에게 정당한 대가가 돌아가게 해야 한다는 공정 무역 운동에 다시 한번 불이 붙었다.

[○○신문, 2015. 7. 24.]

이것만은 꼭!

→ 커피의 생산 지역은 주로 **열대 및 아열대 지역**에서 **플랜테이션** 형태로 재배된다.

→ 커피의 주요 **생산 국가와 소비 국가는 서로 다르게** 나타난다.

→ 생산지의 노동자에게 정당한 노력의 대가를 지급하려는 **공정 무역 운동**이 전개되고 있다.

콕콕! 개념 확인

정답과 해설 11쪽

A 기후에 따른 생활 양식

01 알맞은 설명에 ○표를 하시오.

(1) (열대, 사막) 기후 지역에 거주하는 주민들은 덥고 습한 기후 환경 때문에 얇고 간편한 옷을 주로 입는다.

(2) 열대 기후 지역이나 여름 기온이 높고 강수량이 많은 온대 기후 지역에서는 (밀, 벼) 농사가 발달한다.

B 지형에 따른 생활 양식

02 빈칸에 알맞은 말을 쓰시오.

(1) 하천 주변에 형성된 □□ 평야는 토양이 비옥하여 농업 발달에 유리하다.

(2) □□ 활동이 활발한 일본, 뉴질랜드, 아이슬란드는 온천, 간헐천 등을 관광지로 활용한다.

(3) 적도 부근의 □□ 지대에 있는 도시들은 연중 온화한 기후가 나타나 무덥고 습한 저지대보다 더 많은 사람이 거주한다.

C 자연환경의 극복

03 다음 사진에 해당하는 지역의 공통적인 기후를 쓰시오.

▲ 오아시스 농업(모로코)

▲ 해수 담수화 시설(사우디아라비아)

▲ 세계 최고층 빌딩(두바이)

D 안전하고 쾌적한 환경에서 살아갈 권리

04 지도를 보고 물음에 답하시오.

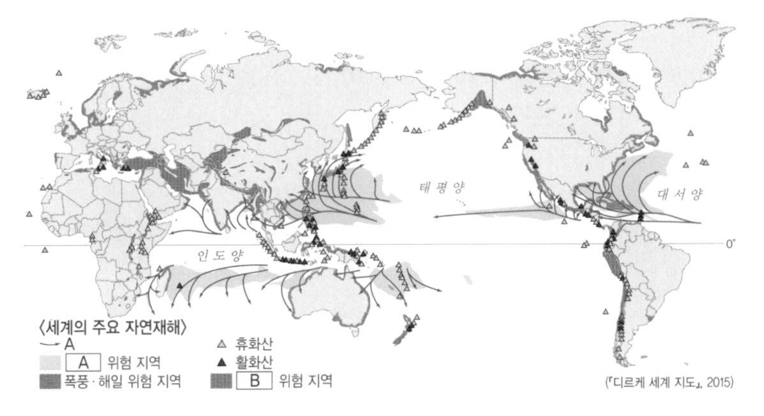

(『디르케 세계 지도』, 2015)

(1) 위 지도의 A, B에 들어갈 알맞은 말을 쓰시오.

(2) A는 지역에 따라 명칭이 다른데, 우리나라에 피해를 주는 A의 명칭을 쓰시오.

(3) 건축물을 설계할 때 B에 견딜 수 있도록 건물을 짓는 □□ 설계가 중요하다.

탄탄! 내신 문제

정답과 해설 11쪽

A 기후에 따른 생활 양식

01 그림은 어느 지역의 전통 가옥 구조를 나타낸 것이다. 이 지역에 대한 설명으로 옳은 것은?

① 연중 고온 다습하다.
② 건기와 우기가 뚜렷하다.
③ 4계절의 변화가 뚜렷하다.
④ 기온의 연교차가 매우 크다.
⑤ 식생의 밀도가 낮은 편이다.

[02-04] 지도는 세계의 기후 지역을 나타낸 것이다. 이를 보고 물음에 답하시오.

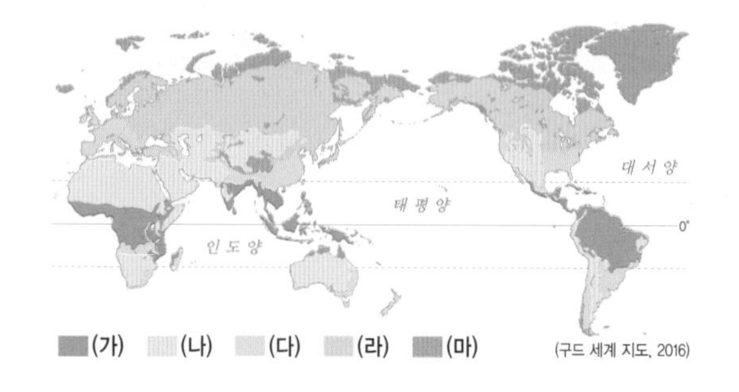

02 자료는 친구가 여행을 하며 보낸 엽서이다. 밑줄 친 '이 지역'을 지도의 (가)~(마)에서 고른 것은?

친구야. 잘 지내고 있니? 난 처음 와 본 <u>이 지역</u>에서 많은 것을 경험하고 있어. 특히 <u>이 지역</u> 사람들은 순록을 키우며 수렵 생활을 하는데 고기를 날것으로 먹어. 처음에는 이해할 수 없었는데, <u>이 지역</u>의 기후 때문이라는 것을 알게 되었어.

① (가) ② (나) ③ (다) ④ (라) ⑤ (마)

03 자료의 A~C와 같은 특징이 나타나는 지역을 지도의 (가)~(마)에서 고른 것은?

A		이 지역의 주민들은 얇고 간편한 옷을 즐겨 입는다.
B		이 지역의 주민들은 온몸을 감싸는 옷을 주로 입는다.
C		이 지역의 주민들은 동물의 털이나 가죽으로 만든 옷을 입는다.

	A	B	C
①	(가)	(나)	(다)
②	(가)	(나)	(마)
③	(가)	(다)	(라)
④	(나)	(마)	(라)
⑤	(다)	(라)	(마)

04 지도의 (가)~(마) 지역 주민들의 생활 모습으로 옳은 것은?

① (가) : 향신료를 넣은 요리가 발달하였다.
② (나) : 밀 농사보다는 벼농사가 발달하였다.
③ (다) : 일상적으로 수렵 생활과 유목을 한다.
④ (라) : 열기를 피하기 위해 흙집을 짓는다.
⑤ (마) : 육류보다는 곡물 위주의 식생활이 많다.

05 다음 자료에 해당하는 지역으로 옳은 것은?

이 지역의 가옥은 대체로 흰색이고, 집들이 다닥다닥 붙어 있다. 또한, 외부의 열기가 집안으로 들어오는 것을 막기 위해 창문이 작다.

① 열대 기후의 해안 지역
② 냉대 기후의 침엽수림 지역
③ 건조 기후의 사막 내부 지역
④ 온대 기후의 지중해 연안 지역
⑤ 한대 기후의 북극해 연안 지역

06 그림과 같은 농업 방식에 대한 설명으로 옳은 것은?

① 오아시스 농업이라 불린다.
② 화학 비료를 많이 사용한다.
③ 기계화율이 높은 농업 방식이다.
④ 주로 온대 기후 지역에서 행해진다.
⑤ 얌, 카사바 등 식량 작물을 주로 재배한다.

07 자료의 (가)~(라) 전통 가옥에 대한 옳은 설명만을 〈보기〉에서 있는 대로 고른 것은?

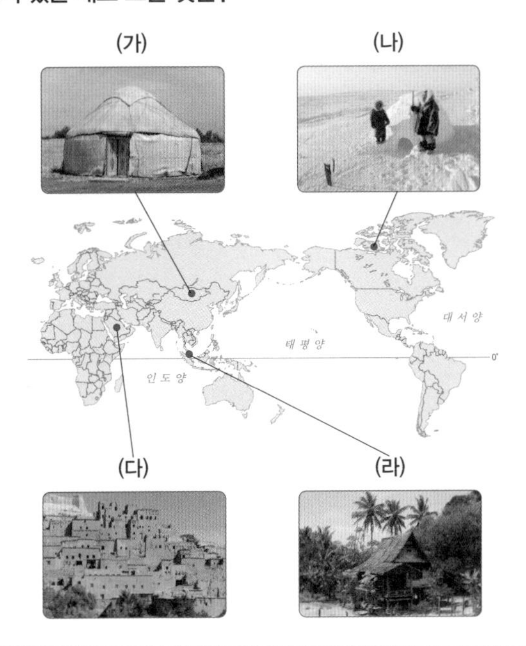

〈보기〉
ㄱ. (가)는 유목으로 인한 이동 생활의 편리함을 위해 짓는다.
ㄴ. (나)의 재료는 주변에서 쉽게 구할 수 있는 것이다.
ㄷ. (다)의 벽은 단열 효과를 높이기 위해 두껍게 한다.
ㄹ. (라)는 주로 냉대림으로 만든 통나무집이다.

① ㄱ, ㄴ ② ㄱ, ㄷ ③ ㄴ, ㄹ
④ ㄱ, ㄴ, ㄷ ⑤ ㄴ, ㄷ, ㄹ

08 다음 자료는 어느 동물의 특징을 나타낸 것이다. 이 동물이 주로 분포하는 지역에서 흔히 볼 수 있는 주민들의 전통 의상을 나타낸 것은?

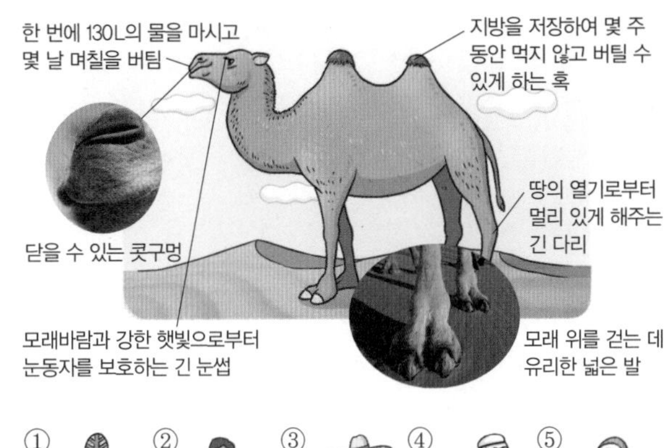

09 갑, 을 학생이 설명하고 있는 지역을 지도의 A~C에서 고른 것은?

갑: ○○ 지역에서는 주로 유목 생활을 하고 있는데, 양젖으로 끓인 차를 마시고 양고기와 채소를 넣어 찐 전통 음식을 즐겨.

을: □□ 지역에서는 음식이 상하는 것을 방지하기 위해 향신료를 많이 사용하고, 기름에 볶거나 튀기는 요리가 발달했어.

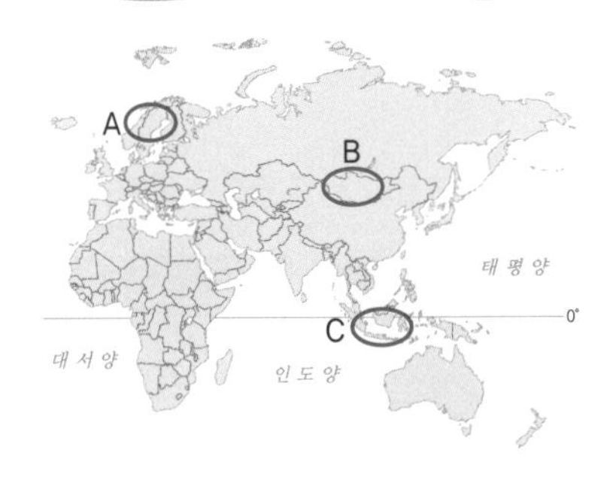

	갑	을		갑	을
①	A	B	②	A	C
③	B	A	④	B	C
⑤	C	A			

B 지형에 따른 생활 양식

10 지도에 표시된 A 작물에 대한 설명으로 옳은 것은?

(국제 연합 식량 농업 기구, 2016)

① 국수나 피자의 주원료로 이용된다.
② 사료용으로 이용되는 경우가 많다.
③ 주로 비옥한 충적 평야에서 재배된다.
④ 북반구보다 남반구에서 많이 재배된다.
⑤ 강수량이 적은 곳에서도 재배가 잘된다.

11 보고서에 표시된 (가) 지역에 대한 설명으로 옳은 것은?

1. 지형에 따른 생활 양식
(1) (가) 지역
• 연중 봄과 같은 온화한 날씨가 나타남
• 감자, 옥수수 등을 주식으로 함
• 야마, 알파카 등 사육 : 털·지방·고기 공급, 짐 운반
⋮

① 강수량이 적은 사막 기후 지역이다.
② 해발 고도가 높은 고산 기후 지역이다.
③ 겨울이 매우 추운 한대 기후 지역이다.
④ 연중 기온이 높은 열대 기후 지역이다.
⑤ 4계절의 변화가 뚜렷한 온대 기후 지역이다.

12 다음 지형이 발달하게 된 공통적인 원인으로 옳은 것은?

▲ 베트남의 할롱 베이

▲ 터키의 파묵칼레

① 용암의 분출
② 석회암의 용식
③ 하천에 의한 퇴적
④ 바람에 의한 퇴적
⑤ 파랑에 의한 침식

13 지도에 표시된 하천 유역의 공통적인 특징을 〈보기〉에서 고른 것은?

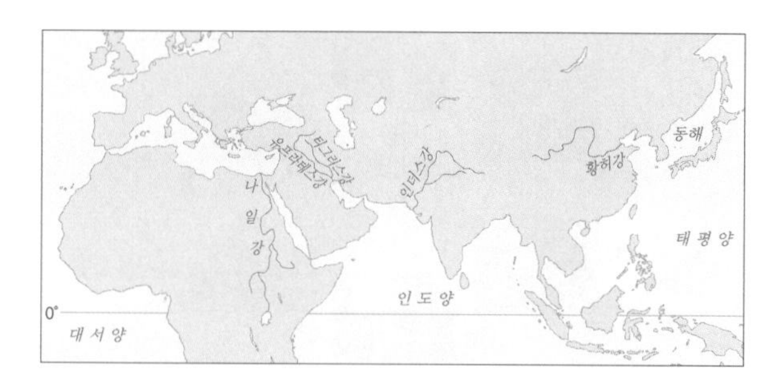

보기
ㄱ. 세계 4대 문명의 발상지이다.
ㄴ. 토양이 척박하여 농업에는 불리하다.
ㄷ. 하천 주변에는 충적 평야가 발달하였다.
ㄹ. 하천의 잦은 범람으로 인구 밀도는 낮은 편이다.

① ㄱ, ㄴ
② ㄱ, ㄷ
③ ㄴ, ㄷ
④ ㄴ, ㄹ
⑤ ㄷ, ㄹ

C 자연환경의 극복

14 자료의 (가)에 들어갈 내용으로 가장 적절한 것은?

① 모내기를 하기
② 열대림을 벌목하기
③ 순록을 관리하기
④ 바나나를 수확하기
⑤ 스프링클러를 설치하기

15 자료의 (가)에 들어갈 내용으로 옳은 것은?

> 교사 : 오늘은 자연환경 중 지형을 극복한 사례에 대해 공부하도록 하겠습니다. 판의 경계에 위치한 아래의 두 국가는 지각이 불안정하여 화산 활동이 잦은 편입니다. 이러한 조건을 바탕으로 두 국가는 [(가)] 에너지 이용이 활발합니다.
>
> 〈아이슬란드〉 〈뉴질랜드〉
>
> 북아메리카 판 / 유럽 판 / 레이카비크 / 0 100km
>
> 북섬 / 로토루아 / 인도·오스트레일리아 판 / 태평양 판 / 남섬 / 0 200km
>
> — 판 경계 ◆ (가) 발전소

① 지열 ② 화력 ③ 조력
④ 수력 ⑤ 원자력

D 안전하고 쾌적한 환경에서 살아갈 권리

16 다음 자료는 우리나라에 발생했던 어떤 자연재해를 나타낸 것이다. 이에 대한 설명으로 옳은 것은?

❶ 규모 5.8 2016년 9월 12일(경북 경주시 남서쪽)
❷ 5.3(비공식) 1980년 1월 8일(평안북도 의주 귀성)
❸ 5.2 2004년 5월 29일(경북 울진 해역)
5.2 1978년 9월 16일(충북 속리산 부근)
❺ 5.1 2016년 9월 12일(경북 경주시 남서쪽)
5.1 2014년 4월 1일(충남 태안 해역)
❼ 5.0 2016년 7월 5일(울산 해역)
5.0 2003년 3월 30일(인천 백령도 해역)
5.0 1978년 10월 7일(충남 홍성읍)
❿ 4.9 2013년 5월 18일(인천 백령도 해역)
4.9 1994년 7월 26일(전남 신안군 해역)

동해 / 황해 / 남해

① 농작물의 생산량을 감소시킨다.
② 황사의 주요 원인이 되기도 한다.
③ 댐을 건설하면 피해를 줄일 수 있다.
④ 건축물을 지을 때 내진 설계가 중요하다.
⑤ 기후적 요인에 의한 자연재해에 해당한다.

17 자료의 (가)에 들어갈 내용으로 옳은 것은?

> 지도에 표시된 지역은 '불의 고리(Ring of fire)'라는 별명으로 불릴 정도로 [(가)]이/가 빈번하게 발생하는 지역이다. 이는 이 지역의 대부분이 판의 경계에 해당하기 때문이다.

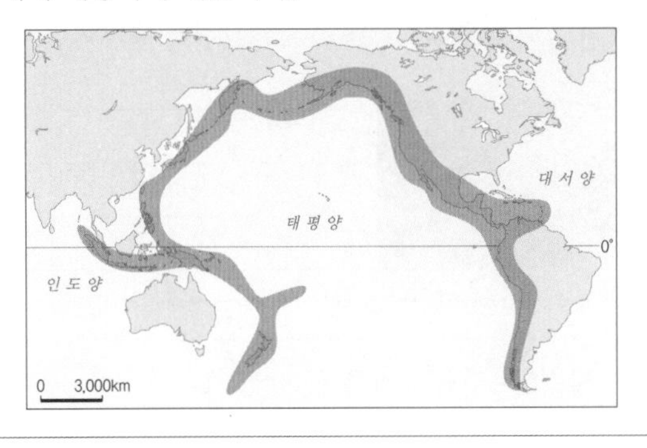

① 홍수 ② 가뭄 ③ 열대 저기압
④ 폭염과 폭설 ⑤ 화산 활동과 지진

18 사진의 (가)가 우리나라로 이동해 올 때 대비해야 할 대책으로 옳지 않은 것은?

① 담장의 붕괴 위험을 살펴본다.
② 간판이 떨어지지 않도록 점검한다.
③ 배수 시설 및 하천 제방을 점검한다.
④ 폭설에 대비하여 제설 장비를 점검한다.
⑤ 계곡의 야영객을 안전지대로 대피시킨다.

19 다음 글은 자연재해와 관련된 법 조항이다. 이에 해당하는 법의 체계로 옳은 것은?

> 제34조 6항 국가는 재해를 예방하고, 그 위험으로부터 국민을 보호하기 위하여 노력하여야 한다.
> 제35조 1항 모든 국민은 건강하고 쾌적한 환경에서 생활할 권리를 가지며, 국가와 국민은 환경 보전을 위하여 노력하여야 한다.

① 헌법 ② 법률 ③ 명령 ④ 조례 ⑤ 규칙

도전! 1등급 문제

정답과 해설 13쪽

01 자료는 통합 사회 수업 장면의 일부이다. '형성 배경'에 들어갈 옳은 내용만을 〈보기〉에서 있는 대로 고른 것은?

> **수업 주제 : 전통 가옥의 경관 특성과 형성 배경**
> 〈전통 가옥 경관〉 〈형성 배경〉

보기
ㄱ. 해충으로부터 피해를 줄여야 한다.
ㄴ. 단열을 위해 창문은 작고 벽은 두껍게 해야 한다.
ㄷ. 많은 비에 대비하여 지붕 경사를 급하게 해야 한다.
ㄹ. 기온과 습도가 높아 지면으로부터 떨어져 있어야 한다.

① ㄱ, ㄴ ② ㄱ, ㄷ ③ ㄷ, ㄹ
④ ㄱ, ㄷ, ㄹ ⑤ ㄴ, ㄷ, ㄹ

02 다음은 통합 사회 수업 장면의 일부이다. 교사의 질문에 옳게 대답한 학생을 고른 것은?

① 갑, 을 ② 갑, 병 ③ 을, 병
④ 을, 정 ⑤ 병, 정

03 자료에 대한 옳은 추론만을 〈보기〉에서 있는 대로 고른 것은?

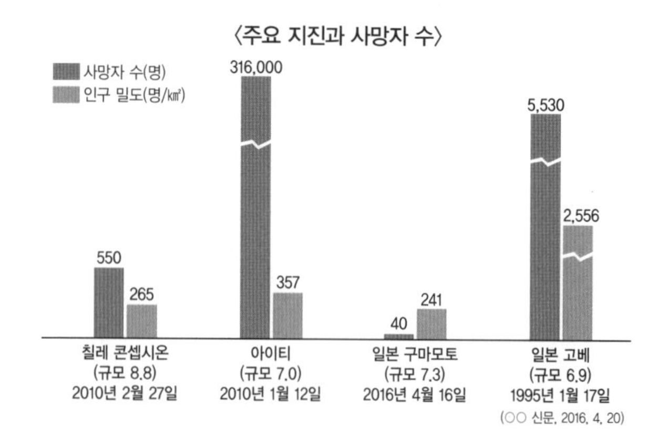

보기
ㄱ. 지진 발생 규모와 사망자 수는 비례한다.
ㄴ. 자연재해는 예측이 불가능하므로 대비하는 것이 불가능하다.
ㄷ. 일본은 고베 지진 이후 지진 대응 체계를 전면 수정하였을 것이다.
ㄹ. 아이티보다 칠레 콘셉시온의 내진 설계가 잘 갖추어졌을 것이다.

① ㄱ, ㄴ ② ㄱ, ㄷ ③ ㄴ, ㄷ
④ ㄴ, ㄹ ⑤ ㄷ, ㄹ

고난도

04 지도의 (가)~(마) 지역 주민들의 생활 모습으로 적절하지 않은 것은?

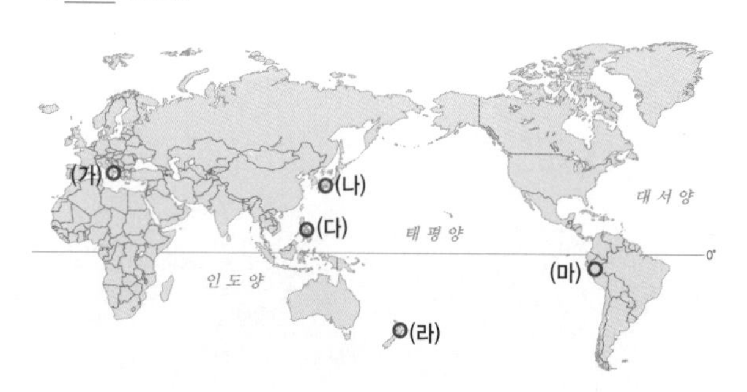

① (가) : 여름철 열대 저기압에 대비하여 축대를 점검한다.
② (나) : 지진 해일에 대비하여 해안에 제방을 높게 건설한다.
③ (다) : 지하의 뜨거운 열을 이용하여 전기를 생산한다.
④ (라) : 온천과 간헐천을 이용한 관광 산업에 종사한다.
⑤ (마) : 해발 고도에 따라 다양한 농작물을 재배한다.

[05-07] 자료를 보고 물음에 답하시오.

자료 ❶ 주요 ○○ 생산국과 생산 지역

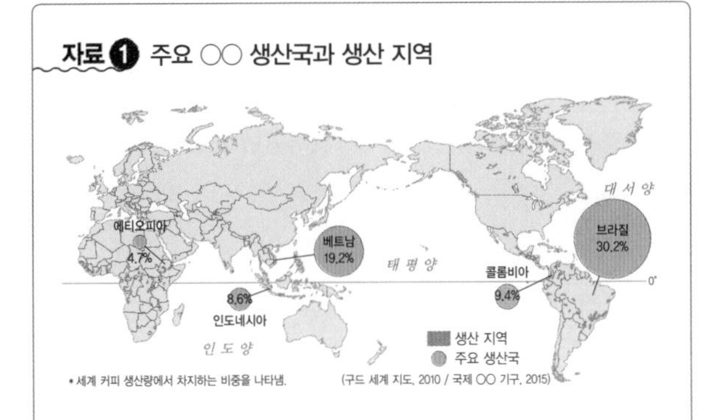

자료 ❷ ○○ 생산량 변화와 주요 ○○ 소비국

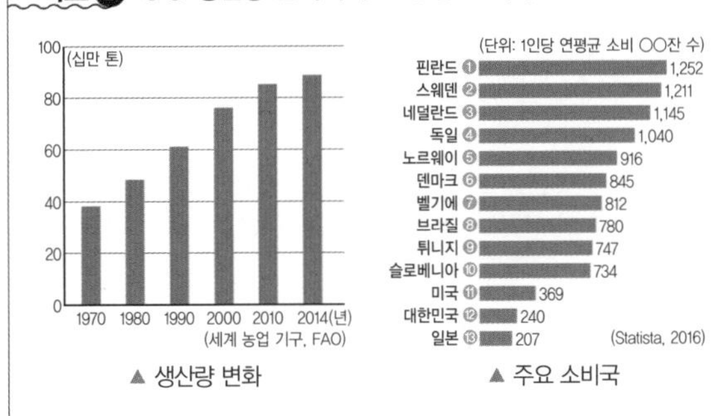

▲ 생산량 변화 ▲ 주요 소비국

자료 ❸ ○○ 생산 노동자의 임금과 공정 무역

세계 최고의 ○○를 생산하는 에티오피아 사람들은 세상에서 가장 가난한 사람들이기도 하다. 대규모 ○○ 농장에서 일하는 남자의 하루 임금은 약 2~3달러 수준이고, ○○ 가공창고에서 일하는 여자의 임금은 더 낮다. 이러한 일이 세계적으로 알려지면서 생산 노동자에게 정당한 대가가 돌아가게 해야 한다는 공정 무역 운동에 다시 한번 불이 붙었다.

[○○ 신문, 2015. 7. 24]

05 자료의 '○○ 작물'에 대한 옳은 설명을 <보기>에서 고른 것은?

〈보기〉
ㄱ. 주로 자급적인 형태로 재배된다.
ㄴ. 작물의 가공품 소비로 설탕의 소비도 증가했다.
ㄷ. 작물의 열매보다 잎을 가공하여 음료로 마신다.
ㄹ. 선진국 및 다국적 기업의 자본 투자 비중이 높다.

① ㄱ, ㄴ ② ㄱ, ㄷ ③ ㄴ, ㄷ
④ ㄴ, ㄹ ⑤ ㄷ, ㄹ

06 자료❶, ❷를 바르게 해석하지 <u>못한</u> 학생을 고른 것은?

① 갑 : 자료❶을 통해 '○○ 작물'은 주로 열대 및 아열대 지역에서 재배되는 것을 알 수 있어.
② 을 : 자료❶을 통해 '○○ 작물' 재배 상위 국가는 대부분 개발 도상국에 속한다는 것을 알 수 있어.
③ 병 : 자료❷를 통해 '○○ 작물'의 수요는 꾸준히 증가하고 있다는 것을 알 수 있어.
④ 정 : 자료❷를 통해 '○○ 작물' 소비 상위 국가는 주로 유럽에 위치한 국가임을 알 수 있어.
⑤ 무 : 자료❶, ❷를 종합해 보면 '○○ 작물'의 국제 이동량은 적을 거야.

07 다음은 한 학생의 서술형 답안지이다. ㉠~㉤ 중 <u>옳지 않은</u> 것은?

문제 : 자료❶~자료❸을 참조하여 ○○ 작물과 관련된 특징을 서술하시오.

답안지 : ○○ 작물은 ㉠ <u>현지의 저렴한 노동력과 유리한 기후 조건에 선진국의 자본과 기술을 활용하여 생산되고 있다</u>. 그리고 ㉡ <u>○○ 작물의 생산지는 주요 소비지와 다르다</u>. 한편, ㉢ <u>○○ 작물의 재배 노동자는 정당한 대가를 받지 못하고 있으며, 선진국과 다국적 기업으로 많은 이익이 돌아가고 있다</u>. ㉣ <u>이에 대한 대안으로 공정 무역이 있다</u>. 공정 무역은 ㉤ <u>소비자들이 생산자에게 원조를 통해 도와줌으로써 선진국과 개발 도상국 사이의 불공정 거래를 막을 수 있다</u>.

① ㉠ ② ㉡ ③ ㉢ ④ ㉣ ⑤ ㉤

인간과 자연의 관계

흐름 잡기

인간과 자연

인간 중심주의의 특징은? A

생태 중심주의의 특징은? B

인간과 자연의 바람직한 관계는? C

A 인간 중심주의

한·줄·단·서 **인간 중심주의**는 인간과 자연의 관계에서 **인간의 이익이나 행복을 먼저 고려**하는 관점이야.

1. 인간 중심주의의 의미와 특징

① **의미** : 인간을 가장 가치 있는 존재로 여기며, 인간과 자연의 관계에서 인간의 이익이나 행복을 먼저 고려하는 관점

② **특징**

- 오직 인간에게만 *본래적 가치를 인정함
- 인간은 자연과 구별되는 우월한 존재로 이해함 → *이분법적 세계관
- 자연을 인간의 이익과 필요에 따라 평가함 → 도구적 자연관

동식물을 포함한 자연의 모든 구성 요소는 그 자체가 가치 있는 것이 아니라 인간의 풍요로운 삶을 위한 도구로 파악하는 것이야.

2. 인간 중심주의의 대표적인 사상가

베이컨	아는 것이 힘이다. 자연을 인간에게 이롭도록 지식을 활용해야 한다. 방황하고 있는 자연을 사냥해서 노예로 만들어 인간의 이익에 봉사하도록 해야 한다.
데카르트	우리는 자연의 주인이자 소유자가 될 수 있다. 인간은 정신을 소유한 존엄한 존재지만, 자연은 의식이 없는 물질이다.

└ 데카르트는 자연을 영혼 없는 단순한 물질이며, 하나의 기계에 불과하다고 보았어.

3. 인간 중심주의의 영향

① **장점** : 자연을 탐구하고 개발하여 과학 기술의 발전과 경제 성장을 이루어 인간의 삶을 풍요롭게 하는 데 도움을 줌

② **문제점** : 자연을 함부로 사용 → 자원 고갈, 환경 오염, 생태계 파괴 등 자료 1

B 생태 중심주의

한·줄·단·서 **생태 중심주의**는 **인간을 포함한 자연 전체의 가치를 존중**하는 관점이야.

1. 생태 중심주의의 의미와 특징

① **의미** : 인간과 자연의 관계에서 인간의 이익보다 인간을 포함한 자연 전체의 균형과 안정을 먼저 고려하는 관점

② **특징**

- 인간을 포함한 자연 전체를 하나로 보는 *전일론적 관점임
- 자연의 내재적 가치 강조 → 자연 안의 모든 생명은 평등한 가치와 권리를 지님
- 인간은 자신뿐만 아니라 자연 전체에 도덕적 의무를 지님
- 행위의 옳고 그름은 생태계의 균형과 안정에 얼마나 이바지하느냐에 달려 있음

2. 생태 중심주의의 대표적인 사상가 레오폴드의 '대지 윤리' 자료 2

① 생태계 전체를 하나의 유기체로 보고 공동체 범위를 인간에서 동식물, 토양, 물을 비롯한 대지까지 모두 포괄하는 것으로 확대하려는 입장

② 대지는 '*생명 공동체'임

└ 대지는 경제적 가치로만 평가될 수 없이 그 자체가 중요하다고 보는 입장이야.

3. 생태 중심주의의 영향

① **장점** : 생태계의 관점에서 문제를 바라봄 → 환경 문제를 바라보는 새로운 시각 제공 자료 3

② **문제점** : 모든 자연 개발을 중단해야 한다고 주장, 환경 파시즘적 성격이 있음

└ 생태계 보호만을 지나치게 강조하여 극단적 입장으로 나아갈 수 있어.

└ 생태계 전체의 선을 위해 개체의 선을 희생할 수 있다고 한 입장을 비판적으로 가리키는 용어야.

• 본래적 가치
다른 어떤 것의 수단이기 때문이 아니라, 그 자체가 목적이기 때문에 갖는 가치를 말한다.

• 이분법적 세계관
인간과 자연을 분리해서 바라봄으로써 인간은 자연의 한 부분이 아니라 자연으로부터 독립된 자연보다 우월한 존재로 보는 세계관이다.

• 전일론적 관점
자연을 인간, 동식물, 환경 등과 같은 다양한 구성원이 유기적으로 엮여 있는 생태계로 인식하는 관점이다.

• 생명 공동체
생태계 내의 무생물과 생물들이 상호 의존하고 있는 균형 잡힌 먹이 사슬을 의미한다.

자료 1 인간 중심주의와 환경 문제

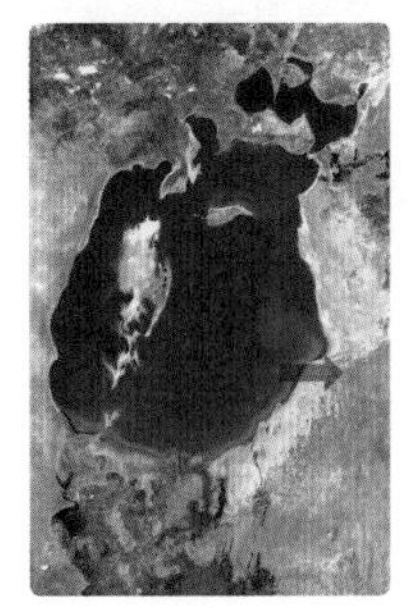

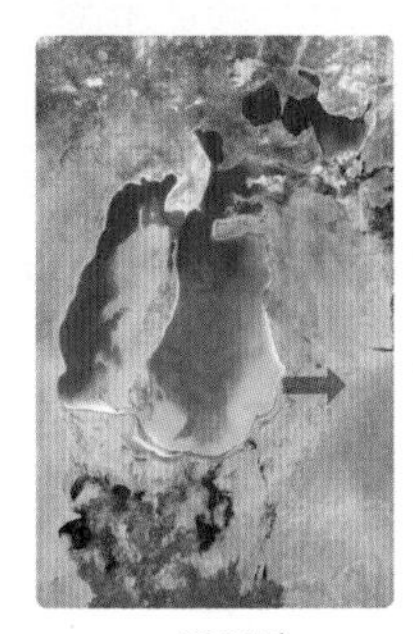
▲ 2000년

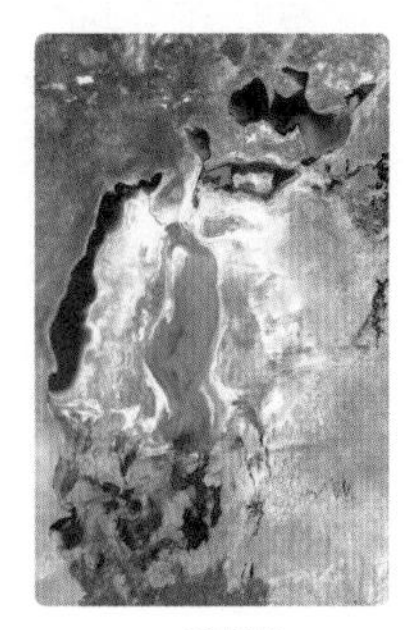
▲ 2010년

자·료·분·석 중앙아시아의 카자흐스탄과 우즈베키스탄 사이에 위치한 아랄해는 1960년대까지만 해도 세계에서 네 번째로 큰 호수였다. 하지만 호수로 유입되는 강물을 밀 농사와 목화 재배를 위한 농업용수로 사용하면서 호수가 말라갔으며, 지금은 원래 호수에서 90% 이상의 물이 사라지고 거의 사막으로 변하였다. 이렇게 아랄해가 축소된 변화는 인간 중심주의 자연관이 반영되어 나타난 결과물로 볼 수 있다.

한·줄·핵·심 자료에서 알 수 있듯이 아랄해의 축소로 인한 생태계 파괴는 결국 인간 중심주의 자연관이 반영되어 나타난 대표적인 문제점이다.

키워드 체크

❶ 생태계 파괴는 어떠한 자연관에서 비롯된 문제점일까?

답 : □□ □□□□

자료 2 생태 중심주의, 레오폴드의 '대지 윤리'

> 통찰력 있는 사람들은 이른바 '무생물적 자연'을 살아 있는 것으로 간주해 왔다. 상당수는 지구와 인간 사이에는 지구에 대한 기계적인 이해에서 나오는 것보다 더 깊고 밀접한 관계가 존재한다는 것을 직관적으로 느껴 왔다. 철학은 도덕적 죄의식을 느끼지 않고서는 지구를 파괴할 수 없는 이유를 제시해야 한다. 즉, '죽은 것(무생물)'으로 간주해 왔던 지구도 사실은 일종의 생명적 성질을 소유하며, 따라서 우리는 지구 그 자체를 직관적으로 존중해야 한다.
>
> [레오폴드, 『모래 군의 열두 달』]

자·료·분·석 레오폴드는 인간이 대지의 일원일 뿐이며, 자연은 인간의 이해와 상관없이 내재적 가치를 지니므로 토양, 물, 동식물과 인간까지 포괄하는 생태계 전체를 도덕 공동체의 범위에 포함해야 한다고 보았다.

한·줄·핵·심 레오폴드는 토양, 물, 동식물이 모여 있는 대지는 존중받아야 한다고 주장하였다.

키워드 체크

❷ 대지 윤리를 주장하였으며, 인간을 대지의 정복자가 아닌 대지의 구성원으로 바라보아야 한다고 주장한 사상가의 이름은?

답 : □□□□

자료 3 세계 최초의 생태 공동체 마을, '크리스털 워터스'

자·료·분·석 크리스털 워터스는 넓은 초지와 계곡을 중심으로 집과 도로, 상하수도, 저수지 등을 섬세하게 배치하여 인간의 주거 환경이 자연과 어긋나지 않게 통합하였다. 이곳 주민들은 자연과 인간의 공생을 실현하고자 자급자족하며 지속 가능한 공동체로서의 삶을 강조한다.

한·줄·핵·심 크리스털 워터스는 생태 중심주의적 생활 양식을 나타낸 공동체로서 환경 문제 해결에 대한 시사점을 보여준다.

▲ 크리스털 워터스 : 1985년 환경 운동가들의 설계에 따라 조성된 세계 최초의 계획 공동체

키워드 체크

❸ 크리스털 워터스는 인간과 자연의 □□을 실현하고자 하는 것이다.

답 : □□

키워드 체크 정답 ❶ 인간 중심주의 ❷ 레오폴드 ❸ 공생

C 인간과 자연의 바람직한 관계

한·줄·단·서 인간과 자연이 **유기적 관계**임을 이해하고, **공존**을 위해 **환경친화적 가치관**, **환경 영향 평가 제도** 실시 등의 노력이 필요하다는 것을 알아야 해.

1. 인간과 자연의 관계 변화

① **과거** : 인간은 오랜 세월 동안 자연과 인간을 서로 의존하는 관계로 인식하며 자연에 순응하였음

② **근대 이후** : 자연 과학이 발달하면서 인간이 자연을 정복할 수 있다고 생각함

③ **오늘날** : 다양한 환경 문제가 나타나면서 인간과 자연이 연결되어 있음을 자각함

2. 인간과 자연의 바람직한 관계

① **인간 중심주의와 생태 중심주의**

인간 중심주의	생태 중심주의
인간의 장기적인 이익을 보호하기 위해 환경 보호가 필요함	자연 그 자체의 가치를 존중하기 위해 환경 보호가 필요함
공통점 : 인간의 욕구를 적절히 조절함으로써 환경 보호를 해야 함에 동의함	

② **환경 문제 해결을 위한 바람직한 자세**

- 인간도 생태계의 구성원으로서 자연에 속해 있다고 보아야 함
- 인간의 삶과 자연 생태계를 유기적 관계로 바라보아야 함 (유기적 관계: 전체를 구성하고 있는 각 부분이 서로 밀접하게 관련되어 있어서 떼어낼 수 없는 관계야.)
- 인간과 자연은 대립적인 관계가 아니라 서로 공존해야 하는 관계임 자료 4
- 생태계의 안정과 균형을 위해 우리의 욕망을 절제할 수 있어야 함
- 생태계 전체를 도덕적으로 고려하는 생태 공동체 의식을 정립해야 함

3. 동양의 자연관이 주는 시사점

① 환경친화적 태도 강조

② 인간과 자연의 조화 강조 자료 5

③ **동양의 자연관**

구분	내용
유교	• 만물이 본래적 가치를 지님 • 인간과 자연이 조화를 이루는 천인합일(天人合一)의 경지를 지향함 (천인합일: 하늘과 인간이 하나로 일치하는 유교의 이상적인 경지를 의미해.)
불교	• 만물이 독립적으로 존재할 수 없다고 생각함 • 서로 연결되어 상호 의존하는 연기(緣起)를 깨닫고, 모든 생명을 소중히 여기며 자비를 베풀 것을 강조함
도교	• 자연 그대로의 질서를 따르는 무위자연(無爲自然)을 추구함 • 자연의 한 부분인 인간이 자연과 조화를 이루어야 한다는 주장

4. 인간과 자연의 공존을 위한 노력 자료 6

① **개인적 차원**

- 인간이 생태계의 한 구성원임을 깨닫고 환경친화적 가치관을 지녀야 함
- 책임 의식을 지니고 일상생활에서 자연 보호를 실천해야 함

② **사회적 차원**

- 효율성과 경제성보다는 자연과 인간의 공생을 중시하는 사회적 인식의 확대가 필요함
- 환경적·생태적 부작용을 사전에 예방하기 위한 *환경 영향 평가 제도를 실시함
- 자연과 조화를 이루는 개발을 위해 노력해야 함 → *생태 도시, *슬로 시티 지정, *생태 통로 만들기, 자연 휴식년제 도입, 갯벌 복원 사업 등

• 환경 영향 평가 제도
대규모 개발 사업이 자연환경에 어떤 영향을 미치는지 사전 조사하고 평가하여, 환경 영향을 최소화하고 환경 파괴 방지책을 마련하고자 하는 제도이다.

• 생태 도시
사람과 자연환경이 조화를 이루며 공생할 수 있는 체계를 갖춘 지속 가능한 도시를 말한다.

• 슬로 시티
공해 없는 자연 속에서 전통문화와 자연을 잘 보호하면서 느림의 삶을 추구하는 국제 운동을 의미한다.

• 생태 통로
인간이 만든 도로 등의 시설물에 의해 야생 동물의 서식지가 분리되는 것을 막기 위해 인공적으로 만든 길을 의미한다.

자료 4 펭귄의 길과 인간의 길

자·료·분·석 세계에서 가장 작은 펭귄인 '쇠푸른펭귄'의 서식지인 오스트레일리아의 필립섬에는 매년 수많은 관광객이 찾아온다. 하지만 관광객은 펭귄이 다니는 흙길이 아니라 나무 통로로 이동해야 한다. 그뿐만 아니라, 의자에 앉아서 조용하게 펭귄을 바라보아야 하고 작은 불빛에도 펭귄은 실명할 수 있어서 사진 촬영도 할 수 없다. 자연 본래의 특성을 훼손하지 않으면서 자연을 관찰하고 즐기는 여행 방식을 생태 관광이라 한다.

▲ 생태 관광의 대표적인 사례

한·줄·핵·심 자료는 자연 친화적인 생태 관광의 사례를 보여주고 있다. 이는 인간의 삶과 자연 생태계가 조화롭게 공존하는 방법을 모색한 결과이다.

키워드 체크

❹ 자연 본래의 특성을 훼손하지 않으면서 자연을 관찰하고 즐기는 여행 방식을 무엇이라고 하는가?

답 : □□ □□

자료 5 동양의 자연관

자·료·분·석 동양의 사유 체계에 나타난 자연은 가장 이상적인 존재인 동시에 인간이 닮아 나가야 할 최종 목표이다. 따라서 자연과 인간의 관계는 서로 맞서는 대립 관계가 아니라 오히려 인간이 자연을 닮아 나감으로써 언제나 하나를 지향하는 일체 관계로 파악된다. 웅장한 산과 냇물을 먼저 그리고, 한구석에 사람들을 그려 넣는 동양 산수화의 구도가 이런 생각을 잘 보여준다.

[김교빈 외, 『동양 철학은 물질문명의 대안인가』]

▲ 동양의 자연관을 잘 보여주는 작품인 정선의 '인왕제색도'

한·줄·핵·심 동양화에서 인물은 보통 자연의 일부로 묘사되며, 자연과 인간은 하나로 그려지고 있다. 이를 통해서도 알 수 있듯이 동양의 자연관은 인간과 자연은 함께 조화를 이루며 살아가야 함을 보여준다.

키워드 체크

❺ 동양의 자연관에서는 인간이 자연을 닮아 감으로써 언제나 하나를 지향하는 □□ 관계로 파악한다.

답 : □□

자료 6 '에코 지능'의 의미는?

자·료·분·석 영화 '아바타'에서 인간은 환경을 지배하고 파괴하는 것도 모자라 또 다른 행성 파괴를 계획하는 존재이고, 나비족은 환경과 교감하며 후손의 미래를 생각하는 존재로 묘사된다. 나비족인 여주인공의 "모든 에너지는 잠시 빌린 것뿐이야. 언젠가는 돌려줘야 해."라는 대사를 통해 우리는 우리에게 필요한 에코 지능을 이해할 수 있다. '에코 지능'이란 인간과 자연의 상호 영향을 이해하는 인식 능력, 자신의 소비와 생산 활동이 지구 환경에 미칠 영향을 파악할 줄 아는 통찰력을 말한다.

▲ 영화 '아바타'

한·줄·핵·심 에코 지능이란 인간과 자연의 상호 영향을 이해하는 인식 능력을 의미하며, 현재 우리에게 필요한 지능이다.

키워드 체크

❻ 인간과 자연의 상호 영향을 이해하는 인식 능력을 □□ □□이라고 한다.

답 : □□ □□

키워드 체크 정답 ❹ 생태 관광 ❺ 일체 ❻ 에코 지능

개발이냐, 보존이냐?

어떤 지역을 개발할 때 경제적 이익을 중시하는 측과 환경 보전을 중시하는 측이 대립할 수 있다. 개발을 주장하는 입장과 보존을 주장하는 입장의 주장을 가로림만 조력 발전소 건설 사례를 통해 파악해 보자.

통합 주제 story

자료❶

가로림만은 만 안쪽의 넓이가 1백km^2에 달하면서도 만 입구의 길이는 2km에 불과하고 조석 간만의 차이가 매우 커 세계적으로 좋은 조력 발전의 조건을 갖춘 것으로 평가되고 있다.

자료❷

가로림만 개발에 대한 찬성과 반대 입장의 갈등을 나타낸 자료이다. 찬성측은 조력 발전소 건설로 인한 이점이 많다고 주장한다. 이와 달리 반대측은 발전소 건설로 해양 생태계 파괴, 갯벌 감소로 인한 수질 악화 등이 우려된다는 점을 들어 반대하고 있다.

자료❸

가로림만이 해양 보호 구역으로 지정되면서, 개발과 보존의 입장 차이로 인한 갈등은 해소되었다. 해양 보호 구역으로 지정된 의미와 개발과 보전의 갈등 해소를 위해 논의되어야 할 부분이 무엇인지 생각해 보자.

자료 ❶ 가로림만 조력 발전소 입지 조건

▲ 가로림 조력 발전소 조감도

충청남도 서산 가로림만에 세계 최대 규모의 조력 발전소를 건설하는 방안이 적극적으로 검토되고 있다. 정부는 국내 전력 수요가 급증하고 석유, 석탄 등 화석 연료의 사용에 관한 국제적인 규제가 강화될 것으로 예상됨에 따라 가로림만에 2만 kW짜리 조력 발전소 20기를 건설, 총 40만 kW의 전력을 생산하는 사업을 검토 중이다. [○○뉴스, 1992. 6. 11.]

자료 ❷ 가로림만 조력 발전소 건설을 둘러싼 찬반 논쟁

▲ 가로림만 조력 발전소 건설에 반대하는 사람들

조력 발전은 전력 생산 과정에서 대기 오염 물질을 내뿜지 않아 환경 파괴를 최소화할 수 있어 정부의 친환경 에너지 정책에 일조한다. 또한, 경제를 활성화하고, 서산과 태안을 연결하는 방조제가 국토의 균형 발전에 도움을 주며, 관광객 유입으로 체험 관광 어촌을 기대할 수 있다.

▲ 가로림만 조력 발전소 건설에 찬성하는 입장

자료 ❸ 가로림만, 해양 보호 구역으로 지정

해양 수산부가 청정 갯벌인 충남 가로림만 해역을 해양 보호 구역으로 지정한다고 밝혔다. 해양 보호 구역은 생물 다양성 보전 등을 위해 보전 가치가 높은 해역 또는 갯벌을 지정·관리하는 제도이다. 가로림만 해역이 해양 보호 구역이 되면서 이 지역 내 재추진 논란이 일었던 조력 발전소는 사실상 백지화될 전망이다. 가로림만이 해양 보호 구역으로 지정됨에 따라 해양 수산부는 앞으로 주요 보호 해양 생물 종의 서식처 보전 관리 계획을 수립·시행하고, 해역 오염 저감·방지 시설 설치, 해양 쓰레기 수거 등 해양 생태계 보호와 복원을 위한 사업 등도 실시할 계획이다. [○○뉴스, 2016. 7. 27.]

이것만은 꼭!

- 지역 개발을 둘러싼 **개발론**과 **보존론**의 갈등 문제가 발생할 수 있다.
- 개발과 보존의 문제는 **인간 중심주의 입장**과 **생태 중심주의 입장**이 충돌하는 문제이다.
- 개발 문제에 있어서는 **인간의 삶과 자연 생태계가 조화롭게 공존**할 방법을 모색해야 한다.

콕콕! 개념 확인

정답과 해설 15쪽

A 인간 중심주의

01 빈칸에 알맞은 말을 쓰시오.

(1) □□ □□□□은/는 인간을 가장 가치 있는 존재로 여기며, 인간과 자연의 관계에서 인간의 이익이나 행복을 먼저 고려하는 관점이다.

(2) 인간과 자연을 분리해서 바라봄으로써 인간은 자연의 한 부분이 아니라 자연으로부터 독립된 존재로 보는 세계관을 □□□□ 세계관이라 한다.

(3) □□□은/는 "아는 것이 힘이다. 방황하고 있는 자연을 사냥해서 노예로 만들어 인간의 이익에 봉사해야 한다."고 주장하였다.

B 생태 중심주의

02 옳은 설명에 ○표, 틀린 설명에 ×표를 하시오.

(1) 생태 중심주의는 인간을 포함한 자연 전체를 하나로 보는 전일론적 관점이다. ( )

(2) 생태 중심주의는 자연을 인간의 욕구 충족을 위한 도구로써 이해하는 관점이다. ( )

(3) 생태 중심주의는 자연을 탐구하고 개발하여 과학 기술의 발전과 경제 성장을 이루어 인간의 삶을 풍요롭게 하는 데 도움을 준다. ( )

C 인간과 자연의 바람직한 관계

03 알맞은 설명에 ○표를 하시오.

(1) 환경 문제를 해결하기 위해 인간의 삶과 자연 생태계를 (이분법적, 유기적) 관계로 바라보아야 한다.

(2) 불교는 만물이 독립적으로 (존재함, 존재할 수 없음)을 강조하며, 모든 생명을 소중히 여기며 자비를 베풀 것을 강조하였다.

(3) 유교, 불교, 도교는 공통적으로 환경친화적 태도를 강조하고 있으며, 인간과 자연의 (조화, 구별)을/를 강조하였다.

04 다음은 인간과 자연의 공존을 위한 개인적 차원과 사회적 차원의 노력을 나타낸 것이다. ㉠~㉣에 들어갈 알맞은 말을 쓰시오.

개인적 차원의 노력	사회적 차원의 노력
• 인간이 생태계의 한 구성원임을 깨닫고 (㉠)인 가치관을 지니며 살아가야 한다. • (㉡) 의식을 지니고 일상생활에서 자연 보호를 실천해야 한다.	• 환경적, 생태적 부작용을 사전에 예방하기 위한 (㉢) 제도를 실시해야 한다. • 자연과 조화를 이루는 개발을 해야 하는데, 생태 도시, (㉣) 지정, 생태 통로 만들기, 갯벌 복원 사업 등이 이에 해당한다.

탄탄! 내신 문제

정답과 해설 15쪽

A 인간 중심주의

01 인간 중심주의가 인간의 삶에 미친 영향으로 옳지 않은 것은?

① 인간을 생태계를 구성하는 자연의 일부로 여기게 되었다.
② 자원이 고갈되고 환경이 파괴되는 등 심각한 환경 문제가 초래되었다.
③ 자연에 대한 탐구와 개발 욕구를 강화하여 경제 성장과 기술 발전을 가져왔다.
④ 자연을 인간의 욕구 충족을 위한 수단으로 인식하는 도구적 자연관을 가지게 했다.
⑤ 자연을 유용성의 관점에서 평가하면서 효율적으로 사용하는 것이 중요하다고 보았다.

02 갑, 을의 공통된 입장으로 옳지 않은 것은?

> 갑 : 신의 섭리에 따라 동물은 자연의 과정에서 인간이 사용하도록 운명이 정해졌다.
> 을 : 식물은 동물의 생존을 위해서, 동물은 인간의 생존을 위해서 존재한다.

① 인간은 생명 공동체의 구성원에 불과하다.
② 인간과 자연을 분리하여 바라보아야 한다.
③ 인간 외의 존재는 욕구 충족을 위한 도구이다.
④ 인간은 다른 존재와 구분되는 우월한 존재이다.
⑤ 다른 존재들과 달리 오로지 인간만이 가치가 있다.

03 다음 글의 질문에 대한 답으로 가장 적절한 것은?

> 인간만이 가치 있는 존재이고, 인간 이외의 모든 존재는 인간의 목적을 이루기 위한 수단에 불과하다.
> 질문 : 갯벌을 보호해야 하는 이유는 무엇일까요?

① 갯벌은 그 자체로 소중하기 때문이다.
② 갯벌은 생명체가 살아가는 터전이기 때문이다.
③ 갯벌 보호가 인간의 이익보다 중요하기 때문이다.
④ 갯벌 보호는 인간에게 이로움을 가져다주기 때문이다.
⑤ 갯벌은 도덕적 고려의 대상이 될 수 있기 때문이다.

04 다음 글의 밑줄 친 '어느 근대 서양 사상가'의 입장에 대한 옳은 설명을 〈보기〉에서 고른 것은?

> 어느 근대 서양 사상가는 지식은 힘이며, 인간의 힘이 점점 더 커져서 자연을 통제할 것으로 전망하였다. 그는 또한 인간은 자신의 상황을 더욱 편안하고 안락하게 만들 것이고, 모든 사람들은 날마다 더 행복해져서 미래는 상상할 수 없을 정도로 영광스럽고 무궁한 행복을 누릴 것이라 하였다.

〈보기〉
ㄱ. 인간과 자연은 전일적 관계를 지니고 있다.
ㄴ. 인간과 자연은 상호 의존성을 지니는 관계이다.
ㄷ. 인간의 자연에 대한 지배를 정당화하고 옹호한다.
ㄹ. 인간과 자연을 분리하고 자연을 개발과 극복의 대상으로 본다.

① ㄱ, ㄴ ② ㄱ, ㄷ ③ ㄴ, ㄷ ④ ㄴ, ㄹ ⑤ ㄷ, ㄹ

B 생태 중심주의

05 다음 사상가의 입장에 대한 설명으로 옳은 것은?

> 어떤 것이 대지(大地)라는 생명 공동체의 온전함과 안정성, 그리고 아름다움을 보전하는 경향이 있다면 그것은 옳다. 그렇지 않다면 그것은 그르다.

① 대지를 경제적 관점으로만 평가해야 한다.
② 인간은 내재적으로 다른 생명체보다 우월하다.
③ 인간과 자연의 상호 간 의무를 중요시해야 한다.
④ 토양, 물 같은 무생물은 도덕적 고려의 대상이 아니다.
⑤ 인간은 자연 전체에 대해 도덕적 의무를 지니고 있다.

06 생태 중심주의에 대한 설명으로 옳지 않은 것은?

① 환경 파시즘으로 흐를 위험성이 있다.
② 전일론적 관점에서 종이나 생명체까지 존중한다.
③ 도덕 공동체의 범위를 동물, 식물까지로 한정한다.
④ 개별 생명체의 가치보다 생명 공동체의 안정을 중시한다.
⑤ 환경 보존을 위한 구체적인 실천 방안을 제시하기 어렵다.

07 다음 글의 (가)에 들어갈 내용으로 가장 적절한 것은?

> 대지를 사랑과 존중의 대상으로 보아야 한다고 생각한다. 대지와 인간의 윤리적 관계는 대지에 대한 사랑, 존경, 감탄 없이는 지속될 수 없다. 그런데 어떤 사람들은 "대지는 단지 인간이 살아가는 조건일 뿐이며, 이를 활용하여 이익을 얻어야 한다."고 주장한다. 나는 어떤 사람들의 주장이 [(가)] 고 생각한다.

① 인간이 생태계의 지배자라는 사실을 모르고 있다
② 윤리적 배려 대상은 인간에 한정됨을 모르고 있다
③ 자연은 내재적 가치를 지니고 있음을 모르고 있다
④ 자연은 인간을 위해 존재하는 수단이라는 사실을 모르고 있다
⑤ 대지는 경제적 이익의 대상에 불과하다는 사실을 모르고 있다

09 (가), (나)의 공통적인 입장을 〈보기〉에서 고른 것은?

> (가) 인간의 모든 욕구를 적절히 선별하고 조절함으로써 실질적으로 내재적 가치를 지니는 자연을 보호해야 한다.
> (나) 인류의 장기적 이익을 위해 자연에 대한 보다 세심한 보전과 관리가 이루어져야 한다.

보기

ㄱ. 인간의 선택이 자연에 미칠 영향력을 고려해야 한다.
ㄴ. 자연을 보전하고 인간의 욕구를 적절히 조절해야 한다.
ㄷ. 인간의 이익과 관련 없이 자연은 그 자체로 보존해야 한다.
ㄹ. 인간은 자연의 주인이고, 자연은 인간의 욕구 충족을 위한 도구이다.

① ㄱ, ㄴ　② ㄱ, ㄷ　③ ㄴ, ㄷ
④ ㄴ, ㄹ　⑤ ㄷ, ㄹ

C 인간과 자연의 바람직한 관계

08 다음 글에 해당하는 사상의 자연관에 대한 설명으로 옳지 않은 것은?

> 하늘이 명한 것을 성(性)이라 하고, 성에 따름을 도(道)라 하고, 도를 닦는 것을 교(敎)라 한다.
> －『중용』－

① 우리가 살아가는 세계를 하나의 유기체로 인식하고 있다.
② 인간을 포함한 만물이 모두 본래적 가치를 지니고 있다.
③ 자연은 인간의 삶을 위해 존재하는 도구로만 이해해서는 안 된다.
④ 자연을 어떤 원인과 조건에 의해 끊임없이 변화하는 연기의 산물로 이해한다.
⑤ 인간과 자연이 조화를 이루는 천인합일(天人合一)의 경지를 추구해야 한다고 본다.

10 다음은 어떤 책에 대한 소개이다. 이 책에서 강조하는 내용으로 적절하지 않은 것은?

> 이 책은 영국의 경제학자 에른스트 슈마허가 발표해 사회적으로 큰 반향을 일으켰다. 슈마허는 대량 생산에 의한 대량 소비 사회의 진행으로 자연이 수용할 수 있는 한계를 넘어선 인간의 무한한 욕망을 성찰함으로써, 인간과 자연이 공존할 수 있는 경제로 나아가자고 주장하였다.

① 생태학에 기초한 삶을 구축하도록 노력해야 한다.
② 절제 없는 생산과 소비가 미덕인 사회를 만들어야 한다.
③ 인간이 자연계의 한 부분으로서 자연과 함께 살아가야 한다.
④ 인류와 자연의 공존의식을 바탕으로 환경 문제를 해결해야 한다.
⑤ 환경 문제는 단순히 인간의 필요와 욕구에만 초점을 맞추어서는 해결하기 어렵다.

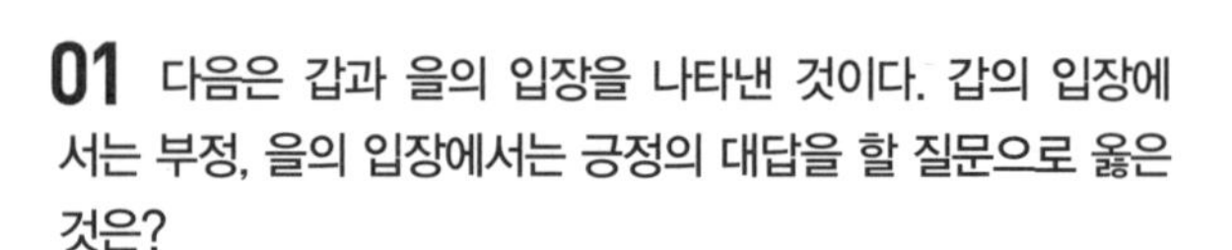

도전! 1등급 문제

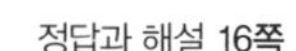

정답과 해설 16쪽

01 다음은 갑과 을의 입장을 나타낸 것이다. 갑의 입장에서는 부정, 을의 입장에서는 긍정의 대답을 할 질문으로 옳은 것은?

> 갑 : 이성을 지닌 인간만이 도덕적 지위를 가진다. 동식물과 같은 존재에 대한 도덕적 고려는 인간의 이익과 관련될 때만 가능하다.
> 을 : 인간의 이익에만 초점을 맞춰 생태계 전체를 바라보아서는 안 된다. 도덕적 고려의 범위는 생태계 전체로 확장되어야 한다.

① 생명 공동체의 구성원은 인간뿐인가?
② 인간은 도덕적 지위를 가지고 있는가?
③ 자연은 인간의 이익과 생존을 위한 수단인가?
④ 인간은 자연 전체에 대해 직접적 의무를 지니는가?
⑤ 생명이 없는 존재는 도덕적 고려의 대상에서 제외되는가?

02 다음 글의 사상가가 〈문제 상황〉에 대해 제시할 조언으로 가장 적절한 것은?

> 사상가 : 개체는 흙, 물, 식물, 동물을 모두 포함하는 상호 의존적인 것들로 이루어진 공동체의 구성원이다. 이와 같은 공동체의 온전함, 안정성, 아름다움을 보전하는 경향을 지니는 것은 옳고, 그렇지 않은 경향이 있다면 그것은 그르다.
> 〈문제 상황〉
> 환경 오염으로 멸종하는 동식물이 늘어나면서 생물의 다양성이 감소하였으며, 인간의 욕망을 전제한 과소비로 인해 자원의 낭비가 심각해졌다.

① 자연이 단순히 물리적 대상임을 알아야 한다.
② 자연이 지닌 위계질서를 명확하게 알아야 한다.
③ 자연은 살아 있는 유기체가 아님을 알아야 한다.
④ 자연을 구성하는 모든 존재에 대해 가치를 인정해야 한다.
⑤ 자연은 인간의 이익을 위한 수단이자 도구임을 알아야 한다.

03 다음 글을 통해 배울 수 있는 교훈으로 적절하지 않은 것은?

> 케냐에서는 개발이라는 이유로 나무를 베는 일이 자주 일어났는데, 이 일로 사람들은 오히려 삶을 위협받게 되었다. 숲의 90%를 잃어버린 케냐는 땅의 대부분이 황무지로 변해 버렸고, 가뭄이 극심해졌다. 이를 극복하기 위해 케냐 사람인 왕가리 마타이는 나무를 심는 그린벨트 운동을 시작하였다. 이 운동은 아프리카 밀림을 되살리기 위한 운동이었으며, 동시에 많은 여성의 일자리도 창출해 내는 효과가 있었다. 그 덕분에 아프리카에는 3,000만 그루의 나무가 심어졌다.

① 인간은 생태 공동체에서 특권을 지닌 존재임을 알아야 한다.
② 인간이 지닌 지나친 욕망을 줄이기 위한 노력이 필요하다.
③ 인간은 자연의 만물과 조화롭게 살 의무가 있음을 알아야 한다.
④ 환경 문제를 해결하기 위해 구체적이고 현실적인 방법을 실천해야 한다.
⑤ 인간은 생태계의 생존에 대한 책임 의식을 가지고 환경 문제를 해결하기 위해 노력해야 한다.

고난도

04 다음 사업과 관련된 내용으로 적절하지 않은 것은?

> ○○시는 도시의 발전으로 자연환경이 변화되었던 곳을 복원시키는 사업을 추진하고 있다. 특히 인위적인 시설을 배제하고 옛 자연의 모습으로 복원하여 하천이 지닌 본연의 기능 회복에 중점을 두고 있다.

① 자연과 인간이 조화를 이루는 체계를 갖춘 생태 도시
② 동물의 서식지를 보호하기 위해 만든 생태 통로
③ 공해 없는 자연 속에서 느림의 삶을 추구하는 슬로시티 운동
④ 인간이 사용할 땅의 면적을 늘리기 위한 갯벌을 메운 간척지 형성 사업
⑤ 생태계 복원을 위해 일정 기간 사람의 출입을 통제하는 자연 휴식년제 도입

05 제시문의 내용으로 유추할 수 있는 동양 전통 사상의 관점으로 가장 적절한 것은?

> 동양 전통 사상에서는 자연을 인간의 삶을 위한 수단이 아니라 그 자체로 고유한 가치를 지닌 생명체로 인식하였으며, 인간은 자연의 일부라고 생각하였다. 이러한 정신은 자연을 두려워하고 신성시하며, 생명을 귀하게 여기는 생명 존중 사상으로 이어졌다.

① 생명체 사이에 위계질서가 존재한다.
② 세계는 독립적인 개체들의 집합체이다.
③ 존재의 가치는 유용성에 의해 판단된다.
④ 자연은 인간의 이익을 얻기 위한 수단이다.
⑤ 만물은 유기적으로 하나의 전체를 형성한다.

06 (가), (나) 자연관에 대한 옳은 설명만을 〈보기〉에서 있는 대로 고른 것은?

> (가) 이것이 있을 때 저것이 있고, 저것이 있을 때 이것이 있다. 이것이 없으면 저것도 없고, 저것이 없으면 이것도 없다.
> (나) 천지(天地)는 만물을 낳는 것을 마음으로 삼으니, 인간은 그 마음을 본받아 자신의 마음으로 삼는다.

〈보기〉
ㄱ. (가) : 생명체 사이에는 위계가 존재하지 않는다고 본다.
ㄴ. (가) : 자연을 목적을 지닌 질서 체계로 보아야 한다.
ㄷ. (나) : 인간과 자연의 공존을 강조한다.
ㄹ. (나) : 자연에 대한 과학적 탐구 자세를 강조한다.

① ㄱ, ㄷ ② ㄱ, ㄹ ③ ㄴ, ㄷ
④ ㄱ, ㄴ, ㄹ ⑤ ㄴ, ㄷ, ㄹ

[07-08] 다음 글을 읽고 물음에 답하시오.

> 충청남도 서산시와 태안군에 걸쳐 있는 가로림만에 들어설 조력 발전소 건설을 놓고 찬반 논쟁이 격렬하다. 개발 ㉠ 찬성측은 조력 발전소 건설은 친환경 에너지를 생산하는 장점이 있으며, 대규모 투자를 통해 경제가 활성화된다고 주장하였다. 그러나 개발 ㉡ 반대측은 조력 발전소 건설이 갯벌 면적을 감소시키고 해양 생태계의 훼손을 야기하며, 지역 주민의 생계에 막대한 영향을 준다는 점에서 이를 반대하고 있다.

07 ㉠, ㉡에 대한 적절한 근거를 〈보기〉에서 고른 것은?

〈보기〉
ㄱ. ㉠ : 대체 에너지를 이용한 전력 생산이 필요하다.
ㄴ. ㉠ : 갯벌에 존재하는 해양 생물을 보호해야 한다.
ㄷ. ㉡ : 갯벌 감소로 수질 악화 문제가 발생한다.
ㄹ. ㉡ : 조력 발전은 전력 생산 과정에서 환경 파괴를 최소화한다.

① ㄱ, ㄴ ② ㄱ, ㄷ ③ ㄴ, ㄷ
④ ㄴ, ㄹ ⑤ ㄷ, ㄹ

고난도
08 다음 사상의 입장에서 조력 발전소 건설에 대해 제시할 조언으로 가장 적절한 것은?

> 구성원들의 이익을 평등하게 고려하여 사회 전체의 이익을 최대화해야 한다.

① 지역 주민의 전체 동의가 없는 조력 발전소의 건설은 타당하지 않다.
② 조력 발전소의 건설은 사회적 공감대를 얻기 어려우므로 건설해서는 안 된다.
③ 환경에 나쁜 영향을 주는 조력 발전소는 어떤 이유에서도 건설해서는 안 된다.
④ 갯벌과 해양 생태계는 도덕적 고려 대상에 속하므로 조력 발전소를 건설해서는 안 된다.
⑤ 조력 발전소 건설이 가져올 쾌락과 고통을 계산하여 이익을 극대화하는 선택을 해야 한다.

03 환경 문제 해결을 위한 방안

흐름 잡기

환경 문제

환경 문제의 원인과 특징은? A

환경 문제의 유형은? B

환경 문제를 해결하는 방안은? C

A 환경 문제의 발생 원인과 특징

한·줄·단·서 자원 소비량 증가, 산업화, 무분별한 개발로 인한 **환경 문제**는 전 지구에 영향을 미치고 있어.

1. 환경 문제의 발생 원인

① **급속한 인구 증가, 생활 수준의 향상** : 자원 소비량 증가로 폐기물 증가

② **산업화** : 에너지 및 광물 자원의 사용량 증가로 각종 오염 물질 배출량 증가

③ **무분별한 자연 개발** : 생태계 파괴

2. 환경 문제의 특징

① **피해 규모와 정도가 큼** : 오늘날 환경 문제는 *자정 능력의 한계를 넘어서 인간의 생존을 위협할 정도임 → 피해를 복구하는 데 오랜 시간이 걸리고 많은 노력과 비용이 들어감

② **전 지구적인 문제가 됨** : 환경 문제가 발생한 지역을 벗어나 주변 국가와 전 지구에 광범위한 영향을 미침 (개인이나 개별 국가의 노력만으로는 해결하기 어려워.)

● **자정 능력**
자연환경은 시간이 지나면서 대기와 해양의 순환 과정을 통해 스스로 오염 정도를 낮추어 정화하는 능력을 가지고 있는데, 이를 자정 능력이라고 한다.

B 환경 문제의 유형과 주요 국제 협약

한·줄·단·서 전 지구적 환경 문제에는 **지구 온난화, 오존층 파괴, 사막화, 산성비, 열대림 파괴**가 있어!

1. 환경 문제의 유형

유형	발생 원인	영향
지구 온난화 자료 1	화석 연료 사용 증가, 삼림 파괴 등	해수면 상승으로 해안 저지대 침수, 동식물의 서식처 환경 변화로 인한 생태계의 혼란, 이상 기후 등 (가뭄, 홍수, 태풍, 폭설 등의 자연재해 증가)
오존층 파괴	*염화플루오린화탄소의 사용량 증가	피부암 및 백내장 발생률 증가, 농수산물 수확량 감소 등
사막화 자료 2	장기간의 가뭄, 과도한 방목과 개간 등	식량 생산량 감소, 황사 현상 심화 등 예 아프리카의 사헬 지대
산성비 자료 2	공업 지역에서 발생한 대기 오염 물질이 비와 결합	건축물 부식, 삼림 파괴 등
열대림 파괴	인구 증가에 따른 농경지와 임산 자원의 무분별한 개발 등	지구의 자정 능력 상실, 지구 온난화 가속, 생물종 다양성 감소 등

● **염화플루오린화탄소(CFCs)**
염소와 불소를 포함한 유기 화합물을 총칭하는 것으로, 프레온 가스로 알려져 있다. 주로 냉장고와 에어컨 등의 냉매제, 발포제, 분사제 등으로 사용된다.

궁금해? 여기가 사헬 지대!

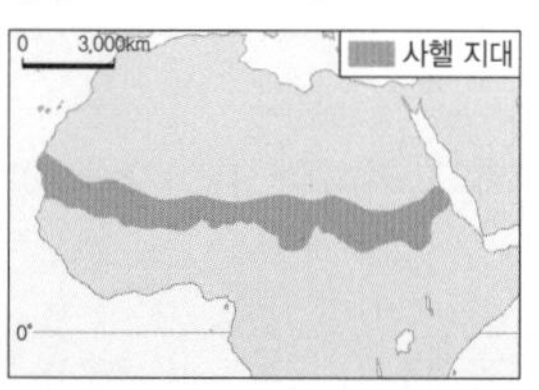

아프리카 사하라 사막 남쪽의 가장자리 지역을 말해.

2. 환경 문제와 관련된 주요 국제 협약

국제 협약	특징
기후 변화 협약	지구 온난화 방지를 위해 온실가스 규제
람사르 협약	습지의 파괴를 막고 물새가 서식하는 습지대 보호
몬트리올 의정서	오존층 보호를 위해 염화플루오린화탄소의 사용 규제
사막화 방지 협약	사막화 방지, 심각한 가뭄 및 사막화의 영향을 받는 국가들 지원
바젤 협약	유해 폐기물의 국가 간 이동 및 처리 통제
생물 다양성 협약	지구 상의 생물 종을 보호하기 위한 협약
제네바 협약	산성비 문제를 해결하기 위해 국경을 넘어 이동하는 대기 오염 물질의 감축 및 통제

자료 1 지구 온난화로 인해 발생하는 문제

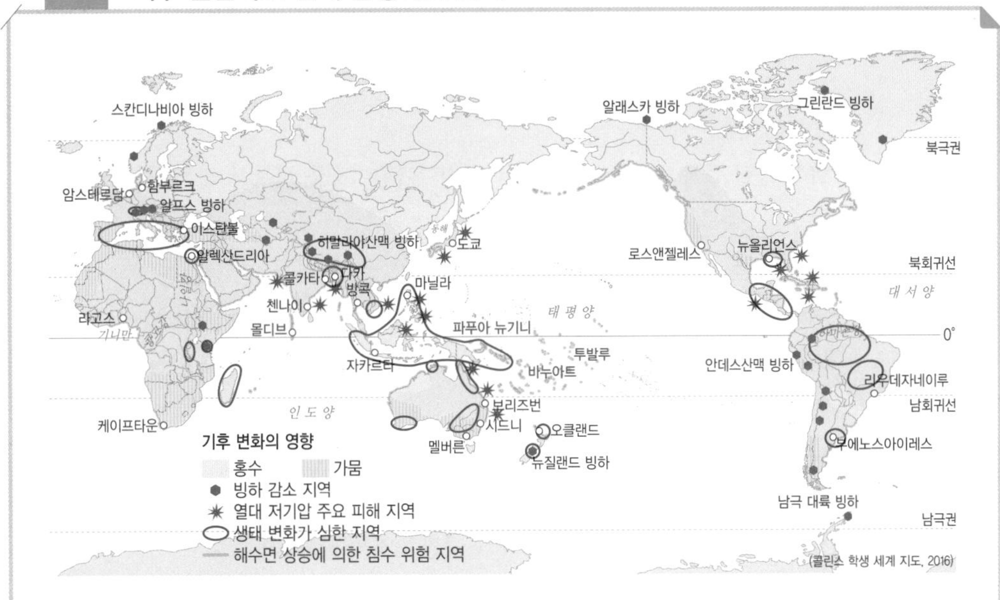

자·료·분·석 화석 에너지의 소비 증가로 온실가스의 배출량이 늘어나면서 지구의 평균 기온이 점점 상승하는 지구 온난화 현상이 나타나고 있다. 이로 인해 극지방의 빙하 면적이 감소하고 해수면이 상승하여 일부 해안 저지대나 섬 지역은 침수 피해를 입고 있다. 또한, 세계 곳곳에서 각종 이상 기후가 발생하여 가뭄, 홍수, 태풍, 폭설 등의 자연재해가 증가하고, 그 피해 규모도 점점 커지고 있다.

한·줄·핵·심 산업화와 인구 증가 및 생활 수준의 향상으로 전 세계의 자원 소비량과 폐기물의 양이 급증하여 인류의 생존을 위협하는 환경 문제가 세계 곳곳에서 발생하고 있다.

키워드 체크

❶-1 지구 온난화의 원인은 과다한 화석 연료 사용에 따른 □□가스의 증가이다.

답 : □□

❶-2 지구 온난화가 가속화되면 빙하의 면적은 □□되고, 해수면은 □□한다.

답 : □□, □□

자료 2 사진으로 보는 주요 환경 문제

▲ 사막화

자·료·분·석 아프리카의 사헬 지대를 비롯해 반건조 지역에서 자연적·인위적 요인에 의해 사막 주변 지역이 사막화되고 있다.

▲ 산성비로 인한 삼림 파괴

자·료·분·석 유럽 지역에 내린 산성비로 삼림이 파괴되고 건축물이 부식되며, 토양과 호수가 산성화되는 등의 피해가 발생하고 있다.

한·줄·핵·심 환경 문제는 발생한 지역이나 국가를 벗어나 인접한 국가와 전 지구에 광범위한 영향을 미칠 정도로 피해 규모가 크다.

키워드 체크

❷ 사하라 사막 남쪽의 사헬 지대에는 심각한 □□□ 현상이 나타나고 있다.

답 : □□□

키워드 체크 정답 ❶-1 온실 ❶-2 감소(축소), 상승 ❷ 사막화

C 환경 문제 해결을 위한 방안

한·줄·단·서 환경 문제 해결을 위해서는 **정부, 시민 단체, 기업, 개인의 노력**이 필요해!

1. 정부의 노력

① **방법 :** 환경 관련 법률 제정, 다양한 제도 및 정책 마련

② **우리나라에서 시행하는 정책**

- •온실가스(탄소) 배출권 거래제 시행, 지구 온난화 해결을 위한 국제 사회의 노력에 참여 자료 3
- '화학 물질 등록 평가'에 관한 법률 제정, '어린이용품 환경 유해 인자 표시제' 도입

2. 시민 단체와 기업의 노력

① **시민 단체의 노력** ─ 시민 단체는 환경 문제를 해결하는 과정에서 정부와 시민, 기업과 시민, 시민과 시민을 잇는 다리 역할을 담당해.

- 환경 문제의 심각성을 홍보, 다양한 환경 보호 활동에 시민 참여 유도
- 정부의 환경 정책 결정과 기업의 활동을 감시, 환경친화적 행위 지원

② **기업 차원의 노력 :** 폐수 및 매연 등의 환경 정화 시설 정비, 환경친화적 제품 생산(저탄소 상품 개발), •신·재생 에너지 개발

3. 개인적 차원의 노력

① 에너지와 자원 절약 실천, 재사용과 재활용의 생활화

② 환경친화적인 제품 사용 등 소비 생활 개선

③ 시민 단체 가입 및 환경 감시 활동, 정부의 환경 정책에 관심

•온실가스(탄소) 배출권 거래제
정부에서 기업의 온실가스 배출 허용량을 정해 주고, 기업에서는 그 범위 내에서 온실가스 감축을 하되, 남거나 부족한 배출권의 기업 간 거래를 허용하는 제도이다.

•신 · 재생 에너지
태양광, 태양열, 풍력, 수력, 해양, 폐기물, 지열 등의 재생 에너지와 연료 전지, 수소 에너지 등의 신에너지로, 화석 연료 사용에 따른 문제를 극복할 수 있는 에너지를 가리킨다.

교과서 자료 모아보기

자료 3 지구 온난화 해결을 위한 노력

구분	교토 의정서(1997년)	파리 협정(2015년)
대상 국가	주요 선진국 37개국	195개 당사국
적용 시기	2020년까지 기후 변화 대응 방식 규정	2020년 이후 신 기후 체제
주요 내용	• 온실가스 총 배출량을 1990년 수준보다 평균 5.2% 감축 • 선진국에만 온실가스 감축 의무 부여	• 지구 평균 온도의 상승 폭을 산업화 이전과 비교하여 1.5℃ 이하로 제한 • 선진국은 2020년부터 개발 도상국의 기후 변화 대처 사업에 매년 최소 천 억 달러 지원 • 2023년 첫 이행 점검 이후 5년마다 상향된 감축 목표 제출 및 이행 여부 검증
우리나라	감축 의무 부과되지 않음	2030년 배출 전망치 대비 37% 감축안 제출

자·료·분·석 '국제 연합(UN) 기후 변화 협약' 195개 당사국에서는 2015년 12월 12일에 2020년 이후 새로운 기후 변화 체제 수립을 위한 최종 합의문인 '파리 기후 변화 협약'을 채택하였다. 파리 기후 변화 협약에서 채택된 파리 협정에는 2020년을 시작으로 2050년까지 지구촌 온실가스 배출량을 '0'으로 만들겠다는 것을 목표로 한다. 기존의 교토 의정서는 선진국에게만 온실가스 감축 의무를 부여했지만, 파리 협정은 개발 도상국에게도 감축 의무를 부여하고, 기후 변화에 따른 피해에 취약한 국가를 돕자는 내용도 포함한다.

한·줄·핵·심 지구 온난화를 극복하기 위해 국제 사회에서는 다양한 환경 관련 국제 협약을 체결하였다.

키워드 체크

❸ 교토 의정서와 파리 협정은 전 지구적 규모의 환경 문제 중 □□ □□□를 해결하기 위한 것이다.

답 : □□ □□□

키워드 체크 정답 ❸ 지구 온난화

콕콕! 개념 확인

정답과 해설 18쪽

A 환경 문제의 발생 원인과 특징

01 알맞은 설명에 ○표를 하시오.

(1) 자연환경은 시간이 지나면서 대기와 해양의 순환 과정을 통해 스스로 오염 정도를 낮추어 정화하는 능력이 있는데, 이를 (복원 능력, 자정 능력)이라 한다.

(2) 환경 문제는 발생한 지역이나 국가를 벗어나 인접한 국가와 전 지구에 광범위한 영향을 미치고, 피해를 복구하는 데 (짧은, 오랜) 시간이 걸린다.

B 환경 문제의 유형과 주요 국제 협약

02 빈칸에 알맞은 말을 쓰시오.

(1) 전 지구적 환경 문제 중에서 지구 온난화는 우리에게 가장 광범위하고 심각한 위협이 되고 있으며, □□ □□ 사용 증가, 삼림 파괴 등 인위적 요인으로 더욱 심화되고 있다.

(2) 도시나 공업 지역에서 발생한 대기 오염 물질은 비와 결합해 □□□을/를 내려 주변 지역에 건축물 부식, 삼림 파괴 등의 피해를 주기도 한다.

03 사진을 보고 물음에 답하시오.

(1) 사진 속의 환경 문제를 쓰시오.

(2) 사진과 같은 환경 문제가 심각하게 나타나는 아프리카 지역을 쓰시오.

C 환경 문제 해결을 위한 방안

04 자료를 보고 빈칸에 공통으로 들어갈 알맞은 말을 쓰시오.

감시의 기능

정부와 기업이 환경 오염을 유발하는 행위를 하지 않도록 견제한다. 정부 정책이나 기업 활동이 환경에 부정적인 영향을 미칠 때는 반대 여론을 형성하여 정부와 기업에 압력을 행사하기도 한다.

지원의 기능

정부, 기업, 개인이 환경친화적인 행위를 하도록 이끈다. 환경 보호 의식을 높일 수 있는 환경 운동을 전개하고, 시민을 대상으로 환경 보호 실천 방안을 교육하는 등의 노력을 펼친다.

- 위와 같이 환경 오염 유발 행위를 감시하거나 환경친화적인 행위를 하도록 지원하는 주체는 □□ □□이다.
- □□ □□은/는 환경 문제를 해결하는 과정에서 정부와 시민, 기업과 시민, 시민과 시민을 잇는 다리 역할을 담당한다.

탄탄! 내신 문제

정답과 해설 18쪽

A 환경 문제의 발생 원인과 특징

01 다음은 한 학생이 환경 문제의 특징을 서술한 것이다. ㉠~㉤ 중 옳지 않은 것은?

> ㉠ 산업화와 인구 증가 및 생활 수준의 향상으로 ㉡ 전 세계의 자원 소비량과 폐기물의 양이 급증하였다. 그 결과 ㉢ 생태계의 균형이 깨지고 자정 능력이 약해지면서 인류의 생존을 위협하고 있다. 지구 온난화, 사막화, 오존층 파괴 등은 ㉣ 특정 국가에서만 발생하는 대표적인 환경 문제이다. 이에 국제 사회에서는 ㉤ 환경 문제와 관련된 국제 협약을 체결하여 다양한 해결 방안을 모색하고 있다.

① ㉠ ② ㉡ ③ ㉢ ④ ㉣ ⑤ ㉤

B 환경 문제의 유형과 주요 국제 협약

02 다음은 통합 사회 수업 장면의 일부이다. 교사의 질문에 대한 학생의 대답으로 옳지 않은 것은?

> 교사 : 다음 자료는 어떤 환경 변화로 인해 나타나게 될 현상입니다. 이 환경 변화에 대하여 말해 봅시다.

▲ 녹아내리는 빙하

▲ 해수면 상승

① 갑 : 열대림 파괴는 이 현상을 심화시킵니다.
② 을 : 화석 연료의 소비량 증가가 가장 중요한 요인입니다.
③ 병 : 교토 의정서는 이 현상의 완화를 위한 국제 협약입니다.
④ 정 : 건축물의 부식과 삼림 고사 등의 직접적인 원인이 됩니다.
⑤ 무 : 이 현상으로 인해 가뭄, 홍수, 태풍, 폭설 등의 자연재해가 증가하고 있습니다.

03 표의 (가)~(마)에 들어갈 내용으로 옳은 것은?

국제 환경 협약	내용
(가)	온실가스 규제
람사르 협약	(나)
(다)	유해 폐기물의 국가 간 이동 규제
바젤 협약	(라)
(마)	생물 종을 보호하기 위한 협약

① (가) : 몬트리올 의정서 ② (나) : 습지 보호
③ (다) : 기후 변화 협약 ④ (라) : 오존층 보호
⑤ (마) : 사막화 방지 협약

04 지도의 A, B 지역에서 나타나는 환경 문제로 가장 적절한 것은?

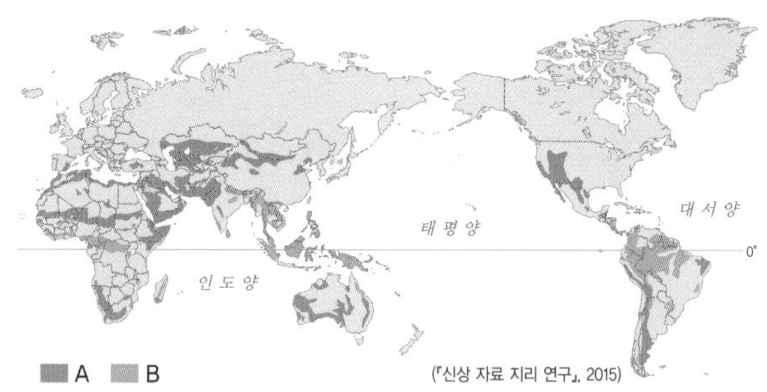

(『신상 자료 지리 연구』, 2015)

	A	B
①	사막화	산성비
②	사막화	열대림 파괴
③	산성비	사막화
④	산성비	열대림 파괴
⑤	열대림 파괴	사막화

C 환경 문제 해결을 위한 방안

05 다음 글은 윤이가 통합 사회 시간에 발표한 내용이다. (가)에 들어갈 내용으로 가장 적절한 것은?

> 발표 주제 : 환경 문제 해결을 위한 (가) 의 노력
> 사례 : 2014년 그린피스의 영국 사무소는 참치 제조업체에 대해 해양 생태계를 파괴하는 조업 방식의 사용 여부와 어업 과정에서의 불법 여부 등을 조사하여 참치 통조림의 지속 가능성 순위를 발표하였다. 그리고 각국 기관에 수산업 관련 규정의 준수 및 이행과 더불어 환경 파괴가 일어나지 않도록 요구하였다.

① 개인 ② 기업 ③ 정부
④ 국가 ⑤ 시민 단체

도전! 1등급 문제

정답과 해설 19쪽

[01-02] 그림은 어떤 환경 문제의 원인과 영향을 나타낸 것이다. 이를 보고 물음에 답하시오.

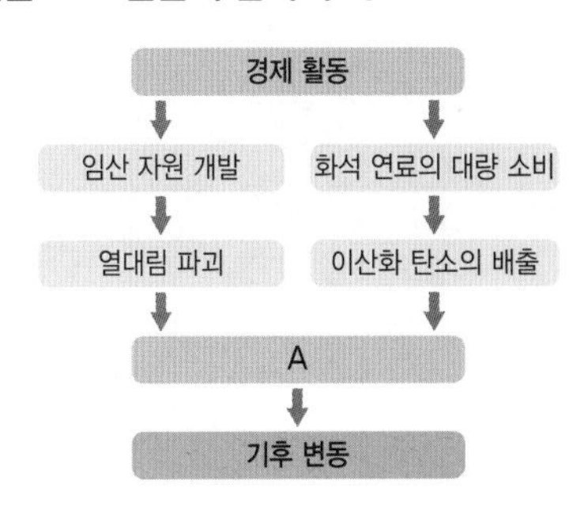

01 A 현상이 심화될 경우 나타나게 될 변화를 그래프에서 고른 것은?

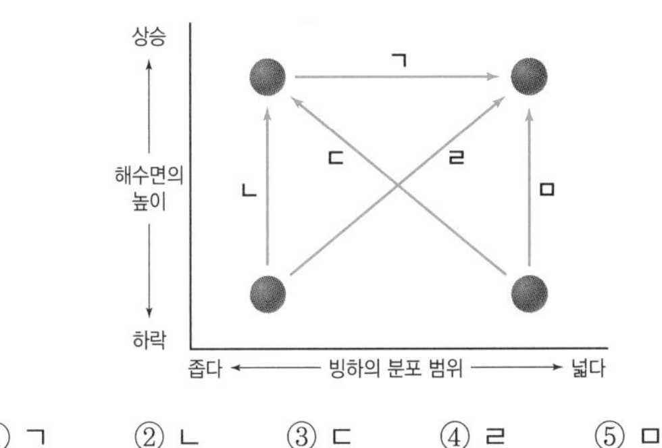

① ㄱ ② ㄴ ③ ㄷ ④ ㄹ ⑤ ㅁ

02 A 현상의 피해에 대한 대책으로 적절한 것만을 〈보기〉에서 있는 대로 고른 것은?

〈보기〉
ㄱ. 개인은 자원의 재사용과 재활용을 생활화하도록 한다.
ㄴ. 정부는 세금 인하를 통해 저렴한 에너지를 공급하도록 한다.
ㄷ. 시민 단체는 다양한 환경 보호 활동에 시민 참여를 유도해야 한다.
ㄹ. 기업은 환경 정화 시설을 정비하고 환경친화적 제품을 생산해야 한다.

① ㄱ, ㄴ ② ㄱ, ㄹ ③ ㄷ, ㄹ ④ ㄱ, ㄷ, ㄹ ⑤ ㄴ, ㄷ, ㄹ

03 지도에 표시된 지역에서 나타나는 환경 문제를 사례로 하여 학습하기에 적절한 탐구 주제를 〈보기〉에서 고른 것은?

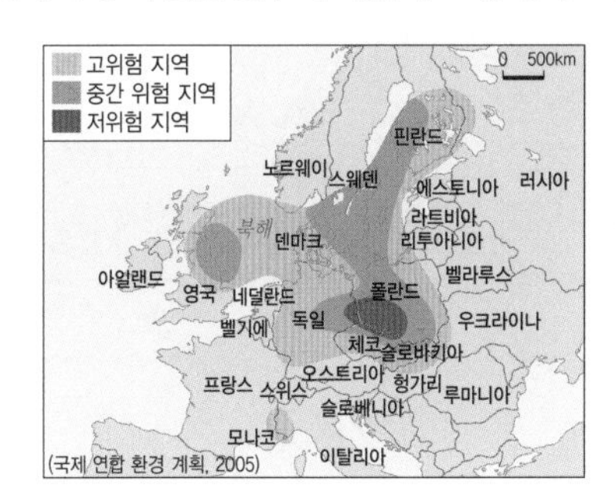

〈보기〉
ㄱ. 오염 물질의 지역 및 국가 간 확산
ㄴ. 공업 발달에 따라 파생된 환경 문제
ㄷ. 열대림 파괴에 의한 지구의 자정 능력 상실
ㄹ. 장기간의 가뭄, 과도한 방목으로 인한 환경 문제

① ㄱ, ㄴ ② ㄱ, ㄷ ③ ㄴ, ㄷ ④ ㄴ, ㄹ ⑤ ㄷ, ㄹ

고난도

04 자료는 파리 기후 변화 협약과 관련된 것이다. 이를 실천하기 위한 적절한 사례만을 〈보기〉에서 있는 대로 고른 것은?

가스 배출 목표
가능한 한 빠른 시일 내에 온실가스 배출 감축, 5년마다 감축 이행 점검

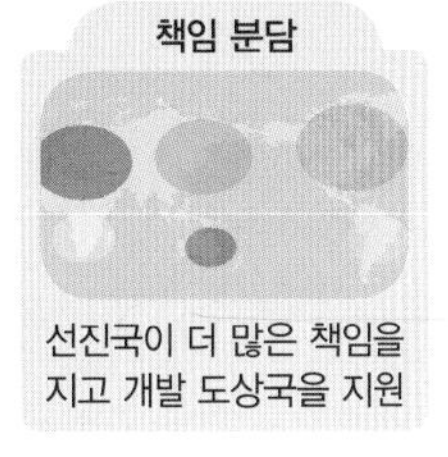

〈보기〉
ㄱ. 신·재생 에너지 개발에 적극적으로 투자해야 한다.
ㄴ. 온실가스를 흡수할 수 있는 삼림을 보호해야 한다.
ㄷ. 유해 폐기물 이동에 대한 사전 통보가 이루어져야 한다.
ㄹ. 선진국의 환경 오염 시설을 개발 도상국으로 이전해야 한다.

① ㄱ, ㄴ ② ㄱ, ㄷ ③ ㄴ, ㄹ ④ ㄱ, ㄴ, ㄷ ⑤ ㄴ, ㄷ, ㄹ

한눈에 보는
대단원 정리

01 자연환경과 인간 생활

키워드 #열대 기후 #온대 기후 #냉대 기후 #한대 기후 #건조 기후 #산지 지역 #평야 지역 #해안 지역 #자연재해

A 기후에 따른 생활 양식

열대 기후	얇고 간편한 의복, 기름에 볶거나 튀긴 음식, 고상 가옥, 개방적인 가옥 구조, 이동식 화전 농업
온대 기후	계절의 변화가 뚜렷, 하얀색 집(지중해 연안), 벼농사(여름 기온이 높고 강수량이 많은 지역)
냉대 기후	통나무집, 타이가(침엽수림) 지대에서 임업 발달
한대 기후	폐쇄적인 가옥 구조, 육류 중심
건조 기후	흙벽돌집, 천막집, 유목과 오아시스 농업

B 지형에 따른 생활 양식

산지 지역	밭농사, 목축업, 관광 산업, 고산 도시와 광업 도시 발달
평야 지역	인간 생활에 적합, 벼농사와 밀 농사, 도시 발달
해안 지역	농업 및 어업 관련 생활 양식, 관광 산업, 대규모 항구와 산업 단지 조성
독특한 경관 지역	화산 지형, 카르스트 지형 → 관광 산업

C 자연환경의 극복

기후 극복	• 열대 기후 지역 : 냉장·냉동 보관 기술의 발달 • 건조 기후 지역 : 관개 시설의 확충 • 한대 기후 지역 : 에너지 자원 개발
지형 극복	• 산지 지형 : 수력 발전 • 화산 지형 : 지열 발전 • 해안 지형 : 조력 발전

D 안전하고 쾌적한 환경에서 살아갈 권리

자연재해 유형	• 기상 재해 : 홍수, 가뭄, 폭설, 열대 저기압 • 지형(지질) 재해 : 지진, 화산 활동
안전을 위한 노력	• 국가 : 재해 예방 정책 수립, 스마트 재난 관리 시스템 구축 • 시민 : 재난 대응 훈련에 적극적으로 참여, 성숙한 시민 의식 필요

02 인간과 자연의 관계

키워드 #인간 중심주의 #생태 중심주의 #레오폴드 #환경 파시즘 #동양의 자연관 # 천인합일 #자비 #무위자연

A 인간 중심주의

의미와 특징	• 의미 : 인간과 자연의 관계에서 인간의 이익이나 행복을 먼저 고려하는 관점 • 특징 : 이분법적 세계관, 도구적 자연관 • 대표적인 사상가 : 베이컨, 데카르트
영향	• 장점 : 인간의 삶을 풍요롭게 하는 데 도움이 됨 • 단점 : 자원 고갈, 환경 오염, 생태계 파괴 등과 같은 환경 위기를 초래함

B 생태 중심주의

의미와 특징	• 의미 : 인간과 자연의 관계에서 인간의 이익보다 인간을 포함한 자연 전체의 균형과 안정을 먼저 고려하는 관점 • 특징 : 전일론적 관점, 자연의 내재적 가치 강조, 생태계의 균형과 안정을 강조 • 대표적인 사상가 : 레오폴드
영향	• 장점 : 환경 문제를 바라보는 새로운 시각 제공 • 단점 : 생태계 보호만을 지나치게 강조, 환경 파시즘적 성격이 있다는 한계를 지님

C 인간과 자연의 바람직한 관계

인간 중심주의	인간의 장기적인 이익을 보호하기 위해 환경 보호가 필요함
생태 중심주의	자연 그 자체의 가치를 존중하기 위해 환경 보호가 필요함
환경 문제 해결을 위한 자세	• 인간을 생태계의 구성원으로 이해함 • 인간의 삶과 자연 생태계를 유기적 관계로 바라봐야 함 • 인간과 자연은 서로 공존해야 하는 관계임 • 생태계의 안정과 균형을 위해 우리의 욕망을 절제할 수 있어야 함 • 생태 공동체 의식을 정립해야 함
동양의 자연관	• 유교 : 천인합일의 경지를 지향함 • 불교 : 연기적 관계로 자비를 베풀 것을 강조함 • 도교 : 무위자연을 추구함 • 공통점 : 환경친화적 태도 강조, 인간과 자연의 조화를 강조함

03 환경 문제 해결을 위한 방안

키워드 #지구 온난화 #오존층 파괴 #사막화 #산성비 #열대림 파괴 #기후 변화 협약 #람사르 협약

A 환경 문제의 발생 원인과 특징

발생 원인	• 급속한 인구 증가, 생활 수준의 향상 • 산업화 • 무분별한 자연 개발
특징	• 자정 능력의 한계를 넘어섬 • 피해를 복구하는 데 오랜 시간이 걸리고 많은 노력과 비용이 듦 • 전 지구에 광범위한 영향을 미침

B 환경 문제의 유형과 주요 국제 협약

환경 문제의 유형	• 지구 온난화 : 해수면 상승, 해안 저지대 침수, 생태계의 혼란, 이상 기후 등 • 오존층 파괴 : 피부암 및 백내장 발생률 증가, 농수산물 수확량 감소 등 • 사막화 : 식량 생산량 감소, 황사 현상 심화 등 • 산성비 : 건축물 부식, 삼림 파괴 등 • 열대림 파괴 : 지구 온난화 가속, 생물 종 다양성 감소 등
국제 협약	• 기후 변화 협약 : 지구 온난화 방지 • 람사르 협약 : 습지 보호 • 몬트리올 의정서 : 오존층 보호 • 사막화 방지 협약 : 사막화 방지 • 바젤 협약 : 유해 폐기물의 이동 및 처리 통제 • 생물 다양성 협약 : 생물 종 보호 • 제네바 협약 : 산성비 문제 해결

C 환경 문제 해결을 위한 방안

정부의 노력	• 법률 제정, 제도 및 정책 마련 • 환경 문제 해결을 위한 국제 사회의 노력에 참여
시민 단체와 기업의 노력	• 시민 단체 : 다양한 환경 보호 활동에 시민 참여 유도, 정부의 환경 정책 결정과 기업 활동 감시 • 기업 : 환경 정화 시설 정비, 환경친화적 제품 생산, 신·재생 에너지 개발
개인의 노력	• 에너지와 자원 절약 실천 • 재사용과 재활용의 생활화 • 환경친화적인 제품 사용 • 시민 단체 가입 및 환경 감시 활동

기억나는 키워드나 핵심 내용 적어보기

A B C D

A B C

A B C

자, 핵심 키워드도 모았겠다! 문제 풀러 가자!!!

한번에 끝내는 대단원 문제

정답과 해설 20쪽

01 다음 자료에 나타난 전통 가옥의 특징으로 옳은 것은?

이 지역의 전통 가옥은 둥근 천막의 형태를 띤다. 이것은 나무 막대기로 기둥과 지붕을 세우고 그 위에 양털로 만든 '펠트'라는 천을 덮으면 완성된다.

① 이동보다 정착하기에 편리한 구조이다.
② 유목 생활을 하는 사람들이 주로 이용한다.
③ 많은 강수량으로 인해 지붕의 경사가 급하다.
④ 기온의 일교차가 큰 사막 기후 지역에 적합하다.
⑤ 지면에서 올라오는 지열을 막기 위해 고상식으로 짓는다.

02 지도의 A 지형에 대한 옳은 설명을 〈보기〉에서 고른 것은?

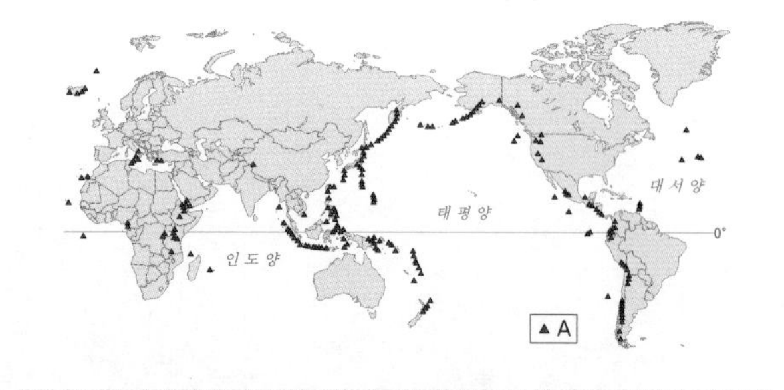

보기
ㄱ. 용암이 분출하여 형성되었다.
ㄴ. 온천이 많고 관광 자원으로 이용된다.
ㄷ. 석회암으로 이루어진 카르스트 지형이다.
ㄹ. 주로 어업이나 양식업에 종사하는 사람들이 많다.

① ㄱ, ㄴ　② ㄱ, ㄷ　③ ㄴ, ㄷ
④ ㄴ, ㄹ　⑤ ㄷ, ㄹ

03 지도의 A~E 지역에서 나타나는 주민들의 생활 모습으로 옳지 않은 것은?

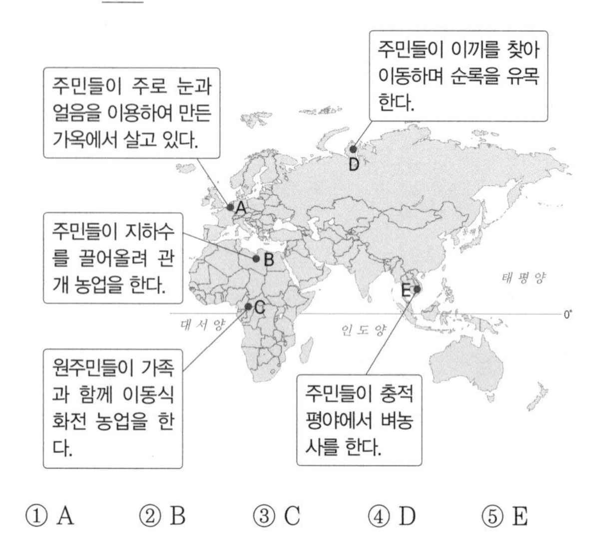

① A　② B　③ C　④ D　⑤ E

04 다음은 윤이가 열대 저기압에 대해 정리한 내용이다. ㉠~㉤ 중 옳지 않은 것은?

〈열대 저기압〉
- 종류 : ㉠ 태풍, 허리케인, 사이클론 등
- 발생 : ㉡ 열대의 바다에서 주로 발생
- 진로 : ㉢ 고위도에서 저위도 지방으로 이동
- 영향 : ㉣ 강한 바람과 많은 강수 동반
- 대책 : ㉤ 배수 시설 및 하천 제방 점검

① ㉠　② ㉡　③ ㉢　④ ㉣　⑤ ㉤

05 열대 저기압의 피해가 자주 발생할 것으로 예상되는 지역을 지도의 A~E에서 고른 것은?

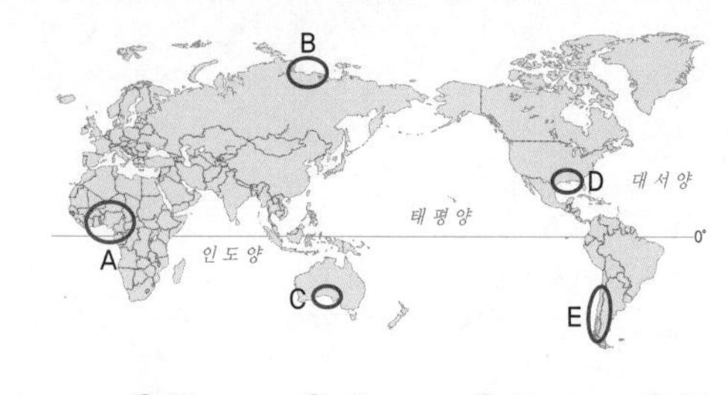

① A　② B　③ C　④ D　⑤ E

06 갑, 을의 입장에 대한 설명으로 옳은 것만을 〈보기〉에서 있는 대로 고른 것은?

> 갑 : 낮은 산과 숲을 개발하면 멋진 골프장과 놀이 공원을 만들 수 있으므로, 낮은 산과 숲은 인간을 위해 개발되어야 한다.
>
> 을 : 낮은 산과 숲은 인간의 이익과 무관하게 그 자체로 가치가 있으므로, 개발이 아닌 보호되어야 할 대상이다.

〈보기〉

ㄱ. 갑 : 자연의 가치는 인간의 이익이나 필요에 따라 평가될 수 있다.

ㄴ. 갑 : 인간의 가장 중요한 의무는 생태계 안정을 유지하도록 노력하는 것이다.

ㄷ. 을 : 인간과 자연은 상호 의존적 관계이므로, 공존을 위해 자연 보호에 힘써야 한다.

ㄹ. 을 : 인간은 자연에 비해 우월한 존재이므로, 자연을 관리할 관리자로 인식되어야 한다.

① ㄱ, ㄴ ② ㄱ, ㄷ ③ ㄴ, ㄹ
④ ㄱ, ㄷ, ㄹ ⑤ ㄴ, ㄷ, ㄹ

07 다음은 통합 사회 수업 장면의 일부이다. 선생님의 질문에 적절하지 않은 대답을 한 학생은?

> A 윤리는 인류의 역할을 대지 공동체의 정복자에서 평범한 구성원이자 시민으로 변화시켰다. 또한, 이 윤리는 사람과 대지의 생명적 상호 작용이 존재함을 보여주는 계기가 되었다.

① 미영 : 인간을 대지의 지배자이자 관리자로 보아야 합니다.

② 재민 : 자연을 효용성의 관점으로만 파악해서는 안 됩니다.

③ 준하 : 도덕 공동체의 범위를 생태계 전체로 확장해야 합니다.

④ 선영 : 자연과 인간의 관계를 전일주의(全一主義)의 관점에서 바라보아야 합니다.

⑤ 정은 : 인간은 자연으로부터 독립된 존재가 아니라 자연의 일부라고 보아야 합니다.

08 다음 글의 (가)에 들어갈 말로 적절하지 않은 것은?

> 생태 관광은 자연의 본래적 특성을 훼손하지 않으면서 자연을 관찰하고 즐기는 여행 방식이다. 생태 관광을 통해 우리는 있는 그대로의 자연을 경험함으로써 자연의 소중함을 느낄 수 있다. 이러한 관광은 ((가)) 태도를 보여주고 있다.

① 인간의 풍요와 삶의 편리함을 위해 자연을 이용할 수 있다는

② 인간은 모든 생명체의 가치를 존중하고 자연을 보호해야 한다는

③ 인간과 자연은 서로 대립하는 관계가 아닌 공존하는 관계여야 한다는

④ 인간 중심주의적 사고를 바탕으로 자연을 지배의 대상으로 여겨서는 안 된다는

⑤ 유기적으로 연결된 인간의 삶과 생태계가 조화를 이룰 방법을 모색해야 한다는

09 다음 글의 밑줄 친 '생태 통로'에 대한 학생의 설명으로 옳지 않은 것은?

> 인간이 만든 도로 등의 시설물에 의해 야생 동물의 서식지가 분리되는 것을 막기 위해 인공적으로 만든 길을 생태 통로라 한다. 이러한 장치의 마련은 인간의 필요에 의한 자연 개발을 허용하면서도, 개발이 생태계에 미칠 부정적 영향을 최소화하는 데 의미가 있다.

① 갑 : 인간과 자연이 공존해야 하는 관계임을 보여주고 있어요.

② 을 : 인간과 자연은 어느 한쪽이 우위를 지니는 관계가 아니어야 해요.

③ 병 : 인간이 자연의 영향 속에서 살아가는 생태계의 구성원임을 잊지 말아야 해요.

④ 정 : 개발을 할 때는 생태계에 미칠 부정적인 영향을 최소화하는 데도 힘써야 해요.

⑤ 무 : 인간은 풍요롭고 편리한 생활을 위해 각종 편의 시설을 무조건 만들 수 있는 권리가 있어요.

10 다음 글의 (가)~(다) 환경 문제를 바르게 연결한 것은?

- 최근 북극해 주변 국가들에 자외선 경계령이 내려졌다. 전문가들은 ((가))로 인해 자외선이 많이 늘어날 것이라고 전망했다.
- 얼음으로 덮여 있는 그린란드에는 많은 지하자원이 매장되어 있다. 최근 이 지역은 ((나))로 얼음이 녹아내려 자원 개발이 진행될 예정이다.
- 사하라 사막 남쪽 가장자리 사헬 지대는 급속한 ((다))로 강수량이 적어 마실 물이 부족한 상태이다.

	(가)	(나)	(다)
①	산성비	오존층 파괴	사막화
②	산성비	지구 온난화	사막화
③	사막화	지구 온난화	산성비
④	오존층 파괴	지구 온난화	사막화
⑤	오존층 파괴	사막화	산성비

11 다음은 통합 사회 수업의 한 장면이다. 교사의 질문에 대해 옳은 대답을 한 학생만을 있는 대로 고른 것은?

교사 : 지도의 A~D 지역에서 나타나는 주요 환경 문제에 대해 발표해 볼까요?

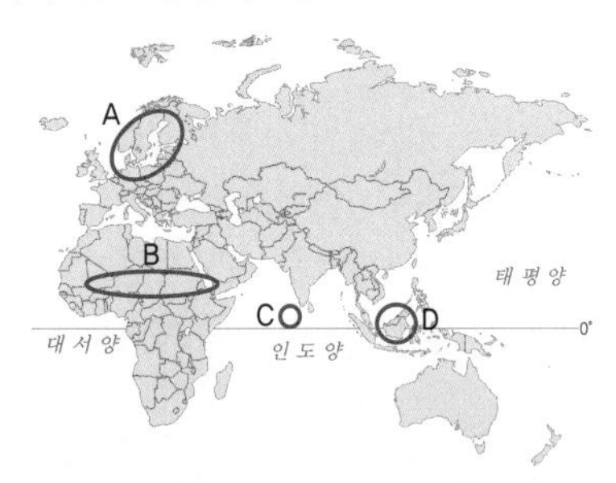

갑 : A 지역에서는 대기 오염으로 인한 산성비 피해가 발생했어요.

을 : B 지역에서는 벌목으로 인해 열대 우림 파괴가 나타났어요.

병 : C 지역에서는 지구 온난화로 해수면이 상승하면서 국토가 잠기고 있어요.

정 : D 지역에서는 농경지 개간으로 사막화가 빠르게 진행되고 있어요.

① 갑, 을 ② 갑, 병 ③ 을, 정
④ 갑, 을, 병 ⑤ 을, 병, 정

12 지도는 어떤 환경 문제가 나타난 지역을 표시한 것이다. 이를 극복하기 위한 국제 협약으로 옳은 것은?

① 바젤 협약 ② 람사르 협약
③ 몬트리올 의정서 ④ 사막화 방지 협약
⑤ 생물 다양성 협약

13 다음은 어떤 환경 문제에 대한 협정 내용이다. 이 환경 문제에 대한 대책을 옳게 대답한 학생만을 있는 대로 고른 것은?

구분	파리 협정(2015년)
대상 국가	195개 당사국
적용 시기	2020년 이후 신 기후 체제
주요 내용	• 지구 평균 온도의 상승 폭을 산업화 이전과 비교하여 1.5℃ 이하로 제한 • 선진국은 2020년부터 개발 도상국의 기후 변화 대처 사업에 매년 최소 천 억 달러 지원 • 2023년 첫 이행 점검 이후 5년마다 상향된 감축 목표 제출 및 이행 여부 검증
우리나라	2030년 배출 전망치 대비 37% 감축안 제출

갑 : 기업은 폐수 및 매연 등의 환경 정화 시설을 정비해야 해.

을 : 정부는 신·재생 에너지 개발을 위한 지원금을 늘려야 해.

병 : 화력 발전소를 많이 건설하여 발전 효율을 높여야 해.

정 : 시민 단체를 중심으로 에너지 절약 운동이 더 활성화되어야 해.

① 갑, 을 ② 갑, 병 ③ 을, 정
④ 갑, 을, 정 ⑤ 을, 병, 정

14 다음 글을 읽고 물음에 답하시오.

> [(가)]은/는 도덕적 고려의 대상을 인간뿐만 아니라 대지, 생태계 전체로 확장한다. 인간 중심주의는 이성을 지닌 인간을 모든 가치의 정점에 두고 이러한 능력을 결여하는 동식물은 인간의 필요와 유용성에 따라 가치가 결정된다고 보았다. 반면 [(가)]은/는 어떤 것이 '오직 존재하고 있다는 그 사실'만으로 그것이 가치가 있다고 본다.

(1) (가)에 들어갈 알맞은 말을 쓰시오.

( )

(2) (가)에서 바라본 인간과 자연과의 관계를 인간 중심주의와 비교하여 서술하시오.

(3) 현재 환경 문제를 해결하기 위해 (가)의 입장에서 제시할 수 있는 교훈을 서술하시오.

15 다음 그림은 사막 기후 지역의 전통 가옥이다. 이를 보고 물음에 답하시오.

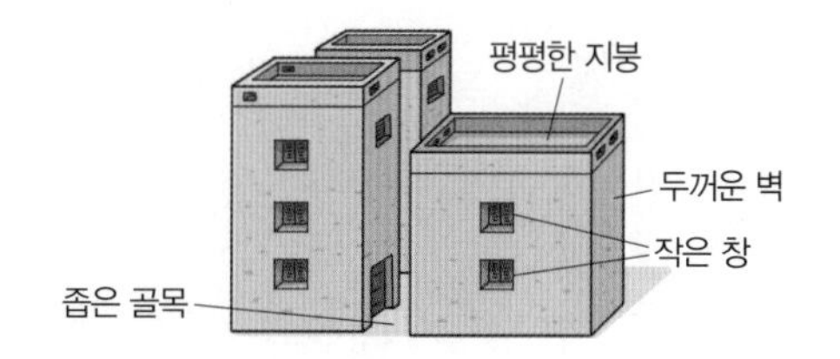

(1) 전통 가옥의 명칭을 쓰시오.

( )

(2) 다음 표의 예시를 참조하여 ①, ②를 완성하시오.

가옥 특색	기후 환경과의 연관성
건물 외벽은 흙벽돌로 만듦	나무가 드물고, 구하기 쉬운 재료가 흙이기 때문이다.
평평한 지붕	①
건물이 인접하여 골목이 좁음	햇빛을 막아주는 그늘을 많이 만들기 위해서이다.
작은 창과 두꺼운 벽	②

16 다음 글을 읽고 물음에 답하시오.

> 메슥거리는 영국의 검은 석탄 구름이 이 지방에 검은 장막을 씌우고 신선한 녹음으로 빛나는 초목을 모조리 상처 입히며 아름다운 새싹을 말려 죽이고 독기를 휘감은 채 소용돌이치며 태양과 그 빛을 들에서 빼앗고 고대의 심판을 받은 저 마을에 재의 비처럼 떨어져 내린다. [헨리크 입센, 『브란트』]

(1) 글에 나타난 환경 문제를 쓰시오.

(2) 글에 나타난 환경 문제의 원인과 영향을 서술하시오.

Ⅲ

생활 공간과 사회

키워드로 흐름 한눈에 보기

01 산업화와 도시화

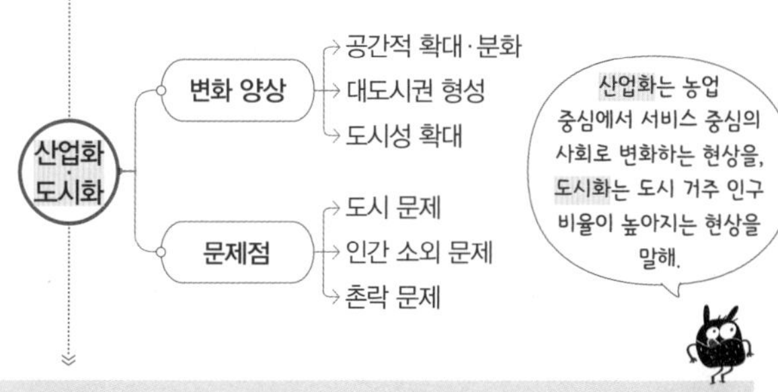

02 교통 · 통신의 발달과 정보화

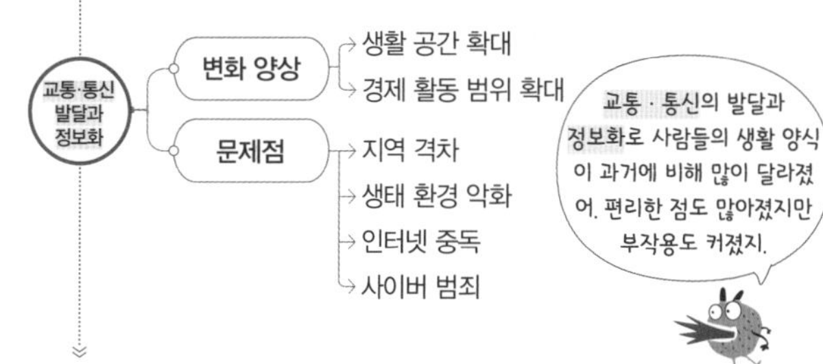

03 우리 지역의 변화와 발전

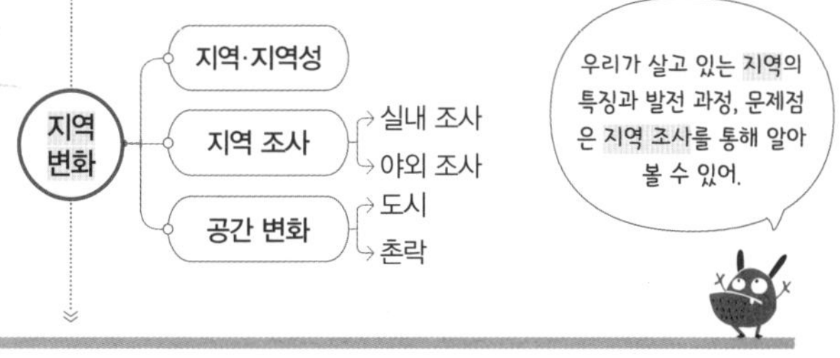

01 산업화와 도시화

흐름 잡기

산업화 도시화

산업화와 도시화의 의미는? A

산업화·도시화에 따른 변화 모습은? B

산업화·도시화로 인한 문제점은? C

● 도시화 곡선

도시의 인구가 촌락으로 이동하는 역도시화가 나타나기도 해.

종착 단계 / 가속화 단계 / 본격적인 산업화로 도시화율이 빠르게 상승해. / 초기 단계

도시화율(%) 0 20 40 60 80 100 / 시간

● 산업화와 도시화의 관계

산업화가 진행되면서 세계 도시 수가 늘어나고 도시의 규모가 커지고 있다. 최근에는 중국, 동남아시아, 라틴 아메리카 등 개발 도상국에서 산업화가 이루어지면서 도시화가 더욱 빠르게 진행되고 있다. 이처럼 산업화와 도시화는 서로 밀접한 관계를 맺고 계속 확산되어 왔다.

궁금해? 1차적 · 2차적 인간관계

1차적 인간관계

2차적 인간관계

2차적 인간관계는 인위적으로 만들어낸 인간관계로, 특정한 목적의식을 가지고 있으며 수단적이야.

A 산업화와 도시화

한·줄·단·서 산업이 발달하는 것은 **산업화**, 도시 인구의 비중이 증가하는 것은 **도시화!**

1. 산업화

① **의미** : 농업 중심의 사회에서 광공업 및 서비스업 중심의 사회로 변화하는 현상

② **특징** : 산업화가 진행될수록 산업 구조는 점차 고도화됨
(소비재 공업에서 생산재 공업으로, 경공업에서 중화학 공업으로 산업이 변화하는 것을 산업 구조의 고도화라고 해.)

2. *도시화

① **의미** : 도시에 거주하는 인구의 비율이 증가하고 도시적 생활 양식과 도시 경관이 확대되는 현상

② **특징** : *산업화가 진행되면서 함께 진행됨

③ **우리나라의 도시화 과정** : 1960년대 이후 수도권과 남동 임해 지역을 중심으로 진행됨 자료 1
(남동 임해 지역: 포항, 울산, 부산 등을 포함한 우리나라의 대표적인 공업 지역이야.)

B 산업화 · 도시화에 따른 변화

한·줄·단·서 산업화와 도시화는 **생활 공간** 및 주민들의 **생활 양식**에 큰 **변화**를 가져왔어!

1. 산업화 · 도시화에 따른 생활 공간의 변화

① **거주 공간의 변화** 자료 2

- **도시 인구 밀도 증가** : 이촌 향도 현상으로 촌락의 인구가 도시로 집중
(이촌 향도: '농촌을 떠나 도시로 향한다'는 뜻이야.)
- **토지 이용의 집약도 증가** : 공간을 효율적으로 이용하기 위한 고층 건물의 증가
(동일한 면적의 토지라도 공간 없이 빽빽이 이용할 경우 집약도가 높아져. / 고층 건물: 아파트, 고층 빌딩 등)
- **도시 내부 지역의 공간적 분화** : 기능에 따라 중심 업무 지역, 상업 지역, 주거 지역, 공업 지역 등으로 나누어짐
- **대도시권의 형성** : 교외화 현상으로 인해 대도시와 주변 지역이 기능적으로 밀접한 관계를 갖게 됨
(교외화 현상: 대도시의 인구가 주변의 신도시나 근교 촌락 지역으로 이동하는 현상)

② **생태 환경의 변화**

- **지표 포장 면적의 확대** : 녹지 면적 감소로 환경 악화, 열섬 현상 심화 자료 3
(지표 포장: 땅의 표면을 돌, 콘크리트, 아스팔트 등으로 덮는 것을 말해. / 열섬 현상: 녹지 부족과 인공 열 방출로 도시의 평균 기온이 주변 지역보다 높게 나타나는 현상)
- **생물 종 다양성 감소**
(생물 종 다양성: 생물의 종류가 다양한 정도를 뜻해.)

2. 산업화 · 도시화에 따른 생활 양식의 변화

① **도시성의 확산**

- **도시성** : 도시에 거주하는 사람들이 가지는 특징적인 사고 및 행동 양식
- **특징** : 효율성과 합리성 추구, 익명성 중시, 2차적 인간관계 확대
- **영향** : 자율성과 다양성이 존중되지만, 사회적 유대감은 약화됨

② **직업의 분화**

- **직업 종류의 다양화** : 산업화로 직업의 종류가 다양해지면서 직업 선택의 폭이 넓어짐
(특히 서비스업의 종류가 다양해졌어.)
- **직업의 세분화·전문화** : 같은 직종 내에서도 직업이 세부적으로 분화되면서 전문적 특징을 갖게 됨

③ **개인주의의 확대**

- **개인의 가치 중시** : 공동체보다 개인의 가치를 중시하는 경향이 확대됨
- **개인 간의 경쟁 심화**

교과서 자료 모아보기

자료 1 우리나라의 산업화와 도시화

자·료·분·석 • 산업 구조의 변화 : 우리나라는 1960년대까지 농림어업의 비중이 높았으며, 산업화로 광공업과 서비스업의 비중이 높아지고 있다.

• 도시화율 : 전체 인구 대비 도시 거주 인구의 비율로, 우리나라는 1960년대 이후 도시 인구가 증가하면서 빠르게 도시화가 진행되었다.

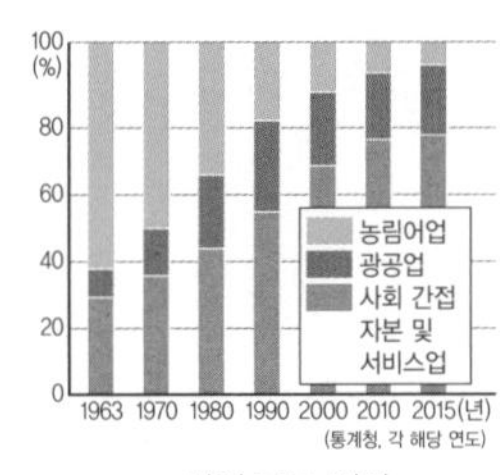

▲ 산업 구조 변화

▲ 도시화율 변화

한·줄·핵·심 우리나라는 1960년 이후 광고업 및 서비스업의 발달과 도시 인구 비율의 증가로 인해 산업화와 도시화가 빠르게 진행되었다.

키워드 체크

❶ 전체 인구 대비 도시 거주 인구의 비율은?

답 : □□□□

자료 2 대도시 생활 공간의 변화

▲ 대도시의 도심(서울시 중구)

└ 대도시의 중심지로, 고급 업무 기능 및 서비스업이 발달한 곳이야.

▲ 대도시의 대규모 아파트 단지(서울시 노원구)

▲ 대도시 주변의 아파트 단지(경기도 김포시)

▲ 대도시 주변의 공업 단지(경기도 안산시)

자·료·분·석 도시의 규모가 작을 때는 여러 기능이 혼재되어 있지만, 도시의 규모가 커지면 기능에 따라 중심 업무 지역(㉠), 상업 지역, 주거 지역(㉡), 공업 지역 등으로 나뉜다. 또한, 도시의 성장으로 도시 주변 지역은 주거 지역(㉢)과 공업 지역(㉣)으로 바뀌거나 도시적 경관이 나타나기도 한다. 이렇게 대도시와 주변 지역이 기능적으로 관계를 맺어 형성된 대도시권은 교통의 발달에 따라 범위가 점차 확대되고 있다.

한·줄·핵·심 도시의 인구가 증가하고 규모가 커지면서 기능에 따라 대도시 생활 공간의 변화가 나타난다.

키워드 체크

❷ 도시의 □□가 증가하고 규모가 커지면서 대도시 지역의 □□에 따라 분화가 나타난다.

답 : □□, □□

자료 3 포장 면적 확대와 토지 이용 변화

▲ 토지 이용의 변화

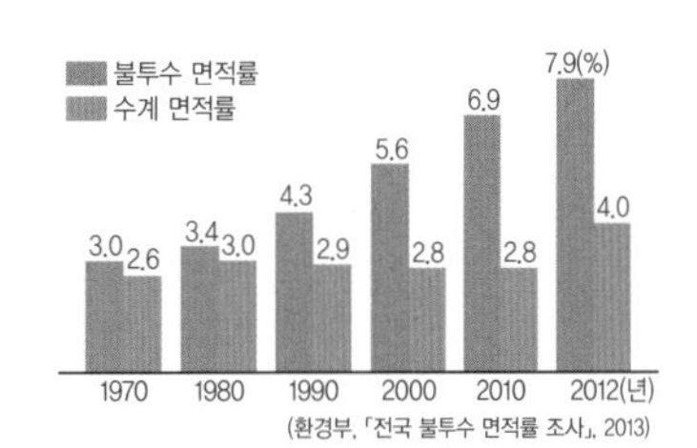

▲ 우리나라의 불투수 면적률 변화

자·료·분·석 도시는 시간이 지날수록 임야나 논밭이 줄어들고 주거지나 교통로 확충을 위해 콘크리트, 아스팔트로 포장되는 불투수 지역의 면적이 늘어난다. 불투수 지역이 증가할 경우 집중 호우 시 빗물이 지하로 흡수되지 못하고 하천으로 바로 유입되는 양이 증가하면서 홍수 발생 위험이 높아진다. 한편 불투수 지역이 증가하면 인공 열이 많이 방출되고 열을 그대로 가두어두는 특성 때문에 열섬 현상이 심화되기도 한다.

한·줄·핵·심 도시에 불투수 지역이 증가하면, 홍수 발생 위험이 높아지고 열섬 현상이 자주 발생한다.

키워드 체크

❸ 녹지 부족과 인공 열의 방출로 인해 도시의 평균 기온이 주변 지역보다 높게 나타나는 현상은?

답 : □□ 현상

키워드 체크 정답 ❶ 도시화율 ❷ 인구, 기능 ❸ 열섬

C 산업화·도시화로 인한 문제와 해결 방안

한·줄·단·서 **산업화·도시화** 과정에서 **주택·교통·환경** 등 다양한 **도시 문제**와 **인구 소외 문제**가 발생하여 이를 해결하기 위한 **사회적·개인적 차원의 노력**이 이루어지고 있어.

1. 산업화·도시화로 인한 문제

① 도시 문제

- **원인** : 증가하는 인구에 비해 각종 *도시 기반 시설이 부족
- **종류**

구분	특징
주택 문제	한정된 지역에 많은 인구 집중 → 주택 수요 증가 → 주택 부족 및 집값 상승, 불량 주택 지역 형성 (슬럼(slum)이라고도 불리며, 낡고 오래된 주택들이 모여 있는 곳이야.)
교통 문제	교통량 증가에 비해 도로 및 각종 교통 시설 부족 → 교통 혼잡 및 주차난 자료 4
환경 문제	• 산업 시설, 가정에서 배출하는 폐수 → 수질 오염 발생 • 산업 폐기물, 생활 쓰레기 매립 등 → 토양 오염 발생 • 자동차 배기가스, 공장 매연 등 → 대기 오염 심화 • 인공 열의 발생, 아스팔트 도로와 콘크리트 건물 등 → 열섬 현상 발생 자료 5
기타 사회 문제	• 빈부 격차 심화 • 각종 범죄 증가 • 노사 갈등 : 노동자와 사용자 간의 이해관계 충돌 • 실업 문제 : 산업화로 인해 사회가 요구하는 능력이나 직업이 변화했기 때문

② *인간 소외 문제

- **원인** : 자동화·기계화, 물질 만능주의 등 (돈과 물질적 풍요를 삶의 가장 중요한 가치로 여기는 것을 말해.)
- **현상** : 주변 사람과의 소통 감소, 인간의 도구화, 개인의 이익 우선 추구

③ 촌락 문제

- **원인** : 이촌 향도로 인한 인구 감소
- **현상** : 노동력 부족, 사회 기반 시설 부족, 학생 수의 감소로 폐교 증가, 경제 활동 위축, 마을 공동체의 해체 등

2. 산업화·도시화로 인한 문제의 해결 방안

① 사회적 차원에서의 노력

구분	특징
거주 환경 개선	• *도시 재개발 사업, *도시 재생 사업의 지속적 추진 • 주택 부족 문제 해결을 위한 방안 마련
교통 개선	• 거주자 우선 주차 제도의 정착 및 공영 주차장 확대 • 환경 개선을 통해 대중교통의 이용률을 높임
사회 갈등 완화	• 소외 계층을 위한 사회 복지 제도 강화 • 범죄 예방을 위한 사회 안전망 확충
환경 문제 해결 자료 6	• 환경과 조화를 이루는 개발 계획 추진 예 슬로 시티 • 녹지 공간 확충 예 도시 농업, 하천 복원 등 • 기업과 가정의 오염 물질 배출 규제 강화 • 환경 영향 평가 제도 강화

└ 환경 영향 평가 제도: 개발 사업 추진 시 그 사업의 환경 영향을 미리 평가하여 환경 보전 방안을 강구하는 제도야.

② 개인적 차원에서의 노력

- **환경 문제 해결을 위한 실천** : 환경 책임 의식 갖기, 쓰레기 분리배출, 대중교통 이용 등 환경친화적 삶 실천
- **인간 소외 문제 해결을 위한 실천** : 타인 존중, 서로 소통하고 협력하며 더불어 살아가는 연대 의식 갖기

- **도시 기반 시설**
대중교통, 도로, 시장, 공원 등 도시인의 생활이나 도시 기능 유지에 필요한 물리적인 요소를 말한다.

- **인간 소외 현상**
노동의 주체인 인간이 노동 과정에서 객체나 수단으로 전락하여 소외되는 현상을 말한다.

- **도시 재개발 사업**
노후화되고 불량해진 주택이나 공공 시설물을 개량하여 주거 환경을 개선하고, 교통 시설과 교통 체계 등의 기반 환경을 정비하는 사업이다.

- **도시 재생 사업**
낙후된 기존 도시에 새로운 기능을 도입하고 창출함으로써 쇠퇴한 도시를 경제적·사회적·물리적으로 새롭게 부흥시키는 도시 사업이다.

자료 4 도시의 교통 문제

자·료·분·석 교통 혼잡 비용은 환경 오염 비용, 교통사고 비용과 함께 교통 수요의 증가에 따라 발생하는 사회적 비용을 말한다. 도시 인구가 증가하고 이에 따라 자동차 이용 대수가 많아지면서 교통 혼잡 비용은 지속적으로 높아지고 있다.

한·줄·핵·심 산업화·도시화로 교통 혼잡, 주차난, 교통사고 증가 등의 교통 문제가 발생하였다.

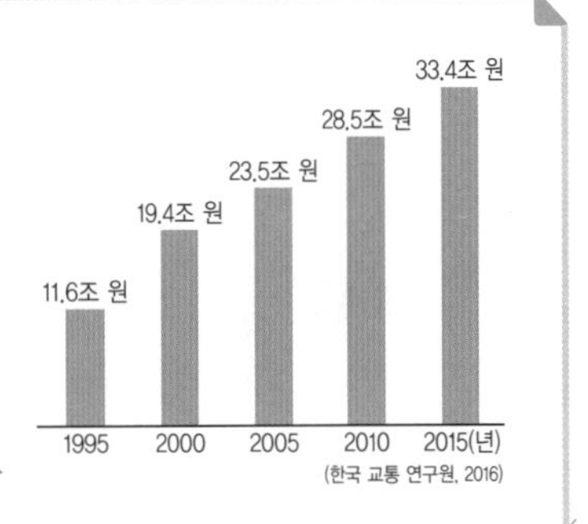

교통 혼잡 비용의 증가 ▶

키워드 체크

❹ 산업화·도시화로 인해 발생하는 도시의 교통 문제를 써 보자.

답 : □□ 혼잡 □□□□ 증가 등

자료 5 도시의 열섬 현상

자·료·분·석 열대야는 일 최저 기온이 25℃ 이상인 현상을 말하는데, 서울, 대구, 부산, 광주 등 대도시의 열대야 일수는 전국 평균보다 훨씬 높게 나타난다. 일반적으로 열대야 일수의 증가 폭은 도시가 촌락보다 크게 나타나는데, 도시는 아스팔트 도로와 콘크리트 건물이 많아 인공 열이 많이 발생하고, 이러한 아스팔트 도로와 콘크리트 건물은 낮 동안 지상에 쌓인 열을 그대로 가두어 놓아 밤까지 기온이 떨어지지 않기 때문이다.

한·줄·핵·심 도시의 열섬 현상은 산업화와 도시화가 가장 큰 원인이다.

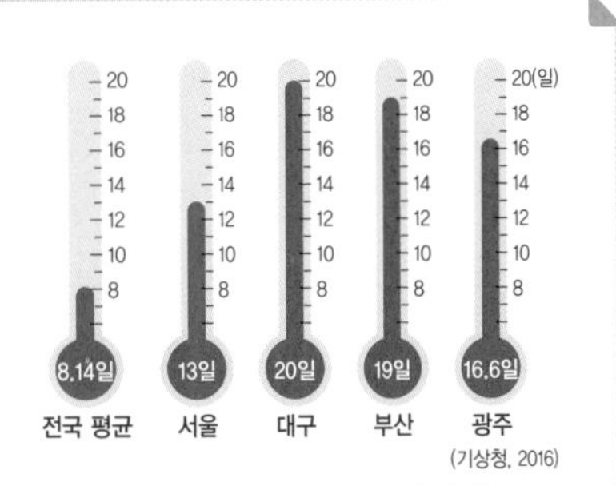

▲ 주요 도시의 평균 열대야 발생 일수 (2011~2015년)

키워드 체크

❺ 일 최저 기온이 25℃ 이상인 현상은?

답 : □□□

자료 6 환경과 조화를 이루는 개발 사례

▲ 도시 농업

▲ 슬로 시티(전남 완도군 청산도)

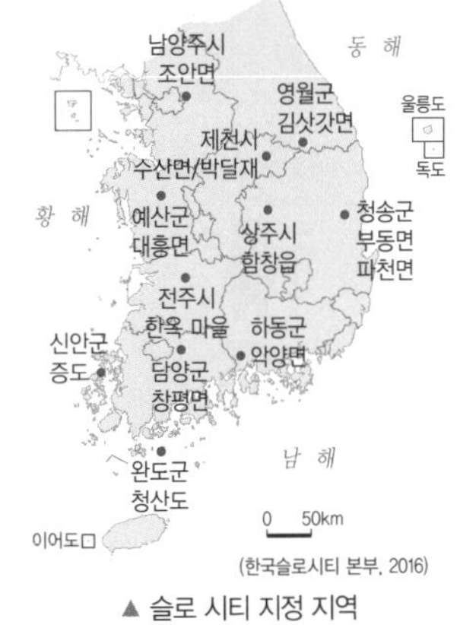

▲ 슬로 시티 지정 지역

자·료·분·석 도시 농업은 주택, 학교, 회사 등의 내·외부, 옥상 등을 활용하여 농산물을 생산하는 농업을 말한다. 도시 농업은 도시 내 녹지 공간을 늘려 공기를 정화하고 열섬 현상을 완화한다. 슬로 시티는 환경, 자연, 시간, 계절을 존중하고 느긋하게 산다는 의미로, 지역의 자연 및 문화적 특징을 그대로 보존하는 개발 방식을 지향한다.

한·줄·핵·심 도시 농업의 확대, 슬로 시티의 지정은 도시화·산업화에 따른 자연환경 파괴를 최소화하고, 지역의 녹지 공간을 보전하여 친환경적인 생활 공간을 조성하기 위한 노력이다.

키워드 체크

❻ 주택, 학교, 회사 등의 내·외부, 옥상, 발코니 등을 활용하여 농산물을 생산하는 농업 방식은?

답 : □□ 농업

키워드 체크 답 ❹ 교통, 교통사고 ❺ 열대야 ❻ 도시

우리나라의 산업화와 도시화

산업화로 도시에 경제 활동의 기회가 많아지면서 많은 사람들이 도시로 이주하였다. 이로 인해 도시 인구 비율이 높아지는 도시화가 촉진되었다. 다음 자료를 통해 우리나라의 산업화·도시화 특징을 조사하고, 이로 인해 나타나는 다양한 문제를 추론해 보자.

통합 주제 story

자료❶
농림어업은 1차 산업, 광공업은 2차 산업, 사회 간접 자본 및 서비스업은 3차 산업이다. 산업화가 진행되면서 1차 산업 취업자 수 비중이 낮아지고 3차 산업 취업자 수 비중이 증가하였다.

자료❷
우리나라는 매우 빠른 속도로 도시화가 진행되어 현재 대부분의 지역에서 도시화율이 70% 이상이며, 전체 도시화율은 90%가 넘었다.

자료❸
산업화·도시화는 도시 인구 집중에 따른 각종 기반 시설 부족 문제, 교통난, 생태계 파괴, 범죄 발생 증가 등의 사회 문제를 유발한다.

자료 ❶ 산업별 취업자 수 변화

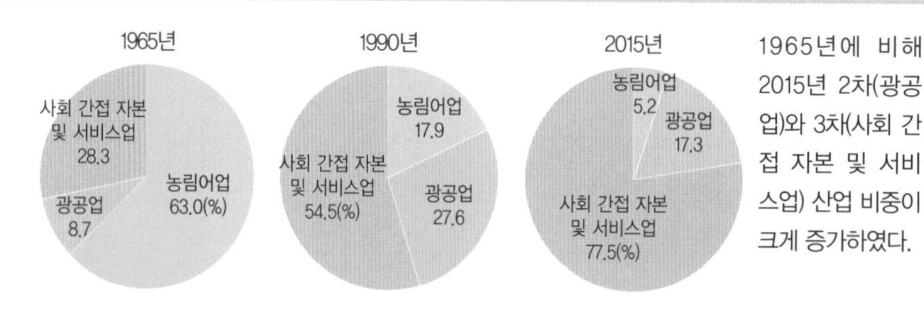

1965년에 비해 2015년 2차(광공업)와 3차(사회 간접 자본 및 서비스업) 산업 비중이 크게 증가하였다.

자료 ❷ 도시화율의 변화

도시화율은 전체 인구 중 도시에 살고 있는 인구 비율을 의미해.

도시 지역 거주 인구

1960년	2015년
도시화율 39.1%	도시화율 91.8%
9,484 천 명	47,290 천 명

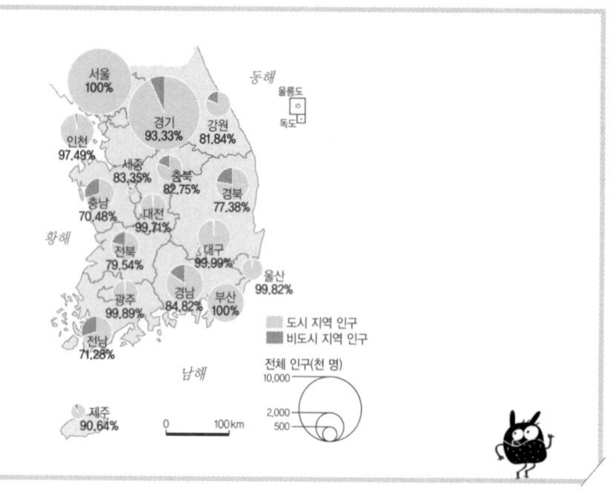

지도를 보면, 우리나라의 모든 지역에서 도시 지역 인구가 비도시 지역 인구보다 훨씬 더 많음을 알 수 있다. 우리나라의 도시화율은 현재 91.8%로 100명 중 90명 이상이 도시에 살고 있다.

자료 ❸ 산업화·도시화에 따른 변화

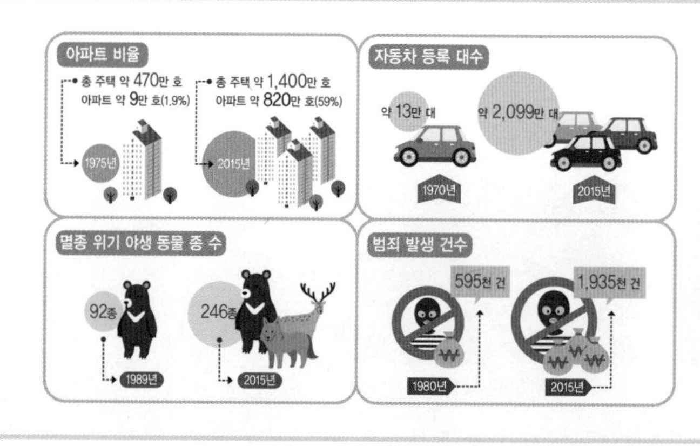

아파트 비율이 증가하면서 인구 밀도가 높아져 도시 환경이 악화되고 자동차 등록 대수가 증가하면서 주차난, 교통 정체 등이 심화된다. 또한, 개발 과정에서 생태계가 파괴되고, 범죄 발생이 증가하기도 한다.

이것만은 꼭!

- 우리나라는 급속한 **산업화**가 진행되면서 현재 전체 인구의 70% 이상이 **3차 산업**에 종사하고 있다.
- 경제가 발전한 도시로 인구가 집중하면서 빠르게 **도시화**가 진행되었다.
- **산업화·도시화**로 **주택 및 교통 문제, 환경 파괴**와 **범죄 발생 증가** 등의 사회 문제가 발생하고 있다.

콕콕! 개념 확인

정답과 해설 22쪽

A 산업화와 도시화

01 알맞은 설명에 ○표를 하시오.

(1) 농업 중심의 사회에서 광공업, 서비스업 중심의 사회로 변화하는 과정을 (공업화, 산업화)라고 한다.

(2) 도시에 거주하는 인구의 비율이 증가하고 도시적 생활 양식과 도시 경관이 확대되는 현상을 (도시화, 교외화)라고 한다.

B 산업화·도시화에 따른 변화

02 빈칸에 들어갈 알맞은 말을 쓰시오.

(1) □□ □□ 현상으로 촌락의 인구가 도시로 집중하면서 도시 인구 밀도가 높아졌다.

(2) □□□은/는 도시에 거주하는 사람들이 가지는 특징적인 사고 및 행동 양식을 뜻한다.

03 밑줄 친 부분을 바르게 고쳐 쓰시오.

(1) 공간을 효율적으로 이용하기 위해 고층 건물이 증가하면서 도시의 토지 이용 집약도는 과거에 비해 점차 낮아지고 있다.

(2) 산업화·도시화가 진행되면서 효율성과 합리성을 추구하는 사회적 풍토가 조성되고, 1차적 인간관계의 중요성이 크게 강조되고 있다.

C 산업화·도시화로 인한 문제와 해결 방안

04 자료를 보고 물음에 답하시오.

〈주요 도시의 평균 (가) 발생 일수(2011~2015년)〉

전국 평균	서울	대구	부산	광주
8.14일	13일	20일	19일	16.6일

(기상청, 2016)

〈문화를 활용한 도시 (나) 사업 사례〉

> 쇼어디치는 영국 런던의 변두리에 있는 공장 지대이다. 20세기에 들어 방글라데시 등지에서 이민자들이 이주해 오면서 다양한 민족(인종)이 모인 빈민촌이 되었다. 하지만 1980년대 말부터 이주해 온 젊은 예술가와 디자이너들이 쇼어디치를 변화시켰다. 쇼어디치는 도심과의 접근성이 높고 교통이 편리하며, 임대료가 저렴해 작업 공간을 구하던 예술가들에게 안성맞춤이었다. …(중략)… 쇼어디치에 지역 사회 조합이 결성되고, 이 지역의 고유한 문화와 주민의 권리를 지키기 위한 노력들이 이루어지고 있다. [○○신문, 2016. 10. 18.]

(1) ㈎와 ㈏에 들어갈 알맞은 말을 쓰시오.

(2) 자료에 대한 설명이 옳으면 ○표, 틀리면 ×표를 하시오.

① 열대야 발생 일수는 일반적으로 도시가 촌락 지역보다 많다. ( )

② 도시 재생 사업은 중심 도시의 인구 과밀화를 해소하기 위해 도시 외곽 지역에 신도시를 건설하는 사업을 의미한다. ( )

탄탄! 내신 문제

정답과 해설 22쪽

A 산업화와 도시화

01 산업화와 도시화에 대한 설명으로 옳지 않은 것은?

① 산업 혁명 이후 본격적인 산업화가 이루어졌다.
② 최근에는 선진국에서 도시화가 더욱 빠르게 진행되고 있다.
③ 도시화는 도시에 거주하는 인구 비율이 증가하는 현상이다.
④ 산업화와 도시화는 서로 밀접한 관계를 맺고 전 세계적으로 진행되고 있다.
⑤ 산업화가 진행되면서 1차 산업 비중은 점차 감소하고 3차 산업 비중이 증가하였다.

02 다음 글의 (가), (나)에 들어갈 용어로 옳은 것은?

> 1차 산업인 농업 중심의 사회에서 공업의 비중이 높은 사회로 변화되는 현상을 [(가)]라고 한다. [(가)]가 진행될수록 촌락에 거주하던 사람들이 일자리를 찾아 도시로 몰려들었고, 그 결과 도시 인구가 빠르게 증가하면서 [(나)]가 진행되었다. 이에 따라 인간의 생활 공간은 촌락에서 도시로 그 중심이 바뀌었다.

	(가)	(나)		(가)	(나)
①	도시화	산업화	②	도시화	세계화
③	산업화	도시화	④	산업화	세계화
⑤	세계화	도시화			

03 우리나라의 도시화 과정에 대한 옳은 설명을 <보기>에서 고른 것은?

> 보기
> ㄱ. 본격적인 도시화는 1980년대 이후 진행되었다.
> ㄴ. 지역별 도시화율은 호남권이 수도권보다 높다.
> ㄷ. 현재 도시 인구 비율이 촌락 인구 비율보다 높다.
> ㄹ. 공업이 발달한 지역을 중심으로 도시화가 빠르게 진행되었다.

① ㄱ, ㄴ　② ㄱ, ㄷ　③ ㄴ, ㄷ
④ ㄴ, ㄹ　⑤ ㄷ, ㄹ

04 지도는 우리나라의 도시 수와 도시 인구수의 변화를 나타낸 것이다. 이에 대한 설명으로 옳지 않은 것은?

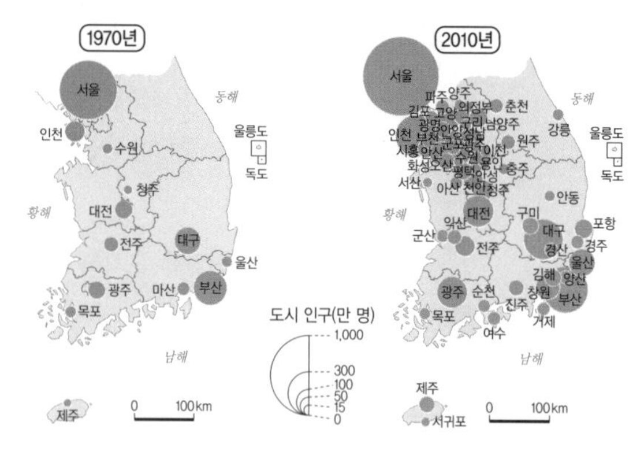

① 경부 축의 도시들이 크게 성장하였다.
② 2010년 수도권은 영남권보다 인구수가 더 많다.
③ 1970년보다 2010년에 인구 100만 명 이상의 도시 수가 더 많다.
④ 1970~2010년 인천은 대구보다 인구 증가율이 높다.
⑤ 1970~2010년 광주광역시 주변의 도시 인구가 대전광역시 주변의 도시 인구보다 많이 증가하였다.

B 산업화·도시화에 따른 변화

05 다음 글은 산업화·도시화로 인한 생활 공간의 변화를 설명한 것이다. ㉠~㉣ 중 옳은 설명을 고른 것은?

> 산업화와 도시화는 거주 공간의 변화에 많은 영향을 주었다. 우선, 도시의 특정 지역에 회사, 거주지가 밀집되면서 ㉠ 주거지와 직장의 평균 거리가 가까워졌다. 도시가 점차 성장하면서 ㉡ 도시 내부 지역의 기능 분화가 나타나기도 하였다. 도시 중심 지역은 ㉢ 고층 건물이 많아지면서 토지 이용의 집약도가 낮아졌다. 또한, 교통이 발달하면서 ㉣ 대도시와 주변 지역 간의 기능적 상호 의존성이 더욱 높아졌다.

① ㉠, ㉡　② ㉠, ㉢　③ ㉡, ㉢
④ ㉡, ㉣　⑤ ㉢, ㉣

06 그래프는 불투수 면적률의 변화를 나타낸 것이다. 이와 같은 변화로 인해 나타날 수 있는 현상을 〈보기〉에서 고른 것은?

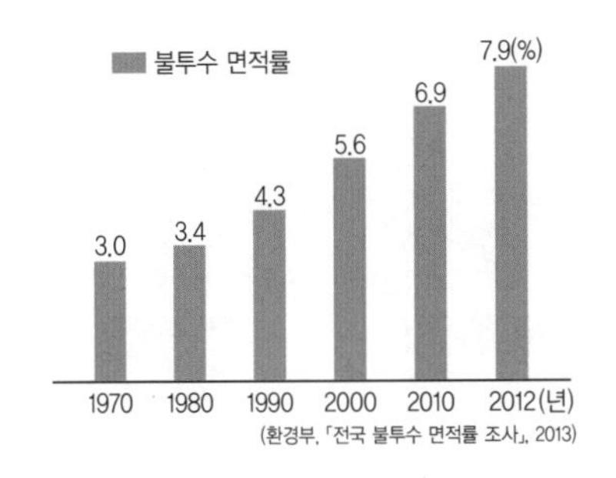

(환경부, 「전국 불투수 면적률 조사」, 2013)

보기
ㄱ. 범람 및 침수 위험이 낮아진다.
ㄴ. 토양의 빗물 흡수 능력이 낮아진다.
ㄷ. 평균 기온이 낮아지고 습도가 높아진다.
ㄹ. 강수 시 하천으로 유입되는 빗물의 양이 증가한다.

① ㄱ, ㄴ ② ㄱ, ㄷ ③ ㄴ, ㄷ
④ ㄴ, ㄹ ⑤ ㄷ, ㄹ

07 다음 자료는 우리나라의 토지 이용 변화를 나타낸 것이다. 1980년과 비교한 2015년의 상대적인 특징에 대한 추론으로 옳지 않은 것은?

(국토 교통부, 2016)

① 열대야 일수가 증가하였을 것이다.
② 생물 종 다양성이 높아졌을 것이다.
③ 토지 이용의 집약도가 높아졌을 것이다.
④ 자동차 등록 대수가 증가하였을 것이다.
⑤ 3차 산업 종사자 비율이 증가하였을 것이다.

C 산업화·도시화로 인한 문제와 해결 방안

08 지도는 슬로 시티의 지정 현황을 나타낸 것이다. 이와 같이 슬로 시티를 지정한 배경으로 옳은 것은?

(한국슬로시티 본부, 2016)

① 대도시 중심의 효율적인 지역 개발 추진
② 대규모 공업 단지 건설을 통한 일자리 창출
③ 현대식 관광 단지 건설을 통한 서비스업 발달 촉진
④ 쾌적한 주거 단지 조성을 통한 주택 부족 문제 해결
⑤ 지역 특성과 자연환경을 보전하기 위한 지역 개발 추진

09 다음 글의 밑줄 친 ㉠과 같은 공간이 확충될 경우 예상되는 변화를 〈보기〉에서 고른 것은?

도시에서 습지를 형성하고 있는 공간을 ㉠ 비오톱(biotope)이라고 한다. 이 비오톱은 도시 생태계에서 매우 중요한 역할을 한다. 비오톱은 수변 식물과 수중 식물, 물고기와 개구리, 새 등의 작은 동물에게 중요한 서식지가 된다. 이들은 비오톱에서 자연스럽게 먹이 사슬을 형성하며 살아가게 된다.

보기
ㄱ. 생물 종 다양성이 증가한다.
ㄴ. 도시의 냉방 비용이 줄어든다.
ㄷ. 토지 이용의 집약도가 높아진다.
ㄹ. 주변 지역의 상대 습도가 낮아진다.

① ㄱ, ㄴ ② ㄱ, ㄷ ③ ㄴ, ㄷ
④ ㄴ, ㄹ ⑤ ㄷ, ㄹ

도전! 1등급 문제

정답과 해설 23쪽

01 그래프는 세계 도시 인구의 성장을 나타낸 것이다. 이에 대한 옳은 설명을 〈보기〉에서 고른 것은?

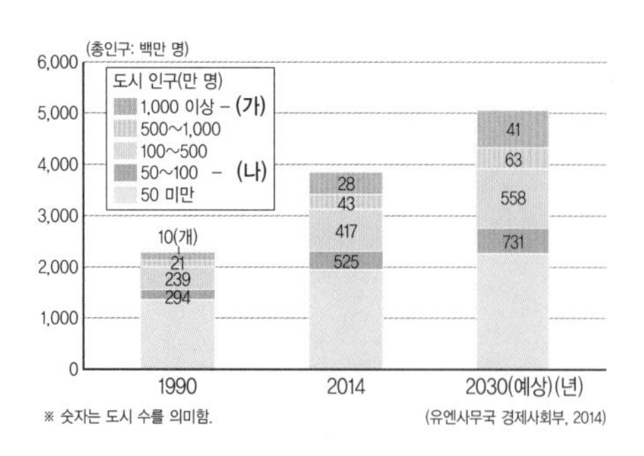

※ 숫자는 도시 수를 의미함. (유엔사무국 경제사회부, 2014)

〈보기〉
ㄱ. 2014년은 1990년에 비해 도시 인구가 약 2배 이상 증가하였다.
ㄴ. 2030년 전체 도시 인구에서 (나)가 차지하는 비율은 (가)보다 높을 것이다.
ㄷ. (가)는 (나)보다 1990~2030년 도시 개수의 증가율이 높다.
ㄹ. 1990년에는 (나)가 (가)보다 전체 인구가 더 많았다.

① ㄱ, ㄴ ② ㄱ, ㄷ ③ ㄴ, ㄷ
④ ㄴ, ㄹ ⑤ ㄷ, ㄹ

02 표는 두 시기의 토지 이용 변화를 나타낸 것이다. (가), (나) 시기의 상대적 특징을 그림과 같이 나타낼 때, A, B에 들어갈 항목으로 적절한 것은?

(단위 : km²)

이용 \ 시기	(가)	(나)
임야	64,003	66,128
논밭	19,108	22,099
대지	2,983	1,721
도로	3,144	1,399

(2016년) (국토교통부)

※'고'는 '높음'을, '저'는 '낮음'을 의미함.

	A	B
①	도시화율	불투수 면적률
②	도시화율	1차 산업 종사자 비율
③	불투수 면적률	도시화율
④	불투수 면적률	3차 산업 종사자 비율
⑤	1차 산업 종사자 비율	3차 산업 종사자 비율

고난도

03 지도는 서울시의 도시 내부 구조를 나타낸 것이다. (가)와 비교한 (나) 지역의 상대적 특징으로 옳은 것은?

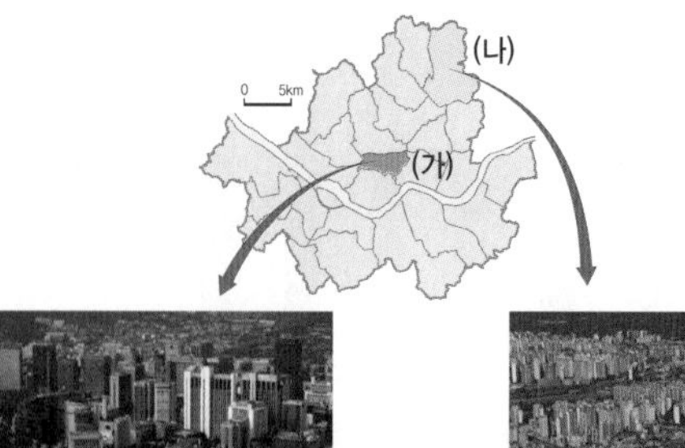

① 평균 지가가 높다.
② 초등학교 학생 수가 많다.
③ 주민들의 평균 통근 시간이 짧다.
④ 업무 및 상업 기능의 집적도가 높다.
⑤ 출근 시 유입 인구가 유출 인구보다 많다.

04 다음은 어느 지역의 변화 모습이다. 이를 통해 추론할 수 있는 이 지역의 변화 내용으로 옳지 않은 것은?

〈과거〉

〈현재〉

▲ 산업화로 미국 오대호 연안의 디트로이트에 산업 단지가 조성되고 고층 빌딩이 들어섰다.

① 인구가 증가하였다.
② 산업화가 진행되었다.
③ 녹지 비율이 높아졌다.
④ 유동 인구가 증가하였다.
⑤ 토지 이용의 집약도가 증가하였다.

05 그림은 지표 상태에 따른 빗물 흡수율의 변화를 나타낸 것이다. (가), (나)에 대한 옳은 설명을 〈보기〉에서 고른 것은?

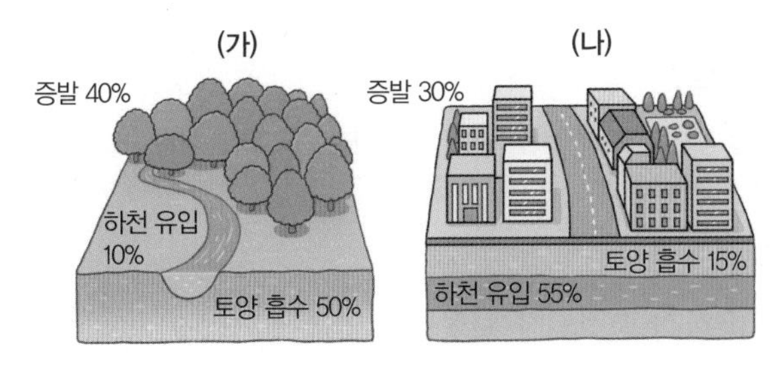

보기
ㄱ. (가)는 (나)보다 토양의 빗물 흡수율이 높을 것이다.
ㄴ. (가)는 (나)보다 강수 시 하천 유량 변화가 클 것이다.
ㄷ. (나)는 (가)보다 평균 기온이 높을 것이다.
ㄹ. (나)는 (가)보다 상대 습도가 높을 것이다.

① ㄱ, ㄴ　② ㄱ, ㄷ　③ ㄴ, ㄷ
④ ㄴ, ㄹ　⑤ ㄷ, ㄹ

06 다음 글의 밑줄 친 (가)와 같은 정책이 지속적으로 실시될 경우 예상되는 변화로 옳지 않은 것은?

서울시에서는 (가) 도시 농업을 적극 장려하는 정책을 펼치고 있다. 도시 농업이란 주택, 회사 등의 내·외부, 옥상, 발코니 등을 활용하여 농산물을 생산하는 농업을 말한다. 서울시에 따르면 서울의 도시 텃밭 면적은 2011년에 비해 2016년 약 5배 증가했다고 한다.

① 열섬 현상이 완화된다.
② 교통 체증 문제가 완화된다.
③ 빗물의 흡수와 순환을 촉진한다.
④ 여름철 전력 소비량이 감소한다.
⑤ 대기 중 이산화 탄소 농도가 감소한다.

[07-08] 자료를 보고 물음에 답하시오.

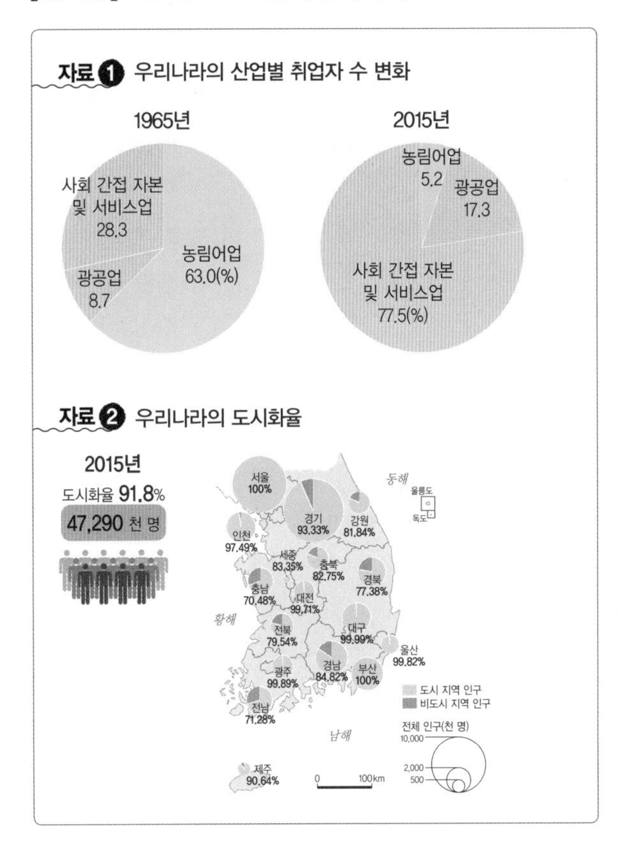

07 자료❶을 통해 추론할 수 있는 내용으로 옳은 것은?

① 농업 생산량이 감소하였을 것이다.
② 경지 면적 비율이 높아졌을 것이다.
③ 탈공업화가 빠르게 진행되고 있을 것이다.
④ 서비스업의 종류와 수가 많아졌을 것이다.
⑤ 도시와 촌락 간의 인구 격차가 감소하였을 것이다.

08 자료❷에 대한 분석 중 옳은 내용만을 있는 대로 고른 것은?

우리나라는 2015년 ㉠ 현재 전체 인구 중 90% 이상이 도시에 거주하고 있다. 도시화율은 지역별로 차이가 나타나는데 ㉡ 1차 산업이 발달한 제주도는 현재 도시화율이 가장 낮다. 반면, ㉢ 서울과 모든 광역시들은 도시화율이 100%로 매우 높다. ㉣ 도시 지역 인구수는 대체로 해당 지역의 전체 인구 규모에 비례하는데 서울과 경기도가 많고 제주도는 적다.

① ㉠, ㉡　② ㉠, ㉣　③ ㉡, ㉢
④ ㉠, ㉢, ㉣　⑤ ㉡, ㉢, ㉣

02 교통·통신의 발달과 정보화

흐름 잡기

교통·통신 발달과 정보화

궁금해? 시간 거리의 단축

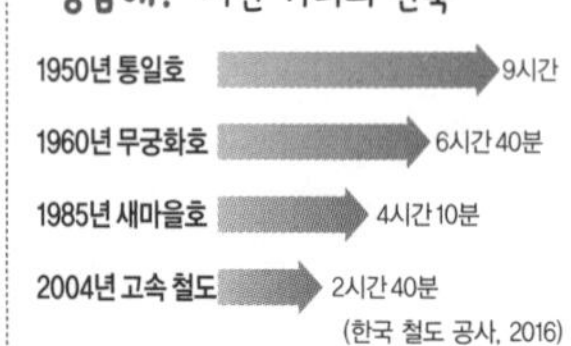

(한국 철도 공사, 2016)

▲ 서울에서 부산까지 이동하는 데 걸리는 시간

교통수단이 발달하면서 동일한 거리를 이동하는 데 걸리는 시간이 짧아졌어.

A 교통·통신의 발달에 따른 변화

한·줄·단·서 **교통·통신의 발달**로 **생활 공간 확대, 대도시권 형성, 경제 활동 범위 확대, 관광 산업 발달, 전자 상거래 등장** 등 다양한 변화가 나타났어!

1. 교통·통신의 발달에 따른 생활 공간의 변화

① **생활 공간의 확대** : 교통의 발달로 시간 거리가 단축되고 다른 지역과의 접근성이 향상되면서 일상생활 공간 범위가 확대됨 자료 1

(접근성: 어떤 지역에 접근 가능한 정도)

② **대도시권의 형성** : 주거 지역의 교외화와 통근·통학권이 확대되면서 교통망을 따라 대도시권이 형성됨 자료 2

(교통의 발달로 더욱 먼 곳으로의 이동이 편리해졌어. 이로 인해 도시 외곽으로 이주하는 사람들이 많아져 대도시 주변에 신도시들이 생겼어.)

2. 교통·통신의 발달에 따른 생활 양식의 변화

① **경제 활동 범위의 확대** : 원료와 상품, 자본과 노동력의 국제적 이동이 활발해지면서 국제 무역의 비중이 확대됨

② **관광 산업의 발달** : 이동 시간이 단축되고 인터넷을 통한 지역 정보 공유가 활성화되면서 관광 산업이 빠르게 성장함

③ **전자 상거래의 등장** : 스마트폰이나 인터넷 등을 이용하여 물건을 구매하며, 일정한 상점 없이 생산자와 소비자가 직접 거래할 수 있는 무점포 상점이 발달함

B 교통·통신의 발달에 따른 문제점과 해결 방안

한·줄·단·서 **교통·통신의 발달**로 **지역 격차의 심화, 생태 환경 파괴** 등의 문제가 발생하기도 했어!

1. 지역 격차의 심화

① **지역 간 접근성 차이로 지역 격차 심화**

(접근성: 어떤 지역에 도달 가능한 정도를 나타낸 것이야.)

- **접근성이 향상된 지역** : 인구와 기능이 집중하면서 경제가 발전함
- **접근성이 불리한 지역** : *빨대 효과로 인해 인구의 유출 발생 → 성장 잠재력이 약화되고 경제 활동이 위축됨

② **지역 격차를 줄이기 위한 방안**

- **정부의 노력** : 지역 균형 발전을 위한 정책 추진 예 낙후 지역에 교통 기반 시설 확충 및 산업 단지 유치 등
- **지역 사회의 발전을 위한 노력** : 다양한 자원을 지역 특성에 맞게 개발함으로써 지역 경쟁력을 강화시켜야 함

2. 생태 환경의 파괴

① **교통·통신의 발달이 생태 환경에 미친 부정적 영향**

- **환경 오염의 심화** : 교통수단에서 배출되는 오염 물질 → 대기 오염, 해양 오염 등

(선박에서 기름이 유출되어 해양이 오염되는 경우가 많아.)

- **교통량 증가로 인한 생활 환경 악화** : 소음 공해, 교통 체증과 교통사고 유발
- **생태계 파괴** : 녹지 공간 파괴와 삼림 훼손으로 동식물의 서식지가 줄어들고, 외래종이 유입되어 생태계가 교란됨 자료 3

② **생태 환경 보존을 위한 방안**

- **환경친화적 개발** : 소음이나 진동을 줄이는 친환경 도로나 생태 통로 건설

(생태 통로: 야생 동물이 이동할 수 있도록 인위적으로 만들어 놓은 길이야.)

- **오염 물질에 대한 엄격한 관리와 배출 규제 강화** : 자동차 배기가스 저감 장치 설치, *선박 평형수 처리 장치 설치 등

● **빨대 효과**
컵의 음료를 빨대로 빨아들이듯이 고속 도로나 고속 철도의 개통으로 대도시가 주변 중소 도시의 인구나 경제력을 흡수하는, 이른바 대도시 집중 현상을 가리킨다. 빨대 효과는 고속 도로나 고속 철도 개통의 부작용 중 하나로 자주 거론된다.

● **선박 평형수**
선박의 무게 중심을 유지하기 위해 선박 내에 채워 넣거나 빼내는 바닷물을 지칭한다. 이 물을 통해 각종 외래종이 유입되면서 기존 생태계가 교란될 수 있다. 대표적으로 지중해 담치는 선박 평형수를 통해 들어와 남해안에 서식하며 토착 어종들을 교란시키고 있다.

자료 1 고속 철도망 구축에 따른 변화

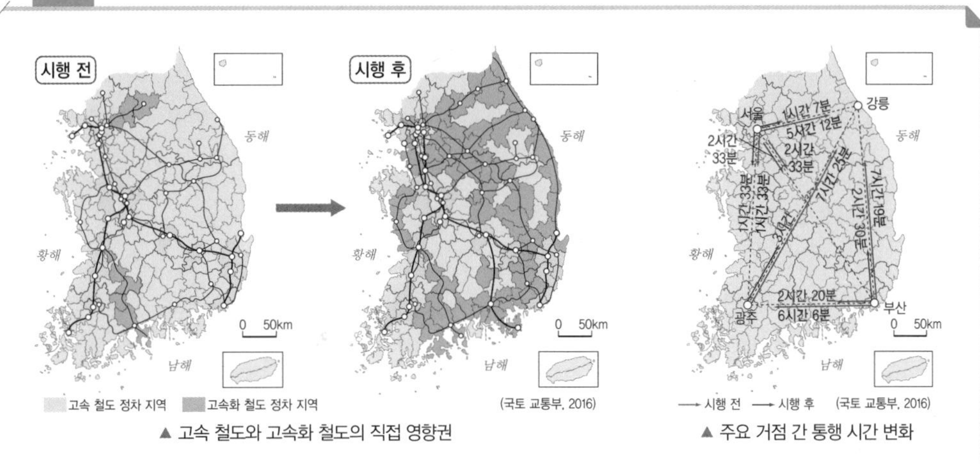

▲ 고속 철도와 고속화 철도의 직접 영향권　　▲ 주요 거점 간 통행 시간 변화

자·료·분·석 제3차 국가 철도망 구축 계획안 시행 후 지도를 보면, 시행 전에 비해 고속 철도의 영향을 받는 지역이 많아졌고, 그 결과 주요 지역 간 통행 시간이 단축되었음을 확인할 수 있다.

한·줄·핵·심 고속 철도망이 구축되면서 고속 철도 정차 지역이 크게 늘어났고, 그 결과 지역 간 통행 시간이 단축되면서 접근성이 향상되었다.

키워드 체크

❶ □□□은 어떤 지역에 도달 가능한 정도를 나타낸 것으로 교통이 발달할수록 향상된다.

답 : □□□

자료 2 교통 발달에 따른 통근·통학권의 변화

자·료·분·석 서울과 경기도 외곽 지역을 연결하는 철도 노선이 확대되면서 서울로의 통근·통학권은 크게 확대되었다. 이는 교통 발달로 시간 거리가 단축되었기 때문에 나타난 결과이다.

한·줄·핵·심 철도 교통의 발달로 접근성이 향상되면서 서울의 통근·통학권이 외곽으로 확대되었다.

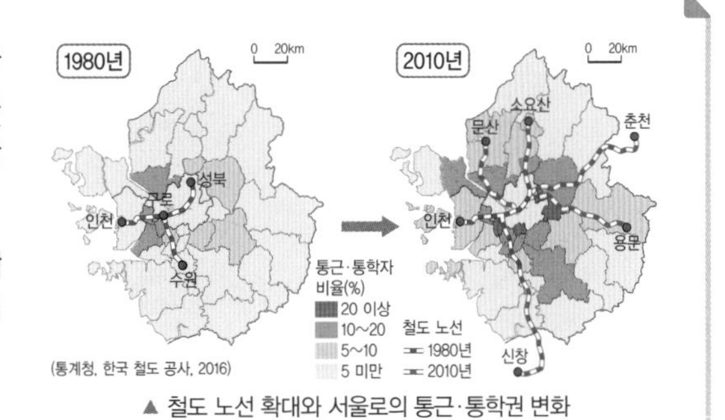

▲ 철도 노선 확대와 서울로의 통근·통학권 변화

키워드 체크

❷ 철도 노선이 확대되면서 서울로 출퇴근하는 공간 범위인 □□□이 크게 확대되었다.

답 : □□□

자료 3 교통의 발달로 인한 외래종의 유입

자·료·분·석 해운 및 항공 교통의 발달로 국제 교류가 활발해지면서 외래 생물 종이 유입되어 자연 상태계가 교란되고 있다. 이를 통제하기 위해 국제 항해를 하는 선박에는 선박 평형수 처리 장치를 의무적으로 설치하고, 여행객에 대한 검역을 강화하고 있다.

한·줄·핵·심 교통수단의 발달로 국제 교류가 증가하면서 외래종 유입에 따른 생태계 파괴 문제가 나타나고 있다.

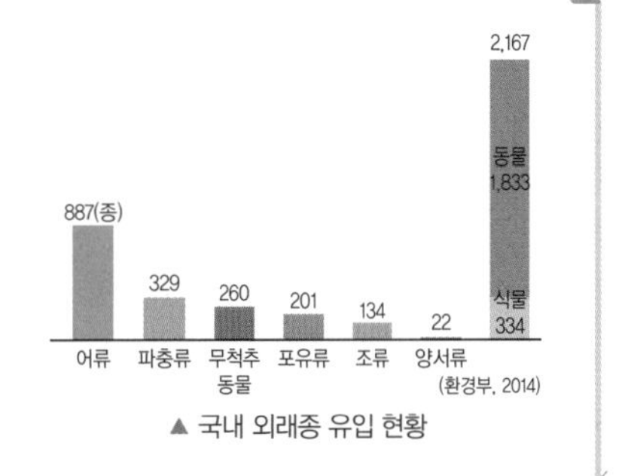

▲ 국내 외래종 유입 현황

키워드 체크

❸ 국제 교류가 증가하면서 유입된 □□□은 토착종들을 죽이며 생태계를 교란시키고 있다.

답 : □□□

키워드 체크 정답 ❶ 접근성 ❷ 통근권 ❸ 외래종

C 정보화에 따른 변화와 문제점

한·줄·단·서 **정보화**로 **SNS 이용, 전자 상거래 활성화, 유비쿼터스 구축** 등 다양한 변화가 나타났고, 이로 인해 **인터넷 중독, 사이버 범죄, 정보 격차, 사생활 침해** 등의 문제도 발생했어.

1. 정보화

① **의미** : 지식과 정보가 가장 중요한 자원이 되어 산업을 비롯하여 사회 전반에 큰 변화를 야기하는 현상

② **배경** : 과학 기술의 발달로 컴퓨터, 인터넷, 인공위성 등을 이용해 정보의 수집·이용·가공이 원활해짐

2. 정보화에 따른 변화

① **정보화에 따른 생활 공간의 변화**

- **가상 공간의 등장** : 인터넷이나 PC 통신 등과 같이 온라인 통신망을 통해 대량의 정보가 교환되고 공유되는 가상의 공간을 의미함
- **공간 이용 방식의 변화**

구분	특징
위성 위치 확인 시스템(GPS)	• 의미 : 인공위성을 이용하여 현재 위치를 알려주는 시스템 • 활용 : 자동차 내비게이션, 대중교통 도착 알림 시스템 등
지리 정보 시스템 (GIS)	• 의미 : 다양한 지리 정보를 수치화하여 컴퓨터에 입력·저장하고, 이를 다양한 방법으로 분석·종합하여 제공하는 시스템 • 활용 : 각종 시설물의 입지 분석 및 입지 선정, 자원 개발, 재난 및 재해 피해 범위 예측, 환경 영향 평가 등

② **정보화에 따른 생활 양식의 변화**

구분	특징
정치·행정적 측면	• *누리 소통망(SNS)을 이용한 자유로운 정보 교류와 의사 표현 가능 • 전자 민원 처리가 활성화됨 (시민들의 정치 참여가 확대되고 있어.)
경제적 측면	• 전자 상거래, 전자 금융의 활성화 자료4 (인터넷, TV 홈쇼핑 등을 통해 상품을 사고파는 행위를 말해.) • 원격 근무나 화상 회의가 가능해짐
사회·문화적 측면	• *유비쿼터스 구축으로 원격 진료, 원격 교육 등이 가능해짐 • 인터넷 통신, 스마트폰 등을 통한 문화의 확산이 빠르게 진행됨

3. 정보화에 따른 문제점과 해결 방안

① **인터넷 중독**

- **문제** : 인터넷 사용을 스스로 조절하지 못하여 일상생활에 지장을 초래함
- **대책** : 인터넷 사용 시간을 미리 정해둠, 인터넷 중독 예방 및 치료 프로그램 시행

② **사이버 범죄** 자료5

- **문제** : 가상 공간에서 이루어지는 다양한 범죄 (악성 댓글, 지적 재산권 침해, 사이버 폭력, 불법 복제, 전자 상거래 사기, 해킹, 각종 유해 사이트 운영 등의 문제가 발생할 수 있어.)
- **대책** : *정보 윤리 교육 및 관련 법령 강화

③ **정보 격차** 자료6

- **문제** : 정보의 소유와 접근 정도에 따라 계층 간, 지역 간 격차가 심화됨
- **대책** : 정보 소외 계층이나 낙후 지역에 컴퓨터를 비롯한 정보화 기반 시설 지원, 정보 활용 교육 지원 등

④ **사생활 침해**

- **문제** : 개인 정보 유출, CCTV와 휴대 전화 위치 추적 등을 통한 감시·통제 (CCTV: '폐회로 텔레비전'이라는 뜻으로 특정 수신자에게 화상을 전송하는 장치야.)
- **대책** : 개인 정보 보호법, 국가 정보화 기본법 등의 법률 정비 및 강화

• **누리 소통망(SNS)**
온라인을 통해 인적 관계망을 연결하여 시간이나 장소에 구애받지 않고 자유롭게 의사소통할 수 있게 하는 서비스이다. SNS는 'Social Network Service'의 약자이다.

• **유비쿼터스**
어디서나 자유롭게 통신망에 접속하여 자료를 주고받을 수 있는 상태를 말한다.

• **정보 윤리**
정보 사회의 구성원으로서 지켜야 할 올바른 가치관과 행동 양식을 의미한다. 자신과 타인에 대한 존중, 자신의 행동에 대한 책임, 타인의 권리를 침해하지 않고 정보의 진실성과 공정성을 추구하는 정의, 타인에 대한 해악 금지를 주요 원칙으로 한다.

자료 4 전자 상거래의 발달

자·료·분·석 그래프는 온라인과 이동 통신을 이용한 쇼핑 거래액의 변화를 나타낸 것이다. 2001년에 비해 2016년 온라인을 이용한 거래액은 약 20배 정도 증가하였으며, 이동 통신을 이용한 거래액 또한, 2013년 이후부터 빠르게 증가하고 있다. 이는 정보화로 시·공간적 제약이 극복되면서 전자 상거래가 발달한 결과이다.

한·줄·핵·심 정보화로 인한 통신의 발달로 전자 상거래 비중이 크게 증가하고 있다.

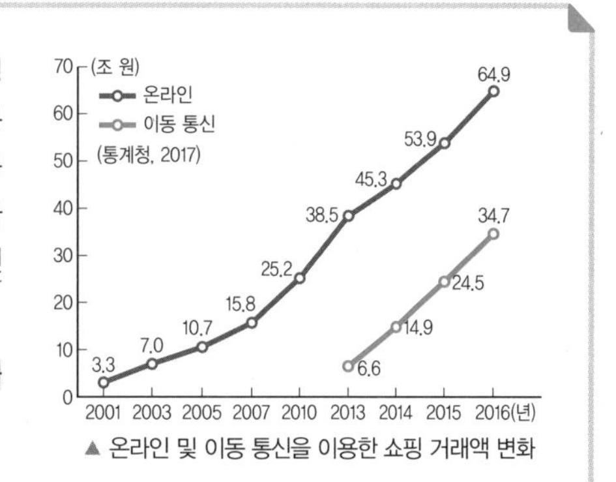

▲ 온라인 및 이동 통신을 이용한 쇼핑 거래액 변화

키워드 체크

❹ 정보화로 인한 통신의 발달로 인터넷, 휴대 전화를 이용하여 상품을 구매하는 방식을 무엇이라고 하는가?

답 :

자료 5 정보화에 따른 사이버 범죄의 발생

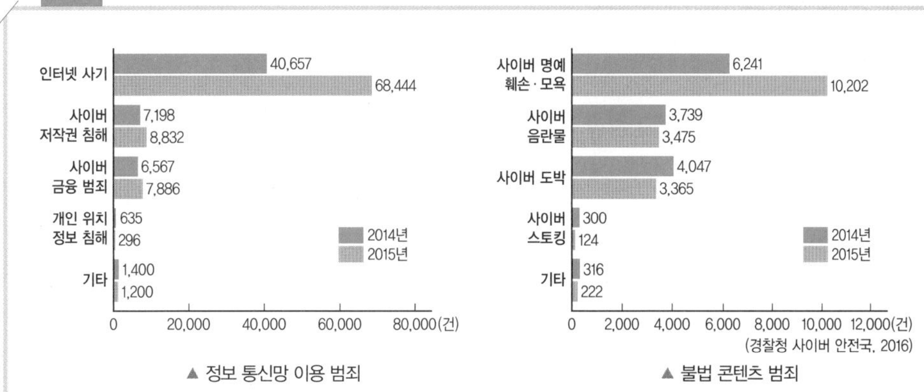

▲ 정보 통신망 이용 범죄 ▲ 불법 콘텐츠 범죄

자·료·분·석 컴퓨터 등을 악용하여 가상 공간에서 행해지는 모든 범죄를 사이버 범죄라고 한다. 정보 통신망을 이용한 범죄에서는 인터넷 사기의 비중이 가장 높고, 불법 콘텐츠 관련 범죄에서는 사이버 공간의 특징을 활용한 명예 훼손 및 모욕이 가장 높은 비중을 차지했다. 전체 범죄 발생 건수는 2014년에 비해 2015년에 크게 증가하였다.

한·줄·핵·심 가상 공간이 확대되고 이에 대한 활용이 늘면서 사이버 폭력이나 각종 인터넷 사기, 프로그램 불법 복제 등과 같은 사이버 범죄가 크게 증가하고 있다.

키워드 체크

❺ □□□ □□는 가상 공간에서 이루어지는 금융 사기, 사이버 폭력 및 해킹, 불법 콘텐츠 복제 등을 총칭하며, 최근 급속하게 증가하고 있다.

답 : □□□ □□

자료 6 정보 격차에 따른 문제

자·료·분·석 평균 수준을 100으로 보았을 때 장애인, 저소득층을 포함한 소외 계층의 정보화 지수는 낮은 편이다. 특히, 정보화 활용 지수가 80 내외로 매우 낮은 것으로 보아 정보 소외 계층을 대상으로 한 컴퓨터 활용 교육의 필요성을 쉽게 짐작할 수 있다.

한·줄·핵·심 정보에 접근할 수 있는 제도와 환경의 차이로 인해 지역 간, 계층 간 정보 격차가 발생하고 있다.

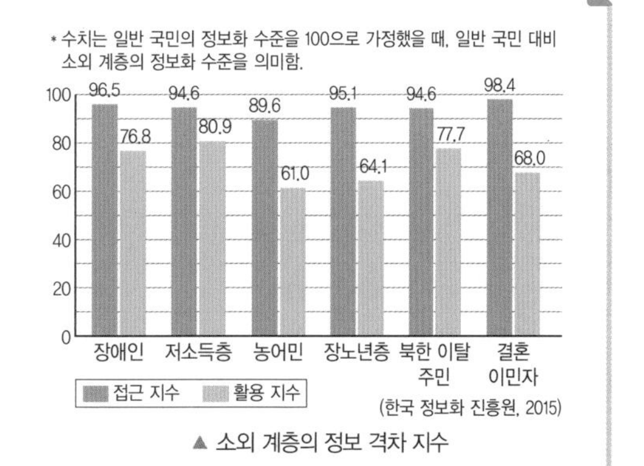

▲ 소외 계층의 정보 격차 지수

키워드 체크

❻ □□ □□는 여러 조건의 차이로 인해 정보 통신 서비스에 접근하거나 이용할 수 있는 기회에 차이가 생기는 것을 의미한다.

답 : □□ □□

키워드 체크 정답 ❹ 전자 상거래 ❺ 사이버 범죄 ❻ 정보 격차

온라인 쇼핑의 발달과 일상생활의 변화

정보화로 인해 전자 상거래가 활성화되면서 온라인 쇼핑의 비중이 크게 확대되고 있다. 다음 자료를 통해 온라인 쇼핑의 발전 현황을 알아보고, 온라인 쇼핑의 발달로 인한 일상생활의 변화에 대해 조사해 보자.

통합 주제 story

자료❶
온라인 쇼핑과 모바일 쇼핑은 모두 전자 상거래의 한 유형이다. 정보화가 빠르게 진행되면서 컴퓨터 정보 통신과 휴대 전화를 이용한 전자 상거래의 비중이 빠르게 증가하고 있다.

자료❷
그래프를 보면, 국내 택배 시장 물동량과 해외 직접 구매 물량 모두 증가하고 있음을 알 수 있다. 이는 교통·통신의 발달로 온라인 쇼핑이 확대되면서 나타난 구매 행태의 변화를 반영한 것이다.

자료❸
6차 산업은 농축산물의 생산과 관련 가공품 제조 및 판매, 관광업까지를 포괄하는 새로운 산업을 의미한다. 온라인 쇼핑을 통한 생산자와 소비자 간에 직거래가 활성화되면서 농촌 지역에서 새로운 경제 활동이 이루어지고 있다.

자료 ❶ 온라인 쇼핑의 확대

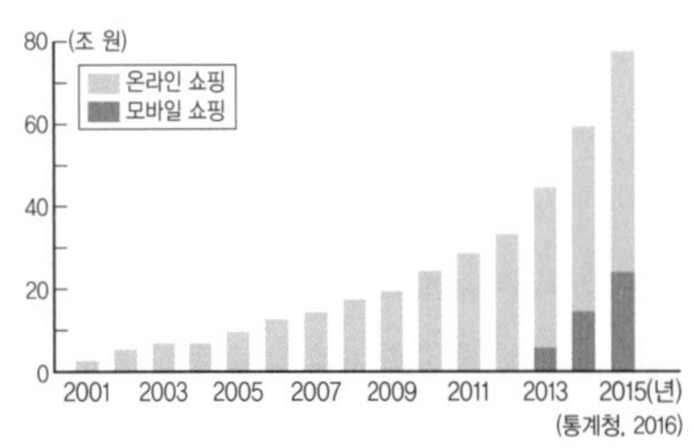

▲ 온라인 쇼핑 운영 형태별 거래액 변화

온라인 쇼핑과 모바일 쇼핑의 거래액 변화를 나타낸 것이다. 온라인 쇼핑 거래액은 2001년 이후 지속적으로 증가하고 있으며, 2012년 이후 증가 폭이 더 커지고 있다. 모바일 쇼핑 거래액은 2013년부터 매년 빠른 속도로 증가하고 있다.

자료 ❷ 국내 택배 시장 물동량과 해외 직접 구매 물량 증가

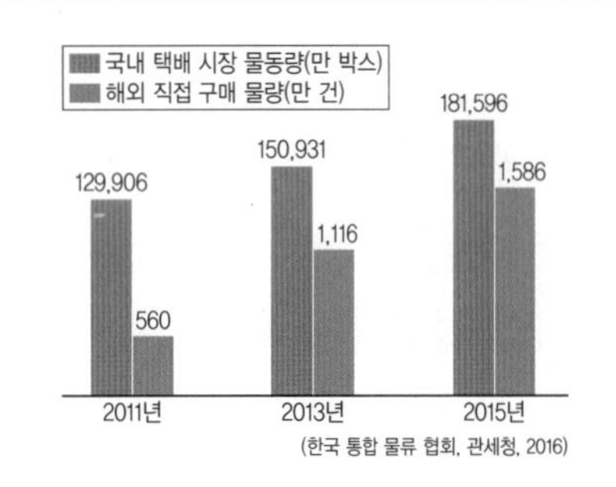

온라인 쇼핑의 증가로 소비자에게 물건을 직접 배달해 주는 택배 산업이 성장하면서 국내 택배 물동량이 지속적으로 증가하고 있다. 또한, 교통·통신의 발달로 배송비가 줄어들면서 가격 경쟁력이 생긴 해외 상품의 직접 구매가 증가하고 있다.

자료 ❸ 지역 특산물을 활용한 6차 산업의 성장

6차 산업은 농축산업인 농축산물 생산 활동(제1차 산업)을 기본으로, 가공 및 제조(제2차 산업), 유통 및 관광 서비스(제3차 산업)까지 종합하여 새로운 부가 가치를 창출하는 것으로, 농촌 지역의 새로운 발전 전략으로 주목받고 있다. 전라북도 임실군은 지역의 축산 농가에서 생산한 우유를 가공하여 치즈를 만들고, 이를 온라인으로 판매한다. 또한, 치즈를 사기 위해 온라인 매장에 방문한 사람들이 임실 치즈 체험 마을이나 축제 관련 포스터를 보고 직접 참여하기도 하여 일거양득의 효과를 볼 수 있다.

이것만은 꼭!

- 통신의 발달로 **정보화**가 진행되면서 **온라인 쇼핑**이 활성화되고 있다.
- 전자 상거래가 활성화되면서 **택배 산업** 및 **해외 직접 구매 비중**이 **증가**하고 있다.
- 온라인 쇼핑을 이용한 **농축산업의 상업화, 고부가 가치화**가 진행되고 있다.

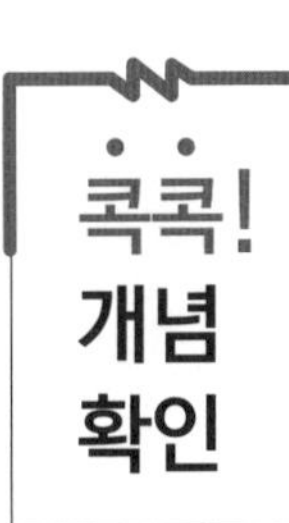

정답과 해설 25쪽

A 교통·통신의 발달에 따른 변화

01 알맞은 설명에 ○표를 하시오.

(1) 교통의 발달로 시공간이 (확대, 축소)되면서 지역 간 교류가 활발해지고 있다.

(2) 주거 지역의 (교외화, 도시화)로 인해 대도시의 생활권이 외곽으로 확대되면서 대도시권이 발달하였다.

(3) 철도 교통의 발달로 접근성이 (높아, 낮아)지면서 서울의 통근·통학권이 외곽으로 확대되었다.

B 교통·통신의 발달에 따른 문제점과 해결 방안

02 빈칸에 들어갈 알맞은 말을 쓰시오.

(1) □□ □□은/는 대도시가 주변 중소 도시의 인구와 경제력을 흡수하는, 이른바 대도시 집중 현상을 가리킨다.

(2) □□ □□은/는 도로 건설 시 야생 동물이 이동할 수 있도록 인위적으로 만들어 놓은 길을 뜻한다.

03 밑줄 친 부분을 바르게 고쳐 쓰시오.

(1) 교통·통신 기반 시설의 차이로 접근성이 향상된 지역과 불리한 지역 간의 지역 격차가 <u>완화된다</u>.

(2) 선박 평형수 처리 장치는 교통의 발달로 발생하게 된 <u>대기 오염</u>을 막기 위한 주요 대책 중 하나이다.

C 정보화에 따른 변화와 문제점

04 자료를 보고 물음에 답하시오.

〈정보 소외 계층의 (가)〉

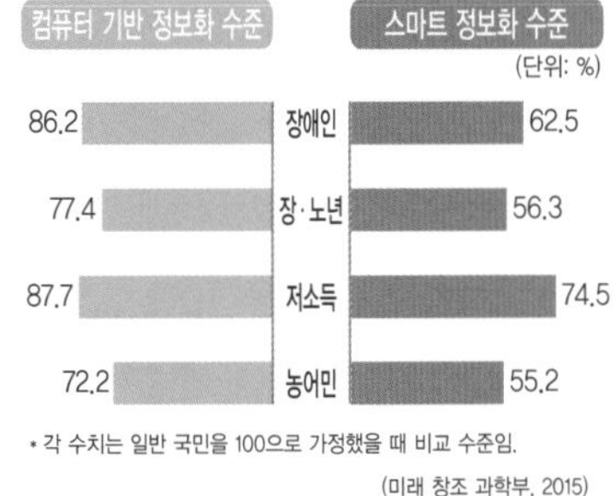

• 각 수치는 일반 국민을 100으로 가정했을 때 비교 수준임.
(미래 창조 과학부, 2015)

〈(나)의 유형별 발생 현황〉

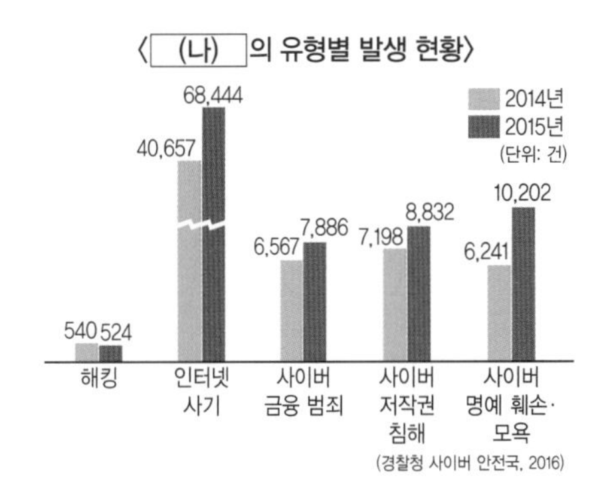

(경찰청 사이버 안전국, 2016)

(1) ㈎와 ㈏에 들어갈 알맞은 말을 쓰시오.

(2) 자료에 대한 설명이 옳으면 ○표, 틀리면 ×표를 하시오.

① 정보 소외 계층의 컴퓨터 기반 정보화 수준은 스마트 정보화 수준보다 높다. ( )

② ㈏에서 발생 비율이 가장 높은 것은 사이버 금융 범죄이다. ( )

탄탄! 내신 문제

정답과 해설 25쪽

A 교통·통신의 발달에 따른 변화

01 그래프는 철도 교통을 이용한 서울과 부산 간의 이동 시간 변화를 나타낸 것이다. 이러한 변화에 의해 나타난 현상으로 옳지 않은 것은?

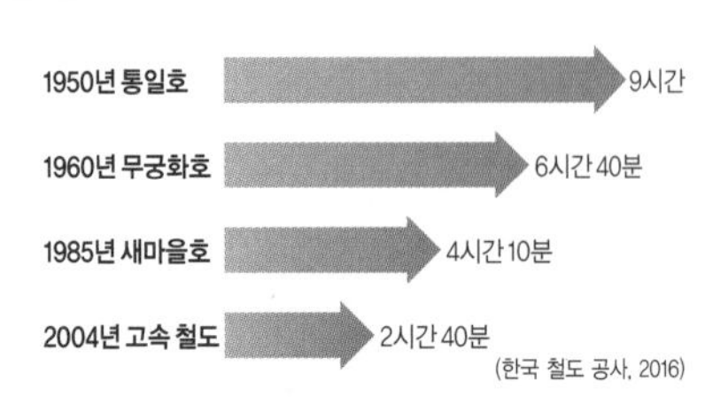

① 생활 공간 범위가 확대되었다.
② 두 지역 간의 교류가 증대되었다.
③ 물리적 거리의 제약이 감소하였다.
④ 서울의 중심 기능이 부산으로 이전되었다.
⑤ 서울－부산 간 항공 교통의 이용객 수 비중이 감소하였다.

02 지도의 거가 대교 개통으로 인해 나타날 수 있는 변화를 〈보기〉에서 고른 것은?

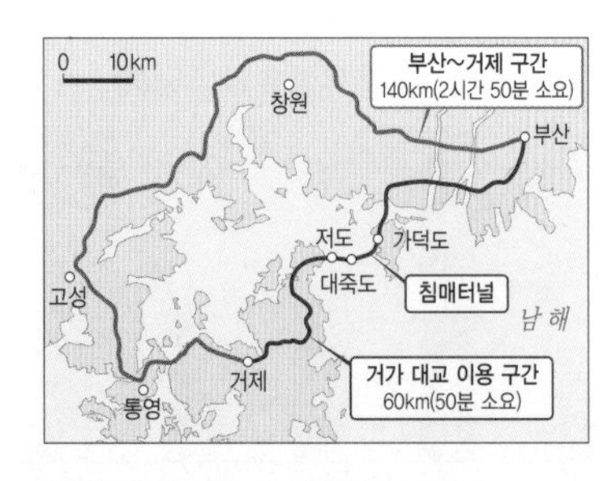

보기
ㄱ. 부산의 통근권이 확대될 것이다.
ㄴ. 거제의 접근성이 높아졌을 것이다.
ㄷ. 통영과 부산 간의 교류는 감소할 것이다.
ㄹ. 부산과 거제 간 이동객 수가 감소할 것이다.

① ㄱ, ㄴ ② ㄱ, ㄷ ③ ㄴ, ㄷ
④ ㄴ, ㄹ ⑤ ㄷ, ㄹ

03 다음 글의 (가)에 들어갈 내용으로 가장 적절한 것은?

> 우리나라를 찾는 외국인 관광객은 1975년에는 63만여 명에 불과했지만, 2015년에는 1,300만 명이 넘어 40년 만에 20배가 넘게 증가하였다. 또한, 해외로 나가는 우리나라 관광객은 같은 기간 13만여 명에서 150배 정도 증가해 1,900만여 명에 달했다. 이러한 관광객의 급증은 경제 발달에 따른 소득 수준의 향상과 더불어 (가) 로 인한 시간 거리의 단축 등에서 원인을 찾을 수 있다.

① 통신의 발달 ② 교통의 발달
③ 기술의 발달 ④ 비용의 감소
⑤ 생활권의 확대

04 교통의 발달로 나타나는 영향을 〈보기〉에서 고른 것은?

보기
ㄱ. 대도시권이 형성된다.
ㄴ. 통근권 범위가 확대된다.
ㄷ. 지역 고유의 특성이 강화된다.
ㄹ. 주거 지역의 범위가 도시 중심부로 축소된다.

① ㄱ, ㄴ ② ㄱ, ㄷ ③ ㄴ, ㄷ
④ ㄴ, ㄹ ⑤ ㄷ, ㄹ

B 교통·통신의 발달에 따른 문제점과 해결 방안

05 그래프는 우리나라의 고속 도로 연장 추이를 나타낸 것이다. 이와 관련하여 예상되는 변화로 적절한 것은?

① 녹지 면적이 증가할 것이다.
② 빗물의 토양 흡수율이 높아질 것이다.
③ 야생 동물의 서식지가 확대될 것이다.
④ 대기 중 이산화 탄소 농도가 감소할 것이다.
⑤ 소음과 먼지로 인한 생태계 피해가 증가할 것이다.

06 다음 글의 밑줄 친 (가)의 원인으로 가장 적절한 것은?

호남 고속 철도가 개통된 이후 용산역에서 광주송정역까지의 운행 시간이 1시간 49분으로 줄어들면서 광주송정역의 역 이용객이 크게 증가하였다.
그러나 (가) 호남 고속 철도가 지나가지 않는 광주역과 서대전역 주변은 경제가 침체되고 있다.

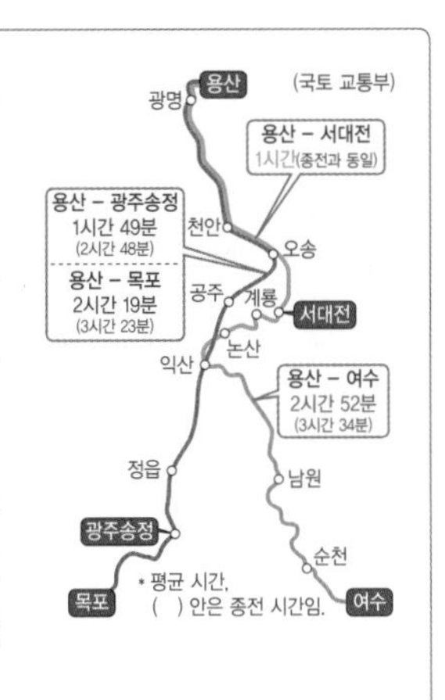

① 서울과의 접근성이 낮아졌기 때문
② 다른 지역과의 물리적 거리가 증가하였기 때문
③ 환경 파괴로 인해 주거 환경의 쾌적성이 낮아졌기 때문
④ 도로 교통 이용 비중의 증가로 교통 체증이 심화되었기 때문
⑤ 고속 철도가 지나는 지역으로 인구와 기능이 유출되었기 때문

C 정보화에 따른 변화와 문제점

07 다음과 같은 현상이 나타나는 사회의 특징으로 옳은 것은?

- 매장에 직접 가지 않고 인터넷을 통해 필요한 가구를 산다.
- 수업 시간에 배운 내용과 관련 자료를 스마트폰을 이용하여 검색한다.
- 친구들과 누리 소통망을 통해 대화하고, 인터넷을 통해 과제를 함께 수행한다.

① 유통의 공간적 제약이 강화된다.
② 대면 접촉을 통한 교류 비중이 확대된다.
③ 석유 자원에 대한 의존도가 더욱 높아진다.
④ 주거와 업무 기능의 도심 집중이 심화된다.
⑤ 지식, 정보가 산업 전반에 미치는 영향이 커진다.

08 다음 글의 (가), (나)에 들어갈 용어로 옳은 것은?

정보화 사회에서는 과학 기술의 발달로 컴퓨터, 인터넷, 인공위성 등을 이용한 신속하고 정확한 정보 수집이 가능하며, 이를 여러 분야에 활용하면서 생활 양식에 큰 변화가 나타나게 되었다. 대표적인 사례로 ((가))을/를 통해 공간 정보를 편리하게 이용하고, 내비게이션 등을 활용하여 위치나 최단 경로를 쉽게 파악할 수 있으며, ((나))을/를 이용하여 상점 및 주거지의 최적 입지를 분석할 수 있다.

	(가)	(나)
①	환경 영향 평가	위성 위치 확인 시스템
②	지리 정보 시스템	위성 위치 확인 시스템
③	지리 정보 시스템	위치 정보 시스템
④	위성 위치 확인 시스템	지리 정보 시스템
⑤	위성 위치 확인 시스템	환경 영향 평가

09 그래프를 통해 파악할 수 있는 정보화 사회의 문제점으로 가장 적절한 것은?

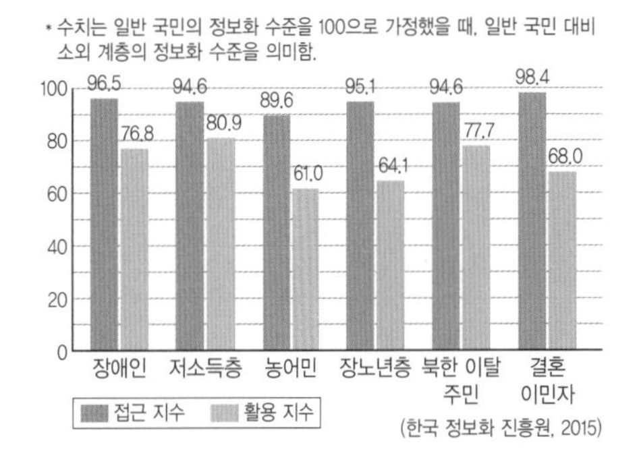

(한국 정보화 진흥원, 2015)

① 사이버 범죄의 증가
② 관료에 의한 정보의 통제와 독점
③ 정보 접근 및 활용도의 격차 심화
④ 개인 정보 유출에 따른 사생활 침해
⑤ 개인주의의 만연화와 인간 소외 현상 심화

도전! 1등급 문제

정답과 해설 26쪽

고난도

01 그래프는 서울~부산 간 교통수단별 여객 수송 분담률 변화를 나타낸 것이다. (가)~(다)에 해당하는 교통수단으로 옳은 것은?

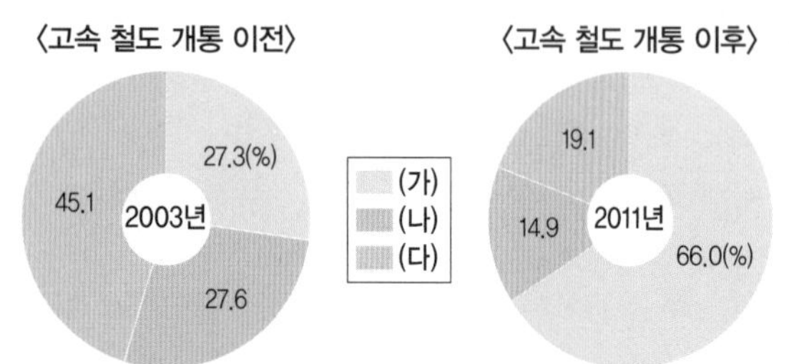

* 분담률은 하루 동안의 이용객 수(여객 기준으로 왕복 이동임)를 기준으로 함.

	(가)	(나)	(다)
①	도로	철도	항공
②	도로	항공	철도
③	철도	도로	항공
④	철도	항공	도로
⑤	항공	도로	철도

02 그림은 대도시권의 모식도를 나타낸 것이다. 이에 대한 옳은 설명만을 〈보기〉에서 있는 대로 고른 것은?

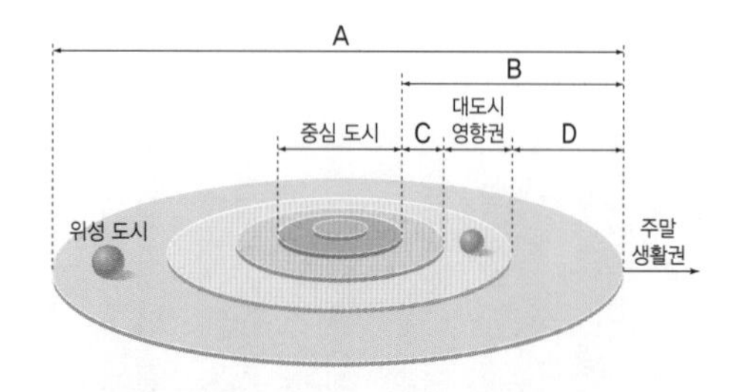

보기
ㄱ. 교통이 발달할수록 A의 범위는 확대된다.
ㄴ. B는 중심 도시로의 통근이 가능한 범위이다.
ㄷ. C는 D보다 건물들의 평균 높이가 높다.
ㄹ. D는 C보다 아파트 거주자 비율이 높다.

① ㄱ, ㄴ ② ㄱ, ㄹ ③ ㄷ, ㄹ
④ ㄱ, ㄴ, ㄷ ⑤ ㄴ, ㄷ, ㄹ

03 다음 자료는 수도권 전철 노선의 연장 사업 계획을 나타낸 것이다. 이 사업이 계획대로 진행될 경우 예상되는 변화 내용으로 옳지 않은 것은?

노선	내용
1호선	소요산역에서 연천역까지 연장
3호선	대화역에서 파주시 통일 동산까지 연장
4호선	당고개역에서 경기 남양주시까지 연장
5호선	상일동역에서 하남시까지 연장
6호선	6호선 차량 기지에서 구리시까지 연장
7호선	인천시와 의정부시에서 청라 지구, 양주시까지 연장
8호선	암사동역에서 남양주시까지 연장
9호선	잠실 운동장역에서 서울 강동구까지 연장

① 인구의 교외화가 가속화될 것이다.
② 서울로의 통근자 비율이 증가할 것이다.
③ 도로 교통 이용자 비율이 감소할 것이다.
④ 신설 역 주변의 유동 인구 비율이 증가할 것이다.
⑤ 서울의 핵심 업무 기능이 외곽으로 이전될 것이다.

04 다음 글의 (가)에 들어갈 내용으로 가장 적절한 것은?

◎ 주제 : (가)

◎ 사례

• 강경은 조선 후기까지 금강 수운을 따라 상업이 발달하면서 전국 3대 시장으로 발전하였다. 그러나 철도가 개통되면서 수운이 쇠퇴하자, 강경의 중심 시가지는 포구에서 강경역으로 옮겨 갔다. 또한, 충청 지방의 다른 도시들도 새로운 교통로를 중심으로 중심지가 바뀌면서 강경의 명성은 줄어들었다.

• 서울-양양 간 고속 도로가 개통되면서 인근 지역 상권의 명암(明暗)이 달라지고 있다. 고속 도로가 개통된 양양은 주말마다 수도권으로부터 유입되는 관광객들로 인해 즐거운 몸살을 앓고 있는 반면, 고속 도로가 지나지 않는 기존의 국도 주변 상권은 크게 위축되고 있다.

① 교통 발달로 인한 지역 경제의 변화
② 관광 산업을 통한 경제 활성화 방안
③ 수운 교통의 쇠퇴로 인한 상권의 변화
④ 고속 도로 개통에 따른 생태 환경의 변화
⑤ 교통로의 신설로 인한 접근성의 차이 완화

05 그래프에 나타난 문제점의 발생 원인으로 가장 적절한 것은?

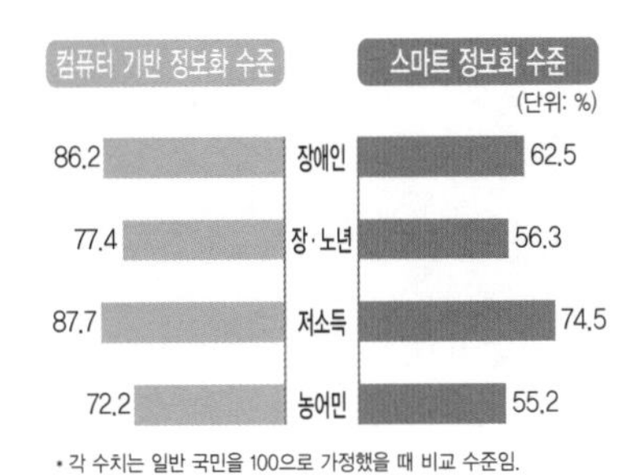

• 각 수치는 일반 국민을 100으로 가정했을 때 비교 수준임.
(미래 창조 과학부, 2015)

① 익명성을 활용한 사생활 침해
② 인터넷을 통한 개인 정보 유출
③ 지나친 인터넷 사용으로 인한 인터넷 중독
④ 정보에 접근할 수 있는 제도와 환경의 차이
⑤ 기술의 발달로 인한 개인의 감시와 통제 증가

06 자료에 대한 옳은 설명을 〈보기〉에서 고른 것은?

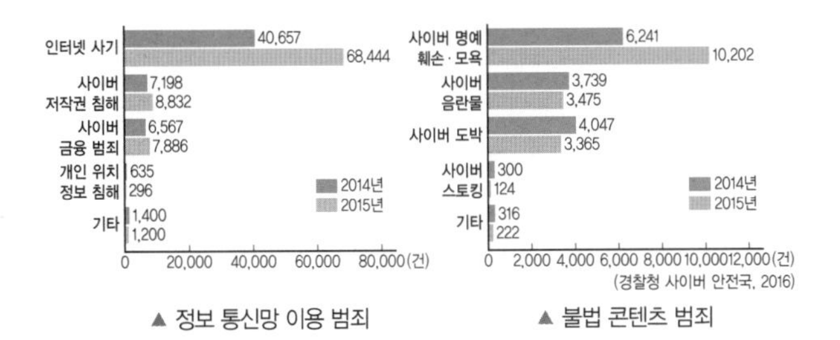

(경찰청 사이버 안전국, 2016)

▲ 정보 통신망 이용 범죄　　▲ 불법 콘텐츠 범죄

보기
ㄱ. 정보 통신망 이용 범죄는 불법 콘텐츠 범죄보다 발생률이 높다.
ㄴ. 사이버 범죄 중 가장 높은 비중을 보이는 것은 인터넷 사기이다.
ㄷ. 모든 사이버 범죄는 2014년에 비해 2015년 발생 건수가 증가하였다.
ㄹ. 이러한 문제의 해결 방안으로 낙후 지역의 정보화 교육 지원 확대를 들 수 있다.

① ㄱ, ㄴ　② ㄱ, ㄷ　③ ㄴ, ㄷ
④ ㄴ, ㄹ　⑤ ㄷ, ㄹ

[07-08] 자료를 보고 물음에 답하시오.

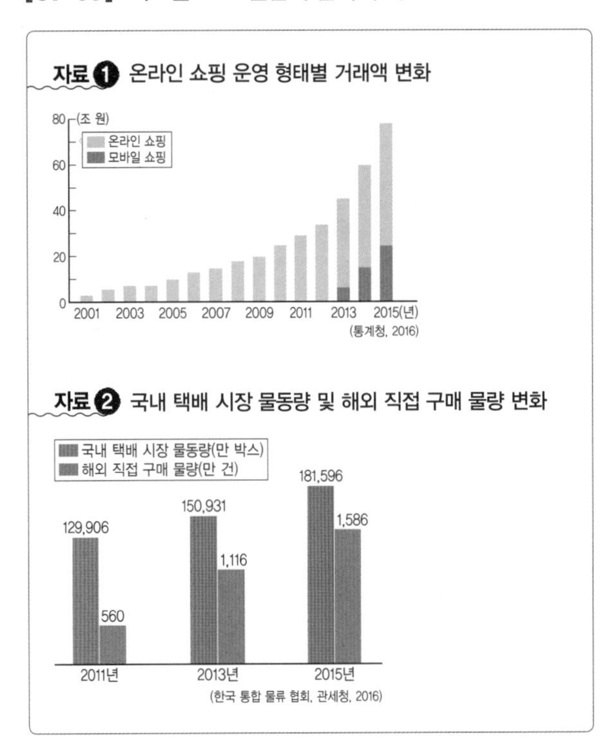

07 자료에 대한 옳은 설명을 〈보기〉에서 고른 것은?

보기
ㄱ. 모바일 쇼핑은 온라인 쇼핑보다 먼저 활성화되었다.
ㄴ. 전자 상거래의 활성화는 택배 산업의 성장에 긍정적인 영향을 미쳤다.
ㄷ. 택배 산업의 성장과 해외 직접 구매 물량의 증가는 서로 양의 상관관계를 갖는다.
ㄹ. 2011~2015년 국내 택배 시장 물동량의 증가율은 해외 직접 구매 물량의 증가율보다 높다.

① ㄱ, ㄴ　② ㄱ, ㄷ　③ ㄴ, ㄷ
④ ㄴ, ㄹ　⑤ ㄷ, ㄹ

08 자료와 같은 변화가 지속될 경우 나타날 수 있는 사회 현상으로 옳지 않은 것은?

① 유통 단계가 점차 간소화된다.
② 사이버 금융 범죄 건수가 증가한다.
③ 상업에서 대형 매장의 필요성이 커진다.
④ 물품 구매 시 소요되는 평균 시간이 단축된다.
⑤ 택배를 비롯한 물류 산업 사업체 수가 증가한다.

03 우리 지역의 변화와 발전

흐름 잡기

지역 변화

지역의 변화를 알기 위해서는? A

공간 변화에 따른 문제점과 해결책은? B

A 우리 지역의 변화와 지역 조사

한·줄·단·서 **지역의 변화 모습**은 **지역 조사**를 통해 알아볼 수 있어.

1. 지역과 지역성

① **지역** : 지리적 특성이 다른 지역과 구별되는 지표상의 공간 범위

② **지역성** : 자연환경과 인문 환경 등의 상호 작용으로 형성되는 지역의 성격 → 각 지역이 가진 고유의 특성으로, 지역성은 고정된 것이 아니라 여러 가지 요인에 따라 끊임없이 변함

└ 인간을 둘러싼 자연적 요소(기후, 지형 등)와 인간 활동의 결과로 만들어진 환경이야.

2. 지역의 변화

① **배경** : 산업화, 도시화, 교통과 통신의 발달, 산업 구조의 변화 등에 따라 지역의 공간적 변화가 나타남

┌ 우리가 살고 있는 지역에서 발생하는 다양한 변화를 총칭해.

② **변화 요소** : 토지 이용, 산업, 직업, 인구, 인간관계, 생태 환경, 주민의 가치관 등이 변화 → 이러한 요소의 변화를 통해 지역의 변화를 살펴볼 수 있음

3. 지역 조사

① **의미** : 지역에 대한 다양한 정보를 수집하고 분석하는 활동

② **필요성** : 공간 변화 양상을 파악하여 현재 지역에서 발생하는 문제의 원인을 정확히 분석하고 해결 방안을 모색할 수 있음

③ **지역 조사 과정** 자료1

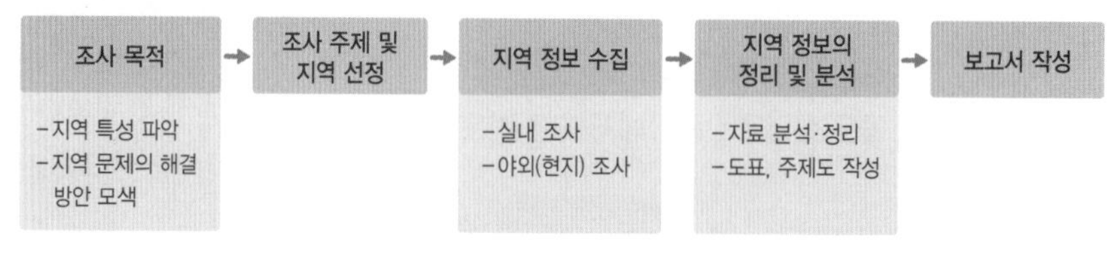

- **조사 목적, 조사 주제 및 지역 선정** : 조사 목적에 맞는 조사 주제와 지역을 선정함
- **지역 정보 수집**

구분	특징
실내 조사	• 자료 수집 : 지도, 문헌, 통계 자료, 인터넷, 항공 사진, 인공위성 영상 등을 통한 자료 수집 (원격 탐사를 통해 수집한 자료들이야.) • 야외 조사를 위한 준비 : 야외 조사를 통해 조사해야 할 항목, 조사 방법, 답사 경로 및 방문 장소 결정 • 설문 조사를 위한 설문 대상 선정과 설문지 작성도 함께 이루어짐
야외(현지) 조사	• 실내 조사를 보완하거나 직접 정보를 수집해야 하는 경우 실시 • 조사 항목, 답사 경로와 절차 등에 따라 조사를 수행함 • 관찰, 촬영, 실측, 면담, 설문 조사 등이 이루어짐

- **지역 정보의 정리 및 분석** : 수집한 지리 정보를 항목별로 구분하고, 중요한 지리 정보를 선별하여 분석함 자료2

  선별한 지리 정보 중 통계 자료는 그림, 지도, 그래프 등으로 시각화하면 분석에 더 유리해.

- **보고서 작성**
  - 조사 목적, 조사 항목, 조사 방법, 결론, 참고 자료 등을 기재함
  - 분석한 내용들을 종합하여 지역의 공간 변화 양상을 정리하고, 지역의 문제점을 파악함

궁금해? 인공위성을 이용한 지역 정보의 수집!

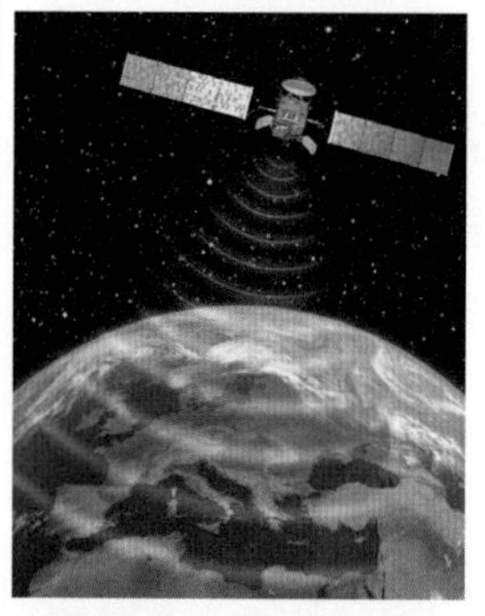

인공위성은 인간이 직접 가기 어려운 곳이나 광범위한 지역의 정보를 주기적으로 수집할 때 많이 이용해!

자료 1 지역 조사 계획

모둠	조사 내용	조사 항목	조사 방법	준비 사항
1모둠	우리 지역의 성장과 공간 변화 과정을 이해한다.	• 면적 및 행정 구역 • 용도별 토지 이용 현황	문헌 조사, 인터넷	지역 통계 자료
2모둠	우리 지역의 인구 성장, 인구 분포, 인구 이동의 특징을 파악한다.	• 총인구 및 지역별 인구 • 전입·전출 인구	문헌 조사, 인터넷	지역 통계 자료
3모둠	우리 지역의 산업 구조와 직업을 조사한다.	• 산업별 생산액 • 산업별 종사자 수	문헌 조사, 인터넷	지역 통계 자료
4모둠	우리 지역의 공간 변화가 생태 환경에 미친 영향을 알아본다.	• 생태 환경 • 녹지 및 하천 실태	현지 조사 (관찰, 촬영)	사진기, 수첩, 필기도구 등
5모둠	사회관계, 지역 문제 등에 관한 주민들의 의식을 조사한다.	• 주민 의식 • 주민 가치관	현지 조사 (설문, 면담)	설문지, 녹음기, 사진기 등

자·료·분·석 모둠별로 정리한 지역 조사 계획이다. 인터넷이나 문헌 조사를 통해 지역 정보를 수집하기도 하고, 관찰이나 촬영 등 야외(현지) 조사를 통해 실내 조사에서 수집하지 못한 지역 정보를 보완하기도 한다.

한·줄·핵·심 지역 정보 수집 방법으로는 실내 조사와 야외(현지) 조사가 있다.

키워드 체크

❶ 지역 정보 수집 방법 중 □□ □□는 야외(현지) 조사 이전에 문헌 조사나 인터넷 등을 통해 해당 지역의 여러 가지 자료를 수집하는 과정이다.

답 : □□ □□

자료 2 지역 정보의 분석 및 종합

❶ 도로 현황

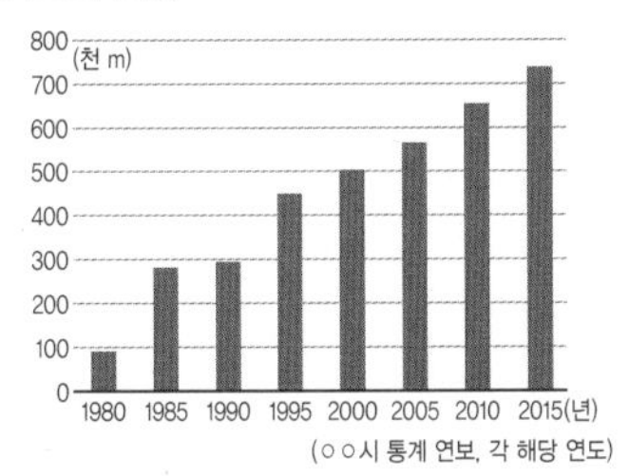

(○○시 통계 연보, 각 해당 연도)

▲ 1980년대 이후 도로 면적이 급속히 증가하였다.

❷ 인구수와 인구 밀도

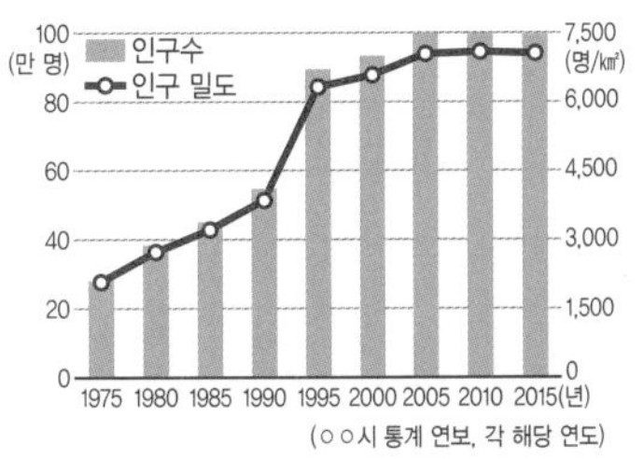

(○○시 통계 연보, 각 해당 연도)

▲ 1970년대 이후 인구가 증가하기 시작하였으며, 1990년대에는 특히 많은 인구가 유입되었다. 또한, 인구 증가와 함께 인구 밀도도 높아졌다.

❸ 산업 현황

[산업체 종사자 수 및 사업체 수]

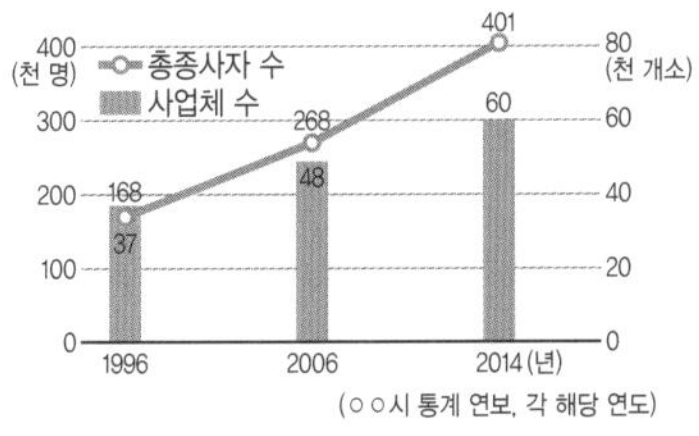

(○○시 통계 연보, 각 해당 연도)

▲ 사업체 수와 종사자 수가 증가하는 등 산업이 발달하고 있다.

[산업별 종사자 비율]

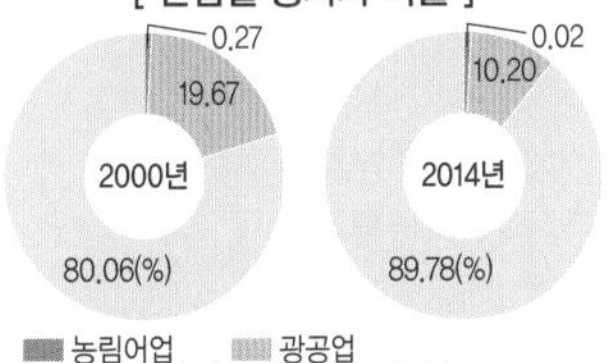

(○○시 통계 연보, 각 해당 연도)

▲ 1차 산업 종사자는 극히 적으며, 주민의 대부분은 3차 산업에 종사하고 있다.

자·료·분·석 실내 조사와 야외(현지) 조사를 통해 수집한 지역 정보는 사용 목적에 따라 그래프나 통계표 등으로 표현할 수 있다. 이렇게 수치를 시각적으로 표현하면 지역 정보를 쉽게 분석하고 파악할 수 있다.

한·줄·핵·심 지역 조사 과정에서 수집한 통계 자료를 그래프, 통계표, 그림 등으로 변환하면 지역 정보를 보다 체계적으로 분석·종합할 수 있다.

키워드 체크

❷ 지역 조사를 통해 수집한 통계 자료는 □□□, □□□, 그림 등을 이용하여 시각적으로 표현할 수 있다.

답 : □□□, □□□

키워드 체크 정답 ❶ 실내 조사 ❷ 그래프, 통계표

B 공간 변화에 따른 문제점

한·줄·단·서 **공간 변화**로 **대도시, 중소 도시, 촌락**에 다양한 문제가 나타났어!

1. 도시의 공간 변화에 따른 문제와 해결 방안

① 대도시

- **대도시의 공간 문제** : 인구 과밀화에 따른 각종 시설 부족, 도시 내 노후화된 공간의 증가로 인한 주민들의 삶의 질 저하 등
  (도시 내 노후화된 공간: 슬럼(slum)이라고도 해!)
- **해결 방안** : 노후 지역의 재개발을 통한 환경 개선, 각종 도시 기반 시설 확충 등
  (도시 기반 시설: 도시의 기반이 되는 도로 · 철도 · 상하수도 · 전기 · 통신 등의 시설을 말해.)

② 지방 중소 도시 자료 3

- **지방 중소 도시의 공간 문제** : 일자리, 문화 공간 등의 부족으로 인한 대도시로의 높은 의존도, 대도시로의 인구 유출 등
- **해결 방안** : 지역 특성화 사업 추진, 각종 서비스의 질을 개선하여 자족 기능 확충
  (자족 기능: 타 지역에 의존하지 않는 다양한 경제적 기능을 의미해.)

2. 촌락의 공간 변화에 따른 문제와 해결 방안

① 촌락의 공간 변화에 따른 문제

- **근교 촌락의 문제** : 급속한 도시화로 인한 전통적인 문화의 쇠퇴, 공동체 의식의 약화 등
  (근교 촌락: 대도시와 인접해 있는 촌락)
- **원교 촌락의 문제** : 노동력 부족, 성비 불균형, 유휴 경작지 증가, 인구 유출로 인한 각종 생활 여건의 악화와 지역 경제 침체 등
  (원교 촌락: 대도시에서 멀리 떨어진 촌락)
  (유휴: 사용하지 않고 놔두는 것을 말해.)
  (각종 생활 여건의 악화: 교육 및 의료, 문화생활 여건 등이 매우 열악해지고 있어!)

② 해결 방안

- **지역 격차를 줄이기 위한 노력** : 의료, 문화 시설 등의 확충 → 주민들의 삶의 질 개선
- **지역 경제 활성화를 위한 노력** : *지리적 표시제를 통한 지역 브랜드화, 지역 축제 등의 사업 추진
  (지역 브랜드화: 지역 그 자체 또는 지역의 상품을 소비자에게 특별한 브랜드로 인식시키는 것)

● **지리적 표시제**
특정 지역의 기후, 지형, 토양 등 지리적 특성을 반영한 우수한 상품에 대해 그 지역에서 생산·제조·가공된 상품임을 표시하는 제도이다.

교과서 자료 모아보기

자료 3 중소 도시의 공간 변화에 따른 문제

Q. 현 거주지에 불만족하다면 그 주된 이유는 무엇입니까?
① 교육 환경이 열악해서
② 교통이 불편해서
③ 주거 시설이 열악해서
④ 편의 시설이 부족해서
⑤ 주차 시설이 부족해서
⑥ 치안 방범이 불안해서
⑦ 기타 (   )

▲ 평택시 사회 조사 설문 내용(2015)

▲ 평택시 사회 조사 보고서 결과(2015)

자·료·분·석 급속한 산업화·도시화가 진행된 평택 지역은 개발을 둘러싼 다양한 지역 문제가 발생하였다. 특히, 편의 시설이나 교육·문화·의료 시설이 부족해 자족 가능한 생활 환경을 마련해 달라는 주민들의 요구가 크게 증가하고 있다.

한·줄·핵·심 지방 중소 도시는 열악한 기반 시설로 인한 어려움이 많으므로 자족 기능을 보완하기 위한 정책 추진이 요구된다.

키워드 체크
❸ 중소 도시는 각종 편의 시설과 사회 기반 시설을 확충하여 타 지역에 의존하지 않는 경제적 기능인 □□ □□을 높여야 한다.
답 : □□□□

키워드 체크 정답 ❸ 자족 기능

지역 조사 과정

지역 조사는 지역의 특징을 파악하고 지역 문제를 해결하기 위해 실시한다. 다음 자료를 통해 지역의 공간 변화가 초래한 문제를 해결하기 위한 지역 조사 과정에 대해 알아보자.

통합 주제 story

자료❶

조사 주제를 선정하고 구체적인 조사 계획을 수립하는 과정을 보여주고 있다. 조사 계획 수립 시 가장 중요한 것은 조사 주제에 적합하며 실현 가능한 조사 방법들을 선정하는 것이다.

자료❷

지역 정보 수집은 실내 조사와 야외(현지) 조사를 통해 이루어진다. 실내 조사에서는 문헌, 인터넷 검색 등을 통해 자료를 수집하고, 야외(현지) 조사에서는 해당 지역을 직접 방문하여 실측, 관찰, 촬영, 면담 등을 진행한다. 자료는 야외(현지) 조사 과정을 나타낸 것이다.

자료❸

우리 지역의 문제를 해결하기 위한 방법을 제안하는 지역 조사 보고서이다. 보고서 작성은 지역 조사 과정 중 마지막 단계로, 조사 주제, 조사 방법, 조사 내용, 결론이 명확히 제시되어 있어야 한다.

자료 ❶ 조사 계획의 수립

자료 ❷ 지역 정보의 수집

〈사진 촬영〉

〈시청 관계자와의 면담〉

자료 ❸ 보고서 작성

살기 좋은 도시 만들기 프로젝트

○○반 ○○모둠

지역 문제	
지역 문제 원인	
지역 문제 해결 방안	
기대 효과	

이것만은 꼭!

- **지역 조사**는 **지역의 특징을 파악**하고 **문제점을 해결**하기 위해 실시한다.
- 지역 조사에서 지역 정보를 수집하기 위해 **실내 조사**와 **야외(현지) 조사**를 실시한다.
- 수집한 지역 정보를 **분석**하고 **종합**하여 **보고서를 작성**한다.

콕콕! 개념 확인

정답과 해설 28쪽

A 우리 지역의 변화와 지역 조사

01 빈칸에 알맞은 말을 쓰시오.

(1) □□은/는 지리적 특성이 다른 지역과 구별되는 지표상의 공간 범위이다.

(2) □□ □□은/는 지역에 대한 다양한 정보를 수집하고 분석·종합하여 지역성을 파악하는 활동이다.

02 다음 지역 조사 과정에 해당하는 설명을 찾아 바르게 연결하시오.

(1) 실내 조사 •　　　　• ㉠ 인터넷을 이용해 통계 자료를 수집하고 위성 영상 자료를 확인한다.

(2) 야외(현지) 조사 •　　　　• ㉡ 수집한 정보를 항목별로 구분하고, 다양한 그래프, 통계표, 지도 등으로 표현한다.

(3) 지리 정보의 분석 •　　　　• ㉢ 해당 지역의 기관을 방문하여 담당자를 면담하고, 주민들을 대상으로 설문 조사를 진행한다.

03 자료는 지역 조사 단계를 나타낸 것이다. ㉠, ㉡에 들어갈 알맞은 말을 쓰시오.

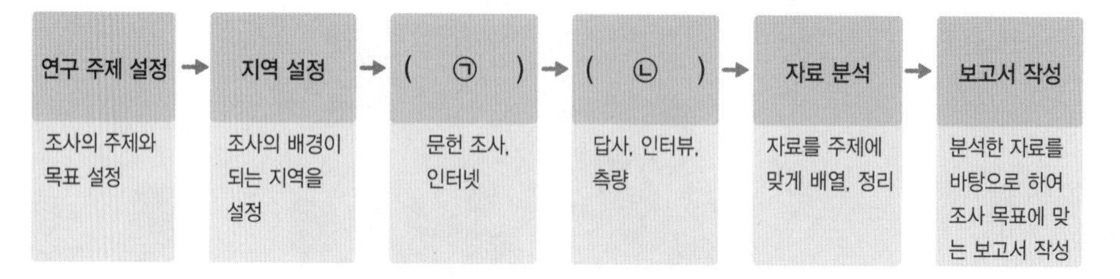

B 공간 변화에 따른 문제점

04 밑줄 친 부분을 바르게 고쳐 쓰시오.

(1) <u>도시화</u>는 대도시 인구가 과밀화되고 대도시와 외곽 지역을 연결하는 교통망이 발달하면서 대도시의 인구가 주변 외곽 지역으로 이동하는 현상이다.

(2) <u>지역 브랜드</u>는 농산물 및 그 가공품의 특징이 지리적 특성에 기인한 경우 그 지역의 특산품임을 인증하는 제도이다.

05 옳은 설명에 ○표, 틀린 설명에 ×표를 하시오.

(1) 지역은 산업화, 도시화, 교통 발달 등의 영향으로 끊임없이 변화하고 있다. (　　)

(2) 지리적 표시제, 지역 브랜드화, 지역 축제 등은 대도시 문제 해결을 위한 방안이다. (　　)

(3) 대도시의 주요 지역 문제로는 각종 시설 부족으로 인한 인구 유출을 들 수 있다. (　　)

(4) 지방 중소 도시에서는 지역 문제를 해결하기 위해 각종 서비스의 질을 개선하여 자족 기능을 확충해야 한다. (　　)

탄탄! 내신 문제

A 우리 지역의 변화와 지역 조사

01 다음 글의 (가), (나)에 들어갈 용어로 옳은 것은?

> (가) 은/는 지리적 특성이 다른 지역과 구별되는 지표상의 공간 범위를 말한다. (나) 은/는 자연환경과 인문 환경 등의 상호 작용으로 형성되는 (가) 의 특성이다.

	(가)	(나)		(가)	(나)
①	공간	지역성	②	공간	영역성
③	지역	지역성	④	지역	영역성
⑤	장소	지역성			

02 (가)~(라)를 지역 조사의 순서에 맞게 배열한 것은?

> (가) 지도를 보고, 방문 기관과 경로를 확정한다.
> (나) 수집한 정보를 정리하여 보고서를 작성한다.
> (다) 구청의 업무 담당자를 만나 인터뷰를 진행한다.
> (라) 지역 조사의 목적과 주제, 조사 지역을 선정한다.

① (가) → (나) → (다) → (라) ② (가) → (라) → (나) → (다)
③ (라) → (가) → (다) → (나) ④ (라) → (나) → (다) → (가)
⑤ (라) → (다) → (나) → (가)

03 다음 중 실내 조사 과정에 해당하지 않는 것은?

① 주민들을 대상으로 면담을 실시한다.
② 도서관에서 관련 논문을 검색해 본다.
③ 인터넷을 이용하여 통계 자료를 수집한다.
④ 문헌 검색을 통해 지역의 역사를 알아본다.
⑤ 인공위성 영상 자료를 이용하여 지표 변화를 파악한다.

04 다음 글의 (가)에 들어갈 알맞은 내용만을 〈보기〉에서 있는 대로 고른 것은?

> 우리가 살고 있는 지역은 교통 발달, 산업화·도시화 등의 영향으로 끊임없이 변화하고 있다. 지역의 공간 변화는 지역 경제가 활성화되거나 거주 환경이 개선되는 긍정적인 측면도 있지만, (가) 등의 부정적인 측면도 나타난다.

보기
ㄱ. 인구 증가
ㄴ. 생태계 파괴
ㄷ. 주민들 간 갈등 발생
ㄹ. 사회 기반 시설의 부족

① ㄱ, ㄷ ② ㄱ, ㄹ ③ ㄴ, ㄷ
④ ㄱ, ㄴ, ㄹ ⑤ ㄴ, ㄷ, ㄹ

05 다음 자료는 모둠별로 정리한 지역 조사 계획이다. 조사 내용과 조사 항목 및 방법이 모두 적절한 모둠을 고른 것은?

모둠	조사 내용	조사 항목	조사 방법
1모둠	지역의 성장 및 확대 과정	행정 구역 변화	인터넷 통계 조사
2모둠	인구 변화	전입·전출 인구 변화	설문 조사
3모둠	산업 구조	녹지 및 하천 실태	관찰 및 촬영
4모둠	생태 환경	주민의 가치관	문헌 조사
5모둠	주민 의식	산업별 생산액	인터넷 통계 조사

① 1모둠 ② 2모둠 ③ 3모둠
④ 4모둠 ⑤ 5모둠

06 그래프는 어느 지역의 인구 구조 변화를 나타낸 것이다. 1970년과 비교한 2015년의 상대적인 특징을 그림의 A~E에서 고른 것은?

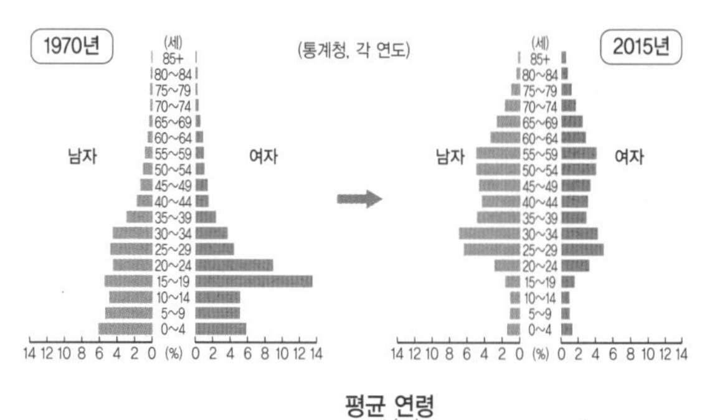

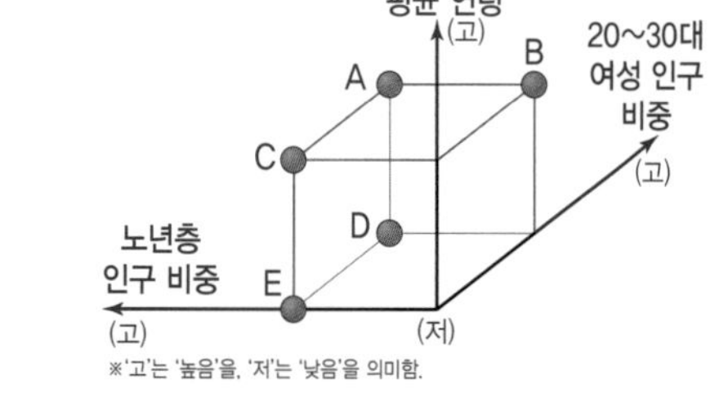

① A ② B ③ C ④ D ⑤ E

07 지도는 고양시의 토지 이용 변화를 나타낸 것이다. (가)와 비교한 (나) 시기의 상대적 특징을 〈보기〉에서 고른 것은?

(가)

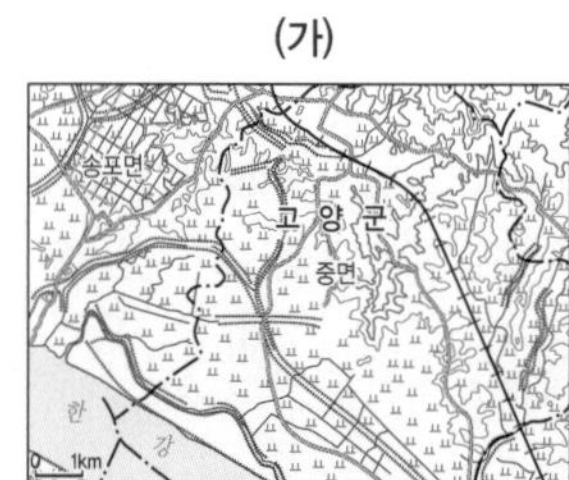

(나)

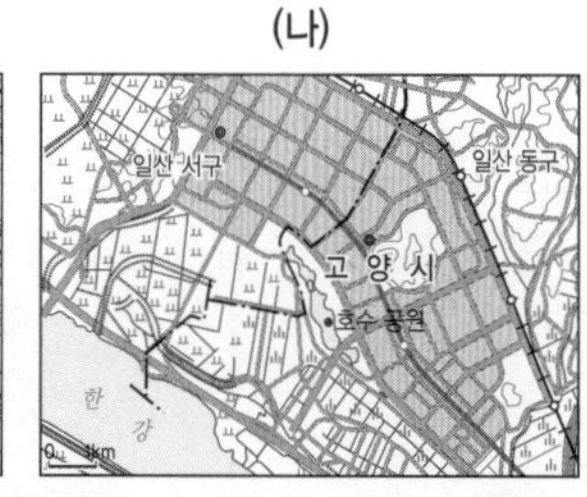

보기
ㄱ. 경지 면적이 증가하였다.
ㄴ. 전업농가 비율이 증가하였다.
ㄷ. 서울로의 통근자 비율이 높아졌다.
ㄹ. 아파트 거주 인구 비율이 높아졌다.

① ㄱ, ㄴ ② ㄱ, ㄷ ③ ㄴ, ㄷ ④ ㄴ, ㄹ ⑤ ㄷ, ㄹ

B 공간 변화에 따른 문제점

08 다음 글을 통해 알 수 있는 도시 재개발의 문제점으로 가장 적절한 것은?

> 서울특별시 낙원구 행복동에 사는 난장이 가족에게 철거 *계고장이 날아온다. 아파트 입주권이 나오긴 했으나 그들에게는 입주할 돈이 없어 헐값에 팔고 떠날 수밖에 없다. 헐릴 집에 새로 짓는 아파트에 입주하려면 130만 원이 필요하다. 그러나 입주권은 22만 원이고 거기서 전세금을 빼면 7만 원이 남는다. 130만 원짜리 집을 잃고 7만 원을 받는 셈이다.
>
> [조세희, 『난장이가 쏘아올린 작은 공』]
>
> * 계고장 : 행정상의 이행을 재촉하는 내용을 담은 문서

① 생태 환경의 악화
② 범죄 증가로 인한 치안 불안
③ 원거주민들의 낮은 재정착률
④ 교통량 증가로 인한 교통 체증
⑤ 인구 밀도 증가로 인한 기반 시설의 부족

09 다음 글을 통해 추론할 수 있는 촌락 지역의 문제점과 해결 방안으로 옳은 것은?

> 통계청의 발표에 따르면 2015년 현재 농가 인구는 2010년에 비해 16.1% 줄어든 256만 9,000명으로 우리나라 전체 인구의 5.0% 수준이다. 또 65세 이상의 농가 인구 비율은 38.4%로 우리나라 전체의 고령 인구 비율인 13.2%보다 3배 정도 높다.

	문제점	해결 방안
①	인구 감소에 따른 경제 위축	영농의 기계화와 농번기 인력 지원
②	결혼 적령기의 성비 불균형	노인 복지 시설 확충
③	결혼 적령기의 성비 불균형	영농의 기계화와 농번기 인력 지원
④	고령화에 따른 노동력 부족	노인 복지 시설 확충
⑤	고령화에 따른 노동력 부족	영농의 기계화와 농번기 인력 지원

도전! 1등급 문제

정답과 해설 29쪽

01 다음은 지역 조사 과정에 대한 학생들의 대화 내용이다. 밑줄 친 ㉠~㉣ 중 옳은 설명을 고른 것은?

> 진우 : 촌락 지역의 변화를 알아보기 위해 충남 서천군에 왔어. 이제부터 조사를 시작해 보자.
> 명희 : 먼저, ㉠ 상인들을 만나 서해안 고속 도로 개통 이후 매출액의 변화가 있었는지 면담해 보자.
> 준수 : 나는 ㉡ 초등학교에 방문해서 과밀 학급으로 인한 문제점을 확인해 볼게.
> 한영 : 나는 ㉢ 군청을 방문해서 최근 5년간 관광객 수 변화 통계 자료를 확인해 볼게.
> 영진 : 오후에는 함께 모여 ㉣ 토지 이용 변화에 대해 설문 조사를 해 보자.

① ㉠, ㉡ ② ㉠, ㉢ ③ ㉡, ㉢
④ ㉡, ㉣ ⑤ ㉢, ㉣

고난도

02 다음 글을 통해 추론할 수 있는 태백시의 변화 내용을 그래프로 옳게 표현한 것은?

> 과거 태백 광산 지역 주민들은 광업에 종사하였다. 그러나 1980년대 중반 이후 석탄보다 석유와 천연가스를 더 많이 사용하게 되자, 석탄의 수요가 빠르게 감소하면서 탄광이 하나둘 문을 닫기 시작하였다. 이에 따라 지역의 경제가 어려워지자 지역 경제를 되살리기 위해 석탄 박물관 등 관광 단지를 조성하게 되었다. 관광 단지가 조성된 후 주민들은 대부분 음식업, 숙박업 등에 종사하고 있다.

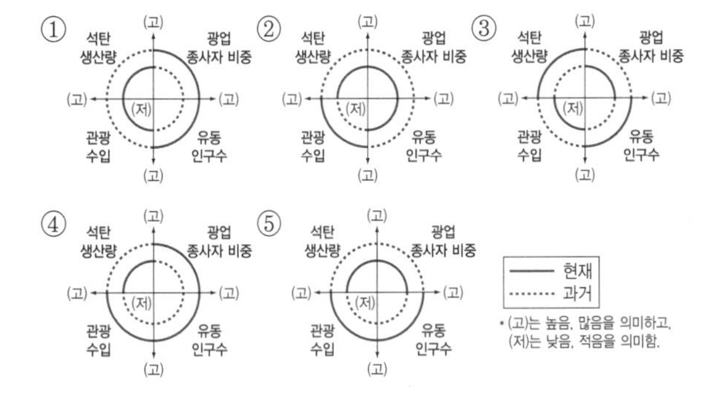

[03-04] 자료를 보고 물음에 답하시오.

03 자료에 대한 설명으로 옳지 않은 것은?

① ㈎는 실내 조사, ㈏는 야외(현지) 조사이다.
② **자료❶**은 지역 조사 계획을 수립하는 활동이다.
③ **자료❷**의 활동은 ㈏ 단계에서 이루어진다.
④ 일반적으로 ㈏는 ㈎보다 먼저 진행한다.
⑤ ㈎와 ㈏는 지역 정보 수집 단계에 해당한다.

04 자료의 ㉠에 해당하는 내용으로 가장 적절한 것은?

① 대기 중 이산화 탄소 농도 변화
② 광역 버스 운행 이용객 수 변화
③ 동일 구간의 평균 이동 시간 변화
④ 도로 확대로 인한 녹지 면적 감소
⑤ 인구 변화와 자동차 등록 대수 변화

한눈에 보는
대단원 정리

01 산업화와 도시화

키워드 #산업화 #도시화 #생활 공간의 변화 #생활 양식의 변화 #도시 문제 #인간 소외 문제

A 산업화와 도시화

구분	내용
산업화	• 의미 : 농업 중심의 사회에서 광공업 및 서비스업 중심의 사회로 변화하는 현상 • 특징 : 산업 구조가 점차 고도화됨
도시화	• 의미 : 도시 거주 인구의 비율이 증가하고 도시적 생활 양식과 도시 경관이 확대되는 현상 • 특징 : 산업화와 함께 진행됨

B 산업화·도시화에 따른 변화

구분	내용
생활 공간의 변화	• 도시 인구 밀도 증가 • 토지 이용의 집약도 증가 : 고층 건물 증가 • 도시 내부 지역의 공간적 분화 • 대도시권의 형성 • 생태 환경의 변화 : 지표 포장 면적의 확대, 생물 종 다양성 감소
생활 양식의 변화	• 도시성의 확산 • 직업 종류의 다양화, 직업의 세분화·전문화 • 개인주의의 확대

C 산업화·도시화로 인한 문제와 해결 방안

(1) 산업화·도시화로 인한 문제

구분	내용
도시 문제	• 원인 : 인구에 비해 도시 기반 시설 부족 • 종류 : 주택 부족 문제, 교통 혼잡 및 관련 기반 시설 부족, 환경 문제, 기타 사회 문제(빈부 격차 심화, 각종 범죄 증가, 노사 갈등, 실업 문제 등)
인간 소외 문제	• 원인 : 자동화·기계화, 물질 만능주의 • 현상 : 주변 사람과의 소통 감소, 인간의 도구화

(2) 산업화·도시화로 인한 문제의 해결 방안

구분	내용
사회적 차원에서의 노력	• 도시 재개발 사업, 도시 재생 사업 추진 • 공영 주차장 확대, 대중교통 환경 개선 • 사회 복지 제도 강화, 사회 안전망 확충 • 환경과 조화를 이루는 개발 추진
개인적 차원에서의 노력	• 환경 책임 의식 갖기, 대중교통 이용 • 타인 존중, 소통하고 협력하며 더불어 살아가는 연대 의식 갖기

02 교통·통신의 발달과 정보화

키워드 #교통·통신 발달 #지역 격차 #생태 환경 악화 #정보화 #전자 상거래

A 교통·통신의 발달에 따른 변화

구분	내용
생활 공간의 변화	• 시간 거리 단축, 다른 지역과의 접근성 향상 • 교외화, 통근·통학권 확대 → 대도시권 형성
생활 양식의 변화	경제 활동 범위의 확대, 관광 산업의 발달, 전자 상거래 등장

B 교통·통신의 발달에 따른 문제점과 해결 방안

(1) 지역 격차의 심화

구분	내용
문제점	접근성이 불리한 지역은 빨대 효과로 인해 인구와 기능의 유출 발생 → 경제 활동 위축
해결 방안	• 정부의 노력 : 지역 균형 발전 정책 추진 • 지역 사회의 노력 : 지역 특성에 맞는 지역 개발

(2) 생태 환경의 파괴

구분	내용
문제점	환경 오염의 심화, 환경 악화, 생태계 파괴
해결 방안	환경친화적인 개발, 오염 물질의 배출 규제 강화

C 정보화에 따른 변화와 문제점

(1) 정보화에 따른 변화

구분	내용
생활 공간의 변화	• 가상 공간의 등장 • 공간 이용 방식의 변화 : GPS, GIS 등
생활 양식의 변화	누리 소통망(SNS)을 통한 정치 참여 활발, 전자 상거래 활성화, 원격 교육, 원격 진료 등

(2) 정보화에 따른 문제점과 해결 방안

구분	내용
인터넷 중독	• 문제 : 인터넷 사용을 스스로 조절하지 못하여 일상생활에 지장을 초래함 • 대책 : 인터넷 중독 예방 및 치료 프로그램 시행
사이버 범죄	• 문제 : 악성 댓글, 지적 재산권 침해 등 • 대책 : 정보 윤리 교육 및 관련 법령 강화
정보 격차	• 문제 : 정보의 소유와 접근 정도에 따라 계층 간, 지역 간 격차가 심화됨 • 대책 : 정보화 기반 시설과 정보 활용 교육 지원
사생활 침해	• 문제 : 개인 정보 유출, CCTV와 휴대 전화 위치 추적 등을 통한 감시·통제 • 대책 : 개인 정보 보호법, 국가 정보화 기본법 등

03 우리 지역의 변화와 발전

키워드 #지역 #지역성 #지역 조사 #실내 조사 #야외(현지) 조사 #도시 공간 변화 #촌락 공간 변화

A 우리 지역의 변화와 지역 조사

(1) 지역과 지역성

구분	내용
지역	지리적 특성이 다른 지역과 구별되는 지표상의 공간 범위
지역성	자연환경과 인문 환경 등의 상호 작용으로 형성되는 지역의 성격

(2) 지역의 변화 : 산업화, 도시화, 교통과 통신의 발달 등에 따라 공간적 변화가 나타남

(3) 지역 조사

단계	내용
조사 목적 및 주제 선정	• 조사 목적에 맞는 주제 선정 • 조사 지역 선정
지역 정보 수집	• 실내 조사 : 문헌, 통계 조사 등 • 야외(현지) 조사 : 면담, 관찰, 실측 등
지역 정보 정리 및 분석	• 자료의 분석 및 정리 • 도표, 주제도 작성
보고서 작성	• 분석한 내용 종합, 파악 → 보고서 작성

B 공간 변화에 따른 문제점

(1) 도시의 공간 변화에 따른 문제와 해결 방안

① 대도시 : 각종 시설 부족 및 노후화로 인한 삶의 질 저하 → 노후 지역 재개발, 각종 도시 기반 시설 확충 등

② 지방 중소 도시 : 대도시로의 높은 의존도, 대도시로의 인구 유출 → 지역 특성화 사업 추진, 자족 기능 확충 등

(2) 촌락의 공간 변화에 따른 문제와 해결 방안

① 근교 촌락의 문제 : 전통적인 문화의 쇠퇴, 공동체 의식 약화 등

② 원교 촌락의 문제 : 인구 유출로 인한 노동력 부족, 고령화, 경제 침체 등

③ 해결 방안 : 의료 및 문화 시설 확충, 지리적 표시제, 지역 브랜드화, 지역 축제 등

기억나는 키워드나 핵심 내용 적어보기

한번에 끝내는

대단원 문제

정답과 해설 30쪽

01 그래프에 대한 설명으로 옳은 것은?

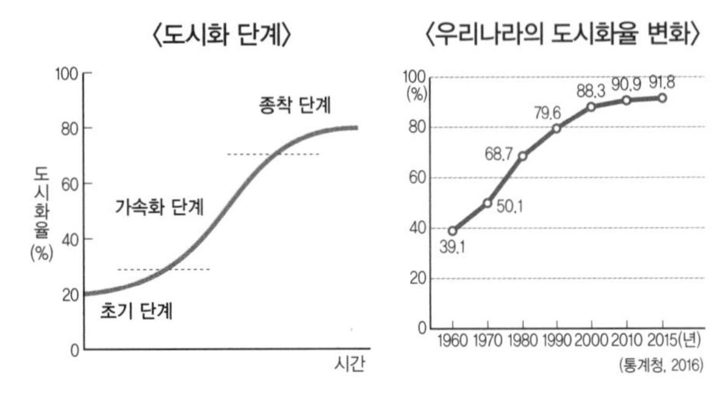

① 본격적인 산업화는 초기 단계에 시작되었다.
② 역도시화 현상은 종착 단계에서 주로 나타난다.
③ 1960년 우리나라의 도시화율은 초기 단계에 해당한다.
④ 1970년에 우리나라는 촌락 인구가 도시 인구보다 많았다.
⑤ 이촌 향도 현상은 종착 단계에서 가장 두드러지게 나타난다.

02 그래프는 불투수 면적률의 변화를 나타낸 것이다. 이러한 변화의 원인으로 옳은 것을 〈보기〉에서 고른 것은?

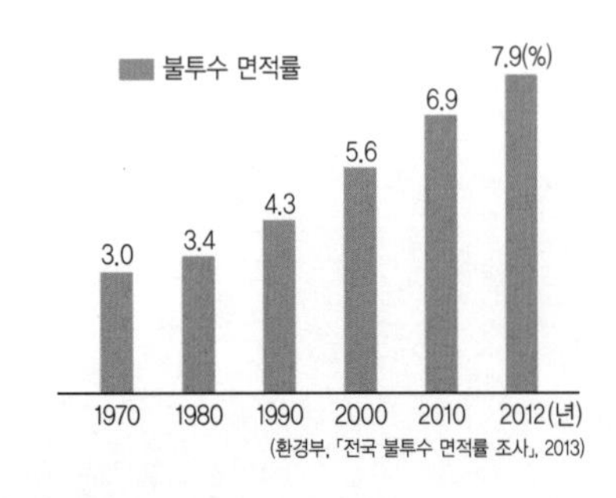

보기
ㄱ. 자연 습지의 조성
ㄴ. 자연 하천의 복원
ㄷ. 산업화에 따른 녹지 개발
ㄹ. 콘크리트 포장 면적의 증가

① ㄱ, ㄴ ② ㄱ, ㄷ ③ ㄴ, ㄷ
④ ㄴ, ㄹ ⑤ ㄷ, ㄹ

03 다음은 도시 내부 구조의 변화를 모식도로 나타낸 것이다. (가)~(다) 시기에 대한 설명으로 옳은 것은?

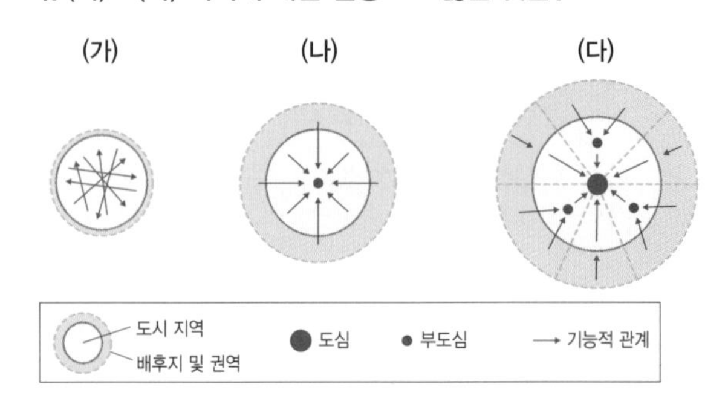

① ㈎는 ㈏보다 중심지와 배후지 간의 상호 작용이 활발하다.
② ㈎는 ㈐보다 도시 인구가 많다.
③ ㈏는 ㈐보다 주민들의 평균 통근 거리가 멀다.
④ ㈐는 ㈏보다 도시 내부의 기능 분화가 뚜렷하다.
⑤ 교통이 발달함에 따라 ㈏ → ㈎ → ㈐ 순으로 변화한다.

04 지도는 열대야 현상의 연 발생 일수를 나타낸 것이다. 이에 대한 설명으로 옳은 것은?

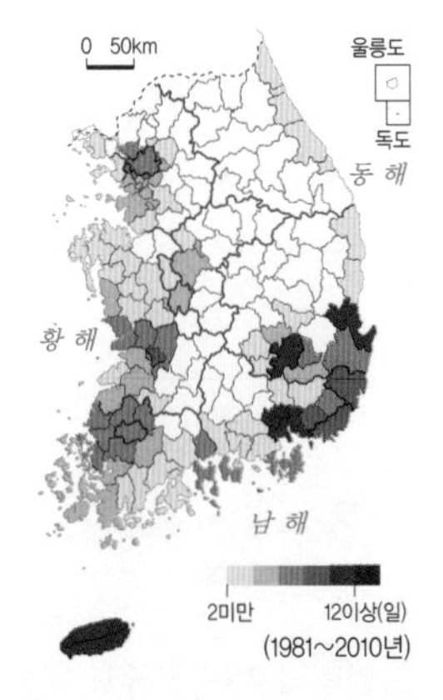

① 대도시는 촌락 지역보다 연 발생 일수가 많다.
② 서해안은 동위도상의 동해안보다 연 발생 일수가 많다.
③ 열대야 현상의 연 발생 일수는 인구 규모에 비례한다.
④ 열대야 현상의 연 발생 일수는 고위도로 갈수록 증가한다.
⑤ 내륙 산간 지방은 동위도상의 해안 지역보다 연 발생 일수가 많다.

05 지도는 수도권 전철 노선의 확대를 나타낸 것이다. 이를 통해 추론할 수 있는 내용으로 옳은 것은?

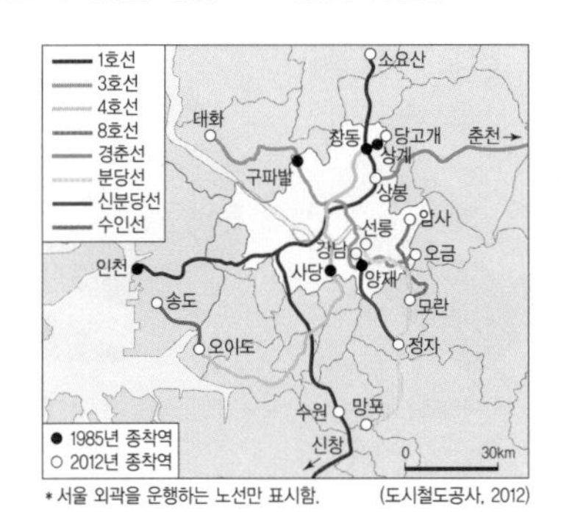

* 서울 외곽을 운행하는 노선만 표시함. (도시철도공사, 2012)

① 서울 인구의 교외화가 가속화될 것이다.
② 서울의 주택 부족 문제가 심화될 것이다.
③ 경기도 신도시들의 슬럼화가 진행될 것이다.
④ 서울의 행정 기능이 외곽으로 이전될 것이다.
⑤ 서울-경기도 간의 통근자 비율이 감소할 것이다.

06 그래프는 고속 철도 개통 후 서울-부산 간 교통수단별 여객 수송 분담률 변화를 나타낸 것이다. (가)와 비교한 (나) 교통수단의 상대적인 특징으로 옳은 것은? (단, (가), (나)는 철도 교통, 항공 교통 중 하나임)

* 분담률은 하루 동안의 이용객 수(여객 기준으로 왕복 이동임)를 기준으로 함.
** 2004년에 고속 철도(KTX)가 개통되었음. (코레일 연구원)

① 운임료가 저렴하다.
② 평균 수송 거리가 짧다.
③ 기상 제약을 많이 받는다.
④ 화물 수송의 비중이 높다.
⑤ 전국적으로 이용객 수가 많다.

07 다음 글의 (가)에 해당하는 내용으로 가장 적절한 것은?

◎ 주제 : (가)

〈사례1〉 한국 도로 공사에 따르면 매해 고속 국도에서 자동차에 치여 목숨을 잃는 야생 동물의 교통사고가 약 2,000건에 달한다고 한다. 고속 국도의 건설로 야생 동물들의 서식지가 파괴되었거나 이동로가 단절되었기 때문이다.

〈사례2〉 2007년 12월, 충청남도 태안 앞바다에서 발생한 유조선 충돌 사고로 원유 약 1만 2,547kl가 유출되어 국내 최악의 해양 오염 사고로 기록되었다. 사고 이후 초기에 방제 작업이 제대로 이루어지지 못해 원유가 해안가로 유입되면서 해양 생태계가 파괴되었다.

① 교통 발달에 따른 문제점
② 환경 파괴 원인과 그 대책
③ 산업화로 인한 생태 환경 파괴
④ 정보화로 인한 생활 양식 변화
⑤ 도시 문제의 종류와 해결 방안

08 그래프를 통해 확인할 수 있는 문제점에 대한 해결 방안으로 가장 적절한 것은?

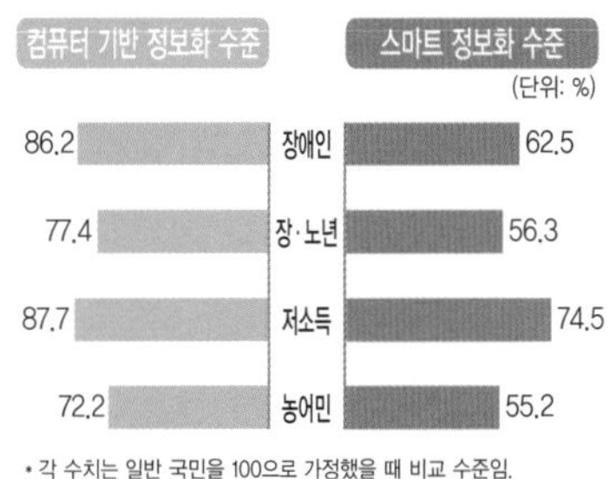

* 각 수치는 일반 국민을 100으로 가정했을 때 비교 수준임.
(미래 창조 과학부, 2015)

① 정보 윤리 교육을 정기적으로 실시한다.
② 인터넷 중독 예방 프로그램을 진행한다.
③ 개인 정보 보호를 위한 관련 법령을 강화한다.
④ 정보 소외 계층에 정보화 관련 기기를 보급한다.
⑤ 누리 소통망(SNS)에서 실명 공개 원칙을 적용한다.

09 그래프는 창고 및 운송 관련 서비스업의 변화를 나타낸 것이다. 이에 대한 옳은 설명을 〈보기〉에서 고른 것은?

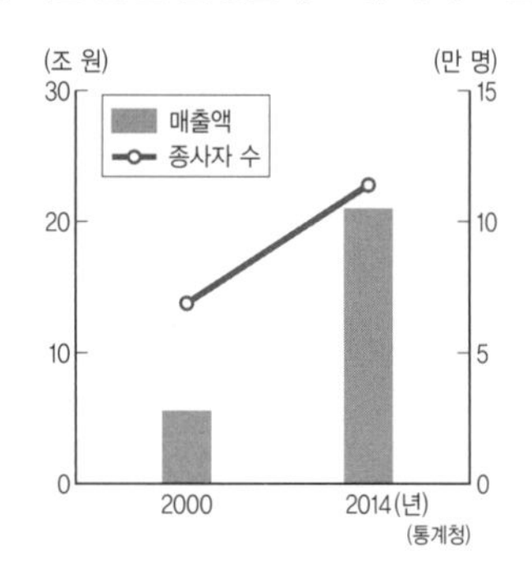

〈보기〉

ㄱ. 전자 상거래의 발달이 영향을 미쳤다.
ㄴ. 매출액 증가율은 종사자 수의 증가율보다 높다.
ㄷ. 직거래 및 해외 직접 구매 비중이 감소하였을 것이다.
ㄹ. 2000년에 비해 2014년 종사자당 매출액이 감소하였다.

① ㄱ, ㄴ ② ㄱ, ㄷ ③ ㄴ, ㄷ
④ ㄴ, ㄹ ⑤ ㄷ, ㄹ

10 다음 자료는 지역 조사의 과정을 나타낸 것이다. ㉠~㉤에 대한 설명으로 옳지 않은 것은?

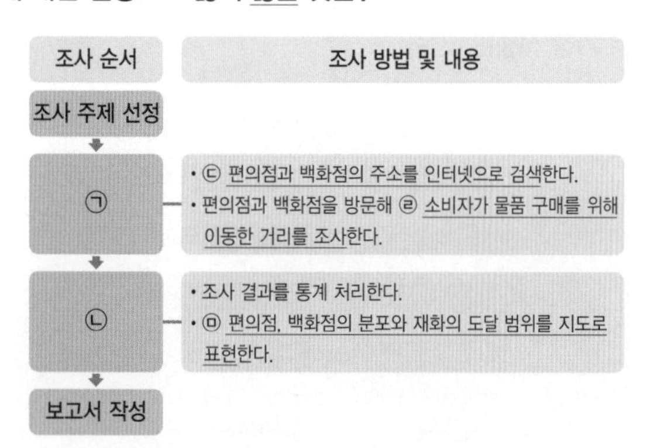

① ㉠ : 지리 정보의 수집 과정에 해당한다.
② ㉡ : 지리 정보를 종합·정리하여 분석하는 단계이다.
③ ㉢ : 일반적으로 ㉣보다 먼저 실시한다.
④ ㉣ : 인공위성 영상 자료를 통해 확인한다.
⑤ ㉤ : 점지도, 유선도 등의 통계 지도로 나타낸다.

11 다음 자료는 어느 두 지역을 상징하는 심벌마크이다. 이를 통해 추론할 수 있는 내용을 〈보기〉에서 고른 것은?

▲ 지리적 표시 제1호로 등록된 차의 잎을 형상화한 심벌마크

▲ 옛 읍성의 성곽 형태와 갯벌을 형상화한 심벌마크

〈보기〉

ㄱ. 관광객 유치를 통한 지역 경제 활성화에 도움이 된다.
ㄴ. 해당 지역의 특산물이나 자연환경을 특화시켜 표현한다.
ㄷ. 심벌마크를 통한 지역 홍보 노력은 대도시일수록 활발하다.
ㄹ. 최근 들어 지역 간의 독특성보다 공통성과 보편성을 강조하는 경향이 두드러지고 있다.

① ㄱ, ㄴ ② ㄱ, ㄷ ③ ㄴ, ㄷ
④ ㄴ, ㄹ ⑤ ㄷ, ㄹ

12 다음 자료를 통해 추론할 수 있는 (가) 지역의 변화 내용으로 옳지 않은 것은?

영남 지역에서 가장 넓은 들을 자랑했던 경남의 ○○시는 최근 경지 면적이 급속하게 줄어들고 있다. 특히, (가) ○○시의 ◇◇면은 아파트 단지, 대형 마트 등의 개발이 집중되면서 인구가 크게 증가하고 있다.

(세) 90 이상, 85~89, 80~84, 75~79, 70~74, 65~69, 60~64, 55~59, 50~54, 45~49, 40~44, 35~39, 30~34, 25~29, 20~24, 15~19, 10~14, 5~9, 0~4
2012년 / 2002년
0 20 40 60 80 100 120 140 160 180(백 명)
(통계청)

▲ ○○시 ◇◇면의 인구 구조 변화

① 인구 밀도가 증가했을 것이다.
② 평균 지가가 높아졌을 것이다.
③ 노년층 인구 비율이 증가했을 것이다.
④ 주민들의 직업 구성이 다양해졌을 것이다.
⑤ 중심 시가지로 출퇴근하는 인구 비율이 증가했을 것이다.

13 그래프는 도시화 곡선을 나타낸 것이다. 이를 보고 물음에 답하시오.

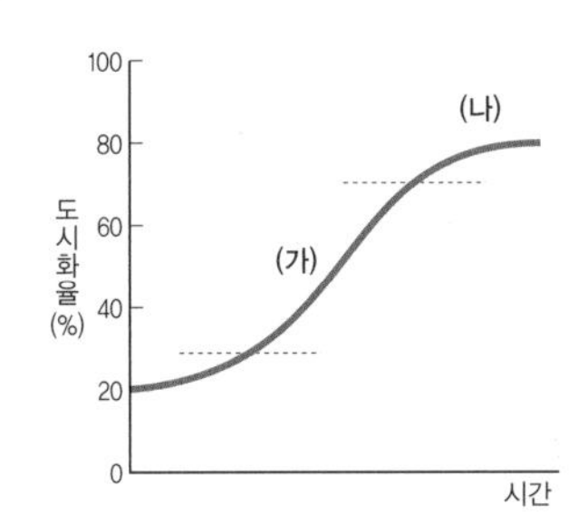

(1) ㈎ 단계에서 가장 두드러지게 나타나는 인구 이동 현상을 쓰시오. (   )

(2) ㈏ 단계에서 도시 인구 비율의 증가율이 둔화되는 이유를 서술하시오.

14 다음 자료를 보고 물음에 답하시오.

서울 춘천 고속 국도, 경춘선 복선 전철 등의 개통으로 이동 시간이 단축되면서 춘천시의 인구가 증가한 것으로 나타났다. 또한, [(가)] 등의 긍정적인 변화가 나타났다.

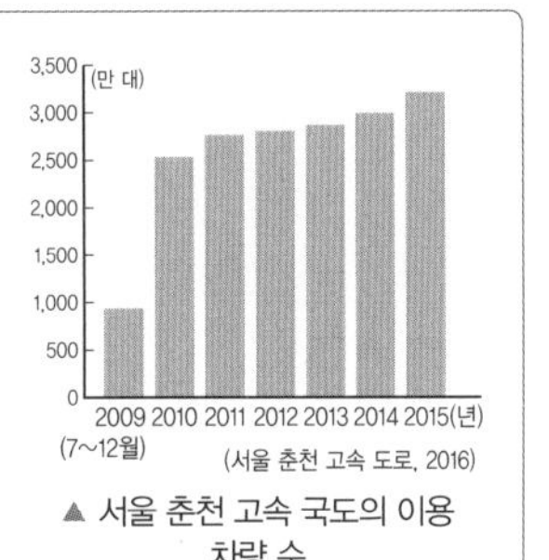

▲ 서울 춘천 고속 국도의 이용 차량 수

반면에 ㈏ 쇼핑 문화, 교육 수요 부분이 수도권에 집중되면서, 이로 인한 여러 가지 부작용이 발생하고 있다.

(1) ㈎에 해당하는 내용 두 가지를 쓰시오.

(2) ㈏와 같은 현상을 지칭하는 용어를 쓰시오. (   )

15 그래프는 온라인 및 이동 통신 쇼핑 거래액의 변화를 나타낸 것이다. 이를 보고 물음에 답하시오.

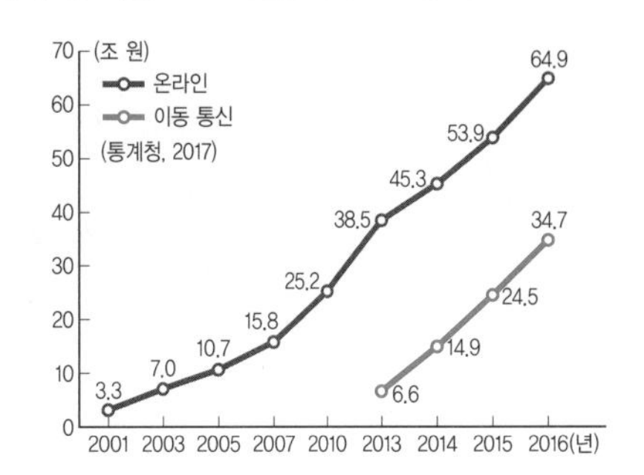

(1) 이러한 변화가 나타나게 된 원인을 쓰시오.
(   )

(2) 위와 같은 현상으로 인해 나타나는 문제점을 서술하시오.

16 자료는 지역 조사 계획 중 일부이다. (가)에 해당하는 조사 항목과 (나)에 들어갈 적절한 조사 방법을 서술하시오.

조사 내용	조사 항목	조사 방법	준비 사항
우리 지역의 인구 성장, 인구 분포, 인구 이동의 특징을 파악한다.	(가)	(나)	지역 통계 자료

(1) ㈎ :

(2) ㈏ :

Ⅳ 인권 보장과 헌법

키워드로 흐름 한눈에 보기

01 인권의 의미와 현대 사회의 인권

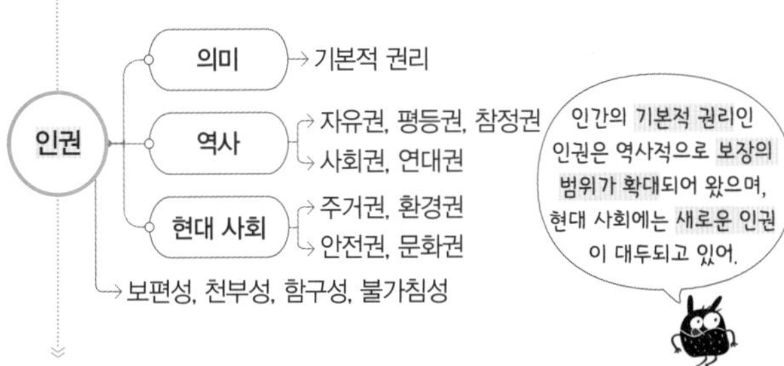

02 인권 보장을 위한 헌법의 역할과 시민 참여

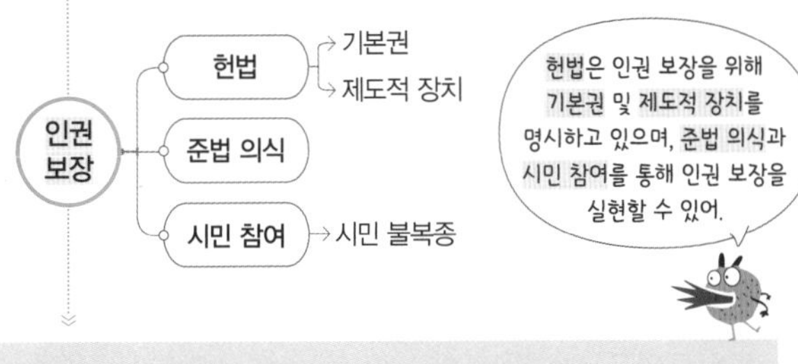

03 인권 문제의 양상과 해결 방안

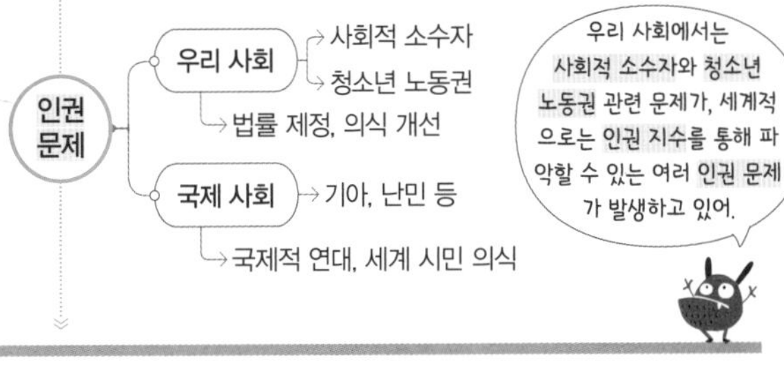

01 인권의 의미와 현대 사회의 인권

흐름 잡기

인권

인권의 의미는? A

인권 보장의 역사는? B

새롭게 등장한 인권은? C

A 인권의 의미와 특징

한·줄·단·서 **인권**은 인간이기에 가지고 있는 **기본적인 권리**로 크게 네 가지 특성이 있어.

1. 인권의 의미 인간으로서 당연히 누려야 할 기본적인 권리 → •인간의 존엄성 실현

└ 자유로울 권리, 차별받지 않을 권리 등이 이에 해당해.

2. 인권의 특징

보편성	인종, 성별, 종교 등에 관계없이 모든 사람들이 누리는 권리
천부성 (하늘이 부여한)	인간이라면 누구나 태어나면서부터 가지는 권리 → 천부 인권
항구성	생애 중 박탈당하지 않고 영구히 보장되는 권리
불가침성	누구도 침범할 수 없고, 양도할 수 없는 권리

● **인간의 존엄성**
인간은 인간이라는 이유만으로 존재 가치가 있으며, 절대적인 가치를 지닌 목적 그 자체로 인격을 존중받아야 한다는 것으로, 인권 보장을 통해 실현될 수 있다.

● **계몽사상**
인간의 합리적 이성에 따라 사회적 모순과 부조리를 바로잡을 수 있다고 보는 사상이다.

● **사회 계약설**
국가는 재산권 보호 등 시민들의 필요에 의해 계약으로 만들어졌다는 이론으로, 시민들의 필요에 부합하지 않을 경우 계약의 파기가 가능하다는 점에서 시민 혁명의 이론적 기반이 되었다.

B 인권 보장의 역사

한·줄·단·서 인권은 오랜 역사를 거쳐 **자유권·평등권 → 참정권 → 사회권** 순으로 확대되었어.

1. 시민 혁명

① **배경**
- 근대 이전에는 대다수의 사람들이 소수에게 부당한 대우를 받음
- 상공업의 발달에 따른 시민 계층의 성장, •계몽사상과 •사회 계약설의 등장

② **전개 과정**

구분	영국 명예혁명(1688)	미국 독립 혁명(1776)	프랑스 혁명(1789) 자료 1
내용	왕의 권력 제한	식민 지배에 저항	왕정 체제 붕괴
관련 문서	권리 장전	미국 독립 선언문	인간과 시민의 권리 선언

③ **의의 :** 자유권과 평등권의 확립

└ 정치 권력으로부터 간섭받지 않고 자유롭게 생활할 수 있는 권리야.

2. 참정권 운동

① **배경 :** 시민 혁명 이후에도 직업, 재산, 성별 등에 따라 선거권 제한

시민 혁명을 주도적으로 이끈 남성 부르주아(자본가)에게만 선거권이 부여되었어.

② **전개 과정**

구분	차티스트 운동(1838)	여성 참정권 운동(1910년대)
내용	영국 노동자의 보통 선거권 요구	남성과 동등한 참정권 보장 요구

③ **의의 :** 20세기 이후 거의 모든 사람들의 참정권 보장

3. 인간답게 살아갈 권리 보장

① **배경 :** 자본주의의 발달 과정에서 빈부 격차 등 사회 문제 심화 → 모든 인간이 인간답게 살아가야 한다는 사회적 인식 등장

② **내용 :** 독일 바이마르 헌법(1919) → 국가가 사회적 약자를 보호하고, 모든 국민의 인간다운 생활을 보장해야 함을 헌법에 명시 자료 2

③ **의의 :** 사회권의 확립

4. 국경을 초월한 인권 보장

① **배경 :** 제2차 세계 대전 이후 인권 보장을 위한 공동의 노력에 대한 필요성 제기

② **내용·의의 :** 국제 연합(UN)의 세계 인권 선언 채택(1948) 자료 3 → 연대권 강조

지구촌 구성원 모두의 인권 보장을 위해 국제적인 연대와 협력을 중시하는 개념이야.

궁금해? 인권의 역사적 성립 과정

자유권, 평등권
영국 명예혁명(1688) 미국 독립 혁명(1776) 프랑스 혁명(1789)

⬇

참정권
영국 차티스트 운동(1838) 여성 참정권 운동(1910년대)

⬇

사회권
독일 바이마르 헌법(1919)

⬇

연대권
세계 인권 선언(1948) 인종 차별 협약(1965) 여성 차별 철폐 협약(1979) 유엔 아동 권리 협약(1989)

자료 1 프랑스 인권 선언(인간과 시민의 권리 선언)

제1조 인간은 자유롭고 평등한 권리를 가지고 태어난다.(└ 천부 인권) 사회적 차별은 오로지 공공의 이익에 근거할 경우에만 허용될 수 있다.

제2조 모든 정치적 결사의 목적은 그 무엇도 침해할 수 없는 인간의 자연권을 보전하는 데 있다. 그 권리는 자유, 재산, 안전 및 압제에 대한 저항이다.

제3조 모든 주권의 원천은 본래 국민에게 있다. 어떤 개인이나 단체라 하더라도 국민에게서 나오지 않는 권위를 행사할 수 없다.

자·료·분·석 혁명 이전 프랑스는 소수의 성직자와 귀족이 지배하는 불평등한 신분 사회였다. 이후 시민 계급을 중심으로 이러한 불평등한 사회의 모순에 저항하여 프랑스 혁명이 일어났으며, 혁명 직후 시민의 자유, 평등에 관한 기본적인 인권이 명시된 '인간과 시민의 권리 선언'이 발표되었다.

한·줄·핵·심 시민 혁명을 계기로 자유권과 평등권이 확립되었다.

키워드 체크
❶ 프랑스 혁명을 통해 확립된 인권 두 가지는?
답 : □□□, □□□

자료 2 독일 바이마르 헌법

자·료·분·석 독일 바이마르 헌법은 제1차 세계 대전 뒤 혁명으로 군주정이 붕괴된 후, 민주적으로 선출된 의회가 1919년 8월 11일 공포한 헌법이다. 바이마르 헌법과 기존 헌법의 가장 큰 차이점은 모든 국민이 인간다운 생활을 누릴 수 있도록 헌법에 사회권을 명시한 점이다. 사회 불평등이 심화되어 사회적 약자의 인간다운 삶이 어려운 상황에서 최초로 사회권을 규정함으로써 인간다운 삶이 기본적 인권임을 명시하였으며, 이는 이후 여러 복지 국가의 헌법 제정에 영향을 주었다.

한·줄·핵·심 모든 인간이 인간답게 살아갈 권리로서의 사회권은 독일 바이마르 헌법을 통해 역사상 최초로 명시되었다.

▲ 바이마르 헌법의 소책자 표지

키워드 체크
❷ 역사상 최초로 사회권을 명시한 헌법은?
답 : □□□□ 헌법

자료 3 세계 인권 선언 (인권 보장의 국제적 기준이야.)

제1조 모든 사람은 태어날 때부터 자유롭고, 존엄하며, 평등하다. 모든 사람은 이성과 양심을 가지고 있으므로 서로에게 형제애의 정신으로 대해야 한다.

제22조 모든 사람은 사회의 일원으로서 사회 보장을 요구할 권리가 있다.

제23조 모든 사람은 휴식과 여가를 가질 권리가 있다. 일하는 시간은 적절히 제한되며 유급 휴가를 가진다.

자·료·분·석 두 차례의 세계 대전을 겪은 후, 인권 문제의 해결을 위해서는 인류 공동의 노력이 필요하다는 공감대 아래 국제 연합 총회에서 만장일치로 인류의 인권 보장을 촉구하는 세계 인권 선언이 채택되었다. 세계 인권 선언의 제1조에는 인간의 자유 및 평등에 관한 기본적 권리가 명시되어 있으며, 제22조와 제23조에는 인간다운 삶을 살아갈 권리인 사회권을 명시하고 있다.

한·줄·핵·심 세계 인권 선언을 통해 지구촌 구성원 모두의 인권 보장을 위해 국제적인 연대와 협력을 중시하는 연대권이 강조되었다.

키워드 체크
❸ 세계 인권 선언을 통해 강조된 인권은?
답 : □□□

키워드 체크 정답 ❶ 자유권, 평등권 ❷ 바이마르 ❸ 연대권

C 현대 사회의 인권

한·줄·단·서 현대 사회에서 인권은 **주거권, 환경권, 안전권, 문화권** 등 다양한 영역으로 확장되고 있어.

1. 새로운 인권의 등장

① 등장 배경

- 산업화·도시화에 따른 인구의 도시 집중 → 주택 부족, 범죄 증가, 환경 문제 등 기존의 인권 개념으로 해결되지 않는 새로운 문제 제기
- 사회적 소수자들의 권리를 보호해야 한다는 인식 확산

② **인권의 영역 확장 :** 인류 전체의 인권 보장을 위한 연대권 강조, 사회권의 영역 확장 → 주거권, 환경권, 안전권, 문화권 등 자료 4

2. 현대 사회의 인권

① 주거권 자료 5

등장 배경	• 인구의 도시 집중에 따른 도시 주택의 부족 및 촌락 주택의 낙후 • 각종 개발 사업 및 주거비의 증가 → 불안정한 주거 생활 영위 • 층간 소음의 증가 및 일조권의 침해 (일조권: 햇빛을 향유할 수 있는 권리)
내용	쾌적하고 안정적인 주거 환경에서 인간다운 주거 생활을 할 권리
실현 방안	• 헌법에 주거권을 국가의 의무로 명시 • 주거 기본법 등 관련법 제정 → 국민의 주거권을 보장하고 주거 안정과 주거 수준 향상을 위한 정책 추진 • 사회적 약자의 대한 *최저 주거 기준에 맞는 국가의 지원

② 환경권

등장 배경	대기 오염, 수질 오염, 소음 공해 등 다양한 환경 문제 발생
내용	건강하고 쾌적한 환경 속에서 생활할 권리 → 자연환경뿐만 아니라 사회적·문화적 환경도 포함
실현 방안	• 헌법에 환경권 명시 → 국민의 권리로 보장하는 동시에 환경 보전을 국민의 의무로 규정 • 관련법 제정 : 환경 정책 기본법 등 → 국가와 지방 자치 단체, 기업 등의 환경 보전 노력 규정 • 국제적으로 *환경 관련 회의에서 논의된 내용 이행

③ 안전권

등장 배경	• 이상 기후로 인한 각종 자연재해의 증가 • 과학 기술의 발전, 사회 변화에 따른 인위적인 위험의 증가 (자동차 증가에 따른 교통사고의 위험 증가는 자연재해와는 다른 인위적인 위험이야.)
내용	국민이 각종 재난과 사고의 위험으로부터 안전을 보호받을 권리
실현 방안	• 헌법에 국민의 안전권 보장을 위한 국가의 재해 예방 의무 명시 • 관련법을 통해 안전 관리에 대한 구체적인 방안 제시 → 재난 및 안전 관리 기본법, 산업 안전 보건법 등 • 국민 개개인의 안전에 대한 의식 제고

④ 문화권 자료 6

등장 배경	• 사회적 약자들의 문화에 대한 사회적 배제와 소외 발생 • 소수 집단의 문화에 대한 차별과 무시
내용	국민 누구나 문화 활동에 참여하고 문화를 향유할 권리 → 행복하고 의미 있는 삶을 창조하는 권리
실현 방안	• 노약자, 장애인 등 사회적 약자를 위한 문화생활의 기회 마련 • 이주민들이 모국의 언어, 음식, 종교 등을 자유롭게 누릴 권리 보장 (모국: 이주민이 태어난 나라를 의미해.)

•최저 주거 기준
인간이라면 기본적으로 누려야 할 최소한의 주거 수준으로, 정부가 관련법을 통해 기준을 제정하고 있다.

•환경 관련 회의
환경 문제는 어느 한 국가의 노력으로 해결이 어렵다는 점에서 전 지구적 문제에 해당하며, 전 지구적 차원의 협력이 요구된다. 이에 따라 온실가스 감축을 위한 유엔 기후 변화 협약과 같은 국제적 차원의 회의를 통해 환경 문제 해결을 모색하고 있다.

궁금해? 헌법과 현대 사회의 인권

제34조 ⑥ 국가는 재해를 예방하고 그 위험으로부터 국민을 보호하기 위하여 노력하여야 한다. → 안전권

제35조 ① 모든 국민은 건강하고 쾌적한 환경에서 생활할 권리를 가지며, 국가와 국민은 환경 보전을 위하여 노력하여야 한다. → 환경권

③ 국가는 주택 개발 정책 등을 통하여 모든 국민이 쾌적한 주거 생활을 할 수 있도록 노력하여야 한다. → 주거권

자료 4 인권의 확대

1세대 인권(자유권)	2세대 인권(사회권)	3세대 인권(연대권)
• 신체의 자유 • 사상, 양심, 종교의 자유 • 집회 및 결사, 표현의 자유 • 자유로운 선거를 통해 정부에 참여할 수 있는 권리	• 근로의 권리 • 교육에 대한 권리 • 사회 보장을 받을 권리 • 인간다운 생활을 할 권리 • 쾌적한 환경에서 생활할 권리	• 평화에 관한 권리 • 재난으로부터 구제받을 권리 • 지속 가능한 환경에 관한 권리 • 경제·사회·문화적 발전을 자유롭게 추구할 권리

자·료·분·석 인권은 인권 보장의 시간적 개념을 고려하여 세대로 구분하기도 한다. 1세대 인권은 자유권으로 국가로부터의 자유로움을 추구하였으며, 2세대 인권은 사회권으로 인간다운 삶의 보장을 위해 국가에 적극적인 개입을 요구하였다. 그리고 3세대 인권인 연대권은 인종이나 국적에 관계없이 누구나 평화로울 권리, 재난으로부터 구제받을 권리 등을 주요 내용으로 하며, 차별받는 집단의 인권 보호를 목적으로 전 세계적인 연대와 단결을 강조한다는 점에서 전 지구적 차원의 권리라고 할 수 있다.

한·줄·핵·심 인권의 내용과 범위는 시간의 흐름에 따라 확장되고 있으며, 오늘날에는 연대권이 강조되고 있다.

키워드 체크

❹ 3세대 인권에서 강조하는 권리는?

답 : □□□

자료 5 주거권

주거 기본법

제1조(목적) 이 법은 주거 복지 등 주거 정책의 수립·추진 등에 관한 사항을 정하고 주거권을 보장함으로써 국민의 주거 안정과 주거 수준의 향상에 이바지하는 것을 목적으로 한다.

제14조(주거 환경의 정비) ① 국가 및 지방 자치 단체는 주거 환경을 정비하고 노후 주택을 개량하여 주민의 삶의 질이 개선될 수 있도록 지원하여야 한다.

제17조(최저 주거 기준의 설정) ② 국토 교통부 장관은 국민이 쾌적하고 살기 좋은 생활을 하기 위하여 필요한 최소한의 주거 수준에 관한 지표로서 최저 주거 기준을 설정·공고하여야 한다.

자·료·분·석 오늘날 산업화와 도시화에 따른 인구의 도시 집중으로 인해 주택 부족 및 주거비 상승 등의 문제가 발생하면서 주거권에 대한 사회적 요구가 증가하고 있다. 헌법은 주거권의 보장을 국가의 의무로 명시하고 있으며, 이에 정부는 국민의 주거권을 보장하기 위해 주거 기본법을 제정하여 노후 주택의 개선, 최저 주거 기준 마련 등의 정책을 실시하고 있다.

한·줄·핵·심 국가는 주거 기본법 등의 법률을 제정하여 국민의 주거권을 보장하고자 노력하고 있다.

키워드 체크

❺ 쾌적하고 안정적인 주거 환경에서 인간다운 주거 생활을 할 권리는?

답 : □□□

자료 6 문화권

자·료·분·석 문화권은 국민 누구나 문화 활동에 참여하고 문화를 향유할 권리로, 오늘날 강조되고 있는 인권이다. 제시된 '문화 누리 카드'는 경제적·사회적·지리적 어려움으로 문화를 향유하기 어려운 계층의 권리를 보장하기 위한 방안이다. 이 외에도 정부는 '문화가 있는 수요일'에 지역 내 명소나 유적지에서 다양한 '문화 예술 프로그램'을 개최하는 정책을 실시하고 있는데, 이는 누구나 손쉽게 문화를 향유할 수 있는 기회를 제공하기 위한 방안이다.

▲ **문화 누리 카드** 정부는 문화 소외 계층을 대상으로 연간 5만 원 범위의 문화 향유 비용을 지원하고 있다.

한·줄·핵·심 문화권은 문화를 향유할 권리이며, 정부는 문화권을 보장하기 위해 다양한 정책을 실시하고 있다.

키워드 체크

❻ 국민 누구나 문화 활동에 참여하고 문화를 향유할 권리는?

답 : □□□

키워드 체크 정답 ❹ 연대권 ❺ 주거권 ❻ 문화권

정답과 해설 33쪽

A 인권의 의미와 특징

01 빈칸에 알맞은 말을 쓰시오.

(1) 인권의 특성 중 □□□은/는 인권이 인종, 성별, 종교 등과 관계없이 인류 구성원 모두가 가지는 권리임을 강조한다.

(2) 인간이라는 이유만으로 자신의 존엄성을 보호받으며 행복하게 살아갈 권리를 □□(이)라고 한다.

B 인권 보장의 역사

02 빈칸에 알맞은 말을 쓰시오.

(1) 봉건적 신분제에 의한 차별에 맞서 시민의 자유와 권리를 요구하는 □□ □□이/가 일어났으며, 이를 계기로 자유권과 □□□이/가 확립되었다.

(2) 시민 혁명에도 불구하고 정치 참여의 자유가 일부 계층에게만 국한되자, 영국에서는 노동자들이 참정권을 요구하며 □□□□ 운동을 전개하였다.

(3) 국민의 최소한의 인간다운 생활을 보장하기 위해 1919년 독일 □□□□ 헌법은 □□□을/를 헌법에 최초로 명시하였다.

03 밑줄 친 부분을 바르게 고쳐 빈칸에 쓰시오.

(1) 제2차 세계 대전 이후 인권 보장을 위한 공동의 노력에 대한 필요성이 제기되었고, 국제적인 연대와 협력을 중시하는 <u>자유권</u>이 강조되었다. (　　　　　)

(2) 인권 문제의 해결을 위한 인류 공동의 노력을 위하여 1948년 국제 연합은 <u>인간과 시민의 권리 선언</u>을 채택하고, 인권 보장이 인류가 추구해야 할 가치임을 선포하였다. (　　　　　)

C 현대 사회의 인권

04 알맞은 설명에 ○표를 하시오.

(1) 쾌적하고 안정적인 주거 환경에서 인간다운 주거 생활을 할 권리는 (안정권, 주거권)이다.

(2) 시간적 개념에 따라 인권은 자유권 중심의 1세대 인권에서 사회권 중심의 2세대 인권으로, 그리고 (연대권, 참정권) 중심의 3세대 인권으로 확대되어 왔다.

05 빈칸에 알맞은 말을 쓰시오.

(1) 국민이 각종 재난과 사고의 위험으로부터 안전을 보호받을 권리는 □□□(이)다.

(2) □□□은/는 국민 누구나 문화 활동에 참여하고 문화를 향유할 수 있는 권리로, 경제적 가치를 넘어 행복하고 의미 있는 삶을 창조할 권리이다.

탄탄! 내신 문제

A 인권의 의미와 특징

01 인권에 대한 설명으로 옳지 않은 것은?

① 자연적으로 주어진 권리이다.
② 태어나면서부터 보장되는 권리이다.
③ 인간의 존엄성을 실현하는 방안이다.
④ 사회적 계층에 따라 차등화된 권리이다.
⑤ 인간이라면 누구나 누릴 수 있는 권리이다.

02 다음 밑줄 친 ㉠, ㉡에 나타난 인권의 특징을 바르게 연결한 것은?

> ㉠ 인류 구성원 모두는 원래부터 존엄성과 ㉡ 남에게 양도할 수 없는 동등한 권리를 가지고 있다.

	㉠	㉡		㉠	㉡
①	보편성	천부성	②	보편성	불가침성
③	천부성	항구성	④	천부성	불가침성
⑤	항구성	보편성			

B 인권 보장의 역사

03 다음에 제시된 역사적 사건에 대한 설명으로 옳지 않은 것은?

> 1789년 프랑스에서는 시민이 주도한 혁명의 결과 인간과 시민의 권리 선언이 발표되었다.

① 자유권, 평등권 확립의 계기가 되었다.
② 봉건적 신분제가 붕괴하는 계기가 되었다.
③ 계몽사상, 사회 계약설 등의 영향을 받았다.
④ 참정권이 보편적 인권으로 자리잡는 계기가 되었다.
⑤ 상공업의 발달 과정에서 성장한 시민 계층이 주도하였다.

04 다음은 주요 인권 선언의 내용이다. (가)와 (나)에 대한 공통된 설명으로 옳은 것은?

> (가) 인간은 자유롭고 평등한 권리를 가지고 태어난다. 사회적 차별은 오로지 공공의 이익에 근거할 경우에만 허용될 수 있다.
> (나) 모든 사람은 태어날 때부터 자유롭고, 존엄하며, 평등하다. 모든 사람은 이성과 양심을 가지고 있으므로 서로에게 형제애의 정신으로 대해야 한다.

① 사회적 소수자의 권리를 중시하고 있다.
② 국가의 인권 보장 책무를 강조하고 있다.
③ 복지 국가의 이론적 기반을 명시하고 있다.
④ 인간다운 삶이 국민의 권리임을 밝히고 있다.
⑤ 자유와 평등이 천부적 권리임을 명시하고 있다.

05 다음 자료에서 추론할 수 있는 프랑스 혁명의 특징을 <보기>에서 고른 것은?

> **인간과 시민의 권리 선언**
> **제1조** 인간은 자유롭고 평등한 권리를 가지고 태어난다. 사회적 차별은 오로지 공공의 이익에 근거할 경우에만 허용될 수 있다.
> **제2조** 모든 정치적 결사의 목적은 그 무엇도 침해할 수 없는 인간의 자연권을 보전하는 데 있다. 그 권리는 자유, 재산, 안전 및 압제에 대한 저항이다.

보기

ㄱ. 최소한의 인간다운 생활의 보장을 주장하였다.
ㄴ. 부당하게 차별을 받지 않을 권리를 중시하였다.
ㄷ. 정치에 참여할 권리의 차별 없는 보장을 주장하였다.
ㄹ. 국가 권력의 간섭에서 벗어나 자유롭게 생활할 권리를 중시하였다.

① ㄱ, ㄴ ② ㄱ, ㄷ ③ ㄴ, ㄷ
④ ㄴ, ㄹ ⑤ ㄷ, ㄹ

06 다음 밑줄 친 내용에 나타나 있는 인권에 대한 설명으로 옳은 것은?

> 독일 바이마르 공화국은 국가가 모든 국민의 인간다운 생활을 보장한다는 내용을 헌법에 명시하였다.

① 사회권으로 분류되는 권리이다.
② 시민 혁명을 계기로 강조된 권리이다.
③ 부당한 이유로 차별받지 않을 권리이다.
④ 차티스트 운동이 보장받고자 한 권리이다.
⑤ 정치 권력으로부터 간섭받지 않을 권리이다.

07 다음의 역사적 사건에 대한 설명으로 옳은 것은?

> 1838년 영국에서 보통 선거의 시행, 무기명 투표 등을 요구하는 차티스트 운동이 발생하였다.

① 계몽사상의 영향을 받았다.
② 여성의 참정권 보장을 주장하였다.
③ 노동자의 참정권 보장을 주장하였다.
④ 지구촌 모두의 인권 보장을 위한 협력을 강조하였다.
⑤ 부당한 식민지 지배에 대항한 권리 수호 운동이었다.

C 현대 사회의 인권

08 다음과 같은 현상으로 인해 새롭게 등장한 인권으로 가장 적절한 것은?

> 산업화의 영향으로 도시로 인구가 집중되었다. 이로 인하여 도시에서는 주택의 부족 현상이 발생하고 있으며, 주택 가격 및 주택 임대 가격이 상승하고 있다.

① 환경권 ② 주거권 ③ 문화권
④ 안전권 ⑤ 자유권

09 다음 밑줄 친 권리에 대한 옳은 설명을 〈보기〉에서 고른 것은?

> 갑국 정부는 가구 소득 기준으로 하위 10%에 해당하는 가구에 연간 20만 원 범위에서 영화 및 공연 관람 비용을 지원해 주는 문화 바우처를 시행하고자 한다. 이를 통해 갑국 정부는 국민들의 기본적 권리를 보장하려는 것이다.

〈보기〉
ㄱ. 국제적인 연대를 추구하는 권리이다.
ㄴ. 문화 활동에 참여하고 향유할 권리이다.
ㄷ. 현대 사회에서 새롭게 요구되는 권리이다.
ㄹ. 건강하고 쾌적한 환경 속에서 인간답게 생활할 수 있는 권리이다.

① ㄱ, ㄴ ② ㄱ, ㄷ ③ ㄴ, ㄷ
④ ㄴ, ㄹ ⑤ ㄷ, ㄹ

10 다음 (가)~(다)는 인권 보장의 시간적 개념을 고려하여 인권을 구분한 것이다. 이에 대한 설명으로 옳은 것은?

> (가) 신체의 자유, 사상·양심·종교의 자유, 집회 및 결사·표현의 자유
> (나) 평화에 관한 권리, 재난으로부터 구제받을 권리, 지속 가능한 환경에 관한 권리
> (다) 근로의 권리, 교육에 대한 권리, 사회 보장을 받을 권리, 인간다운 생활을 할 권리

① (가)는 바이마르 헌법을 계기로 확립되었다.
② (나)는 차티스트 운동을 계기로 보장된 권리이다.
③ (나)는 인류 전체의 인권 보장을 위한 전 세계적인 연대와 단결을 강조한다.
④ (다)는 '인간과 시민의 권리 선언'을 통해 명시된 권리이다.
⑤ (가) → (나) → (다)의 순서로 발전하였다.

도전! 1등급 문제

정답과 해설 34쪽

01 다음에서 추론할 수 있는 인권의 특징으로 가장 적절한 것은?

> 근대에 들어 봉건적 신분제에 의한 차별과 절대 군주의 억압에 맞서 시민의 자유와 평등을 요구하는 시민 혁명이 일어났으며, 그 결과 시민의 권리가 명시된 선언이 발표되었다. 그러나 시민 혁명으로 보장된 정치 참여의 자유는 부르주아에게 국한되었으며, 노동자와 여성들은 참정권 확대를 요구하며 사회 운동을 전개하였고, 20세기 이후 거의 모든 사람이 참정권을 보장받게 되었다.

① 인류 구성원 모두가 가지고 있는 권리이다.
② 남에게 양도할 수 없는 불가침의 권리이다.
③ 태어나면서부터 자연적으로 주어진 권리이다.
④ 국가가 적극적으로 개입하여 보장하는 권리이다.
⑤ 많은 사람들이 노력하여 그 내용과 범위를 확장시켜 온 역사적 산물이다.

고난도

02 다음 자료의 ㉠~㉢에 대한 옳은 설명을 〈보기〉에서 고른 것은?

> **세계 인권 선언**
> ㉠ 모든 사람은 태어날 때부터 자유롭고, 존엄하며, 평등하다.
> ㉡ 모든 사람은 사회의 일원으로서 사회 보장을 요구할 권리가 있다.
> ㉢ 모든 사람은 휴식과 여가를 가질 권리가 있다.

〈보기〉
ㄱ. ㉠은 현대 사회에서 새롭게 나타난 권리이다.
ㄴ. ㉠은 인권의 특징 중 보편성과 천부성을 명시하고 있다.
ㄷ. ㉡은 바이마르 헌법에서 처음으로 명시된 권리이다.
ㄹ. ㉢은 시대에 따라 인권을 분류할 경우 1세대 인권에 해당한다.

① ㄱ, ㄴ ② ㄱ, ㄷ ③ ㄴ, ㄷ
④ ㄴ, ㄹ ⑤ ㄷ, ㄹ

03 다음은 갑국의 도시화율을 나타낸 것이다. 이를 바탕으로 한 추론으로 적절하지 않은 것은? (단, 갑국의 전체 인구는 지속적으로 증가하고 있음)

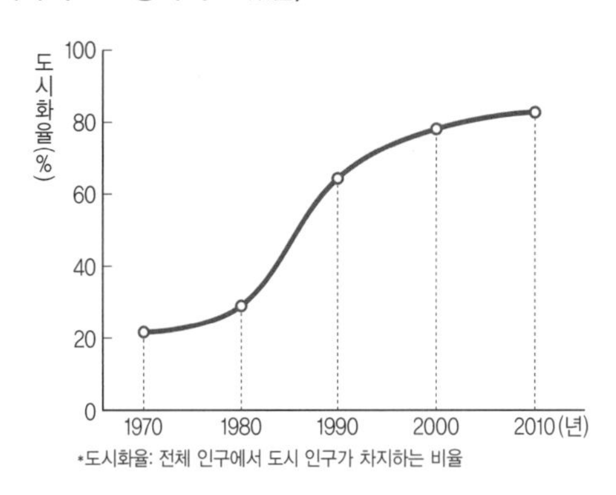

•도시화율: 전체 인구에서 도시 인구가 차지하는 비율

① 도시 환경의 변화가 나타날 것이다.
② 도시에 거주하는 인구가 증가할 것이다.
③ 주택 부족과 같은 주거 문제가 나타날 것이다.
④ 자유권, 참정권 보장의 필요성이 대두할 것이다.
⑤ 기존의 인권 개념으로 해결되지 않는 문제가 발생할 것이다.

04 다음 헌법 조항의 밑줄 친 ㉠~㉢에 대한 옳은 설명을 〈보기〉에서 있는 대로 고른 것은?

> **제35조** ① 모든 국민은 ㉠ 건강하고 쾌적한 환경에서 생활할 권리를 가지며, ㉡ 국가와 국민은 환경 보전을 위하여 노력하여야 한다.
> ② 국가는 주택 개발 정책 등을 통하여 ㉢ 모든 국민이 쾌적한 주거 생활을 할 수 있도록 노력하여야 한다.

〈보기〉
ㄱ. ㉠은 깨끗한 환경을 국가에 요구하는 근거가 된다.
ㄴ. ㉠은 자본주의가 발달하는 과정에서 강조된 권리이다.
ㄷ. ㉡은 환경 보호를 국민의 의무로 규정하고 있다.
ㄹ. ㉢은 안정적인 주거 환경의 조성을 국가의 의무로 규정하고 있다.

① ㄱ, ㄴ ② ㄴ, ㄷ ③ ㄷ, ㄹ
④ ㄱ, ㄷ, ㄹ ⑤ ㄴ, ㄷ, ㄹ

인권 보장을 위한 헌법의 역할과 시민 참여

흐름 잡기

인권 보장

헌법에 보장된 기본권과 인권 보장을 위한 헌법적 장치는? A

준법 의식과 시민 참여의 기능은? B

A 인권 보장과 헌법의 역할

한·줄·단·서 **헌법**은 기본권과 여러 가지 제도적 장치들을 바탕으로 **국민의 인권을 보장**하고 있어.

1. 인권과 헌법

헌법: 국가의 최고법으로, 국가의 통치 조직과 운영 원리를 규정하고 있어.

① **인권과 헌법의 관계 :** 헌법은 국민의 인권을 수호하는 근본적 토대
- 헌법에 인권 보장이 국가의 의무임을 명시하고, 국민의 기본적 인권을 규정 (기본적 인권: 기본권)
- 인권 보장을 위한 헌법상의 제도적 장치 규정

② **입헌주의 :** 인권 보장을 위해 국가의 통치 작용은 헌법에 따라 이루어져야 한다는 정치 원리 → 통치자나 국가 기관의 권력 남용에 의한 국민의 권리 침해 방지

2. 헌법이 보장하는 기본권 자료 1

기본권: 기본권은 헌법 제10조에 규정되어 있는 '인간의 존엄과 가치 및 행복 추구권'을 바탕으로 하고 있어.

구분	의미	종류
자유권	국가 권력의 간섭을 받지 않고 자유롭게 생활할 권리	신체의 자유, 종교의 자유, 양심의 자유, 사생활과 비밀의 자유 등
평등권	불합리한 기준에 의해 차별받지 않고 동등하게 대우받을 권리	법 앞에서의 평등, 차별받지 않을 권리 등
•참정권	국가의 의사 결정 과정에 참여할 수 있는 권리	선거권, 공무 담임권, 국민 투표권 등
사회권	국가에 대하여 인간다운 생활의 보장을 요구할 수 있는 권리	교육을 받을 권리, 근로의 권리, 사회 보장을 받을 권리 등
•청구권	다른 기본권이 침해되었을 때, 이를 구제하도록 요구할 수 있는 권리	청원권, 국가 배상 청구권, 형사 보상 청구권, 재판 청구권 등

궁금해? 헌법 제10조

모든 국민은 인간으로서의 존엄과 가치를 가지며, 행복을 추구할 권리를 가진다. 국가는 개인이 가지는 불가침의 기본적 인권을 확인하고 이를 보장할 의무를 진다.

• 참정권의 종류
- 선거권 : 대표자를 선출할 수 있는 권리
- 공무 담임권 : 공직을 맡을 수 있는 권리
- 국민 투표권 : 국가의 중요 정책을 직접 결정할 수 있는 권리

• 청구권의 종류
- 청원권 : 국가 기관에 일정 사항을 문서로 요구할 수 있는 권리
- 국가 배상 청구권 : 국가의 불법 행위에 따른 피해에 대해 배상을 청구할 수 있는 권리
- 형사 보상 청구권 : 형사 사건의 피의자가 불기소 처분을 받거나, 피고인이 무죄 판결을 받았을 때, 그가 입은 피해의 보상을 국가에 청구할 수 있는 권리

3. 인권 보장을 위한 헌법상의 제도적 장치

① **권력 분립 제도 :** 국가 권력을 나누어 국가 기관 간 상호 견제와 균형 유지 → 국가 기관의 권력 남용 예방 (국가 권력이 분산되어 있으면 어느 한쪽의 권력 남용을 막을 수 있어.)

② **법치주의 :** 법률에 근거한 공권력의 행사만을 허용 → 국가 권력에 의한 자의적이고 독단적인 지배 예방, 국민의 자유와 권리 보장

③ **기본권 구제 제도**
- **헌법 재판소 설치 :** 헌법 재판을 통해 국민의 인권을 침해하는 국가 권력이나 법률 등을 위헌으로 결정 자료 2 (위헌: 국가 권력의 행사나 법률 규정 등이 헌법의 가치를 위반한다는 거야.)
- **인권 보호 기관 마련 :** 국가 인권 위원회, 국민 권익 위원회 등

④ **민주적 선거 제도 :** 국민이 선거를 통해 대표자를 선출 → 국민의 의사와 이익을 정책에 반영

⑤ **복수 정당제 :** 여러 정당의 자유로운 활동 보장 → 국민의 정치적 견해 반영 (복수 정당제: 두 개 이상의 정당을 인정하는 제도로, 정당 설립의 자유를 보장해.)

4. 기본권의 제한과 한계 자료 3

① **기본권의 제한 :** 국가 안전 보장, 질서 유지, 공공복리를 위하여 필요한 경우에 한하여 법률로 제한

② **필요성 :** 개인의 무분별한 권리 행사로 인한 타인의 기본권 침해 예방

③ **기본권 제한의 한계 :** 자유와 권리의 본질적인 내용은 침해할 수 없음

자료 1 우리 헌법의 기본권 조항

제11조 ① 모든 국민은 법 앞에 평등하다. 누구든지 성별·종교 또는 사회적 신분에 의하여 정치적·경제적·사회적·문화적 생활의 모든 영역에 있어서 차별을 받지 아니한다.
제12조 ① 모든 국민은 신체의 자유를 가진다. …….
제24조 모든 국민은 법률이 정하는 바에 의하여 선거권을 가진다.
제26조 ① 모든 국민은 법률이 정하는 바에 의하여 국가 기관에 문서로 청원할 권리를 가진다.
제31조 ① 모든 국민은 능력에 따라 균등하게 교육을 받을 권리를 가진다.

자·료·분·석 국가 권력이나 타인에 의해 국민의 인권이 침해되는 것을 막기 위해 우리 헌법은 국민의 권리를 보장하고 있는데, 이를 기본권이라고 한다. 제시된 헌법 조항에서 제11조는 평등권, 제12조는 자유권, 제24조는 참정권인 선거권, 제26조는 청구권인 청원권, 제31조는 사회권인 교육을 받을 권리를 명시하고 있다.

한·줄·핵·심 국민의 인권 보장을 위해 우리 헌법에서는 평등권, 자유권, 참정권, 청구권, 사회권을 기본권으로 명시하고 있다.

키워드 체크
❶ 국가의 최고법으로, 국민의 기본적 인권을 규정하고 있는 법은?
답 : □□

자료 2 헌법 재판소의 역할

헌법 재판소는 근무 기간 6개월 미만의 근로자를 예고 없이 해고할 수 있도록 한 현행 근로 기준법이 위헌이라는 결정을 내렸다. 근로 기준법에 따르면 사용자는 근로자를 해고하려면 적어도 30일 전에 알려야 한다. 다만 월급 근로자로 6개월이 되지 못한 사람은 '해고 예고제'의 보호를 받지 못한다. 학원 강사로 일하다 한 달여 만에 해고된 김○○ 씨는 이러한 예외 규정이 위헌이라며 헌법 소원 심판을 청구하였다. [△△일보, 2015. 12. 23.]

자·료·분·석 공권력의 행사 또는 불행사로 인해 헌법상 보장된 기본권을 침해당한 경우 또는 국회에서 만든 법률이 헌법에 위반되어 국민의 기본권이 침해당한 경우, 기본권을 침해당한 국민은 헌법 재판소에 헌법 소원 심판을 제기할 수 있다. 헌법 재판소는 최고법인 헌법에 비추어 공권력이나 법률이 국민의 기본권을 침해했다고 판단될 때 위헌 결정을 내린다.

한·줄·핵·심 우리나라에서는 침해당한 국민의 권리를 구제하여 인권을 보장하기 위해 헌법 재판소를 두고 있다.

키워드 체크
❷ 헌법에 명시된 국민의 기본권을 보장하기 위해 헌법 소원 심판을 담당하는 국가 기관은?
답 : □□ □□□

자료 3 기본권의 제한과 한계

헌법 제37조 ②
국민의 모든 자유와 권리는 국가 안전 보장, 질서 유지 또는 공공복리를 위하여(목적상 한계) 필요한 경우에 한하여(방법상 한계) 법률로써 제한할 수 있으며(형식상 한계), 제한하는 경우에도 자유와 권리의 본질적인 내용을 침해할 수 없다(내용상 한계).

자·료·분·석 우리 헌법은 기본권 제한의 경우와 방법 및 한계를 헌법에 명시함으로써 국민의 기본권이 국가에 의해 함부로 침해당하지 않도록 보장하고 있다. 기본권 제한은 세 가지 경우에 한하여만 예외적으로 가능하며, 그 경우에도 국민의 대표 기관인 국회에서 제정한 법률에 의해서만 이루어져야 한다.

한·줄·핵·심 기본권은 국가 안전 보장, 질서 유지, 공공복리를 위하여 필요한 경우 법률로써 제한할 수 있다.

키워드 체크
❸ 기본권은 국가 안전 보장, 질서 유지, 공공복리를 위하여 필요한 경우에 한하여 □□로써 제한할 수 있다.
답 : □□

키워드 체크 정답 ❶ 헌법 ❷ 헌법 재판소 ❸ 법률

B 준법 의식과 시민 참여

한·줄·단·서 **준법 의식**과 **시민 참여**는 **인권 보장**을 위해 우리에게 요구되는 것들이야.

1. *준법 의식 자료 4

① **의미 :** 시민이 자발적으로 국가 구성원 간의 약속인 법을 지키려는 의지

② **필요성**

- **사회 질서 유지 :** 개인이나 집단 사이의 이익 충돌에 따른 갈등 방지
- **개인의 자유와 권리 보호 :** 타인과 국가 권력으로부터 개인의 자유와 권리 보호
- **사회 정의 실현 :** 사회 구성원 모두의 공정한 이익 실현
  └ 자신의 권리만큼 타인의 권리도 소중하게 여겨야 해.

● **인권 보장과 준법 의식**
헌법에 보장된 인권은 법률을 통해서 구체적으로 실현되므로, 시민들이 자발적으로 법을 지키려는 준법 의식을 가져야 인권 보장이 제대로 실현될 수 있다.

2. 시민 참여

① **의미 :** 시민들이 정치 과정이나 사회의 공공 문제에 관심을 가지고 참여하는 것
└ 여론을 바탕으로 법률이 제정되어 정부에 의해 집행되고, 이에 대한 평가가 이루어지는 과정

② **필요성**

- 인권 보장을 위한 제도적 장치만으로는 모든 사람의 인권 보장이 어려움
- 권리를 침해당한 경우 권리를 구제받기 위해 *적극적인 노력이 필요함

● **적극적인 노력의 필요성**
"권리 위에 잠자는 자는 보호받지 못한다."라는 말처럼 자신에게 주어진 권리의 행사를 스스로 포기하거나, 다른 사람 또는 국가 권력에 의해 권리를 침해당하고도 가만히 있을 경우 기본적 인권을 제대로 누릴 수 없다.

③ **기능**

- 국가 권력에 대한 견제와 감시를 통한 인권의 보장
- 적극적인 참여를 통해 시민들의 의견을 정치 과정에 반영
- 사회 구성원 모두의 권리와 이익이 존중받는 정의로운 사회 실현
- 대표자를 통해 간접적으로 주권을 행사하는 대의 민주주의의 보완
  대표자가 국민의 의사를 잘 반영하지 않을 경우, 시민 참여와 같은 직접 민주주의의 요소가 필요해.

④ **유형** 자료 5

유형	내용
선거와 투표	대표자를 선출하거나, 표를 통해 의사를 표시하는 행위 → 가장 대표적인 정치 참여이자 권리 행사 방법
이익 집단 및 시민 단체 활동	자신이 속한 집단의 이익을 추구하는 이익 집단이나 공공의 이익을 추구하는 시민 단체 활동을 통해 의사 표시
공청회	중요한 정책을 결정하거나 법령을 제정하기 전 이해 관계자나 해당 분야의 전문가에게서 의견을 듣는 제도
서명 운동	공공 문제에 관해 자신의 의견을 밝히고 여론을 형성하여 정책 결정에 영향력 행사
1인 시위	자신의 의견을 표현하고자 혼자 하는 시위 → 자신의 주장을 알리기 위한 적극적인 참여 방법
의견 표현	국가 기관이나 언론 및 인터넷 게시판 등에 자신의 의견을 표현하는 활동

3. 시민 불복종 자료 6

① **의미 :** 잘못된 법이나 정책을 바로잡기 위해 의도적으로 법을 위반하는 행위
→ 민주주의 체제를 수호하는 양심적이고 공공성을 지닌 시민 참여 행위

② **필요성**

- 법률이나 정책이 국민의 인권을 심각하게 침해하는 경우
- 법 테두리 안에서의 시민 참여만으로 인권 침해를 통제하기 어려운 경우

③ **성립 조건**

목적의 정당성	사회 정의 실현과 같이 행위의 목적이 정당해야 함
비폭력성	공개적이며 비폭력적이어야 함 └ 사적 이익을 위한 행위는 시민 불복종이라 할 수 없어.
최후의 수단	모든 합법적인 수단을 동원해도 해결되지 않을 경우 최후에 사용함
처벌 감수	현행 법 테두리에서의 위법 행위에 대한 처벌을 감수해야 함

궁금해? 이것이 시민 불복종

▲ 마틴 루서 킹의 워싱턴 연설 장면(1963)
마틴 루서 킹이 이끈 흑인 인권 운동은 대표적인 시민 불복종의 사례야.

자료 4 국민의 법의식과 준법 의식

한국 법제 연구원이 발표한 「2015 국민 법의식 조사」에 따르면 우리 사회의 준법 의식 정도를 묻는 질문에 응답자의 50%가 '잘 지켜지지 않는다.'고 대답했다. '법이 잘 지켜지지 않는 이유'에 대해서는 '법대로 살면 손해를 보니까'라는 응답이 42.5%로 가장 많았고, '법을 지키지 않는 사람이 더 많아서'(18.9%), '법을 지키는 것이 번거롭고 불편해서'(11.2%), '법을 잘 몰라서'(7.2%)의 순으로 나타났다. [○○경제, 2016. 2. 10.]

자·료·분·석 제시된 자료에 따르면 우리나라 국민의 50%는 '법이 잘 지켜지지 않는다.'고 생각하고 있다. 이처럼 우리 국민의 준법 의식이 낮은 이유는, 법을 지킬 경우 손해를 본다는 응답이 가장 많은 것으로 보아 법에 의한 사회 정의가 제대로 실현되지 않고 있기 때문이다. 따라서 사회 정의를 실현하고 우리 모두의 기본권이 제대로 보장받기 위해서는 국민 모두가 법을 준수하고 존중해야 하며, 국가 또한 다양한 지원을 통해 국민의 준법 의식을 높이고자 노력해야 한다.

한·줄·핵·심 법을 존중하고 준법 의식을 높이려는 노력을 통해, 사회 정의와 인권 보장이 실현될 수 있다.

키워드 체크

❹ 시민이 자발적으로 국가 구성원 간의 약속인 법을 지키려는 의지는?

답 : □□ □□

자료 5 다양한 시민 참여 유형

▲ 선거와 투표

▲ 서명 운동

▲ 1인 시위

자·료·분·석 민주주의 사회에서는 정책을 수립하고 개선하는 과정에서 국민의 의견을 적절히 반영하는 것이 중요하며, 이를 위해 시민의 자발적이고 적극적인 참여가 요구된다. 시민 참여는 시민들의 의사를 정치 과정에 반영하는 모든 행위를 의미하며, 서명 운동이나 1인 시위와 같이 다양한 형태로 나타날 수 있다.

한·줄·핵·심 시민 참여는 시민의 의사를 정책에 제대로 반영하고 자신의 권리를 지키는 방법이다.

키워드 체크

❺ 시민들이 정치 과정이나 사회의 공공 문제에 관심을 가지고 참여하는 행위는?

답 : □□ □□

자료 6 간디의 소금 투쟁

1930년 영국은 식민지인 인도에서의 소금 생산을 금지하고 반드시 영국에서 소금을 수입해서 쓰도록 하는 소금 법을 만들었다. 소금에 붙는 세금이 너무 비싸 소금을 사 먹지 못하는 상황이 벌어지자 간디는 소금 법 폐지를 요구했다. 그러나 이러한 요구는 받아들여지지 않았고, 간디는 이에 대한 저항의 표시로 그의 제자 및 지지자와 함께 평화적 행진을 시작하였다. 약 1개월 동안의 행진 끝에 동쪽 해안에 도착한 간디는 바닷물로 소금을 만들기 시작했다. 영국 경찰의 폭력적인 진압으로 약 6만여 명이 투옥되었지만, 그들은 소금 만드는 것을 멈추지 않았다. 결국 영국 정부는 인도에서의 소금 생산을 허용하기에 이르렀다. [△△일보, 2012. 4. 30.]

자·료·분·석 간디의 소금 투쟁은 대표적인 시민 불복종의 사례이다. 소금 법으로 인해 인도인들이 피해를 입게 되자 간디는 소금 법의 폐지를 요구하였고, 이것이 받아들여지지 않자 최후의 수단으로 시민 불복종을 선택하였다. 또한 간디는 처벌을 두려워하지 않았으며, 비폭력적인 방법으로 소금 투쟁을 진행하였다.

한·줄·핵·심 시민 불복종은 목적이 정당하고, 최후의 수단이며, 처벌을 감수하고, 비폭력적으로 전개되어야 한다.

키워드 체크

❻ 부당한 법이나 정책을 바로잡기 위해 의도적으로 법을 위반하는 비폭력적 행위는?

답 : □□ □□□

키워드 체크 정답 ❹ 준법 의식 ❺ 시민 참여 ❻ 시민 불복종

헌법으로 살펴본 인권 보장

헌법은 국민의 기본적 인권을 명확히 규정함으로써 다른 사람이나 국가 권력이 국민의 기본적 인권을 부당하게 침해하지 못하도록 기능하고 있다. 제시된 자료를 통해서 헌법이 국민의 기본권을 어떻게 보장하고 있는지 살펴보자.

통합 주제 story

자료❶
우리나라의 현행 헌법은 과거에 비해 국민의 기본권을 더욱 보장할 수 있도록 개정되었다.

자료❷
권력이 한 곳으로 집중될 경우 국민의 기본권이 침해될 우려가 있기에 우리 헌법은 권력 분립을 명시하고 있으며, 각각의 권력 기관이 서로를 견제할 수 있는 장치 또한 헌법에 명시하고 있다.

자료❸
국민이 국가의 주인이라는 국민 주권의 원리는 민주주의의 기본 원리이자 우리 헌법이 추구하는 중요한 가치이다. 또한 국가 권력의 행사 과정에 국민이 참여하도록 함으로써 국민의 기본권을 보장하는 역할을 하기도 한다. 이러한 국민 주권의 원리를 구현하는 대표적인 제도가 복수 정당제와 국민 투표제이다.

자료 ❶ 헌법의 역사

광복 이후 구성된 제헌 국회는 헌법 제정을 논의하였고, 7월 17일 제헌 헌법을 선포하였다. 제헌 헌법에는 자유, 평등, 선거, 교육, 근로 등이 국민의 권리로 명시되었지만, 행복 추구권이나 인간답게 생활할 권리 등은 포함되지 않았다. 이후 수차례 개정을 거쳐 현행 헌법은 1987년 6월 민주 항쟁을 계기로 개정되었으며, 헌법 재판소의 신설, 대통령 직선제, 행복 추구권 및 환경권의 명시 등을 통해 국민의 기본권을 더욱 확대 보장하고 있다.

자료 ❷ 헌법에 명시된 권력 분립 제도

헌법 제40조 입법권은 국회에 속한다.

헌법 제61조 국회는 국정을 감사하거나 특정한 국정 사안에 대해 조사할 수 있다. (입법권에 의한 행정권의 견제)

헌법 제66조 ④ 행정권은 대통령을 수반으로 하는 정부에 속한다.

헌법 제79조 ① 대통령은 …… 사면·감형 또는 복권을 명할 수 있다. (행정권에 의한 사법권의 견제)

헌법 제101조 ① 사법권은 법관으로 구성된 법원에 속한다.

헌법 제107조 ① 법률이 헌법에 위반되는 여부가 재판의 전제가 된 경우에는 법원은 헌법재판소에 제청하여 그 심판에 의하여 재판한다. (사법권에 의한 입법권의 견제)

자료 ❸ 국민 주권의 원리를 보장하기 위한 제도적 장치

헌법 제8조 ① 정당의 설립은 자유이며, 복수 정당제는 보장된다.
③ 국가는 법률이 정하는 바에 의하여 정당 운영에 필요한 자금을 보조할 수 있다.

➡ 우리나라는 정당 설립을 허가제가 아닌 등록제로 함으로써 정당 설립의 자유를 보장하고 있으며, 복수 정당제 운영 및 정당에 대한 금전적 지원을 통해 다양한 국민의 의사가 국가 정책 결정 과정에 반영될 수 있도록 하고 있다.

헌법 제72조 대통령은 필요하다고 인정할 때에는 외교·국방·통일 기타 국가 안위에 관한 중요 정책을 국민 투표에 붙일 수 있다.

➡ 국가의 중요 정책을 결정하는 국민 투표에 참여할 권리는 국민이 주권자로서 국가의 정치 과정에 적극적으로 참여할 수 있는 권리이며, 국가 권력이 최종적으로 국민의 동의에 의해서만 기능함을 보여 주고 있다. (헌법 개정 또한 국민 투표를 통해서만 가능해.)

이것만은 꼭!

- 우리 헌법은 **기본권의 보장을 확대**하는 방향으로 개정되어 왔다.
- 우리 헌법은 기본권의 보장을 위해 **권력 분립 제도**를 명시하고 있다.
- 우리 헌법은 **국민 주권의 원리를 보장**하기 위해 **복수 정당제와 국민 투표제**를 시행하고 있다.

콕콕! 개념 확인

정답과 해설 35쪽

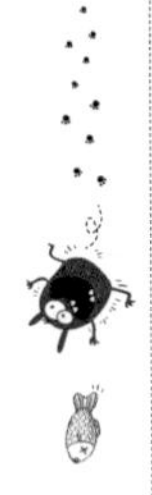

A 인권 보장과 헌법의 역할

01 알맞은 설명에 ○표를 하시오.

(1) 국가의 의사 결정 과정에 참여할 수 있는 권리는 (자유권, 참정권)이다.

(2) 교육을 받을 권리, 근로의 권리, 사회 보장을 받을 권리 등은 (청구권, 사회권)에 속하는 권리들이다.

(3) (권력 분립 제도, 법치주의)는 국가 권력을 나누어 각각 다른 기관에 분담시켜 상호 견제와 균형을 이루도록 하는 것이다.

02 빈칸에 알맞은 말을 쓰시오.

(1) 국민의 기본적 인권을 보장하기 위해 국가의 통치 작용이 헌법에 따라 이루어져야 한다는 정치 원리를 □□□□(이)라고 한다.

(2) 우리나라는 □□ □□□을/를 설치하여 헌법 재판을 통해 국가 권력이나 법률에 의한 인권 침해를 방지하고 있다.

(3) 기본권은 국가 안전 보장, 질서 유지, □□□□을/를 위하여 필요한 경우에 한해 제한할 수 있다.

03 밑줄 친 부분을 바르게 고쳐 빈칸에 쓰시오.

(1) 국가의 최고법인 <u>법률</u>은 국민의 인권을 수호하는 근본적인 토대로, 국민의 기본권이 명시되어 있다. (　　　　)

(2) 헌법 제37조 ②는 국민의 자유와 권리를 특별한 경우에 한하여 <u>시행령</u>으로써 제한할 수 있다고 규정하고 있다. (　　　　)

B 준법 의식과 시민 참여

04 알맞은 설명에 ○표를 하시오.

(1) 시민들이 정치 과정이나 사회의 공공 문제에 관심을 가지고 적극적으로 개입하는 것을 (준법 의식, 시민 참여)(이)라 한다.

(2) 시민 불복종은 목적에 정당성이 있어야 하며, (폭력적인 , 비폭력적인) 방법을 쓰되 최후의 수단으로 시행되어야 한다.

05 빈칸에 알맞은 말을 쓰시오.

(1) 법이나 정책이 사회 구성원의 권리를 침해하고 정의를 훼손할 경우, 시민들이 최후의 수단으로 선택 가능한 방법은 □□ □□□(이)다.

(2) □□ □□은/는 시민이 선출한 대표자를 통해 간접적으로 주권을 행사하는 대의 민주주의를 보완하는 역할을 한다.

(3) 가장 대표적인 정치 참여이자 권리 행사 방법은 □□와/과 □□(이)다.

탄탄! 내신 문제

정답과 해설 35쪽

A 인권 보장과 헌법의 역할

01 다음에 제시된 제도에 대한 설명으로 옳지 않은 것은?

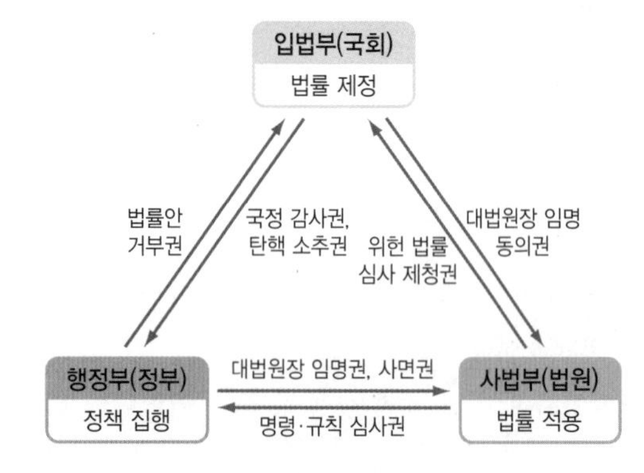

① 헌법에 보장된 제도적 장치이다.
② 국민의 인권을 보장하기 위한 방안이다.
③ 국가 권력 간 상호 협력을 이루도록 한다.
④ 국가 기관에 의한 권력 남용을 방지하고자 한다.
⑤ 국가 권력을 각 국가 기관에 나누어 맡기는 것이다.

02 기본권에 대한 설명으로 옳지 않은 것은?

① 참정권에는 청원권, 공무 담임권 등이 있다.
② 평등권은 불합리한 차별을 받지 않을 권리이다.
③ 청구권은 다른 기본권을 보장하기 위한 권리이다.
④ 자유권은 국가의 간섭을 받지 않고 자유롭게 생활할 권리이다.
⑤ 사회권은 국가에 대하여 인간다운 생활의 보장을 요구할 수 있는 권리이다.

03 다음 ㉠에 들어갈 제도에 대한 설명으로 옳지 않은 것은?

> 국민은 국가 권력에 의해 헌법에 보장된 권리가 침해될 경우 헌법 재판소에 (㉠)을/를 청구할 수 있다.

① 국민의 기본권을 보장하기 위한 방안이다.
② 공권력의 기본권 침해 여부에 대해 심판한다.
③ 헌법을 위반한 법률에 대해 위헌 결정을 내린다.
④ 국가 권력 및 법률로부터 인권을 보호하는 수단이다.
⑤ 재판을 통해 개인 간의 권리 침해에 대한 구제 방안을 제시한다.

04 다음 헌법 조항을 통해 파악할 수 있는 옳은 내용을 〈보기〉에서 고른 것은?

> **제10조** 모든 국민은 인간으로서의 존엄과 가치를 가지며 행복을 추구할 권리를 가진다. 국가는 개인이 가지는 불가침의 기본적 인권을 확인하고 이를 보장할 의무를 진다.

보기
ㄱ. 국민은 국가에 인권의 보장을 요구할 수 있다.
ㄴ. 국가는 국민의 인권 보장을 위해 노력해야 한다.
ㄷ. 인권은 필요한 경우 제한되거나 타인에게 양도 가능하다.
ㄹ. 인권은 국민의 성별, 나이, 신분 등에 따라 차등적으로 보장된다.

① ㄱ, ㄴ　② ㄱ, ㄷ　③ ㄴ, ㄷ
④ ㄴ, ㄹ　⑤ ㄷ, ㄹ

05 다음 헌법 조항에 나타난 기본권에 대한 옳은 설명을 〈보기〉에서 고른 것은?

> **제24조** 모든 국민은 법률이 정하는 바에 의하여 선거권을 가진다.

보기
ㄱ. 국민이 국가에 대해 손해 배상을 청구할 수 있는 권리이다.
ㄴ. 국민이 국가의 의사 결정 과정에 참여할 수 있는 권리이다.
ㄷ. 국민이 나라의 공적인 일을 맡을 수 있는 권리도 여기에 해당한다.
ㄹ. 다른 기본권이 침해되었을 때, 이를 구제하도록 국가에 요구할 수 있는 권리이다.

① ㄱ, ㄴ　② ㄱ, ㄷ　③ ㄴ, ㄷ
④ ㄴ, ㄹ　⑤ ㄷ, ㄹ

06 다음 밑줄 친 내용에 대한 설명으로 옳지 않은 것은?

> 갑 : 기본권은 절대적 권리이므로 제한할 수 없어.
> 을 : 아니야. 헌법에 기본권 제한이 가능한 경우와 방법 그리고 한계가 명시되어 있어.

① 공공복리를 위해 제한할 수 있다.
② 사회의 질서 유지를 위한 경우 제한 가능하다.
③ 국가의 안전 보장을 위한 경우 제한 가능하다.
④ 국회에서 제정한 법률에 의해서만 제한 가능하다.
⑤ 불가피한 경우 기본권의 본질적인 내용도 제한할 수 있다.

07 다음 헌법 조항에 나타난 기본권에 대한 설명으로 옳은 것은?

> 제26조 ① 모든 국민은 법률이 정하는 바에 의하여 국가 기관에 문서로 청원할 권리를 가진다.

① 선거권, 공무 담임권 등이 해당한다.
② 신체의 자유, 종교의 자유 등이 해당한다.
③ 불합리한 차별을 거부할 수 있는 권리이다.
④ 국가에 기본권의 구제를 요구할 수 있는 권리이다.
⑤ 국가에 인간다운 생활의 보장을 요구할 수 있는 권리이다.

B 준법 의식과 시민 참여

08 다음 밑줄 친 시민 참여 방안에 대한 옳은 설명을 〈보기〉에서 고른 것은?

> 정부는 국가 안위와 관련된 중요 정책의 결정을 앞두고 전체 국민의 의견을 정책에 반영하기 위하여 국민 투표를 실시할 예정이다.

〈보기〉
ㄱ. 시민 불복종의 대표적 유형이다.
ㄴ. 국가 권력에 대한 견제 수단이다.
ㄷ. 간접적으로 주권을 행사하는 참여 방법이다.
ㄹ. 시민의 의견을 정치 과정에 반영하는 장치이다.

① ㄱ, ㄴ ② ㄱ, ㄷ ③ ㄴ, ㄷ
④ ㄴ, ㄹ ⑤ ㄷ, ㄹ

09 다음 글의 밑줄 친 부분에 들어갈 내용으로 적절하지 않은 것은?

> 어린 시절부터 법과 규칙을 준수해야 한다고 아이들에게 가르치는 이유는 ______________

① 보다 정의로운 사회를 구현하기 위해서이다.
② 사회 질서를 안정적으로 유지하기 위해서이다.
③ 법을 지키는 사람이 손해를 보게 되기 때문이다.
④ 구성원 간의 갈등과 충돌을 예방할 수 있기 때문이다.
⑤ 개인의 자유와 권리를 안정적으로 보호할 수 있기 때문이다.

10 다음에 제시된 두 사례에 대한 공통적인 설명으로 옳지 않은 것은?

> • ○○시에 거주하는 갑은 ○○시의 환경 정책과 관련하여 시민 단체의 서명 운동에 참여하였다.
> • △△시에 거주하는 을은 △△시의 복지 정책의 개선을 위해 시청 앞에서 1인 시위를 하였다.

① 시민이 자신의 권리를 지키는 방법이다.
② 시민이 정책 결정 과정에 참여하는 방법이다.
③ 시민이 사회의 공공 문제에 개입하는 방법이다.
④ 시민이 국가 권력을 견제하고 감시하는 방법이다.
⑤ 사회 구성원의 기본권 침해를 초래할 수 있는 방법이다.

11 다음 ㉠에 들어갈 개념에 대한 설명으로 옳지 않은 것은?

> 헌법의 기본 질서가 안정적으로 유지되고 있는 상황에서는 법의 테두리 안에서의 시민 참여가 가능하지만, 법률이나 정책이 오히려 시민의 인권을 침해하는 사례가 발생한다면 의도적인 위법 행위인 (㉠) 이/가 요구되기도 한다.

① 최후의 수단인 경우에만 인정받을 수 있다.
② 공개적이며 비폭력적인 경우 정당화될 수 있다.
③ 잘못된 법이나 정책을 바로잡기 위한 행위이다.
④ 행위의 목적이 공공의 이익을 위한 것이어야 한다.
⑤ 현행 법 체제 아래에서의 처벌은 거부하는 행위이다.

도전! 1등급 문제

정답과 해설 36쪽

01 다음 밑줄 친 ㉠~㉣에 대한 옳은 설명을 〈보기〉에서 고른 것은?

> 구치소에 수감되어 있던 갑은 종교 집회에 참석을 희망하였으나 구치소 측에서 열악한 시설을 이유로 이를 거부하자, ㉠ 헌법 재판소에 구치소의 조치가 종교의 자유를 침해하고 있다며 ㉡ 헌법 소원 심판을 청구하였다. 헌법 재판소는 이에 대해 ㉢ 위헌 결정을 내렸으며, 갑은 자신의 ㉣ 기본권을 구제받았다.

〈보기〉
ㄱ. ㉠은 인권 보장을 위한 헌법적 장치이다.
ㄴ. ㉡은 국가 기관에 의한 기본권 침해를 심판한다.
ㄷ. ㉢으로 인해 구치소의 조치가 정당함이 인정되었다.
ㄹ. ㉣은 헌법상 보장된 기본권 중 참정권이다.

① ㄱ, ㄴ　② ㄱ, ㄷ　③ ㄴ, ㄷ　④ ㄴ, ㄹ　⑤ ㄷ, ㄹ

02 다음은 기본권을 명시한 헌법 조항들이다. ㉠~㉢에 명시된 기본권에 대한 옳은 설명을 〈보기〉에서 고른 것은?

> ㉠ **제12조** 모든 국민은 신체의 자유를 가진다.
> ㉡ **제24조** 모든 국민은 법률이 정하는 바에 의해 선거권을 가진다.
> ㉢ **제34조** 모든 국민은 인간다운 생활을 할 권리를 가진다.

〈보기〉
ㄱ. ㉠은 차티스트 운동이 추구한 기본권이다.
ㄴ. ㉡은 시민 혁명을 계기로 확립된 기본권이다.
ㄷ. ㉢에 나타난 기본권이 처음 명시된 헌법은 바이마르 헌법이다.
ㄹ. ㉠과 달리 ㉢에 나타난 기본권은 국가의 적극적인 노력을 요구하는 권리이다.

① ㄱ, ㄴ　② ㄱ, ㄷ　③ ㄴ, ㄷ　④ ㄴ, ㄹ　⑤ ㄷ, ㄹ

03 다음에 제시된 헌법 조항의 공통점을 〈보기〉에서 고른 것은?

> **제111조** ① 헌법 재판소는 다음 사항을 관장한다.
> 1. 법원의 제청에 의한 법률의 위헌 여부 심판
> 2. 탄핵의 심판
> 3. 정당의 해산 심판 ……
> 5. 법률이 정하는 헌법 소원에 관한 심판
>
> **제37조** ① 국민의 자유와 권리는 헌법에 열거되지 아니한 이유로 경시되지 아니한다.

〈보기〉
ㄱ. 침해된 기본권을 보장하기 위한 제도이다.
ㄴ. 국민의 기본권 보장을 목적으로 하고 있다.
ㄷ. 국가 권력의 남용을 방지하기 위한 방안이다.
ㄹ. 정치 과정에의 참여를 보장하기 위한 방안이다.

① ㄱ, ㄴ　② ㄱ, ㄷ　③ ㄴ, ㄷ　④ ㄴ, ㄹ　⑤ ㄷ, ㄹ

고난도

04 다음 사례에 대한 옳은 분석을 〈보기〉에서 고른 것은?

> 법정 전염병의 경우 감염된 환자의 이동을 관련 법률에 따라 제한할 수 있다. 전염병의 확산에 따른 다른 국민의 피해를 예방하기 위해 불가피하게 환자의 기본권을 침해하는 것이다. 이에 대해 헌법 재판소는 합헌이라는 결정을 내렸다.

〈보기〉
ㄱ. 기본권 제한의 사유가 헌법에 위반된다.
ㄴ. 기본권 제한의 방법이 헌법에 부합한다.
ㄷ. 국가 안전 보장을 위해 기본권이 제한되고 있다.
ㄹ. 이동의 자유를 제한하는 것은 자유권의 본질적인 내용을 침해하지 않는다.

① ㄱ, ㄴ　② ㄱ, ㄷ　③ ㄴ, ㄷ　④ ㄴ, ㄹ　⑤ ㄷ, ㄹ

고난도

05 다음 사례에 대한 설명으로 옳지 않은 것은?

> 갑은 정부의 환경 정책에 대해 항의하기 위해 해당 정책을 발표한 기관 앞에서 지인들과 함께 시위를 하고자 하였다. 그러나 해당 기관이 법원 청사와 50미터 밖에 떨어져 있지 않아, '법원의 경계 지점의 100미터 이내에서는 시위를 할 수 없다.'는 법 규정의 적용을 받게 되어 시위 계획을 변경할 예정이다.

① 갑은 시민 참여를 실천하고 있다.
② 갑의 기본권 중 자유권이 제한되고 있다.
③ 기본권 제한은 요건에 부합되게 이루어졌다.
④ 제한되고 있는 기본권은 현대 복지 국가에서 중시하는 권리이다.
⑤ 갑은 기본권 제한이 부당하다고 판단될 경우 헌법 소원 심판을 청구할 수 있다.

06 다음 밑줄 친 내용에 대한 옳은 진술을 〈보기〉에서 고른 것은?

> 정부 정책으로 인해 국민의 기본권이 침해될 것이라 생각한 갑은 지인들과 함께 대규모 집회 및 시위를 한밤중에 진행하였다. 그러자 경찰은 심야 시간의 시위는 집회 및 시위에 관한 법률을 위반한 것이라면서 시위의 해산을 요구하였다. 갑은 경찰의 주장이 부당하다고 생각하였으며, 지인들과 함께 경찰에 물리적으로 저항하며 시위를 지속하였다.

〈보기〉
ㄱ. 사익이 아닌 공익을 위한 행위이기에 시민 불복종에 해당한다.
ㄴ. 물리적 저항이라는 점에서 시민 불복종의 조건에 부합하지 않는다.
ㄷ. 자유권에 대한 제한은 어떠한 경우에도 부당하기에 저항은 정당한 행위이다.
ㄹ. 시민 불복종이 되기 위해서는 헌법 소원 심판 청구 같은 방안을 먼저 시도했어야 한다.

① ㄱ, ㄴ ② ㄱ, ㄷ ③ ㄴ, ㄷ
④ ㄴ, ㄹ ⑤ ㄷ, ㄹ

07 다음 헌법 조항을 바르게 이해한 사람을 〈보기〉에서 고른 것은?

> **제61조** 국회는 국정을 감사하거나 특정한 국정 사안에 대해 조사할 수 있다.
> **제79조** ① 대통령은 법률이 정하는 바에 의하여 사면·감형 또는 복권을 명할 수 있다.
> **제107조** ① 법률이 헌법에 위반되는 여부가 재판의 전제가 된 경우에는 법원은 헌법 재판소에 제청하여 그 심판에 의하여 재판한다.

〈보기〉
갑 : 헌법 제61조는 입법부에 대한 행정부의 견제를 명시하고 있어.
을 : 헌법 제79조 ①은 행정부에 의해 입법부가 제정한 법률이 제한될 수 있음을 보여 주고 있어.
병 : 헌법 제107조 ①에 의해 입법부가 제정한 법률이라도 사법부에 의해 제한될 수 있어.
정 : 위 헌법 조항들은 입법, 행정, 사법과 관련된 권력이 상호 견제되고 있음을 보여 주고 있어.

① 갑, 을 ② 갑, 병 ③ 을, 병
④ 을, 정 ⑤ 병, 정

08 다음 (가), (나)에 제시된 헌법 조항에 대한 설명으로 옳은 것은?

> (가) 정당의 설립은 자유이며, 복수 정당제는 보장된다.
> (나) 대통령은 필요하다고 인정할 때에는 외교·국방·통일 기타 국가 안위에 관한 중요 정책을 국민 투표에 붙일 수 있다.

① (가)는 권력 분립을 명시하고 있다.
② (가)는 시민 불복종을 정당화하고 있다.
③ (나)는 대의 민주주의를 강조하고 있다.
④ (나)에는 기본권 중 사회권이 나타나 있다.
⑤ (가), (나) 모두 국민 주권의 원리를 구현하기 위한 제도적 장치이다.

03 인권 문제의 양상과 해결 방안

흐름 잡기

인권 문제

우리 사회의 인권 문제 및 해결 방안은? A

세계의 인권 문제 및 해결 방안은? B

A 우리 사회의 인권 문제

한·줄·단·서 우리 사회는 **사회적 소수자 차별, 청소년 노동권 침해** 등의 인권 문제가 나타나고 있는데, 이를 해결하기 위해서는 **제도적·의식적 차원의 개선**이 필요해.

1. 시대별 양상

구분	주류 인권 문제	배경	특징
1980년대	신체의 자유, 정치적 자유, 노동권 등의 침해	급격한 산업화 및 낮은 정치의식	지속적인 민주화 운동 및 노동 운동 전개 → 법과 제도적 보완 달성
1990년대 이후	사회적 소수자 차별, 청소년 노동권 침해 등	고용 불안, 급속한 고령화, 다문화 사회로의 진입 등	사회적 환경이 변화하면서 과거와는 다른 양상의 인권 문제 출현

2. 사회적 소수자의 인권 문제 자료 1

① **사회적 소수자 :** 신체적 또는 문화적 특징(인종, 성별, 장애, 종교, 사회적 출신 등)으로 불리한 환경에 놓이거나 차별 대우를 받는 사람들 예 여성, 장애인, 노인, 이주 외국인(외국인 노동자, 결혼 이민자 등), 북한 이탈 주민, 비정규직 근로자 등

② **사회적 소수자의 특징 :** 스스로 다수의 사회 구성원과는 다른 차별받는 집단에 속해 있다는 의식을 가지고 있음

③ **차별 사례 :** 교육 및 취업 등의 기회 제한, 일상생활의 불편, 언어 소통 및 문화적 차이에서 오는 불편, 노동 조건의 차별 및 임금 체불 등

④ **해결 방안**

사회·제도적 차원	• 사회적 소수자의 *차별을 금지하는 법률 제정 및 각종 지원 방안 마련 • 인권 보장을 위한 국가 기관 설립 (헌법 재판소, 국가 인권 위원회, 국민 권익 위원회 등) • 인권 문제의 개선을 위한 사회적 분위기 조성 : 인권 보호 캠페인 시행, 인권 교육 강화, 인권 보호 활동 등
의식적 차원	• 사회적 소수자에 대한 편견을 버리고, 다양성을 존중하는 자세 함양 • 타인의 인권 문제에도 관심을 가지고 이를 해결하고자 적극적으로 동참 • 다른 사람의 권리에 대한 인권 감수성 함양 (사회적 약자가 겪는 고통에 관심을 가지고 공감할 수 있는 능력)

3. 청소년 *노동권 침해 문제

① **청소년 노동권 침해 사례**

- 고용주의 비인간적인 대우
- 근로 기준법 등 법률에 규정된 기본적인 근로 조건 침해 → 정당한 대가의 미지급, *최저 임금 미준수, 장시간 노동 등

② **해결 방안** 자료 2

사회·제도적 차원	• 청소년 노동권 관련 법률 및 제도 보완 → 「근로 기준법」이나 「최저 임금법」 등에 청소년의 노동 기준 제시 • 노동권 침해 신고 및 법률 상담 : 고용 노동부(최저 임금 미준수 및 임금 체불 신고), 국가 인권 위원회, 대한 법률 구조 공단 등
의식적 차원	• 청소년 : 노동권에 대한 이해 및 권리 침해에 대한 적극적인 대처 • 고용주 : 준법 의식 함양 및 관련 법규 준수 → 청소년 노동권 보장

궁금해? 사회적 소수자의 기준

우리나라에서는 이주 외국인이 사회적 소수자이지만, 우리 또한 외국에서는 사회적 소수자가 될 수 있다.

사회적 소수자는 상대적 개념으로, 상황에 따라 사회적 소수자인지의 여부가 달라져.

● **차별 금지 법률**
- 장애인 차별 금지 및 권리 구제 등에 관한 법률 : 장애인의 완전한 사회 참여와 평등권 실현 추구
- 외국인 근로자의 고용 등에 관한 법률 : 외국인 근로자를 체계적으로 관리함으로써 인권 침해 예방

● **노동권**
노동자가 노동할 기회나 근로관계, 임금이나 근로 시간 등에서 정당한 대우를 받을 권리이다.

● **최저 임금**
정부는 근로자의 안정적인 생활을 보장하기 위하여 최저 임금 수준을 법으로 규정하고 있는데, 2018년 기준 최저 임금은 시간당 7,530원이며, 월 기준 157만 원이다.

자료 1 사회적 소수자의 인권 문제

장애인 지체 장애인의 경우 기본적인 권리인 이동권조차 보장되지 않는 경우가 많다.

이주 외국인 언어 소통의 어려움, 문화적 차이, 다른 피부색 등의 이유로 차별 대우를 받고 있다.

비정규직 근로자 비정규직이라는 이유만으로 저임금과 열악한 근무 환경 속에서 어려움을 겪고 있다.

노인 복지 정책의 미비와 개인적 노후 대비의 부족으로 인해 노인들의 생존권이 위협받고 있다.

자·료·분·석 사회적 소수자에 대한 차별적 대우는 사회 갈등의 원인으로 작용하고 있으며 사회 통합에 장애가 되고 있다. 사회적 소수자 또한 우리 사회의 구성원으로 존중받을 권리가 있기에, 사회 전체적으로 사회적 소수자의 상황을 이해하고 다양성을 존중하며, 이들에 대한 차별을 금지하고 지원 방안을 마련해야 한다.

한·줄·핵·심 장애인, 이주 외국인, 노인 등 사회적 소수자의 인권 문제가 최근 들어 대두되고 있으며, 사회적 소수자에 대한 차별 문제를 해결하기 위한 제도적·의식적 차원의 노력이 요구되고 있다.

키워드 체크

❶ 신체적·문화적 특성으로 인해 다른 사회 구성원들로부터 불평등한 대우를 받는 사람들은?

답 : □□□ □□□

자료 2 청소년 아르바이트 십계명

1계명	만 15세 이상이어야만 근로가 가능해요.
2계명	부모님의 동의서와 나이를 알 수 있는 증명서가 필요해요.
3계명	근로 계약서를 반드시 작성해야 해요.
4계명	성인과 동일한 최저 임금을 적용받아요.
5계명	하루 7시간, 일주일 35시간을 초과하여 일할 수 없어요.
6계명	휴일에 일하거나 초과 근무를 했을 경우 50%의 가산 임금을 받을 수 있어요.
7계명	일주일을 개근하고 15시간 이상 일을 하면 하루의 유급 휴일(임금이 지급되는 휴일)을 받을 수 있어요.
8계명	청소년은 위험한 일이나 유해 업종의 일을 할 수 없어요.
9계명	일을 하다 다치면 산재 보험으로 치료와 보상을 받을 수 있어요.
10계명	청소년 신고 대표 전화 1644-3119

[고용 노동부, 2018]

자·료·분·석 청소년 아르바이트 십계명은 만 15세 이상의 청소년이 일을 할 경우 반드시 명심해야 할 기본적인 수칙들이다. 최근 들어 아르바이트를 하는 청소년이 증가하면서 노동권과 관련된 피해 사례가 자주 발생하고 있다. 이러한 문제를 해결하기 위해서는 청소년 스스로 자신의 권리에 대해 정확히 알고 있어야 한다. 특히, 3계명인 근로 계약서 작성은 청소년의 권리이자 고용주의 의무이기에 고용주는 이를 거부할 수 없다. 5계명인 근로 시간 또한 법으로 정해진 규정이기에 청소년의 동의 없이 고용주는 연장 근무를 명할 수 없다.

한·줄·핵·심 청소년은 일을 할 경우 근로 계약서를 반드시 작성하여야 하며, 임금, 휴일, 근무 시간 등 자신의 노동권에 대해 정확히 알고 있어야 한다.

키워드 체크

❷-1 청소년은 하루 □시간, 일주일 □□시간을 초과하여 일할 수 없다.

답 : □시간, □□시간

❷-2 휴일에 일을 하였거나 초과 근무를 했을 경우 □□%의 가산 임금을 받을 수 있다.

답 : □□%

키워드 체크 정답 ❶ 사회적 소수자 ❷-1 7시간, 35시간 ❷-2 50%

B 세계의 인권 문제

한·줄·단·서 **인종 차별, 기아, 난민 등** 세계적 인권 문제를 해결하기 위해서는 **국제적 연대**가 필요해.

1. 세계 인권 문제의 유형 자료 3

여성 차별	고용, 승진, 교육 등 전반적인 영역에서 차별받음
인종 차별	자신과 다른 인종을 자신보다 못하다고 여기거나 적대함
기아 문제	가뭄, 기근 등에 의한 식량 부족으로 많은 사람들이 굶주리고 있음
난민 문제	내전을 피해 모국을 떠난 난민들의 기본권이 유린되고 있음
기본권 침해	독재 국가 등에서 체제 유지를 목적으로 국민의 기본권을 탄압함
아동 노동	교육의 기회를 보장받지 못한 채 장시간 노동에 시달리고 있음

└ 전 세계 아동의 11%인 약 1억 6,800만 명이 노동을 착취당하고 있는 것으로 알려져 있어.

2. 세계 인권 문제의 해결 방안

① 국제 연합(UN) 차원의 노력

- 인권 문제를 의제로 다루거나, 관련 선언과 조약 채택
- 국제 연합 인권 이사회(UNHRC) 설립 → 각국의 인권 상황 파악

② ˚비정부 기구 차원의 노력 : ˚국제 사면 위원회, ˚국경 없는 의사회 등 → 양심수 구제 활동, 빈곤 아동 지원, 난민 구호 활동 등

양심수: 정치적 신념에 의해 감옥에 구금되어 있는 사람으로, 일반적으로 독재 국가에서 민주화 운동을 하다 구속된 사람들을 의미해.

③ 의식적 차원의 노력

- **책임 의식** : 인류를 하나의 공동체로 인식하고 인권 문제 해결에 적극적으로 참여
- **세계 시민 의식** : 국제 사회의 인권 문제 해결을 위해 세계 시민의 차원에서 노력

└ 자신을 지구 공동체의 구성원으로 여기고 지구촌 전체의 문제를 해결하기 위해 적극적으로 노력하는 사람이야.

● **비정부 기구(NGO)**
국가와 관계없이 자발적으로 조직된 국제적 비영리 민간단체로, 특정 국가에 속하지 않은 전 지구적 문제에 관심을 가지고 해결을 위해 노력한다.

● **국제 사면 위원회**
양심수 석방, 사형제도 폐지와 같은 인류의 생명권 문제의 해결을 위해 노력하는 비정부 기구이다.

● **국경 없는 의사회**
기아, 질병 등으로 고통받는 세계 각 지역 주민들의 구호를 위해 설립된 민간 의료 단체이다.

교과서 자료 모아보기

자료 3 지도로 살펴보는 세계 인권 현황

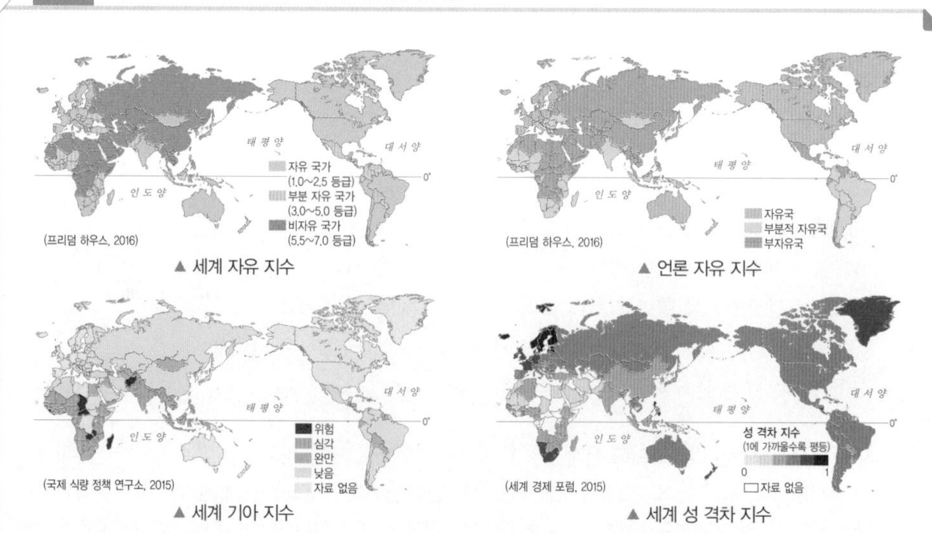

▲ 세계 자유 지수 ▲ 언론 자유 지수 ▲ 세계 기아 지수 ▲ 세계 성 격차 지수

자·료·분·석 제시된 지도들은 세계의 인권 수준을 보여 주는 네 가지 지표를 지도로 나타낸 것이다. 세계 자유 지수는 민주주의 및 정치적 자유 수준을, 언론 자유 지수는 언론에 정치적 압력이나 통제가 미치는 정도를, 기아 지수는 굶주림 문제의 현황을, 성 격차 지수는 남녀 차별의 정도를 보여 주고 있다.

한·줄·핵·심 국제기구나 비정부 기구의 인권 지수를 통해 세계 인권 문제를 객관적으로 파악할 수 있다.

└ 국제기구나 비정부 기구들은 인권 지수를 통해 세계 여러 국가들의 인권 실상을 세계적으로 밝힘으로써 세계 인권 문제의 개선을 위해 노력하고 있어.

키워드 체크

❸ 국제기구나 비정부 기구들이 국가별 인권 보장 실태와 그 변동 사항을 비교하고자 정기적으로 발표하는 것은?

답 : □□□□

(거꾸로) 키워드 체크 정답 ❸ 인권 지수

세계적 인권 문제 – 난민 문제

종교적, 정치적, 인종적인 문제로 생명의 위협을 받아 다른 나라로 탈출하거나 이주하는 사람들을 난민이라고 하는데, 전 세계적으로 나타나는 대표적인 인권 문제 중 하나가 난민 문제이다. 다음 자료를 통해 난민의 인권 문제 및 해결 방안을 살펴보자.

통합 주제 story

자료 ❶
난민은 끊임없이 내전이 벌어지고 있는 국가에서 특히 많이 발생하고 있으며, 전 세계 난민 중 아동의 비율이 29%나 된다.

자료 ❷
살던 나라를 떠난 난민의 경우 사회·경제적 권리를 보장해 줄 국가가 없기 때문에 생존을 위한 기본적인 인권조차 침해당하는 경우가 많다.

자료 ❸
난민 문제는 전 지구적 차원의 노력이 필요하며, 이에 따라 난민의 기본적 인권을 보장하기 위해 1951년 난민 협약이 체결되었다. 또한 피터 싱어의 '실천 윤리학'을 통해 제도적 차원뿐만 아니라 개인적 차원에서도 세계 시민 의식을 가지고 지구촌 문제에 적극 참여해야 함을 알 수 있다.

자료 ❶ 세계 난민 상황

국제 연합(UN) 난민 기구의 조사 결과 2016년에 난민들이 지중해를 건너려다 최소 3,800명이 숨지거나 실종된 것으로 나타났다. 전 세계 난민 중 4분의 1 가량은 시리아에서 발생한 것으로 추정된다. 수년째 내전 중인 시리아에서는 공습 등으로 약 43만 명이 숨졌으며, 전체 인구의 절반 가량인 970여만 명만이 자신의 거주지에 머물고 있는 것으로 알려졌다. 나머지 난민들은 가옥이 붕괴되어 시리아 내부를 떠돌고 있거나 외국으로 떠났다. 시리아 난민들은 주로 터키, 레바논, 요르단 등 주변국으로 유입되었다. [○○일보, 2016. 10. 27.]

자료 ❷ 난민이 처한 문제

▲ 열악한 환경의 난민 캠프

대부분의 난민들은 난민을 수용하기 위한 공간인 난민 캠프에서 생활하는데, 캠프의 시설은 매우 열악하다. 비바람을 겨우 피할 수 있는 천막에서 생활하며, 깨끗한 식수와 식량은 꿈도 꾸지 못한다. 공공 의료나 교육 또한 기대할 수 없다. 특히 주거 환경이 열악한 곳에서는 1주일에 두 번, 소량으로 배급되는 식량으로 힘겹게 삶을 이어나가고 있다.

자료 ❸ 난민 문제의 해결 방안

- **난민의 지위에 관한 협약(1951년)** ┌ 우리나라는 1992년 12월에 이 협약에 가입하였어.
  제22조 ① 체약국은 난민에게 초등 교육에 대하여 자국민에 부여하는 대우와 같은 대우를 부여한다.
  제26조 체약국은 난민에게 일반적으로 외국인에게 적용되는 규제를 따를 것을 조건으로 거주지를 선택할 권리 및 자유로이 이동할 권리를 부여한다.
- 만약 어떤 사람에게 매우 나쁜 일이 일어나는 것을 방지할 힘을 우리가 가지고 있고, 그 나쁜 일을 방지함으로써 그 일에 상당하는 도덕적 의미가 있는 다른 일이 희생되지 않는다면, 우리는 그렇게 해야만 한다. 얼마나 떨어져 있느냐와 어떤 공동체에 속하는 사람이냐가 우리의 책무에 차이점을 만들어 낸다는 견해를 도덕적으로 정당화해 줄 타당한 근거를 발견하기는 어렵다. [피터 싱어, 『실천 윤리학』]

이것만은 꼭!

→ **난민 문제**는 전 세계적으로 나타나는 **대표적인 인권 문제** 중 하나이다.
→ 난민들은 의료, 교육, 주거 등 **기본적 인권조차 보장받지 못하고 있다.**
→ 난민 문제의 해결을 위해 **전 지구적 차원의 협력**과 **개인적 차원의 노력**이 동시에 요구된다.

콕콕! 개념 확인

정답과 해설 38쪽

A 우리 사회의 인권 문제

01 빈칸에 알맞은 말을 쓰시오.

(1) 신체적 또는 문화적 특징으로 인해 차별 대우를 받는 사람들을 □□□ □□□(이)라고 한다.

(2) 청소년 노동권을 보장받기 위해서는 일을 시작할 때 □□ □□□을/를 반드시 작성해야 한다.

(3) 인권 문제의 해결을 위해서는 사회적 약자가 겪는 고통에 관심을 기울이고 공감할 수 있는 □□ □□□을/를 길러야 한다.

02 알맞은 설명에 ○표를 하시오.

(1) 우리 사회에서 (이주 노동자, 정규직 노동자)는 신체적 또는 문화적 특징 때문에 다른 구성원에게 차별을 받는 사회적 소수자이다.

(2) 청소년은 만 (15세, 17세) 이상이어야 근로할 수 있으며, 하루 (7시간, 8시간), 일주일에 35시간을 초과하여 일할 수 없다.

03 밑줄 친 부분을 바르게 고쳐 빈칸에 쓰시오.

(1) 휴일 근무 및 초과 근무를 할 경우 <u>30%</u>의 가산 임금을 받을 수 있다. (　　　　)

(2) 일주일을 개근하고 15시간 이상 일을 할 경우 하루의 <u>무급 휴일</u>을 받을 수 있다. (　　　　)

(3) 청소년이 최저 임금보다 낮은 임금을 받았거나 임금을 받지 못한 경우 <u>헌법 재판소</u>에 임금 체불을 신고하여 받지 못한 임금을 받을 수 있다. (　　　　)

B 세계의 인권 문제

04 빈칸에 알맞은 말을 쓰시오.

(1) 현재 전 세계적으로 자신과 다른 인종을 자신보다 못하다고 여기거나 적대하는 □□ □□ 문제가 나타나고 있다.

(2) 다양한 국제기구나 비정부 기구들은 국가별 인권 보장 실태와 그 변동 사항을 비교하고자 정기적으로 □□ □□을/를 발표하고 있다.

05 밑줄 친 부분을 바르게 고쳐 빈칸에 쓰시오.

(1) <u>국경 없는 의사회</u>는 정치범의 석방 촉구 등 정치적 자유의 보장을 위해 활동하는 비정부 기구이다. (　　　　)

(2) 우리는 인류를 하나의 공동체로 인식하고 인권 문제 해결에 적극적으로 참여하려는 <u>준법 의식</u>을 가져야 한다. (　　　　)

탄탄! 내신 문제

정답과 해설 38쪽

A 우리 사회의 인권 문제

01 다음에서 추론할 수 있는 사회적 소수자의 특징으로 가장 적절한 것은?

> 남아프리카공화국의 경우 인구의 대부분이 흑인임에도 불구하고 사회의 상층부를 차지하는 부유한 백인들에 비해 흑인들은 여전히 사회적 소수자에 해당한다.

① 수적으로 소수이다.
② 법적 보호를 받지 못한다.
③ 주류 집단에 비해 권력이 열세이다.
④ 소수자를 규정하는 기준은 절대적이다.
⑤ 스스로 사회적 소수자임을 인식하지 못한다.

02 다음 법 조항을 가장 바르게 이해한 사람은?

> **근로 기준법 제54조** ① 사용자는 근로 시간이 4시간인 경우에는 30분 이상, 8시간인 경우에는 1시간 이상의 휴게 시간을 근로 시간 도중에 주어야 한다.

① 갑 : 나도 유급 휴가를 받을 수 있어.
② 을 : 학생이라도 최저 임금을 받을 수 있어.
③ 병 : 고용주의 연장 근무 요청은 거부할 수 있어.
④ 정 : 초과 근무를 하면 추가 수당을 요구할 수 있어.
⑤ 무 : 휴식 시간은 법적으로 보장되는 노동자의 권리야.

03 다음 표는 국내 인권 문제의 해결 방안을 구분한 것이다. (가), (나)에 들어갈 적절한 방안을 <보기>에서 고른 것은?

의식적 차원	(가)
사회·제도적 차원	(나)

<보기>
ㄱ. (가) : 인권 감수성 함양
ㄴ. (가) : 인권 보호 캠페인 실시
ㄷ. (나) : 인권 보장을 위한 법률 마련
ㄹ. (나) : 사회적 소수자에 대한 편견 해소

① ㄱ, ㄴ ② ㄱ, ㄷ ③ ㄴ, ㄷ
④ ㄴ, ㄹ ⑤ ㄷ, ㄹ

04 다음과 같은 상황에서 갑의 대응으로 적절한 것을 <보기>에서 고른 것은?

> 고등학생인 갑은 ○○마트에서 한 달간 근무한 후 급여를 받았다. 그런데 근로 계약서에 명시된 금액보다 지급된 급여가 적어 이에 대해 항의하였으나, ○○마트에서는 갑에게 납득할 만한 이유를 제시하지 않고 있다.

<보기>
ㄱ. 고용 노동부에 임금 체불 사실을 신고한다.
ㄴ. 대한 법률 구조 공단에서 ○○마트의 행위에 대해 법률 상담을 받는다.
ㄷ. 더 이상의 임금 체불을 피하기 위해 다른 마트에서 새로운 일자리를 찾는다.
ㄹ. ○○마트 직원들과의 인간적인 정을 고려하여 더 이상 문제 제기를 하지 않는다.

① ㄱ, ㄴ ② ㄱ, ㄷ ③ ㄴ, ㄷ
④ ㄴ, ㄹ ⑤ ㄷ, ㄹ

05 다음 밑줄 친 내용에 대한 옳은 설명을 <보기>에서 고른 것은?

> 정부는 <u>장애인 차별 금지 및 권리 구제 등에 관한 법률을 제정</u>하여 장애인의 사회 참여와 평등권 실현을 통한 인간으로서의 존엄과 가치를 구현하고자 한다.

<보기>
ㄱ. 사회·제도적 차원의 해결 방안이다.
ㄴ. 청소년 노동권을 보호하기 위한 방안이다.
ㄷ. 국제 사회의 인권 문제를 해결하기 위한 방안이다.
ㄹ. 사회적 소수자의 인권 문제를 해결하기 위한 방안이다.

① ㄱ, ㄴ ② ㄱ, ㄹ ③ ㄴ, ㄷ
④ ㄴ, ㄹ ⑤ ㄷ, ㄹ

06 청소년 노동권에 대한 설명으로 옳지 않은 것은?

① 근로 기준법의 보호 대상이다.
② 최저 임금의 적용 예외 대상이다.
③ 산업 재해 보상 보험의 보호 대상이다.
④ 하루 7시간을 초과하여 근무할 수 없다.
⑤ 휴일 근무나 연장 근무를 할 경우 50%의 가산 임금을 받을 수 있다.

07 다음 밑줄 친 '인식과 태도'로 적절하지 않은 것은?

> 청소년 노동권을 보장받기 위해서는 청소년 스스로 자신의 권리에 대한 바람직한 인식과 태도를 가져야 한다.

① 근무 전 근로 계약서를 작성한다.
② 임금 체불시 고용 노동부에 신고한다.
③ 근로 기준법에 명시된 주요 내용을 숙지한다.
④ 노동권을 침해당한 경우 정부 기관에 법률 상담을 신청한다.
⑤ 부당한 요구에 대해서는 고용주의 입장에서 생각하고 판단한다.

B 세계의 인권 문제

08 다음 글의 밑줄 친 부분에 들어갈 내용으로 적절하지 않은 것은?

> 국제 사회에서 발생하는 인권 문제의 경우 한 국가 내에서 일어나는 경우가 많다. 그런데 인권 문제가 발생하는 당사국의 인권 개선 의지가 약할 경우 그 해결이 어렵다. 따라서 국제 사회의 인권 문제를 해결하기 위해서는 ______________

① 국제 행위 주체들의 노력이 필요하다.
② 인류를 하나의 공동체로 인식해야 한다.
③ 비정부 기구들의 인권 보호 활동을 지원해야 한다.
④ 개별 국가의 정책에 대한 국제적인 간섭을 최소화해야 한다.
⑤ 각국 정부가 책임 의식을 가지고 인권 보장에 참여해야 한다.

09 다음은 세계 기아 지수를 지도로 나타낸 것이다. 이를 통해 추론할 수 있는 세계 인권 문제의 특징을 〈보기〉에서 고른 것은?

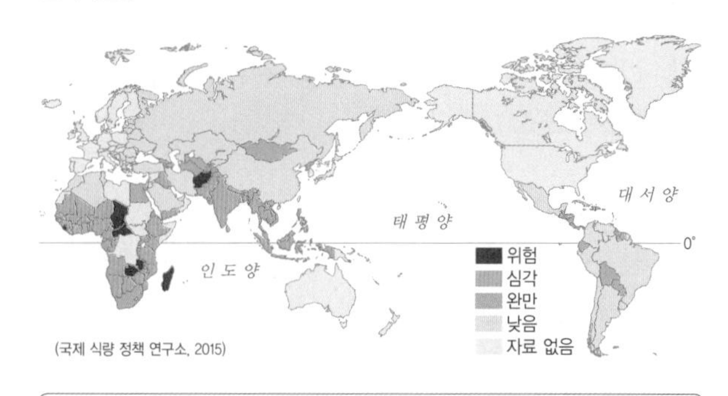

(국제 식량 정책 연구소, 2015)

> 보기
> ㄱ. 국가별로 인권의 상황이 다르다.
> ㄴ. 개별 국가 차원에서의 해결이 최선이다.
> ㄷ. 문제의 해결을 위해 국제적 연대가 필요하다.
> ㄹ. 굶주림의 문제는 모든 국가가 직면하고 있는 문제이다.

① ㄱ, ㄴ ② ㄱ, ㄷ ③ ㄴ, ㄷ
④ ㄴ, ㄹ ⑤ ㄷ, ㄹ

10 다음 글의 A에 들어갈 단체에 대한 옳은 설명을 〈보기〉에서 고른 것은?

> [A]은/는 의료 소외 지역에서 위험을 무릅쓰고 봉사 활동을 펼치고 있는 국제 인도주의 민간 의료 구호 단체로, 전 세계 70여개 이상의 나라에서 분쟁, 전염병, 영양실조, 자연재해로 고통받거나 의료 혜택을 받지 못하는 사람들을 위해 긴급 구호 활동을 벌이고 있다.

> 보기
> ㄱ. 비정부 기구(NGO)에 해당한다.
> ㄴ. 세계 인권 문제를 해결하고자 한다.
> ㄷ. 인권 개선을 위한 국가 차원의 기구이다.
> ㄹ. 소속 국가의 인권 보장을 목적으로 한다.

① ㄱ, ㄴ ② ㄱ, ㄷ ③ ㄴ, ㄷ
④ ㄴ, ㄹ ⑤ ㄷ, ㄹ

정답과 해설 39쪽

01 현행 근로 기준법을 근거로 다음 근로 계약서를 평가한 내용으로 옳지 않은 것은?

> **17세 청소년의 근로 계약서**
> 1. 계약 기간 : ○○월 ○○일 ~ ○○월 ○○일
> 2. 근무 장소 : ○○빵집
> 3. 근무일 : 월요일 ~ 일요일(주 7일)
> 4. 근로 시간 : 오전 8시 ~ 오후 10시(휴게 시간 미포함)
> 5. 임금 : 수습 기간에는 최저 임금의 70% 지급, 35시간을 초과한 근로에 대해서는 10%의 가산 임금 지급

① 주 1일의 유급 휴일이 명시되어야 한다.
② 휴게 시간이 1시간 이상 명시되어야 한다.
③ 수습 기간이라도 최저 임금이 지급되어야 한다.
④ 초과 근무에 대해서는 25%의 가산 임금을 지급해야 한다.
⑤ 근로 기준법에 명시된 청소년 근로자의 1일 근무 시간을 초과하고 있다.

고난도

02 다음에서 추론할 수 있는 사회적 소수자의 특징으로 가장 적절한 것은?

> A국의 국민 갑은 다른 나라에서 이주한 외국인 노동자들에게 차별적 대우와 언행을 스스럼없이 하였다. 갑은 더 나은 삶을 바라며 A국보다 선진국인 B국으로 이민을 가게 되었다. B국에서 갑은 B국 사람들과 피부색이 다르고, B국 언어에 익숙하지 못하다는 이유로 부당한 차별 대우를 받고 있다.

① 집단에 속하는 구성원의 수로 구분된다.
② 스스로 차별받는다고 의식하는 집단이다.
③ 주류 집단에게 지속적으로 차별을 받는다.
④ 주류 집단에 비해 소속된 사람의 수가 적다.
⑤ 사회적 소수자를 구분하는 기준은 상대적이다.

03 다음에 제시된 상황을 바르게 이해한 사람을 〈보기〉에서 고른 것은?

> 대부분의 난민들은 난민을 수용하기 위한 공간인 난민 캠프에서 생활하는데, 캠프의 시설은 매우 열악하다. 비바람을 겨우 피할 수 있는 천막에서 생활하며, 깨끗한 식수와 식량은 꿈도 꾸지 못한다. 공공 의료나 교육 또한 기대할 수 없다. 특히 주거 환경이 열악한 곳에서는 1주일에 두 번, 소량으로 배급되는 식량으로 힘겹게 삶을 이어나가고 있다.

〈보기〉
갑 : 난민의 인권이 적절히 보호되고 있어.
을 : 난민은 국가의 보호를 받지 못하고 있어.
병 : 난민의 인권 문제에 대한 관심과 지원이 필요해.
정 : 전 지구적 차원에서 난민 문제에 대한 협력이 이루어지고 있어.

① 갑, 을　② 갑, 병　③ 을, 병
④ 을, 정　⑤ 병, 정

04 다음은 난민 문제에 대한 해결 방안이다. (가), (나)에 대한 옳은 설명을 〈보기〉에서 고른 것은?

> (가) **난민의 지위에 관한 협약 제22조** ① 체약국은 난민에게 초등 교육에 대하여 자국민에 부여하는 대우와 같은 대우를 부여해야 한다.
> (나) 어떤 사람에게 매우 나쁜 일이 일어나는 것을 방지할 힘을 우리가 가지고 있고, 그 나쁜 일을 방지함으로써 그 일에 상당하는 도덕적 의미가 있는 다른 일이 희생되지 않는다면, 우리는 그렇게 해야만 한다. [피터 싱어, 『실천 윤리학』]

〈보기〉
ㄱ. (가)는 국제적 협력을 통한 해결을 중시한다.
ㄴ. (나)는 개인의 의식 개선을 강조하고 있다.
ㄷ. (가), (나) 모두 사회·제도적 차원에서 해결 방안을 모색하고 있다.
ㄹ. (가)와 달리 (나)는 난민 문제를 특정 집단이 해결해야 할 문제로 인식하고 있다.

① ㄱ, ㄴ　② ㄱ, ㄷ　③ ㄴ, ㄷ
④ ㄴ, ㄹ　⑤ ㄷ, ㄹ

한눈에 보는
대단원 정리

01 인권의 의미와 현대 사회의 인권

키워드 #시민 혁명 #차티스트 운동 #바이마르 헌법 #세계 인권 선언 #주거권 #환경권 #안전권 #문화권

A 인권의 의미와 특징

(1) 의미 : 인간으로서 당연히 누려야 할 기본적인 권리

(2) 특징

보편성	모든 사람들이 누리는 권리
천부성	태어나면서부터 가지는 권리 → 천부 인권
항구성	박탈당하지 않고 영구히 보장되는 권리
불가침성	누구도 침범할 수 없고, 양도할 수 없는 권리

B 인권 보장의 역사

(1) 시민 혁명(자유권, 평등권)

배경	봉건제에서의 억압과 착취, 시민 계층의 성장
전개 과정	• 영국 명예혁명(1688) → 권리 장전 • 미국 독립 혁명(1776) → 독립 선언문 • 프랑스 혁명(1789) → 인간과 시민의 권리 선언

(2) 참정권 운동

배경	직업, 재산, 성별 등에 따른 선거권 제한
전개 과정	차티스트 운동(1838), 여성 참정권 운동(1910년대)
의의	20세기 이후 거의 모든 사람들의 참정권 보장

(3) 인간답게 살아갈 권리 보장(사회권) : 독일 바이마르 헌법(1919) → 최초로 사회권 명시

(4) 국경을 초월한 인권 보장(연대권) : 국제 연합(UN)의 세계 인권 선언 채택(1948) → 연대권 강조

C 현대 사회의 인권

주거권	쾌적하고 안정적인 주거 환경에서 생활할 권리
환경권	건강하고 쾌적한 환경에서 생활할 권리
안전권	국민이 각종 재난과 사고의 위험으로부터 안전을 보호받을 권리
문화권	문화 활동에 참여하고 문화를 향유할 권리

02 인권 보장을 위한 헌법의 역할과 시민 참여

키워드 #인권과 헌법 #기본권 #권력 분립 #헌법 재판소 #준법 의식 #시민 참여 #시민 불복종

A 인권 보장과 헌법의 역할

(1) 헌법 : 국가의 최고법 → 인권 수호의 근본적 토대

(2) 기본권의 종류

자유권	국가 권력에 간섭받지 않고 자유로울 권리
평등권	차별받지 않고 동등하게 대우받을 권리
참정권	국가의 의사 결정 과정에 참여할 수 있는 권리
사회권	인간다운 생활의 보장을 요구할 수 있는 권리
청구권	기본권의 침해를 구제하도록 요구할 수 있는 권리

(3) 기본권의 제한 : 국가 안전 보장, 질서 유지, 공공복리를 위하여 필요한 경우에 한하여 법률로써 제한

(4) 인권 보장을 위한 제도적 장치

권력 분립	국가 권력을 나누어 상호 견제와 균형 유지
법치주의	법률에 근거한 공권력의 행사만을 허용
헌법 재판소	헌법 재판을 통해 국민의 인권을 침해하는 국가 권력이나 법률 등을 위헌으로 결정
기타	민주적 선거 제도, 복수 정당제 등

B 준법 의식과 시민 참여

(1) 준법 의식 : 시민이 자발적으로 법을 지키려는 의지

(2) 시민 참여

의미	시민들이 정치 과정이나 사회의 공공 문제에 관심을 가지고 참여하는 것
기능	• 국가 권력의 견제와 감시를 통한 인권 보장 • 시민들의 의견을 정치 과정에 반영
유형	선거 및 투표, 이익 집단 및 시민 단체 활동, 공청회 참여, 서명 운동, 1인 시위 등

(3) 시민 불복종

의미	잘못된 법이나 정책을 바로잡기 위해 의도적으로 법을 위반하는 행위
성립 조건	목적의 정당성, 비폭력성, 최후의 수단, 위법 행위에 대한 처벌 감수

03 인권 문제의 양상과 해결 방안

키워드 #사회적 소수자 #청소년 노동권 #인권 감수성 #세계 인권 문제 #인권 지수 #국제적 연대 #세계 시민 의식

A 우리 사회의 인권 문제

(1) 사회적 소수자의 인권 문제

사회적 소수자	신체적·문화적 특징으로 불리한 환경에 놓이거나 차별 대우를 받는 사람 예 장애인, 이주 외국인 등
차별 사례	교육 및 취업 등의 기회 제한, 문화적 차이에서 오는 불편, 노동 조건의 차별 및 임금 체불 등

(2) 사회적 소수자 인권 문제의 해결 방안

제도	법률 제정 및 각종 지원 방안 마련, 관련 국가 기관 설립, 사회적 분위기 조성
의식	사회적 소수자에 대한 편견 타파, 인권 감수성 함양

(3) 청소년 노동권 침해 문제의 해결 방안

제도	• 청소년 노동권 관련 법률 및 제도 보완 • 노동권 침해 신고 및 법률 상담 제공
의식	• 청소년 : 노동권 숙지 및 적극적인 대처 • 고용주 : 관련 법규 준수 → 청소년 노동권 보장

B 세계의 인권 문제

(1) 세계 인권 문제의 유형 → 인권 지수를 통해 확인

여성 차별	고용, 승진 등 사회 전반적인 영역에서의 차별
인종 차별	다른 인종을 업신여기거나 적대함
기아 문제	가뭄, 기근 등에 의한 식량 부족
난민 문제	내전을 피해 모국을 떠난 난민들의 기본권 유린
기본권 침해	독재 국가 등에서 체제 유지를 목적으로 국민의 기본권 탄압
아동 노동	교육의 기회를 보장받지 못한 채 장시간 노동에 시달리고 있음

(2) 세계 인권 문제의 해결 방안

국제 연합	• 관련 선언과 조약 채택 • 국제 연합 인권 이사회(UNHRC) 설립
비정부 기구	국제 사면 위원회, 국경 없는 의사회 등
의식적 차원	책임 의식과 세계 시민 의식

기억나는 키워드나 핵심 내용 적어보기

A B C

A B

A B

한번에 끝내는
대단원 문제

정답과 해설 40쪽

01 다음에서 추론할 수 있는 인권의 특징으로 가장 적절한 것은?

> **세계 인권 선언 제1조** 모든 사람은 태어날 때부터 자유롭고, 존엄하며, 평등하다.

① 인권은 천부적인 권리이다.
② 인권은 양도할 수 없는 권리이다.
③ 인권은 영구히 보장되는 권리이다.
④ 인권은 특정 계급에 한정된 권리이다.
⑤ 인권은 생애 중 박탈되지 않는 권리이다.

02 다음은 인권의 발달 과정에 있어 중요 사건을 시간 순으로 나타낸 것이다. ㉠~㉢에 대한 설명으로 옳은 것은?

① ㉠을 통해 사회권이 확립되었다.
② ㉠은 사회 계약설의 영향을 받아 발생하였다.
③ ㉡을 통해 평등권이 확립되었다.
④ ㉡은 남녀의 동등한 선거권 부여를 주장하였다.
⑤ ㉢을 통해 자유권이 확립되었다.

03 다음 사례에서 제한되고 있는 권리에 대한 설명으로 옳은 것은?

> 한 연구 기관에서 남녀 1만 명을 대상으로 문화 향유 실태 조사를 한 결과 소득 수준에 따라 문화 격차의 정도가 크게 나타났다.

① 정치에 참여할 수 있는 권리이다.
② 안전을 보호받을 수 있는 권리이다.
③ 국가로부터 자유로울 수 있는 권리이다.
④ 누구나 문화를 향유할 수 있는 권리이다.
⑤ 쾌적한 환경에서 생활할 수 있는 권리이다.

04 다음과 같은 상황에서 등장한 인권에 대한 옳은 설명을 〈보기〉에서 고른 것은?

> 산업 혁명이 진행되는 과정에서 노동자들은 열악한 노동 조건과 낮은 임금에 시달렸으며, 생존을 위협받기도 하였다. 이런 상황에서 시민이 자유와 권리를 실질적으로 누리기 위해서는 국가가 사회적 약자를 보호해야 한다는 생각이 널리 퍼지게 되었다.

〈보기〉
ㄱ. 프랑스 인권 선언을 통해 천부적인 권리임이 명시되었다.
ㄴ. 오늘날 대부분의 복지 국가에서 추구하고 있는 권리이다.
ㄷ. 교육을 받을 권리, 쾌적한 환경에서 생활할 권리 등이 포함된다.
ㄹ. 다른 기본권이 침해되었을 때 이에 대한 구제를 요구할 수 있는 권리이다.

① ㄱ, ㄴ ② ㄱ, ㄷ ③ ㄴ, ㄷ
④ ㄴ, ㄹ ⑤ ㄷ, ㄹ

05 다음 법률 조항이 보장하고자 하는 권리에 대한 옳은 설명을 〈보기〉에서 고른 것은?

> **제1조** 이 법은 …… 국민의 주거 안정과 주거 수준의 향상에 이바지하는 것을 목적으로 한다.
> **제2조** 국민은 …… 물리적·사회적 위험으로부터 벗어나 쾌적하고 안정적인 주거 환경에서 인간다운 주거 생활을 할 권리를 갖는다.

〈보기〉
ㄱ. 현대 사회에서 새롭게 등장한 인권이다.
ㄴ. 근대 시민 혁명을 계기로 확립된 권리이다.
ㄷ. 도시로의 인구 집중에 따라 필요성이 제기된 권리이다.
ㄹ. 성별, 재산 등에 따른 차별 없는 참정권 보장을 목적으로 한다.

① ㄱ, ㄴ ② ㄱ, ㄷ ③ ㄴ, ㄷ
④ ㄴ, ㄹ ⑤ ㄷ, ㄹ

06 다음 헌법 조항이 보장하고자 하는 기본권에 대한 설명으로 옳은 것은?

> **헌법 제31조** ① 모든 국민은 능력에 따라 균등하게 교육을 받을 권리를 가진다.

① 불합리하게 차별받지 않을 권리이다.
② 정치 과정에 참여할 수 있는 권리이다.
③ 기본권 침해에 대한 구제를 요구할 수 있는 권리이다.
④ 국가에 인간다운 생활의 보장을 요구할 수 있는 권리이다.
⑤ 국가 권력의 간섭을 받지 않고 자유롭게 생활할 수 있는 권리이다.

07 다음에 제시된 제도들이 공통적으로 추구하는 목적으로 가장 적절한 것은?

> • 복수 정당 제도 • 민주적 선거 제도
> • 권력 분립 제도 • 헌법 재판소의 운영

① 국가 안전 보장
② 국민의 민원 해결
③ 국민의 여론 수렴
④ 국민의 기본권 보장
⑤ 불합리한 행정 제도 개선

08 다음 사례에서 갑의 행동이 정당화되기 위해 필요한 조건을 〈보기〉에서 고른 것은?

> A국의 시민 갑은 정부의 경제 정책이 국민의 권리를 침해하고 있다고 판단하여 시민 불복종을 전개하고자 한다.

〈보기〉
ㄱ. 현행법에 의한 처벌을 거부해야 한다.
ㄴ. 비폭력적으로 운동이 전개되어야 한다.
ㄷ. 행위의 목적이 사회적으로 정당해야 한다.
ㄹ. 시민 불복종 외에 선택 가능한 다른 대안이 존재해야 한다.

① ㄱ, ㄴ ② ㄱ, ㄷ ③ ㄴ, ㄷ
④ ㄴ, ㄹ ⑤ ㄷ, ㄹ

09 다음 사례에 대한 옳은 설명을 〈보기〉에서 고른 것은?

> 구치소가 재판 중인 미결 수용자의 종교 집회 참석을 제한한 것은 위헌이라는 헌법 재판소의 결정이 나왔다. 헌법 재판소는 구치소의 열악한 시설을 이유로 미결 수용자의 종교 집회를 제한한 것은 종교의 자유를 과도하게 제한한 것이라고 밝혔다.

〈보기〉
ㄱ. 사회권이 국가 권력에 의해 부당하게 침해되었다.
ㄴ. 헌법적 장치를 통해 국민의 참정권을 보장한 사례이다.
ㄷ. 헌법 소원 심판을 통해 권리의 구제가 이루어지고 있다.
ㄹ. 헌법 재판소는 기본권 제한의 원칙이 지켜지지 않았다고 판단하였다.

① ㄱ, ㄴ ② ㄱ, ㄷ ③ ㄴ, ㄷ
④ ㄴ, ㄹ ⑤ ㄷ, ㄹ

10 다음 헌법 조항이 공통적으로 추구하는 목적에 대한 옳은 설명을 〈보기〉에서 고른 것은?

> **제40조** 입법권은 국회에 속한다.
> **제66조** ④ 행정권은 대통령을 수반으로 하는 정부에 속한다.
> **제101조** ① 사법권은 법관으로 구성된 법원에 속한다.

〈보기〉
ㄱ. 국가 기관에 의한 권력 남용을 예방하고자 한다.
ㄴ. 국민 개개인의 무분별한 권리 행사를 통제하고자 한다.
ㄷ. 국가 기관에 의한 기본권의 침해를 방지하고자 한다.
ㄹ. 개인이나 집단 사이의 이익 충돌에 따른 갈등을 방지하고자 한다.

① ㄱ, ㄴ ② ㄱ, ㄷ ③ ㄴ, ㄷ
④ ㄴ, ㄹ ⑤ ㄷ, ㄹ

11 다음은 청소년 을의 근로 계약서이다 이에 대한 옳은 설명을 〈보기〉에서 고른 것은?

> **사업주 갑과 근로자 을의 근로 계약서**
> 1. 근로 시간 : 오전 10시~오후 4시까지
> (휴게 시간은 없음)
> 2. 근무일 : 매주 6일 근무, 매주 일요일 유급 휴일
> 3. 임금 : 최저 임금의 90% 수준

〈보기〉
ㄱ. 일주일에 하루의 유급 휴일 보장은 적절하다.
ㄴ. 하루 근로 시간은 근로 기준법에 위배되지 않는다.
ㄷ. 사업주가 희망하지 않을 경우 휴게 시간을 주지 않아도 된다.
ㄹ. 청소년의 경우 최저 임금의 90% 수준으로 임금을 지급하는 것이 적절하다.

① ㄱ, ㄴ ② ㄱ, ㄷ ③ ㄴ, ㄷ
④ ㄴ, ㄹ ⑤ ㄷ, ㄹ

12 다음 밑줄 친 두 단체의 공통점으로 옳은 것을 〈보기〉에서 고른 것은?

> • 국제 사면 위원회 한국 지부에서는 집회의 자유를 촉구하는 홀로그램 시위를 실시하였으며, 이주 노동자의 인권 보장을 요구하는 탄원서를 한국 정부에 제출하였다.
> • 국경 없는 의사회는 아프리카와 서남아시아 등의 분쟁 지역에 의사를 비롯한 의료인을 파견하여 분쟁 지역에서 적절한 치료를 받지 못하는 사람들에게 의료 서비스를 제공하고 있다.

〈보기〉
ㄱ. 특정 국가에 소속되지 않은 단체이다.
ㄴ. 세계 인권 문제의 해결을 목적으로 한다.
ㄷ. 특정 국가 국민의 인권 보장을 목적으로 한다.
ㄹ. 개인적 차원에서 세계의 인권 문제를 해결하는 방안이다.

① ㄱ, ㄴ ② ㄱ, ㄷ ③ ㄴ, ㄷ
④ ㄴ, ㄹ ⑤ ㄷ, ㄹ

13 다음에 제시된 특별 전형의 대상자에 대한 설명으로 옳지 않은 것은?

> A 대학은 교육의 기회 균등을 보장하기 위해 특별 전형을 실시하여 정원 외로 100명을 선발할 계획이다. 특별 전형에 지원 가능한 대상은 사회적 소수자 집단의 학생으로, 세부 내용은 A 대학의 모집 요강에 안내되어 있다.

① 사회생활에서 차별을 받고 있는 사람들이다.
② 사회적으로 불리한 환경에 놓인 사람들이다.
③ 주류 집단에 비해 권력이 열세인 사람들이다.
④ 수적으로 주류 집단에 비하여 소수인 사람들이다.
⑤ 자신이 차별받는 집단에 속해 있다는 의식을 가진 사람들이다.

14 다음 (가), (나)의 밑줄 친 부분에 대한 설명으로 옳지 않은 것은?

> (가) A국을 비롯한 10여 개국은 세계 빈곤 문제의 해결을 위해 총 1,000만 달러의 국제 빈곤 퇴치 기여금을 아프리카에 지원할 계획이다. 이들 국가들은 지난 10년에 걸쳐 총 30개국에 빈곤과 질병 퇴치를 위해 기여금을 지원하고 있다.
> (나) B국 시민 단체는 집안에 굴러다니는 잔돈을 모으는 사랑의 저금통 캠페인을 진행하고 있다. 많은 시민들이 사랑의 저금통 캠페인을 통해 기부에 참여하고 있으며, 이를 통해 모인 돈은 아프리카 C국 아동들의 기아 문제 해결에 사용되고 있다.

① (가)는 국제적 연대의 사례에 해당한다.
② (가)의 활동은 아프리카 빈곤 문제 해결에 많은 도움이 될 것이다.
③ (나)는 전 지구적 공동체 의식을 바탕으로 한다.
④ (가)와 달리 (나)는 사회적 차원의 노력에 해당한다.
⑤ (가), (나) 모두 국제 사회의 인권 문제 해결을 목적으로 한다.

15 다음은 인권의 발달 과정을 시대순으로 나타낸 것이다. 이를 보고 물음에 답하시오.

1789년	프랑스 대혁명	(㉠), 평등권
1838년	차티스트 운동	참정권
1919년	바이마르 헌법	(㉡)

(1) 위의 ㉠, ㉡에 들어갈 기본권을 쓰시오.

㉠ : (　　　　　　), ㉡ : (　　　　　　)

(2) (1)에서 답한 ㉠과 ㉡의 차이점을 국가와 개인의 관계 차원에서 서술하시오.

16 다음은 세계 인권 선언의 일부를 나타낸 것이다. 이를 읽고 물음에 답하시오.

- **제18조** 모든 사람은 사상, 양심, 종교의 자유를 누릴 권리가 있다.
- **제21조** 모든 사람은 자유롭게 선출된 대표자를 통해 자국의 정치에 참여할 권리가 있다.
- **제23조** 모든 사람은 교육받을 권리가 있다.
- **제27조** 모든 사람은 자기가 속한 사회의 문화생활에 자유롭게 참여하고, 예술을 즐기며 학문적 진보와 혜택을 공유할 권리가 있다.

(1) 위 글의 각 조항에 나타난 기본권을 쓰시오.

제18조 : (　　　　　　), 제21조 : (　　　　　　)
제23조 : (　　　　　　), 제27조 : (　　　　　　)

(2) (1)에서 답한 기본권 중 제27조에 나타난 기본권과 다른 기본권의 공통점과 차이점을 서술하시오.

17 다음 글을 읽고 물음에 답하시오.

(㉠)은/는 법의 바깥 경계선에 있긴 하지만 법에 대한 충실성의 한계 내에서 법에 대한 불복종을 나타내는 것이다. 법에 대한 충실성은 그 행위의 공공적이고 비폭력적인 성격과 그 행위의 법적인 결과를 받아들이겠다는 의지로 표현된다. (㉠)의 대표적인 사례에는 간디의 소금 투쟁이 있다.

(1) 위 글의 ㉠에 공통으로 들어갈 개념을 쓰시오.

(　　　　　　)

(2) (1)에서 답한 개념이 사회적으로 인정받기 위한 네 가지 요건을 서술하시오.

18 다음 글을 읽고 물음에 답하시오.

- 과거 남아프리카 공화국에서는 법에 의해 인종 차별이 공식적으로 이루어졌다. 백인들이 정치·경제 등 모든 영역에서 지배 계급을 형성한 반면, 흑인들은 차별과 천대를 받으며 하층 계급으로 살아갔다.
- 이주 노동자들의 경우 근로 기준법의 적용 예외로 인해 저임금·장시간 노동에 시달리는 경우가 많으며, 사회적 편견과 차별에 상처를 받기도 한다.

(1) 위 글의 밑줄 친 두 집단에 공통으로 적용되는 사회 개념을 쓰시오. (　　　　　　)

(2) (1)의 사람들이 가진 인권 문제의 해결 방안을 제도적 차원과 의식적 차원에서 한 가지씩 서술하시오.

- 제도적 차원 :
- 의식적 차원 :

V

시장 경제와 금융

키워드로 흐름 한눈에 보기

01 자본주의와 합리적 선택

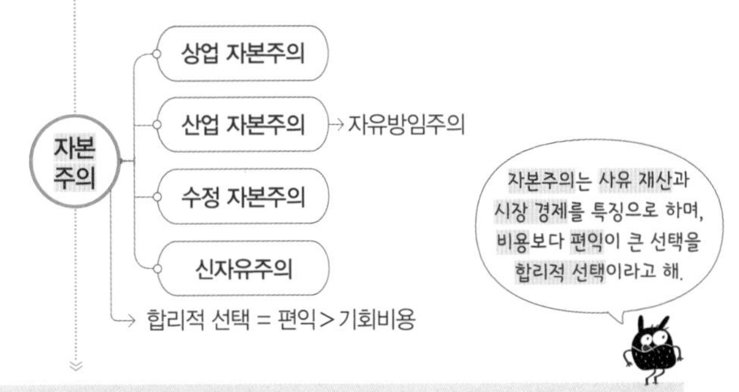

02 시장 경제의 발전을 위한 참여자의 역할

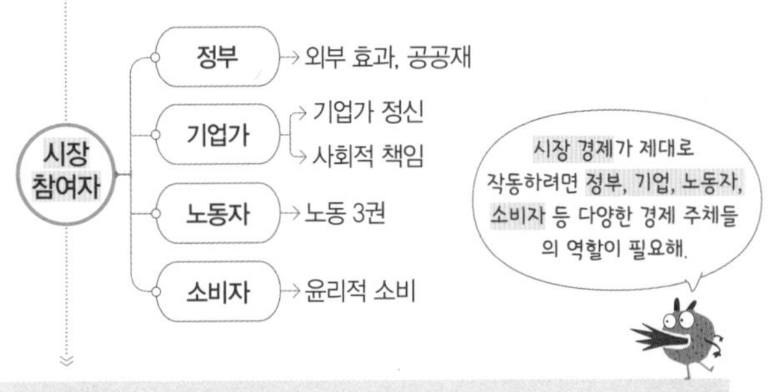

03 국제 분업과 무역의 확대

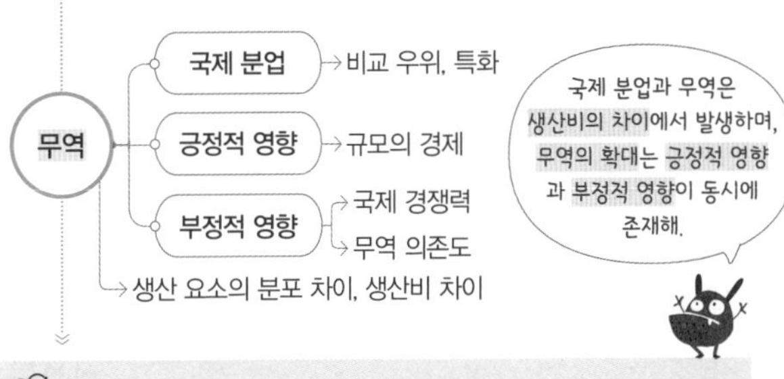

04 안정적인 경제생활과 금융 설계

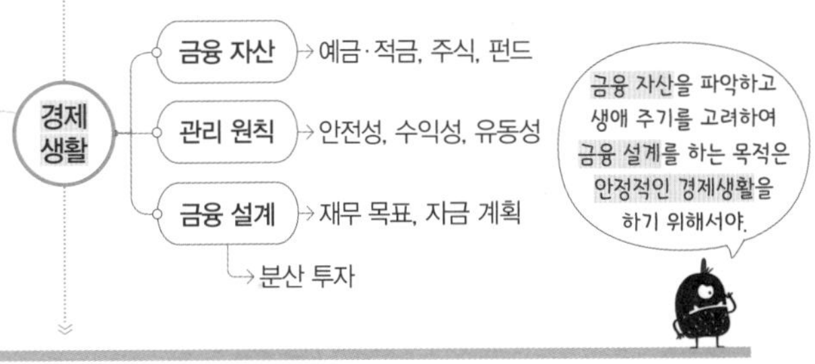

01 자본주의와 합리적 선택

흐름 잡기

자본주의

- 자본주의의 의미와 특징은? A
- 자본주의의 역사적 전개 과정은? B
- 합리적 선택의 의미와 한계는? C

A 자본주의의 의미와 특징

한·줄·단·서 **자본주의**는 **사유 재산제**를 바탕으로 **자유로운 경쟁**을 통해 이윤을 추구하는 **시장 경제 체제**야.

1. 자본주의의 의미 사유 재산 제도를 바탕으로 시장에서의 자유로운 경제 활동을 통해 상품의 생산, 교환, 분배, 소비가 이루어지는 경제 체제

2. 자본주의의 특징

사유 재산권 보장	경제 주체가 자신의 재산을 가질 수 있도록 하는 사유 재산권을 법적으로 보장 (사유 재산 제도를 인정하는 거야.)
경제 활동의 자유 보장	자유로운 경쟁을 통해 자신의 경제적 이익(사적 이윤) 추구
시장 경제 체제	개인과 기업이 시장에서 자유롭게 상품과 서비스를 거래 → 효율적인 자원 배분

B 자본주의의 역사적 전개 과정

한·줄·단·서 자본주의는 **상업 자본주의** → **산업 자본주의** → **수정 자본주의** → **신자유주의**로 발전하였어.

1. 상업 자본주의

① **시기 :** 16세기 ~ 18세기 중반

② **출현 배경 :** 신항로 개척으로 교역(상업) 확대(자본주의 태동) → 유럽 절대 왕정의 *중상주의 정책(자본주의 발전)

③ **특징 :** 상품의 생산보다는 유통 과정에서 이윤 추구

2. 산업 자본주의

① **시기 :** 18세기 중반 ~ 1920년대

② **출현 배경 :** 영국에서 일어난 산업 혁명으로 상품의 대량 생산 실현 → 산업 시설을 소유한 자본가가 자본주의 주도

③ **특징 :** 주로 상품의 생산 과정에서 이윤 추구, 개인의 자유로운 시장 경제 활동 강조 → 정부의 시장 개입 최소화(작은 정부)

④ **사상가 및 사상 :** 애덤 스미스의 자유방임주의 → 개인의 경제 활동의 자유를 최대한 보장, *'보이지 않는 손' 강조 자료1

3. 수정 자본주의

① **시기 :** 1930년대 ~ 1970년대 초

② **출현 배경 :** 시장 실패(독과점, 노동 착취 등), 대공황(1929년, 미국) 자료2
(독과점: 하나 또는 소수의 기업이 시장을 지배하는 것 / 대공황: 전 세계적으로 경기 침체 및 대량 실업 발생)

③ **특징 :** 정부의 적극적인 시장 개입(큰 정부), 혼합 경제 체제

④ **사상가 및 사상 :** 케인스의 유효 수요 이론 → 국가가 나서서 일자리를 창출하여 사람들의 구매력을 늘려야 한다고 주장
(유효 수요: 생산물을 실제로 구매할 수 있는 수요)

⑤ **주요 정책 :** 미국의 *뉴딜 정책

4. 신자유주의

① **시기 :** 1970년대 이후

② **출현 배경 :** 정부 실패, 석유 파동(1970년대)과 스태그플레이션 발생 자료3
(정부 실패: 정부의 개입이 오히려 시장의 비효율 초래 / 스태그플레이션: 스태그네이션(경기 침체)+인플레이션(물가 상승))

③ **특징 :** 정부의 시장 개입 비판, 시장의 기능 및 자유로운 경제 활동 강조

④ **주요 정책 :** 기업에 대한 정부 규제 완화 및 철폐, 공기업 민영화, 복지 축소 등

• **중상주의**
국가가 상업을 장려하면서, 수출을 권장하고 수입을 억제하는 보호 무역을 펴는 경제 정책이다.

• **'보이지 않는 손'**
애덤 스미스의 『국부론』에 나오는 표현으로, 누군가 계획하지 않아도 자원이 효율적으로 배분되는 시장의 기능을 비유한 것이다.

• **뉴딜 정책**

▲ 뉴딜 정책으로 시행된 도로 정비 사업
미국은 대규모 공공사업으로 실업자들에게 일자리를 제공하여 대공황을 극복하였다.

궁금해? 자본주의 비교

시장 강조	정부 강조
시장 자율성 강조	정부 개입 강조
산업 자본주의, 신자유주의	수정 자본주의

자료 1 애덤 스미스의 자유방임주의

> 우리가 저녁 식사를 기대할 수 있는 건 푸줏간 주인, 양조장 주인, 빵집 주인의 자비심 덕분이 아니라, 그들이 자기 이익을 챙기려는 생각 덕분이다. …… 각 개인은 보이지 않는 손에 의하여 인도되어 자기가 전혀 의도하지 않았던 목적을 촉진하게 된다. …… 그는 자신의 이익을 추구함으로써 오히려 더 효과적으로 사회의 이익을 촉진한다. [애덤 스미스, 『국부론』]

▲ 애덤 스미스

자·료·분·석 애덤 스미스는 『국부론』에서 각 개인이 자신의 이익을 추구하도록 경제적 자유를 최대한 보장(자유방임)하면 수요와 공급을 조절하는 시장의 가격 기능인 '보이지 않는 손'이 작동하여 결과적으로 사회 전체의 이익도 증가한다는 자유방임주의를 주장하였다. 자유방임주의는 자본주의 경제 체제를 확립시키는 데 사상적 기초가 되었다.

한·줄·핵·심 자유방임주의는 국가의 간섭을 최소화하고 경제 활동의 자유를 최대한 보장하는 경제 사상이다.

키워드 체크

❶ 개인의 경제 활동의 자유를 최대한 보장하는 경제 사상은?

답 : □□□□주의

자료 2 대공황과 수정 자본주의

자·료·분·석 1929년 미국의 주가 폭락을 계기로 생산 위축, 기업 도산, 대량 실업이라는 세계 대공황이 발생하였다. 경제학자 케인스는 대공황이 일어난 원인을 '물건이 넘쳐나도 살 사람이 없기 때문'이라고 하였다. 그는 생산물을 구매할 '유효 수요(구매력)'를 늘리기 위해 정부가 시장에 적극적으로 개입해야 한다는 수정 자본주의 이론을 주장하였다. 이후 미국을 비롯한 많은 국가에서는 정부가 시장에 적극적으로 개입하는 수정 자본주의를 도입하였다.└ 각종 공공사업 실시, 사회 보장 제도 강화 등

한·줄·핵·심 대공황(1929년)을 계기로 자본주의는 산업 자본주의에서 수정 자본주의로 변화를 모색하게 되었다.

▲ 대공황 당시 무료 급식소에 줄을 선 실업자들

1929년 미국의 실업자는 100만 명에 달하였고, 1932년에는 1,300만 명 이상으로 기록되었다. 이들은 무료 급식소와 기부자들의 지원을 찾아 이곳저곳을 돌아다녔다.

키워드 체크

❷ 1929년 대공황을 계기로 대부분의 국가에서는 정부가 시장에 적극적으로 개입하는 □□ 자본주의를 도입하였다.

답 : □□ 자본주의

자료 3 석유 파동과 신자유주의

자·료·분·석 1970년대에 발생한 두 차례의 석유 파동으로 실업과 같은 경기 침체(스태그네이션)와 물가 상승(인플레이션)을 동시에 가져오는 스태그플레이션이 발생하였다. 그리고 이를 해결하기 위한 정부의 시장 개입이 효력을 발휘하지 못하자, 결국 정부의 역할을 제한하고 시장의 기능과 자유로운 경제 활동을 강조하는 신자유주의 사상이 확산되기 시작하였다.

한·줄·핵·심 1970년대 석유 파동으로 발생한 스태그플레이션을 해결하기 위해 신자유주의가 등장하였다.

▲ 1979년 제2차 석유 파동 당시 석유를 사기 위해 줄을 선 사람들

키워드 체크

❸ 1970년대 석유 파동을 계기로 새롭게 등장한 자본주의는?

답 : □□□□□

키워드 체크 정답 ❶ 자유방임 ❷ 수정 ❸ 신자유주의

C 합리적 선택의 의미와 한계

한·줄·단·서 **기회비용보다 편익이 큰 선택**을 **합리적 선택**이라고 하는데, 합리적 선택에도 **한계**가 있어.

1. 합리적 선택

① **의미** : 선택에 따른 기회비용과 편익을 비교하여 기회비용보다 편익이 더 큰 쪽을 선택하는 것 → 최소의 비용으로 최대의 편익을 얻는 효율적인 선택

편익	선택을 통해 얻게 되는 이익이나 효용 → 금전적인 것뿐만 아니라 심리적 만족감과 같은 비금전적인 것도 포함
기회비용 자료 4	선택한 대안을 위해 포기해야 하는 가치 가운데 가장 큰 가치 → 명시적 비용과 암묵적 비용을 모두 포함 • 명시적 비용 : 선택한 대안을 위해 직접 화폐로 지출해야 하는 비용 • 암묵적 비용 : 선택한 대안을 위해 포기한 대안이 가지는 가치

└ 포기한 대안이 2개 이상일 경우, 그 중 가장 큰 가치가 암묵적 비용이야.

궁금해? 명시적 비용과 암묵적 비용

구분	아이스크림	떡볶이
비용	1,000원	1,500원
편익	만족감 + 10	만족감 + 20

아이스크림을 선택했을 때, 명시적 비용은 아이스크림값 1,000원이고, 암묵적 비용은 떡볶이를 먹었다면 얻을 수 있었던 만족감 + 20이다.

② **필요성** : 자원의 희소성 → 인간의 욕망에 비해 자원의 양이 상대적으로 부족하므로 자원을 효율적으로 사용할 필요가 생김

③ **과정**

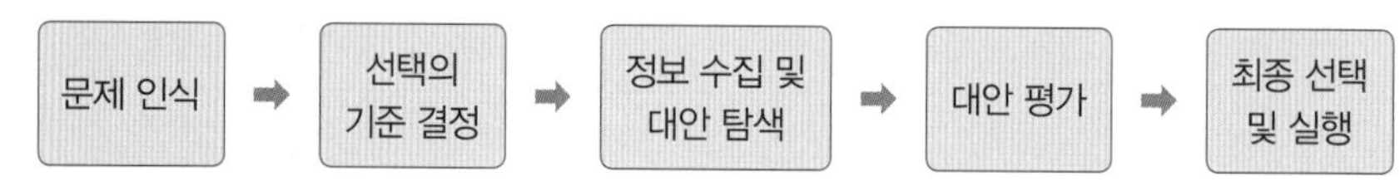

2. 합리적 선택의 한계

① **발생 원인** : 선택의 과정에서 효율성만 추구하는 경우 → 공공의 이익이나 규범 준수를 간과할 수 있음

② **양상 및 사례**

- 개인의 이익 추구가 공공의 이익을 훼손함 예 개인들이 저축을 너무 열심히 한 결과 소비가 줄고 경기가 위축되어 불황이 심해지는 경우
- 개인의 이익 추구를 위해 사회 규범을 어김 예 기업이 더 많은 이윤 추구를 위해 환경을 오염시키는 제품을 개발하는 경우

③ **해결** : 사적 이익과 공익, 사회 규범 등을 모두 추구하여 조화를 이룸

교과서 자료 모아보기

자료 4 기회비용의 계산과 합리적 선택

식당을 운영하는 갑은 5일간 해외여행을 가려고 한다. 갑이 해외여행에 쓰게 되는 돈은 200만 원이다. 이때 갑의 해외여행에 대한 기회비용을 200만 원이라고 생각하기 쉽지만, 이는 명시적 비용만 계산한 것이다. 갑이 5일간 해외여행을 선택함으로써 포기하게 되는 5일간의 식당 영업으로 발생하는 수입인 암묵적 비용도 기회비용에 포함해야 한다. 따라서 갑이 5일간 식당에서 벌 수 있는 수입을 100만 원이라고 한다면, 갑이 해외여행을 가는 것의 기회비용은 총 300만 원이 된다.

자·료·분·석 갑의 해외여행에 대한 기회비용은 명시적 비용 200만 원과 암묵적 비용 100만 원을 더한 총 300만 원이다. 갑이 5일 동안 식당을 운영하지 않고 해외여행을 가기로 한 선택이 합리적이려면, 기회비용인 300만 원보다 해외여행으로 얻게 되는 편익(만족감)이 더 커야 한다.

한·줄·핵·심 합리적 선택 = 편익 > 기회비용(명시적 비용 + 암묵적 비용)

키워드 체크

❹ 합리적 선택은 선택한 것의 명시적 비용과 암묵적 비용까지 포함한 □□□□보다 편익이 커야 한다.

답 : □□□□

키워드 체크 정답 ❹ 기회비용

자본주의의 전개와 정부의 역할 변화

자본주의는 사유 재산제에 바탕을 둔 시장 경제 체제이다. 자본주의는 역사적 사건과 더불어 그 양상이 변화해 왔는데, 그와 더불어 정부의 역할도 변화하였다. 다음의 자료를 통해 자본주의의 역사적 전개 과정과 그에 따른 정부의 역할 변화를 알아보자.

통합 주제 story

자료❶
영국의 산업 자본가들은 곡물법을 통한 정부의 경제 개입에 강하게 반발하였다. 그들은 시장에서의 자유로운 경쟁을 통해 경제 문제를 해결하기를 원하였으며, 정부의 시장 개입을 최소화할 것을 주장하였다.

자료❷
미국의 뉴딜 정책은 시장 실패로 인한 대공황 등의 경제 문제를 해결하기 위하여 국가가 자본주의 시장 경제에 적극적으로 개입해야 한다는 수정 자본주의 이론을 실천하였다.

자료❸
신자유주의자인 '밀턴 프리드먼'은 정부가 경제에 개입해 생기는 문제점을 비판하면서 기업의 자율성 존중, 경제적 자유주의 등을 주장하였다.

자료 ❶ 영국 산업 자본가들, 곡물법 폐지

영국에서 산업 자본가들은 1832년 선거법 개정으로 민주화의 길을 열었을 뿐만 아니라, 보호 무역주의를 폐지시킴으로써 경제적으로도 자유방임주의가 확립되게 하였다. 곡물법은 국내 지주들의 이익을 옹호하기 위하여 외국산 곡물의 수입을 제한하는 것이었다. 그것은 곡물 가격을 높게 유지시켜 임금에 압박을 주고, 공업 제품의 가격을 인상시키는 결과를 가져왔다. 이러한 문제점을 해결하고자 산업 자본가인 맨체스터의 곱켄과 브라이트 등은 반곡물법 연맹을 결성하고 곡물법을 폐지시켰다.

▲ 반곡물법 연맹이 주도한 곡물법 반대 집회

자료 ❷ 미국의 뉴딜 정책

나는 여러분과 나 자신에게 미국인을 위한 새로운 분배(New Deal)를 약속합니다.
[F. D. 루스벨트(미국 제32대 대통령)]

구제	부흥	개혁
• 사회 보장법 제정 → 빈곤층 구제 • 농업 조정법 제정 → 농민 지원	• 테네시강 개발 공사 → 실업자 구제 • 산업 부흥법 제정 → 기업 지원	• 은행의 개인 예금 보호법 • 주식 시장에 대한 보다 강력한 통제

자료 ❸ 프리드먼의 신자유주의

- 자유보다 평등을 중요시하는 사회는 둘 다 얻을 수 없다. 평등보다 자유를 중요시하는 사회는 둘 다 얻을 수 있다.
- 기업의 유일한 사회적 책임은 이윤을 극대화하는 것이다. 단, 게임의 룰은 지켜야 하는데, 사기나 속임수 없이 자유 경쟁에 임하는 것이 그것이다.
- 정부와 시장은 별개이다. 정부는 존재해야 하지만, 시장의 게임 규칙을 집행하는 심판자로서의 역할만 해야 한다.

이것만은 꼭!

→ 1830년대 영국의 산업 자본가들은 **정부의 경제 개입을 반대**하였다.
→ 미국의 **뉴딜 정책**은 국가가 경제에 적극 개입해야 한다는 **수정 자본주의**를 실천하였다.
→ **신자유주의자** 프리드먼은 기업의 자율성 존중, **경제적 자유주의** 등을 주장하였다.

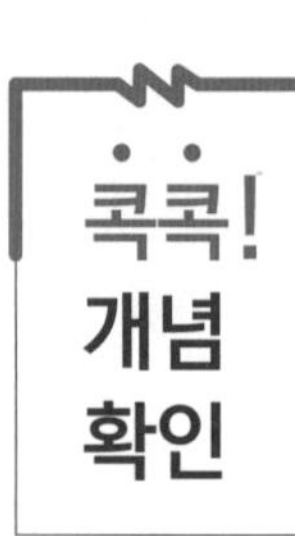

정답과 해설 43쪽

A 자본주의의 의미와 특징

01 알맞은 설명에 ○표를 하시오.

(1) 자본주의는 사유 재산 제도를 바탕으로 자유로운 경제 활동을 보장하는 (시장, 계획) 경제 원리를 말한다.

(2) 자본주의는 경제 주체가 자신의 재산을 가질 수 있도록 하는 (사유, 공유) 재산권을 법적으로 보장하고 있다.

B 자본주의의 역사적 전개 과정

02 빈칸에 알맞은 말을 쓰시오.

(1) □□ 자본주의는 16세기 무렵 신항로의 개척으로 교역이 확대되면서 등장하였다.

(2) 애덤 스미스는 『국부론』에서 시장의 작동 원리를 '□□□ □□ □'에 비유하면서 개인이 사익을 추구하는 과정에서 누가 의도하지 않아도 효율적인 자원 배분이 이루어진다고 주장하였다.

(3) □□□□□은/는 1970년대의 석유 파동으로 발생한 스태그플레이션을 해결하는 과정에서 나타났는데, 정부의 지나친 시장 개입을 비판하고 민간의 자유로운 경제 활동을 옹호하였다.

03 오른쪽 사진은 1929년 미국의 상황이다. 이를 보고 물음에 답하시오.

(1) 오른쪽 사진 속에 나타난 경제 위기 상황을 부르는 말을 쓰시오. ( )

(2) 이러한 경제 위기를 극복하기 위해 나타난 자본주의 사상을 쓰시오. ( )

▲ 무료 급식소에 줄을 선 사람들

C 합리적 선택의 의미와 한계

04 다음 사례를 읽고 물음에 답하시오.

> 식당을 운영하는 갑이 5일간 해외여행을 간다고 하자. 갑이 해외여행 경비로 쓰게 되는 돈은 200만 원이다. 이때 해외여행의 기회비용을 200만 원이라고 생각하기 쉽지만, 이는 명시적 비용만 계산한 것이다. 해외여행을 가는 것의 기회비용에는 이 돈뿐만이 아니라 식당 영업을 하지 않는 동안 포기해야 하는 수입인 (A)도 포함해야 한다. 왜냐하면, 여행을 감으로써 돈을 벌 기회를 포기해야 하기 때문이다. 따라서 5일간 식당에서 벌 수 있는 수입이 100만 원이라고 했을 때, 갑이 해외여행을 가는 것의 (B)은/는 총 300만 원이 된다.

(1) 위 사례의 빈칸 A와 B에 들어갈 개념을 쓰시오.

A : ( ), B : ( )

(2) 위 사례에서 갑의 해외여행이 합리적 선택이 되려면 편익은 ( )만 원을 초과해야 한다.

탄탄! 내신 문제

정답과 해설 43쪽

A 자본주의의 의미와 특징

01 자본주의에 대한 설명으로 옳지 않은 것은?

① 사유 재산권이 법적으로 보장된다.
② 대부분의 경제 활동이 시장에서 일어난다.
③ 경제적 효율성보다 분배의 형평성을 강조한다.
④ '보이지 않는 손'에 의해 자원 배분이 이루어진다.
⑤ 경제 주체들이 이윤 극대화를 위해 최선을 다한다.

02 다음 글을 통해 알 수 있는 자본주의의 장점으로 옳은 것을 〈보기〉에서 고른 것은?

> 자본주의는 사유 재산 제도를 법적으로 보장하고 있으며, 시장에서의 자유로운 경쟁을 통해 상품의 생산, 교환, 분배, 소비가 이루어지는 경제 체제이다.

보기
ㄱ. 공공재의 공급이 활발하다.
ㄴ. 개인의 성취동기가 촉진된다.
ㄷ. 경제적 불균등 문제가 해소된다.
ㄹ. 사회 전체의 경제적 효율성이 증대된다.

① ㄱ, ㄴ ② ㄱ, ㄷ ③ ㄴ, ㄷ
④ ㄴ, ㄹ ⑤ ㄷ, ㄹ

B 자본주의의 역사적 전개 과정

03 다음은 자본주의의 발전 과정을 나타낸 것이다. 이에 대한 설명으로 옳은 것은?

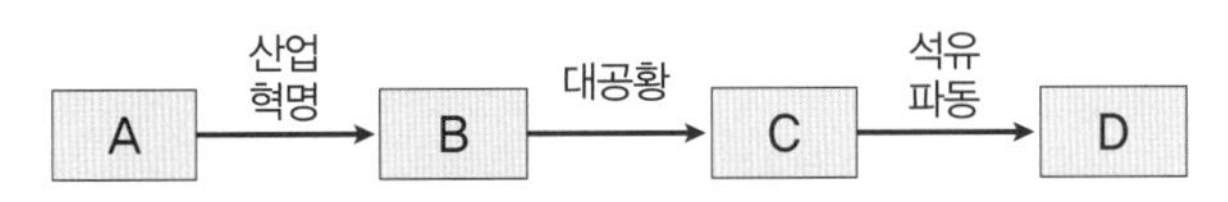

① A는 상품의 유통 과정에서 이윤을 추구하였다.
② B는 케인스의 경제 이론에 바탕을 두고 있다.
③ C에서는 과거의 비대한 정부 기능이 축소되었다.
④ D에서는 사회 보장 제도를 대폭 확대하였다.
⑤ 자유방임주의는 B보다 C에서 더 잘 적용된다.

04 다음에 제시된 (가), (나)의 경제 사상에 대한 설명으로 옳은 것은?

> (가) 사람들은 단지 자신의 안전과 이익을 위해 행동할 뿐이다. …… 간섭하지 말고 그대로 내버려 두라. '영리 추구라는 기름'이 '경제라는 톱니바퀴'를 거의 기적에 가까울 정도로 잘 돌아가게 할 것이다.
> (나) 정부가 항아리에 돈을 가득 채워 넣은 후, 폐기된 탄광에 적당히 묻어 두고는, 기업가들로 하여금 그 돈을 자유롭게 파가도록 한다고 가정해 보자. 그때부터는 실업이 줄어들고, 그 사회의 실질 소득과 자본적 부(富) 역시 그 전보다 훨씬 증가할 것이다.

① (가)는 수정 자본주의의 이론적 배경이다.
② (나)는 '보이지 않는 손'의 역할을 중시한다.
③ (가)와 달리 (나)는 정부 실패를 비판한다.
④ (가)보다 (나)에서 정부의 역할이 클 것이다.
⑤ (가)는 (나)에 비해 사회적 약자의 배려를 강조한다.

05 다음의 역사적 사건에 대한 옳은 설명을 〈보기〉에서 있는 대로 고른 것은?

▲ 1929년 미국에서 발생한 경제 위기로 직장을 잃은 실업자들이 배급을 받으려고 줄을 서 있다.

보기
ㄱ. 자유방임주의 경제의 한계를 드러냈다.
ㄴ. 사회주의 계획 경제 체제가 등장하는 계기가 되었다.
ㄷ. 노동 시장의 유연성 강화와 복지 축소를 강조하게 되었다.
ㄹ. 미국은 유효 수요 확대 정책을 통해 경제 위기에서 벗어났다.

① ㄱ, ㄴ ② ㄱ, ㄹ ③ ㄷ, ㄹ
④ ㄱ, ㄴ, ㄹ ⑤ ㄴ, ㄷ, ㄹ

06 다음 글의 (가)에 해당하는 경제 정책의 내용을 〈보기〉에서 고른 것은?

> 20세기 후반에 들어서면서 정부의 적극적인 시장 개입이 오히려 비효율을 초래하는 정부 실패가 나타났다. 특히 1970년대의 석유 파동 이후 전 세계적으로 스태그플레이션이 발생하면서, 정부의 지나친 시장 개입을 비판하고 민간의 자유로운 경제 활동을 옹호하는 ((가))이/가 지지를 받기 시작하였다.

보기
ㄱ. 정부 보유 주식을 매각하여 공기업을 민영화한다.
ㄴ. 공공 서비스 요금의 상승에 대한 규제를 강화한다.
ㄷ. 부실기업은 시장 원리를 적용하여 자동으로 퇴출시킨다.
ㄹ. 소득 격차의 해소를 위해 복지 예산을 지속적으로 늘린다.

① ㄱ, ㄴ ② ㄱ, ㄷ ③ ㄴ, ㄷ
④ ㄴ, ㄹ ⑤ ㄷ, ㄹ

07 다음 밑줄 친 ㉠~㉤에 들어갈 내용으로 적절하지 않은 것은?

[자본주의의 발달 과정]
- 자본주의의 태동 : ㉠
- 자본주의의 발달 : ㉡
- 시장 실패 현상 : ㉢
- 수정 자본주의의 출현 : ㉣
- 신자유주의 : ㉤

① ㉠ : 절대 왕정의 중상주의 정책이 영향을 주었다.
② ㉡ : 애덤 스미스의 자유방임주의가 이론적 뒷받침이 되었다.
③ ㉢ : 석유 파동으로 인해 스태그플레이션이 발생하였다.
④ ㉣ : 1929년 미국에서부터 시작된 세계 대공황이 계기가 되었다.
⑤ ㉤ : 정부 개입의 비효율성을 줄이기 위해 자유로운 경쟁을 강조하였다.

C 합리적 선택의 의미와 한계

08 다음 그림의 내용과 관계 깊은 경제 개념을 〈보기〉에서 고른 것은?

보기
ㄱ. 기회비용 ㄴ. 분업의 이익
ㄷ. 자원의 희소성 ㄹ. 보이지 않는 손

① ㄱ, ㄴ ② ㄱ, ㄷ ③ ㄴ, ㄷ
④ ㄴ, ㄹ ⑤ ㄷ, ㄹ

09 다음 글을 통해 추론할 수 있는 내용으로 가장 적절한 것은?

> 치안이나 구조 활동을 민간 기업이 맡는다면 어떤 일이 발생할까? 월 가입비에 따라 치안이나 구조 서비스를 다르게 받게 될 것이다. 범죄 피해를 입어도 가입비를 많이 내면 신속하게 출동하여 범인을 잡거나 구조를 받을 수 있지만, 가입비를 적게 낸 사람에 대해서는 형식적인 출동에 그칠 수도 있다. 교통사고를 당해도 느긋한 구조에 생명이 위험해질 수 있다.

① 합리적 선택에서는 효율성보다는 공공성을 중시해야 한다.
② 경제에 대한 정부의 규제와 개입은 빈부 격차를 확대시킨다.
③ 기업의 이윤 극대화는 사회 전체의 안정을 위해 꼭 필요하다.
④ 시장 경제에 대한 지나친 의존은 경제적 효율성을 저하시킨다.
⑤ 경제 주체가 효율성만을 중시할 경우 공공의 이익이 침해될 수 있다.

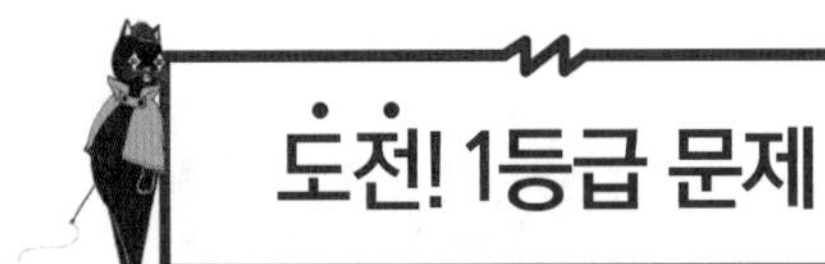

01 다음 글을 통해 파악할 수 있는 자본주의의 특징으로 보기 어려운 것은?

> 자본주의란 사유 재산 제도를 바탕으로 시장에서의 자유로운 경쟁을 통해 상품의 생산, 교환, 분배, 소비가 이루어지는 경제 체제로, 일반적으로 다음과 같은 특징을 갖는다.
> 첫째, 개인이 재산을 자유롭게 획득하고 사용할 수 있는 사유 재산권이 법적으로 보장된다. 둘째, 주로 시장에서 결정된 가격에 따라 상품의 거래가 이루어진다. 셋째, 경제 활동의 자유가 보장된다.

① 개인이 재산을 관리하여 수익을 얻는다.
② 대부분의 경제 활동이 시장에서 이루어진다.
③ 자유 경쟁을 통하여 경제적 부를 증진시킨다.
④ 이윤 동기는 생산자의 생산 의욕을 고취시킨다.
⑤ 균등한 소득 분배를 통해 빈부 격차가 줄어든다.

고난도

02 다음 표는 갑이 스마트폰을 구입하기 위하여 작성한 것이다. 이에 대한 분석으로 옳지 않은 것은?

상품 \ 기준	디자인 (40)	데이터 용량 (30)	무료 통화 시간(30)	합계 (100)
A	30	30	30	90
B	30	25	25	80
C	35	20	30	85

※( ) 안은 만족도의 만점임

① 지출 가능한 예산 규모가 나타나지 않았다.
② 가격이 동일하다면 B의 기회비용이 가장 작다.
③ 합리적 선택의 의사 결정 과정 중에서 대안 평가에 해당한다.
④ 디자인을 고려하지 않더라도 갑의 선택은 바뀌지 않을 것이다.
⑤ 가격이 동일하다면 A를 선택하는 것이 가장 합리적인 선택이다.

[03-04] 다음 자료를 보고 물음에 답하시오.

자료 ❶

> 나는 여러분과 나 자신에게 미국인을 위한 새로운 분배(New Deal)를 약속합니다.
> [F. D. 루스벨트(미국 제32대 대통령)]

구제	부흥	개혁
• 사회 보장법 제정 → 빈곤층 구제 • 농업 조정법 제정 → 농민 지원	• 테네시강 개발 공사 → 실업자 구제 • 산업 부흥법 제정 → 기업 지원	• 은행의 개인 예금 보호법 • 주식 시장에 대한 보다 강력한 통제

자료 ❷

• 정부와 시장은 별개이다. 정부는 존재해야 하지만, 시장의 게임 규칙을 집행하는 심판자로서의 역할만 해야 한다.
• 자유보다 평등을 중요시하는 사회는 둘 다 얻을 수 없다. 평등보다 자유를 중요시하는 사회는 둘 다 얻을 수 있다.

03 미국이 자료❶과 같은 경제 정책을 실시하게 된 배경으로 옳지 않은 것은?

① 유효 수요 부족으로 소비가 위축되었다.
② 기업의 도산과 대량 실업이 발생하였다.
③ 정부의 지나친 개입이 비효율을 초래하였다.
④ 빈부 격차의 확대가 사회 문제로 부각되었다.
⑤ 시장 가격의 자동 조정 기능이 제대로 작동하지 않았다.

04 자료❷를 주장한 경제학자의 입장에 부합하는 경제 정책을 〈보기〉에서 있는 대로 고른 것은?

> 보기
> ㄱ. 노동 시장의 유연성을 강화한다.
> ㄴ. 사회 보장의 대상과 내용을 확대한다.
> ㄷ. 기업의 이윤을 사회에 환원하도록 유도한다.
> ㄹ. 공기업을 민영화하여 자유롭게 경쟁하도록 한다.

① ㄱ, ㄴ ② ㄱ, ㄹ ③ ㄷ, ㄹ
④ ㄱ, ㄴ, ㄷ ⑤ ㄴ, ㄷ, ㄹ

02 시장 경제의 발전을 위한 참여자의 역할

흐름 잡기

시장 경제

시장의 기능과 한계는? A

시장 참여자들의 바람직한 역할은? B

A 시장의 기능과 한계

한·줄·단·서 시장은 **독과점과 담합, 공공재 부족, 외부 효과** 등으로 인해 자원을 효율적으로 배분하지 못할 때가 있어.

1. 시장의 기능 가격을 통해 자유로운 거래가 이루어지고, 이 과정에서 효율적인 자원 배분이 이루어짐

2. 시장의 한계

① **독과점** : 하나 또는 소수의 공급자가 *담합하여 가격이나 생산량을 조정하는 것 → 소비자는 시장 가격보다 높은 가격을 지불하게 됨

② **공공재의 부족** : 대가를 지불하지 않아도 이용할 수 있으므로 시장 기능에만 맡겨 둘 경우 필요한 양만큼 생산되지 않음 (무임승차이기 때문에 이윤을 추구하는 기업들은 수익이 없어 공공재를 생산하지 않는 거야.)

③ ***외부 효과의 발생** : 경제 주체의 경제 활동이 제3자에게 의도하지 않은 이익이나 피해를 주는데도 이에 대한 보상이나 처벌이 없는 경우 → 자원의 비효율적 배분 초래 자료1

④ **경제적 불평등** : 지나친 빈부 격차는 사회 계층 간에 위화감을 조성하여 사회 불안을 가져오고 경제적 위기를 초래함

⑤ **기타** : 노사 갈등, 실업, 인플레이션 등

● **담합**
독과점 기업들이 사전에 협의하여 생산량을 줄이거나 가격을 올려 부당하게 이익을 챙기는 행위이다.

● **외부 효과의 종류**

외부 경제	• 꽃 가게 옆에 선물 가게가 새로 생기면서 꽃 가게의 매출이 상승함 • 긍정적 영향 → 사회적 최적 수준보다 적게 공급됨
외부 불경제	• 담배를 피우는 사람은 간접흡연으로 주변 사람들의 건강에 해를 끼침 • 부정적 영향 → 사회적 최적 수준보다 많이 공급됨

궁금해? 이것이 공공재!

소방관의 구조 활동을 시장에 맡길 경우 원활한 공급이 어려울 수 있어.

B 시장 참여자들의 바람직한 역할

한·줄·단·서 **정부, 기업, 노동자, 소비자**는 시장 경제의 원활한 작동과 발전을 위해 노력해야 해.

1. 정부의 역할

① **외부 효과 조절** : 경제적 유인을 제공하여 자원 배분의 효율성을 높임 (긍정적 외부 효과는 보조금 지급 등을 통해 생산량을 늘리고, 부정적 외부 효과는 과태료 부가 등의 제재를 가해서 생산량을 줄이도록 하는 거야.)

② **불공정 경쟁 행위 규제** : 독과점이나 불공정 거래 등을 규제하여 경제 질서를 유지하고 소비자의 권리를 보호함 자료2 예 독점 규제 및 공정 거래에 관한 법률

③ **공공재 공급** : 국방, 치안, 도로, 항만, 공원, 도서관과 같은 공공재를 직접 생산

④ **소득 재분배 정책 시행** : *누진세 제도 강화, 사회 보장 제도 실시 예 저소득층을 위한 생계비 지원

2. 기업가의 역할

① **기업의 역할** : 재화와 서비스의 시장 공급, 생산 요소(노동, 자본, 토지 등)에 대한 대가 지급, 생산 활동을 통한 일자리 창출

② **기업가 정신**

• **의미** : 위험과 불확실성을 무릅쓰고 혁신과 창의성을 바탕으로 투자를 통해 기업 성장을 추구하는 도전 정신

• **효과** : 고용 창출, 생산성 향상, 소비자 만족도 증가, 노사 관계 안정 등

③ **기업의 사회적 책임** 자료3

• **의미** : 기업은 이윤 추구 이외에도 사회의 구성원으로서 사회에 긍정적인 영향을 주는 책임 있는 활동을 해야 함

• **실현 방법** : 투명하고 공정한 경제 활동을 통해 근로자와 소비자, 투자자의 이익을 보호, 환경과 공동체 전체를 배려하는 윤리 경영 실천 (환경 친화적인 제품을 만들거나 노동자의 인권을 보호하는 경영 등을 말해.)

● **누진세**
소득 금액이 커질수록 높은 세율을 적용하도록 정한 세금 제도로, 고소득자에게는 높은 세금을, 저소득자에게는 낮은 세금을 거두어 소득 격차를 해소한다.

교과서 자료 모아보기

자료 1 외부 효과

> ㈎ 담장을 허물고 정원을 가꾸면 집주인뿐만 아니라 이웃이나 지나가는 사람에게 즐거움을 주는데도 담장을 허물어 정원을 가꾸는 집은 그리 많지 않다.
> ㈏ 어떤 기업이 제품 생산 과정에서 대기 오염을 일으키는 물질을 배출하였다. 공장 주변 공기의 질이 나빠지고, 호흡기 질환을 호소하는 사람들이 늘어났다.

자·료·분·석 (가)와 (나)는 모두 의도하지 않은 이익이나 손해를 주면서도 보상이나 처벌이 없는 것이므로 외부 효과의 사례이다. (가)는 담장을 허물고 꾸민 정원이 지나가는 사람에게 즐거움을 주므로 외부 경제의 사례이고, (나)는 기업의 오염 물질 배출이 환경을 오염시키고 질병을 유발하였으므로 외부 불경제의 사례이다. 외부 경제는 사회적 필요보다 적게 생산되고, 외부 불경제는 많이 생산된다.

한·줄·핵·심 외부 효과는 사회적 필요보다 적거나 많게 생산되어 자원의 비효율적 배분을 초래한다.

키워드 체크

❶ 어떤 경제 주체의 경제 활동이 다른 경제 주체에게 의도하지 않은 이익이나 피해를 주는데도 이에 대해 아무런 경제적 보상이나 처벌이 이루어지지 않는 현상은?

답 : □□ □□

자료 2 정부의 불공정 경쟁 행위 규제

> 공정 거래 위원회는 A 기업이 수급 사업자에게 하도급 계약서를 발급하지 않고, 하도급 대금 및 지연 이자도 제대로 지급하지 않은 사실에 대해 과징금 700만 원을 부과하고 검찰에 고발하기로 결정했다. …… 공정위 관계자는 "이번 조치는 수급 사업자에게 하도급 대금 등을 반복적으로 지급하지 않는 사업자에 대해 엄중 제재한 것으로 유사 사례 재발 방지에 기여할 것"이라며 "하도급 계약서를 발급하지 않거나, 대금 및 지연 이자를 지급하지 않는 행위를 지속 점검하고 시정해 공정한 하도급 거래 질서가 정착되도록 노력할 계획이다."라고 전했다. [○○뉴스, 2017. 7. 16.]

자·료·분·석 공정 거래 위원회는 '독점 규제 및 공정 거래에 관한 법률'에 따라 설치된 정부 기관으로, 기업의 시장 지배적 지위 남용이나 불공정 경쟁 행위를 감시하는 등 공정한 경쟁 질서를 유지하려고 노력하고 있다.

한·줄·핵·심 공정 거래 위원회는 공정한 경쟁 질서를 유지하기 위해 설립된 정부 기관이다.

키워드 체크

❷ □□ □□ 위원회는 시장 지배적 지위 남용이나 불공정 경쟁 행위를 적발하여 공정한 경쟁 질서를 유지하기 위해 설립된 정부 기관이다.

답 : □□ □□ 위원회

자료 3 기업의 사회적 책임

> 1982년 미국 A 사의 ○○약을 먹은 7명이 사망하는 사건이 발생했다. 수사 결과 누군가가 약품에 고의로 독극물을 주입하였다는 사실이 밝혀졌다. A 사는 생산 과정에서 독성 물질이 발견되었다는 누명을 벗었음에도 전 제품을 모두 회수하는 강력한 조치를 하였다. ○○약은 소비자의 인지도가 높고 가장 많이 팔리는 상비약이어서 손해의 규모가 컸으나, A 사는 과감히 생산을 중단하였다. 몇 년 후 A 사는 포장 용기에 안전성을 보강하여 ○○약을 다시 출시하였고, 곧 옛 명성을 회복하였다. [△△뉴스, 2016. 9. 16.]

자·료·분·석 기업의 가장 큰 목적은 이윤 창출이다. 하지만 A 사는 이윤 추구보다 소비자의 안전을 책임지는 모습을 보여 주었다. 이처럼 기업의 사회적 책임은 단순히 사회에서 필요로 하는 재화와 서비스를 생산한다는 의미를 넘어 소비자의 권익을 고려하여 건전한 이윤을 추구하는 것이라고 할 수 있다.

한·줄·핵·심 기업은 투명하고 공정한 경제 활동을 통해 근로자와 소비자, 투자자의 이익을 보호하고, 환경과 공동체 전체를 배려하는 윤리 경영을 실천하여 기업의 사회적 책임을 다해야 한다.

키워드 체크

❸ 기업의 □□□ □□(이)란 기업이 이윤 추구 이외에도 사회 구성원으로서 사회에 긍정적인 영향을 주는 책임 있는 활동을 해야 함을 의미한다.

답 : □□□ □□

키워드 체크 정답 ❶ 외부 효과 ❷ 공정 거래 ❸ 사회적 책임

• 노동권의 보장
노동자는 상대적으로 약자의 위치에 있는 경우가 많으므로, 헌법에 근거한 '근로 기준법', '최저 임금법', '노동조합 및 노동관계 조정법' 등에 따라 노동권을 법적으로 보장받고 있다.

• 소비자 주권
자본주의 경제에서 생산물의 종류와 수량을 결정하는 최종적 권한이 소비자에게 있다는 것이다.

3. 노동자의 역할
└ 노동자: 노동력을 제공하고 얻은 임금으로 생활하는 사람이야.

① **•노동자의 권리(노동권) :** 노동 3권의 보장

단결권	노동자들이 근로 조건을 개선하기 위해 노동조합을 결성할 수 있는 권리
단체 교섭권	노동조합을 통해 사용자와 자주적으로 교섭할 수 있는 권리
단체 행동권	사용자와의 노사 분쟁이 발생한 경우 단체 행동을 할 수 있는 권리

└ 단체 행동: 파업, 태업 등의 쟁의 행위

② **노동자의 바람직한 역할**
- 사용자와 맺은 근로 계약에 따른 성실한 업무 수행
- 사용자와 소통하고 협력하며 상생의 관계 형성
  └ 상생의 관계: 서로 함께 살아가는 관계

4. 소비자의 역할
① **합리적 소비 :** 가격과 품질 등 상품에 대한 정보를 바탕으로 비용보다 편익이 큰 합리적 소비를 해야 함
└ 비용보다 편익이 큰: 뭔가를 구입했을 때 들어간 비용보다 만족감이 커야 한다는 뜻이야.

② **•소비자 주권 확립 :** 환경과 건강을 해치는 상품이나 부당한 영업 행위 등에 대한 감시 실시

③ **윤리적 소비 :** 원료 재배, 생산, 유통 등의 전 과정이 소비와 연결되어 있다는 인식을 바탕으로 환경과 공동체를 고려한 소비 자료 4

교과서 자료 모아보기

키워드 체크
❹ 소비자는 합리적 소비뿐만 아니라 환경과 공동체를 고려하는 □□□ 소비를 해야 한다.
답 : □□□ 소비

자료 4 윤리적 소비

• 윤리적 소비의 중요성
우리가 가진 구매력을 현명하게 사용한다면 조금이라도 더 나은 세상을 만드는 데 도움이 될 수 있습니다. 우리가 '노동 착취'를 통해 만들어진 값싼 옷을 사는 것은 노동자들의 착취에 찬성표를 던지는 것입니다. 아무리 소량이라도 커피, 차, 빵과 채소 등 생활필수품을 구매하는 행위는 의사 표시 행위가 될 수 있습니다. 유기농 생산물을 선택하는 일은 환경적인 지속 가능성에 대해 지지를 보내는 것입니다. 소비를 할 때 윤리적인 쟁점에 대해 생각해 보는 것은 세상에 미치는 이러한 영향을 고려한다는 것을 뜻합니다. 우리는 소비자로서 의견을 표명할 힘을 가지고 있습니다. 고객이 줄어든다고 위협을 느끼면 식품 회사와 대형 유통업체들은 유전자 조작 식품에 대한 회사의 정책도 바꿀 것입니다.
[ethiconsumer.org, 「윤리적 소비, 모두에게 이로운 선택!」, 2014]

• 윤리적 소비의 실천
식품관에 쇼핑을 간 A 씨는 우유들을 꼼꼼히 살펴보더니 200mL 우유가 사은품으로 붙어 있는 우유 대신 '유기농'에 '방목 사육' 마크가 붙어 있는 더 비싸고 사은품이 없는 우유를 집어 들었다. 다음으로 집어 든 커피 역시 마찬가지였다. 중량 대비 가격이 싸고 맛이 괜찮았던 대기업 상표의 원두 대신 조금 더 비싸지만 '공정 무역' 마크가 붙어 있는 이름 모를 기업의 원두를 골랐다.
[박지희 외, 『윤리적 소비–세상을 바꾸는 착한 거래』]

자·료·분·석 합리적 소비는 가격을 고려하여 효율성만을 따지지만 윤리적 소비는 환경과 공동체를 모두 고려하는 소비를 말한다. 따라서 소비자가 이러한 윤리적 소비를 실천할 때 환경을 보호하고 공동체의 발전을 도모하여 시장 경제의 원활한 작동에도 이바지할 수 있다.

한·줄·핵·심 윤리적 소비는 효율성과 더불어 환경과 공동체를 모두 고려하는 소비를 말한다.
└ 공정 무역, 친환경 소비, 로컬 푸드 구매, 공정 여행 등이 여기에 속해.

키워드 체크 ❹ 윤리적

시장의 한계와 정부의 역할

시장 경제 체제에서는 시장 가격을 통해 효율적인 자원 배분이 이루어지지만, 때로는 시장 경제 체제로는 해결하기 어려운 문제도 발생한다. 다음 자료를 통해 시장의 한계에는 어떤 것이 있으며, 이를 해결하는 정부의 역할은 무엇인지 알아보자.

통합 주제 story

자료❶

신문 기사는 독과점을 이용한 담합이라는 불공정 경쟁 행위를 규제하는 정부(공정 거래 위원회)의 역할을 보여 주고 있다.

자료❷

공공재는 비배제성으로 인한 무임승차 때문에 수익성이 낮아 민간 업체가 대부분 투자를 꺼린다. 따라서 대부분의 공공재는 정부가 직접 공급한다.

자료❸

표를 보면 도시와 농촌뿐 아니라 농촌 내에서도 빈부 격차가 크게 벌어지고 있다. 빈부 격차 문제를 방치할 경우 계층 간 갈등이 심화될 수 있다. 이에 정부는 누진세 제도 등의 소득 재분배 정책을 시행하고 있다.

자료 ❶ 담합 업체 과징금 부과

공정 거래 위원회는 10년 넘게 담합을 일삼은 컨베이어벨트 제조·판매업체 4곳에 과징금 378억 원을 부과하고 검찰에 고발했다. 이들 4개 회사의 컨베이어벨트 시장 점유율은 90%를 넘는데, 1999년~2013년까지 수요처의 컨베이어벨트 구매 입찰 가격과 대리점에 공급하는 컨베이어벨트 판매 가격을 담합했다. 4개 회사의 담합으로 인해 지난 12년 동안 품목별 낙찰가가 거의 변하지 않았으며, 품목별 단가도 연평균 8% 수준으로 인상됐다.

[○○일보, 2017. 7. 23.]

자료 ❷ 공공재의 비배제성과 무임승차

국방이나 치안 서비스와 같은 공공재는 누구나 이용할 수 있으며 사람들이 돈을 내지 않고 소비하는 것을 막을 수 없는데, 이와 같은 공공재의 특성을 비배제성이라고 한다. 그리고 어떤 재화나 서비스가 비배제성이 있을 때 사람들은 너도나도 돈을 지불하지 않고 이용하려고 하는데, 이를 무임승차(free riding)라고 한다. 비배제성을 갖는 재화나 서비스를 생산하는 기업은 서비스의 값을 받을 수 없어서 생산비를 조달할 수 없기 때문에, 이러한 재화나 서비스는 시장 기능에 맡겨둘 경우 필요한 양보다 적게 생산된다. 그래서 사회적으로 꼭 필요하지만 배제성이 없는 재화나 서비스는 대부분 정부가 나서서 세금으로 비용을 조달하여 직접 공급한다. [한국은행 경제 교육(www.bokeducation.or.kr), '청소년 경제 나라']

자료 ❸ 농가도 부익부 빈익빈

전라북도 농가 소득 추이

구분	2005년	2015년	증감
평균	2,823만 원	3,613만 원	+790만 원
상위 20%	6,728만 원	9,217만 원	+2,489만 원
하위 20%	710만 원	791만 원	+81만 원
상하위 격차	9.5배	11.6배	30배

[△△뉴스, 2017. 7. 12.]

이것만은 꼭!

→ **공정 거래 위원회**는 독과점을 이용한 가격 담합 등 **불공정 경쟁 행위를 규제**한다.
→ **공공재**의 **비배제성**으로 인한 **무임승차** 때문에 대부분의 공공재는 **정부가 직접 공급**한다.
→ 정부는 **경제적 불평등**을 해소하기 위해 **소득 재분배 정책**을 시행하고 있다.

콕콕! 개념 확인

정답과 해설 45쪽

A 시장의 기능과 한계

01 빈칸에 알맞은 말을 쓰시오.

(1) 시장에서는 시장 □□을/를 바탕으로 상품을 사려는 사람과 팔려는 사람 간에 자율적인 거래가 이루어진다.

(2) 하나 또는 소수의 공급자가 담합하여 가격이나 생산량을 조정하여 시장 가격보다 높게 가격을 책정하는 것을 □□□(이)라고 한다.

B 시장 참여자들의 바람직한 역할

02 알맞은 설명에 ○표를 하시오.

(1) 남에게 이익을 주지만 대가를 받지 못하는 외부 경제는 사회적으로 필요한 양보다 (많게, 적게) 생산된다.

(2) 정부는 국방, 치안, 도로, 항만, 공원, 도서관과 같은 (공공재, 생산 요소)를 직접 생산한다.

(3) 노동자가 사용자와 대등한 위치에 서서 근로 조건 개선 및 경제적 지위 향상을 도모하기 위하여 단체를 결성할 수 있는 권리는 (단결권, 단체 행동권)이다.

03 환경과 공동체를 고려하여 다음 인증 표시가 붙어 있는 상품을 주로 소비하는 소비 형태를 쓰시오.

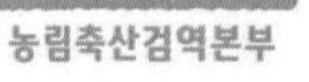

( )

04 다음 글을 읽고 물음에 답하시오.

> 시장 경제의 원활한 작동과 발전을 위해서는 기업의 적극적인 역할이 요구된다. 기업가는 위험을 감수하더라도 투자를 통해 기술 혁신을 이루려는 (A)이/가 필요하다. 이러한 도전 정신으로 새로운 상품·서비스·시장·생산 방법 등을 개척할 때 경제가 발전하고 사회 구성원의 생활 수준도 향상된다. 나아가 기업은 (B)을/를 인식해야 한다. 기업의 (B)(이)란 기업이 이윤 추구 이외에도 사회의 구성원으로서 사회에 긍정적인 영향을 주는 책임 있는 활동을 해야 함을 의미한다.

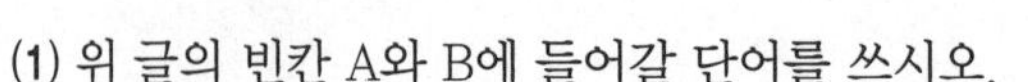

(1) 위 글의 빈칸 A와 B에 들어갈 단어를 쓰시오.

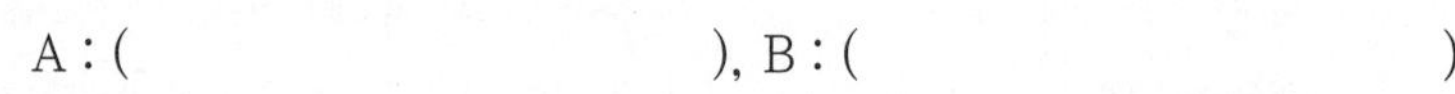

A : ( ), B : ( )

(2) 위 글에서 기업이 A와 B를 실천하기 위해서는, 투명하고 공정한 경제 활동을 통해 근로자와 소비자, 투자자의 이익을 보호하고, 환경과 공동체 전체를 배려하는 □□ □□을/를 실천할 필요가 있다.

탄탄! 내신 문제

A 시장의 기능과 한계

01 다음 글에서 강조하고 있는 시장 가격의 기능으로 가장 적절한 것은?

> 참외 가격이 내려가면 참외를 그다지 좋아하지 않던 사람도 싼 맛에 구입하게 된다. 그런데 참외 가격이 오르면 참외보다는 가격이 싼 다른 과일을 구입하는 사람이 많아지면서 정말 참외를 좋아하는 사람만 참외를 구입하게 된다.

① 외부 효과를 해소한다.
② 독과점의 횡포를 방지한다.
③ 자원의 효율적 배분을 실현한다.
④ 소득 분배의 불균형을 완화한다.
⑤ 공공재의 원활한 공급을 유지한다.

02 다음 밑줄 친 부분에 해당하지 않는 것은?

> 시장 경제 체제에서는 시장에서 가격을 통해 자유로운 거래가 이루어지고, 이 과정에서 효율적인 자원 배분이 이루어진다. 그런데 때로는 시장 경제 체제로는 해결하기 어려운 문제도 발생한다.

① 독과점 문제　② 공공재 과잉 공급
③ 외부 효과 발생　④ 경제적 불평등 발생
⑤ 실업과 인플레이션 발생

03 외부 효과에 해당하는 사례로 볼 수 없는 것은?

① 골목 담장에 아름다운 벽화가 그려져 있어 지나갈 때 기분이 좋다.
② 지하철이 개통되자 지하철역 주변 지역의 상가 매출액이 증가하였다.
③ 학교 주변에 고가 도로가 건설되면서 소음으로 수업에 방해를 받게 되었다.
④ 염색 공장에서 나오는 폐수 때문에 근처 양어장 업주들이 피해를 입고 있다.
⑤ ○○자동차 회사가 판매 가격을 올리자 △△자동차를 사려는 사람들이 증가하였다.

B 시장 참여자들의 바람직한 역할

04 다음 법률 조항이 추구하는 목적으로 옳은 것은?

> 제3조의 2(시장 지배적 지위의 남용 금지)
> ① 시장 지배적 사업자는 다음 각호의 1에 해당하는 행위를 하여서는 아니 된다.
> 1. 상품의 가격이나 용역의 대가를 부당하게 결정·유지 또는 변경하는 행위
> 2. 상품의 판매 또는 용역의 제공을 부당하게 조절하는 행위
> 3. 다른 사업자의 사업 활동을 부당하게 방해하는 행위

① 국제 경쟁력 강화
② 빈부 격차의 해소
③ 기업의 업종 전문화
④ 생산자의 이윤 증대
⑤ 공정한 경쟁 질서 유지

05 다음 자료에 대한 옳은 설명을 〈보기〉에서 있는 대로 고른 것은?

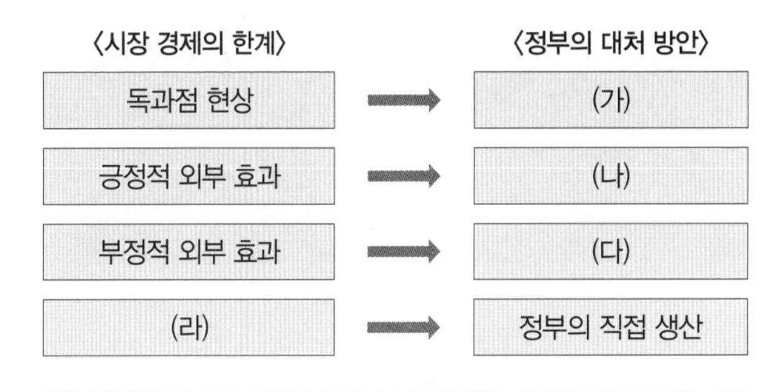

> 보기
> ㄱ. (가)는 담합 행위를 규제하는 내용을 담고 있다.
> ㄴ. (나)는 생산량 제한, 세금 부과 등을 들 수 있다.
> ㄷ. (다)는 보조금 지급, 세제 혜택 등을 들 수 있다.
> ㄹ. (라)는 도로, 국방, 치안 등의 공공재 부족을 들 수 있다.

① ㄱ, ㄴ　② ㄱ, ㄹ　③ ㄴ, ㄷ
④ ㄱ, ㄴ, ㄹ　⑤ ㄴ, ㄷ, ㄹ

06 다음 중 선생님의 질문에 틀린 대답을 한 사람은?

인터넷을 검색하여 기업가의 혁신 사례를 발표해 볼까요?

기업가의 혁신
새로운 기술, 새로운 생산 조직, 새로운 원료, 새로운 상품의 개발, 새로운 시장 개척 등 항상 앞질러 새로운 경영 활동을 하는 것

① 갑 : A 섬유회사는 친환경 원료를 개발하여 비용 절감에 성공하였습니다.
② 을 : B 택배회사는 업계 최초로 드론을 활용한 택배 사업을 시작하였습니다.
③ 병 : C 가전회사는 에어컨 수요가 늘어나자 사원을 대규모로 채용하였습니다.
④ 정 : D 보험회사는 자율 출퇴근제를 도입하여 일과 가정의 양립을 도모하였습니다.
⑤ 무 : E 자동차 회사는 아무도 진출하지 않았던 아프리카 오지의 시장을 개척하였습니다.

07 다음과 같은 재화를 정부가 직접 생산할 경우, 이와 관련된 옳은 설명을 〈보기〉에서 고른 것은?

▲ 도로

▲ 항만

보기
ㄱ. 자원의 효율적 배분을 위한 것이다.
ㄴ. 생산 활동에 간접적으로 기여하게 된다.
ㄷ. 공정한 경쟁을 해치는 경제 주체의 행위를 규제할 수 있다.
ㄹ. 부정적 유인책을 활용하여 외부 효과를 예방하는 효과가 있다.

① ㄱ, ㄴ ② ㄱ, ㄷ ③ ㄴ, ㄷ
④ ㄴ, ㄹ ⑤ ㄷ, ㄹ

08 다음 밑줄 친 '사회적 책임'과 거리가 먼 것은?

기업은 생산 활동의 주체로서 이윤 추구를 목적으로 한다. 그러나 기업은 이윤 추구와 함께 사회적 책임도 다해야 한다. 기업의 사회적 책임은 단순히 사회에서 필요로 하는 재화와 서비스를 생산한다는 의미를 넘어 건전한 이윤을 추구하는 것과 함께 소비자의 권익을 고려하는 것이다.

① 기업 경영의 투명성을 높인다.
② 빈곤층에 대한 지원 사업을 실시한다.
③ 소비자에게 안전하고 편리한 상품을 생산한다.
④ 전문 경영인을 영입하여 기업 규모를 확대한다.
⑤ 노동자의 근로 환경을 개선하며 인권을 보장한다.

09 다음 (가)~(다)의 설명과 관련된 노동권을 바르게 연결한 것은?

(가) 노동자 단체는 사용자와 노동 조건에 관하여 서로 의견을 조율할 수 있다.
(나) 노동자는 자신들의 주장을 관철하기 위하여 업무의 정상적인 운영을 저해하는 행위를 할 수 있다.
(다) 노동자는 근로 조건의 유지·개선을 목적으로 사용자와 대등한 교섭을 가지기 위한 단체를 구성할 수 있다.

	(가)	(나)	(다)
①	단결권	단체 교섭권	단체 행동권
②	단결권	단체 행동권	단체 교섭권
③	단체 행동권	단체 교섭권	단결권
④	단체 교섭권	단결권	단체 행동권
⑤	단체 교섭권	단체 행동권	단결권

10 윤리적 소비를 실천하고 있다고 보기 어려운 것은?

① 재활용 소재를 활용한 제품을 구입한다.
② 공정 무역을 통해 들어온 상품을 구입한다.
③ 인터넷을 통해 가장 저렴한 제품을 구입한다.
④ 에너지 소비 효율 등급이 높은 제품을 구입한다.
⑤ 빈곤국의 아동들을 위해 기부금을 내는 기업의 제품을 구입한다.

도전! 1등급 문제

정답과 해설 47쪽

고난도

01 다음 사례에 대한 설명으로 옳지 않은 것은?

> (가) 갑은 벽화 그리는 솜씨가 있는데, 골목 담장에 벽화를 그려놓으니 지나가는 사람마다 좋아한다. 갑은 도구를 직접 사서 벽화를 그리지만 주민들로부터 대가를 받는 것은 아니다.
> (나) 염색 공장을 운영하는 을은 옷감을 염색하는 과정에서 발생하는 폐수를 하천에 흘려보내곤 한다. 법정 기준치 이하이기 때문에 법적인 비용을 부담하지는 않지만 마을 주민들은 피해를 보고 있다.

① (가)에서 갑의 편익은 사회 전체의 편익보다 크다.
② (가)에서 갑이 그리는 벽화의 양은 사회적 최적 수준보다 적다.
③ (나)에서 개인의 이익과 공공의 이익이 충돌하고 있다.
④ (나)에서 정부가 폐수 방류 행위를 규제하면 을의 편익은 줄어든다.
⑤ (가), (나) 모두 시장이 자원을 효율적으로 배분하지 못하는 사례이다.

02 다음 글에 나타난 회사 놀이터의 설립 취지에 부합하는 진술은?

> ○○회사는 건물 한 층이 놀이터다. 이 놀이터에는 탁구대, 안마의자, 온돌방, 악기 연주실, 운동기기 등이 설치되어 있다. 직원들은 업무 시간에도 이 놀이터에 자유롭게 들러 휴식을 취하거나 취미 활동을 하기도 한다. ○○회사의 직원들은 회사에 나오는 것을 좋아한다. 업무상 소비자로부터 스트레스를 받더라도 언제라도 해소할 수 있기 때문이다. 이러한 분위기에 힘입어 ○○회사의 수익률은 꾸준히 향상되고 있다.

① 일과 놀이는 엄격히 구분해야 한다.
② 직장의 위계질서는 효율성 향상의 지름길이다.
③ 즐거운 노동 환경에서 노동 생산성이 높아진다.
④ 노동자는 노동 환경의 개선을 위해 노력해야 한다.
⑤ 노동자의 노동권 보장은 사용자의 배려에서 나온다.

[03-04] 다음 글을 읽고 물음에 답하시오.

> (가) 공정 거래 위원회는 10년 넘게 담합을 일삼은 컨베이어벨트 제조·판매업체 4곳에 과징금 378억 원을 부과하고 검찰에 고발했다. 이들 4개 회사의 시장 점유율은 90%를 넘는다.
> (나) 어떤 재화나 서비스가 비배제성이 있을 때 사람들은 너도나도 돈을 지불하지 않고 이용하려고 하는데, 이를 무임승차(free riding)라고 한다. 비배제성을 갖는 재화나 서비스를 생산하는 기업은 그 값을 받을 수 없어서 생산비를 조달할 수 없다.
> (다) 농가들 간 소득 격차가 갈수록 커지고 있는 것으로 나타났다. 지난 10년간(2005~2015년) 전북도 내 상·하위 간 소득 격차는 11.6배까지 벌어졌다. 특히, 소득 증가액을 비교하면 무려 30배 이상 격차를 보였다.

03 위의 (가)~(다)와 관련이 있는 수업 주제로 가장 적절한 것은?

① 윤리적 소비의 실천 사례를 조사해 보자.
② 시장 경제의 한계와 그 대책을 모색해 보자.
③ 기업의 사회적 책임이 필요한 이유를 알아보자.
④ 시장 경제를 작동시키는 원리는 무엇인지 알아보자.
⑤ 도시와 농촌의 지역 간 격차를 해소하는 방안을 강구해 보자.

04 위의 (가)~(다)에 대한 설명으로 옳지 않은 것은?

① (가)의 담합은 제품 가격을 인상시켜 소비자 피해를 야기한다.
② (가)에서 정부는 담합을 불공정 경쟁 행위로 보고 규제하였다.
③ (나)와 같은 재화와 서비스는 정부가 직접 생산하는 경우가 많다.
④ (나)와 같은 재화와 서비스의 생산을 시장 기능에 맡겨둘 경우 필요한 양보다 많이 생산된다.
⑤ (다)의 문제는 조세 정책이나 사회 보장 제도 등을 통해 해결할 수 있다.

03 국제 분업과 무역의 확대

흐름 잡기

무역의 확대

국제 분업과 무역의 필요성은? A

무역의 확대로 인한 영향은? B

A 국제 분업과 무역의 필요성

한·줄·단·서 각국의 **생산비 차이**로, **비교 우위 제품을 특화**하는 **국제 분업**과 **무역**이 필요해.

1. 국제 분업과 무역의 의미

① **국제 분업** : 각 나라가 무역에 유리한 것을 *특화하여 생산하는 것

② **무역(국제 거래)** : 국가 간에 국경을 넘어 상품, 서비스, 생산 요소 등을 거래하는 것
(생산 요소: 생산 활동을 하는 데 필요한 자연 자원, 노동, 자본 등을 말해.)

• **특화**
각자 잘할 수 있는 일에 전념하는 것으로, 각국이 자국에 유리한 상품과 서비스를 전문적으로 생산하여 경쟁력을 갖추는 것이다.

2. 국제 거래의 특징

① **국내 거래보다 제한적인 생산물의 이동** : 관세, 수입 할당제 등 수입 규제 조치에 의해 제한을 받음

② **생산비나 가격 차이 발생** : 국가마다 부존자원의 종류나 보유량이 다르고 기술 수준의 차이가 발생하기 때문
(부존자원: 경제적으로 사고팔 수 있는 자원)

③ 각국의 화폐, 환율, 경제 여건 등에 영향을 받음

3. 국제 분업과 무역이 필요한 이유

① **생산 요소의 지역별 분포 차이** 자료1

자원	기후, 토양 등에 의해 천연 자원의 보유량이 다름
노동	인구 규모, 교육 수준 등에 의해 노동의 양과 질이 다름
자본	국가 경제 발전 수준 및 사회 기반 시설(도로, 상하수도, 정보 관련 시설 등) 등의 여부에 따라 운용할 수 있는 자본의 수준이 다름
기술	국가의 기술 개발 수준이 다름

궁금해? 생산 요소의 지역차

② **생산비 차이**

- 생산 요소의 지역별 분포 차이로 인해 동일한 상품이라도 국가별로 생산비의 차이 발생
- 비교 우위의 원리에 따라 자국에게 유리한 상품을 특화하여 생산한 후 무역을 통해 교환하면 거래 당사국 모두에게 이익이 됨

4. 비교 우위에 따른 국제 분업과 무역 자료3

① **비교 우위** : 국제 무역에서 한 나라가 교역 상대국보다 더 적은 기회비용으로 재화를 생산할 수 있는 능력
(상대적으로 재화를 더 싸게 만들 수 있는 능력이야.)

② **비교 우위의 원리** 자료2

A국은 B국보다 자동차와 반도체를 모두 더 싸게 만들 수 있음(*절대 우위)

⬇

그러나 A국은 자동차에 비해 반도체를, B국은 반도체에 비해 자동차를 상대적으로 더 싸게 만들 수 있음(비교 우위)

⬇

따라서 A국은 반도체, B국은 자동차를 특화하여 생산(국제 분업)하고, 이를 서로 교역(무역)하는 것이 A국과 B국 모두에게 이익임

• **절대 우위**
국제 무역에서 한 나라가 교역 상대국보다 낮은 생산비로 재화를 생산할 수 있는 능력이다.

③ **비교 우위에 따른 무역의 이익** : 각 나라마다 자기 나라의 자원을 효율적으로 사용하여 세계 전체적으로 국제 분업의 이익 극대화

자료 1 생산 요소의 지역적 분포와 산업 활동

자·료·분·석 인도네시아와 오스트레일리아처럼 석탄을 수출하는 나라는 석탄이 자국에 많이 분포하고 있기 때문에 다른 나라로 수출하는 것이 가능하다. 반대로 중국이나 일본 등 석탄을 수입하는 나라는 산업 활동에 석탄이 필요하지만, 자국에 석탄이 부족하기 때문에 다른 나라에서 수입하는 것이다. 이처럼 생산 요소의 지역별 분포 차이는 무역을 발생시킨다.

한·줄·핵·심 자원이나 노동, 자본 등 생산 요소가 지역별로 분포의 차이가 있어 무역이 필요하다.

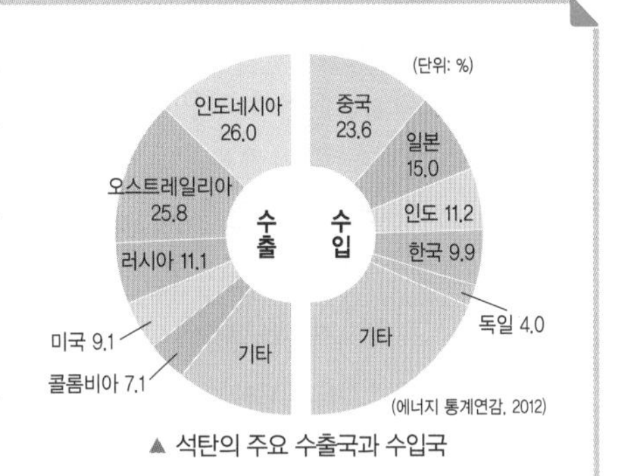

▲ 석탄의 주요 수출국과 수입국

키워드 체크

❶ 자원, 노동, 자본 등의 □□ □□은/는 지역별로 분포의 차이가 있기 때문에 무역이 필요하다.

답 : □□ □□

자료 2 비교 우위의 원리

갑국은 오렌지와 돼지고기 모두 절대 우위에 있지만 두 제품의 기회비용을 비교하면 각 나라가 어떤 제품에 비교 우위가 있는지 알 수 있다. 오렌지 1kg을 생산하는 데 드는 기회비용은 갑국(돼지고기 2/3kg)이 을국(돼지고기 5/4kg)보다 작다. 돼지고기 1kg을 생산하는 데 드는 기회비용은 을국(오렌지 4/5kg)이 갑국(오렌지 3/2kg)보다 작다. 따라서 갑국은 오렌지, 을국은 돼지고기에 특화하여 생산한 후 교환하면 서로 이익이 발생한다.

구분	오렌지 1kg	돼지고기 1kg
갑국	2달러	3달러
을국	5달러	4달러

▲ 갑국과 을국의 생산비

자·료·분·석 갑국은 오렌지만 2kg, 을국은 돼지고기만 2kg 생산하여 1kg씩 교환한다고 하자. 무역 이전에는 오렌지 1kg, 돼지고기 1kg 생산에 갑국은 5달러, 을국은 9달러가 들었지만, 무역을 하면 똑같은 양을 소비하면서도 갑국은 4달러, 을국은 8달러가 들게 되므로 양국 모두 1달러씩의 이익이 발생한다.

한·줄·핵·심 생산비가 상대적으로 적게 드는 비교 우위 제품에 특화하여 무역을 하면 무역 이익이 발생한다.

키워드 체크

❷ 생산비가 상대적으로 적게 드는 □□ □□ 제품을 특화하여 무역을 하면 양국 모두 이익이 발생한다.

답 : □□ □□

자료 3 우리나라 5대 수출 품목의 변화

구분	1960년	1970년	1980년	1990년	2000년	2015년
1위	철광석	섬유류	의류	의류	반도체	반도체
2위	중석	합판	철강판	반도체	자동차	자동차
3위	생사	가발	신발	신발	무선 통신 기기	선박 해양 구조물
4위	무연탄	철광석	선박	영상 기기	선박	무선 통신 기기
5위	오징어	전자 제품	음향 기기	선박	석유 제품	석유 제품

[한국 무역 협회, 2016]

자·료·분·석 우리나라는 경제 성장 초기에 풍부한 노동력을 바탕으로 의류, 신발과 같은 노동 집약적인 제품을 주로 수출했지만, 자본과 기술이 축적되면서 점차 반도체, 자동차와 같은 기술 집약적인 상품을 주로 수출하게 되었다. 따라서 우리나라는 현재 다른 나라에 비해 반도체나 자동차 등에 비교 우위가 있다고 볼 수 있다.

한·줄·핵·심 우리나라는 현재 반도체와 자동차 등 기술이 집약된 상품을 주로 수출하고 있다.

키워드 체크

❸ 우리나라는 현재 반도체, 자동차 등 □□이/가 집약된 제품을 주로 수출하고 있다.

답 : □□

키워드 체크 정답 ❶ 생산 요소 ❷ 비교 우위 ❸ 기술

B 무역의 확대와 그 영향

한·줄·단·서 무역의 확대는 **규모의 경제**를 실현하지만, **국제 경쟁력이 없는 산업**은 위축될 수 있어.

1. 국제 환경의 변화와 무역의 확대

① **세계화의 가속화** : 교통·통신 수단의 발달 → 운송 비용 감소 및 시간과 공간의 장벽 약화 → 국가 간 교류 촉진 자료 4

② **세계 무역 기구(WTO)를 중심으로 한 자유 무역 질서 구축** : 관세 인하 및 수입 제한 조치 완화, 국제적으로 통일된 무역 표준 정립

(관세 - 수입되는 외국 물품에 부과되는 세금)
(자유 무역 질서 구축 - 시장이 확대되고, 기업 간 경쟁도 활발해지고 있어.)

③ **다양한 지역 경제 협력체 결성** : 유럽 연합(EU), 남미 공동 시장(MERCOSUR), 북미 자유 무역 협정(NAFTA), 아시아·태평양 경제 협력체(APEC), 동남아시아 국가 연합(ASEAN) 등 → 경제 통합 추진

④ ***자유 무역 협정(FTA) 체결** : 국제 거래에서 자국의 이익 증진 자료 5

• 자유 무역 협정(FTA)
국가 간에 상품의 자유로운 이동 및 거래 활성화를 위해 무역 장벽(관세, 수입 할당제 등)을 완화하거나 제거하는 협정이다.

궁금해? 우리나라의 무역 규모

연도	무역 규모(억 달러)
1965	6
1985	614
2005	5,467
2015	9,632

(한국 무역 협회, 각 연도)

세계 무역 규모와 마찬가지로 우리나라의 무역 규모도 지속적으로 증가했어.

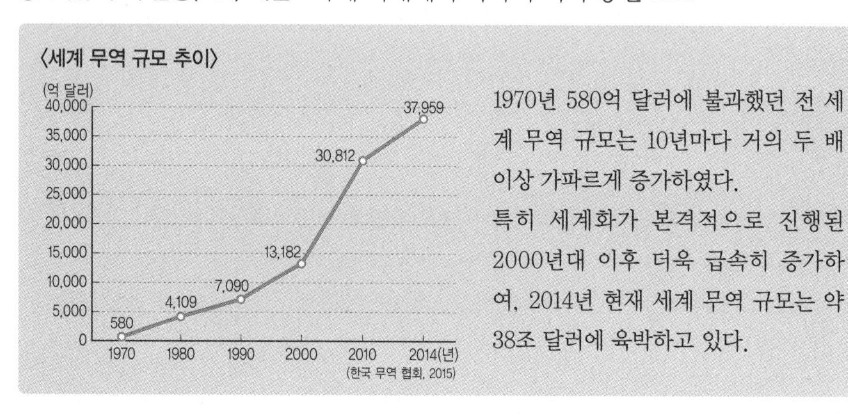

1970년 580억 달러에 불과했던 전 세계 무역 규모는 10년마다 거의 두 배 이상 가파르게 증가하였다. 특히 세계화가 본격적으로 진행된 2000년대 이후 더욱 급속히 증가하여, 2014년 현재 세계 무역 규모는 약 38조 달러에 육박하고 있다.

2. 무역 확대의 긍정적 영향

① **풍요로운 소비 생활** : 소비자의 상품 선택 범위 확대 → 다양한 재화와 서비스 가운데 품질 좋고 저렴한 것 선택 가능 → 소비 생활의 만족감 제고

② ***규모의 경제 실현** : 세계 시장을 대상으로 거래 → 생산비 절감, 높은 이윤 추구

③ **국내 기업의 경쟁력 강화** : 외국 시장 개척 및 외국 기업과의 경쟁을 위한 기술 혁신 → 효율성과 생산성 향상 → 경제 활성화 및 고용 창출 → 국가 경제 성장

④ **새로운 기술 전파** : 첨단 산업이나 선진화된 기술 도입 → 개발 도상국의 경제 발전 기회 제공

⑤ **문화 교류 활성화** : 다양한 문화를 누릴 기회 증가, 문화 발전에 이바지

(문화 교류 활성화 - 외국의 유명 뮤지컬이나 음식을 국내에서 접할 수 있고, 우리 문화를 외국에 소개해 자긍심을 높일 수도 있어.)

• 규모의 경제
생산 규모가 커지거나 생산량이 늘어날수록 평균 생산 비용이 하락하는 경제 현상을 말한다.

3. 무역 확대의 부정적 영향

① 국제 경쟁력을 갖추지 못한 국내 산업이나 기업의 위축 및 쇠퇴 → 생산성 악화 → 일자리 감소 → 국가 산업 기반 약화

② **세계 경제의 불안 요인 반영**
- 높은 *무역 의존도로 인한 국가 혼란 초래 자료 6
- 수입 물품의 생산 감소 → 국제 시장에서 가격 상승 → 국내 소비자 물가 상승

(2008년 미국 금융 위기로 우리나라도 주식 시장, 은행 등에 피해가 있었어.)

③ **정부의 자율적 경제 정책 운영 제한** : 국내 산업 보호 정책 → 외국 정부나 기업의 이해관계와 상충 → 국가 간 갈등과 마찰 발생

④ **국가 간 빈부 격차 심화** : 선진국과 개발 도상국 간 자본과 기술의 차이가 자유 무역으로 더욱 확대됨

⑤ **비합리적 소비문화 조장** : 무분별한 외국 제품에 대한 선호 → 개인의 건전한 경제 생활 위협 → 국내 경제에 부정적 영향

• 무역 의존도
수출액과 수입액을 합친 금액이 국내 총생산에서 차지하는 비율로서, 한 나라의 국민 경제가 어느 정도 무역에 의존하고 있는가를 나타내는 지표이다.

자료 4 국제 거래 대상의 확대

자·료·분·석 2015년 한 해 동안 한류로 인한 총 수출액은 70.3억 달러(한화 약 8조 955억 원)로 지난해 대비 2.2% 증가한 것으로 나타났다. 한류 수출 효과는 문화 콘텐츠 상품의 직접 수출과 소비재 상품의 간접 수출 효과로 구분하여 추정한다. 문화 콘텐츠 중에서는 영화, 방송, 음악의 수출 증가율이 주요한 부분을 차지하였으며, 소비재 및 관광 산업의 경우 화장품이 높은 증가율을 달성하였다. 지속적인 한류 수출액 증가로 인해 국내 경제에는 생산 유발 효과와 취업 유발 효과가 나타나고 있다.

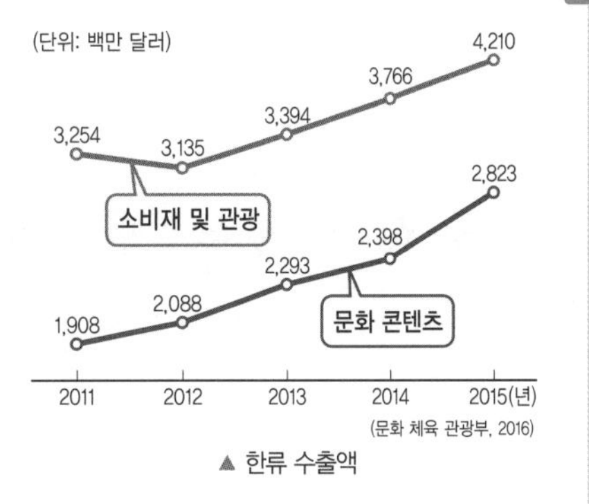

▲ 한류 수출액

한·줄·핵·심 오늘날 국제 거래는 상품의 수출과 수입뿐만 아니라 문화 콘텐츠까지 그 범위가 넓어지고 있다.

키워드 체크

❹ 오늘날 국제 거래는 상품의 수출과 수입뿐만 아니라 영화, 방송, 음악 등 □□ 콘텐츠까지 그 범위가 넓어지고 있다.

답 : □□ 콘텐츠

자료 5 한·중 자유 무역 협정(FTA)의 영향

자·료·분·석 우리나라와 중국의 자유 무역 협정(FTA)이 2015년 12월 20일에 발효되었다. 한·중 자유 무역 협정으로 관세가 인하되면서 중국 현지에서 가격 경쟁력을 확보할 수 있게 되어 철강, 기계, 첨단 산업, 소비재 의류, 가전 산업 등 첨단 제조업 중심으로 수요가 증가할 것으로 예상된다. 그러나 농업, 임업, 연안업, 해양 양식업 등 농수산업 취약 부분의 생산 감소 등 피해도 예상된다. 또한 규모의 경제를 앞세운 중국 업체가 가격 경쟁력을 확보해 국내 사업을 강화하면서 제조업 분야의 중소기업이 어려움을 겪을 것으로 예상된다.

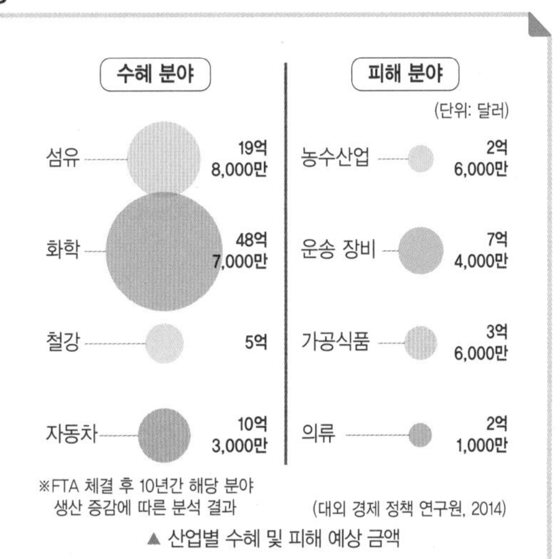

▲ 산업별 수혜 및 피해 예상 금액

한·줄·핵·심 한·중 자유 무역 협정으로 수혜를 입는 분야와 피해를 입는 분야가 동시에 발생하므로, 이에 대한 대비가 필요하다.

키워드 체크

❺ 국가 간에 상품의 자유로운 이동 및 거래 활성화를 위해 무역 장벽을 완화하거나 제거하는 협정은?

답 : □□ □□ □□

자료 6 우리나라의 무역 구조(2015년 기준)

자·료·분·석 우리나라는 수출과 수입 모두에서 중국, 미국, 일본의 비중이 거의 절반을 차지한다. 이렇게 무역의 비중이 높은 상대 국가에 경제적 문제가 발생했을 경우 우리나라가 받게 되는 타격은 클 수밖에 없다. 따라서 수출국과 수입국을 다변화하려는 노력이 필요하다.

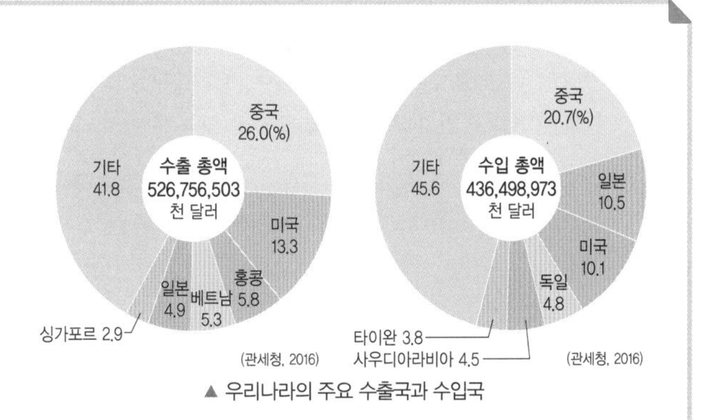

▲ 우리나라의 주요 수출국과 수입국

한·줄·핵·심 우리나라는 중국, 미국, 일본과의 무역 의존도가 높아 이들 나라에 경제적 영향을 받기 쉬우므로, 무역국을 다변화하려는 노력이 필요하다.

키워드 체크

❻ 우리나라는 중국, 미국, 일본과의 □□ □□□이/가 높아, 해당 나라들의 경제 상황에 영향을 받기 쉽다.

답 : □□ □□□

키워드 체크 답 ❹ 문화 ❺ 자유 무역 협정 ❻ 무역 의존도

자유 무역과 보호 무역

자유 무역 협정을 체결하면 수출이 원활해지고, 수입 물가가 내려가는 효과가 있다. 그러나 경쟁력을 갖추지 못한 산업은 크게 위축되기 때문에 보호 무역을 해야 한다는 주장도 제기된다. 다음 자료를 통해 자유 무역과 보호 무역에 대해 알아보자.

통합 주제 story

자료❶
그래프를 보면 한국·칠레 자유 무역 협정 체결 이후 양국 간의 교역 규모가 크게 늘었다. 교역의 증가는 생산 유발 효과, 고용 및 소득 유발 효과, 국내 산업의 경쟁력 제고 등의 효과를 가져 온다.

자료❷
자유 무역 협정으로 인해 국제 경쟁력이 약한 농업 부문에서 우리나라가 심각한 타격을 입고 있다는 내용이다. 이런 이유로 보호 무역이 필요하다는 주장이 꾸준히 제기되고 있다.

자료❸
제시된 미국의 반덤핑 관세 부과처럼 선진국도 자국의 산업 보호를 위해 보호 무역 조치를 취하는 것이 오늘날의 추세이다.

자료 ❶ 한국·칠레 자유 무역 협정의 긍정적 효과

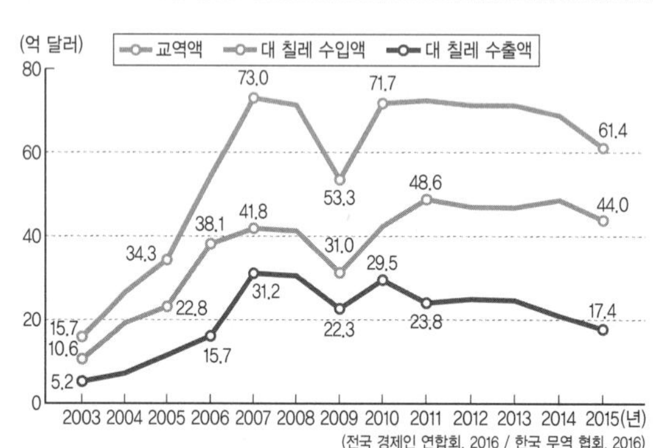

▲ 우리나라와 칠레의 교역액 추이

2004년 칠레와의 자유 무역 협정이 발효된 이후 2015년 한국과 칠레의 교역 규모는 약 61억 달러로 협정 발효 전인 2003년 16억 달러에서 약 4배 정도 늘었다. 같은 기간 우리나라의 세계 교역 규모가 2.6배 증가한 것과 비교하면 자유 무역 협정의 효과가 확실히 나타난 것이다.

자료 ❷ 자유 무역으로 인한 우리나라 농업 분야의 피해

2014년 대외 경제 정책 연구원이 발표한 자료를 보면 자유 무역 협정(FTA) 발효 후 9년(2004~2012년) 동안 농업 피해는 1조원으로 분석됐다. 정부가 당초 추정한 액수보다 2배 많은 금액이다. 한·미 FTA의 경우 2016년 미국산 과일·채소, 가공 식품, 축산물 수입액은 FTA 발효 5년 전과 비교했을 때 거의 2배씩 늘었다. 쇠고기가 3.4배 증가한 것을 비롯해 오렌지·체리·레몬이 2~4배, 치즈가 3배 늘어났다. 한·유럽 연합(EU) FTA로 인한 농업 분야의 피해도 발효 5년간 3,654억 원에 달하는 것으로 분석됐다. [○○신문, 2017. 7. 28.]

자료 ❸ 미국의 보호 무역 조치

미국 정부는 최근 우리나라 업체에서 생산하는 열연 강판, 열연 후판, 냉연 강판 등에 대해 반덤핑 관세를 부과하였다. 미국 정부가 외국산 철강 제품에 대해 과도한 세금을 매기거나 수입을 금지하는 까닭은 자국의 철강업체를 보호하겠다는 기조가 깔려 있다. 모든 산업의 바탕이 되는 철강업이 살아야 미국 제조업체들이 살아남을 수 있다는 원칙 아래 외국 기업들에게 노골적인 차별 정책을 펼치고 있는 것이다. [△△뉴스, 2017. 5. 17.]

이것만은 꼭!

- **자유 무역**을 통한 **무역량 증가**는 국내 경제에 여러 가지 **긍정적 효과**를 가져 온다.
- 자유 무역은 **국제 경쟁력이 약한 국내 산업**에 **심각한 피해**를 줄 수 있다.
- 선진국도 자유 무역으로 국내 산업이 타격을 입을 경우 **보호 무역 조치**를 취할 수 있다.

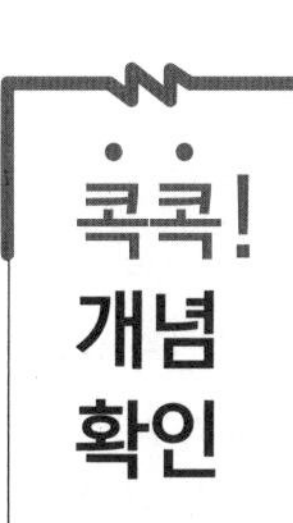

정답과 해설 48쪽

A 국제 분업과 무역의 필요성

01 빈칸에 알맞은 말을 쓰시오.

(1) □□ □□(이)란 각 나라가 무역에 유리한 것을 특화하여 생산하는 것으로, 자국에게 유리한 상품을 특화하여 생산한 후 무역을 통해 교환하면 거래 당사국 모두에게 □□이/가 된다.

(2) 각국이 보유한 기술 수준, 자본, 노동력 등의 차이로 인해 동일한 상품이라도 국가별로 □□□의 차이가 발생한다.

02 다음 글의 빈칸 A와 B에 들어갈 개념을 쓰시오.

갑국은 오렌지와 돼지고기를 모두 을국보다 싸게 생산할 수 있는 (　A　)에 있다. 그러나 오렌지 1kg을 생산하는 데 드는 기회비용은 갑국(돼지고기 2/3kg)이 을국(돼지고기 5/4kg)보다 작고, 돼지고기 1kg을 생산하는 데 드는 기회비용은 을국(오렌지 4/5kg)이 갑국(오렌지 3/2kg)보다 작다. 따라서 갑국은 오렌지에, 을국은 돼지고기에 (　B　)이/가 있다.

구분	오렌지 1kg	돼지고기 1kg
갑국	2달러	3달러
을국	5달러	4달러

▲ 갑국과 을국의 생산비

A : (　　　　　　　　), B : (　　　　　　　　)

B 무역의 확대와 그 영향

03 알맞은 설명에 ○표를 하시오.

(1) 무역이 확대되면서 매출이 성장하는 기업에서는 생산량의 증가에 따라 일정 수준까지 생산비를 낮출 수 있는데, 이를 (규모, 효율성)의 경제라고 한다.

(2) 무역 의존도가 (낮은, 높은) 상황에서 세계 경제의 불안 요인이 발생하면, 수출 환경이 나빠지고, 연관 산업의 생산이 타격을 받아 국내 경제가 불안해질 수 있다.

04 다음 글을 읽고 물음에 답하시오.

2004년 칠레와의 (　A　)이/가 발효된 이후 2015년 한국과 칠레의 교역 규모는 약 61억 달러로 협정 발효 전인 2003년 16억 달러에서 약 4배 정도 늘었다. 우리나라는 칠레에 주로 자동차, 석유 제품, 무선 통신 기기 등 기술 집약적 제품을 수출하고, 칠레로부터는 광물, 목재 등의 원재료와 곡물, 과일 등의 농산물을 수입한다.
현재 칠레산 수입 포도는 우리나라 수입 포도의 80%를 차지하고 있다. <u>이 때문에 같은 기간 동안 국내 포도 재배 면적과 생산량은 반으로 줄어들었다. 우리나라의 주요 포도 재배지인 충청북도에서 2014년에 폐업한 포도 농가는 1,196곳이었다.</u>

(1) 위 글의 빈칸 A에 들어갈 단어를 한글로 쓰시오. (　　　　　　)

(2) 다음은 위 글의 밑줄 친 부분에서 나타난 문제점이다. 빈칸에 알맞은 말을 쓰시오.

무역의 확대는 국제 □□□을/를 갖추지 못한 국내 산업에 어려움을 줄 수 있다.

탄탄! 내신 문제

정답과 해설 48쪽

A 국제 분업과 무역의 필요성

01 다음 글의 밑줄 친 A가 발생한 이유로 옳지 않은 것은?

> A (이)란 각 나라가 무역에 유리한 것을 특화하여 생산하는 것으로, 한 나라가 다른 나라보다 잘 만들 수 있는 것을 집중적으로 생산하여 수출하면 더 많은 이익을 얻을 수 있다.

① 각국이 보유한 기술 수준에 차이가 있기 때문에
② 각 상품의 공급과 수요가 나라마다 다르기 때문에
③ 생산비를 줄이면 더 큰 이익을 얻을 수 있기 때문에
④ 생산 요소가 지역에 따라 분포의 차이를 보이기 때문에
⑤ 거래 당사국 중 어느 한 나라가 이익을 얻을 수 있기 때문에

02 다음 글의 밑줄 친 '이것'의 특징으로 옳은 것을 〈보기〉에서 고른 것은?

> 우리 부모님들이 어렸을 때는 바나나를 구경하기가 무척 힘들었다. 그러나 지금은 사시사철 쉽게 사먹을 수 있다. 또 우리 방 안에 있는 책상과 컴퓨터, 우리가 입고 있는 옷과 신발 등 우리 생활에 필요한 각종 상품들의 원료는 대부분 외국에서 수입한 것이다. 만약 외국에서 원자재, 자본재, 기술 등이 수입되지 않거나 우리가 만든 상품이 외국으로 수출되지 않는다면 우리의 경제생활은 당장 어려움을 겪을 것이다. 이처럼 국경을 초월하여 재화와 서비스가 거래되는 것을 '이것'이라고 한다.

〈보기〉
ㄱ. 국내 거래에 비해 시장 규모가 작다.
ㄴ. 생산물의 이동이 국내 거래보다 자유롭다.
ㄷ. 수입 규제 조치에 의해 제한을 받을 수 있다.
ㄹ. 각국의 화폐, 환율, 경제 여건 등에 영향을 받는다.

① ㄱ, ㄴ ② ㄱ, ㄷ ③ ㄴ, ㄷ
④ ㄴ, ㄹ ⑤ ㄷ, ㄹ

03 다음 표는 A국과 B국이 해당 제품을 1단위 생산할 때의 비용이다. 이에 대한 옳은 설명을 〈보기〉에서 있는 대로 고른 것은? (단, A국과 B국만 존재하고, 두 재화만 생산하며, 생산 요소로는 노동만 있다고 가정한다.)

단위 : 달러

구분	노트북	스마트폰
A국	3	8
B국	21	16

〈보기〉
ㄱ. 두 재화 모두 절대 우위는 A국에 있다.
ㄴ. B국은 노트북에 비교 우위가 있다.
ㄷ. 절대 우위론에 의하면 A국과 B국의 무역은 불가능하다.
ㄹ. A국이 비교 우위 제품에 특화하여 1 : 1의 교역 조건으로 무역을 할 경우 5달러의 이익이 발생한다.

① ㄱ, ㄴ ② ㄱ, ㄹ ③ ㄴ, ㄷ
④ ㄱ, ㄷ, ㄹ ⑤ ㄴ, ㄷ, ㄹ

04 다음 자료에 대한 분석으로 옳지 않은 것은?

〈우리나라의 베트남 수출입 현황〉

단위 : 백만 달러

주요 수출 품목	수출액	주요 수입 품목	수입액
1. 반도체	2,788	1. 의류	2,160
2. 무선 통신 기기	2,270	2. 신발	506
3. 합성수지	1,197	3. 목재류	350
4. 편직물	978	4. 전자 제품의 부품	292
5. 기구 부품	936	5. 기타 섬유 제품	251

[한국 무역 협회, 2015]

① 우리나라는 무선 통신 기기에 비교 우위가 있다.
② 베트남은 노동 집약적 상품에 비교 우위가 있다.
③ 우리나라는 반도체 생산비가 베트남에 비해 낮다.
④ 베트남은 무선 통신 기기에 대한 수요가 높은 편이다.
⑤ 베트남은 우리나라에 비해 의류 관련 원료를 더 많이 생산한다.

B 무역의 확대와 그 영향

05 무역의 확대로 인한 영향으로 옳지 않은 것은?

① 소비자의 상품 선택의 범위가 확대된다.
② 서비스, 자본, 노동 등의 이동이 활발해진다.
③ 국가 간 경제 성장으로 무역 마찰이 줄어든다.
④ 경쟁력 있는 산업에서는 새로운 일자리가 창출된다.
⑤ 기업들은 좋은 상품을 만들기 위해 기술 개발에 주력한다.

06 다음과 같은 국제 경제의 흐름을 반영하고 있다고 보기 어려운 것은?

> 제2차 세계 대전 이후 국제 경제의 특징 중 하나는, 지역적으로 인접해 있는 국가 간에 경제적 통합을 이루려는 경향이다. 이는 국가와 국가 간에 존재하는 무역 장벽을 헐어버리고, 자유 무역의 무차별 원칙을 지역적으로 적용하려는 것이다.

① 유럽 연합(EU)
② 세계 무역 기구(WTO)
③ 남미 공동 시장(MERCOSUR)
④ 북미 자유 무역 협정(NAFTA)
⑤ 아시아·태평양 경제 협력체(APEC)

07 국제 거래의 확대에 따른 긍정적인 영향으로 적절하지 않은 것은?

① 국내의 모든 산업이 고르게 성장한다.
② 다양한 제품을 저렴하게 구매할 수 있다.
③ 국내 경제가 활성화되고 일자리가 창출된다.
④ 새로운 기술 교류가 이루어져 경제 발전에 기여한다.
⑤ 문화 교류가 활성화되어 다양한 문화를 누릴 기회가 증가한다.

08 다음 대화에서 밑줄 친 ㉠, ㉡을 뒷받침할 수 있는 내용으로 옳지 않은 것은?

> 갑 : 국제 분업과 무역이 증가하면 우리 경제에 ㉠ 긍정적인 영향이 나타날 거야.
> 을 : 그렇지만은 않아. 오히려 우리 경제에 ㉡ 부정적인 영향을 가져올 수 있어.

① ㉠ : 기업은 규모의 경제를 실현하여 높은 이윤을 추구할 수 있다.
② ㉠ : 저렴하고 질 좋은 상품 구매로 소비 생활의 만족감이 증대한다.
③ ㉠ : 생산 요소의 자유로운 이동으로 계층 간 빈부 격차가 해소된다.
④ ㉡ : 국제 경쟁력이 약한 국내 기업은 도태될 수 있다.
⑤ ㉡ : 정부의 자율적인 정책 결정이 제한을 받을 수 있다.

09 다음은 우리나라의 주요 수출입국을 나타낸 것이다. 이에 대한 옳은 분석을 〈보기〉에서 고른 것은?

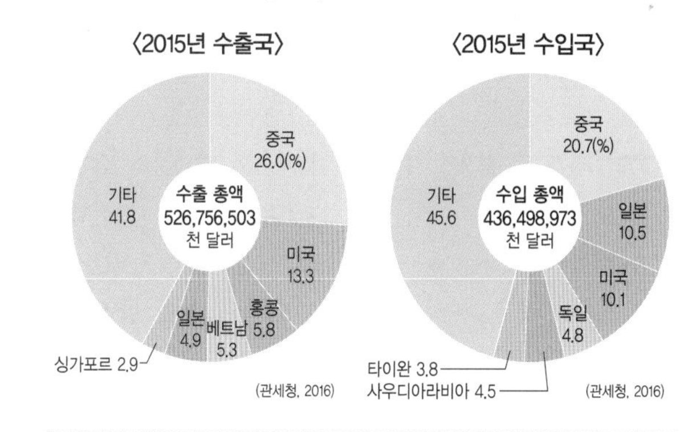

보기
ㄱ. 중국과의 교역에서 적자를 나타내고 있다.
ㄴ. 특정 국가들에 대한 무역 의존도가 높은 편이다.
ㄷ. 교역 상대국을 강대국 중심으로 단일화할 필요가 있다.
ㄹ. 일본과의 교역에서는 무역의 구조적 개선이 요구된다.

① ㄱ, ㄴ　② ㄱ, ㄷ　③ ㄴ, ㄷ
④ ㄴ, ㄹ　⑤ ㄷ, ㄹ

도전! 1등급 문제

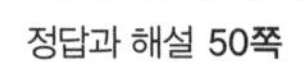
정답과 해설 50쪽

01 다음 표는 우리나라 5대 수출 품목의 변화를 나타낸 것이다. 이에 대한 설명으로 옳은 것은?

단위 : 백만 달러

순위 \ 구분	1970년		1990년		2014년	
	품목	수출액	품목	수출액	품목	수출액
1	섬유류	341.1	의류	7,600	반도체	62,647
2	합판	91.9	반도체	4,541	석유 제품	50,784
3	가발	90.4	신발	4,307	자동차	48,924
4	철광석	49.3	영상 기기	3,627	선박 해양 구조물 및 부품	39,886
5	전자 제품	29.2	선박	2,829	무선 통신 기기	29,573
총수출액	8,353		125,085		572,665	

[한국 무역 협회, 2015]

① 무역 의존도가 크게 높아지고 있다.
② 수출 대상국이 점차 다양해지고 있다.
③ 첨단 산업이 지속적으로 성장하고 있다.
④ 자동차의 생산비가 점차 높아지고 있다.
⑤ 노동 집약적 상품의 수출 비중이 늘어나고 있다.

02 다음 밑줄 친 부분을 통해 기대할 수 있는 효과로 가장 적절한 것은?

> 우리 제품의 브라질 수출은 지난 2014년 89억 달러에서 지난해에는 44억 달러로 급감했습니다. 그런데 최근 들어 브라질 등 남미 공동 시장(MERCOSUR) 국가들이 자유 무역 협정(FTA)에 적극적인 움직임을 보이고 있습니다. 남미 공동 시장은 남미 인구의 70%, GDP의 76%를 차지하는 큰 시장입니다. <u>우리나라와 남미 공동 시장은 올 하반기에 FTA 공식 협상을 개시할 계획입니다.</u> [○○뉴스, 2017. 5. 14.]

① 국가 내 계층 간 빈부 격차를 줄일 것이다.
② 다국적 기업의 국내 진출이 억제될 것이다.
③ 우리나라와 남미의 전통문화가 통합될 것이다.
④ 양국의 비교 우위 상품의 교역이 촉진될 것이다.
⑤ 경제 활동에 대한 정부 개입의 필요성이 증대할 것이다.

03 다음 자료에 대한 옳은 추론을 〈보기〉에서 고른 것은?

〈석탄의 주요 수출국과 수입국〉

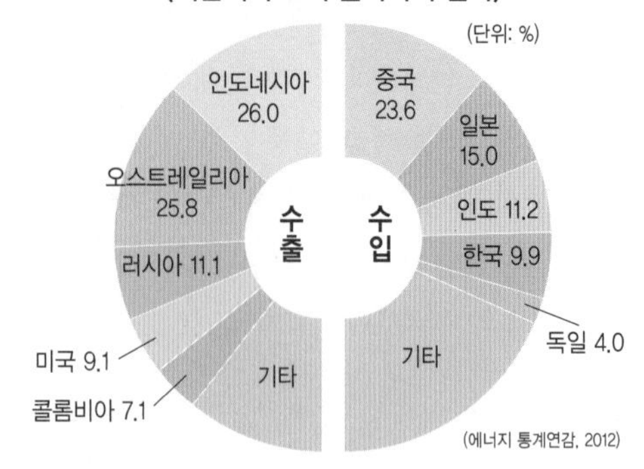

보기
ㄱ. 중국과 일본은 석탄에 대한 수요가 높을 것이다.
ㄴ. 인도네시아는 인도에 비해 석탄 매장량이 적을 것이다.
ㄷ. 석탄의 매장량이 나라별로 다르기 때문에 무역이 발생하는 것이다.
ㄹ. 오스트레일리아의 석탄 수출액이 중국의 석탄 수입액보다 많을 것이다.

① ㄱ, ㄴ ② ㄱ, ㄷ ③ ㄴ, ㄷ
④ ㄴ, ㄹ ⑤ ㄷ, ㄹ

고난도

04 다음 표는 갑국과 을국이 X재와 Y재를 1단위씩 생산할 때의 생산비를 나타낸 것이다. 이에 대한 설명으로 옳지 <u>않은</u> 것은? (단, 갑국과 을국만 존재하고, X재와 Y재만 생산하며, 생산 요소로는 노동만 있다고 가정한다.)

구분	X재	Y재
갑국	30달러	25달러
을국	60달러	100달러

① 갑국은 Y재에 절대 우위가 있다.
② 을국은 X재에 비교 우위가 있다.
③ 갑국은 Y재, 을국은 X재를 특화하는 것이 좋다.
④ 갑국과 을국이 특화하여 1단위씩 교환한다면 갑국의 이익은 5달러이다.
⑤ 갑국과 을국이 특화하여 1단위씩 교환한다면 을국의 이익은 30달러이다.

05 다음과 같은 추세가 지속될 때 나타날 수 있는 영향으로 보기 어려운 것은?

〈세계 무역 규모 추이〉

연도	1970	1980	1990	2000	2010	2014
세계 무역 규모(억 달러)	580	4,109	7,090	13,182	30,812	37,959

(한국 무역 협회, 2015)

① 규모의 경제를 통해 기업의 생산비가 줄어든다.
② 경쟁력이 약한 산업에서 대량 실업을 초래할 수 있다.
③ 다른 나라의 경제 상황에 영향을 받는 일이 많아진다.
④ 소비자들이 선택할 수 있는 상품의 범위가 축소될 수 있다.
⑤ 기업의 연구 개발 투자가 확대되어 효율성과 생산성이 높아진다.

06 다음 글의 밑줄 친 ㉠과 ㉡에 대한 옳은 설명을 〈보기〉에서 고른 것은?

> 세계화의 추세로 한 국가의 경제를 세계 경제와 따로 떼어 생각하기 어렵게 되었다. 세계 무역에 있어 강력하고 강제력을 가진 ㉠ 세계 무역 기구(WTO)가 1995년 출범하였으며, 이와 동시에 1990년대 이후 국가 간 ㉡ 자유 무역 협정(FTA)도 급격히 증가해 2017년 4월 현재 한국은 총 15개 FTA 협정(54개국)을 체결하였다.

보기
ㄱ. ㉠은 보호 무역을 추구한다.
ㄴ. ㉠은 무역 분쟁을 조정한다.
ㄷ. ㉡은 비회원국에게는 배타적이다.
ㄹ. ㉡은 회원국 모두에게 국제 수지의 흑자를 가져다준다.

① ㄱ, ㄴ ② ㄱ, ㄷ ③ ㄴ, ㄷ
④ ㄴ, ㄹ ⑤ ㄷ, ㄹ

[07-08] 다음 글을 읽고 물음에 답하시오.

> (가) 2014년 대외 경제 정책 연구원이 발표한 자료를 보면 한·미 FTA의 경우 2016년 미국산 과일·채소, 가공 식품, 축산물 수입액은 FTA 발효 5년 전과 비교했을 때 거의 2배씩 늘었다. 쇠고기가 3.4배 증가한 것을 비롯해 오렌지·체리·레몬이 2~4배, 치즈가 3배 늘어났다. 한·유럽 연합(EU) FTA로 인한 농업 분야의 피해도 발효 5년간 3,654억 원에 달하는 것으로 분석됐다. [○○신문, 2017. 7. 28.]
>
> (나) 미국 정부는 최근 우리나라 업체에서 생산하는 열연 강판, 열연 후판, 냉연 강판 등에 대해 반덤핑 관세를 부과하였다. 모든 산업의 바탕이 되는 철강업이 살아야 미국 제조업체들이 살아남을 수 있다는 원칙 아래 외국 기업들에게 노골적인 차별 정책을 펼치고 있는 것이다. [△△뉴스, 2017. 5. 17.]

07 위의 (가)를 통해 알 수 있는 자유 무역 협정의 문제점으로 가장 적절한 것은?

① 다른 나라의 선진 기술 도입을 어렵게 할 수 있다.
② 경쟁력을 갖추지 못한 국내 산업에 어려움을 줄 수 있다.
③ 국가 간 무역 장벽을 강화하여 무역 충돌을 일으킬 수 있다.
④ 정부가 경제 정책을 자율적으로 운영하는 데 제약이 될 수 있다.
⑤ 수입품의 가격을 상승시킴으로써 소비자의 선택의 폭을 좁힐 수 있다.

고난도
08 위의 (가), (나)에 나타난 문제점을 극복하기 위한 방안으로 가장 적절한 것은?

① 선진국의 보호 무역 조치에 맞서 관세를 인상한다.
② 국산품 애용을 생활화하여 수입품의 범람을 막는다.
③ 선진국으로의 수출보다는 개발 도상국으로의 수출로 전환한다.
④ 기술 개발에 적극 투자하여 제품의 품질 향상을 위해 노력한다.
⑤ 자유 무역 협정 체결을 중지하고 보호 무역을 통해 자립 경제를 도모한다.

04 안정적인 경제생활과 금융 설계

흐름 잡기

금융 설계

금융 자산의 종류와 자산 관리의 기본 원칙은? A

생애 주기별 금융 생활 설계는? B

A 금융 자산과 자산 관리

한·줄·단·서 금융 자산은 **안전성, 수익성, 유동성**이 균형을 이루도록 **분산 투자**를 하는 것이 좋아.

1. 금융 자산의 종류와 특징 자료 2

① 예금·적금 : 가장 기본적인 금융 상품 자료 1

- **예금** : 소득 중 일부를 은행에 맡기고 이율에 따라 이자를 지급받는 것 예 요구불 예금, 정기 예금
  - (요구불 예금: 입출금이 자유로운 예금으로, 금리가 상대적으로 낮아.)
- **적금** : 계약 기간 동안 일정한 금액을 정기적으로 납입하여 만기 시 원금과 이자를 지급받는 것 예 정기 적금
- **특징** : 유동성과 안전성은 높지만 수익성은 낮음, *예금자 보호법에 의해 보호
  - (예금은 원하는 경우 즉시 인출할 수 있고, 적금도 이자에 대한 약간의 손해만 치르면 곧바로 현금으로 돌려받을 수 있어.)

② 주식

- **주식** : 주식회사가 경영 자금을 마련하기 위해 투자자에게 돈을 받고 발행하는 증서
- **주식 투자자(주주)** : 투자한 만큼 회사의 지분 소유 → *배당금, 시세 차익을 얻음
- **특징** : 수익성은 높지만, 안전성은 낮음
  - (기업이 파산하게 되면 투자한 돈을 모두 잃을 수도 있어.)

③ 채권

- **채권** : 정부, 지방 자치 단체, 금융 기관 및 주식회사 등이 미래에 일정한 이자를 지급할 것을 약속하고 필요한 자금을 빌리면서 제공하는 증서
- **채권자** : 만기일에 일정한 이자를 받을 수 있고, 만기일 이전이라도 채권 시장에 팔 수 있음
- **특징** : 안전성은 예금보다 낮고 주식보다 높음, 수익성은 예금보다 높음
  - (대체로 신용 등급이 높은 곳에서 발행하기 때문에 주식보다는 안전성이 높아.)

● **예금자 보호법**
은행 등의 금융 기관이 경영 악화나 영업 정지, 파산 등으로 예금을 지급할 수 없는 경우, 국가가 원금과 이자를 합하여 1인당 최고 5천만 원까지 지급을 보장하는 제도이다.

● **배당금**
주식회사가 수익을 낼 경우, 소유한 주식에 비례하여 주주들이 나누어 가지는 이익을 말한다.

2. 자산 관리의 의미와 기본 원칙

① 자산 관리 : 개인의 생애에 걸쳐 안정적인 경제생활을 유지하기 위해 자신이 벌어들인 소득에 대한 소비, 저축, 투자 등의 계획을 세우고 실행하는 것

② 자산 관리의 기본 원칙

구분	안전성	수익성	유동성(환금성)
의미	투자한 금융 자산의 가치가 안전하게 보호될 수 있는 정도	금융 상품의 가격 상승이나 이자 수익을 기대할 수 있는 정도	보유하고 있는 자산을 필요할 때 쉽게 현금으로 전환할 수 있는 정도
특징	일반적으로 투자의 위험 요소가 많을수록 그 투자 수단의 안전성은 낮음	수익률이 높을수록 위험성이 높거나 유동성이 낮을 수 있음	자산을 현금으로 전환하는 데 시간이 오래 걸리거나 거래 가격이 높아 팔기가 쉽지 않으면 유동성이 낮음

궁금해? 상품별 수익과 위험 정도

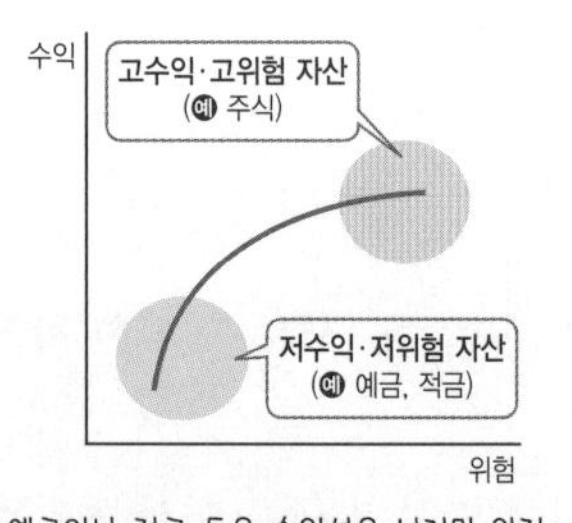

예금이나 적금 등은 수익성은 낮지만 안전성이 높고, 주식은 수익성은 높지만 위험해서 안전성이 낮아.

3. 합리적 자산 관리

① 분산 투자 : 다양한 금융 상품에 적절히 분산하여 투자 자료 3

- 자신의 소득, 투자 목적과 기간, 금융 상품의 특성 등을 고려
- 안전성과 수익성이 균형을 이루도록 함

② 유동성 수준 파악 : 장기적 관점에서 유동성 수준을 파악하여 자신이 돈을 써야 하는 목적이나 시기에 맞추어 적절하게 현금화할 수 있도록 관리
  - (살다보면 갑자기 돈이 필요할 때가 있으니까 비상금을 항상 확보해야 해.)

교과서 자료 모아보기

자료 1 예금 이자의 단리와 복리

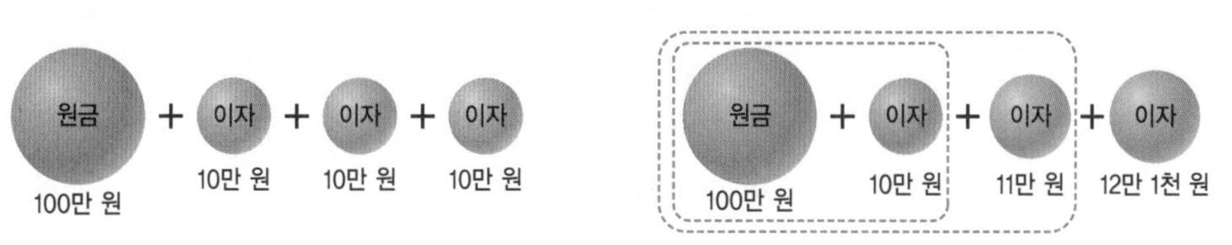

▲ 단리로 예금할 때 ▲ 복리로 예금할 때

자·료·분·석 단리는 단순히 일정 기간 동안 원금에 대한 이자를 계산하는 방법이며, 복리는 일정 기간마다 이자를 원금에 합쳐 그 합계 금액에 대한 이자를 다시 계산하는 방법이다. 100만 원을 연 10%의 이자로 3년간 예금한다고 가정할 때, 단리로 계산하면 매년 10만 원의 이자가 생겨 130만 원이 된다. 그런데 이를 복리로 계산하면 3년 후 133만 1천 원이 된다. 특히 장기간 예금을 유지하는 경우나 이자율이 높을 때는 복리로 예금하는 것이 단리로 예금하는 것보다 훨씬 큰 이자 수익을 얻을 수 있는 방법이다.

한·줄·핵·심 금리(이자율) 적용 방식에는 크게 단리와 복리가 있는데, 복리가 이자 수익률이 높다.

키워드 체크

❶ □□은/는 단순히 일정 기간 동안 원금에 대한 이자를 계산하는 방법이며, □□은/는 일정 기간마다 이자를 원금에 합쳐 그 합계 금액에 대한 이자를 다시 계산하는 방법이다.

답 : □□, □□

자료 2 펀드, 보험, 연금

펀드	보험	연금
다수의 투자자에게서 모은 자금을 금융 기관이 주식 및 채권 등에 투자하여 그 수익을 투자자들에게 분배하는 금융 상품	미래에 닥칠지도 모를 사고에 대비하여 매달 정기적으로 보험료를 내고, 사고가 나면 약속한 보험금을 받는 제도로, 금융 상품의 기능도 갖고 있음	노후 생활의 안정을 위해 돈을 적립해 두고 일반적으로 은퇴 후에 받는 금융 상품

자·료·분·석 펀드는 적은 돈으로 투자할 수 있으며, 전문가가 투자를 대신해주는 간접 투자 상품이다. 보험은 사고로 인한 큰 손해를 막아주는 역할을 하며, 연금은 장기간 지속해서 받을 수 있어 노후 보장의 효과가 강하다.

한·줄·핵·심 펀드는 간접 투자 상품이고, 보험은 미래의 사고에 대비하는 상품이며, 연금은 안정적인 노후 생활을 위한 금융 상품이다.

키워드 체크

❷ 노후 생활의 안정을 위해 돈을 적립해 두고 일반적으로 은퇴 후에 받는 금융 상품은?

답 : □□

자료 3 포트폴리오 투자

자산 관리에서 말하는 포트폴리오(portfolio)란 위험을 줄이고 수익을 극대화하기 위한 분산 투자 방법이나 그렇게 분산하여 투자한 자산의 집합을 말한다. 주식에 투자한 경우라면 분산 투자한 주식의 집합을, 주식·채권·부동산에 나누어 투자한 경우라면 분산 투자한 주식, 채권, 부동산 등의 집합 역시 포트폴리오라고 한다. 주식의 경우 한 종목에 가진 돈을 모두 투자하였을 경우 해당 회사의 부도 등 예상치 못한 상황이 발생하면 큰 손실을 입을 수 있다. 포트폴리오 투자를 하게 되면 한 종목이 하락하더라도 다른 종목에서 손실을 보충할 수 있기 때문에 보다 안전하다고 할 수 있다. "계란을 한 바구니에 담지 말라."라는 말은 포트폴리오 투자의 필요성을 강조한 말이다.

자·료·분·석 금융 자산마다 안전성, 수익성, 유동성이 제각각이므로 각 금융 자산의 특성을 종합적으로 고려하여 여러 자산을 골고루 보유하는 것이 분산 투자를 합리적으로 실천하는 길이다.

한·줄·핵·심 포트폴리오 투자란 자산을 여러 가지 종류로 나누어 관리하는 것이다.

키워드 체크

❸ 자산을 여러 가지 종류로 나누어 관리하는 것으로, 위험을 줄이고 수익을 극대화하기 위한 분산 투자 방법은?

답 : □□□□□ 투자

키워드 체크 정답 ❶ 단리, 복리 ❷ 연금 ❸ 포트폴리오

B 생애 주기별 특성과 금융 설계

한·줄·단·서 생애 주기별로 발달 과업에 따른 **재무 목표를 확인**하여 **금융 생활을 설계**해야 해.

생애 주기
시간의 흐름에 따라 개인의 삶이 어떻게 진행되는지, 가족의 모습은 어떻게 변화하는지를 몇 가지 단계에 따라 나타낸 것이다.

1. *생애 주기별 발달 과업과 금융 생활 자료4

생애 주기	발달 과업	금융 생활
아동기 (10대)	교육과 성장의 시기, 진로 탐색 및 자아 실현을 위한 준비	전적으로 부모님의 소득에 의존
청년기 (20~30대)	취업, 결혼, 자녀 출산 및 양육 등 다양한 과업이 요구되는 시기	점차 본인의 소득에 따른 경제생활을 하게 됨
중·장년기 (40~50대)	가족 부양 부담(자녀 교육 및 결혼, 부모님 부양 등), 주택 마련, 은퇴 및 노후 준비 등	일반적으로 소득이 가장 많지만 지출의 규모도 큰 시기이므로 신중한 금융 설계 필요
노년기 (60대 이상)	건강 관리 및 은퇴 후의 안정적이고 행복한 노후 생활 유지	수입보다 지출이 많은 시기이므로 지출 비용 점검 → 안전성과 유동성 확보

2. 생애 주기별 수입과 지출

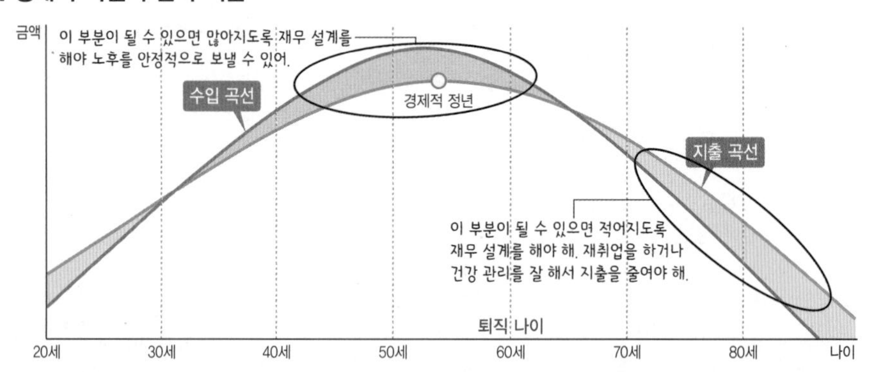

- 시기별로 수입이 지출을 초과하는 시기가 있고, 반대로 지출이 수입을 초과하는 시기가 있음
- 일반적으로 노년기 이전에는 수입이 지출보다 많으므로 이 시기에 충분한 금융 자산을 확보해야 함
- 평균 수명의 연장과 고령화로 은퇴 이후의 삶을 대비할 필요성이 높아졌음

3. 금융 설계(재무 설계)

안정적인 인생을 위해 제한된 소득을 현재와 장래의 생활에 어떻게 배분할 것인지를 사전에 자세히 검토해 보는 작업이라고 할 수 있어.

① **금융 설계 :** 자신의 생애 주기별 과업을 바탕으로 *재무 목표를 설정하고, 미래의 수입과 지출을 예상하여 목표 달성에 필요한 구체적인 자금 계획을 세우는 것

② **금융 설계의 과정**

단계	내용
재무 목표 설정	자신의 가치관과 재무 상태 등을 고려해 장·단기 재무 목표 설정
▼	
재무 상태 분석	자신의 재무 상태 및 이용 가능한 자산 파악
▼	
목표 달성을 위한 대안 모색	재무 목표의 우선순위와 시간 계획 등을 설정(행동 계획 수립)
▼	
재무 행동 계획 실행	재무 목표 달성을 위해 계획 실행
▼	
재무 실행 평가와 수정	목표 달성 정도를 평가하고 달성하지 못했을 경우 문제점을 파악하고 수정

③ **금융 설계 시 고려 사항 :** 재무 목표, 월평균 생활비, 물가 상승률, 자녀 교육비 등 자료5

재무 목표
결혼 자금, 주택 마련 자금, 자녀 교육비, 노후 자금 등과 같이 돈이 드는 인생의 목표를 의미한다.

궁금해? 신혼집 마련 비용

자가 구입비	1억 1,868만 원
전세 보증금	4,978만 원

월 평균 자녀 양육비

자녀 1명	64만 8천 원
자녀 2명	128만 5천 원
자녀 3명	152만 9천 원

[한국 보건 사회 연구원, 2015]

자료 4 생애 주기별 재무 목표

	저축 가능 기간				노후 생활 기간	
생애 주기 (연령)	결혼 준비기 (20~30대)	가족 형성기 (30대)	자녀 양육기 (30~40대)	자녀 교육기 (40~50대)	자녀 독립기 (60대)	노후기 (70대 이후)
주요 사건	사회생활 시작	결혼, 주택 마련	자녀 출산 및 양육	자녀 교육, 주택 확장, 왕성한 사회 활동	자녀 결혼, 은퇴 준비	노후 생활
주요 재무 목표	결혼 자금	주택 마련 자금	육아 비용	자녀 교육 비용 주택 마련 자금	자녀 결혼 비용 노후 생활 자금	노후 생활 자금 긴급 자금
주요 비용	결혼 비용 5,414 4,784만 원 남성 여성 (한국 소비자원, 2016)	자녀 1인당 교육 비용 교육비(영·유아기+초등학교+중학교+고등학교+대학교) 총 3억 895만 원 (보건 복지부, 2016)		주택 자금 국토 교통부 실거래 공개 시스템 rt.molit.go.kr에서 올해의 주택 매매 또는 전세 가격에 대한 통계 자료를 확인할 수 있다.	은퇴 후 필요한 월 생활비(부부 기준) 월평균 159~224만 원 (국민 연금 공단, 2013)	

자·료·분·석 20대는 사회생활을 시작하는 시기로 결혼 자금 마련이 가장 큰 재무 목표이다. 결혼을 하고 나면 주택 마련과 육아 비용, 자녀 교육 비용, 자녀 결혼 비용 등에 대한 재무 설계가 필요하다. 또한 안정적이고 행복한 노후를 대비하여 노후 생활 자금도 준비해야 한다.

한·줄·핵·심 자신의 생애 설계를 통해 인생 목표를 정하고, 그것을 구체적으로 실현하기 위한 금융 설계가 필요하다.

키워드 체크

❹ □□ □□은/는 자신의 생애 주기별 과업을 바탕으로 재무 목표를 설정하고, 미래의 수입과 지출을 예상하여 목표 달성에 필요한 구체적인 자금 계획을 세우는 것이다.

답 : □□ □□

자료 5 금융 설계를 할 때 고려할 항목

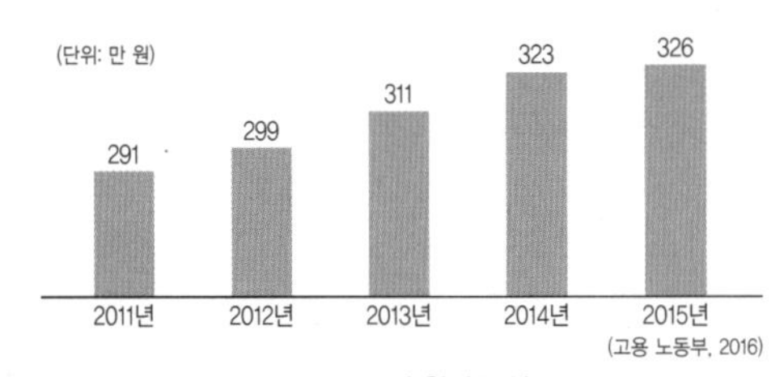

▲ 임금 근로자 월평균 임금

▲ 월평균 가계 지출(2인 이상 가구 기준)

영아기(1~4세)	3,064만 원
유아기(5~7세)	3,686만 원
초등학교(8~13세)	7,596만 원
중·고등학교(14~19세)	8,842만 원
대학교(20~23세)	7,709만 원
총액	3억 897만 원

(한국 보건 사회 연구원, 2015)

▲ 자녀 양육 비용

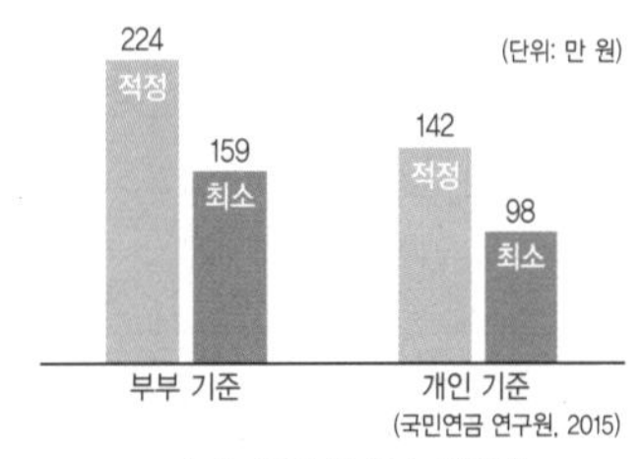

▲ 노후 필요 월 최소 생활비

자·료·분·석 임금 근로자 월평균 임금은 지출을 위해 확보할 수 있는 수입을 예상해 보려는 것이다. 임금은 어느 정도 고정적이므로 지출을 최대한 줄여서 저축을 해 놓아야 생애 주기별로 재무 목표를 달성할 수 있다. 그리고 자녀 양육 비용을 어느 정도 알고 나면 시기별로 양육비를 어떻게 준비해야 할지를 설계할 수 있으며, 노후 필요 월 최소 생활비를 정확히 파악하면 노후 대비를 구체적으로 할 수 있다.

한·줄·핵·심 각종 통계 자료를 이용하면 금융 설계를 보다 구체적으로 준비할 수 있다.

키워드 체크

❺ 노후 생활에 필요한 월 □□ □□□을/를 정확히 파악하면 노후 대비를 구체적으로 할 수 있다.

답 : □□ □□□

키워드 체크 정답 ❹ 금융 설계(재무 설계) ❺ 최소 생활비

콕콕! 개념 확인

정답과 해설 51쪽

A 금융 자산과 자산 관리

01 빈칸에 알맞은 말을 쓰시오.

(1) □□은/는 투자한 만큼 회사의 지분을 소유하며, 배당금과 시세 차익을 기대할 수 있다.

(2) □□은/는 정부, 지방 자치 단체, 금융 기관 및 주식회사 등이 미래에 일정한 이자를 지급할 것을 약속하고 필요한 자금을 빌리면서 제공하는 증서이다.

(3) □□은/는 노후 생활의 안정을 위해 돈을 적립해 두고 일반적으로 은퇴 후에 받는 금융 상품이다.

(4) □□은/는 소득 중 일부를 은행에 맡기고 이율에 따라 이자를 지급받는 금융 상품으로, □□□ □□법에 의해 보호를 받는다.

02 자산 관리의 원칙과 그 특징을 바르게 연결하시오.

(1) 수익성 • • ㉠ 투자한 금융 자산의 가치가 안전하게 보호될 수 있는 정도

(2) 유동성 • • ㉡ 금융 상품의 가격 상승이나 이자 수익을 기대할 수 있는 정도

(3) 안전성 • • ㉢ 보유하고 있는 자산을 쉽게 현금으로 전환할 수 있는 정도

B 생애 주기별 특성과 금융 설계

03 알맞은 설명에 ○표를 하시오.

(1) (청년기, 중·장년기)는 취업, 결혼, 자녀 출산 및 교육 등 다양한 과업이 요구되는 시기이며, 점차 본인의 소득에 따른 경제생활을 하게 된다.

(2) 60대에는 은퇴 이후 받게 될 연금 등 수입을 점검하고, (수입, 지출)보다 (지출, 수입)이 많은 시기인 만큼 이에 대한 점검도 필요하다.

04 다음 그림을 보고 물음에 답하시오.

〈금융 설계 과정〉

재무 목표 설정	자신의 가치관과 재무 상태 등을 고려해 장·단기 재무 목표 설정
재무 상태 분석	자신의 재무 상태 및 이용 가능한 자산 파악
(A)	재무 목표의 우선순위와 시간 계획 등을 설정(행동 계획 수립)
재무 행동 계획 실행	재무 목표 달성을 위해 계획 실행
(B)	목표 달성 정도를 평가하고 달성하지 못했을 경우 문제점을 파악하고 수정

(1) 위 그림의 빈칸 A와 B에 들어갈 내용을 쓰시오.

A : ( ), B : ( )

(2) 위 그림에서 '노후 생활 자금'이 재무 목표라면 고려해야 할 항목을 한 가지만 제시하시오. ( )

탄탄! 내신 문제

정답과 해설 51쪽

A 금융 자산과 자산 관리

01 다음 자료를 토대로 갑, 을, 병에게 추천할 수 있는 금융 자산을 바르게 연결한 것은?

- 갑은 배당금과 시세 차익을 모두 기대할 수 있는 상품을 선호한다.
- 을은 원금이 안정적으로 보장되는 상품을 선호한다.
- 병은 안전성과 수익성 사이에 균형을 확보하려 하며, 수익성을 추구하지만 위험성이 높은 상품은 꺼리는 성향을 가진다.

	갑	을	병
①	주식	채권	예금
②	채권	주식	예금
③	주식	예금	채권
④	채권	예금	주식
⑤	예금	주식	채권

02 다음은 갑, 을, 병의 자산 관리 현황이다. 이에 대한 분석으로 옳은 것은?

- 갑은 퇴직금 5천만 원을 여러 종목의 주식에 분산하여 투자하였다.
- 을은 퇴직금 5천만 원을 모두 요구불 예금에 투자하였다.
- 병은 퇴직금 5천만 원을 정기 예금에 2천만 원, 주식에 1천만 원, 채권에 2천만 원씩 투자하였다.

① 갑의 투자는 "계란을 한 바구니에 담지 마라."라는 격언에 충실한 방법이다.
② 은행이 파산하더라도 을은 원금을 모두 회수할 수 있다.
③ 갑은 을과 병에 비해 유동성을 가장 중시하였다.
④ 예금 금리가 내릴 경우 을에 비해 병이 더 큰 손실을 입게 된다.
⑤ 병은 갑에 비해 수익성은 높지만 안전성이 낮은 투자를 하였다.

03 다음은 어느 금융 자산이 거래되는 시장의 모습이다. 이 금융 자산에 대한 설명으로 옳은 것은?

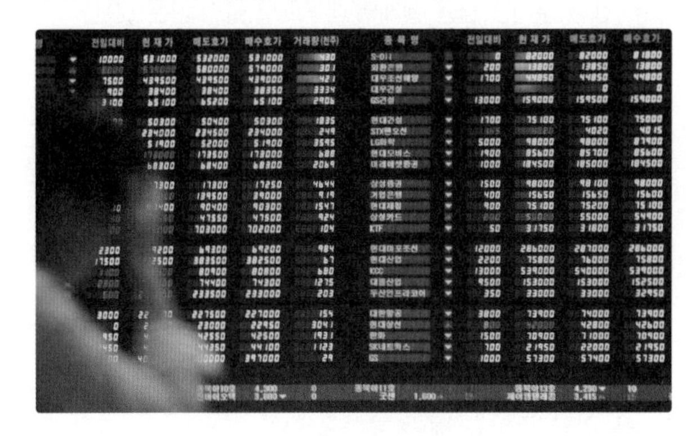

① 예금자 보호법의 적용을 받는다.
② 유동성과 안전성은 높지만, 수익성이 낮다.
③ 투자 수익은 시세 차익과 배당금으로 구성된다.
④ 미래에 발생할 수 있는 사고로 인한 큰 손해를 막아 주는 역할을 한다.
⑤ 계약 기간 동안 일정한 금액을 정기적으로 납입하여 만기일에 원금과 이자를 받는다.

04 다음 글의 A~C에 대한 옳은 설명을 <보기>에서 고른 것은?

효과적인 자산 관리를 위해서는 자산 관리의 기본 원칙인 A, B, C를 고려해야 한다. A는 투자한 금융 자산의 가치가 보호될 수 있는 정도를 말한다. B는 금융 상품의 가격 상승이나 이자 수익을 기대할 수 있는 정도를 뜻한다. C는 보유하고 있는 자산을 필요할 때 쉽게 현금으로 전환할 수 있는 정도를 의미한다.

〈보기〉
ㄱ. A는 원금과 이자가 보전될 수 있는 정도를 의미한다.
ㄴ. 일반적으로 A가 높은 자산일수록 B도 높다.
ㄷ. 채권은 주식보다 B가 높다.
ㄹ. 예금은 C는 높지만 B는 낮다.

① ㄱ, ㄴ ② ㄱ, ㄹ ③ ㄴ, ㄷ
④ ㄴ, ㄹ ⑤ ㄷ, ㄹ

B 생애 주기별 특성과 금융 설계

05 생애 주기별 금융 설계의 내용으로 옳지 않은 것은?

① 10대에는 용돈을 어떻게 써야할 지에 대해 미리 계획해야 한다.
② 20대에는 결혼 비용을 어떻게 마련할 것인지에 대해 계획을 세워야 한다.
③ 40대에는 자녀의 양육에 많은 돈이 들어가므로 은행 대출을 최대한 많이 받아야 한다.
④ 50대에는 보험이나 연금 등을 점검하여 노후 생활을 위한 준비를 해야 한다.
⑤ 60대에는 수입보다 지출이 많은 시기이므로 지출 비용을 적절히 조정해야 한다.

06 다음은 갑의 생애 주기별 수입과 지출의 변화를 나타낸 그래프이다. 이에 대한 옳은 설명을 〈보기〉에서 고른 것은?

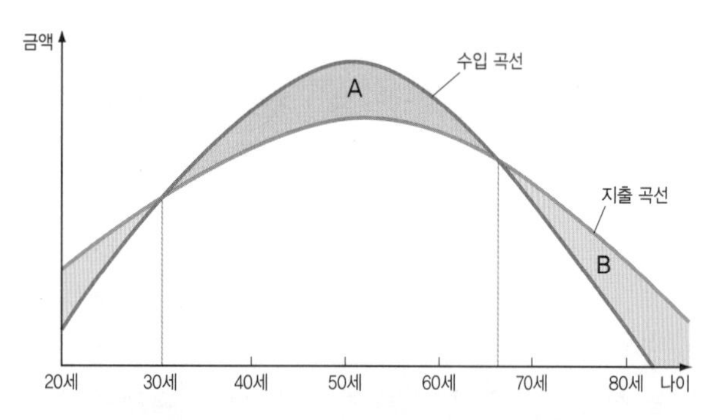

보기

ㄱ. A의 면적이 넓을수록 갑은 퇴직 이후에 안정적인 생활을 할 수 있다.
ㄴ. B에는 갑의 건강 유지 비용과 병원비가 포함되어 있다.
ㄷ. 갑의 퇴직 시기가 늦춰질수록 A보다 B의 면적이 넓어질 것이다.
ㄹ. 갑의 소비 수준은 소득 수준의 변화에 따라 비례적으로 변화한다.

① ㄱ, ㄴ ② ㄱ, ㄷ ③ ㄴ, ㄷ
④ ㄴ, ㄹ ⑤ ㄷ, ㄹ

07 다음은 금융 설계 과정을 나타낸 것이다. 각 단계에서 이루어져야 할 내용으로 옳지 않은 것은?

단계	내용
(가)	재무 목표 설정
(나)	재무 상태 분석
(다)	행동 계획 수립
(라)	행동 계획 실행
(마)	실행 결과 평가 및 수정

① (가) : 생애 주기 전체를 고려하여 설정해야 한다.
② (나) : 자산과 부채, 수입과 지출의 상태를 파악한다.
③ (다) : 수익성을 가장 우선하여 행동 계획을 수립한다.
④ (라) : 재무 목표를 바탕으로 성실하게 행동 계획을 실천한다.
⑤ (마) : 목표 달성 정도를 평가하고, 달성하지 못한 경우 문제점을 파악한다.

08 다음 글을 통해 유추할 수 있는 50대의 재무 설계로 가장 적절한 것은?

> 우리나라에서 50대는 바쁘면서 책임도 무거운 시기이다. 이때쯤이면 자녀들이 대학에 다니고 결혼하는 시기이다. 또 회사에서는 중책을 맡고 있거나 퇴직의 압력이 심해지기도 한다. 신체적으로도 아픈 곳이 서서히 나타난다. 건강 검진하러 병원에 가면 여러 가지가 정상 수치를 넘어섰다는 말을 자주 듣는다. 친구들이 갑자기 아파서 입원하는 일도 자주 발생한다. 주변에서는 노후를 준비해야 한다고 다그친다. 시간 내서 귀농에 대한 지식이나 경험을 쌓는 사람도 있고, 장사를 하려고 시장 조사를 해 보는 사람도 있다.

① 노후를 위해 보험이나 연금 상황을 점검한다.
② 자녀의 교육과 결혼에 모든 자산을 지출한다.
③ 퇴직금을 담보로 주식이나 부동산에 투자한다.
④ 자산의 대부분을 부부의 여가 활동에 지출한다.
⑤ 은행으로부터 대출을 받아 새로운 사업을 시작한다.

도전! 1등급 문제

정답과 해설 53쪽

01 다음은 금융 자산 A, B를 특성에 따라 구분한 것이다. 이에 대한 분석 및 추론으로 옳은 것은? (단, A, B는 각각 예금, 주식 중 하나이다.)

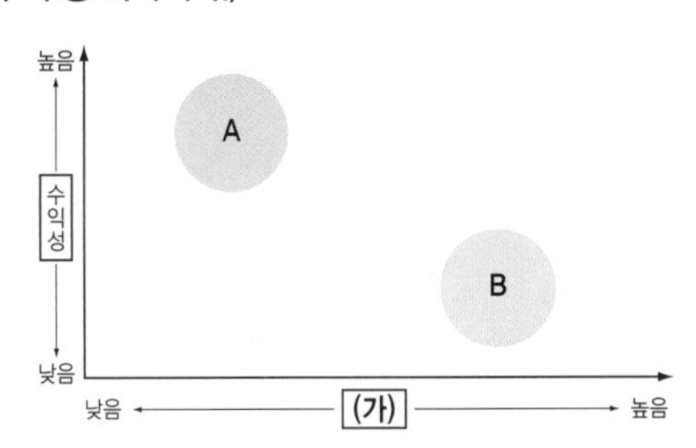

보기
ㄱ. A는 국가 및 지방 자치 단체에서 발행할 수도 있다.
ㄴ. 유동성은 A보다 B가 높다.
ㄷ. 은행 금리가 높아지면 B보다 A의 선호도가 높아질 것이다.
ㄹ. (가)에는 '안전성'이 들어갈 수 있다.

① ㄱ, ㄴ ② ㄱ, ㄷ ③ ㄴ, ㄷ
④ ㄴ, ㄹ ⑤ ㄷ, ㄹ

02 다음 갑~무의 대답에 대한 설명으로 옳지 않은 것은?

교사 : 각자에게 현금 1,000만 원이 주어진다면 자산 증식을 위해 어떻게 투자할지 발표해 보세요.

갑 : 1,000만 원 모두 은행에 예금하겠어요.
을 : 펀드에 가입하여 주식에 전액 투자하겠습니다.
병 : 1,000만 원을 3~4개 종목의 주식에 분산하여 투자하겠습니다.
정 : 500만 원은 주식을 사고, 나머지 500만 원은 채권을 구입하겠어요.
무 : 개인연금 저축에 가입하여 매달 연금 보험료로 일정액을 지불하겠어요.

① 갑은 은행이 파산하더라도 원금과 이자를 보호받는다.
② 을의 금융 상품은 전문가가 투자를 대신한다.
③ 병은 분산 투자 원칙에 충실하였다.
④ 정의 금융 상품은 모두 시세 차익을 기대할 수 있다.
⑤ 무는 노후 생활의 안정을 중시하고 있다.

03 다음은 생애 주기별 소득과 소비를 나타낸 그래프이다. 이에 대한 옳은 분석을 〈보기〉에서 고른 것은?

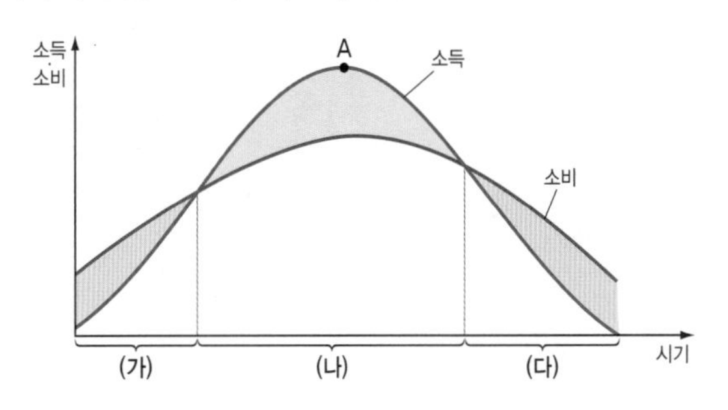

보기
ㄱ. (가) 시기에는 소비보다 소득이 많다.
ㄴ. (나) 시기에는 저축할 여력이 가장 많다.
ㄷ. (다) 시기에는 보험, 연금 등을 잘 활용해야 한다.
ㄹ. A 시기에 누적된 저축액이 가장 많다.

① ㄱ, ㄴ ② ㄱ, ㄷ ③ ㄴ, ㄷ
④ ㄴ, ㄹ ⑤ ㄷ, ㄹ

고난도

04 다음은 주택 마련을 위한 금융 설계의 과정을 순서 없이 나열한 것이다. (가)~(라)에 대한 설명으로 옳지 않은 것은?

(가) ○○회사 사원인 갑은 10년 안에 주택을 마련하겠다는 목표를 세웠다.
(나) 갑은 정기적으로 자신이 구상한 재무 계획을 점검하였으며, 월급이 늘어나자 늘어난 부분을 주식에 투자하기로 하였다.
(다) 갑은 주택 마련을 위해 월급의 30%를 정기 예금에, 10%를 채권에 투자하기로 계획을 수립하였다.
(라) 갑은 현재 자신의 월급과 보유하고 있는 자산이 얼마인지 조사해 보았다.

① (가)는 재무 목표를 설정하는 단계에 해당한다.
② (나)는 재무 행동 계획을 수정하는 단계이다.
③ (다)에서는 수익성보다는 안정성을 중시하는 투자 전략을 세우고 있다.
④ (라)에서는 현재 소득과 보유 자산뿐만 아니라 지출 상황도 점검해야 한다.
⑤ 금융 설계의 과정은 (가)-(다)-(라)-(나)의 순서로 이루어진다.

한눈에 보는
대단원 정리

01 자본주의와 합리적 선택

키워드 #자본주의 #자유방임주의 #수정자본주의 #신자유주의 #자원의 희소성 #합리적 선택 #기회비용 #편익

A 자본주의의 의미와 특징

의미	사유 재산 제도를 바탕으로 자유로운 경쟁을 통해 이윤을 추구하는 시장 경제 체제
특징	사유 재산권의 법적 보장, 경제 활동의 자유 보장, 시장 경제 체제

B 자본주의의 역사적 전개 과정

상업 자본주의	• 16세기, 신항로 개척 → 중상주의 정책 • 상품의 유통 과정에서 이윤 추구
산업 자본주의	• 18세기 중반, 산업 혁명 • 애덤 스미스의 자유방임주의 • 개인의 경제 활동의 자유 최대한 보장 • 정부의 시장 개입 최소화(작은 정부)
수정 자본주의	• 1930년대, 시장 실패 → 대공황(미국) • 케인스의 유효 수요 이론 • 정부의 적극적인 시장 개입(큰 정부) → 미국의 뉴딜 정책
신 자유주의	• 1970년대 이후 • 정부 실패 → 석유 파동, 스태그플레이션 • 정부의 지나친 시장 개입 비판 → 자유로운 경제 활동 강조

C 합리적 선택의 의미와 한계

의미	선택에 따른 기회비용과 편익을 비교하여 기회비용보다 편익이 더 큰 쪽을 선택하는 것 → 최소의 비용으로 최대의 편익을 얻는 것
필요성	자원의 희소성
편익	선택을 통해 얻게 되는 이익이나 효용 → 금전적인 것 + 비금전적인 것(예 심리적 만족감)
기회 비용	• 선택한 대안을 위해 포기해야 하는 가치 가운데 가장 큰 가치 • 명시적 비용과 암묵적 비용을 모두 포함
과정	문제 인식 → 선택의 기준 결정 → 정보 수집 및 대안 탐색 → 대안 평가 → 최종 선택 및 실행
한계	선택의 과정에서 효율성만 추구할 경우 공공의 이익이나 규범 준수 간과

02 시장 경제의 발전을 위한 참여자의 역할

키워드 #시장의 한계 #독과점 #공공재 #외부 효과 #기업가 정신 #기업의 사회적 책임 #노동 3권 #윤리적 소비

A 시장의 기능과 한계

기능	시장 가격을 통한 자유로운 거래 → 효율적인 자원 배분
한계	• 독과점과 담합 → 소비자 피해 발생 • 공공재의 공급 부족 • 외부 효과 발생 → 자원의 비효율적 배분 초래 • 경제적 불평등 → 사회 통합 저해

B 시장 참여자들의 바람직한 역할

(1) 정부의 역할

외부 효과 조절	경제적 유인 제공으로 생산량 조절
불공정 경쟁 행위 규제	독과점이나 불공정 거래 등을 규제하여 소비자의 권리 보호
공공재 공급	국방, 치안, 도로, 항만, 공원, 도서관과 같은 공공재를 직접 생산
소득 재분배	누진세 강화, 사회 보장 제도 실시

(2) 기업가의 역할

기업가 정신	위험과 불확실성을 무릅쓰고 혁신과 창의성을 바탕으로 투자를 통해 기업 성장을 추구하는 도전 정신
기업의 사회적 책임	투명하고 공정한 경제 활동, 환경과 공동체를 배려하는 윤리 경영 실천

(3) 노동자의 역할

노동자의 권리	노동 3권 보장 → 단결권, 단체 교섭권, 단체 행동권
노동자의 역할	• 자신의 업무를 성실히 수행 • 사용자와 상생의 관계 유지

(4) 소비자의 역할

합리적 소비	자신의 소득 범위 내에서 비용보다 편익이 큰 소비 추구
소비자 주권 확립	환경과 건강을 해치는 상품이나 부당한 영업 행위 등에 대한 감시
윤리적 소비	환경과 공동체를 고려한 소비

03 국제 분업과 무역의 확대

키워드 #국제 분업 #무역 #생산 요소 #비교 우위 #세계화 #자유 무역 협정(FTA) #규모의 경제 #무역 의존도

A 국제 분업과 무역의 필요성

국제 분업	각 나라가 무역에 유리한 것을 특화하여 생산하는 것
무역 (국제 거래)	국가 간에 국경을 넘어 상품, 서비스, 생산 요소 등을 거래하는 것
국제 거래의 특징	• 생산물의 이동이 자유롭지 않음 • 생산비나 가격 차이 발생
국제 분업과 무역의 필요성	생산 요소의 지역별 분포 차이 → 생산비 차이 → 비교 우위에 따라 특화한 상품(국제 분업)으로 무역 → 거래 당사국 모두 이익
비교 우위	한 나라가 교역 상대국보다 더 적은 기회비용으로 재화를 생산할 수 있는 능력

B 무역의 확대와 그 영향

(1) 무역 환경의 변화와 무역의 확대

세계화의 가속화	교통·통신 수단의 발달 → 시간과 공간의 장벽 약화 → 국가 간 교류 촉진
자유 무역 추구	• 세계 무역 기구(WTO)를 중심으로 자유 무역 질서 구축 • 자유 무역 협정(FTA) 체결 → 무역 장벽 완화
지역 경제 협력체	경제 통합 추진 → 유럽 연합(EU), 아시아·태평양 경제 협력체(APEC), 동남아시아 국가 연합(ASEAN) 등

(2) 무역 확대의 영향

긍정적 영향	• 풍요로운 소비 생활 : 소비자의 상품 선택의 범위 확대 • 규모의 경제 실현 : 생산비 절감, 높은 이윤 추구 • 국내 기업의 경쟁력 강화 : 효율성과 생산성 향상 → 경제 활성화 및 고용 창출 → 국가 경제 성장 • 새로운 기술 전파 → 개발 도상국의 경제 발전 기회 • 문화 교류 활성화
부정적 영향	• 국제 경쟁력을 갖추지 못한 국내 산업이나 기업의 위축 → 생산성 악화 → 일자리 감소 → 국가 산업 기반 약화 • 세계 경제의 불안 요인 반영 → 높은 무역 의존도로 인한 국가 혼란 초래 • 정부의 자율적 경제 정책 운영 제한 • 국가 간 빈부 격차 심화 → 선진국과 개발 도상국 • 비합리적 소비문화 조장 : 무분별한 외국 제품 선호

04 안정적인 경제생활과 금융 설계

키워드 #자산 관리 #금융 자산 #예금 #적금 #주식 #채권 #안전성 #수익성 #유동성 #생애 주기 #금융 설계

A 금융 자산과 자산 관리

(1) 금융 자산의 종류와 특징

예금·적금	• 가장 기본적인 금융 상품 • 유동성과 안전성이 높고, 수익성은 낮음
주식	• 배당금과 시세 차익 기대 • 수익성은 높지만, 안전성이 낮음
채권	• 이자 수익과 시세 차익 기대 • 예금보다 안전성은 낮지만, 수익성이 높음

(2) 자산 관리의 기본 원칙

안전성	투자한 금융 자산의 가치가 안전하게 보호될 수 있는 정도
수익성	금융 상품의 가격 상승이나 이자 수익을 기대할 수 있는 정도
유동성	필요할 때 쉽게 현금으로 전환할 수 있는 정도

(3) 합리적 자산 관리 : 적절한 분산 투자, 유동성 파악

B 생애 주기별 특성과 금융 설계

(1) 생애 주기별 발달 과업과 금융 생활

아동기	교육과 성장의 시기 → 부모님의 소득에 의존
청년기	취업, 결혼, 자녀 출산 및 양육 등 → 점차 본인의 소득에 따른 경제생활을 하게 됨
중·장년기	가족 부양 부담, 주택 마련, 은퇴 및 노후 준비 등 → 소득이 가장 많지만 지출 규모도 큰 시기
노년기	건강 관리 및 은퇴 후의 행복한 노후 생활 유지 → 수입보다 지출이 많음

(2) 금융 설계(재무 설계)

금융 설계	자신의 생애 주기별 재무 목표를 설정하고, 목표 달성에 필요한 구체적인 자금 계획을 세우는 것
절차	재무 목표 설정 → 재무 상태 분석 → 목표 달성을 위한 대안 모색(행동 계획 수립) → 재무 행동 계획 실행 → 재무 실행 평가와 수정
고려 사항	재무 목표(결혼, 주택 구입 등), 월평균 생활비, 자녀 교육비, 물가 상승률 등

한번에 끝내는

대단원 문제

정답과 해설 54쪽

01 자본주의 경제 체제에서 자유로운 경쟁이 가지는 긍정적인 효과를 〈보기〉에서 고른 것은?

보기
ㄱ. 빈부 격차 완화　ㄴ. 개인의 창의성 발휘
ㄷ. 노사 갈등 해소　ㄹ. 자원의 효율적 배분

① ㄱ, ㄴ　② ㄱ, ㄷ　③ ㄴ, ㄷ
④ ㄴ, ㄹ　⑤ ㄷ, ㄹ

02 다음은 자본주의의 변천 과정이다. (가)에 해당하는 정부 정책의 사례로 가장 적절한 것은?

① 부유세 신설
② 불공정 약관 규제
③ 부동산 투기 지역 지정
④ 기초 연금 수급자의 범위 축소
⑤ 대기업의 중소 기업 업종 진출 제한

03 다음 (가), (나)의 사례에서 알 수 있는 정부의 역할을 바르게 연결한 것은?

(가) X재 시장을 장악하고 있는 대기업 3곳이 가격을 담합하고 생산량을 감소시킨 혐의로 정부로부터 과징금 부과 처분을 받았다.
(나) 섬 지역에 병원이 없어 응급 환자의 치료가 어려운 문제를 해결하기 위해 정부가 병원 시설을 갖춘 배(병원선)를 운행하기로 했다.

	(가)	(나)
①	효율성 추구	공공재 공급
②	소득 재분배	경기 변동 조절
③	공정 경쟁 촉진	공공재 공급
④	공정 경쟁 촉진	외부 효과 개선
⑤	공공복리 증진	공정 경쟁 촉진

04 다음 사례에서 갑, 을, 병의 선택에 대한 옳은 분석을 〈보기〉에서 고른 것은?

친구인 갑, 을, 병은 3일간 여행을 가기로 했으며, 여행 경비는 1인당 100만 원이다. 회사원 갑은 직장의 정기 휴가를 이용했다. 을은 하루 50만 원의 순이익이 발생하는 커피점을 운영하고 있는데, 여행을 가기 위해서 3일간 영업을 하지 않기로 했다. 병은 식당에서 아르바이트를 하는데 하루 10만 원을 받는다.

보기
ㄱ. 갑은 을보다 기회비용이 작다.
ㄴ. 갑은 을보다 명시적 비용이 작다.
ㄷ. 병은 갑보다 암묵적 비용이 크다.
ㄹ. 을과 달리 갑, 병의 편익은 기회비용보다 크다.

① ㄱ, ㄴ　② ㄱ, ㄷ　③ ㄴ, ㄷ
④ ㄴ, ㄹ　⑤ ㄷ, ㄹ

05 다음 (가), (나)는 외부 효과와 관련된 사례이다. 이에 대한 설명으로 옳은 것은?

① (가)는 사회 전체가 필요로 하는 양보다 많이 생산된다.
② (가)는 '산토끼 잡으려다 집토끼 놓친다.'라는 속담의 의미와 관련이 있다.
③ (나)에서 을에게 생긴 손해에 대한 보상은 이루어지지 않는다.
④ (나)의 문제를 해결하기 위해서 야구 경기장에 보조금을 지급할 수 있다.
⑤ (가)와 달리 (나)는 자원이 비효율적으로 배분된다.

06 다음 글에서 주장하는 바를 실천한 사례로 적절하지 않은 것은?

> 기업의 궁극적인 목적은 이윤 극대화이다. 그러나 요즘은 이윤 극대화뿐 아니라 사회적 이익 증진을 강조하기도 한다. 이는 기업의 이윤이 기업 자체의 노력만으로는 달성되기 어렵기 때문이다. 기업이 좋은 제품을 만들려면 우선 부품의 성능이 좋아야 하며, 근로자가 열심히 일해야 하고, 좋은 제품을 소비자가 구입해줘야 한다. 이처럼 많은 요소가 기업의 이윤 추구에 관여하고 있으므로 기업은 이들에 대한 사회적 책임 이행에 소홀해서는 안 된다.

① 지역 사회의 환경 보호에 앞장선다.
② 영세 중소기업의 기술 개발을 지원한다.
③ 낙후된 학교에 시설 투자나 장학금을 지원한다.
④ 다른 기업과의 합병을 통해 기업 규모를 늘린다.
⑤ 농촌 지역에 도서관을 지어 문화 혜택의 기회를 확대한다.

07 다음 표는 갑국과 을국이 옷과 신발을 한 단위씩 생산할 때 들어가는 비용을 나타낸 것이다. 이에 대한 옳은 설명을 <보기>에서 고른 것은? (단, 갑국과 을국만 존재하고, 두 재화만 생산하며, 생산 요소는 노동만 있다고 가정한다.)

구분	옷	신발
갑국	7만 원	9만 원
을국	16만 원	12만 원

<보기>
ㄱ. 갑국은 두 재화 모두 비교 우위가 있고, 옷 생산에 절대 우위가 있다.
ㄴ. 갑국은 특화된 재화를 한 단위 교역할 때마다 4만 원의 이익을 얻을 수 있다.
ㄷ. 을국은 신발을 특화하여 생산할 필요성이 있다.
ㄹ. 갑국과 을국은 한 단위를 교역할 때마다 총 6만 원의 비용 절감 효과를 얻을 수 있다.

① ㄱ, ㄴ ② ㄱ, ㄷ ③ ㄴ, ㄷ
④ ㄴ, ㄹ ⑤ ㄷ, ㄹ

08 다음 글에 나타난 윤리적 소비를 실천하는 사람으로 볼 수 없는 것은?

> 윤리적 소비란 소비자가 상품, 서비스 등을 구매할 때 원료 재배, 생산, 유통 등의 전과정이 소비와 연결되어 있다는 것을 인식하고 윤리적으로 소비하는 것을 가리킨다. 소비자가 인간, 동물, 환경을 착취하지 않거나 해를 끼치지 않는 윤리적인 상품을 구매한다면 기업도 노동자의 인권을 보장하면서 환경을 오염시키지 않는 상품을 생산하기 위해 노력할 것이다.

① 생산 농민에게 유기농 생산물을 직접 구입하는 갑
② 값이 비싸더라도 에너지 소비 효율 1등급 제품을 사용하는 을
③ 구입할 때마다 기부금이 자동으로 적립되는 제품을 구매하는 병
④ 해외여행에서 될 수 있으면 현지인이 운영하는 숙소를 이용하는 정
⑤ 동물을 대상으로 인체 유해 여부 실험을 거친 화장품을 구입하는 무

09 다음 갑~무 중 교사의 질문에 잘못 답변한 사람은?

> 교사 : 국제 거래의 확대가 우리 경제에 긍정적 영향을 준다는 주장에 대한 근거를 말해볼까요?
>
> 갑 : 외국 기업의 국내 진출로 일자리가 늘어날 것입니다.
> 을 : 국내 기업은 기술 혁신을 통해 경쟁력이 강화될 것입니다.
> 병 : 정부가 자유롭게 경제 정책을 시행할 수 있게 될 것입니다.
> 정 : 소비자는 값싸고 질 좋은 상품을 선택할 수 있게 될 것입니다.
> 무 : 문화 교류가 활성화되어 다양한 문화를 누릴 기회가 증가할 것입니다.

① 갑 ② 을 ③ 병 ④ 정 ⑤ 무

10 다음 사례를 통해 추론할 수 있는 을의 조언으로 가장 적절한 것은?

> 갑은 효과적인 자산 관리를 위해 전문가인 을에게 어떻게 자금을 운용하면 좋을지 상담을 의뢰했다. 을의 조언을 받아들인 갑의 지출 내역은 다음과 같이 바뀌었다.

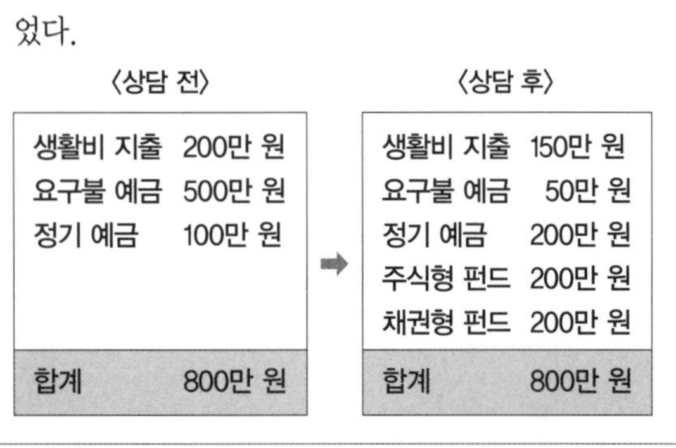

〈상담 전〉

생활비 지출	200만 원
요구불 예금	500만 원
정기 예금	100만 원
합계	800만 원

➡

〈상담 후〉

생활비 지출	150만 원
요구불 예금	50만 원
정기 예금	200만 원
주식형 펀드	200만 원
채권형 펀드	200만 원
합계	800만 원

① 언제든지 급히 쓸 수 있는 자금이 필요합니다.
② 수익성보다 안전성을 중시하는 투자가 필요합니다.
③ 미래의 소비보다 현재의 소비를 더 중시해야 합니다.
④ 수익성이 높은 상품의 투자를 전문가에게 맡기는 것이 좋습니다.
⑤ 여러 곳에 분산 투자하는 것보다는 한 곳에 집중 투자해야 합니다.

11 다음 내용을 통해 알 수 있는 금융 자산 A~C에 대한 설명으로 옳지 않은 것은? (단, A~C는 각각 정기 예금, 채권, 주식 중 하나이다.)

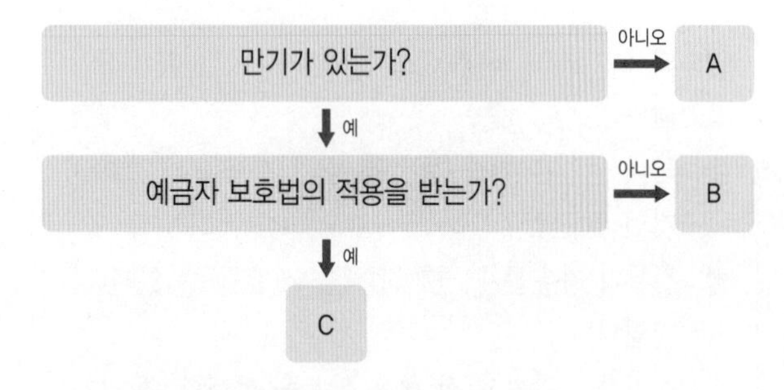

① A는 원금을 잃을 수도 있다.
② B는 시세 차익을 기대할 수 있다.
③ C에 투자할 경우 주주로서의 지위를 갖는다.
④ B는 A에 비해 안전성이 높다.
⑤ A는 C에 비해 수익성이 높다.

12 다음은 생애 주기별 재무 목표에 따라 해야 할 일을 기록한 것이다. ㉠~㉤ 중 잘못 기재된 부분은?

연령대	주요 재무 목표
20대	• 직업 훈련 • ㉠ 재무적 독립 성취
30대	• ㉡ 자녀 출산 및 양육비 마련 • 주택 구입 자금 마련
40대	• 은퇴 계획 수립 • ㉢ 자녀 교육비 마련
50대	• 자녀 결혼 비용 지출 • ㉣ 보험 및 연금 상황 검토
60대	• 건강 유지 비용 지출 • ㉤ 퇴직금 주식 투자 실행

① ㉠　② ㉡　③ ㉢　④ ㉣　⑤ ㉤

13 다음 그래프는 생애 주기별 수입 및 지출을 나타낸 것이다. 이에 대한 분석으로 옳은 것은?

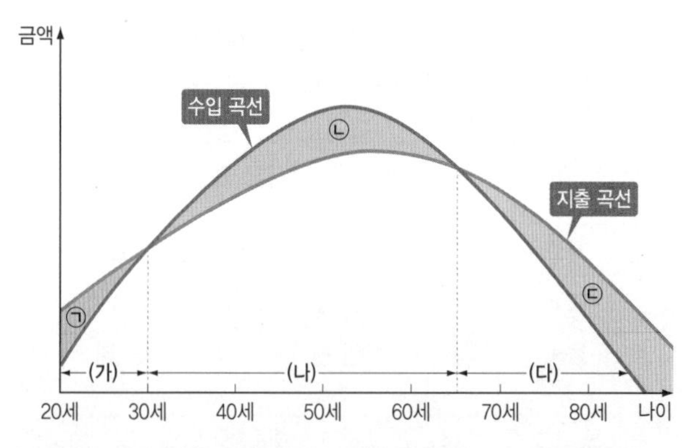

① ㉠과 ㉢의 합이 ㉡보다 커야 안정된 노후 생활이 가능하다.
② (가) 시기는 다양한 과업이 요구되는 시기로 수입과 지출이 균형을 이룬다.
③ (나) 시기는 가족 부양, 주택 마련 등으로 수입보다 지출이 많아 부채가 증가한다.
④ (다) 시기에 연금과 보험을 수령할 경우 ㉢의 크기가 줄어든다.
⑤ (다) 시기는 (나) 시기에 비해 지출보다 수입이 많다.

14 다음 글을 읽고 물음에 답하시오.

> 19세기 후반에서 20세기 초반에는 자유 경쟁이 지나치게 강조된 결과 대규모 독점 기업들이 출현하면서 자본의 집중 현상이 심화되었다. 이러한 상황은 과잉 생산과 소비 부족으로 이어졌고, 1929년 미국의 주가 폭락을 계기로 대공황이 시작되었다. 이 시기 많은 국가에서 생산 위축, 기업 도산, 대량 실업 등의 문제가 발생하였다.

(1) 위의 문제를 해결하기 위해 등장한 자본주의의 유형을 쓰시오. (　　　　　　　　)

(2) (1)의 자본주의가 주장한 국가의 역할을 서술하시오.

15 다음 글을 읽고 물음에 답하시오.

> 소비자는 합리적 소비를 위해 상품의 품질이나 가격 등에 대해 충분한 정보를 수집하여 비판적으로 분석하고, 계획에 따른 소비를 할 필요가 있다. 소비자 개개인의 선택은 결국 기업이 무엇을, 어떻게 생산할지에 영향을 준다. 이와 같이 자본주의 경제에서 생산물의 종류와 수량을 결정하는 최종적 권한이 소비자에게 있다는 것을 [(가)](이)라고 한다.

(1) 위 글의 (가)에 해당하는 용어를 쓰시오. (　　　　　　　　)

(2) (1)의 용어를 실천하기 위한 소비 방식을 두 가지 서술하시오.

16 다음은 갑국과 을국이 한 재화만 생산할 경우의 최대 생산량이다. 이를 보고 물음에 답하시오.

	갑국	을국
쌀	100톤	600톤
자동차	200대	300대

(1) 갑국과 을국의 비교 우위 제품을 각각 쓰시오.
갑국 : (　　　　　　), 을국 : (　　　　　　)

(2) (1)과 같은 답이 나온 근거를 '기회 비용'의 개념을 활용하여 서술하시오.

17 다음 그림을 보고 물음에 답하시오.

(1) 갑이 중시한 자산 관리 원칙을 쓰시오. (　　　　　　　　)

(2) 갑의 투자 방식의 문제점을 서술하시오.

Ⅵ 사회 정의와 불평등

키워드로 흐름 한눈에 보기

01 정의의 의미와 기준

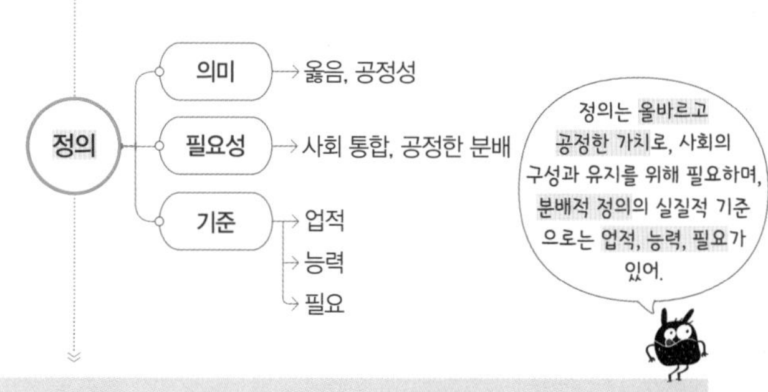

02 다양한 정의관의 특징과 적용

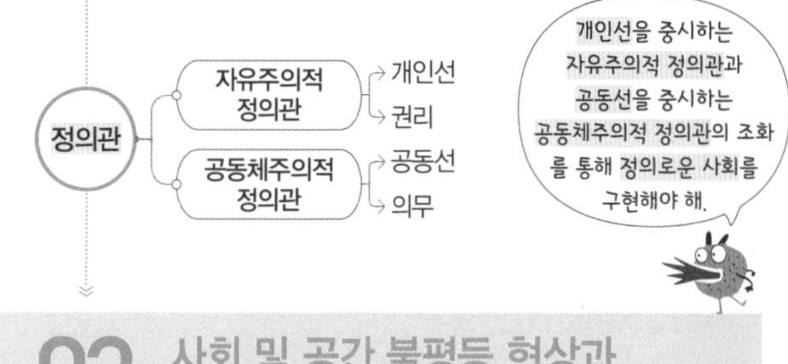

03 사회 및 공간 불평등 현상과 정의로운 사회

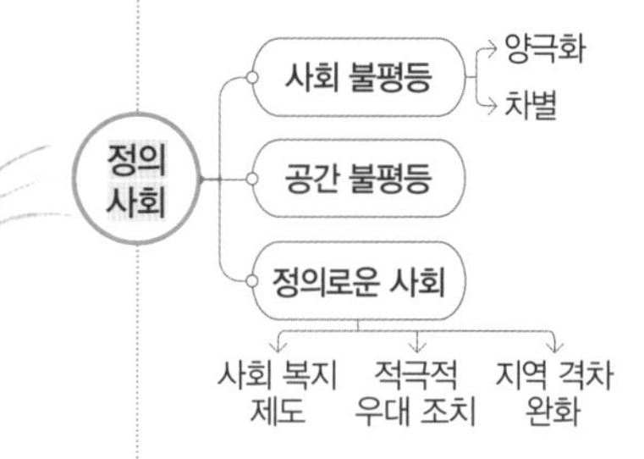

01 정의의 의미와 기준

흐름 잡기

정의

정의의 의미와 필요성은? A

정의의 실질적 기준은? B

궁금해? 정의의 여신상

정의의 여신상은 오른손에는 공정한 정의의 기준을 상징하는 저울을, 왼손에는 엄격한 힘을 상징하는 칼을 들고 있으며, 사사로움을 없애기 위해 때로 눈을 가리고 있다.

A 정의의 의미와 필요성

한·줄·단·서 **정의**는 사회 구성원의 **인간다운 삶**과 **사회 통합** 및 **공정한 분배**를 실현하기 위해 추구해야 할 **올바르고 공정한 가치**야.

1. 정의의 의미

① **정의의 전통적 의미** : 동서양을 막론하고 보편적 가치로 추구

동양의 유교 사상	의로움[의(義)], 옳음 → 공자, "천하의 바른 정도(正道)" ┌ 바른 도리, 바른 이치
고대 서양 사상	• 플라톤 : 국가가 지녀야 할 가장 필수적 덕목 • 아리스토텔레스 : 각자에게 합당한 몫을 주는 것 자료 1

② **정의의 다양한 의미**
- 개인이 지켜야 할 올바른 도리 또는 사회를 구성하고 유지하는 공정한 도리 → 개인이나 사회가 추구해야 할 기본적인 덕목
- 사회적 대우나 보상, 처벌 등에 있어 '마땅히 받을 만한 몫'을 공정하게 받는 것
- 옳음, 공정성, 공평성 등과 비슷한 의미 → '같은 것은 같게, 다른 것은 다르게' 대우하는 것
- 공정한 분배를 추구하는 것 → '각자에게 각자의 몫을 주는 것', '동일한 경우를 동일하게 취급하고 다른 것은 다르게 취급하는 것' 등
- 사회적으로 규정된 올바른 행위 ┌ 좁은 의미로는 법에 따른 행위를 말해.

③ **오늘날의 정의** : 공정한 절차에 따라 자유와 평등이 조화롭게 실현된 상태

2. 정의의 필요성

① **사회 통합의 기반 마련**
- **옳고 그름에 관한 판단 기준 제공** : 이해 갈등의 공정한 처리
- **정의로운 법과 제도의 확립** : 사회 구성원들이 공동체를 신뢰하고 서로 협력할 수 있는 사회 분위기 조성

② **개인선과 공동선의 실현**
- ***개인선의 실현** : 자신의 노력에 대한 알맞은 보상 → 행복한 삶의 실현
- ***공동선의 실현** : 공동체 전체의 나아갈 방향에 대한 합의 도달

③ **사회 구성원의 기본적 권리 보장** 자료 2 ┌ 자유권이나 평등권과 같은 개인의 기본권을 의미해.
- 사회 구성원의 기본권 보장을 통해 인간다운 삶 실현
- 공정한 절차에 의한 정당한 몫의 분배
- 사회 제도의 개선 및 발전 → 차별과 억압, 감시와 통제로 인한 고통 해소

- **개인선**
  개인이 추구하는 좋은 것[善]으로, 개인에게 이익이 되거나 행복을 가져다주는 것이다.
- **공동선**
  사회가 추구하는 좋은 것[善]으로, 공동체에 이익이 되거나 공동체의 발전에 이바지하는 것이다.

B 정의의 실질적 기준

한·줄·단·서 **분배적 정의**의 실질적 기준으로는 **업적, 능력, 필요**가 있어.

1. 분배적 정의

① **의미** : *사회적 자원의 분배와 관련된 정의 ┌ 사회적 지위와 권리, 재화와 서비스, 의무나 부담을 분배하는 것과 관련된 정의야.

② 분배적 정의의 실질적 기준은 우리가 무엇을 공정하다고 볼 것인지에 따라 달라짐 → 분배의 적절한 기준 설정 필요

- **분배의 대상이 되는 재화와 가치**
  - 개인에게 이익이 되는 것 : 부(富), 권리, 사회적 지위 등
  - 개인에게 부담이 되는 것 : 세금, 의무, 사회적 책임 등

교과서 자료 모아보기

자료 1 아리스토텔레스의 정의론

> 아리스토텔레스는 정의를 일반적 정의와 특수적 정의로 구분하고, 특수적 정의를 다시 교정적 정의, 분배적 정의, 교환적 정의로 구분하였다. 일반적 정의는 법을 준수하는 것를 의미한다. 교정적 정의는 다른 사람에게 해를 끼치면 그만큼 보상하고, 다른 사람에게 이익을 주었으면 그만큼 받게 함으로써 서로 간의 동등하지 않음을 바로잡는 것이다. 한편 분배적 정의는 각자의 가치에 따라 권력, 명예, 재화를 분배함으로써 공정함을 실현하는 것이다. 또한 교환적 정의는 같은 가치를 지닌 두 물건을 교환하게 함으로써 교환의 결과가 공정하게 하는 것이다.
>
> [아리스토텔레스, 『니코마코스 윤리학』]

자·료·분·석 아리스토텔레스의 정의는 준법적인 것과 공정한 것을 포함하는 개념으로, '공동체의 법이 규정하는 규범 전체'를 포괄하는 일반적 정의와 각각의 사례들에 따라 부분적으로 적용하는 특수적 정의로 구분된다.

한·줄·핵·심 아리스토텔레스는 법을 지키고 공정하게 행동하는 것이 정의라고 주장하였다.

키워드 체크

❶ 아리스토텔레스의 정의론 중 각자의 가치에 따라 권력, 명예, 재화를 분배함으로써 공정함을 실현하는 정의는?

답 : □□□ 정의

자료 2 사회 제도의 제1 덕목으로서의 정의

> 사상 체계의 제1 덕목을 진리라고 한다면, 사회 제도의 제1 덕목은 정의이다. …… 법이나 제도가 아무리 효율적이고 정연할지라도 정의롭지 못하면 개혁되거나 폐기되어야 한다. 모든 사람은 전체 사회의 복지를 위한다는 이유로도 결코 침해될 수 없는 기본적 권리를 가진다. 그러므로 정의는 타인이 갖게 될 더 큰 선을 위하여 소수의 자유를 빼는 것이 정당화될 수 없다고 본다.
>
> [존 롤스, 『정의론』]

자·료·분·석 롤스는 모든 사람들은 누구도 침해할 수 없는 기본적 권리(인권)를 가지며, 더 큰 선을 위해 다른 사람의 권리를 침해하는 것은 정의롭지 못하다고 주장하였다. 그래서 그는 법이나 제도가 아무리 효율적이라도 모두에게 정의롭지 못하다면 수정·폐기되어야 한다고 주장하였다.

한·줄·핵·심 법과 제도는 사회 구성원의 기본적 권리를 보장하는 방향으로 정의를 실현해야 한다.

키워드 체크

❷ 롤스는 『정의론』에서 사회 제도의 제1 덕목을 □□(이)라고 하였다.

답 : □□

자료 3 대학 입시 제도의 정의 실현

> ○○ 대학교는 2017학년도 수시 모집 전형(우리나라 대학 입시 전형은 크게 수시 모집과 정시 모집이 있어.)에서 지역 균형 선발 전형, 일반 전형, 기회 균형 선발 특별 전형(저소득, 농어촌)을 통해 입학생을 선발하고 있다. 이 대학교의 지역 균형 선발 전형에는 전국의 고교별로 두 명 이내 학교장 추천을 받은 학생들이 지원할 수 있으며, 서류 평가와 면접 및 실기 평가, 수능 최저 학력 기준 등을 고려하여 선발한다. 일반 전형에는 고등학교 학력을 지닌 학생은 누구나 지원할 수 있으며, 서류 평가와 면접, 구술 고사 및 실기 평가 등을 통해 선발한다. 한편 기회 균형 선발 특별 전형은 정원 외 모집으로 서류 평가와 면접 및 실기 평가 등을 통해 선발하며, 수능 최저 학력 기준은 적용하지 않는다.

자·료·분·석 ○○ 대학교가 이처럼 다양한 입시 전형을 실시하는 이유는 학생들의 능력과 학교생활에서의 업적뿐 아니라 사회적 약자의 교육적 필요까지 고려하여 분배적 정의를 실현하기 위한 것이다.

한·줄·핵·심 대학 입시 제도는 학생의 능력과 업적, 필요에 따른 분배적 정의의 실현을 위한 제도이다.

키워드 체크

❸ 대학 입시 제도와 관련된 분배적 정의의 기준 세 가지는?

답 : □□, □□, □□

키워드 체크 정답 ❶ 분배적 ❷ 정의 ❸ 능력, 업적, 필요

궁금해? 장학금을 어떤 기준에 따라 지원하는 것이 좋을까?

- 각종 경연 대회에서 우수한 성적을 거둬 학교의 위상을 높인 학생에게 지원해야 한다. → 업적에 따른 분배
- 재능이 있는 학생을 뽑아 지원해야 한다. → 능력에 따른 분배
- 경제적 형편이 어려운 학생에게 지원해야 한다. → 필요에 따른 분배

2. 분배적 정의의 실질적 기준 자료3 자료4

① 업적에 따른 분배 예 성과가 높은 사람에게 더 많은 보수를 준다.

의미	조직의 목표 달성에 기여한 업적, 즉 업무 성과와 실적의 정도에 따라 소득이나 사회적 지위 등을 차별적으로 분배하는 것
장점	개인의 성취동기를 높여 개인의 능력 개발 및 사회 발전에 기여
단점	• 업무 성과나 실적을 제대로 평가하기 어려움 • 사회적 약자에 대한 배려가 부족할 수 있음 • 업적을 쌓기 위한 과열 경쟁으로 비인간적인 사회가 될 수 있음

② 능력에 따른 분배 예 전문적인 자격증이나 실력을 지닌 사람을 우대한다.

의미	개개인의 직무 수행에 필요한 전문적 지식과 자질에 따라 입학이나 취업의 기회, 소득이나 사회적 지위 등을 분배하는 것
장점	• 개인이 투자한 시간과 노력을 보상하고 업무의 효율성을 높임 • 개인이 지닌 잠재력을 실현할 기회를 제공함
단점	• 능력을 평가하는 정확한 평가 기준을 세우기가 어려움 • 타고난 재능이나 환경과 같은 우연적 요소 개입 → 사회적·경제적 약자의 소외감을 유발하여 사회 불평등 초래

③ 필요에 따른 분배 예 생계가 어려운 사람에게 국가가 복지 서비스를 제공한다.

의미	기본적 욕구 충족이 어려운 사람들에게 필요한 재화나 가치를 분배하는 것
장점	• 사회적·경제적 약자를 배려하고 최소한의 인간다운 삶을 보장 → 다양한 복지 제도 및 사회 안정망을 마련하는 근거 • 사회 불평등 문제를 개선하여 경제의 안정성 도모
단점	• 가치 있는 재화는 한정되어 있어 모든 사람의 필요를 충족하기 어려움 • 개인의 성취동기와 노동 의욕 및 창의성을 저하시킴 → 경제적 비효율성 증가

교과서 자료 모아보기

키워드 체크

❹ 성과 연봉제와 관련된 분배적 정의의 기준 두 가지는?

답 : □□, □□

자료4 성과 연봉제의 정의 실현

성과 연봉제란 개인의 업무에 대한 성과 평가에 따라 급여가 결정되는 임금 체계이다. 그러므로 일한 햇수에 따라 자동으로 급여가 인상되는 호봉제와 달리 직급 내 성과 평가에 따라 급여 수준의 차이가 발생한다.

우리나라에서는 성과 연봉제를 국제 통화 기금(IMF) 외환 위기 이후 기업 스스로가 기업 성과 향상에 유리할 것으로 판단하여 도입하기 시작하였다. 기업의 성과 연봉제는 기업의 임금 유연성을 확보하는 동시에 근로자의 무임승차 방지와 근로자의 노력을 극대화하여 기업의 생산성을 향상하려는 전략적인 선택이라고 할 수 있다.

한편, 정부는 2016년 1월 「공공 기관 성과 연봉제 권고안」을 확정·발표하였는데, 성과 연봉제 확대를 통해 경쟁 부재로 인한 비효율성, 근무 연수와 자동 승급에 따른 인건비 부담의 문제를 개선하고, 국민에게 더 좋은 공공 서비스를 제공할 수 있다고 보고 있다.

자·료·분·석 성과 연봉제는 개인의 업무에 대한 성과 평가에 따라 급여가 결정되는 임금 체계로, 근로자의 노력을 극대화하여 기업의 생산성을 향상시키려는 제도이다.

한·줄·핵·심 성과 연봉제는 능력과 업적에 따른 분배적 정의를 실현하기 위한 제도이다.

키워드 체크 정답 ❹ 능력, 업적

콕콕! 개념 확인

정답과 해설 57쪽

A 정의의 의미와 필요성

01 알맞은 설명에 ○표를 하시오.

(1) 서양의 고대 철학자 (플라톤, 아리스토텔레스)은/는 정의를 "각자에게 합당한 몫을 주는 것"이라고 하였다.

(2) 다른 사람에게 피해를 준만큼 보상하는 것을 (교정적, 교환적) 정의라고 한다.

(3) 정의는 옳음, 공정성, 공평성 등과 비슷한 의미이며, 같은 것은 (같게, 다르게), 다른 것은 (같게, 다르게) 대우하는 것이다.

02 빈칸에 알맞은 말을 쓰시오.

(1) 정의는 옳고 그름에 관한 □□ □□을/를 제공하여 사회 갈등을 공정하게 처리하고 사회 통합의 기반을 마련한다.

(2) 개인은 자신의 노력에 대한 알맞은 보상을 받아 □□□을/를 실현함으로써 행복한 삶을 추구할 수 있다.

(3) 부당한 이유로 사회 구성원을 차별하는 사회는 사회 구성원이 기본적 □□을/를 누리며 살아가기 어려운 사회이다.

B 정의의 실질적 기준

03 알맞은 설명에 ○표를 하시오.

(1) 분배의 대상이 되는 재화와 가치 중 부(富), 권리 등은 개인에게 (이익, 부담)이 되는 가치이다.

(2) (업적, 능력, 필요)에 따른 분배는 업무 성과와 실적의 정도에 따라 소득이나 사회적 지위 등을 차별적으로 분배하는 것이다.

(3) (업적, 능력, 필요)에 따른 분배는 사회적·경제적 약자를 배려하고 최소한의 인간다운 삶을 보장해 준다.

04 밑줄 친 부분을 바르게 고쳐 빈칸에 쓰시오.

(1) 사회적 자원을 공정하게 나누는 것과 관련된 정의를 <u>일반적 정의</u>라고 한다.
( )

(2) <u>능력에 따른 분배</u>는 개인의 성취동기와 노동 의욕을 저하시킬 수 있다.
( )

05 분배적 정의의 실질적 기준과 해당 사례를 바르게 연결하시오.

(1) 업적에 따른 분배 • • ㉠ 생계가 어려운 사람에게 국가가 복지 서비스를 제공한다.

(2) 능력에 따른 분배 • • ㉡ 성과가 높은 사람에게 더 많은 보수를 준다.

(3) 필요에 따른 분배 • • ㉢ 신입 사원을 뽑을 때 전문적인 자격증이나 실력을 지닌 사람을 우대한다.

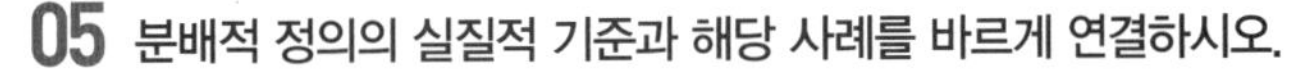

탄탄! 내신 문제

정답과 해설 57쪽

A 정의의 의미와 필요성

01 정의의 의미에 대한 설명으로 옳지 않은 것은?

① 공정한 분배를 추구하는 것이다.
② 옳음, 공정성, 공평성과 비슷한 의미이다.
③ 마땅히 받을 만한 몫을 공정하게 받는 것이다.
④ '같은 것은 같게, 다른 것도 같게' 대우하는 것이다.
⑤ 오늘날에는 공정한 절차에 따라 자유와 평등이 조화롭게 실현된 상태를 의미하기도 한다.

02 다음은 아리스토텔레스의 주장이다. 밑줄 친 '이 정의'로 옳은 것은?

> 정의란 각자가 자기의 것을 취하며 법이 정하는 바대로 하는 미덕이고, 반면에 부정의란 누군가가 남의 재물을 취하고 법에 따라서 하지 않는 것이다. 정의는 일반적 정의와 특수적 정의로 구분할 수 있는데, 특수적 정의 중 '이 정의'는 같은 가치를 지닌 두 물건을 교환하게 함으로써 교환의 결과가 공정하게 하는 것이다.

① 교정적 정의　② 시정적 정의
③ 분배적 정의　④ 일반적 정의
⑤ 교환적 정의

03 정의가 필요한 이유를 〈보기〉에서 있는 대로 고른 것은?

> 〈보기〉
> ㄱ. 개인선보다 공동선을 추구하기 위해
> ㄴ. 이해 갈등을 공정하게 처리하기 위해
> ㄷ. 사회 구성원들의 인간다운 삶을 실현하기 위해
> ㄹ. 공동체 전체의 나아갈 방향에 대한 합의에 도달하기 위해

① ㄱ, ㄴ　② ㄴ, ㄷ
③ ㄱ, ㄴ, ㄷ　④ ㄴ, ㄷ, ㄹ
⑤ ㄱ, ㄴ, ㄷ, ㄹ

B 정의의 실질적 기준

04 다음 글에서 주장한 일자리 배분의 기준으로 가장 적절한 것은?

> "정의로운 사회는 절제의 미덕을 갖춘 사람에게는 생산에 힘쓸 수 있는 일자리를 배분하고, 용기의 미덕을 갖춘 사람에게는 국가를 수호할 일자리를 배분하며, 지혜의 덕을 갖춘 합리적인 사람에게는 국가를 통치할 수 있는 일자리를 배분해야 한다."
>
> [플라톤, 『국가』]

① 능력과 소질
② 업적과 실적
③ 필요와 요구
④ 출신 가문에 따른 세습
⑤ 다양한 삶의 영역에 따른 다양한 기준

05 다음은 분배적 정의의 기준에 대한 학생들의 대화이다. 갑~병의 대화 내용과 관련된 기준을 바르게 연결한 것은?

	갑	을	병
①	능력	업적	필요
②	능력	필요	업적
③	업적	능력	필요
④	업적	필요	능력
⑤	필요	능력	업적

도전! 1등급 문제

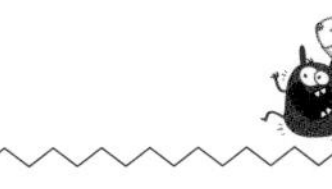

정답과 해설 57쪽

01 다음 밑줄 친 '청탁 금지법'과 관련된 정의의 의미를 〈보기〉에서 고른 것은?

> '부정 청탁 및 금품 등 수수의 금지에 관한 법률', 일명 청탁 금지법에 따르면 인·허가, 인사 개입, 수상·포상 선정, 학교 입학·성적 처리, 징병 검사, 부대 배속 등 총 14가지 업무와 관련해 법령을 위반하여 공무원 등에게 부탁을 하면, 부정 청탁으로 간주해 처벌을 받는다. 또한 기준을 초과하는 금품을 받을 때도 형사 처분을 받는다.

〈보기〉
- ㄱ. 옳음, 공정성을 의미한다.
- ㄴ. 잘못된 행위를 바로 잡는 것이다.
- ㄷ. 각자의 몫을 정당하게 분배하는 것이다.
- ㄹ. 자신의 가치관과 신념에 따라 옳고 그름을 판정하는 것이다.

① ㄱ, ㄴ ② ㄱ, ㄷ ③ ㄴ, ㄷ
④ ㄴ, ㄹ ⑤ ㄷ, ㄹ

고난도

02 다음 대화에서 갑, 을, 병의 토론 내용으로 옳지 않은 것은? (화살표는 비판의 방향임)

> 교사 : 우리 반에서 해외 견학 지원자를 추천하는데, 누구를 추천하면 좋을까요?
> 갑 : 우리 반 단합을 위해 애쓴 사람을 추천합니다.
> 을 : 외국어 구사 능력이 뛰어난 학생을 추천해야 하지 않을까요?
> 병 : 가정 형편이 어려워 해외 견학을 갈 기회가 없는 학생을 추천합니다.

① 갑 → 을 : 능력을 평가하는 정확한 기준을 마련하기 어려워.
② 갑 → 병 : 모두의 필요를 만족하게 할 수는 없어.
③ 을 → 갑 : 지나친 경쟁으로 부정행위가 발생할 수 있어.
④ 을 → 병 : 사회적 약자를 배려해야만 해.
⑤ 병 → 을 : 능력은 선천적인 자질이나 우연적인 요소의 영향을 받을 수 있어.

03 다음에서 갑, 을, 병이 주장하는 내용의 문제점으로 옳은 것을 〈보기〉에서 고른 것은?

> 마을에서 공동으로 김장을 한 뒤에 김치를 어떤 기준으로 나누면 좋을까요?
> 갑 : 김장을 담근 만큼 받아 가면 좋겠어요.
> 을 : 김장을 담갔던 경력이 많거나 자격증을 가진 사람이 더 많이 가져가야 합니다.
> 병 : 부양가족 수나 자신의 경제 형편에 맞게 분배해야 합니다.

〈보기〉
- ㄱ. 갑 : 열심히 일하려는 동기가 약해질 수 있다.
- ㄴ. 을 : 경력이 많거나 자격증이 있다고 해서 김치를 잘 담근다거나 성실하다는 보장은 없다.
- ㄷ. 병 : 경쟁이 과열되면 일하는 분위기가 좋지 않을 수 있다.
- ㄹ. 병 : 일하지 않으려는 사람이 많아져 목표만큼 김치를 담그지 못할 수도 있다.

① ㄱ, ㄴ ② ㄱ, ㄷ ③ ㄴ, ㄷ
④ ㄴ, ㄹ ⑤ ㄷ, ㄹ

고난도

04 다음에 제시된 성과 연봉제를 찬성하는 입장에서 주장할 수 있는 내용을 〈보기〉에서 고른 것은?

> 성과 연봉제란 개인의 업무에 대한 성과 평가에 따라 급여가 결정되는 임금 체계이다. 따라서 일한 햇수에 따라 자동으로 급여가 인상되는 호봉제와는 달리 직급 내 성과 평가에 따라 급여 수준의 차이가 발생한다.

〈보기〉
- ㄱ. 근로자의 무임승차를 방지할 수 있다.
- ㄴ. 기업의 임금 유연성을 확보할 수 있다.
- ㄷ. 경쟁으로 인한 비인간화를 극복할 수 있다.
- ㄹ. 누구나 인정하는 객관적이고 공정한 평가 기준을 제시할 수 있다.

① ㄱ, ㄴ ② ㄱ, ㄷ ③ ㄴ, ㄷ
④ ㄴ, ㄹ ⑤ ㄷ, ㄹ

02 다양한 정의관의 특징과 적용

흐름 잡기

정의관

자유주의적 정의관의 특징은? A

공동체주의적 정의관의 특징은? B

자유주의와 공동체주의의 조화 방법은? C

A 자유주의적 정의관

한·줄·단·서 자유주의적 정의관은 **개인의 자유와 권리를 최대한 보장**하는 것이 정의롭다고 생각해.

1. 자유주의

의미	개인의 자유를 무엇보다도 소중한 가치로 여기는 사상
특징	• 모든 인간은 존엄하며, 타인이나 사회의 억압과 구속에서 벗어나 자신이 원하는 삶을 살 수 있는 자유와 권리가 있음을 강조 • 개인이 사회에 우선하고, 국가는 국민의 자유와 권리를 보호하기 위해 존재
범위(한계)	극단적 이기주의와 구별 → 개인의 자유를 누리기 위해서는 타인의 자유도 존중

└ 타인의 자유를 침해하면서까지 자기의 이익만을 추구하는 것

2. 자유주의적 정의관

┌ 사회 구성원의 기본적 권리와 의무를 밝히고, 공정한 분배를 평가할 수 있게 해 줘.

의미	개인의 자유와 권리를 최대한 보장하여 개인선을 실현하는 것이 곧 정의라고 보는 관점
특징	• 개인의 자유로운 선택권과 •자율성을 최대한 허용 • 자유로운 경쟁을 통해 공정하게 취득한 개인의 이익 보장 • 개인에게 특정 가치나 삶의 방식을 강제해선 안 됨
장단점	• 장점 : 개인의 자유로운 선택과 권리, 사익 추구를 보장 • 단점 : 개인의 권리와 사익만 지나치게 추구하여 타인이나 사회 전체의 이익을 침해하는 이기주의 문제 초래 → 공유지의 비극 자료 1
대표 학자	롤스, 노직 자료 2

└ 자유와 평등의 조화를 통한 공정한 분배를 강조하는 자유주의학자야.

• **자율성(autonomy)**
외부의 제약이나 구속 없이 어떤 목적을 스스로 설정하고 그것을 실행할 수 있는 의지를 바탕으로 자신의 행동을 통제하고 조절할 수 있는 성질을 말한다.

B 공동체주의적 정의관

한·줄·단·서 공동체주의적 정의관은 **유대감**을 바탕으로 개인들의 **역할과 의무**를 다해 **공동선을 실현**하는 것이 정의롭다고 생각해.

1. 공동체주의

의미	개인보다 공동체의 가치와 선이 우선한다고 보는 사상
특징	• 공동체의 전통과 규범 중시 • 개인은 독립적인 존재가 아니라 공동체의 구성원으로 존재하며, 일정한 책임과 의무를 부여받음 → 사회적 역할 수행을 통해 자아 정체성 형성 • 공동체의 발전을 통해 공동체에 속한 개인이 행복한 삶을 영위
범위(한계)	집단주의(전체주의)와 구별 → 개인과 공동체의 •유기적 관계 속에서 개인과 사회의 행복 증진 추구

2. 공동체주의적 정의관

┌ 서로 밀접하게 연결되어 있는 공통된 느낌

의미	공동체의 구성원들이 서로에 관한 유대감을 바탕으로 각자의 역할과 의무를 다하며, 공동선을 실현하는 것이 곧 정의라고 보는 관점
특징	• 개인은 공동체에 관한 소속감을 지니며, 공동체가 추구하는 목표를 달성하기 위해 책임과 의무를 성실히 이행해야 함 • 공익과 공동선의 실현 → 개인의 자유와 권리 보장과 행복한 삶 실현
장단점	• 장점 : 개인이나 특정 이익을 지나치게 중시함으로써 나타나는 문제 해결 • 단점 : 특정 집단의 이념과 이익을 구성원에게 지나치게 강요할 경우, 개인의 자유와 권리의 희생을 정당화하는 집단주의 문제 발생
대표 학자	매킨타이어, 샌델, 테일러, 왈처

궁금해? 집단주의

▲ 집단주의의 극단적 사례, 나치즘

집단주의는 집단의 이익과 목적을 위해 개인의 희생을 강요하는 사상으로, 전체주의라고도 해.

• **유기적 관계(organic relation)**
마치 살아있는 생명체처럼 전체를 구성하는 각 부분이 서로 밀접하게 맺어진 관계를 의미한다.

교과서 자료 모아보기

자료 1 공유지의 비극(Tragedy of the Commons)

마을 사람들이 공동으로 소유한 목초지가 있다. 여기서는 누구나 자유롭게 소를 놓아 풀을 먹일 수 있다. 어느 날 마을 사람 중 한 명이 몇 마리의 소를 더 사들여 공유지의 풀을 먹게 하였다. 이를 본 이웃들도 더 많은 소를 사들이기 시작하였다. 공유지에는 점점 더 많은 소가 들어차게 되었고, 새로운 풀이 자랄 겨를도 없이 풀이 사라지면서 공유지는 황무지가 되고 말았다. 결국 아무도 소를 기를 수 없게 되었다.

자·료·분·석 '공유지의 비극'은 모두가 함께 사용할 수 있는 공유지가 개인들의 지나친 이익 추구로 인하여 훼손됨으로써 결국 사회 구성원 전체에게 피해를 준다는 것이다. 이처럼 자유주의적 정의관에서는 개인의 권리와 사익만 지나치게 추구하여 타인이나 사회 전체의 이익을 침해하는 이기주의의 문제가 초래될 수 있다.

한·줄·핵·심 자유주의적 정의관에서 지나친 사익 추구는 사회 전체의 이익을 침해하는 이기주의 문제를 초래할 수 있다.

키워드 체크

❶ 자유주의적 정의관에서 지나친 사익 추구는 사회 전체의 이익을 침해하는 □□□□ 문제를 초래할 수 있다.

답 : □□□□

자료 2 롤스와 노직의 자유주의적 정의관 비교

▲ 롤스

모든 사람은 기본적 자유를 최대한 누릴 수 있는 평등한 권리를 가져야 합니다.
정의로운 사회에서도 사회적 · 경제적 불평등은 허용되지만, 사회적 약자에게 최대의 이익을 보장하기 위해서 국가의 재분배 정책이 필요할 수 있습니다. 국가가 제도나 정책을 통해 분배 문제에 개입하지 않으면, 빈부 격차가 커지고, 결국 사람들이 기본적 자유를 누리며 살아가기 어려울 것입니다.

개인의 선택권과 소유권은 최대한 보장되어야 합니다.
어떤 사람이 다른 사람에게 피해를 주지 않고 정당하게 소유물을 취득하였다면, 그 결과로 인한 빈부 격차는 받아들여야 합니다. 따라서 국가는 소유권을 보호하는 역할에 머물러야 하며, 국가의 재분배 정책은 개인의 자유와 권리를 침해한다고 생각합니다.
사회적 약자의 삶은 개개인의 자발적인 자선 행위를 통해 개선될 수 있습니다.

▲ 노직

자·료·분·석 자유주의자인 롤스는 개인의 평등한 자유와 함께 사회적 약자의 복지를 배려하는 것이 정의롭다고 주장하는 반면, 노직을 비롯한 자유 지상주의자들은 개인의 절대적인 소유권을 강조하기 때문에 국가의 소득 재분배 정책을 재산권을 침해하는 것으로 보고 반대하였다.

한·줄·핵·심 롤스는 사회적 약자의 보호를 위해 국가의 소득 재분배 정책에 찬성하였고, 노직은 소유권의 절대적인 보장을 위해 국가의 소득 재분배 정책을 반대하였다.

키워드 체크

❷ 국가의 소득 재분배 정책에 대해 롤스는 (찬성, 반대)하는 입장이고, 노직은 (찬성, 반대)하는 입장이다.

답 : □□, □□

키워드 체크 정답 ❶ 이기주의 ❷ 찬성, 반대

C 자유주의적 정의관과 공동체주의적 정의관의 적용

한·줄·단·서 **권리와 의무**나 **사익과 공익**을 함께 실현하면 **자유주의와 공동체주의**는 **조화**를 이룰 수 있어.

1. 자유주의적 정의관의 적용

① 개인선과 공동선을 바라보는 입장
- 개인선(사익)의 추구가 곧 공동선(공익)에 이바지
- 경쟁을 통한 개인의 자유로운 사익 추구가 곧 국부를 증진하고 나아가 풍요로움을 확대하여 공동선(공익)에 기여할 수 있음
  └ 국부: 나라가 지닌 경제력

② 국가의 역할에 대한 입장 : 국방, 법질서 유지, 공공재의 건설 및 유지 등 최소한의 역할만 수행

③ 권리와 의무에 대한 입장 : 개인의 의무보다는 권리를 더 요구하는 경향이 있음

④ 문제점
- 우연적 조건, 운에 의한 분배 지속 시 동등한 기회 제공 어려움
- 사회적 약자는 경쟁에서 도태되므로 자유로운 경쟁 불가능
- 타인을 배려하지 않고 개인의 자유나 이익만을 추구하면 공동선을 해칠 수도 있음

2. 공동체주의적 정의관의 적용

① 개인선과 공동선을 바라보는 입장
- 공동선(공익)의 추구 속에서 곧 개인선(사익)을 달성이 이루어짐
- 개인은 연대 의식을 가지고 사회 문제를 해결해야 하며, 공동선의 달성을 위해 자발적인 봉사와 희생정신을 발휘해야 함

② 국가의 역할에 대한 입장
- 정의로운 사회와 좋은 삶에 대한 미덕 제시 및 권장
- 공동체의 구성원 사이에 공유하는 합리적인 분배의 기준에 따라 각자에게 각자의 몫을 분배

③ 권리와 의무에 대한 입장 : 개인의 권리보다는 의무를 더 강조하는 경향이 있음

④ 문제점
- 공동선을 지나치게 강조하다 보면 자칫 개인의 자유를 억압하거나 불평등을 조장하는 등 인류의 보편적 가치를 해치는 행위로 이어질 수 있음
- **사례 :** 연고주의 → 혈연이나 학연, 지연 등 특정한 집단을 개인의 능력보다 더 중요시하여 불합리하게 개인선을 해칠 수 있음

3. 자유주의적 정의관과 공동체주의적 정의관의 조화 자료3 자료4

① 개인선과 공동선의 조화 추구
- 자유주의적 정의관과 공동체주의적 정의관 모두 개인의 행복한 삶과 정의로운 사회를 지향
- 대화와 타협을 통해 공정하게 이익을 조정

② 개인의 권리와 의무의 조화 추구

자유주의	개인의 권리를 중시하나 사회 구성원으로서의 의무를 경시하지는 않음
공동체주의	사회 구성원으로서의 의무를 중시하나 개인의 권리를 무시하지는 않음

③ 정의로운 사회 추구 : 공동체는 개인의 자유와 권리를 최대한 보장하고, 개인은 공동체에 대한 의무를 다하여 사회 전체의 공익을 함께 지향하는 사회 추구
└ 정의로운 사회에서 사람들은 독립적인 인격을 지닌 동시에 공동체의 구성원으로서 연대 의식을 가지고 개인의 권리 및 이익과 공동선의 조화를 추구할 수 있어.

궁금해? 개인의 권리? 의무?

'착한 사마리아인 법'은 강도를 만나 심각한 상처를 입고 쓰러져 있는 사람을 치료하고 구조한 '착한 사마리아인' 이야기에서 유래된 법으로, 충분히 도와줄 수 있는 상황임에도 구조 활동을 하지 않은 개인을 형벌로 다스리는 법을 말한다.

이 법의 제정을 두고 구조 활동이 개인의 자유인지, 공동체의 구성원으로서의 의무인지에 대한 논란이 있어.

• 사익과 공익의 관계

사익만 내세우면 공동체가 파괴되어 개인의 권리와 이익을 보장받을 수 없게 되고, 공익만 강조하면 개인의 권리와 이익을 침해하고 개인의 희생을 강요하게 됨
→ 상호 보완적 관계

• 우리 헌법에 나타난 개인선과 공동선의 조화

대한민국 헌법 제23조
① 모든 국민의 재산권은 보장된다. 그 내용과 한계는 법률로 정한다.
② 재산권의 행사는 공공복리에 적합하도록 하여야 한다.

우리 헌법은 재산권 행사를 개인의 권리로 보장하면서도, 공동체에 대한 의무를 부여하여 개인의 재산권 행사가 사회 전체의 이익과 조화를 이룰 수 있도록 하고 있다.

• 권리와 의무의 관계

권리만 내세운다면 의무를 지는 사람이 없을 것이며, 의무만 강요한다면 개인이 사회를 위한 수단으로 취급될 수 있음 → 권리는 의무를 전제로 하고, 의무는 권리를 전제로 하는 상호 보완적 관계

자료 3 고소득자에 대한 부유세 찬반 논쟁

프랑스 정부, 결국 부유세 폐지

프랑스 정부가 많은 사회적 논란을 일으킨 부유세 제도를 결국 폐지했다. 현지 언론은 최고 75%까지 고율의 세금을 부과하는 프랑스 정부의 부유세가 올해부터 폐지되었다고 보도했다. 정부가 2012년 최고 세율이 75%에 달하는 부유세 도입 계획을 밝히자, 세금 폭탄을 피하려는 프랑스 부자들의 외국 국적 취득 붐이 일기도 했다. 고액 연봉자가 많은 프로 축구단은 정부의 정책에 항의해 경기 일정 취소까지 불사하겠다며 정부에 맞서기도 했다.

[○○뉴스, 2015. 1. 1.]

뉴욕 주 갑부들, 부유세 내겠다

미국 뉴욕 주의 갑부 40여 명이 의회에 '상위 1% 부유세'를 부과해 달라는 청원서를 냈다. 청원서에는 어린이 빈곤과 노숙자 문제 등의 해결에 추가 재정 투입이 필요하다며, 소득 상위 1%를 대상으로 증세해야 한다는 갑부들의 요구가 담겨 있었다. 이들은 청원서에서 "우리 주의 경제적 발전에 기여하고 부를 축적한 주민으로서 우리는 우리의 공정한 몫을 부담할 능력과 책임이 있다. 우리는 현재 세금을 잘 낼 수 있으며 더 많이 낼 능력도 있다."라고 강조했다.

[△△신문, 2016. 3. 23.]

자·료·분·석 부유세는 일정액 이상의 자산을 보유하고 있는 사람에게 비례적 또는 누진적으로 과세하는 것으로, 재산이 많은 특정의 상위 계층에게 부과하는 세금을 말한다. 제시된 사례에는 부유세 제도를 둘러싼 서로 다른 견해가 드러나 있다. 부유세를 반대하는 입장에서는 과도한 부유세가 스스로 노력하여 얻은 재산에 대한 개인의 권리를 부당하게 침해할 수 있다고 주장하고 있으며, 부유세를 찬성하는 입장에서는 부유세를 통해 공동선을 증진할 수 있다면 부유세는 공동체에 대한 구성원의 의무로서 정의롭다고 주장한다.

한·줄·핵·심 부유세 제도에 대해 개인선을 추구하는 자유주의적 정의관에서는 반대를, 공동선을 추구하는 공동체주의적 정의관에서는 찬성을 하는 입장이다.

키워드 체크

❸ □□선을 추구하는 자유주의적 정의관은 고소득자에게 부유세를 부과하는 것에 대해 □□하는 입장이다.

답 : □□, □□

자료 4 개발 제한 구역의 규제 완화에 관한 찬반 논쟁

자·료·분·석 개발 제한 구역은 도시의 무질서한 확산을 방지하고 도시 주변의 자연환경을 보전하여 시민의 건전한 생활 환경을 확보하는 것을 목적으로 도시 주변에 설정하는 곳으로, 그린벨트(greenbelt)라고도 한다. 제시된 사례에서 개발 제한 구역의 규제 완화를 찬성하는 입장은 개인의 사유 재산권은 보장되어야 하며, 공익을 위하여 개인의 권리를 침해하는 것은 부당하다고 주장하고 있다. 반면 개발 제한 구역의 규제 완화를 반대하는 입장은 개발 제한 구역이 도시의 무질서한 확산을 막고 환경 보호와 녹색 성장, 지속 가능한 개발 등 공익을 위해 필요하다고 주장하고 있다. 이처럼 사익과 공익이 충돌할 때에는 대화와 타협을 통해 공정하게 이익을 조정하여 사익과 공익의 조화를 추구하려는 노력이 필요하다.

한·줄·핵·심 개발 제한 구역의 규제 완화에 대한 찬성과 반대의 입장이 있으므로, 대화와 타협을 통해 공정하게 이익을 조정하려는 노력이 필요하다.

키워드 체크

❹ 사익과 공익이 조화를 이루기 위해서는 대화와 타협을 통해 공정하게 □□을/를 조정하려는 노력이 필요하다.

답 : □□

키워드 체크 정답 ❸ 개인, 반대 ❹ 이익

개인선과 공동선의 갈등

개인선과 공동선이 서로 조화를 이루어 실현되는 것이 이상적인 정의 사회의 모습이지만, 현실에서는 개인선과 공동선이 서로 충돌하여 갈등을 일으키는 경우가 많다. 다음 자료를 통해 개인선과 공동선의 갈등 양상을 알아보고, 그에 대한 해결책을 생각해 보자.

통합 주제 story

자료 1
'젠트리피케이션'은 건물주의 이윤 추구라는 개인선이 지역 경제 발전이라는 공동선과 충돌하여 나타난 문제라고 할 수 있다.

자료 2
양심적 병역 거부 문제는 국방의 의무를 통한 국가 안전 보장이라는 공동선과 양심의 자유와 종교의 자유라는 개인선이 충돌하여 나타나는 문제이다.

자료 3
우리나라는 과거에 비해 선거 투표율이 계속 낮아지고 있는데, 이는 투표 참여는 개인의 자유라는 개인선과 투표는 공공의 이익을 위한 의무라는 공동선이 충돌하는 것이다.

자료 1 젠트리피케이션 현상

최근 우리나라에서도 '젠트리피케이션(gentrification)' 현상이 나타나고 있다. 과거 서울의 조용한 한옥 마을 혹은 낙후된 지역이었던 동네가 젊은 예술가들의 활동지로 주목받으며 독특한 개성과 문화를 찾는 사람들이 몰리면서 새로운 상권으로 자리 잡았다. 하지만 많은 사람들이 찾으면서 상권이 활성화되고 이에 따라 임대료가 폭등하였다. 이에 젊은 예술가들이 높은 임대료를 내지 못하고, 전세와 월세를 감당하지 못하는 토박이 주민들마저 동네를 떠나면서 텅 빈 가게가 늘어나고 동네의 특색도 사라져 상권마저 시들어지는 현상이 나타나고 있다. [○○뉴스, 2016. 1. 22.]

자료 2 양심적 병역 거부 문제

병무청과 법조계 등에 따르면 현재까지 국내에서 양심적 병역 거부(종교적 이유나 양심상의 이유로 군 복무를 거부하는 것)로 인해 처벌을 받은 인원이 1만 9천 명을 넘어섰다. 종교나 신념을 이유로 입영을 거부해 재판에 넘겨지는 인원은 매년 600여 명에 달한다. 헌법 재판소는 2004년과 2011년 두 차례에 걸쳐 양심적 병역 거부자를 처벌하는 병역법 조항은 헌법에 위배되지 않는다며 합헌 결정을 내린 바 있다. 그러나 최근 1심 법원이 양심적 병역 거부자에게 무죄를 선고한 사례가 늘고 있는데, 이는 병역 거부자를 형사 처벌하지 말고 대체 복무제 등을 도입하라는 유엔 자유권 규약 위원회와 국가 인권 위원회 등의 권고가 영향을 미친 것으로 풀이된다. [△△뉴스, 2017. 10. 7.]

자료 3 우리나라의 국회 의원 선거 투표율

국민은 선거를 통해 자신의 정치적 의사를 가장 잘 대변해 줄 후보자와 정당을 선택함으로써 주권을 행사한다. 따라서 선거 참여는 국민의 가장 중요한 권리임과 동시에 의무라고 볼 수 있다. 그러나 우리나라는 선거권 획득 나이가 만 19세로 낮아지고 각종 언론에서 홍보하며 선거 참여를 독려하고 있지만, 여전히 선거 투표율은 낮은 편에 속한다.

└ 최근에는 낮은 투표율로 인해 우리나라에서도 의무 투표제를 시행해야 한다는 목소리가 나오고 있다.

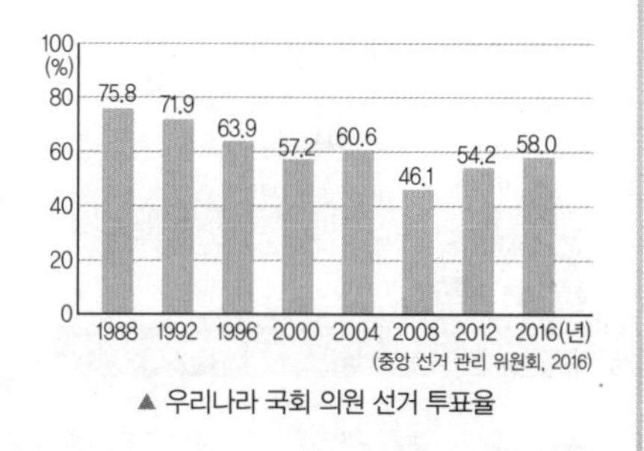

▲ 우리나라 국회 의원 선거 투표율

[□□일보, 2016. 3. 31.]

이것만은 꼭!

- 경제적 사익 추구가 지나칠 경우 **지역 전체는 물론 자신도 피해**를 볼 수 있다.
- 양심적 병역 거부는 **개인의 자유**라는 **개인선**과 **국가 안전 보장**이라는 **공동선**이 충돌하는 문제이다.
- 선거 참여에 대해 **개인의 권리**라는 입장과 **국가에 대한 의무**라는 입장이 충돌하고 있다.

콕콕! 개념 확인

정답과 해설 58쪽

A 자유주의적 정의관

01 빈칸에 알맞은 말을 쓰시오.

(1) 자유주의는 개인의 □□이/가 무엇보다도 소중한 가치라고 여기는 사상이다.

(2) 자유주의는 개인의 자유를 누리기 위해서 타인의 자유도 존중하기 때문에 타인의 자유를 침해하면서까지 자기의 이익만을 추구하는 극단적 □□□□와는 구별된다.

(3) 자유주의적 정의관에서는 개인의 자유와 권리를 최대한 보장하여 □□□을/를 실현하는 것이 곧 정의라고 주장한다.

(4) □□은/는 자유와 평등의 조화를 통한 공정한 분배를 강조하는 자유주의 학자로, 사회적 약자의 복지를 배려하는 소득 재분배 정책에 찬성하였다.

B 공동체주의적 정의관

02 빈칸에 알맞은 말을 쓰시오.

(1) 공동체주의는 개인보다 □□□의 가치와 선이 우선한다고 보는 사상이다.

(2) 공동체주의적 정의관에서 특정 집단의 이념과 이익을 구성원에게 지나치게 강요할 경우, 개인의 자유와 권리의 희생을 정당화하는 □□□□ 문제가 발생할 수 있다.

(3) 공동체주의에서 개인은 사회적 역할 수행을 통해 □□ □□□을/를 형성한다.

03 알맞은 설명에 ○표를 하시오.

(1) 공동체주의적 정의관을 주장한 대표적인 학자로는 (노직, 매킨타이어)이/가 있다.

(2) 공동체주의적 정의관에서는 공동체 구성원들이 유대감을 바탕으로 각자의 역할과 의무를 다하며, (개인선, 공동선)을 실현하는 것이 곧 정의라고 주장한다.

C 자유주의적 정의관과 공동체주의적 정의관의 적용

04 권리와 의무, 사익과 공익에 대한 각 정의관과 관련된 내용을 바르게 연결하시오.

(1) 자유주의적 정의관 •

(2) 공동체주의적 정의관 •

• ㉠ 권리보다는 의무를 더 강조
• ㉡ 공익보다는 사익 추구
• ㉢ 의무보다는 권리를 더 요구
• ㉣ 사익보다는 공익 추구

05 빈칸에 알맞은 말을 쓰시오.

> 자유주의와 공동체주의는 서로 대립하는 것처럼 보이지만 모두 개인의 행복한 삶과 정의로운 사회를 지향한다는 점에서 상호 (1) □□적이며, 개인의 권리와 공동체에 대한 의무, 사익과 공익은 어느 한쪽만을 추구할 때보다 양자를 (2) □□롭게 추구할 때 더욱 잘 실현된다.

탄탄! 내신 문제

정답과 해설 58쪽

A 자유주의적 정의관

01 다음 밑줄 친 '이 사상'과 관련이 없는 설명은?

> 이 사상은 모든 인간은 존엄하며 타인이나 사회의 억압과 구속에서 벗어나 자신이 원하는 삶을 살 수 있는 자유와 권리가 있다고 강조한다.

① 자유라는 가치를 가장 중시한다.
② 개인이 사회에 우선한다고 본다.
③ 공동체의 전통과 규범을 중시한다.
④ 타인의 자유를 침해하는 것은 옳지 않다고 본다.
⑤ 자신의 이익만을 추구하는 극단적 이기주의와는 구별된다.

02 자유주의적 정의관에 대한 설명으로 옳지 않은 것은?

① 개인의 자율성을 최대한 허용한다.
② 개인선을 실현하는 것이 곧 정의라 본다.
③ 지나치게 강조할 경우 이기주의와 사회에 대한 무관심이 나타날 수 있다.
④ 자유로운 경쟁을 통해 공정하게 취득한 이익을 보장하는 것이 옳다고 본다.
⑤ 개인의 재산권을 침해하는 소득 재분배 정책에 대해서는 무조건 반대하는 입장이다.

03 다음을 주장한 학자의 입장을 옳게 설명한 것은?

> 국가는 개인의 소유권을 보호하는 역할에 머물러야 하며, 사회적 약자의 삶은 개개인의 자발적인 자선 행위를 통해 개선될 수 있다.

① 적극적 국가관을 제시하였다.
② 사회 재분배 정책을 지지하였다.
③ 기본적 자유의 평등을 강조하였다.
④ 사회적·경제적 불평등을 부정하였다.
⑤ 개인의 선택권과 소유권을 최대한 보장해야 한다고 주장하였다.

B 공동체주의적 정의관

04 다음 글에 나타난 관점에 대한 설명 중 옳지 않은 것은?

> 인간은 공동체를 선택하기 이전에 이미 특정한 공동체 안에서 태어났고, 공동체가 추구하는 가치와 목적의 영향 아래 바람직한 역할을 요구받으며 살아간다.

① 공동체의 가치와 선을 우선시한다.
② 개인과 공동체는 유기적 관계에 있다고 본다.
③ 집단의 이익과 목적을 위해 개인의 희생을 강요한다.
④ 개인의 삶은 공동체의 역사와 문화에 밀접한 연관을 갖는다고 주장한다.
⑤ 개인은 사회적 역할을 수행하면서 자신의 정체성을 형성한다고 주장한다.

05 공동체주의적 정의관의 입장으로 옳은 것을 〈보기〉에서 고른 것은?

> 〈보기〉
> ㄱ. 개인만이 궁극적 가치를 지닌다.
> ㄴ. 공동선을 실현하는 것이 곧 정의이다.
> ㄷ. 자아 정체성은 개인의 선택으로 이루어진다.
> ㄹ. 개인은 각자의 역할과 의무를 성실히 이행해야 한다.

① ㄱ, ㄴ ② ㄱ, ㄷ ③ ㄴ, ㄷ
④ ㄴ, ㄹ ⑤ ㄷ, ㄹ

06 다음의 주장과 입장이 다른 하나는?

> 나는 이 도시 혹은 저 도시의 시민이며, 이 조합 혹은 저 집단의 구성원이다. …… 그러므로 나에게 좋은 것은 공동체에서 역할을 담당하는 누구에게나 좋은 것이어야 한다.

① 책임과 의무를 성실히 이행한다.
② 공동체의 이익이나 공동선을 추구한다.
③ 공동선을 실현하면 개인선도 실현된다.
④ 국가는 국민의 자유와 권리를 보호하기 위해 존재하는 것이다.
⑤ 개인은 독립적인 존재가 아니라 공동체의 구성원으로서 존재한다.

07 다음 내용과 관련 있는 관점에 대하여 갑~무 중 올바른 내용만 '✓' 표시를 한 학생은?

> 국가는 개인이 공동체의 가치와 목적을 내면화하고, 공동체에 관한 소속감을 지니며 책무를 충실히 이행하며 살아갈 수 있도록 이끌어 주어야 한다.

내용 \ 학생	갑	을	병	정	무
1. 공동선보다 개인선을 중시한다.	✓	✓			
2. 개인은 각자의 역할과 의무를 다한다.	✓		✓	✓	
3. 개인과 공동체는 유기적 관계이다.		✓	✓		✓
4. 집단주의를 신봉한다.				✓	✓

① 갑 ② 을 ③ 병 ④ 정 ⑤ 무

C 자유주의적 정의관과 공동체주의적 정의관의 적용

08 다음에서 (가)의 갑과 을의 입장을 (나)의 그림으로 표현할 때, A~C에 들어갈 내용으로 옳지 않은 것은?

(가)
갑 : 경쟁을 통한 자유로운 개인의 욕구 충족이 국부(國富)를 증진하고 나아가 풍요로움을 확대하여 공동선에 이바지할 수 있다.
을 : 공동체의 역사와 문화, 구성원과의 관계에서 연대 의식을 가지고 권리와 의무 이행을 통해 자발적 봉사와 희생정신을 발휘하여 공동선을 실현한다.

(나)
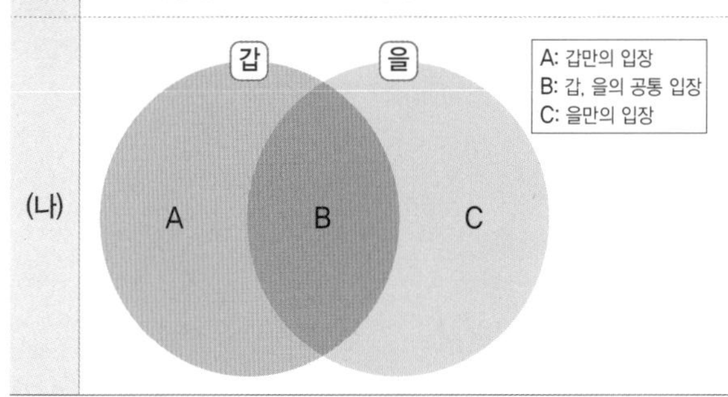

① A : 공익보다 사익 추구를 더 강조한다.
② A : 개인의 의무보다 권리를 더 요구한다.
③ B : 의무와 권리, 공익과 사익이 조화를 이룰 수 있다.
④ B : 개인의 행복한 삶을 바탕으로 정의로운 사회를 실현할 수 있다고 본다.
⑤ C : 공동선과 공익을 우선시한다.

09 다음 헌법 조항에 대한 설명으로 옳지 않은 것은?

> 대한민국 헌법 제23조
> ① 모든 국민의 재산권은 보장된다. 그 내용과 한계는 법률로 정한다.
> ② 재산권의 행사는 공공복리에 적합하도록 하여야 한다.

① 재산권을 개인의 권리로 보고 있다.
② 재산권 행사의 자유를 보장하고 있다.
③ 재산권 행사의 공공복리 적합 의무를 명시하고 있다.
④ 재산권 행사는 공동체의 의무와 관련이 없다는 내용이다.
⑤ 재산권 행사가 사회 전체의 이익과 조화를 이루어야 한다고 보고 있다.

10 다음 글에 제시된 '대형 마트 영업 규제'에 대한 올바른 찬성, 반대 입장만을 〈보기〉에서 있는 대로 고른 것은?

> 정부의 유통 산업 발전법에 따라 ○○시 지방 자치단체는 중대한 공익의 보호를 이유로 대형 마트의 영업시간을 제한하고, 의무 휴업일을 지정하는 조례를 제정하였다.

〈보기〉
ㄱ. 반대 : 영업의 자유를 침해할 수 있다.
ㄴ. 반대 : 야간 영업 등을 제한함으로써 근로자의 건강권을 해칠 수 있다.
ㄷ. 찬성 : 대형 유통업체의 독점을 막고 건전한 유통 질서를 확립할 수 있다.
ㄹ. 찬성 : 영세 상인의 생존권을 보장하고 중소 유통업과의 상생 발전을 도모할 수 있다.

① ㄱ, ㄴ, ㄷ ② ㄱ, ㄴ, ㄹ
③ ㄱ, ㄷ, ㄹ ④ ㄴ, ㄷ, ㄹ
⑤ ㄱ, ㄴ, ㄷ, ㄹ

도전! 1등급 문제

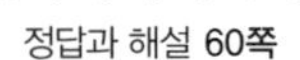
정답과 해설 60쪽

01 다음의 갑과 을이 주장했을 내용으로 옳지 않은 것은?

> 갑 : 정의의 원칙으로 첫째, 각 사람들은 기본적 자유에 대해 평등한 권리를 가지며, 둘째, 사회·경제적 불평등은 최소 수혜자에게 최대의 이익이 되고, 기회 균등의 조건하에 모든 사람에게 지위와 직책이 개방되어야 한다.
> 을 : 나는 내 가족, 도시, 부족, 민족으로부터 다양한 부담과 유산, 정당한 기대와 책무를 물려받았다. 그것들은 나의 삶과 도덕의 출발점을 구성한다.

① 갑 : 기본적 자유의 평등을 중시한다.
② 갑 : 사회·경제적 불평등은 허용되지만, 최소화하려는 재분배 정책이 필요하다.
③ 갑 : 개인의 자유와 권리를 최대한 보장하여 개인선을 실현하는 것이 정의이다.
④ 을 : 개인의 선택권은 최대한 보장되어야 한다.
⑤ 을 : 개인은 사회적 역할을 수행함으로써 자신의 정체성을 형성한다.

고난도
02 다음 순서도의 A~C에 들어갈 질문으로 옳지 않은 것은?

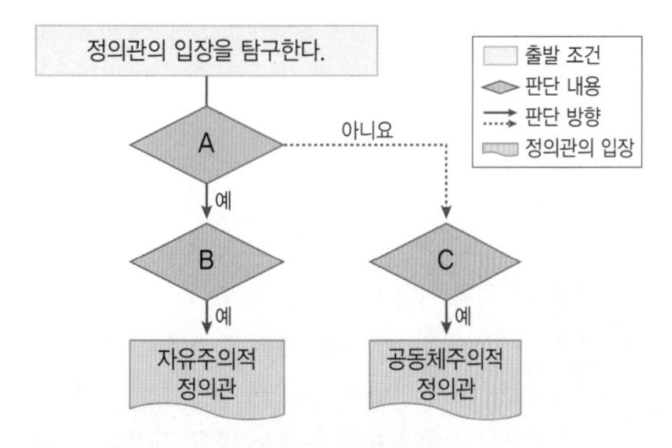

① A : 개인이 사회에 우선하는가?
② B : 개인의 자유와 권리는 실현되어야 하는가?
③ B : 경쟁을 통한 자유로운 개인의 욕구 충족이 국부(國富)로 이어진다고 확신하는가?
④ C : 개인과 공동체는 상호 유기적 관계인가?
⑤ C : 사회적 약자를 돕는 행위를 자선(慈善) 행위로 보는가?

03 다음에 제시된 '착한 사마리아인 법'을 제정하는 것이 논란이 되고 있는 가장 근본적인 원인은?

> 강도를 만나 심각한 상처를 입고 쓰러져 있는 사람을 치료하는 등 구조를 한 '착한 사마리아인' 이야기에서 유래한 '착한 사마리아인 법'은 충분히 도와줄 수 있는 상황임에도 구조 활동을 하지 않은 개인을 형벌로 다스리는 법을 말한다.

① 복지 정책의 범위 문제
② 개인의 자유와 의무의 구분 문제
③ 건전하고 올바른 가치관 형성 문제
④ 인명 구조 활동의 의미와 방법의 문제
⑤ 민족과 인종을 구분하지 않는 인권의 문제

04 다음에서 (가)의 갑과 을의 입장을 (나)의 그림으로 표현할 때, A~C에 들어갈 내용으로 옳지 않은 것은?

(가)
개발 제한 구역 규제, 어떻게 생각하나요?
갑 : 찬성한다. 녹지 환경은 우리 공동체가 함께 지켜야 할 중요한 자원이다.
을 : 반대한다. 사유지에 대한 재산권 행사는 보장되어야 한다.

(나)
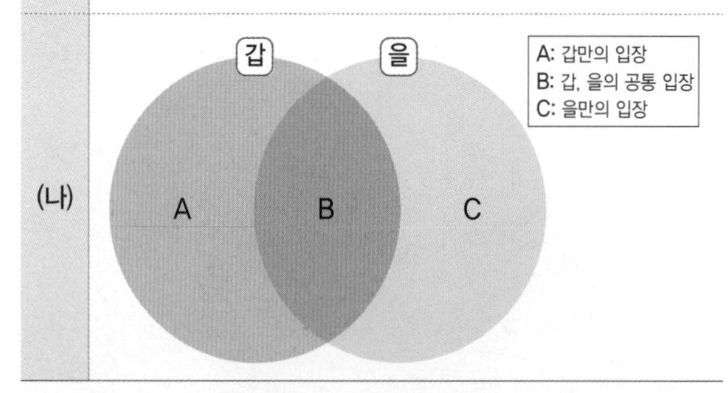

① A : 녹색 성장 및 지속 가능한 개발을 해야 한다.
② A : 국토 개발을 땅으로 밖에 여기지 않는 태도는 미래 세대에 대한 무책임한 태도이다.
③ B : 개발 제한 구역 지정과 유지 과정에서 민주적 소통과 법적 근거를 마련해야 한다.
④ C : 수도권의 인구가 적절히 분산될 것이다.
⑤ C : 개인의 재산권에 대해 공익이라는 명분으로 희생을 강요할 수는 없다.

[05-07] 다음 자료를 보고 물음에 답하시오.

자료 ❶

최근 우리나라에서도 '젠트리피케이션(gentrification)' 현상이 나타나고 있다. 과거 서울의 조용한 한옥 마을 혹은 낙후된 지역이었던 동네가 젊은 예술가들의 활동지로 주목받으며 독특한 개성과 문화를 찾는 사람들이 몰리면서 새로운 상권으로 자리 잡았다. 하지만 많은 사람들이 찾으면서 상권이 활성화되고 이에 따라 임대료가 폭등하였다. 이에 젊은 예술가들이 높은 임대료를 내지 못하고, 전세와 월세를 감당하지 못하는 토박이 주민들마저 동네를 떠나면서 텅 빈 가게가 늘어나고 동네의 특색도 사라져 상권마저 시들어지는 현상이 나타나고 있다. [○○뉴스, 2016. 1. 22.]

자료 ❷

병무청과 법조계 등에 따르면 현재까지 국내에서 양심적 병역 거부로 인해 처벌을 받은 인원이 1만 9천 명을 넘어섰다. 종교나 신념을 이유로 입영을 거부해 재판에 넘겨지는 인원은 매년 600여 명에 달한다. 헌법 재판소는 2004년과 2011년 두 차례에 걸쳐 양심적 병역 거부자를 처벌하는 병역법 조항은 헌법에 위배되지 않는다며 합헌 결정을 내린 바 있다. 그러나 최근 1심 법원이 양심적 병역 거부자에게 무죄를 선고한 사례가 늘고 있는데, 이는 병역 거부자를 형사 처벌하지 말고 대체 복무제 등을 도입하라는 유엔 자유권 규약 위원회와 국가 인권 위원회 등의 권고가 영향을 미친 것으로 풀이된다. 이에 반해 보수 단체들은 국방의 의무에 대한 형평성 문제와 부작용 등을 들며 대체 복무제 도입 등에 대해 반대 의견을 굽히지 않고 있다. [△△뉴스, 2017. 10. 7.]

자료 ❸

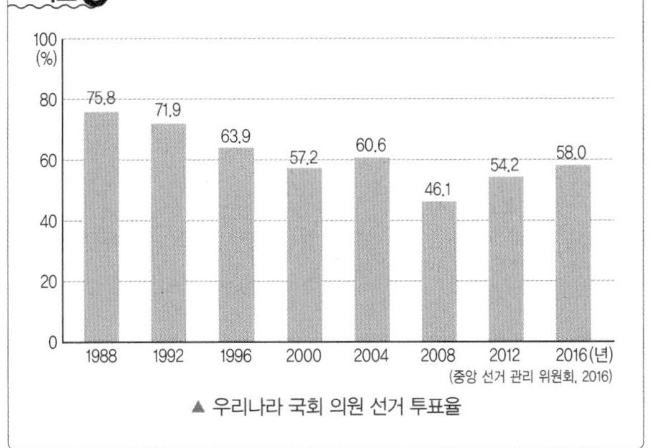

▲ 우리나라 국회 의원 선거 투표율

05 자료❶~❸에 대한 학생들의 분석으로 옳지 않은 것은?

① 민정 : 자료❶은 지역 사회의 경제 활성화 현상에서 볼 수 있는 지나친 사익 추구로 인한 문제점이야.
② 민수 : 자료❶에서 임대료의 폭등은 지역 경제와 나아가 건물주 자신에게까지 피해를 주는 결과를 낳았어.
③ 진희 : 자료❷에서 양심적 병역 거부에 대한 찬반 입장이 충돌하고 있어.
④ 지아 : 자료❷에서 양심적 병역 거부자에 대한 헌법 재판소와 법원의 입장이 다른 경우도 있어.
⑤ 혜진 : 자료❸에서 선거 투표를 권리라고 생각한다면 투표율이 높아질 것 같아.

06 자료❷의 문제에 대해 자유주의적 관점에서 찬성하는 입장을 〈보기〉에서 고른 것은?

보기
ㄱ. 단순 군복무 회피와 구분하기 어렵다.
ㄴ. 개인은 양심에 따라 행동할 권리가 있다.
ㄷ. 안보는 인권 보장을 위한 것인데, 안보를 위해 인권을 희생하는 것은 모순이다.
ㄹ. 안보라는 공공재의 혜택을 받지만 군복무를 하지 않는 것은 이기적인 행동이다.

① ㄱ, ㄴ ② ㄱ, ㄷ ③ ㄴ, ㄷ
④ ㄴ, ㄹ ⑤ ㄷ, ㄹ

고난도

07 자료❸의 해결 방안으로 거론되는 '의무 투표제'에 대한 공동체주의의 입장을 〈보기〉에서 고른 것은?

보기
ㄱ. 투표할 권리는 시민의 개인적 권리이다.
ㄴ. 유권자는 개인의 권리보다 의무를 더 중시해야 한다.
ㄷ. 의무 투표제에서의 투표율은 실제 정치에 관한 관심을 반영하지 못한다.
ㄹ. 후보자들은 유권자들의 투표 참여를 독려하는 활동에서 벗어나 선거 공약에 더욱 힘을 모을 수 있다.

① ㄱ, ㄴ ② ㄱ, ㄷ ③ ㄴ, ㄷ
④ ㄴ, ㄹ ⑤ ㄷ, ㄹ

03 사회 및 공간 불평등 현상과 정의로운 사회

흐름 잡기

정의로운 사회

- 사회 불평등 현상의 양상은? A
- 공간 불평등 현상의 양상은? B
- 정의로운 사회를 위한 제도와 실천 방안은? C

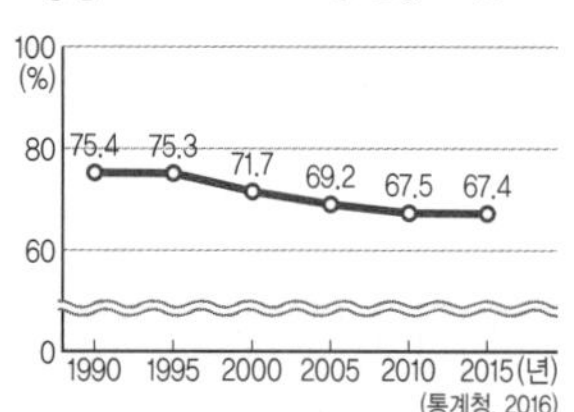

궁금해? 우리나라 중산층 비율

연도	1990	1995	2000	2005	2010	2015(년)
비율(%)	75.4	75.3	71.7	69.2	67.5	67.4

(통계청, 2016)

우리나라의 중산층 비중은 1990년대 중반 이후 지속적으로 감소하는 추세이며, 탈락한 중산층은 대부분 저소득층으로 편입되고 있다.

• 사회 이동
개인이나 집단이 특정한 사회 계층에서 다른 사회 계층으로 옮기는 일을 의미한다.

• 소상공인
소기업 중에서도 규모가 특히 작은 기업과 생업으로 운영하는 자영업자로 상시 근로자 5~10명 미만의 사업자를 말한다.

A 사회 불평등 현상

한·줄·단·서 **사회 불평등 현상**은 **사회 계층의 양극화**와 **사회적 약자에 대한 차별**로 구분할 수 있어.

1. 사회 불평등 현상

① **의미** : 부(富), 권력, 명예 등의 희소한 자원이 불평등하게 분배되어 개인이나 집단이 서열화되어 있는 현상 (희소한 자원: 욕구에 비해 공급이 부족한 자원)

② **문제점** : 개인이 극복할 수 없는 구조적인 성격을 띠거나 심화될 경우, 구성원 간의 사회적 갈등 발생 → 사회 통합 및 정의로운 사회 실현 저해

2. 다양한 사회 불평등 현상

① **사회 계층의 양극화**

(사회 계층: 사회 구성원들이 차지하고 있는 사회적 지위의 층으로, 어떤 계층에 속해 있는지에 따라 사회적 자원이 서로 다르게 제공돼.)

의미	사회 구성원 간 불평등이 심화되어, 사회 계층 중 중간 계층이 줄어들고 상층과 하층의 비중이 늘어나는 현상
발생 원인	재산과 소득의 차이에 따른 경제적 격차 자료 1
문제점	• 경제적 격차는 교육, 주거, 여가, 의료 등 다양한 격차로 이어짐 → 능력이나 업적에 의한 •사회 이동을 막아 폐쇄적인 사회 구조를 형성하며, 계층 간 갈등으로 이어짐 • 사회 발전의 동력이 줄어들고, 계층 간에 위화감이 조성됨

(위화감: 서로 조화되지 않는 어설픈 느낌)

② **사회적 약자에 대한 차별** 자료 2

- **사회적 약자** : 경제 수준이나 사회적 지위 등에서 상대적으로 불리한 위치에 있는 개인 또는 집단 예 장애인, 여성, 이주 노동자, 북한 이탈 주민, •소상공인 등
- **차별의 발생 원인** : 사회 주류 집단과 다르다는 선입견 및 편견, 차별을 용인하는 사회적 환경 등 (선입견 및 편견: 비합리적인 이유로 구성원의 기본적 권리를 침해한다는 점에서 문제가 될 수 있어.)

B 공간 불평등 현상

한·줄·단·서 **공간 불평등 현상**에는 **수도권과 비수도권의 격차, 도시와 촌락 간의 격차** 등이 있어.

1. 공간 불평등 현상 자료 3

(쪽방촌, 노후 불량 건축물 밀집 지역, 쓰레기 처리장 주변 등과 같이 도시 내 낙후 지역에 대한 공간 불평등 현상도 나타나고 있어.)

의미	지역 간에 경제적·사회적·문화적 수준 차이가 나타나는 현상 예 수도권과 비수도권의 격차, 도시와 촌락의 격차 등
발생 원인	경제 발전 과정에서 추진된 성장 위주의 개발 정책
문제점	• 소득 불평등뿐만 아니라 교육, 문화, 의료 등 생활 환경의 전반적인 불평등으로 이어짐 → 사회 통합 및 정의로운 사회 실현 저해 • 국토의 효율적인 이용과 안정적인 국가 발전에도 악영향을 미침

2. 다양한 공간 불평등 현상

① **수도권과 비수도권의 격차** : 수도권 중심의 •성장 거점 개발로 발생

- **수도권** : 인구와 자본이 유입되어 크게 성장 (기업, 공공 기관 및 각종 교육·문화·의료 시설 등이 수도권에 집중되어 있어.)
- **비수도권** : 수도권에 비해 상대적으로 성장이 정체되거나 낙후됨

② **도시와 촌락의 격차** : 산업화와 도시화의 영향

- **도시 지역** : 인구와 산업, 편의 시설 등 집중
- **촌락 지역** : 인구의 지속적인 유출, 지역 경제 침체, 도시 근로자와의 소득 격차

• 성장 거점 개발
성장 잠재력이 큰 지역을 선정하여 집중적으로 육성하고, 이에 따른 성장 이익을 다른 지역으로 파급하여 효과를 확산하는 개발이다.

교과서 자료 모아보기

자료 1 우리나라의 소득 불평등

자·료·분·석 소득 5분위 배율이란 5분위 계층(최상위 20%)의 평균 소득을 1분위 계층(최하위 20%)의 평균 소득으로 나눈 값을 말한다. 소득 5분위 배율은 국민 소득의 분배 상태를 나타내는 대표적인 수치이다. 수치가 클수록 소득 불평등이 심한 것으로, 2007년에 7배를 넘어 2014년부터는 8배를 넘었는데 이는 우리나라의 소득 불평등 정도가 지속적으로 심화되고 있음을 보여주고 있다.

소득 5분위 배율

(통계청, 2016)

한·줄·핵·심 우리나라의 소득 불평등 정도는 해마다 지속적으로 심화되고 있다.

키워드 체크

❶ 우리나라의 소득 불평등 정도는 해마다 지속적으로 (심화, 약화)되고 있다.

답 : □□

자료 2 유리 천장 지수

영국 이코노미스트지는 OECD 국가를 대상으로 고등 교육 격차, 노동 시장 참여도, 남녀 임금 격차, 기업 임원과 여성 국회 의원 비율, 자녀 양육비 및 육아 휴직 기간 등을 종합하여 점수화한 '유리 천장 지수'를 발표했는데, 우리나라는 OECD 평균에도 못 미치는 100점 만점에 25점을 받아 최하위인 29위를 기록하였다.

[○○뉴스, 2016. 3. 5.]

OECD 유리 천장 지수

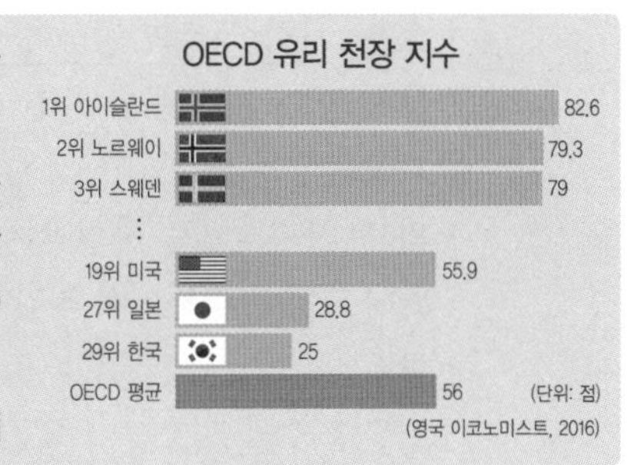

(영국 이코노미스트, 2016)

자·료·분·석 '유리 천장'은 사회 참여나 직장 내 승진을 가로막는 보이지 않는 장벽을 뜻하는 말로, 사회적 약자 중 특히 여성에게 많이 적용된다. 제시된 자료에서 '유리 천장 지수'가 낮을수록 여성에 대한 차별이 심한 것인데, 우리나라는 OECD 국가 중 최하위로 여성에 대한 차별이 심각하게 나타나고 있음을 알 수 있다.

한·줄·핵·심 유리 천장 지수를 통해 우리나라의 성 불평등이 심각함을 알 수 있다.

키워드 체크

❷ □□ □□은 사회 참여나 직장 내 승진을 가로막는 보이지 않는 장벽을 뜻하는 말로, 여성에게 많이 적용된다.

답 : □□ □□

자료 3 공간 불평등 현상

수도권과 비수도권의 격차

구분	수도권	비수도권	전체
국토 면적	11.8	88.2(%)	100,283㎢
인구	49.5	50.5	51,069천 명
제조 업체	50.6	49.4	397,171개
대학교	34.1	65.9	337개
의료 기관	53.1	46.9	63,675개
공공 기관	47.9	52.1	321개

(통계청/기획 재정부, 2016)

도시와 농촌의 가구당 연간 소득 변화

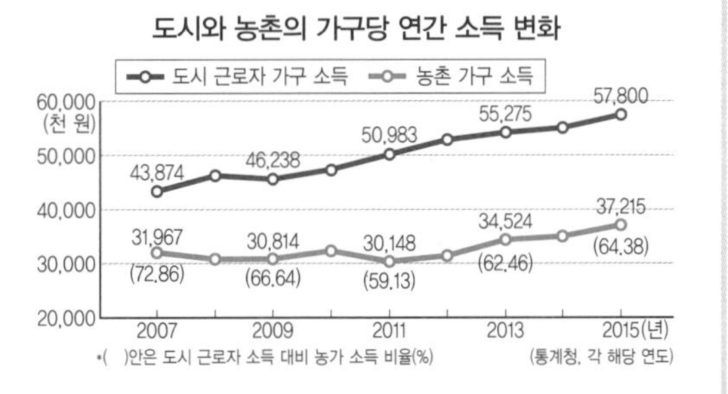

*( )안은 도시 근로자 소득 대비 농가 소득 비율(%)
(통계청, 각 해당 연도)

자·료·분·석 수도권의 면적은 전체 국토 면적의 약 12%에 불과하지만, 전체 인구의 절반 정도가 수도권에 밀집해 있으며, 각종 시설들도 수도권에 집중되어 있다. 또한 시간이 지날수록 도시 근로자의 소득은 꾸준히 늘어나는 반면 농촌 가구의 소득은 크게 달라지지 않아, 도시와 농촌 간의 소득 격차가 벌어지고 있다.

한·줄·핵·심 공간 불평등은 지역 간에 경제적·사회적·문화적으로 수준의 차이가 나타나는 현상이다.

키워드 체크

❸ □□ 불평등으로는 수도권과 비수도권의 격차, 도시와 농촌의 격차를 예로 들 수 있다.

답 : □□

키워드 체크 정답 ❶ 심화 ❷ 유리 천장 ❸ 공간

C 정의로운 사회를 위한 제도와 실천 방안

한·줄·단·서 **사회 복지 제도, 적극적 우대 조치, 지역 격차 완화 정책** 등을 통해 정의로운 사회를 만들도록 노력해야 해.

1. 정의로운 사회를 위한 제도의 필요성

① 사회 및 공간 불평등 현상은 정의로운 사회로 나아가는 데 악영향을 줌

② 불평등 문제를 해결하려면 불평등을 개선하는 제도적 장치가 필요함

└ 인간의 기본적 권리를 모든 사회 구성원이 평등하게 누릴 수 있는 사회를 말해.

2. 정의로운 사회를 위한 다양한 제도

① 사회 복지 제도

- **의미** : 사회 구성원들이 다양한 사회적 위험으로부터 벗어나 행복하고 인간다운 삶을 살 수 있도록 지원하는 제도
- **종류**

사회 보험	공공 부조	사회 서비스
일정 수준의 소득이 있는 개인과 정부, 기업이 보험료를 분담하여 구성원의 사회적 위험에 대비하는 제도	국가가 전액 지원하여 저소득 계층이 최소한의 삶을 꾸릴 수 있도록 돕는 제도	도움이 필요한 국민에게 다양한 서비스 혜택을 제공하는 제도

- **효과** : 사회 계층의 양극화 현상 완화, 사회적 약자를 보호함으로써 인간의 존엄성 보장 → 사회 통합 증진

└ 사회 복지 제도는 소득 재분배 효과가 있어서 경제적 측면의 불평등 완화에도 도움이 돼.

② 적극적 우대 조치 자료 4

- **의미** : 사회적으로 차별받는 사회적 약자에게 실질적인 기회의 평등을 보장하기 위해 다양한 측면에서 직간접적으로 혜택을 제공하는 제도
- **종류**

구분	내용
여성 할당제	공직에서 여성이 일정 비율을 차지할 수 있게 하는 제도 → 여성에게 채용이나 승진 및 공직 진출의 혜택 제공
장애인 의무 고용 제도	기업이나 관공서에서 일정 비율 이상의 장애인 고용 의무화
대학 입학 전형	사회적 배려 대상자 전형, 농어촌 학생 전형, 기회 균등 전형, 장애인 전형 등 폭넓은 대학 입학 기회 제공

- **유의점** : 혜택의 정도가 과도할 경우 •역차별 문제가 발생할 수 있음

③ 지역 격차 완화 정책 : 수도권과 비수도권 간, 도시와 촌락 간, 도시 내부의 공간 불평등 해소로 국토의 균형 발전 실현

구분	내용
수도권 기능의 지방 분산 자료 5	수도권 공공 기관의 지방 이전, 지방 이전 기업에 세금 감면 및 규제 완화 등의 혜택 제공 → 수도권 과밀화 해소
자립형 지역 발전 기반 구축	지역의 잠재력을 발굴하고 지역의 특성을 살릴 수 있는 발전 전략 추진 예 지역 브랜드 구축, 관광 마을 조성, 지역 축제 개최 등
도시 내부의 공간 불평등 해결	정부와 지방 자치 단체의 노력 예 공공 임대 주택 및 장기 전세 주택 공급, 노후 불량 주택 개량, 상하수도 등 도시 기반 시설 확충, 도시 환경 정비 사업 실시 등

└ 누구나 쾌적한 주거 및 생활 환경을 누릴 수 있도록 공원 · 녹지의 확보 등을 추진하는 사업이야.

3. 정의로운 사회를 위한 실천 방안

구분	내용
개인적·의식적 차원	배려하고 존중하는 공동체 의식 함양, 상대방에 대한 고정 관념과 편견 제거, 기부나 봉사활동에 적극 참여하는 태도 함양
사회적·제도적 차원	불평등의 원인이 되는 제도나 관행 개선, 사회 연대 의식을 바탕으로 사회적 약자를 위한 복지 제도와 법률 제정, 지역 격차 완화 정책 마련 등

궁금해? 우리나라의 대표적인 사회 복지 제도

구분	내용
사회 보험	국민연금, 국민 건강 보험, 고용 보험, 산업 재해 보상 보험, 노인 장기 요양 보험
공공 부조	국민 기초 생활 보장 제도, 기초 연금, 의료 급여
사회 서비스	노인 돌봄 서비스, 장애인 활동 지원, 가사·간병 서비스

• 역차별

차별을 받는 쪽을 보호하기 위해 마련한 제도이지만 영향력이 너무 강하여 오히려 반대편이 차별을 받게 되는 것을 의미한다.

자료 4 여성 할당제와 장애인 의무 고용제

여성 국회 의원 비율

연도	1985	1988	1992	1996	2000	2004	2008	2012	2016
여성 국회 의원 수(명)	8	6	3	9	16	39	41	47	51
여성 국회 의원 비율(%)	2.9	2.0	1.0	3.0	5.9	13.0	13.7	15.7	17.0

(중앙 선거 관리 위원회, 2016)

장애인 의무 고용률

적용 대상 \ 연도		'14~'16	'17~'18	'19~
국가·지방 자치 단체	공무원	3.0%	3.2%	3.4%
	근로자	2.7%	2.9%	3.4%
공공 기관		3.0%	3.2%	3.4%
민간 기업		2.7%	2.9%	3.1%

[고용 노동부, 2015]

자·료·분·석 2004년 17대 총선에서 여성 할당제가 시행된 이후 여성 의원의 수와 비율은 점차 늘어가고 있다. 특히 2016년 20대 총선에서 총 51명의 여성 국회 의원이 나와 전체 의석의 17%를 차지하면서 역대 최고 비율을 나타내었다. 이는 여성 할당제를 통해 국회 의석의 일정 비율을 여성에게 배분함으로써 공직 진출에서 남녀 간의 불평등을 줄이려는 노력으로 볼 수 있다.
장애인 의무 고용 제도에 의해 국가와 지방 자치 단체의 장은 장애인을 소속 공무원 정원의 3% 이상 고용해야 하며, 상시 50명 이상의 근로자를 고용하는 사업주의 경우에도 대통령령으로 정하는 비율 이상의 장애인을 고용해야 한다. 장애인 의무 고용 제도는 기업이나 관공서에서 일정 비율 이상의 장애인을 고용하게 함으로써 장애인이 겪는 사회적 불평등을 개선하려는 노력으로 볼 수 있다.

한·줄·핵·심 우리나라는 여성 할당제, 장애인 의무 고용 제도 등을 통해 사회적 약자에게 실질적인 기회의 평등을 보장하는 적극적 우대 조치를 시행하고 있다.

키워드 체크

❹-1 사회적 약자에게 실질적인 기회의 평등을 보장하기 위해 다양한 측면에서 직간접적으로 혜택을 제공하는 제도는?

답 : □□□ □□ □□

❹-2 공직에서 여성이 일정 비율을 차지할 수 있게 하는 제도로, 여성에게 채용이나 승진 및 공직 진출의 혜택을 제공하는 제도를 여성 □□□(이)라고 한다.

답 : 여성 □□□

자료 5 공공 기관의 지방 이전

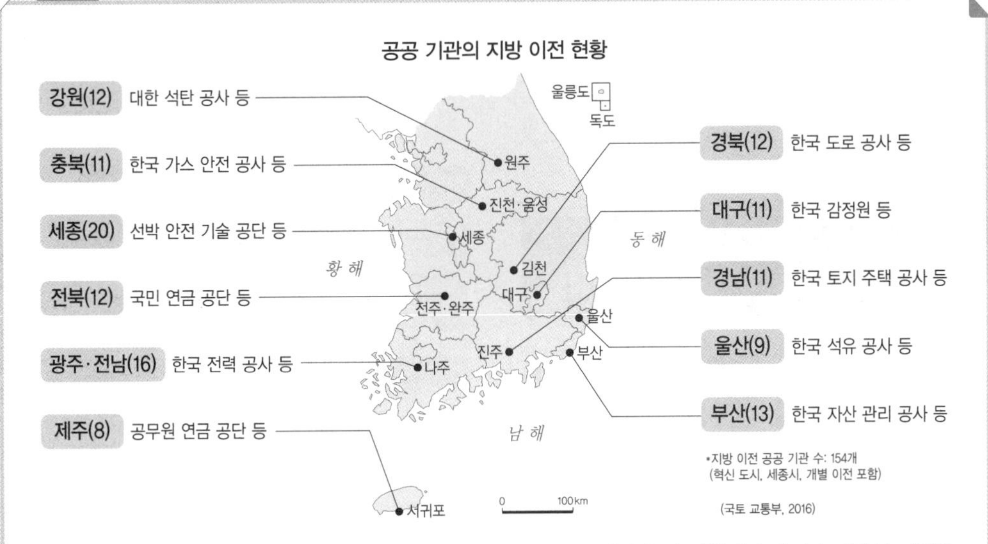

자·료·분·석 공공 기관 지방 이전 정책은 정부가 그동안의 소극적 지방 육성 정책에서 벗어나 지방의 자립을 추구하는 방안이다. 공공 기관의 기능적 특성과 지역 전략 산업을 연계시켜 지역 발전의 토대를 구축하고, 이를 10개의 혁신 도시와 연계하여 지역의 경쟁력 강화를 촉진하겠다는 전략이다. 더불어 공공 기관과 밀접한 관련이 있는 민간 기업의 지방 이전을 유도하여 지역 경기를 살리고 수도권 집중을 억제하는 효과도 거두려 하고 있다.

└ 공공 기관 지방 이전을 계기로 지역의 성장 거점에 조성되는 미래형 도시

한·줄·핵·심 공공 기관의 지방 이전으로 지방의 발전 잠재력을 적극 발굴하고 지역의 특성을 살릴 수 있는 발전 전략을 추진하고 있다.

키워드 체크

❺ 정부는 □□ □□의 지방 이전을 통해 지역 발전의 토대를 구축하여 공간 불평등을 해결하려 노력하고 있다.

답 : □□ □□

키워드 체크 정답 ❹-1 적극적 우대 조치 ❹-2 할당제 ❺ 공공 기관

사회 불평등의 양상과 해결 방안

사회 불평등 문제는 현대 자본주의 사회에서 재산과 소득 분배 등 경제적 격차에 의해 발생하며, 교육, 의료, 문화 등 다양한 분야에서 나타난다. 다음 자료를 통해 사회 불평등 등의 발생 원인 및 양상을 알아보고, 그에 대한 해결 방안을 모색해 보자.

통합 주제 story

자료❶
하위 20%와 상위 20%의 소득은 모두 시간이 지남에 따라 증가하고 있지만, 소득 격차 배율 또한 시간이 지남에 따라 점점 증가하여 경제적 격차가 벌어지고 있다.

자료❷
소득 수준에 따라 암환자의 생존율이 달라지고, 교육비 지출의 격차가 나타난다. 이처럼 경제적 격차로 인해 다양한 분야에서 사회 불평등이 발생하고 있다.

자료❸
근로 장려금 제도와 청년 수당 제도는 경제적 약자가 스스로의 힘으로 경제적 어려움을 극복할 수 있는 힘을 주고, 그들의 삶의 질을 높일 수 있도록 하기 위한 것이다. 이는 궁극적으로 경제적 격차에 의한 사회 불평등을 해결하려는 노력으로 볼 수 있다.

자료 ❶ 상층과 하층 간 소득 격차

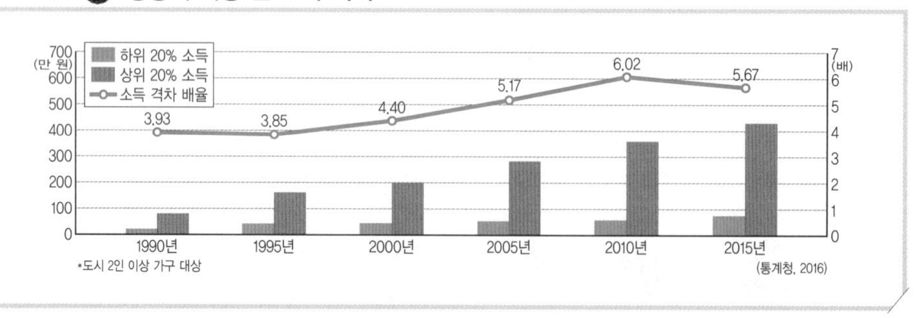

•도시 2인 이상 가구 대상 (통계청, 2016)

자료 ❷ 소득과 관련된 다양한 불평등 사례

소득 수준별 암환자 생존율

	남성 소득 1분위(하위 20%)	남성 소득 5분위(상위 20%)	여성 소득 1분위(하위 20%)	여성 소득 5분위(상위 20%)
1년	47.3	61.9	71.0	77.4
3년	29.1	43.4	57.1	65.7
5년	24.0	37.8	52.4	60.8

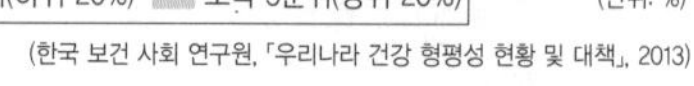

(단위: %)

(한국 보건 사회 연구원, 「우리나라 건강 형평성 현황 및 대책」, 2013)

소득 분위별 교육비 지출 현황

소득 분위	교육비 지출
소득 1분위(하위 20%)	66,800원
2분위	200,700원
3분위	275,700원
4분위	353,000원
소득 5분위(상위 20%)	529,400원

•가구당 월평균 기준 (통계청, 2014)

자료 ❸ 경제적 약자를 위한 지원 제도

근로 장려금 제도

일하는 즐거움, 쌓이는 행복!

5월 31일까지 근로·자녀장려금 신청하세요

근로 장려금 제도는 일정 소득 구간 내에 있는 저소득 근로자를 대상으로 이미 납부한 세금의 일부를 환급해 주는 제도이다.

청년 수당 제도

청년 수당 제도는 경제적으로 어려운 가정의 청년들에게 취업을 위해 필요한 최소한의 수당을 지원하는 제도이다.

이것만은 꼭!

- 사회 계층 중 상층과 하층의 **소득 격차**는 과거에 비해 **더욱 커지고** 있다.
- 암환자의 생존율과 가정의 교육비 지출의 차이는 모두 **소득 격차와 관련**이 있다.
- 근로 장려금 제도와 청년 수당 제도는 **경제적 격차에 의한 사회 불평등을 해결**하려는 제도이다.

콕콕! 개념 확인

정답과 해설 61쪽

A 사회 불평등 현상

01 빈칸에 알맞은 말을 쓰시오.

(1) 사회적으로 희소한 자원이 차등적으로 분배되어 개인이나 집단이 서열화되는 현상을 □□ □□□ 현상이라고 한다.

(2) 사회 구성원 간 불평등이 심화되어 사회 계층 중 중간 계층이 줄어들고 상층과 하층의 비중이 늘어나는 현상을 사회 계층의 □□□(이)라고 한다.

(3) 장애인, 여성, 이주 노동자, 북한 이탈 주민 등 경제 수준이나 사회적 지위 등에서 상대적으로 불리한 위치에 있는 개인 또는 집단을 □□□ □□(이)라고 한다.

B 공간 불평등 현상

02 알맞은 설명에 ○표를 하시오.

(1) 우리 사회에서는 1960년대 이후 급속한 도시화와 산업화를 거치면서 지역을 기준으로 사회적 자원이 불균등하게 분배되는 (사회, 공간) 불평등 현상이 나타나게 되었다.

(2) 수도권은 비수도권에 비해 국토 면적당 인구 밀도가 (높고, 낮고), 기업, 공공 기관 및 각종 교육·문화·의료 시설 등이 (밀집, 분산)되어 있다.

(3) 농촌 가구의 소득은 시간이 지났음에도 크게 달라지지 않았지만, 도시 근로자의 소득 수준은 꾸준히 (증가하고, 감소하고) 있다.

C 정의로운 사회를 위한 제도와 실천 방안

03 사회 복지 제도와 관련 정책을 바르게 연결하시오.

(1) 사회 보험 •   • ㉠ 가사·간병 서비스, 노인 돌봄 서비스
(2) 공공 부조 •   • ㉡ 국민 기초 생활 보장 제도, 기초 연금
(3) 사회 서비스 •   • ㉢ 국민 건강 보험, 국민연금, 산업 재해 보상 보험

04 빈칸에 알맞은 말을 쓰시오.

(1) 적극적 우대 조치를 실시할 때에는 그 혜택의 정도가 과도하여 □□□의 문제를 발생시키는 일이 없도록 유의해야 한다.

(2) 정부는 지역 간의 균형 있는 발전을 위해 공공 기관을 지방으로 이전하거나 그 지역의 특성에 맞는 산업을 육성하여 일자리를 창출하는 등의 노력을 하고 있는데, 이를 □□ □□ □□ 정책이라 한다.

(3) 정의로운 사회를 만들기 위해서는 지나친 경쟁 대신 다른 사람을 배려하고 존중하는 □□□ 의식을 가져야 한다.

탄탄! 내신 문제

정답과 해설 61쪽

A 사회 불평등 현상

01 사회 불평등 현상에 대한 설명으로 옳지 않은 것은?

① 경제적 격차는 주거, 여가, 교육 등 다양한 측면에 영향을 미친다.
② 불평등의 정도가 심해지면 구성원 간의 사회적 갈등이 나타날 수 있다.
③ 사회 불평등은 사회적 자원의 희소성으로 불가피하게 나타나는 현상이다.
④ 경제적 불평등을 포함한 다양한 사회 불평등은 한 세대에서만 국한되어 나타난다.
⑤ 사회적 자원이 차등적으로 분배되어 구성원들의 위치가 서열화되어 있는 상태를 말한다.

02 다음 자료를 통해 추론할 수 있는 현상으로 가장 적절한 것은?

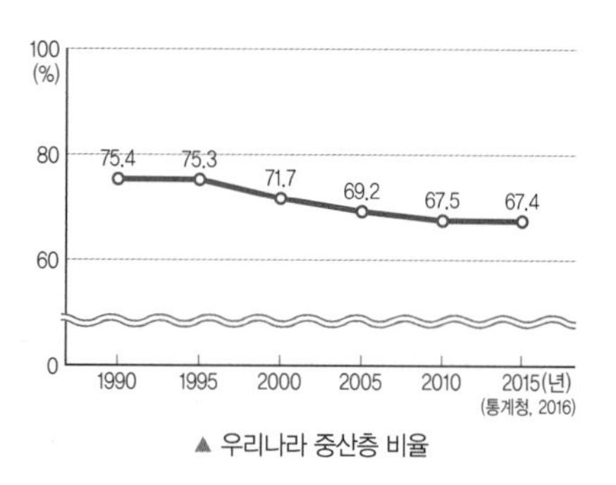

▲ 우리나라 중산층 비율

① 사회 계층의 양극화
② 사회적 약자에 대한 차별
③ 사회 계층의 활발한 이동
④ 국민 소득의 하향 평준화
⑤ 사회 계층 중 상류층의 비중 확대

03 북한 이탈 주민에 대한 차별이 나타나는 원인으로 옳은 것을 〈보기〉에서 있는 대로 고른 것은?

보기
ㄱ. 북한에 대한 부정적 인식
ㄴ. 차별을 용인하는 사회적 환경
ㄷ. 북한 이탈 주민에 대한 선입견과 편견
ㄹ. 자유 민주주의 체제에 대한 이해 부족

① ㄱ, ㄴ ② ㄱ, ㄷ ③ ㄱ, ㄴ, ㄷ
④ ㄴ, ㄷ, ㄹ ⑤ ㄱ, ㄴ, ㄷ, ㄹ

B 공간 불평등 현상

04 다음 자료에 대한 분석으로 옳지 않은 답을 한 학생은?

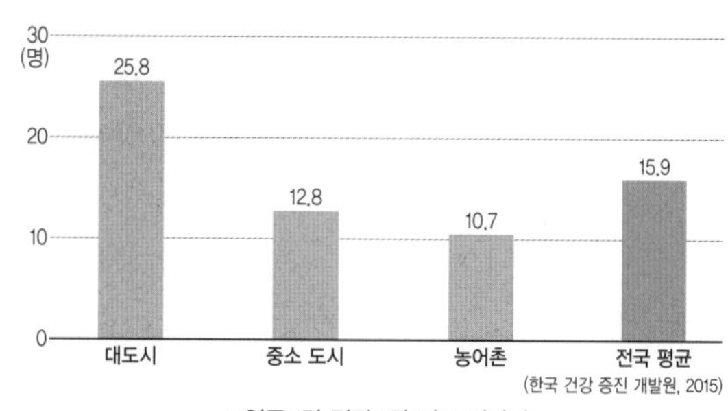

▲ 인구 1만 명당 1차 진료 의사 수

① 석진 : 대도시와 농어촌이 2배 이상 격차가 났어.
② 아람 : 지역 간 보건 의료 수준의 격차가 매우 커.
③ 서진 : 이런 현상이 계속되면 정의로운 사회가 실현되기 어려워.
④ 민영 : 우리나라의 지역 간 보건 의료 수준을 비교할 수 있는 자료야.
⑤ 호영 : 의료 수준의 격차는 경제, 교육, 문화 등의 격차를 발생시키는 원인이야.

05 다음 자료에 대한 분석으로 옳지 않은 것은?

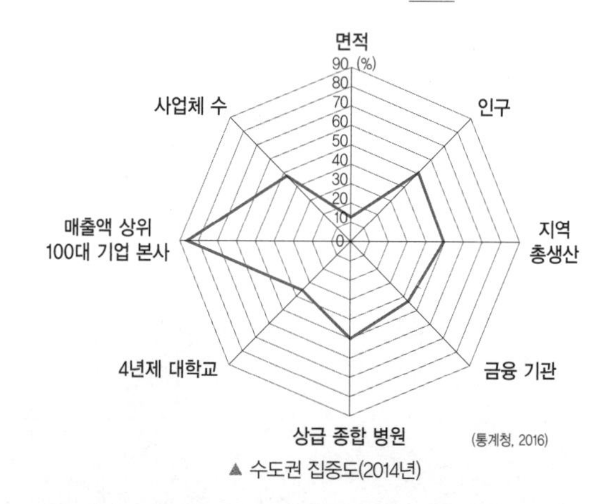

▲ 수도권 집중도(2014년)

① 수도권 중심의 성장 거점 개발의 결과이다.
② 전체 국토 면적에서 수도권이 차지하는 비중은 작다.
③ 국토의 효율적인 이용과 안정된 국가 발전을 가져올 수 있다.
④ 수도권에 인구와 자본이 유입되어 있으므로 크게 성장하였을 것이다.
⑤ 비수도권 지역은 수도권에 비해 상대적으로 성장이 정체되거나 낙후되었을 것이다.

C 정의로운 사회를 위한 제도와 실천 방안

06 다음 글에서 알 수 있는 사회 제도는?

> 장애인 의무 고용 제도는 장애인의 고용 확대를 위해 사업주가 의무적으로 장애인을 고용하도록 하는 제도이다. 국가와 지방 자치 단체의 장은 장애인을 소속 공무원 정원의 3% 이상 고용해야 하며, 상시 50명 이상의 근로자를 고용하는 사업주의 경우에도 대통령령으로 정하는 비율 이상의 장애인을 고용하여야 한다.

① 사회 복지 제도
② 적극적 우대 조치
③ 지역 격차 완화 정책
④ 교육 복지 우선 지원 사업
⑤ 국민 기초 생활 보장 제도

07 다음 글의 밑줄 친 '새로운 차별'이 나타나는 이유로 가장 적절한 것은?

> 적극적 우대 조치를 도입할 때 사회적 약자를 우대하는 과정에서 사회적 약자가 아닌 사람들이 '새로운 차별'을 받을 수도 있다.

① 우대 조치의 지속성이 부족했기 때문에
② 우대의 범위와 정도가 과도하기 때문에
③ 적극적 우대 조치의 내용을 몰랐기 때문에
④ 실질적인 기회의 평등을 보장하였기 때문에
⑤ 우대의 범위와 방법을 법으로 제정했기 때문에

08 지역 격차의 완화를 위해 자립형 지역 발전 기반을 구축하기 위한 정책을 〈보기〉에서 고른 것은?

〈보기〉
ㄱ. 지역 브랜드 구축
ㄴ. 수도권 공공 기관의 지방 이전
ㄷ. 관광 마을 조성 및 지역 축제 개최
ㄹ. 지방 이전 기업에 대한 세금 감면 및 규제 완화

① ㄱ, ㄴ ② ㄱ, ㄷ ③ ㄴ, ㄷ
④ ㄴ, ㄹ ⑤ ㄷ, ㄹ

09 다음 밑줄 친 '국민 건강 보험'이 속한 사회 복지 제도에 대한 옳은 설명을 〈보기〉에서 고른 것은?

> 지난해 직장암 수술을 받은 70대 이○○ 씨는 수술 후 두 차례에 걸쳐 항암 치료를 받았다. 각종 검사를 하고 항암제를 투약하면서 470만 원의 치료비가 발생했지만, 국민 건강 보험 덕분에 23만 원만 냈다. 이 씨는 "항암제가 비싸서 걱정이 많았는데, 국민 건강 보험 덕분에 진료비의 5%만 내면 돼 경제적으로 큰 도움이 되었다."라고 말했다. [○○신문, 2015. 9. 14.]

〈보기〉
ㄱ. 국가가 전액을 지원한다.
ㄴ. 국민연금, 고용 보험 등이 대표적이다.
ㄷ. 사회 복지 제도 중 사회 보험에 해당한다.
ㄹ. 도움이 필요한 국민에게 다양한 서비스 혜택을 제공하는 제도이다.

① ㄱ, ㄴ ② ㄱ, ㄷ ③ ㄴ, ㄷ
④ ㄴ, ㄹ ⑤ ㄷ, ㄹ

10 다음 내용과 가장 밀접한 관련이 있는 것은?

> 대표적인 도시 내 낙후 지역이었던 서울 ○○ 마을에 대형 화재가 일어나 재산 및 인명 피해가 발생하자 서울시는 이 지역의 환경을 개선하여 거주민의 삶과 안전을 지키기 위해 2020년까지 이 일대를 주거 단지로 재개발하기로 결정하였다. 기존에 이 지역에 부족했던 학교, 관공서 등 공공시설을 확충하고 도로를 정비하였으며, 원주민의 정착률을 높이기 위해 새로 짓는 집의 절반 이상을 국민 임대, 공공 임대 주택으로 배정하였다. 그리고 주민 간 차별과 갈등을 막기 위해 이 주택들을 민간 분양 주택과 함께 배치하였다.

① 지역 전략 산업 육성
② 행정 중심 복합 도시 건설
③ 도시 내부의 공간 불평등 해소
④ 지방 자치 단체들의 협력을 위한 협약 체결
⑤ 지역 경제 발전과 이미지 제고를 위한 투자 유치

도전! 1등급 문제

정답과 해설 62쪽

01 다음 (가), (나)에 대한 옳은 분석을 〈보기〉에서 고른 것은?

(가)

가구당 월평균 소득(도시, 2인 이상)

소득 구간	2005년	2015년
최하위 소득 10% 집단	73만 원	109만 원
(격차)	600만 원	876만 원
최고 소득 10% 집단	673만 원	985만 원

최하위 소득 10% 집단: 36만원 증가 / 최고 소득 10% 집단: 312만원 증가

(통계청, 2016)

(나)

보기
ㄱ. (가)에서 최하위 소득 10% 집단과 최고 소득 10% 집단의 소득 격차는 줄어들었다.
ㄴ. (가)에서 최하위 소득 10% 집단의 월평균 소득 증가율은 최고 소득 10% 집단에 비해 낮다.
ㄷ. (나)에서 국민들은 사회 계층의 이동 가능성이 점점 낮아지고 있다고 생각한다.
ㄹ. (가), (나)의 현상은 계층 간의 갈등으로 이어질 수 있다.

① ㄱ, ㄴ ② ㄱ, ㄷ ③ ㄴ, ㄷ
④ ㄴ, ㄹ ⑤ ㄷ, ㄹ

02 다음은 지역별 의사 수와 약국 수이다. 이에 대한 분석으로 옳지 않은 것은?

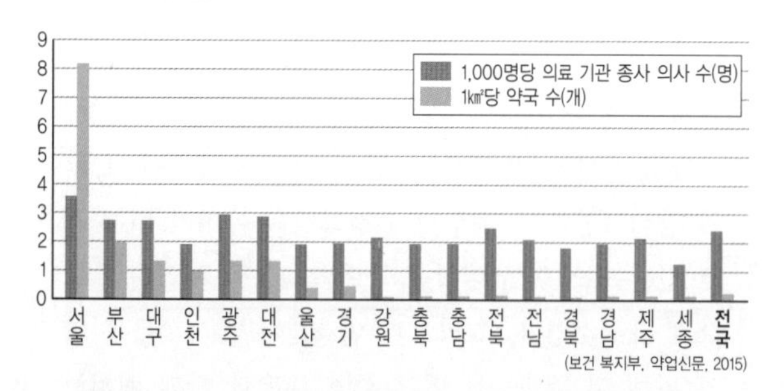

① 병원과 약국은 수도권과 대도시에 집중되어 있다.
② 도시와 촌락의 격차에 따른 공간 불평등 현상이다.
③ 지방 주민들과 대도시 주민들의 갈등은 없을 것이다.
④ 지역에 따른 의료 서비스의 불평등은 다른 사회 영역의 불평등과 연계될 수 있다.
⑤ 무료 의료 봉사, 긴급 의료 지원 체제 구축 등을 통한 지방 의료 서비스의 확충이 필요하다.

03 다음 사례에서 파악할 수 있는 공간 불평등 해소를 위한 올바른 정책 방향을 〈보기〉에서 고른 것은?

통영시의 동피랑 마을은 철거 계획이 수차례 세워졌지만, 마을에 그려진 벽화가 입소문이 나면서 관광객이 모여들자 마을을 보존하려는 여론이 형성되어 철거가 철회되었다. 통영시는 동피랑 마을에 '마을 만들기 지원 센터'를 짓고 마을의 지속 가능한 발전을 돕고 있다. 동피랑 마을은 2014년 7월에 유네스코 한국위원회로부터 지속 가능한 발전의 모범적 사례로 인정받았다.

보기
ㄱ. 혁신 도시 개발
ㄴ. 지역 브랜드 및 관광 마을 조성
ㄷ. 저소득 계층의 최저 생활 보장과 자립 지원
ㄹ. 지속적인 자립형 지역 발전을 위한 정부와 지방 자치 단체의 지원

① ㄱ, ㄴ ② ㄱ, ㄷ ③ ㄴ, ㄷ
④ ㄴ, ㄹ ⑤ ㄷ, ㄹ

고난도

04 다음 (가), (나)가 주장할 내용으로 옳은 것을 〈보기〉에서 고른 것은?

(가) 사회 불평등 현상은 개인의 능력과 노력의 차이 때문에 발생한다.
(나) 사회 불평등 현상은 이미 가진 자를 중심으로 운영되는 사회 구조 때문에 발생한다.

보기
ㄱ. (가) : 차별적 대우는 사회의 유지 및 발전에 필요한 것이다.
ㄴ. (가) : 부유한 사람들은 자신들에게 유리하도록 사회 불평등을 더욱 유지하려고 한다.
ㄷ. (나) : 사회 불평등 현상으로 사회는 불안정한 상태가 될 것이다.
ㄹ. (나) : 열심히 일한 사람과 그렇지 않은 사람의 보상은 달라야 한다.

① ㄱ, ㄴ ② ㄱ, ㄷ ③ ㄴ, ㄷ
④ ㄴ, ㄹ ⑤ ㄷ, ㄹ

[05-07] 다음 자료를 보고 물음에 답하시오.

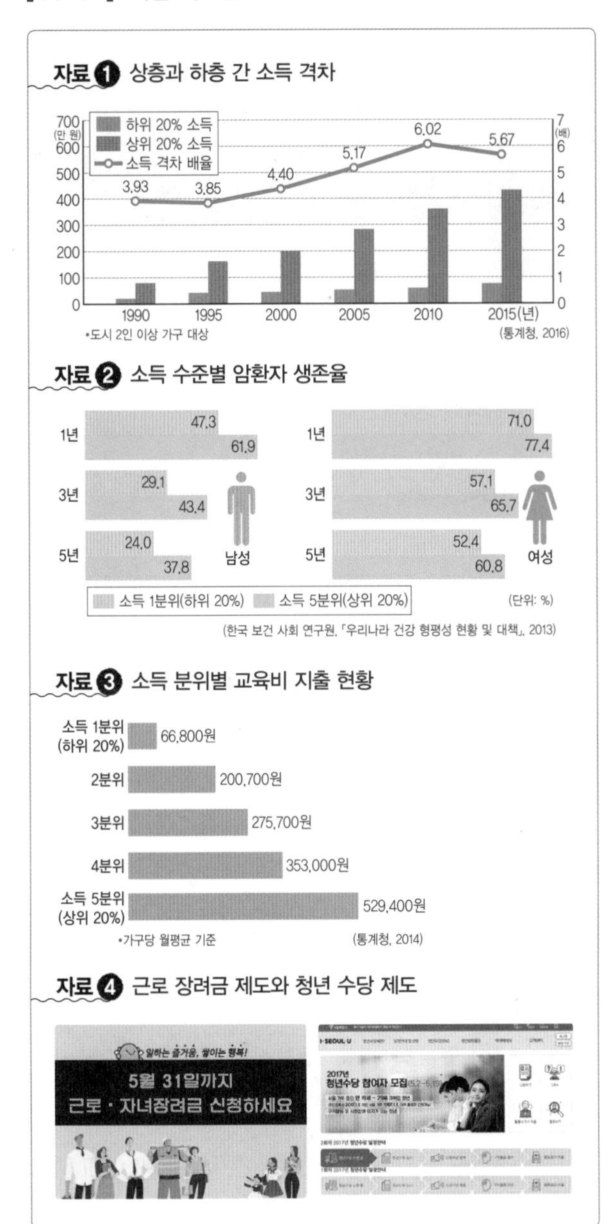

05 위 자료에 대한 분석으로 옳지 않은 것은?

① 자료❶을 통해 우리나라의 소득 불평등 정도가 완화되고 있음을 알 수 있다.

② 자료❷는 소득 수준이 높은 암환자들의 생존율이 높음을 보여주고 있다.

③ 자료❸은 부모와 가정의 소득 수준이 교육비 지출에 영향을 주어 교육 격차가 나타남을 보여주고 있다.

④ 자료❹는 소득 격차를 완화하여 사회 불평등을 해결하고자 하는 제도들이다.

⑤ 자료❷, ❸에 나타난 문제를 완화하기 위해서는 자료❹와 같은 정책이 필요하다.

06 다음은 제시된 자료를 바탕으로 한 서술형 문제에 대한 학생의 답안지이다. 밑줄 친 ㉠~㉤의 내용 중 옳지 않은 것은?

> [서·논술형 1] 자료❷와 자료❸에 나타난 사회 불평등의 공통된 원인을 쓰고, 해결책은 서술하시오.

2018학년도 1학기 중간고사 [통합사회]
서·논술형 답안지

문항	정답
서·논술형 1	㉠ 자료❷의 암환자의 생존률 차이나 자료❸의 교육비의 지출 차이는 모두 소득 격차에서 발생한다. ㉡ 자료❷에서 암환자의 생존율은 소득 5분위 계층이 1분위 계층에 비해 높다. 이는 ㉢ 소득이 높은 계층이 낮은 계층보다 생존율이 높다는 것이다. ㉣ 자료❸을 통해 소득 격차는 교육 격차에 거의 영향을 미치지 않는다는 것을 알 수 있다. 자료❷와 ❸에 나타난 문제를 해결하기 위해서는 ㉤ 소득 수준이 낮은 계층에 대한 의료와 교육 분야에서의 경제적 지원을 통해 불평등 현상을 완화할 수 있도록 해야 한다.

① ㉠　② ㉡　③ ㉢　④ ㉣　⑤ ㉤

07 제시된 자료❶~자료❹의 공통된 주제와 관련하여 다음에 나타난 문제의 해결책으로 가장 적절한 것은?

> 임대 세대와 일반 세대가 함께 거주하는 한 아파트 놀이터에 어느 날 공고문이 붙었다. 임대 세대인 ○○동 아이들의 놀이터 출입을 금지하며, 무단으로 이용할 경우 사고가 발생하더라도 책임지지 않겠다는 내용이었다. 이유는 임대 세대는 놀이터의 유지 보수 비용을 부담하지 않는다는 이유 때문이었다. 비단 이뿐만 아니라 잘 가꿔진 화단, 테니스장, 주차장 등 단지 안 다른 편의 시설들의 이용도 종종 같은 이유로 제한되었다.

① 기초 노령 연금 지급
② 사회 보험 제도의 확충
③ 장애인, 노약자의 활동 지원
④ 낙후된 지역의 환경 개선 사업
⑤ 임대 세대에 대한 관리비 지원

한눈에 보는 대단원 정리

01 정의의 의미와 기준

키워드 #정의 #공정성 #사회 통합 #분배적 정의 #업적에 따른 분배 #능력에 따른 분배 #필요에 따른 분배

A 정의의 의미와 필요성

(1) 정의의 의미

전통적 의미	• 동양 : 의로움[의(義)], 천하의 정도(正道) • 서양 : 각자에게 합당한 몫을 주는 것
정의의 다양한 의미	• 개인이 지켜야 할 올바른 도리 또는 사회를 구성하고 유지하는 공정한 도리 • 옳음, 공정성, 공평성 등과 비슷한 의미 → '같은 것은 같게, 다른 것은 다르게'

(2) 정의의 필요성

사회 통합의 기반 마련	옳고 그름에 관한 판단 기준 제공 → 이해 갈등을 공정하게 처리
개인선과 공동선의 실현	• 개인선 : 노력에 대한 알맞은 보상 • 공동선 : 공동체 전체의 합의 도달
사회 구성원의 기본적 권리 보장	공정한 절차에 의한 정당한 몫의 분배, 사회 제도의 개선 및 발전

B 정의의 실질적 기준

(1) 업적에 따른 분배

내용	업무 성과와 실적의 정도에 따른 분배
장점	성취동기 고취 → 개인의 능력 개발 및 사회 발전
단점	통합적인 평가 기준 모호, 과열 경쟁, 사회적 약자에 대한 배려 부족

(2) 능력에 따른 분배

내용	전문 지식과 자질에 따른 분배
장점	노력에 대한 보상 → 업무의 효율성 제고
단점	정확한 평가 기준 모호, 타고난 재능이나 환경과 같은 우연적 요소 개입 → 사회·경제적 불평등 초래

(3) 필요에 따른 분배

내용	사회적 약자 등에게 필요한 재화와 가치를 분배
장점	사회적·경제적 약자 배려 → 인간다운 삶 보장
단점	모두의 필요를 충족하기 어려움, 개인의 성취동기와 노동 의욕 및 창의성 저하 → 경제적 비효율성 증가

02 다양한 정의관의 특징과 적용

키워드 #자유주의 #공동체주의 #정의관 #개인선 #공동선 #권리와 의무 #사익과 공익

A 자유주의적 정의관

(1) 자유주의 : 개인의 자유를 가장 중시하는 사상 → 극단적 이기주의와 구별

(2) 자유주의적 정의관

의미	개인의 자유와 권리 보장, 개인선 실현 중시
특징	• 개인의 선택권과 자율성 최대한 허용 • 대표 학자 : 롤스, 노직
장점	개인의 자유로운 선택과 권리, 사익 추구 보장
단점	개인의 권리와 사익만 지나치게 추구할 경우 타인이나 사회 전체의 이익 침해 → 이기주의

B 공동체주의적 정의관

(1) 공동체주의 : 공동체의 가치와 선을 중시하는 사상 → 집단주의(전체주의)와 구별

(2) 공동체주의적 정의관

의미	유대감, 역할과 의무, 공동선 실현 중시
특징	• 책임과 의무 이행 → 공익과 공동선 실현 → 개인의 자유와 권리 보장 → 행복한 삶 실현 • 대표 학자 : 매킨타이어, 샌델, 테일러, 왈처
장점	이기주의 문제 해결
단점	지나칠 경우 집단주의 문제 발생

C 자유주의적 정의관과 공동체주의적 정의관의 적용

(1) 개인선(사익)과 공동선(공익), 권리와 의무

자유주의적 정의관	• 사익의 추구가 곧 공익에 이바지 • 개인의 의무보다는 권리를 더 요구
공동체주의적 정의관	• 공익의 추구 속에서 곧 사익의 달성 실현 • 개인의 권리보다는 의무를 더 강조

(2) 자유주의와 공동체주의의 조화 : 상호 보완적 관계

공동체	개인의 자유와 권리를 최대한 보장
개인	공동체에 대한 의무를 다함

03 사회 및 공간 불평등 현상과 정의로운 사회

키워드 #사회 불평등 #공간 불평등 #사회 계층의 양극화 #사회적 약자 #사회 복지 제도 #적극적 우대 조치

A 사회 불평등 현상

(1) 사회 계층의 양극화

의미	사회 계층 중 중간 계층이 줄어들고 상층과 하층의 비중이 늘어나는 현상
발생 원인	재산과 소득의 차이에 따른 경제적 격차
문제점	폐쇄적인 사회 구조 형성, 계층 간 위화감 조성

(2) 사회적 약자에 대한 차별

사회적 약자	경제 수준이나 사회적 지위 등에서 상대적으로 불리한 위치에 있는 개인 또는 집단
발생 원인	선입견 및 편견, 차별을 용인하는 사회적 환경

B 공간 불평등 현상

의미	지역 간에 경제적·사회적·문화적 수준 차이가 나타나는 현상 → 성장 위주의 개발 정책이 원인
종류	수도권과 비수도권의 격차, 도시와 촌락의 격차, 도시 내부의 격차 등
문제점	사회 통합 및 정의로운 사회 실현 저해, 국토 발전의 불균형 초래

C 정의로운 사회를 위한 제도와 실천 방안

(1) 정의로운 사회를 위한 제도

사회 복지 제도	• 사회 구성원들의 행복하고 인간다운 삶 지원 • 사회 보험, 공공 부조, 사회 서비스
적극적 우대 조치	• 사회적 약자에게 기회의 평등 보장 • 여성 할당제, 장애인 의무 고용 제도 등
지역 격차 완화 정책	• 수도권 기능의 지방 분산 • 자립형 지역 발전 기반 구축 • 도시 내부의 공간 불평등 해결

(2) 정의로운 사회를 위한 실천 방안

개인	배려·존중의 공동체 의식 함양, 고정관념과 편견 제거, 기부나 봉사활동 참여 등
사회	불평등한 제도와 관행 개선, 사회적 약자를 위한 복지 제도와 법률 제정 등

기억나는 키워드나 핵심 내용 적어보기

A B

A B C

A B C

한번에 끝내는
대단원 문제

정답과 해설 63쪽

01 다음 철학자들이 공통적으로 말하고 있는 개념에 대한 설명으로 옳지 않은 것은?

- 공자 : 천하의 바른 정도(正道)
- 플라톤 : 국가가 지녀야 할 가장 필수적인 덕목
- 아리스토텔레스 : 각자에게 합당한 몫을 주는 것

① 개인이 지켜야 할 올바른 도리이다.
② 사회적으로 규정된 올바른 행위이다.
③ 개인이나 사회가 추구해야 할 기본적인 덕목이다.
④ 같은 것은 같게 다른 것은 다르게 대우하는 것이다.
⑤ 처벌을 제외한 사회적 대우나 보상에 있어 '마땅히 받을 만한 몫'을 공정하게 받는 것을 말한다.

02 다음 괄호 안의 ㉠과 ㉡에 들어갈 내용을 바르게 연결한 것은?

인간의 삶에 정의가 요청되는 이유는 무엇일까? 우선 정의가 실현되면 사회 구성원의 (㉠)을/를 보장할 수 있다. 사회 구성원을 부당하게 차별하는 정의롭지 못한 사회에서는 자유권이나 평등권과 같은 개인의 기본권이 충분히 실현되기 어렵다. 따라서 인간다운 삶을 누리기 위해서는 정의가 실현되어야 한다. 또한 정의가 실현되면 (㉡)의 기반을 마련할 수 있다. 정의롭지 못한 사회에서 구성원들은 사회에 불신을 갖게 되며, 이는 개인이나 집단 간의 갈등으로 나타날 수 있다. 반면 정의로운 법과 제도가 세워진 사회에서 구성원들은 공동체를 신뢰하고 서로 협력할 수 있다.

	㉠	㉡
①	사회 통합	이해 갈등 해결
②	기본적 권리	사회 통합
③	인간다운 삶	기본적 권리
④	개인선과 공동선	인간다운 삶
⑤	이해 갈등 해결	개인선과 공동선

03 다음 글에 제시된 토지 분배 기준의 문제점을 〈보기〉에서 고른 것은?

정전법(井田法)을 완벽하게 시행할 수 없는 상태라면 마땅히 식구 수에 비례하여 토지를 소유하게 하고, 토지 소유의 한계를 정하여 함부로 토지를 매매할 수 없게 해야 한다. 이렇게 해야 가난하고 약한 사람들을 구제하고 토지의 독점도 방지할 수 있을 것이다.

[주희, 『주자대전』]

〈보기〉
ㄱ. 사회적 약자에 대한 배려가 부족하다.
ㄴ. 능력을 평가하는 기준 마련이 어렵다.
ㄷ. 모두의 필요를 충족하기가 쉽지 않다.
ㄹ. 성취동기와 노동 의욕을 약화시켜 경제적 효율성을 높이는 것이 어려울 수 있다.

① ㄱ, ㄴ ② ㄱ, ㄷ ③ ㄴ, ㄷ
④ ㄴ, ㄹ ⑤ ㄷ, ㄹ

04 다음 상황에서 ㉠~㉢의 입장에 적합한 분배의 기준을 바르게 연결한 것은?

한 과학자가 희귀병의 치료제를 개발하였다. 이 치료제는 현재 한 사람분만 생산되어 있고, 이 치료제를 갖고자 하는 세 사람이 있다. 첫 번째 사람은 ㉠ 연구 비용을 지속적으로 지원해 줄 수 있는 경제적 능력이 있는 사람, 두 번째 사람은 ㉡ 신약을 개발하는 데 결정적 역할을 담당한 동료 연구자, 세 번째 사람은 ㉢ 이 치료제를 빨리 먹지 않으면 생명이 위독한 환자이다.

	㉠	㉡	㉢
①	업적	필요	능력
②	업적	능력	필요
③	능력	업적	필요
④	능력	필요	업적
⑤	필요	업적	능력

05 다음과 같이 주장한 학자와 관련된 내용을 〈보기〉에서 고른 것은?

> 내가 강조하는 정의의 원칙은 다음과 같다. 첫째, 각 사람은 기본적 자유에 대해 평등한 권리를 가져야 한다. 둘째, 사회적·경제적 불평등은 다음과 같은 두 조건을 충족하도록 조정되어야 한다. 최소 수혜자에게 최대의 이익이 되고, 기회 균등의 조건하에서 모든 사람에게 지위와 직책이 개방되어야 한다. 두 가지 원칙 중 첫 번째 원칙은 두 번째 원칙에 우선한다.

〈보기〉
ㄱ. 개인의 선택권과 소유권을 최대한 보장한다.
ㄴ. 자유와 평등의 조화를 통해 공정한 분배를 실현한다.
ㄷ. 국가는 제도나 정책을 통해 분배 문제에 개입하여야 한다.
ㄹ. 이익 추구의 과정에서 타인의 자유를 침해하는 것은 불가피하다.

① ㄱ, ㄴ ② ㄱ, ㄹ ③ ㄴ, ㄷ
④ ㄴ, ㄹ ⑤ ㄷ, ㄹ

06 다음 글에서 알 수 있는 정의관과 관련된 내용이 <u>아닌</u> 것은?

> 나의 운명을 공유하는 사람들이 나의 정체성을 구성하는 데 참여했으므로 나의 자산을 공동선을 위한 공동 자산으로 간주해야 한다. 다시 말해 구성적 공동체에서 우리는 처음부터 상호 간에 빚을 졌으며 도덕적으로 연관된 존재로 볼 수 있다. [샌델, 『왜 도덕인가?』]

① 개인보다 공동체의 가치와 선이 우선한다.
② 개인과 공동체는 유기적 관계를 맺고 있다.
③ 국가는 국민의 자유와 권리를 보호하기 위해서 존재한다.
④ 공동체의 발전을 통해 공동체에 속한 개인도 행복한 삶을 영위할 수 있다.
⑤ 자아 정체성은 개인이 속한 공동체의 역사와 문화, 전통을 통해 형성된다.

07 다음에서 (가)와 같이 주장한 사람이 (나)의 주제에 대해 주장할 수 있는 내용을 〈보기〉에서 고른 것은?

> (가) 타인에게 무관심하고 자신의 이익만을 추구한다면, 결국 자신에게 해가 되며 나아가 공동선을 해치게 된다.
> (나) 높은 보수를 받는 사람에게 더 많은 세금을 걷는 것은 정의로운가?

〈보기〉
ㄱ. 선행은 자발적 선택의 문제이다.
ㄴ. 공동선을 증진할 수 있다면 공동체에 대한 구성원의 의무로서 정의롭다.
ㄷ. 스스로 노력하여 얻은 재산에 대한 개인의 권리를 부당하게 침해하는 것이다.
ㄹ. 높은 보수를 받는 사람들에게 걷은 세금은 경제적으로 더 절박한 사람들에게 쓰일 수 있다.

① ㄱ, ㄴ ② ㄱ, ㄷ ③ ㄴ, ㄷ
④ ㄴ, ㄹ ⑤ ㄷ, ㄹ

08 다음 주장에 대한 자유주의적 정의관의 입장으로 옳은 것을 〈보기〉에서 고른 것은?

> 점점 낮아지는 투표율 문제를 해결하기 위해서는 의무 투표제를 시행해야 한다.

〈보기〉
ㄱ. 투표 불참자에게 실제로 제재를 가하기 어렵다.
ㄴ. 의회가 정치 과정에 유권자의 뜻을 더 정확히 반영할 수 있다.
ㄷ. 의무 투표제에서의 투표율은 실제 정치에 관한 관심도를 반영하지 못한다.
ㄹ. 후보자들은 유권자의 투표 참여를 독려하기보다 선거 공약에 더욱 힘을 모을 수 있다.

① ㄱ, ㄴ ② ㄱ, ㄷ ③ ㄴ, ㄷ
④ ㄴ, ㄹ ⑤ ㄷ, ㄹ

09 다음과 같은 문제점이 나타나게 된 원인으로 가장 적절한 것은?

> 전국 가맹점주 협의회는 모임을 갖고, "가맹점은 본사로부터 식용유, 일회용 숟가락까지 구입하게 되어 있는데, 이때의 구입 가격이 일반적인 시장 가격보다 높아 결국 적자에 허덕이게 된다."라고 목소리를 높였다. 이와 함께 소상공인인 가맹점에게 불리한 카드 수수료의 인하, 금융 지원 기준의 개선 등을 국회에 건의하였다.

① 사회적 약자에 대한 역차별의 문제
② 계층 간의 소득 격차로 인한 불평등
③ 개인의 지나친 이익 추구와 과열 경쟁
④ 지역 간 자연환경 및 생산 요소의 차이
⑤ 불합리한 계약 관계와 차별을 용인하는 사회적 환경

10 다음 사례에서 추론할 수 있는 내용으로 옳지 않은 것은?

> **지방 자치 단체 간의 추모 공원 협약 체결**
> □□도청 도지사와 ○○시장을 비롯한 4개 시군 단체장이 한 자리에 모여 서남권 추모 공원(서남권 광역 화장장) 공동 참여를 위한 상호 협약을 체결하였다. ○○시는 서남권 추모 공원 사업 참여와 관련, △△시와 갈등을 빚어오다 최근 서남권 추모 공원에 참여하는 것으로 △△시 등과 합의했다. 서남권 지역 편의에 꼭 필요했던 추모 공원의 설립은 □□도지사의 적극적인 중재와 4개 시군 단체장의 상생 발전을 위한 합의로 이루어졌다.

① 사회적 약자에 대한 차별을 해결하기 위한 정책이다.
② 지방 자치 단체의 노력으로 해당 지역 주민들의 편의가 향상되었다.
③ 협약을 통해 특정 지역에 기피 시설이 밀집되는 문제를 해결할 수 있다.
④ 협약 체결로 관련 시군들은 추모 공원과 관련된 예산을 절감할 수 있을 것이다.
⑤ 광역 화장장의 설립으로 화장장의 개발 난립을 막고 환경 파괴도 최소화할 수 있을 것이다.

11 다음 밑줄 친 부분에 들어갈 내용으로 가장 적절한 것은?

> 사회적·경제적 지위가 높은 부모 세대가 밀집해 있는 서울 ○○구는 아파트 가격의 차별적 상승으로 인한 경제적 이익뿐만 아니라, 우월한 교육 여건으로 인해 자녀 교육상의 이익도 독점하고 있다. 그 결과 그들의 자녀 세대 또한 높은 학력 수준을 달성하고 있다. 따라서 ______________________

① 사회 계층 간의 차이는 제한적이다.
② 공간 불평등의 원인은 사회 불평등이다.
③ 문제 해결을 위해 사회적 약자에 대한 차별을 줄여야 한다.
④ 사회 구성원들이 인정하는 범위 내에서 공간 불평등을 완화해야 한다.
⑤ 사회 불평등이 공간 불평등으로, 다시 불평등의 심화로 이어질 수 있다.

12 다음 밑줄 친 '교육 복지 우선 지원 사업'에 대한 옳은 설명을 〈보기〉에서 고른 것은?

> 경제적·사회적·문화적으로 불리한 여건에 있는 저소득층 학생에 대하여 교육·문화·복지 프로그램 등을 지원하는 복지 사업을 교육 복지 우선 지원 사업이라 한다. 이 사업은 학교를 중심으로 지역 교육 공동체를 형성하여 도움이 필요한 학생들에게 기초 학력의 확보, 학습 결손을 해결하고 예방하는 프로그램, 심리·정서 치유 프로그램, 문화·체험 활동 프로그램 등 다양한 지원을 제공하고 있다.

〈보기〉
ㄱ. 기회의 평등을 보장하는 것이 목적이다.
ㄴ. 학교와 지역 사회가 교육 결과의 평등을 실현하고 있다.
ㄷ. 보험료를 분담하여 구성원의 사회적 위험에 대비하는 제도이다.
ㄹ. 소득 격차, 급격한 도시화, 가정 기능의 약화 등으로 인한 교육 격차를 완화시킨다.

① ㄱ, ㄴ　② ㄱ, ㄷ　③ ㄴ, ㄷ
④ ㄴ, ㄹ　⑤ ㄷ, ㄹ

13 다음 글을 읽고 물음에 답하시오.

> '이 분배'는 인간다운 삶을 보장하기 위해 기본적인 욕구를 충족할 수 있도록 사회적 자원을 분배하는 것으로, 이를 통해 사회적 약자를 위해 더 많은 재화를 사용할 수 있다. 여기에는 복지 정책을 통해 생계비나 의료비를 지원하는 일 등이 해당된다.

(1) 위 글의 밑줄 친 '이 분배'의 기준을 쓰시오.
( )

(2) (1)의 분배의 기준이 가지는 문제점을 두 가지 서술하시오.

14 다음 자료를 보고 물음에 답하시오.

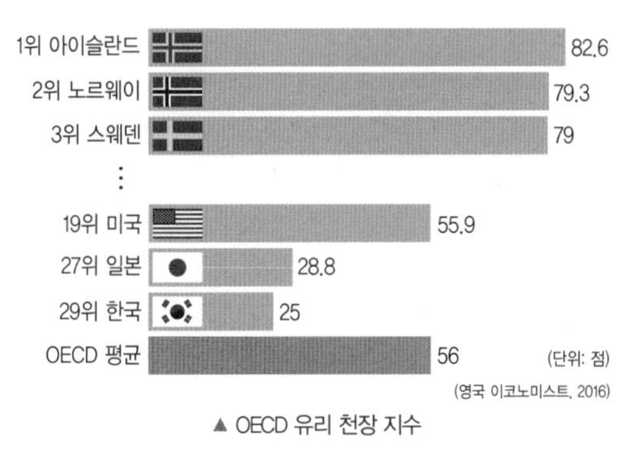

▲ OECD 유리 천장 지수

(1) 위의 자료가 나타내는 사회 불평등 현상을 쓰시오.
( )

(2) 위 자료를 바탕으로 (1)에 대한 우리나라의 상황을 서술하시오.

15 다음 글을 읽고 물음에 답하시오.

> 독일은 제2차 세계 대전 당시 저지른 유대인 학살에 관한 책임을 인정하고 상당한 배상금을 지급하였다. 또한 정치 지도자들도 여러 차례에 걸쳐 공개적으로 사과를 하였다. 이렇듯 독일은 과거 세대의 잘못을 현재 세대가 책임지고 있다.

(1) 위 글의 독일 정치 지도자들이 가지고 있는 정의관을 쓰시오. ( )

(2) (1)과 같이 생각한 이유를 서술하시오.

16 다음 자료를 보고 물음에 답하시오.

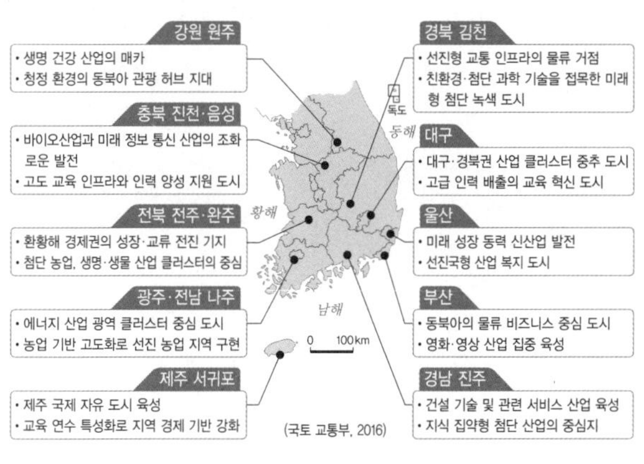

(1) 위 자료에서 정부 주도로 건설되는 도시들을 총칭하는 이름을 쓰시오. ( )

(2) 정부가 (1)과 같은 도시를 건설하고자 하는 이유를 서술하시오.

Ⅶ
문화와 다양성

키워드로 흐름 한눈에 보기

01 다양한 문화권과 삶의 방식

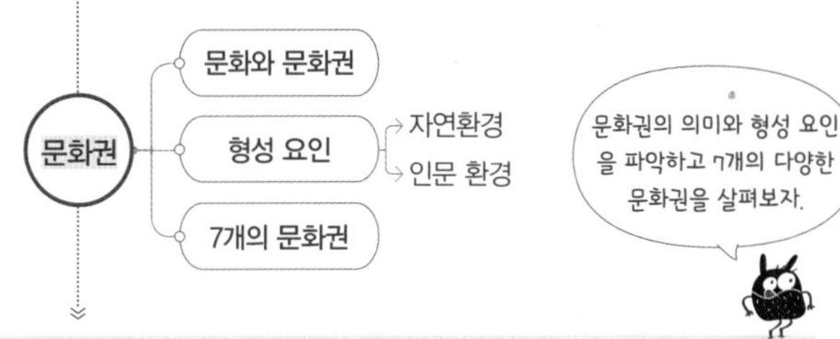

02 문화 변동과 전통문화

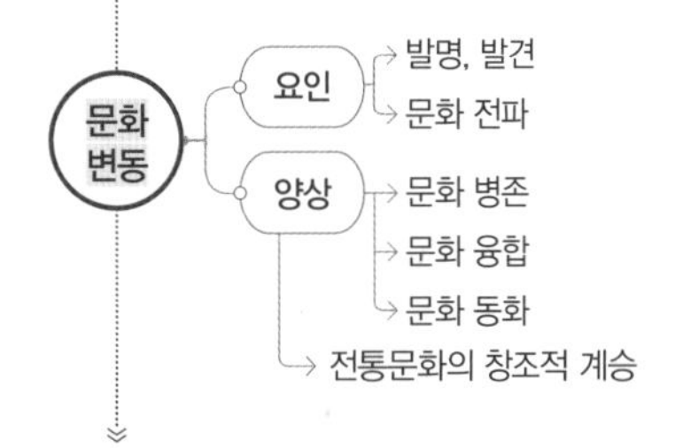

문화 변동은 발명, 발견, 전파 등에 의해 일어나며, 문화 변동의 양상으로는 문화 동화, 문화 병존, 문화 융합 등이 있어.

03 문화 상대주의와 보편 윤리

문화적 차이를 인정하는 문화 상대주의적 관점을 바탕으로 보편 윤리에 따라 문화를 성찰해야 해.

04 다문화 사회와 문화 다양성

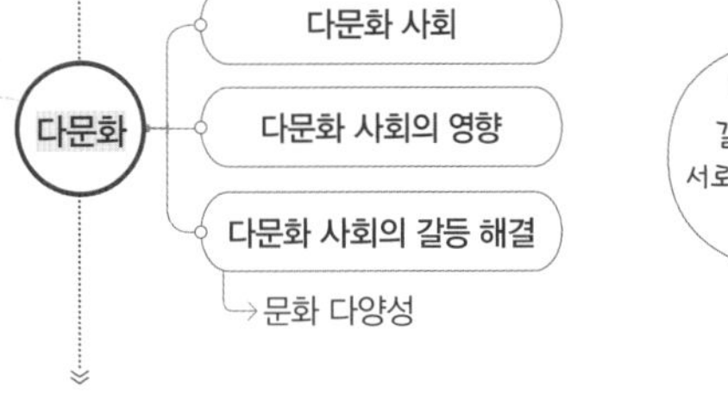

다문화 사회에서의 갈등 해결을 위해서는 서로 다른 문화의 다양성을 존중해야 해.

01 다양한 문화권과 삶의 방식

흐름 잡기

문화와 문화권

문화와 문화권의 의미는? A

문화권 형성에 영향을 주는 요인은? B

주요 문화권의 특징은? C

•문화
문화는 의복, 주식, 가옥 등 유형적인 요소와 언어, 종교, 풍습 등 무형적인 요소로 구성된다.

•문화 경관
어떤 장소에 특정 문화를 가진 사람들이 오랜 기간 거주하면서 만들어 놓은 지역의 문화적 특성을 말한다.

•기후에 따른 의복
열대 우림 지역은 일 년 내내 기온이 높고, 비가 많이 오기 때문에 가볍고 얇은 옷차림을 한다. 하지만 건조 기후 지역은 기온이 높아도 습도가 높지 않아서 온몸을 감싸는 옷을 입어 모래바람과 햇빛으로부터 몸을 보호한다.

▲ 건조 기후 지역의 의복

A 문화와 문화권

한·줄·단·서 언어, 종교, 의식주 등 생활 양식은 **문화**, 문화적 특성이 유사하게 나타나는 범위는 **문화권**!

1. •문화

① **의미 :** 인간과 환경의 상호 작용 과정에서 형성된 언어, 종교, 의식주, 풍습 등의 생활 양식

② **특징 :** 지역마다 자연환경 및 인문 환경이 다르므로 문화가 다양하게 형성됨

2. 문화권

① **의미 :** 문화적 특성이 유사하게 나타나는 공간적 범위

② **특징**

- 오랜 기간에 걸쳐 비교적 넓은 범위에 동질적인 문화를 형성하게 됨
- 문화권 내에서는 비슷한 생활 양식과 •문화 경관이 나타남

└ 동질적인 문화는 '같은', '비슷한' 문화라는 뜻이야.

B 문화권 형성에 영향을 주는 요인

한·줄·단·서 기후, 지형 등 **자연환경**과 종교, 산업 등 **인문 환경**은 문화권 형성에 영향을 끼쳤어!

1. 자연환경 기후, 지형 등

① **자연환경의 영향 :** 의식주와 같은 주민 생활에 영향을 줌

② **기후의 영향을 받은 의식주 문화**

구분	열대 기후	건조 기후	한대(툰드라) 기후
•의복	더위와 습기를 피할 수 있는 통풍이 잘되는 옷	몸의 수분 증발을 막기 위한 온몸을 감싸는 헐렁한 옷	가축의 가죽이나 털을 이용한 보온 효과가 큰 옷
음식 자료1	고온 다습한 계절풍 기후 지역 → 쌀을 주식으로 하는 음식 문화 발달	건조한 기후 지역 → 밀과 고기를 주식으로 하는 음식 문화 발달	추운 날씨 → 채소와 과일이 귀해 날고기를 먹는 음식 문화 발달
주거	고상 가옥, 수상 가옥 등	흙벽돌집(사막 지역), 이동에 편리한 천막집(게르) 등	추위를 막기 위한 형태(이글루), 고상 가옥 등

2. 인문 환경 종교, 산업 등

① **인문 환경의 영향 :** 인간의 의식과 활동에 광범위한 영향을 줌

② **종교의 영향을 받은 문화** 자료2

인문 환경 중 종교는 문화권을 구분하는 주요 지표로 활용해!

문화권	특징
크리스트교 문화권	십자가를 세운 성당이나 교회를 볼 수 있음, 교회에서 예배를 드림 등
이슬람교 문화권	돼지고기를 먹지 않음, 할랄 산업 발달, 여성은 천 등으로 얼굴과 몸을 가림 등 (이슬람 율법에 제시되어 있는 이슬람교도에게 허용된 것을 '할랄'이라고 해.)
힌두교 문화권	소를 신성시하여 쇠고기를 먹지 않음, 갠지스강에서의 목욕 의식 등
불교 문화권	불교 사원·불상·탑 등을 볼 수 있음

③ **산업의 영향을 받은 문화 :** 산업은 주민들의 경제 활동에 영향을 미쳐 문화권 형성에 중요하게 작용 자료3

└ 산업 발달의 차이로 주민들의 생활 방식이나 경관이 다르게 나타나.

자료 1 기후와 음식 문화

자·료·분·석 아시아의 계절풍 기후 지역은 벼농사에 유리하여 쌀을 주식으로 하는 음식 문화가 발달하였고, 건조 기후 지역과 유럽에서는 빵과 고기를 이용한 음식 문화가 발달하였다. 남아메리카의 고산 지역에서는 냉량한 기후로 인해 감자와 옥수수를 이용한 음식 문화가 발달하였다.

▲ 세계의 주식 문화권

한·줄·핵·심 문화권은 의식주, 종교, 민족, 언어 등 여러 문화 요소를 기준으로 다양하게 구분된다.

키워드 체크

❶ 쌀을 주식으로 하는 음식 문화가 발달한 지역은 주로 고온 다습한 □□□ 기후가 나타나는 아시아 지역이다.

답 : □□□

자료 2 종교와 문화권

자·료·분·석 종교는 인간의 가치관에 큰 영향을 미치는 문화 요소로, 종교에 따라 건축물 등의 종교 경관이 다르고, 먹는 음식이 제한되기도 한다. 종교는 오랫동안 주민의 일상생활과 밀접한 관련을 맺으면서 다른 지역과 구별되는 독특한 경관을 형성했기 때문에 문화권을 구분하는 중요한 기준이 된다.

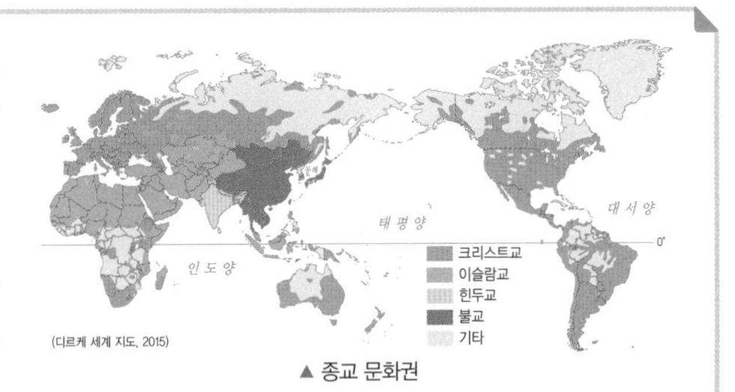

▲ 종교 문화권

한·줄·핵·심 문화권을 종교에 따라 구분하면 크리스트교 문화권, 이슬람교 문화권, 힌두교 문화권, 불교 문화권 등으로 나눌 수 있다.

키워드 체크

❷ 북부 아프리카 및 서남아시아 지역에서는 주로 □□□□를 믿는 사람들이 많다.

답 : □□□□

자료 3 산업과 문화권

▲ 산업이 발달한 지역

▲ 산업 발달 수준이 낮은 지역

자·료·분·석 산업이 발달한 지역에서는 산업 시설과 고층 건물이 밀집한 경관이 나타나고, 주민들은 현대적 생활 방식으로 살아간다. 상대적으로 산업 발달 수준이 낮은 지역에서는 비교적 자연 상태의 경관이 나타나고, 주민들은 전통적 생활 방식을 유지하며 살아간다.

한·줄·핵·심 산업은 인간 생활의 기반이 되는 경제 활동과 관련이 있는 것으로, 산업 발달의 정도에 따라 주민들의 생활 방식이나 경관이 다르게 나타나기 때문에 산업도 문화권의 구분 기준이 될 수 있다.

키워드 체크

❸ 인간 생활의 기반이 되는 경제 활동과 관련이 있는 □□도 문화권의 구분 기준이 될 수 있다.

답 : □□

키워드 체크 정답 ❶ 계절풍 ❷ 이슬람교 ❸ 산업

C 다양한 문화권의 특징과 삶의 방식

한·줄·단·서 세계의 문화권은 크게 **유럽, 건조, 아프리카, 북극, 동양, 아메리카, 오세아니아 문화권**으로 구분해.

1. *문화권의 구분 자연환경과 인문 환경의 영향을 종합적으로 고려
- 자연환경: 기후, 지형, 지리적 근접성 등
- 인문 환경: 민족, 종교, 제도 등

2. 7개 문화권 자료 4

① 유럽 문화권

- **지역** : 유럽
- **특징** : 크리스트교, 근대 자본주의 발달, 북서부·남부·동부 유럽 문화권으로 구분

북서부	산업 혁명의 발상지, 게르만족과 개신교
남부	고대 유럽 문명의 발상지, 라틴족과 가톨릭교
동부	슬라브족과 그리스 정교

② 건조 문화권

- **지역** : 북부 아프리카, 서남아시아, 중앙아시아 일대
- **특징** : 건조 기후, 이슬람교와 아랍어, 사막과 초원, 오아시스 농업과 유목(이동 생활) 발달, 석유 개발 이후에는 정착 생활, 최근 석유 개발로 지역 분쟁이 빈번함

③ 아프리카 문화권

- **지역** : 사하라 사막 이남의 아프리카 지역
- **특징** : 열대 기후, 토속 종교, 원시 농업과 수렵·채집 생활, 부족 단위의 공동체 생활, *플랜테이션 발달

④ 북극 문화권

- **지역** : 북극해 연안
- **특징** : 한대 기후 지역(툰드라 지대), 이누이트·라프족·네네츠족, 사냥·어로 및 순록 유목, 최근 점차 유럽 문화에 흡수

⑤ 동양 문화권

- **지역** : 동아시아, 인도, 동남아시아 등 아시아권을 포함하는 지역
- **특징** : *계절풍의 영향으로 벼농사 활발, 동아시아·남부 아시아·동남아시아 문화권으로 구분

동아시아	유교와 불교, 젓가락, 한자
남부 아시아	종교 다양(이슬람교, 힌두교, 불교, 지역 토착 종교)
동남 아시아	복합 문화, 플랜테이션 발달 (복합 문화: 동서양의 문화+원주민 문화+대륙 및 도서 문화)

⑥ 아메리카 문화권

- **지역** : 아메리카 대륙
- **특징** : 대륙이 넓어 기후 다양, 리오그란데강을 경계로 앵글로아메리카와 라틴 아메리카 문화권으로 구분

앵글로 아메리카	리오그란데강 이북, 영어와 개신교(북서부 유럽의 영향)
라틴 아메리카	리오그란데강 이남, 에스파냐어·포르투갈어와 가톨릭교(남부 유럽의 영향), 혼혈족

⑦ 오세아니아 문화권

- **지역** : 오스트레일리아, 뉴질랜드, 태평양 제도를 포함한 지역
- **특징** : 오스트레일리아와 뉴질랜드는 세계적인 목축업 지역, 유럽 문화의 이식(개신교), 애버리지니·마오리족 등의 원주민 문화 파괴, 태평양 제도는 농업과 관광 산업 발달

• 문화권의 경계와 점이 지대
문화권의 경계는 주로 하천·산맥·사막 등 자연환경에 의해 정해지며, 문화권의 경계 지역에는 점이 지대가 나타나기도 한다. 점이 지대는 각기 다른 지리적 특성을 가진 지역과 지역 사이에서 두 지역의 특성이 함께 나타나거나 중간적인 현상이 나타나는 지대를 말한다.

• 플랜테이션
열대 기후 + 선진국의 자본 + 원주민의 값싼 노동력을 이용해 넓은 농경지에서 특정 작물(카카오, 파인애플 등)을 대규모로 재배하는 기업적 농업이다.

• 계절풍
'몬순(monsoon)'이라고도 하며, 계절에 따라 바뀌는 바람을 말한다. 겨울에는 대륙이 더 추워 대륙에서 바다로, 여름에는 반대로 대륙이 더 가열되어 바다에서 대륙으로 바람이 분다.

궁금해? 리오그란데강

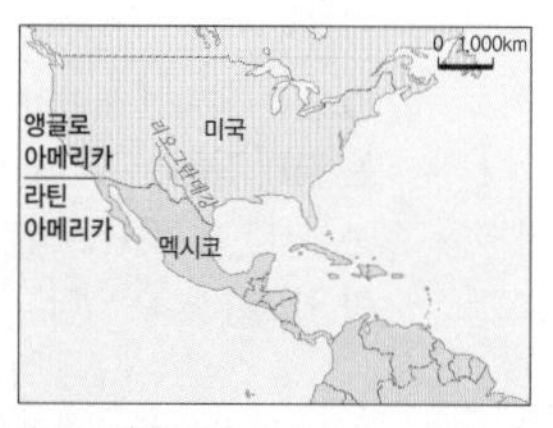

리오그란데강은 멕시코와 미국의 국경 지대를 흐르는 강이야!

자료 4 사진으로 보는 주요 문화권

자·료·분·석 유럽 문화권은 크리스트교가 생활 양식과 사회 제도 등 생활 전반에 큰 영향을 주었으며, 이에 따른 주민 생활과 종교 경관이 나타난다.

크리스트교를 믿는 유럽 문화권(독일의 쾰른 대성당) ▶

자·료·분·석 건조 문화권의 사람들은 대부분 이슬람교를 믿고 있으며, 국가 통치뿐만 아니라 일상생활에서도 이슬람교의 엄격한 계율이 적용된다.

이슬람 성지인 메카를 향해 기도하는 모습의 건조 문화권 ▶

자·료·분·석 아프리카 문화권에서는 전통적으로 이동식 화전 농업이 이루어지지만, 식민 지배의 영향으로 열대 기후가 나타나는 지역을 중심으로 플랜테이션이 발달하였다.

플랜테이션이 발달한 아프리카 문화권 ▶

자·료·분·석 북극 문화권에 사는 네네츠족, 이누이트, 라프족 등은 순록을 유목하거나 물개잡이를 하고, 동물의 가죽으로 만든 두꺼운 옷을 입는다.

순록 유목을 하는 북극 문화권 ▶

자·료·분·석 동양 문화권은 계절에 따라 풍향이 바뀌는 계절풍의 영향으로 여름철 기온이 높고 강수량이 풍부하여 벼농사가 발달하였다.

벼농사가 발달한 동양 문화권 ▶

자·료·분·석 아메리카 문화권은 유럽인의 진출로 이들의 언어와 종교 등이 전파되었고, 이후 세계 각지에서 많은 이주자가 모여들면서 다양한 인종과 문화가 공존하고 있다.

다양한 인종의 사람들이 어울려 축제를 즐기는 아메리카 문화권 ▶

자·료·분·석 오세아니아 문화권에 속하는 오스트레일리아와 뉴질랜드는 세계적인 목축업 지역이며, 태평양 제도 지역은 농업과 관광업이 발달하였다.

목축업이 발달한 오세아니아 문화권(오스트레일리아) ▶

한·줄·핵·심 각각의 문화권에서는 유사한 특징과 삶의 방식이 나타난다. 그러나 문화권은 고정된 것이 아니라 인구의 이동, 문화 전파 등을 통해 변화하기도 한다.

키워드 체크

❹-1 문화권은 기후, 지형 등 □□환경과 종교, 산업 등 인문 환경의 영향을 받아 형성된다.

답 : □□환경

❹-2 7개의 문화권 중 기후적 특성이 가장 많이 반영되고 이슬람교와 관련 있는 권역은 □□ 문화권이다.

답 : □□ 문화권

❹-3 동양 문화권의 특징 중 하나는 계절풍의 영향으로 □농사가 발달했다는 것이다.

답 : □

키워드 체크 정답 ❹-1 자연 ❹-2 건조 ❹-3 벼

콕콕! 개념 확인

정답과 해설 66쪽

A 문화와 문화권

01 알맞은 설명에 ○표를 하시오.

(1) (문화, 문화권)은/는 인간과 환경의 상호 작용 과정에서 형성된 언어, 종교, 의식주, 풍습 등의 생활 양식을 의미한다.

(2) 세계의 문화권은 일반적으로 종교, 민족, 언어, 전통적인 산업 등의 문화 요소 중 (한 가지, 여러 가지)를 고려하여 구분한다.

B 문화권 형성에 영향을 주는 요인

02 사진을 보고 물음에 답하시오.

(1) 사진 속의 가옥의 이름을 쓰시오.
( )

(2) 사진과 같은 가옥을 볼 수 있는 기후를 쓰시오.
( )

03 지도를 보고 물음에 답하시오.

(1) A 문화권에는 교회나 성당과 같은 건축물이 많은데, 이러한 문화 경관에 영향을 준 종교를 쓰시오. ( )

(2) B 문화권에는 모스크와 같은 건축물이 많은데, 이러한 문화 경관에 영향을 준 종교를 쓰시오. ( )

(3) 지도의 A, B에 해당하는 문화권의 이름을 쓰시오. ( )

C 다양한 문화권의 특징과 삶의 방식

04 빈칸에 알맞은 말을 쓰시오.

(1) 아메리카 문화권은 □□□□□□을/를 기준으로 앵글로아메리카와 라틴 아메리카로 구분된다.

(2) 오세아니아 문화권은 영국의 식민 지배로 인해 언어는 주로 □□을/를 사용하고, 종교는 주로 크리스트교를 믿는다.

(3) □□ 문화권은 인간이 거주하기에 불리한 한대 기후가 나타나는 지역으로, 주로 순록을 유목하며 생활하는데, 대표적인 민족으로는 이누이트, 라프족, 네네츠족이 있다.

탄탄! 내신 문제

정답과 해설 66쪽

A 문화와 문화권

01 문화와 문화권에 대한 옳은 설명만을 〈보기〉에서 있는 대로 고른 것은?

보기
ㄱ. 문화에는 언어, 종교, 의식주, 풍습 등이 포함된다.
ㄴ. 문화는 인간과 환경의 상호 작용 과정에서 형성된 생활 양식이다.
ㄷ. 동질적인 문화를 형성하는 지역을 하나의 문화권으로 묶을 수 있다.
ㄹ. 같은 문화권 내에서는 생활 양식은 비슷하나 문화 경관은 다르게 나타난다.

① ㄱ, ㄴ ② ㄱ, ㄹ ③ ㄴ, ㄷ
④ ㄱ, ㄴ, ㄷ ⑤ ㄴ, ㄷ, ㄹ

B 문화권 형성에 영향을 주는 요인

02 지도는 세계의 주식 분포를 나타낸 것이다. A, B 작물에 대한 옳은 설명만을 〈보기〉에서 있는 대로 고른 것은?

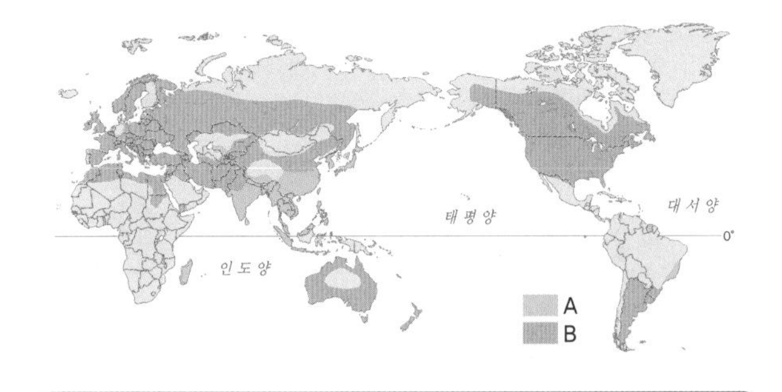

보기
ㄱ. A는 주로 계절풍 기후 지역에서 재배된다.
ㄴ. B를 주식으로 하는 지역은 건조 문화권과 일치한다.
ㄷ. A는 B보다 세계적으로 널리 소비된다.
ㄹ. B는 A보다 빵이나 면을 만드는 데 많이 이용된다.

① ㄱ, ㄴ ② ㄱ, ㄹ ③ ㄷ, ㄹ
④ ㄱ, ㄴ, ㄷ ⑤ ㄴ, ㄷ, ㄹ

03 다음 지도의 구분 기준으로 가장 적합한 것은?

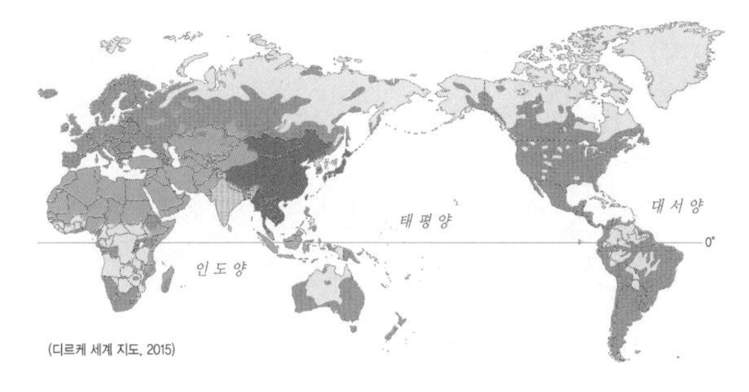

(디르케 세계 지도, 2015)

① 기후 ② 지형 ③ 민족
④ 언어 ⑤ 종교

04 그림은 종교에 따른 서로 다른 음식 문화를 나타낸 것이다. (가)~(다) 종교로 옳은 것은?

	(가)	(나)	(다)
①	불교	힌두교	이슬람교
②	불교	이슬람교	힌두교
③	힌두교	불교	이슬람교
④	힌두교	이슬람교	불교
⑤	이슬람교	불교	힌두교

05 사진과 같은 의복을 주로 입는 민족이 믿는 종교에 대한 설명으로 옳은 것은?

① 육식을 금기시한다.
② 할랄 산업이 발달하였다.
③ 동아시아 지역에서 발생하였다.
④ 대표적인 종교 경관으로 불상, 탑 등이 있다.
⑤ 십자가를 세운 성당이나 교회에서 예배를 드린다.

C 다양한 문화권의 특징과 삶의 방식

[06-09] 지도는 세계의 문화권을 구분한 것이다. 이를 보고 물음에 답하시오.

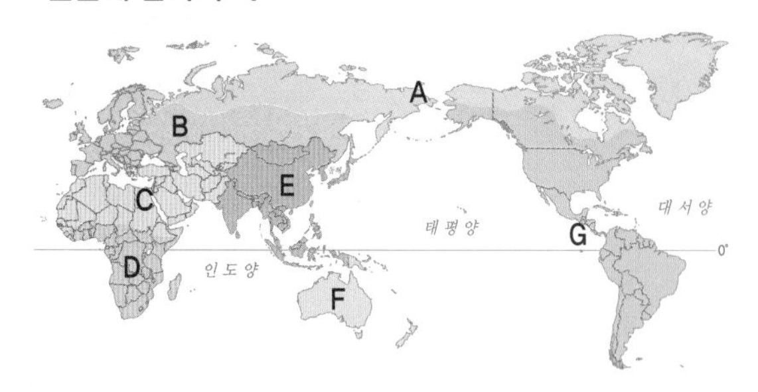

06 지도에 표시된 문화권에 대한 옳은 설명을 〈보기〉에서 고른 것은?

보기
ㄱ. 문화권의 경계 지역에는 점이 지대가 나타나기도 한다.
ㄴ. 문화권을 구분하는 대표적인 기준으로는 종교, 언어 등이 있다.
ㄷ. 동일한 문화권에 속한 국가들 간에는 경제 발전 수준이 비슷하다.
ㄹ. A~G 중 총인구에서 크리스트교 신자의 비중이 가장 높은 지역은 C이다.

① ㄱ, ㄴ ② ㄱ, ㄷ ③ ㄴ, ㄷ
④ ㄴ, ㄹ ⑤ ㄷ, ㄹ

07 다음과 같은 특징이 나타나는 문화권을 지도의 A~E에서 고른 것은?

- 왼손으로 물건을 건네거나 식사를 하지 않는다.
- 1일 5회 사우디아라비아에 위치한 메카를 향해 기도를 한다.
- 대부분의 여성은 외출 시 머리 또는 전신을 가리는 옷을 착용하며, 어깨를 드러내는 의복은 피한다.

① A ② B ③ C ④ D ⑤ E

08 C 지역과 비교한 F 지역의 상대적인 특징을 그림의 ㉠~㉤에서 고른 것은?

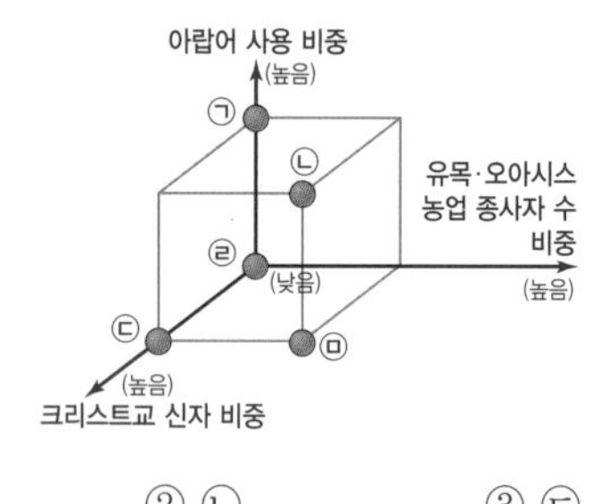

① ㉠ ② ㉡ ③ ㉢
④ ㉣ ⑤ ㉤

09 지도의 A~G 문화권에 대한 설명으로 옳은 것은?

① A에서는 주로 플랜테이션이 이루어진다.
② B는 부족 중심의 문화가 보편적으로 나타난다.
③ C는 양고기를 먹지 않는 음식 문화가 발달해 있다.
④ D와 E는 주로 수렵과 채집 위주의 생활을 하고 있다.
⑤ B는 F와 G의 문화 요소에 영향을 주었다.

10 다음은 통합 사회 수업의 한 장면이다. 교사의 질문에 옳게 대답한 학생을 고른 것은?

① 갑, 을 ② 갑, 병 ③ 을, 병
④ 을, 정 ⑤ 병, 정

도전! 1등급 문제

정답과 해설 67쪽

01 지도의 (가), (나) 국가군을 구분하는 기준은 동일한 공용어이다. (가), (나)에 해당하는 언어를 바르게 연결한 것은?

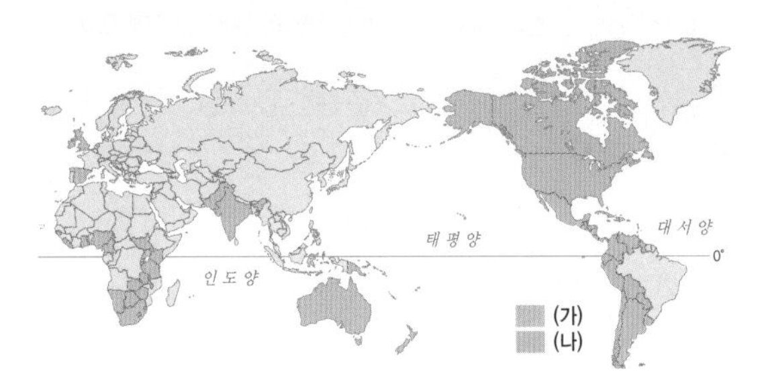

	(가)	(나)
①	영어	프랑스어
②	영어	에스파냐어
③	프랑스어	영어
④	프랑스어	에스파냐어
⑤	에스파냐어	프랑스어

02 표의 (가)~(다)와 같은 특징이 가장 잘 나타나는 문화권을 지도의 A~C에서 고른 것은?

(가)	• 유교와 불교 • 젓가락과 한자
(나)	• 힌두교의 비중이 높음 • 영어를 공용어로 사용
(다)	• 복합 문화, 종교 다양 • 플랜테이션

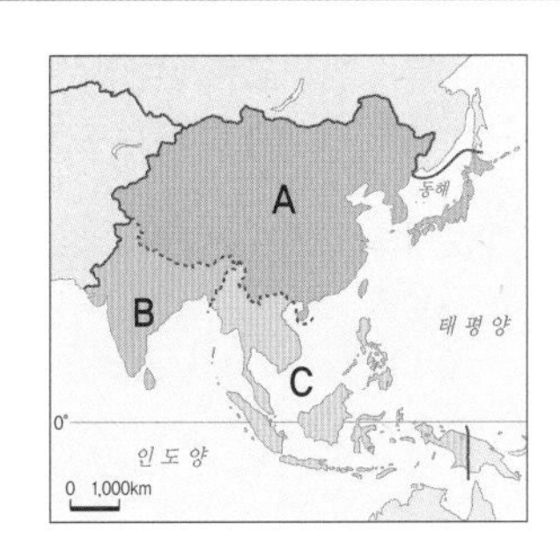

	(가)	(나)	(다)		(가)	(나)	(다)
①	A	B	C	②	A	C	B
③	B	A	C	④	B	C	A
⑤	C	B	A				

03 다음 글의 밑줄 친 내용과 가장 관계 깊은 지역을 지도의 A~E에서 고른 것은?

> 문화권의 경계는 하천, 산맥, 사막 등 자연환경에 의해 구분되지만, 두 권역의 특성이 함께 나타나는 <u>점이 지대</u>가 나타나기도 한다.

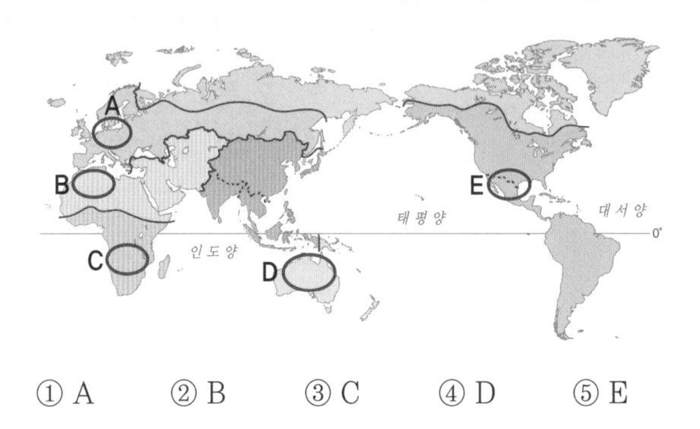

① A ② B ③ C ④ D ⑤ E

고난도

04 다음은 어느 문화권에 대해 스무고개를 하는 내용의 일부분이다. 이에 해당하는 문화권을 지도의 A~E에서 고른 것은?

학생 1	학생 2
• 한 고개 : 주로 건조 기후가 나타납니까?	아니요
• 두 고개 : (가)로부터 언어와 종교 등의 영향을 받았습니까?	예
• 세 고개 : 종족 경계와 국경의 불일치에 의한 분쟁이 잦습니까?	아니요
• 네 고개 : 혼혈족과 가톨릭교 신자의 비중이 높습니까?	예

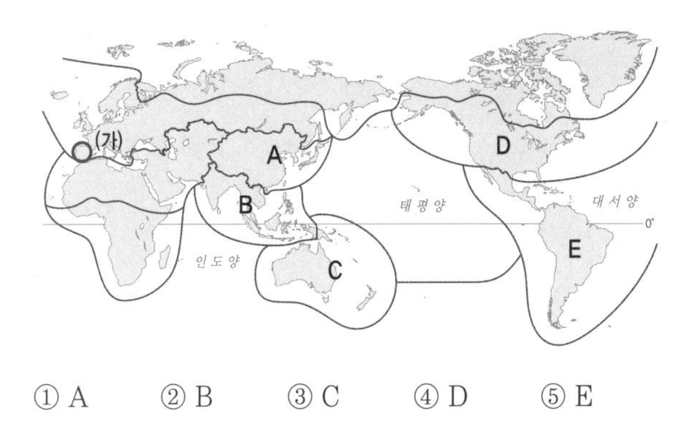

① A ② B ③ C ④ D ⑤ E

02 문화 변동과 전통문화

흐름 잡기

문화 변동과 전통문화

문화 변동의 의미와 요인은? A

문화 변동의 양상은? B

전통문화를 창조적으로 계승하려면? C

A 문화 변동의 의미와 요인

한·줄·단·서 문화 변동의 요인에는 크게 내재적 요인인 **발명, 발견**과 외재적 요인인 **문화 전파**가 있어.

1. 문화 변동의 의미 새로운 *문화 요소의 등장이나 다른 문화와의 접촉을 통해, 문화가 끊임없이 상호 작용하면서 변화하는 현상

2. 문화 변동의 요인

① **내재적 요인 :** 한 사회 내부에서 문화 체계에 변동을 초래하는 요인

발견	알려지지 않았던 문화 요소를 찾아내는 것 예 불, 과학 법칙, 지하자원 등
발명	새로운 문화 요소를 만들어 내는 것 예 자동차, 컴퓨터, 한글 등

② **외재적 요인(문화 전파) :** 다른 사회로부터 새로운 문화 요소가 전달되는 것 자료 1

구분	의미	사례
직접 전파	두 문화 간의 직접적인 교류를 통해 이루어지는 문화 전파 └ 과거에는 이런 형태의 전파가 대부분이었어.	중국에서 불교와 한자가 들어온 것
간접 전파	텔레비전, 인터넷, 인쇄물 등의 매개체를 통해 이루어지는 문화 전파	텔레비전과 잡지를 통해 유행하는 각국의 패션이 전파되는 것
자극 전파	전파된 문화 요소에 자극을 받아 새로운 발명이 일어나는 것	신라의 설총이 중국에서 전파된 한자의 영향을 받아 이두를 발명한 것

한자의 음과 뜻을 빌려 우리말을 적은 표기법

● 문화 요소

문화를 구성하는 기본 요소로, 기술, 언어, 예술, 가치, 규범 등이 있다.

B 문화 변동의 양상

한·줄·단·서 문화 변동의 양상으로는 **문화 병존, 문화 융합, 문화 동화** 등이 있어.

1. 문화 병존 자료 2

의미	기존의 문화 요소와 전파된 다른 문화 요소가 함께 공존하는 현상
특징	• 외래문화와 전통문화가 대등하게 존재하여 두 문화가 상충하지 않을 때 나타나기 쉬움 • 한 사회의 문화적 정체성이 보존되면서 문화적 다양성이 실현됨
사례	한국의 생활양식을 받아들이면서도 중국의 고유문화를 유지하고 있는 인천의 차이나타운

2. 문화 융합 자료 3

의미	외래문화 요소와 전통문화 요소가 결합하여 새로운 문화 요소가 만들어지는 현상
특징	• 외래문화 요소의 특성과 전통문화 요소의 특성을 모두 지니면서도 그 두 가지 특성으로 설명할 수 없는 제3의 특성을 가짐 • 다양한 문화가 창조되면서 외래문화와 전통문화의 조화가 이루어짐
사례	불교와 우리 민족의 토착 신앙이 결합된 산신각

3. 문화 동화

의미	다른 사회의 문화 요소가 전파되었을 때, 기존의 문화 요소가 다른 사회의 문화 체계에 흡수되어 소멸하는 현상 → 고유문화의 정체성 상실
특징	자기 문화에 관한 문화적 정체성이 약하거나 보존 노력이 미흡한 경우나, 다른 나라의 군사적·정치적 지배로 문화가 강제로 규제될 때 나타나기 쉬움
사례	아메리카 원주민이 유럽 문화와 접촉하면서 고유의 문화를 상실한 것

궁금해? 산신각

산신(山神)은 산지가 많은 우리나라에서 숭배하던 토착신으로, 불교가 산신 신앙을 수용하면서 조선 시대 중기 이후부터 우리나라의 불교 사찰에 산신각을 짓게 되었다.

불교와 토착 신앙이 결합된 산신각은 문화 융합의 사례야.

자료 1 문화 전파의 종류

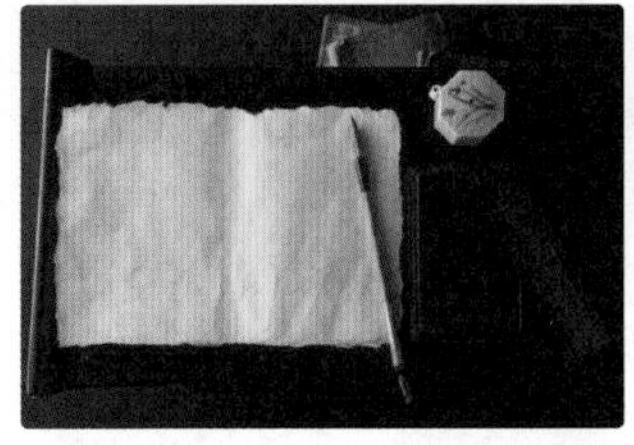

▲ **직접 전파** 7세기 초 고구려의 담징은 일본에 건너가 종이와 먹의 제조 방법을 전하였다.

▲ **간접 전파** 한국의 드라마와 노래가 인터넷 등을 통해 전 세계로 퍼지면서 한류 열풍이 불고 있다.

▲ **자극 전파** 문자가 없던 아메리카의 체로키족은 백인에게서 전파된 알파벳에 자극을 받아 체로키 문자를 만들었다.

자·료·분·석 문화 전파의 종류에는 직접 전파, 간접 전파, 자극 전파가 있다. 직접 전파는 다른 사회 구성원과의 직접적인 교류를 통해 전파되고, 간접 전파는 인쇄물이나 인터넷 등 간접적인 매개체를 통해 전파되며, 자극 전파는 다른 사회에서 전파된 문화 요소에서 아이디어를 얻어 새로운 발명이 일어나는 것이다.

한·줄·핵·심 직접 전파는 인적 교류, 간접 전파는 미디어를 매개체로 이루어지며, 자극 전파는 전파와 발명이 합쳐진 것이다.

키워드 체크

❶ □□ □□은/는 다른 사회에서 전파된 문화 요소에 자극을 받아 새로운 발명이 일어나는 것이다.

답 : □□□□

자료 2 문화 병존

▲ 이슬람교 사원

▲ 불교 사원

▲ 힌두교 사원

자·료·분·석 말레이시아는 인구의 50%가 이슬람교이지만 다른 종교에 대해서 수용적인 자세를 가지고 있다. 말레이시아의 도시인 믈라카에서는 이슬람교 사원인 모스크를 비롯하여 불교 사원, 힌두교 사원, 교회와 성당 등 다양한 종교 경관을 쉽게 찾아볼 수 있으며, 각 종교의 기념일을 공휴일로 지정하고 있다.

한·줄·핵·심 기존의 문화 요소와 전파된 다른 사회의 문화 요소가 함께 공존하는 현상을 문화 병존이라고 한다.

키워드 체크

❷ 전파된 다른 사회의 문화 요소가 기존의 문화 요소와 함께 공존하는 문화 변동의 양상은?

답 : □□□□

자료 3 문화 융합

자·료·분·석 성공회 강화성당은 전통적인 한옥의 건축 양식에 서양의 기독교식 건축 양식을 수용해 지은 건물이다. 성당의 외관은 우리나라의 전통 사찰 양식인데, 내부 구조는 성당 건축에 많이 사용되는 전형적인 바실리카 양식을 도입하였다. 이 성당은 동서양의 건축 양식과 종교 사상이 결합하였다는 점에서 문화 융합의 사례로 볼 수 있다.

한·줄·핵·심 기존의 문화 요소와 전파된 다른 사회의 문화 요소가 상호 작용하여 새로운 문화 요소가 나타나는 것을 문화 융합이라고 한다.

키워드 체크

❸ □□ □□은/는 외래문화 요소와 전통문화 요소가 결합하여 새로운 문화 요소가 만들어지는 현상이다.

답 : □□□□

키워드 체크 정답 ❶ 자극 전파 ❷ 문화 병존 ❸ 문화 융합

C 전통문화의 창조적 계승

한·줄·단·서 전통문화를 창조적으로 계승·발전시키기 위해서는 **전통문화를 현실에 맞게 재해석**할 필요가 있어.

1. 전통문화

① **의미** : 어떤 집단이나 공동체에서 과거로부터 이어져 내려오는 문화 요소 중에서 현재까지 그 가치를 인정받고 있는 것

② **사례**

- 우리의 한복, •김치와 불고기, 한옥과 온돌(방바닥을 따뜻하게 하는 한국의 전통적인 가옥 난방 방법) 등의 의식주
- 우리 고유 문자인 한글, 협동 정신, 예와 효를 중시하는 문화 등

▲ 한글 ▲ 한지 ▲ 한복 ▲ 한식

▲ 판소리 ▲ 태권도 ▲ 상부상조 정신(서로 의지하고 서로 돕는 정신) ▲ 효(孝) 사상

• **김치의 우수성**
전통 발효 식품인 김치는 비타민과 유산균이 많고 칼로리가 낮은 건강식품으로 그 가치를 인정받아 세계 각국에 수출되고 있다.

궁금해? 풍물놀이

풍물놀이는 북, 장구, 꽹과리, 징, 나발, 태평소 따위를 치거나 불면서 춤추고 노래하는 우리의 고유한 민속 문화이다.

풍물놀이는 우리의 농경문화에 기반을 둔 연희 음악이야.

2. 전통문화가 가지는 의의

① **사회의 유지와 통합에 기여** 자료4

- 한 사회가 단절되지 않고 세대를 이어 가며 지속되는 데 다리와 같은 역할을 함
- 효 사상과 같은 전통문화는 타인과 공동체에 대한 배려를 통해 사회 유지와 통합에 중요한 역할을 함

② **문화적 자긍심 고취** : 고려청자의 아름다움에 놀라고 풍물놀이에 흥겨워하는 외국인들을 보면서 우리 문화에 대한 자부심을 느낌

③ **문화의 고유성 유지** : 각 문화에서 중시되는 정신과 가치는 구성원의 사고방식이나 행동 양식에 많은 영향을 줌 → •문화 정체성 형성 자료5

④ **세계 문화의 다양성 증진** : 세계 여러 지역의 개성이 담긴 전통문화가 서로 공존할 때, 우리 사회의 문화를 풍요롭게 함

⑤ **문화 산업 육성** : 대외적으로 국가의 이미지를 높이고 부가 가치(물건이나 서비스의 생산 과정에서 새로 덧붙인 가치)가 높은 문화 산업 육성에 기여함

• **문화 정체성**
한 문화에 속한 사람들이 공유하는 동질감 또는 그 문화에 대한 자긍심을 말한다.

3. 전통문화의 창조적 계승 자료6

① **전통문화 소멸의 위험성** : 세대 간 단절 및 갈등 유발, 한 사회의 문화적 정체성 상실 및 세계 문화의 다양성 약화 → 전통문화의 계승·발전 필요

② **전통문화의 창조적 계승 방안**

- **전통문화에 대한 지속적인 관심** : 우리 문화만의 고유성과 독창성 발견
- **전통문화에 대한 재해석** : 현대적 감각으로 재해석하여 새로운 •문화 콘텐츠로 개발 → 전통문화의 국제적 가치 상승 및 발전 가능성 제고
- **외래문화의 비판적 수용** : 전통문화의 정체성을 유지하면서, 다른 나라의 문화를 능동적으로 수용

• **문화 콘텐츠**
문화, 예술, 학술적 내용의 창작 또는 제작물뿐만 아니라 창작물을 이용하여 재생산된 모든 가공물 그리고 창작물의 수집, 가공을 통해서 상품화된 결과물들을 말한다.

자료 4 전통문화의 역할

자·료·분·석 '인간 탑 쌓기'는 에스파냐 카탈루냐 지방의 전통문화로, 이 지역 사람들은 인간 탑 쌓기를 통해 공동체 의식을 함양해 왔다. 택견은 유연하고 율동적인 춤과 같은 동작으로 상대를 공격하거나 다리를 걸어 넘어뜨리는 한국의 전통 무술이다. 한국 역사에서 택견은 공동체 구성원 간의 결속을 증진하고 공동체 정신을 고양함으로써 자연스럽게 사회 통합의 기능을 수행하였다.

▲ 에스파냐의 인간 탑 쌓기

▲ 한국의 택견

한·줄·핵·심 전통문화는 사회 구성원 간에 유대를 강화하고, 사회를 통합하는 데 기여한다.

키워드 체크

❹ 전통문화는 사회 구성원 간에 유대를 강화하고, 사회를 □□하는 데 기여한다.

답 : □□

자료 5 전통문화의 보존

히말라야 산맥에 있는 부탄의 국민이 가장 소중하게 여기는 것은 전통문화와 불교 신앙을 지켜가는 일이다. 그래서 부탄은 외국인의 입국을 1년에 7,500명으로 제한하고, 부탄에 머무는 동안 1일 250달러를 내도록 하는 정책을 펼치고 있다. 너무 많은 외국인 관광객이 들어오면 부탄의 환경이나 문화에 나쁜 영향을 미칠 것으로 생각하기 때문이다. 그리고 국가 전체의 건물에는 부탄 전통 문양이 그려져 있고, 부탄을 여행할 때는 반드시 부탄인 안내자를 통해야 하는 등 독특한 문화 보전 및 관광 정책을 펼치고 있다. [사이토 도시야, 『행복한 나라 부탄의 지혜』]

▲ 부탄 축제인 '체추'의 마스크 댄스

자·료·분·석 부탄은 외래문화의 무분별한 수용을 억제하고 전통문화를 보존하기 위해 외국인 관광객의 입국을 제한하고 있는데, 이는 전통문화의 고유성을 유지하여 문화 정체성을 잃지 않으려는 노력이다.

한·줄·핵·심 전통문화를 통해 문화의 고유성이 유지될 때 구성원들은 문화 정체성을 지키며 살아갈 수 있다.

키워드 체크

❺ 전통문화를 통해 문화의 고유성이 유지될 때 구성원들은 □□ □□□을/를 지키며 살아갈 수 있다.

답 : □□ □□□

자료 6 전통문화의 창조적 계승

▲ 한식에 많은 관심을 보이는 외국인들

▲ 덕수궁 수문장 교대 의식

▲ 뮤지컬 '점프'

자·료·분·석 드라마 「대장금」이 아시아권을 중심으로 거센 한류 열풍을 불러일으키면서, 한식과 한복이 세계에 널리 알려지는 계기가 되었다. 덕수궁 수문장 교대 의식은 조선 시대의 궁궐 수문장의 교대 모습을 현대적 감각에 맞게 재구성한 것이다. 뮤지컬 '점프'는 한국의 전통 무술인 태권도를 소재로 한 작품으로, 우리의 전통문화를 새로운 문화 콘텐츠로 개발한 사례이다.

한·줄·핵·심 우리는 전통문화를 현대 사회에 맞게 재해석하여 계승·발전시켜야 한다.

키워드 체크

❻ 전통문화를 창조적으로 계승·발전시키기 위해서는, 전통문화를 현대적 감각으로 □□□할 필요가 있다.

답 : □□□

키워드 체크 정답 ❹ 통합 ❺ 문화 정체성 ❻ 재해석

우리 문화의 변동 양상

사회 구성원들이 외래문화를 받아들이는 태도나 사회 상황에 따라 문화 변동은 여러 가지 양상으로 나타나는데, 대표적인 문화 변동 양상에는 문화 병존, 문화 융합, 문화 동화가 있다. 다음 자료를 통해 우리 문화가 어떻게 변동하고 있는지 그 양상을 살펴보자.

통합 주제 story

자료❶
상투를 틀던 과거의 머리 모양은 오늘날 완전히 사라졌다. 이것은 외래문화의 영향으로 우리의 고유문화가 사라진 사례로, 문화 동화에 해당한다.

자료❷
양력과 음력을 함께 사용하는 것은 문화 병존의 사례이다. 외래문화인 양력은 세계화에 따른 일상생활에서 필요하고, 고유문화인 음력도 우리의 생활에 필요하기 때문에 두 문화가 병존하고 있는 것이다.

자료❸
라이스버거는 외래문화인 햄버거와 고유문화인 쌀밥이 결합하여 제3의 문화가 탄생한 사례로, 문화 융합에 해당한다.

자료 ❶ 머리 모양의 변화

왼쪽은 상투를 틀고 다니던 과거의 모습이고, 오른쪽은 현대의 일반적인 머리 모양이다. 외래문화의 접촉으로 상투를 틀던 옛날의 모습은 사라졌다.

자료 ❷ 양력과 음력의 병존

우리 사회에는 두 가지 새해가 함께 존재한다. 공식적으로는 양력 1월 1일에 새해가 시작되지만, 음력 1월 1일에 새해를 맞이하는 전통 풍습을 흔히 볼 수 있다.

자료 ❸ 라이스버거의 탄생

라이스버거(Rice burger)는 쌀밥을 뭉친 것을 통상의 햄버거 빵 대신 사용한 햄버거이다. 라이스버거는 쌀을 주식으로 하는 나라인 일본, 중국, 대한민국, 베트남 등에서 주로 판매되고 있는데, 패스트푸드이면서도 주식인 쌀밥을 주재료로 했기 때문에 건강도 고려했다는 이미지를 준다.

이것만은 꼭!

- **문화 동화**는 외래문화와의 접촉으로 **고유문화가 사라지는 현상**이다.
- 외래문화의 요소와 고유문화의 요소가 **함께 공존하는 현상**은 **문화 병존**이다.

- 외래문화와 고유문화가 결합하여 **새로운 제3의 문화가 나타나는 것**은 **문화 융합**이다.
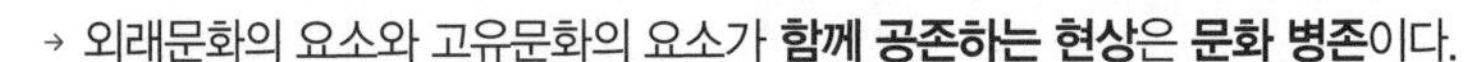

콕콕! 개념 확인

정답과 해설 68쪽

A 문화 변동의 의미와 요인

01 빈칸에 알맞은 말을 쓰시오.

(1) 새로운 문화 요소의 등장이나 다른 문화와의 접촉을 통해, 문화가 끊임없이 상호 작용하면서 변화하는 현상을 □□ □□(이)라고 한다.

(2) □□ □□(이)란 전파된 문화 요소에 자극을 받아 새로운 발명이 일어나는 것으로, 신라의 설총이 중국에서 전파된 한자의 영향을 받아 이두를 발명한 것을 예로 들 수 있다.

B 문화 변동의 양상

02 문화 변동의 양상과 해당하는 사례를 바르게 연결하시오.

(1) 문화 융합 •　　• ㉠ 양력과 음력이 함께 표시된 달력

(2) 문화 동화 •　　• ㉡ 라이스 버거(쌀밥과 햄버거가 합쳐진 것)

(3) 문화 병존 •　　• ㉢ 유럽 문화와 접촉하면서 사라진 아메리카 원주민 문화

C 전통문화의 창조적 계승

03 알맞은 설명에 ○표를 하시오.

(1) 어떤 집단이나 공동체에서 과거로부터 이어져 내려오는 문화 요소 중에서 현재까지 그 가치를 인정받고 있는 것을 (전통문화, 문화 산업)(이)라고 한다.

(2) 전통문화를 통해 문화의 고유성이 유지될 때, 구성원으로서의 문화 (정체성, 다양성)을 지키며 살아갈 수 있다.

04 다음 글을 읽고 물음에 답하시오.

> 드라마 「대장금」은 조선 시대에 궁중 음식과 의술에 뛰어난 재능을 가지고 있었던 서장금의 삶을 재구성한 드라마이다. 이 작품은 중국, 홍콩, 베트남, 스리랑카 등 아시아권을 중심으로 거센 한류 열풍을 불러일으켰고, 한국 드라마 사상 세계적으로 가장 인기 있는 드라마가 되었다. 우리나라에서는 종영된 지 꽤 많은 시간이 지났지만 해외에서는 아직까지도 많은 사랑을 받고 있다. 대장금이 세계적으로 사랑을 받은 이유는 드라마에 등장하는 정갈한 전통 음식과 화려한 한복 등이 외국인들의 호기심을 자극하였고, 선과 악의 대립 그리고 결국은 선한 행동은 보상을 받고 악한 행동은 벌을 받는다는 권선징악의 교훈이 세계인의 공감을 이끌어 낸 것으로 해석된다.

(1) 위 글에서 찾을 수 있는 문화 전파의 종류를 쓰시오.　　(　　　　　)

(2) 위 글을 통해 알 수 있는 전통문화의 창조적 계승 방안을 글로 나타낼 때 빈칸에 알맞은 말을 쓰시오.

> 전통문화를 현대적 감각으로 재해석하여 새로운 □□ □□□을/를 개발하고 발전시켜 나가야 한다.

탄탄! 내신 문제

정답과 해설 68쪽

A 문화 변동의 의미와 요인

01 문화 변동의 요인에 대한 설명으로 옳지 않은 것은?

① 자극 전파는 발견과 발명이 합쳐진 것이다.
② 발명은 새로운 문화 요소를 만들어 내는 것이다.
③ 직접 전파는 직접적인 인적 교류에 의해 발생한다.
④ 현대 사회에서의 문화 전파의 양상은 간접 전파가 주류를 이루고 있다.
⑤ 발견은 이미 존재하고 있었지만, 아직 세상에 알려지지 않은 것을 찾아내는 행위를 말한다.

02 다음 (가)~(마)의 사례와 관련 있는 문화 변동의 요인을 바르게 연결한 것은?

> (가) 과학자들이 인간의 유전자 지도를 완성하였다.
> (나) 체로키족은 영어에서 아이디어를 얻어 체로키 문자를 고안해 냈다.
> (다) 미국의 D. 포리스트는 진공관의 원리를 이용하여 라디오 장치를 개발하였다.
> (라) 문익점이 중국으로부터 목화씨를 가져와 우리나라 의복 문화에 변혁이 초래되었다.
> (마) 한국의 드라마와 노래가 인터넷 등을 통해 전 세계로 퍼지면서 한류 열풍이 불고 있다.

① (가) : 발명 ② (나) : 발견 ③ (다) : 직접 전파
④ (라) : 자극 전파 ⑤ (마) : 간접 전파

B 문화 변동의 양상

03 다음 사례가 나타내는 문화 변동의 양상은?

> 1900년에 건립된 성공회 강화성당은 전통적인 한옥 구조물에 서양의 기독교식 건축 양식을 수용해 지은 것이다. 성당의 겉모양은 영락없는 전통 사찰 양식인데, 내부 구조는 성당 건축에 많이 사용되는 전형적인 바실리카 양식을 도입하였다.

① 직접 전파 ② 간접 전파 ③ 문화 융합
④ 문화 동화 ⑤ 문화 병존

04 다음 밑줄 친 부분에 해당하는 사례로 적절한 것은?

> 문화 변동의 양상에는 여러 가지가 있는데, 전반적인 문화는 그대로 유지하면서 다른 문화의 특성을 일부 받아들이게 되는 경우, 각각의 문화가 그 고유의 정체성과 가치 체계를 그대로 유지하면서 공존하는 경우, <u>두 문화가 서로 혼합되어 새로운 문화가 나타나거나</u> 아니면 고유문화가 외래문화에 흡수되는 경우가 있다.

① 길거리 표지판에 한글과 영어가 함께 적혀 있는 경우
② 불고기와 피자가 합쳐져서 불고기 피자라는 음식이 등장하는 경우
③ 미국 인디언의 문화가 고유성을 상실하고 백인들의 문화에 흡수된 경우
④ 아파트 면적을 '평'으로 표시하던 방식이 사라지고 '제곱미터'로 표시하는 경우
⑤ 중국에 사는 동포들이 우리의 고유한 풍습과 언어, 가치관을 그대로 간직하며 살고 있는 경우

05 다음에 나타난 문화 변동의 양상에 대한 설명으로 가장 적절한 것은?

> 인구의 50% 이상이 이슬람교를 믿고 있는 말레이시아는 다른 종교에 관해 수용적인 자세를 가지고 있다. 말레이시아에서는 모스크를 비롯하여 사찰, 힌두 사원, 교회와 성당 등 다양한 종교 경관을 쉽게 찾아볼 수 있으며, 각 종교의 기념일을 공휴일로 지정하고 있다. 예를 들어 2018년 5월 29일은 부처님 오신 날, 8월 22일은 이슬람교 성지 순례의 날, 11월 7일은 힌두교 빛의 축제, 12월 25일은 성탄절이다.

① 문화의 다양성을 촉진한다.
② 자문화의 정체성이 상실된다.
③ 사회 내부의 요인에 의해 나타난다.
④ 내집단 의식이 약한 사회에서 주로 나타난다.
⑤ 서로 다른 문화가 합쳐져서 새로운 문화가 나타난 결과이다.

C 전통문화의 창조적 계승

06 다음 자료에서 강조하는 전통문화의 역할로 가장 적절한 것은?

> '인간 탑 쌓기'는 에스파냐 카탈루냐 지방의 전통문화이다. 인간 탑을 쌓는 사람들의 단체는 75~500명으로 이루어져 있으며, 회원 자격과 인간 탑을 쌓는 데 필요한 지식은 대개 세대를 통해 전승된다. 인간 탑을 쌓아 올리는 데에는 어린이들과 10대가 핵심적인 역할을 하고 있다.
>
> 
> ▲ 인간 탑 쌓기

① 구성원 간의 갈등을 조정한다.
② 구성원의 사고와 행동을 다양화시킨다.
③ 국가의 이미지를 대외적으로 상승시킨다.
④ 세대 간 전승을 통해 사회가 지속되도록 한다.
⑤ 고부가 가치를 지닌 문화 산업 육성에 기여한다.

07 다음 글에서 추론할 수 있는 내용만을 <보기>에서 있는 대로 고른 것은?

> 우리나라는 과거 벼농사 중심의 농경 사회였다. 벼농사에는 모내기를 하거나 곡식을 수확할 때 많은 노동력이 집중적으로 필요하였는데, 마을 주민들은 두레, 품앗이와 같은 공동체 조직을 만들어 농사일이나 마을 공동의 일을 해결하였다. 그 과정에서 상부상조의 문화가 발달하였다.

<보기>
ㄱ. 전통문화는 한 사회를 유지하는 정신적 자산이다.
ㄴ. 전통문화는 시대의 변화에 관계없이 변화하지 않는다.
ㄷ. 전통문화는 오늘날과 달리 조상들의 가치를 반영한다.
ㄹ. 전통문화는 물질문화뿐만 아니라 관념 문화에서도 찾을 수 있다.

① ㄱ, ㄴ ② ㄱ, ㄹ ③ ㄴ, ㄷ
④ ㄱ, ㄷ, ㄹ ⑤ ㄴ, ㄷ, ㄹ

08 다음 글이 시사하는 내용으로 가장 적절한 것은?

> 부탄은 외국인의 입국을 1년에 7,500명으로 제한하고, 부탄에 머무는 동안 1일 250달러를 내도록 하는 정책을 펼치고 있다. 너무 많은 외국인 관광객이 들어오면 부탄의 환경이나 문화에 나쁜 영향을 미칠 것으로 생각하기 때문이다. 그리고 국가 전체의 건물에는 부탄 전통 문양이 그려져 있고, 부탄을 여행할 때는 반드시 부탄인 안내자를 통해야 하는 등 독특한 문화 보전 및 관광 정책을 펼치고 있다.

① 외래문화는 받아들여서는 안 된다.
② 외래문화와 전통문화는 조화가 불가능하다.
③ 외국인 관광객은 자국의 경제에 도움이 되지 않는다.
④ 선진 외래문화와 어울리지 않는 전통문화는 폐기해야 한다.
⑤ 전통문화의 고유성을 지킴으로써 문화 정체성을 잃지 않아야 한다.

09 다음 사례에서 파악할 수 있는 우리 전통문화의 발전 방향으로 가장 적절한 것은?

> 퓨전 국악 뮤지컬「판타스틱」은 국악 연주를 바탕으로 코믹, 창, 상모돌리기 등 다양한 내용을 선보인다. 외국인 관광객이 객석 점유율의 80% 이상을 차지하기 때문에 3개국 언어 동시 출력과 다양한 영상 구현이 가능한 사물 인터넷 기술을 공연에 적용했다. 이에 따라 배우의 공연 장면을 다양한 유형의 말풍선 화면을 통해 실시간 다국어와 다양한 영상으로 표현하고 있다.

① 우리의 전통문화를 원형 그대로 보존해야 한다.
② 전통문화를 현대인의 감각에 맞게 재해석해야 한다.
③ 한국적인 특징을 버리고 세계적인 색깔로 변형시켜야 한다.
④ 서구 문화의 기준에 맞추어 우리의 전통문화를 바꾸어야 한다.
⑤ 한국인이 공감할 수 있는 수준으로 전통문화를 표현해야 한다.

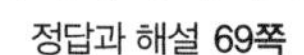

01 다음 (가), (나)에 나타난 문화 변동에 대한 옳은 설명을 〈보기〉에서 고른 것은?

> (가) 신라의 설총은 중국에서 전래된 한자에서 아이디어를 얻어 이두 문자를 개발하였다.
> (나) 라이스버거(Rice burger)는 햄버거의 빵 대신 밥을 사용한 것이 특징이며, 쌀을 주식으로 하는 나라에서 주로 판매된다.

보기

ㄱ. (나)는 기존 문화의 정체성을 잃을 수 있다.
ㄴ. (가)와 달리 (나)는 강제적인 방법을 통해 이루어진다.
ㄷ. (가), (나) 모두 문화의 외재적 변동과 관련된다.
ㄹ. (가)에서는 자극 전파, (나)에서는 문화 융합이 나타나 있다.

① ㄱ, ㄴ ② ㄱ, ㄷ ③ ㄴ, ㄷ
④ ㄴ, ㄹ ⑤ ㄷ, ㄹ

고난도

02 다음 표는 문화 변동의 양상을 나타낸 것이다. A~C에 대한 설명으로 옳은 것은? (단, A~C는 각각 문화 병존, 문화 동화, 문화 융합 중 하나이다.)

구분	A	B	C
자국의 문화적 정체성이 상실되었습니까?	예	아니요	아니요
새로운 제3의 문화 요소가 나타났습니까?	아니요	아니요	예

① A가 활발해질수록 문화의 다양성이 촉진된다.
② B의 예로 달력에 양력과 음력이 함께 기재되어 있는 것을 들 수 있다.
③ C는 타문화에 대한 거부 의사가 강한 사회에서 주로 나타난다.
④ C와 달리 A, B에는 외재적 문화 변동이 나타나 있다.
⑤ 강제적 문화 접변은 대부분 A나 C보다는 B를 목적으로 한다.

03 다음 그림은 문화 변동의 양상을 나타낸 것이다. (가)~(다)와 관련된 옳은 설명을 〈보기〉에서 고른 것은?

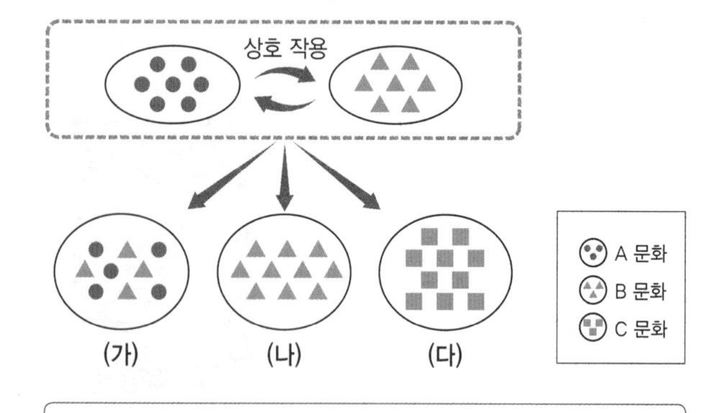

보기

ㄱ. (가)는 문화의 다양성에 기여한다.
ㄴ. (나)는 고유문화의 정체성이 강한 경우에 나타난다.
ㄷ. (다)는 기존에 없던 제3의 문화가 나타나는 경우이다.
ㄹ. (가)에 비해 (나), (다)에서는 고유문화와 외래문화 간의 갈등이 심한 편이다.

① ㄱ, ㄴ ② ㄱ, ㄷ ③ ㄴ, ㄷ
④ ㄴ, ㄹ ⑤ ㄷ, ㄹ

04 다음 (가), (나)에 나타난 문화 변동의 양상에 대한 분석으로 옳은 것은?

> (가) 아메리카 대륙의 원주민들은 유럽의 식민 지배로 원주민 고유의 토속 신앙을 잃고 대다수가 크리스트교를 믿게 되었다.
> (나) 중국 옌볜의 조선족은 평상시에는 중국 음식뿐만 아니라 한국 음식도 즐기며, 언어도 중국어와 한국어를 함께 사용한다.

① (가)에는 문화 동화 현상이 나타나 있다.
② (나)에서는 자기 문화의 정체성을 상실하였다.
③ (가)는 (나)와 달리 매개체에 의한 문화 전파이다.
④ (나)에서는 (가)와 달리 새롭게 발명된 문화 요소가 존재한다.
⑤ (가)와 (나) 모두에서 강제적 문화 접변이 나타났다.

05 다음 글에 제시된 전통문화가 가지는 의의로 적절하지 않은 것은?

- 우리나라는 과거 벼농사 중심의 농경 사회였다. 벼농사에는 모내기를 하거나 곡식을 수확할 때 많은 노동력이 집중적으로 필요하였는데, 마을 주민들은 두레, 품앗이와 같은 공동체 조직을 만들어 농사일이나 마을 공동의 일을 해결하였다. 그 과정에서 상부상조의 문화가 발달하였다.
- 우리나라는 유교 문화의 영향을 받아 부모님을 공경하는 효(孝)와 사람과 사람 간의 관계에서 예(禮)를 중시하는 사상이 발달하였다.

① 구성원 간의 갈등을 예방한다.
② 문화 산업의 상업적인 육성에 기여한다.
③ 구성원들이 문화 정체성을 갖도록 해 준다.
④ 구성원들의 행동방식에 긍정적인 영향을 준다.
⑤ 한 사회의 세대 간 단절을 막아 사회가 지속되도록 한다.

고난도

06 다음 사례들을 통해 내릴 수 있는 결론으로 가장 적절한 것은?

- '일렉트릭 사물놀이' 밴드는 전통적인 사물놀이와 서양의 전자 악기를 접목하여 우리 음악에 담긴 흥을 젊은이들이 즐겨 듣는 전자 음악으로 표현하였다.
- 생활 한복은 전통 한복의 아름다움에 실용성과 현대적인 감각을 더해 만들어졌다. 평소에도 자신의 개성을 살려 생활 한복을 입고 다니는 사람들을 종종 볼 수 있다.

① 외래문화와 전통문화는 병존하기 힘들다.
② 전통문화는 상업적인 이익과 결부시켜서는 안 된다.
③ 전통문화 중에서 우수한 것은 변형시키지 않고 보존해야 한다.
④ 전통문화를 현대적 감각으로 재해석하여 새롭게 발전시켜야 한다.
⑤ 보편화된 세계적 문화와 전통문화의 발전 방향은 일치되어야 한다.

[07-08] 다음은 우리 사회의 문화 변동과 관련된 자료이다. 이를 읽고 물음에 답하시오.

(가) 과거 우리나라 남자들은 머리카락을 모두 올려 빗어 정수리 위에서 상투를 틀고 다녔는데, 외래문화와의 접촉으로 상투를 틀던 옛날의 모습은 사라졌다.
(나) 라이스버거(Rice burger)는 쌀밥을 뭉친 것을 통상의 햄버거 빵 대신 사용한 햄버거이다. 라이스버거는 쌀을 주식으로 하는 나라에서 주로 판매되고 있는데, 패스트푸드이면서도 쌀밥이 주재료라 건강도 고려했다는 이미지를 준다.
(다) 우리 사회에는 두 가지 새해가 함께 존재한다. 공식적으로는 양력 1월 1일에 새해가 시작되지만, 음력 1월 1일에 새해를 맞이하는 전통 풍습을 흔히 볼 수 있다.

07 위 글의 (가)~(다)에 대한 설명으로 옳은 것은?

① (가)는 강제적인 상황에서만 나타난다.
② (나)는 주로 다른 문화에 대한 배타성 때문에 발생한다.
③ (다)는 전파와 발명이 함께 이루어진 경우이다.
④ (가)보다 (다)가 문화 다양성 유지에 기여한다.
⑤ (나)는 (다)와 달리 다문화 사회의 갈등 해결에 도움이 된다.

08 위 글의 (가)~(다)에 나타난 문화 변동의 양상을 다음과 같이 도식화할 때, A, B에 들어갈 질문으로 옳은 것은?

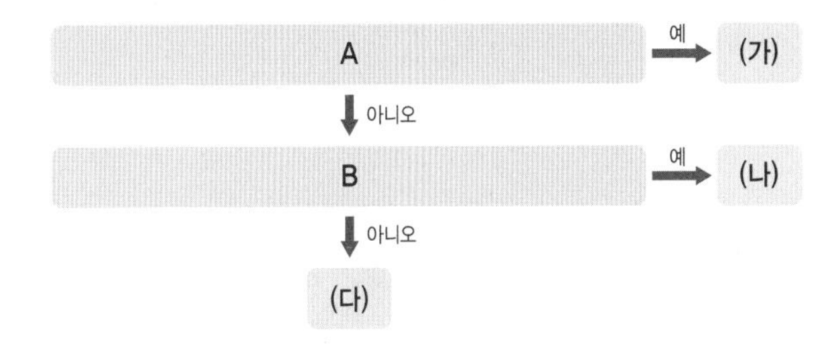

① A : 자발적 원인에 의한 문화 변동인가?
② A : 외재적 요인에 의한 문화 변동인가?
③ B : 자문화의 정체성이 소멸되는가?
④ B : 새로운 제3의 문화가 생성되는가?
⑤ B : 단기간에 걸쳐 변동이 발생하였는가?

03 문화 상대주의와 보편 윤리

흐름 잡기

문화 이해

- 문화적 차이의 발생 원인은? A
- 문화 상대주의의 필요성은? B
- 보편 윤리의 필요성은? C

궁금해? 나라별 전통 의복

▲ 일본

▲ 멕시코

각 나라의 전통 의복은 문화적 차이를 잘 보여주는 사례야.

A 문화적 차이

한·줄·단·서 각 사회는 서로 다른 **자연환경**과 **인문 환경**에 적응하는 과정에서 **문화적 차이**가 발생해.

1. 문화적 차이 문화가 그 지역의 환경이나 시대의 흐름에 따라 의식주, 언어, 도덕과 종교 등에서 다양하게 나타나는 현상 → 문화 다양성의 원인이 됨

2. 문화적 차이의 발생원인

① **자연환경의 차이 :** 기후, 지형 등의 차이 → 적응 과정에서 나름의 생활 방식을 형성하여 문화적 차이가 나타남 자료1

② **인문 환경의 차이 :** 사회 구성원이 공유하는 옷, 음식, 놀이, 종교 등의 차이 → 각 사회마다 나름대로의 원칙이 세워짐

3. 문화적 차이의 영향

① **긍정적 영향 :** 다양한 문화를 접하게 됨으로써 인간의 삶을 풍요롭게 함

② **부정적 영향 :** 서로 다른 문화 간의 충돌과 대립이 발생하기도 함

B 문화적 차이를 이해하는 태도

한·줄·단·서 **문화 상대주의**는 문화 간의 우열이 없음을 전제로 다른 사회의 문화를 **그 사회의 입장에서 이해**하고자 하는 태도야.

1. 자문화 중심주의 자료2

의미	합리적인 이유 없이 자기 사회의 문화를 가장 우월한 것으로 여기고 다른 사회의 문화는 열등하다고 생각하는 태도
특징	• 자기 문화에 대한 자부심을 강화시켜 사회 통합에 기여 • 다른 문화와의 갈등을 초래할 수 있고, 국수주의로 이어져 자기 문화의 발전 가능성을 저해할 수 있음 (국수주의: 다른 민족이나 국가의 문화를 열등하다고 여겨 자기 민족이나 국가의 문화만 고수하려는 태도) • 극단적인 경우 다른 민족에 대한 차별이나 •제국주의 침략을 정당화하기도 함

• **제국주의**
다른 국가나 민족으로 지배 영역을 확장하려는 사상이나 정책으로, 19세기 서구 유럽 국가들이 아메리카나 아프리카를 침략하여 식민지 지배를 했던 것이 대표적인 사례이다.

2. 문화 사대주의

의미	합리적인 이유 없이 다른 사회의 문화를 더 우월하다고 믿고 자기 사회의 문화를 무시하거나 낮게 평가하는 태도
특징	• 다른 사회의 문화를 수용하여 자기 사회의 문화 개선에 기여 • 무분별하게 외부 문화를 수용할 경우, 자기 문화의 정체성을 상실할 우려가 있음 (자기 문화에 대한 문화적 주체성과 자부심을 잃어버릴 수 있어.) • 사회 구성원 간의 소속감이나 일체감이 약화될 수 있음

3. 문화 상대주의 자료3

의미	다른 사회의 문화를 그 사회의 입장에서 이해하려는 태도 → 그 사회의 특수한 환경과 역사적 상황 및 사회적 맥락 속에서 이해
특징	문화 간에 우열이 존재하지 않으며, 모든 문화는 해당 사회의 맥락에서 고유한 가치를 지닌다는 생각을 전제로 함
필요성	• 다른 문화를 객관적으로 이해하게 되고, 자신의 문화를 더 깊이 바라보게 됨 • 문화적 차이에 따른 갈등 방지 → 다양한 문화의 공존 가능 → 문화 다양성 보존

교과서 자료 모아보기

자료 1 문화적 차이

자·료·분·석 문화는 각 사회가 처한 자연환경에 따라 다양하게 나타난다. 오른쪽 그림에서 (가)는 열대 지방이고, (나)는 북극 지방이다. 열대 지방에서는 눈이 내리지 않기 때문에 눈을 표현하는 단어가 없는 반면, 북극 지방의 이누이트는 늘 눈 속에서 생활하기 때문에 눈의 상태에 관한 다양한 표현이 필요하다.

한·줄·핵·심 각 사회가 서로 다른 자연환경에 적응하며 나름의 생활 방식을 형성하는 과정에서 문화적 차이가 나타나게 된다.

키워드 체크

❶ 각 사회가 서로 다른 □□□□(이)나 인문 환경에 적응하는 과정에서 문화적 차이가 나타나게 된다.

답 : □□□□

자료 2 자문화 중심주의

자·료·분·석 2015년 이슬람 수니파 무장 단체 '이슬람 국가(IS)'는 유네스코 세계 유산인 시리아의 팔미라 유적 일부를 '우상 숭배 금지'라는 명분을 내세워 파괴하였다. 자기 문화를 기준으로 다른 사회의 문화를 배척하는 자문화 중심주의가 극단적으로 나타날 경우 이처럼 사회 충돌로 이어져 여러 가지 문제를 초래하게 된다.

한·줄·핵·심 자문화 중심주의는 다른 문화와의 갈등을 초래하고 문화 발전을 저해한다.

키워드 체크

❷ 합리적인 이유 없이 자기 사회의 문화를 가장 우월한 것으로 여기고 다른 사회의 문화는 열등하다고 생각하는 태도는?

답 : □□□ □□□□

자료 3 문화 상대주의

동아프리카의 키쿠유족은 상대의 손바닥에 침을 뱉어 반가움을 표현한다. 물이 귀한 아프리카 지역에서 수분을 함께 나눈다는 뜻으로 행운을 기원한다는 의미가 포함되어 있다.

뉴질랜드 마오리족에게는 이마와 코를 맞대고 같이 숨을 쉬는 '홍이'라는 독특한 인사법이 있다. 같은 숨결을 나눔으로써 당신과 내가 하나라는 의미를 담고 있다.

자·료·분·석 제시된 그림에 나타난 특이한 인사법은 그 나라의 자연환경이나 전통 등이 반영된 각국의 고유문화이다. 따라서 문화를 제대로 이해하기 위해서는 각 사회의 문화를 그 사회의 맥락에서 이해하려는 문화 상대주의적 태도가 필요하다. 문화 상대주의는 문화 간에 우열이 존재하지 않으며, 모든 문화는 해당 사회의 맥락에서 고유한 의미가 있다는 생각을 전제로 한다.

한·줄·핵·심 문화 상대주의는 문화의 다양성과 특수성을 인정하여 다른 사회의 문화를 그 사회의 입장에서 이해하려는 태도이다.

키워드 체크

❸ 다른 사회의 문화를 그 사회의 입장에서 이해하려는 태도는?

답 : □□ □□□□

키워드 체크 정답 ❶ 자연환경 ❷ 자문화 중심주의 ❸ 문화 상대주의

C 보편 윤리와 문화 이해

한·줄·단·서 우리는 문화적 차이를 인정하면서도 **보편 윤리**에 어긋나지 않는지 **문화를 성찰**해야 해.

1. 보편 윤리와 극단적 문화 상대주의

① **보편 윤리 :** 시대와 지역을 초월하여 모든 사람이 존중하고 따라야 할 윤리적 가치
예 인간의 존엄성 및 생명 존중, 자유, 평등 등

② **극단적 문화 상대주의 :** 모든 문화를 무조건 인정하고 받아들여야 한다는 태도나 관점 → 보편 윤리를 훼손하는 문화까지도 인정하는 문제 발생

2. 보편 윤리의 필요성

① **극단적 문화 상대주의 방지 :** 인간 존엄성을 비롯한 여러 기본적 인권의 내용을 존중하여 극단적 문화 상대주의의 관점에 빠지는 것을 방지

② **새로운 문화의 창조와 발전에 기여 :** 기존의 문화를 성찰하여 바람직한 문화와 바람직하지 않은 문화를 구분

3. 문화에 대한 보편 윤리적 성찰 자료 4

① **필요성 :** 문화의 질적 발전 실현 → 각 사회의 문화가 지닌 고유한 가치를 보존하고 문제점을 개선

② **자기 문화에 대한 보편 윤리적 성찰 :** 당연하게 생각하고 비판 없이 받아들였던 자문화가 보편 윤리에 어긋나지 않는지 성찰 예 우리나라의 •연고주의 문화

③ **다른 문화에 대한 보편 윤리적 성찰 :** 문화적 차이를 인정하면서도 보편 윤리에 어긋나지 않는지 성찰 예 중국의 전족 문화, 일부 국가의 명예 살인 풍습 등

명예 살인: 일부 이슬람 국가에서 집안의 명예를 실추시켰다는 이유로 가족 구성원을 살해하는 관습

• **연고주의**
혈연이나 학연, 지연 등으로 맺어진 관계를 중요하게 여기고 우선시하는 태도이다.

교과서 자료 모아보기

자료 4 중국의 전족 문화

"작은 발 한 쌍을 가지려면 한 항아리의 눈물을 쏟아야 한다." 전족의 고통을 잘 표현하는 말이다. 전족은 송나라 때 시작되어 명·청 시대에 유행하였던 것으로, 여성의 발을 천으로 꽁꽁 동여매어 성장을 멈추게 하는 풍습이다. 세 살에서 다섯 살 사이에 전족 만들기를 시작하여야 성공할 수 있었다. 약 10cm의 발이 가장 이상적이었다고 하니, 어린아이가 감당하기에는 너무나 큰 고통이었을 것이다. 정상적으로 자라지 못한 발은 뼈가 부러지거나 근육이 오그라들어 지금의 우리가 보기에 몹시 흉측한 모습이었다. 발 모양만 이상해지는 것이 아니었다. 전족하면 발끝으로 종종거리며 걸어야 하였고, 등뼈가 기형적으로 튀어나와 서 있는 자세도 이상해졌다. 그런데 이러한 모습이 당시에는 인기 있는 여성상이었다고 한다. 전족하지 않은 여성들은 미인 축에 끼지도 못하였을 뿐만 아니라 결혼조차 하기 힘들었다. [전국 역사 교사 모임, 『살아 있는 세계사 교과서 1』]

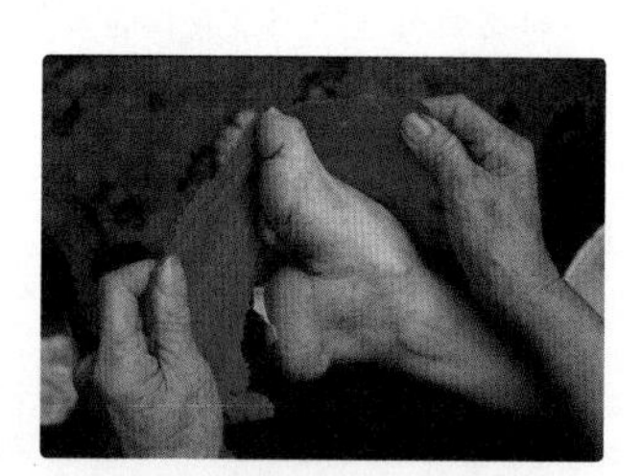

▲ 전족으로 인해 기형이 되어 버린 중국 여성의 발

자·료·분·석 중국의 전족 문화는 보편 윤리적 관점에서 바라보면 여성의 신체적 자유를 침해하고 인간의 존엄성을 훼손한다는 점에서 바람직한 문화로 존중받기 어렵다. 보편 윤리의 관점에서 다른 사회의 문화를 바라보아야 인간 존엄성을 비롯한 여러 기본적 인권의 내용을 존중할 수 있다.

한·줄·핵·심 각 사회의 문화적 차이를 인정하면서도 보편 윤리에 어긋나지 않는지 성찰할 필요가 있다.

키워드 체크

❹ 중국의 전족 문화는 여성의 신체적 자유를 침해하고 인간의 존엄성을 훼손한다는 점에서 □□□□에 어긋난다.

답 : □□ □□

키워드 체크 정답 ❹ 보편 윤리

콕콕! 개념 확인

정답과 해설 71쪽

A 문화적 차이

01 밑줄 친 부분을 바르게 고쳐 빈칸에 쓰시오.

(1) 지역이나 사회에 따라 문화가 다른 것은 그 지역의 정치, 종교, 관습 등의 자연환경이 서로 다르기 때문이다. (　　　　　)

(2) 문화는 그 지역의 환경이나 시대의 흐름에 따라 의식주, 언어, 도덕과 종교 등에서 획일적으로 나타난다. (　　　　　)

B 문화적 차이를 이해하는 태도

02 알맞은 설명에 ○표를 하시오.

(1) 자문화 중심주의는 다른 사회의 문화가 갖는 고유한 의미와 가치를 인정하지 않기 때문에 다른 사회의 문화를 (숭상, 배척)하는 태도로 이어질 수 있다.

(2) 자문화 중심주의와 문화 사대주의는 모두 문화의 우열이 (없다, 있다)고 본다.

03 문화 이해의 태도와 의미를 바르게 연결하시오.

(1) 자문화 중심주의 •　　• ㉠ 다른 사회의 문화를 더 우월하다고 믿고 동경하는 태도

(2) 문화 사대주의 •　　• ㉡ 자기 사회의 문화를 가장 우월한 것으로 여기는 태도

(3) 문화 상대주의 •　　• ㉢ 다른 사회의 문화를 그 사회의 입장에서 이해하려는 태도

C 보편 윤리와 문화 이해

04 다음 글을 읽고 물음에 답하시오.

> 우리는 흔히 자문화를 당연하게 생각하고 비판 없이 받아들이고는 한다. 그래서 자기 문화가 (　A　)에 어긋나는 측면이 있다 하더라도 이를 인식하지 못할 수 있다. 우리 사회 깊숙이 퍼져 있는 (　B　) 문화는 공동체 내에 가족적이고 친화적인 분위기를 조성해 공동체의 결속력을 강화하는 등의 긍정적 측면을 지닌다. 하지만 객관적 기준에 따른 공정한 평가와 선택이 요구되는 상황에서 혈연, 지연 등을 우선시하도록 하여 개인이 누려야 할 공정한 기회를 박탈하는 등 개인의 인권을 침해할 수 있다.

(1) 위 글의 A, B에 들어갈 개념을 빈칸에 쓰시오.

A : (　　　　　　　　), B : (　　　　　　　　)

(2) 위 글을 통해 알 수 있는 문화 이해의 태도를 글로 나타낼 때 빈칸을 채우시오.

> 우리는 보편 윤리에 근거하여 타문화와 자문화를 성찰함으로써 □□□ □□ □□□□에 빠지지 않도록 경계해야 한다.

탄탄! 내신 문제

정답과 해설 71쪽

A 문화적 차이

01 다음 자료와 같이 지역에 따라 언어문화의 차이가 나타나는 이유로 가장 적절한 것은?

① 자연환경의 차이 ② 사회 구조의 차이
③ 인문 환경의 차이 ④ 사회화 과정의 차이
⑤ 문화 이해 태도의 차이

B 문화적 차이를 이해하는 태도

02 다음 사례에 공통적으로 나타난 문화 이해 태도의 특징을 <보기>에서 고른 것은?

- 과거 중국은 자기 나라를 세계의 중심으로 보고, 모든 주변 국가를 오랑캐로 보았다.
- 2015년 이슬람 수니파 무장 단체 '이슬람 국가(IS)'는 유네스코 세계 유산인 시리아의 팔미라 유적 일부를 '우상 숭배 금지'라는 명분을 내세워 파괴하였다.

〈보기〉
ㄱ. 타문화를 부정적으로 평가하는 경향이 있다.
ㄴ. 특정 문화를 기준으로 우열을 가리는 태도를 갖고 있다.
ㄷ. 선진 외국 문화를 무비판적으로 수용하는 태도에 해당한다.
ㄹ. 문화를 그 사회의 환경과 상황에 적응한 결과물로 이해하고 있다.

① ㄱ, ㄴ ② ㄱ, ㄷ ③ ㄴ, ㄷ
④ ㄴ, ㄹ ⑤ ㄷ, ㄹ

03 다음에서 갑이 가지고 있는 문화 이해 태도에 대한 설명으로 옳은 것은?

① 문화 제국주의로 이어질 우려가 있다.
② 자기 문화의 주체성을 상실할 가능성이 크다.
③ 서로 다른 문화 간에 우열이 있음을 인정한다.
④ 다른 사회의 문화를 그 사회의 맥락 속에서 파악한다.
⑤ 다른 사회에 자기 문화의 수용을 강요할 가능성이 높다.

C 보편 윤리와 문화 이해

04 교사가 수업 시간에 다음 사례를 제시하였다. 이를 통해 추론할 수 있는 학습 주제로 가장 적절한 것은?

명예 살인은 일부 이슬람 국가에서 집안의 명예를 실추시켰다는 이유로 가족 구성원을 살해하는 관습이다. 이러한 명예 살인은 주로 여성이 노출이 심한 옷을 입었거나 집안에서 반대하는 결혼을 하였을 때 일어난다. 오늘날 대부분의 이슬람 국가들은 명예 살인을 법으로 금지하고 처벌을 강화하고 있지만 일부 국가에서는 여전히 관습적으로 일어나고 있다. 파키스탄 인권 위원회에 따르면 2015년 한 해 동안 명예 살인으로 희생된 여성은 1,100여 명에 이른다고 한다.

① 문화 다양성의 특징을 알아보자.
② 문화 상대주의가 필요한 이유를 알아보자.
③ 보편 윤리의 관점에서 타문화를 성찰해 보자.
④ 문화적 차이가 발생하는 이유를 생각해 보자.
⑤ 개인의 인성이 문화적 차이를 가져오는 과정을 알아보자.

도전! 1등급 문제

정답과 해설 72쪽

01 다음 글에서 강조하는 내용으로 가장 적절한 것은?

> 장례 문화는 나라마다 다르다. 홍콩에서는 장례식 때 죽은 사람을 위해 종이돈을 태우는 풍습이 있으며, 최근에는 종이돈 대신 종이로 만든 명품 가방이나 신발, 자동차 등을 태우기도 한다. 우리나라도 지금은 많이 줄어들었지만 죽은 사람의 유품을 태우는 풍습이 있었다. 티베트인들은 윤회 사상을 믿기 때문에 죽은 후 자신의 시신을 신성한 독수리가 먹으면, 바로 승천하거나 부유한 집안에서 다시 태어난다고 여긴다.

① 문화 현상은 보편성과 다양성을 띤다.
② 모든 문화는 보편 윤리에 어긋나지 않는다.
③ 인간은 자연환경의 지배를 받을 수밖에 없다.
④ 인간은 문화를 통해 자연환경의 제약을 극복한다.
⑤ 한 사회의 문화는 종교의 영향을 가장 많이 받는다.

02 다음 표는 문화 이해의 태도를 구분한 것이다. A~C에 대한 옳은 설명을 〈보기〉에서 고른 것은? (단, A~C는 각각 자문화 중심주의, 문화 사대주의, 문화 상대주의 중 하나이다.)

구분	A	B	C
문화 간의 우열을 인정하는가?	예	예	아니요
자기 문화를 낮게 평가하는가?	예	아니요	아니요

보기
ㄱ. A는 문화 제국주의로 흐를 수 있다.
ㄴ. B는 자문화의 정체성을 상실할 수 있다.
ㄷ. C는 다른 사회의 문화를 객관적으로 이해할 수 있다.
ㄹ. A, B와 달리 C는 다양한 문화의 공존에 기여한다.

① ㄱ, ㄴ　② ㄱ, ㄷ　③ ㄴ, ㄷ
④ ㄴ, ㄹ　⑤ ㄷ, ㄹ

03 다음 글에서 강조하는 문화 이해 태도에 대한 설명으로 옳은 것은?

> 20세기 초까지만 하더라도 몽골의 초원에 사는 유목민들은 일생에 목욕을 세 번, 즉 태어날 때 한 번, 결혼할 때 한 번, 죽을 때 한 번만 하는 문화가 있었다. 그런데 몽골의 유목민에게 씻는 문화가 없었던 것은 아니다. 그들이 사는 건조 기후 지역에는 물 대신 모래와 바람을 이용하여 사욕(沙浴)과 풍욕(風浴)을 하는 문화가 있었다. 워낙 건조하다 보니 물이 거의 없어 모래나 바람으로 목욕을 대신했던 것이다.

① 자문화의 주체성 상실을 초래하기도 한다.
② 자기 문화를 기준으로 다른 사회의 문화를 평가한다.
③ 구성원들의 소속감을 고취시키지만 국제적 고립을 초래하기도 한다.
④ 문화의 특수성을 강조하여 인류 보편적 가치의 존재를 인정하지 않는다.
⑤ 문화적 차이에 따른 갈등을 방지하여 문화 다양성을 보존할 수 있게 해 준다.

고난도
04 다음 내용에서 갑이 말한 문화 이해 태도에 대한 비판으로 가장 적절한 것은?

> 중동이나 아시아의 일부 가난한 지역에서는 조혼(早婚) 풍습이 나타난다. 가난한 부모들이 생계 등 경제적인 이유로 어린 딸을 일찍 결혼시키는 것이다.

① 국수주의를 초래할 우려가 있다.
② 국가 간 문화적 마찰이 발생할 수 있다.
③ 자기 문화의 정체성을 상실할 우려가 있다.
④ 절대적 기준에 비추어 문화를 평가하고 있다.
⑤ 인류가 지켜야 할 보편 윤리를 무시하고 있다.

다문화 사회와 문화 다양성

흐름 잡기

다문화 사회

다문화 사회의 모습은? A

다문화 사회로 인한 영향은? B

다문화 사회의 갈등 해결 방안은? C

A 다문화 사회로의 변화

한·줄·단·서 우리 사회는 외국인 근로자, 국제결혼 이민자, 유학생, 북한 이탈 주민 등이 증가하면서 **다문화 사회**로 진입하고 있어.

1. 다문화 사회

① **의미** : 다양한 인종, 민족, 종교, 문화를 가진 사람들이 한 사회를 구성하여 함께 어우러져 살아가는 사회

② **원인** : 교통수단의 발달과 정보 통신 기술의 발전 → 세계화가 진전되면서 국제적인 인구 이동의 가속화

2. 다문화 사회로 변화하는 우리나라 자료 1

① **원인** : 국제결혼의 증가, 외국인 근로자의 유입, 북한 이탈 주민의 유입 등

② **현황** : 꾸준히 증가 추세, 2015년에는 전체 인구수의 약 3.4%

└ 전체 외국인 중에서 약 35%의 비율을 차지해.

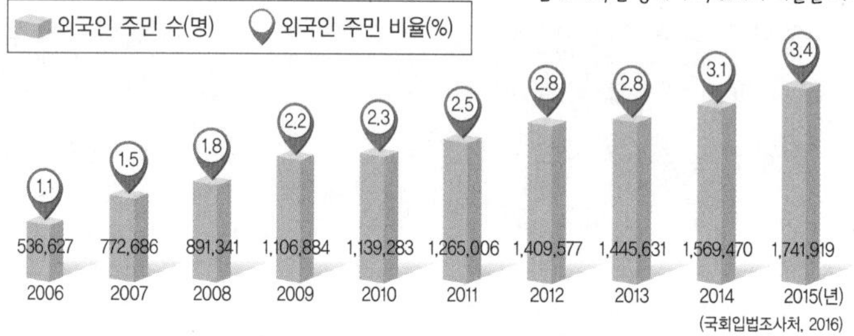

▲ 국내 거주 외국인 주민 현황

B 다문화 사회가 우리나라에 미치는 영향 자료 2

한·줄·단·서 **다문화 사회**는 문화 발전, 노동력 부족 문제 해소 등 **긍정적 영향**이 나타나지만, 문화 갈등, 편견과 차별 등 **부정적 영향**이 나타나기도 해.

1. 다문화 사회의 긍정적 영향

① **문화 발전에 기여**

- 해당 사회의 문화를 풍요롭게 해 다양한 문화적 경험을 할 수 있음
- 서로 다른 문화의 상호 작용으로 새로운 문화가 창조되기도 함

② **노동력 부족 문제 해소** : *외국인 근로자의 유입으로 중소기업의 인력난 해소에 도움을 줌

③ **농촌 발전에 도움** : 국제결혼 이민자의 유입으로 농촌에 활력을 불어 넣음

2. 다문화 사회의 부정적 영향

① **문화 갈등의 발생** : 서로 다른 언어, 가치관 차이, 생활 양식 등에 관한 지식과 이해 부족으로 발생 자료 3

② **외국인에 대한 편견과 차별** : 출신국에 따라 차별 대우가 존재함

③ **외국인과 내국인 간의 일자리 경쟁** : 외국인 근로자 중심으로 운영되는 단순 노무 직종의 일자리에서 경쟁 증가

④ **다문화 가정 자녀의 학업 부적응** : 언어 소통의 문제, 어려운 경제 상황, 피부색에 따른 차별 등으로 학업을 중단한 학생이 많음

● **외국인 근로자 현황**

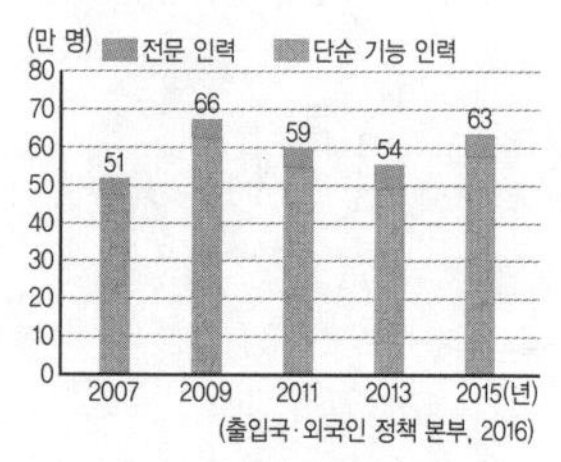

2015년 기준 우리나라에 체류 중인 외국인 근로자는 약 63만 명으로 그중 90% 이상이 단순 기능 인력이다.

자료 1 우리나라의 다문화 사회

전 세계 80여 개국에서 온 7만여 명의 외국인이 거주하고 있는 경기도 안산시 다문화 마을과 다문화 음식 거리에서는 인도네시아, 몽골, 네팔, 타이, 파키스탄 음식 등 흔하지 않은 각국의 전통 음식을 접할 수 있다. 2009년 5월 정부에서 특구로 지정한 이 거리는 주말이면 샤떼, 꿔바로우, 탄두리 치킨, 팟타이, 똠얌꿍 등 세계 여러 나라의 음식과 문화를 즐기러 전국 각지에서 모여든 수많은 한국인과 외국인들을 볼 수 있다.

자·료·분·석 우리나라는 외국 출신 이주민이 증가하면서 다양한 문화권의 사람들과 다양한 문화 요소가 공존하는 다문화 사회로 변화하고 있다. 국내 거주 외국인 주민 수는 최근 10년간 지속적으로 증가 추세를 보이며, 2015년에는 외국인 주민 수가 전체 주민 등록 인구 대비 약 3.4%에 이르렀다.

한·줄·핵·심 다문화 사회란 다양한 인종, 종교, 문화를 가진 사람들이 함께 살아가는 사회를 말한다.

키워드 체크

❶ □□□ 사회란 다양한 인종, 종교, 문화를 가진 사람들이 함께 살아가는 사회를 말한다.

답 : □□□

자료 2 다문화 수용성 지수

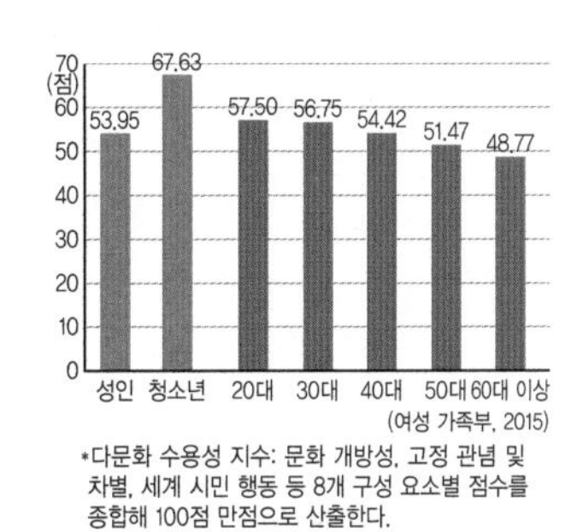

*다문화 수용성 지수: 문화 개방성, 고정 관념 및 차별, 세계 시민 행동 등 8개 구성 요소별 점수를 종합해 100점 만점으로 산출한다.

▲ 한국인의 다문화 수용성 지수

일자리가 귀할 때 자국민 우선 고용 찬성	
한국	60.4(%)
오스트레일리아	51.0
미국	50.5
독일	41.5
스웨덴	14.5

외국인 노동자와 이민자를 이웃으로 삼고 싶지 않음.	
한국	31.8(%)
독일	21.5
미국	13.7
오스트레일리아	10.6
스웨덴	3.5

자신을 세계 시민으로 생각 (대체로 또는 매우 그렇다.)	
스웨덴	82.0(%)
오스트레일리아	79.5
미국	69.1
독일	62.3
한국	55.3

(여성 가족부, 2015)

▲ 다문화 수용성 관련 주요 국제 지표 항목 비교

자·료·분·석 한국인의 다문화 수용성 지수를 보면 젊은 연령대일수록 다문화에 관한 생각이 긍정적이지만, 국제 지표 항목과 비교했을 때 우리나라의 다문화 수용성은 여전히 주요 선진국에 비해 낮은 편이다.

한·줄·핵·심 다문화 수용성 지수는 문화 개방성, 이주민과의 교류 의사 등에 관한 질문을 통해 측정한다.

키워드 체크

❷ □□□ □□□ 지수는 이질적인 문화에 대한 개방성, 이주민과의 교류 의사 등에 관한 질문을 통해 측정한다.

답 : □□□ □□□

자료 3 다문화 사회의 갈등

○○시는 외국인 근로자들에게 안정적인 주거 환경을 제공하여 지역 기업의 경쟁력을 높이기 위해 외국인 공동 주거지 설립을 계획하였다. 그러나 시가 소유하고 있는 땅에 외국인 근로자들의 주거지가 지어진다는 소식에 지역 주민들은 반대하였고, 결국 이 계획은 무산되고 말았다. 현재 이 지역의 많은 외국인 근로자들은 회사 건물 옥상의 간이 기숙사에서 생활한다.

자·료·분·석 다문화 사회에서 갈등이 발생하는 것은 외국인에 대한 막연한 편견 때문이다. 피부색이나 언어, 국적이 다르다는 이유에서 비롯한 편견은 사회적 차별로 이어지는 경우가 많다.

한·줄·핵·심 우리 국민의 외국 출신 이주민들에 대한 편견이나 혐오, 인종 차별과 배타적인 태도, 문화 차이에 대한 몰이해 등이 나타날 경우 갈등과 충돌로 이어질 가능성도 있다.

키워드 체크

❸ 우리 국민의 외국 출신 이주민들에 대한 편견이나 혐오, 인종 차별과 □□□인 태도, 문화 차이에 대한 몰이해 등이 나타날 경우 갈등과 충돌로 이어질 가능성도 있다.

답 : □□□

키워드 체크 정답 ❶ 다문화 ❷ 다문화 수용성 ❸ 배타적

C 다문화 사회의 갈등 해결 노력

한·줄·단·서 **다문화 사회의 갈등**을 해결하기 위해서는 우선 이주민에 대한 **편견**부터 없애야 해.

1. 개인적 차원의 노력 자료 4

① **문화의 다양성 존중 노력 :** 문화 간의 차이를 자연스러운 것으로 인정하고, 이주민 문화를 이해하기 위해 노력해야 함

② **관용의 실천 자세 :** 이주민을 우리 사회의 구성원으로 인정하고, 다른 문화에 대한 편견이나 차별적인 태도를 버려야 함

③ **기타 :** 단일 민족 의식 타파, 문화 간 상호 교류의 활성화 등

2. 국가적 차원의 노력 다문화 교육 강화, 법과 제도적 지원 확대

3. 우리나라의 다문화 정책

① **다문화 정책 관련 부서**

다문화 가족 정책 위원회

여성 가족부	법무부	교육부	행정 자치부	문화 체육 관광부	고용 노동부
다문화 가족 지원 총괄 및 폭력 피해 이주 여성 지원	외국인 출입국 심사 및 체류·귀화 허가 등 관리	다문화 가족 자녀 학교 교육 지원	외국인 주민 지역 사회 생활 정착 지원	다문화 수용성 제고, 한국어 교육 내용 통합 지원	결혼 이민자 취업 지원, 직업 상담 및 훈련

(국무 조정실, 2016)

② **다문화 지원 정책 :** *다문화 가족 지원법을 제정하여 시행, 국제결혼 이민자를 위한 정착 지원 프로그램 운영, 우리나라 문화 체험 및 한국어 교육 프로그램 운영, 다문화 축제 개최

* **다문화 가족 지원법**
국가와 지방 자치 단체의 책무, 생활 정보 제공 및 교육 지원, 가정 폭력 피해자에 대한 보호·지원, 다국어에 의한 서비스 제공 등을 내용으로 한다.

교과서 자료 모아보기

자료 4 다문화 사회의 이민자 정책

(가) 용광로 이론

프랑스에서 학교는 이민자 자녀들이 프랑스 사회로의 자연스러운 동화가 일어날 수 있는 가장 중요한 장소로 인식된다. 그렇기에 프랑스의 학교들은 특별 학급을 개설하고 외국인 이주민 가정의 자녀가 프랑스어를 최대한 빨리 습득한 후 일반 학급의 정규 과정에 편입될 수 있도록 지도하고 있다.

(나) 샐러드 볼 이론

160개국 이민자들이 모여 한 나라를 이루는 캐나다는 1971년 세계 최초로 다문화주의를 국가 정책으로 도입하였으며, 1988년 다양성을 캐나다 사회의 기본 성격으로 인정하는 다문화주의 법을 발효하였다.

자·료·분·석 다문화 사회의 이민자 정책 중 용광로 이론은 펄펄 끓는 용광로처럼 여러 민족의 다양한 문화를 하나로 녹여 그 사회의 주류 문화에 동화시키고자 하는 관점이며, 샐러드 볼 이론은 국가라는 샐러드 볼 안에서 각 문화의 고유한 맛이 나타날 수 있도록 다양한 인종과 문화가 함께 어울리는 문화를 만들자는 관점이다.

한·줄·핵·심 용광로 이론은 다양한 문화를 하나로 녹여 그 사회의 주류 문화에 동화시키고자 하는 것이고, 샐러드 볼 이론은 다양한 인종과 문화가 함께 어울리는 문화를 만들자는 것이다.

키워드 체크

❹ 다문화 사회의 이민자 정책 중, □□□ □ 이론은 각 문화의 고유한 맛이 나타날 수 있도록 다양한 인종과 문화가 함께 어울리는 문화를 만들자는 관점이다.

답 : □□□□

키워드 체크 정답 ❹ 샐러드 볼

다문화 사회의 갈등과 사회 통합 방안

다문화 사회는 다양한 인종, 민족, 종교, 문화가 공존하기 때문에 여러 형태의 갈등이 나타나기도 한다. 어떻게 하면 외국인과 내국인이 조화롭게 살아가는 다문화 사회를 만들 수 있을지 다음 자료를 통해 알아보자.

통합 주제 story

자료❶
다문화 가족이 겪는 갈등 사례를 나타내고 있다. 돼지고기를 먹지 않는 문화를 이해하지 못하는 사람들 때문에 갈등을 겪고 있다.

자료❷
교육을 통해 다문화를 이해하기 위한 국가적 차원의 노력을 보여준다. 다문화 학생이라고 해서 차별받지 않는 사회를 만들어가고 있다.

자료❸
캐나다 토론토의 다문화 정책을 보여 준다. 이민자의 고유문화를 존중함으로써 여러 문화가 함께 어울리는 사회 통합의 장을 열어가고 있다.

자료 ❶ 점심시간이 싫어요

제 친척 동생은 점심시간이 괴롭대요. 친척 동생은 말레이시아 사람이자 이슬람교를 믿는 작은 엄마의 영향을 받아 돼지고기를 먹지 못하는데, 학교 점심시간에 돼지고기가 들어간 반찬이 자주 나오기 때문이에요. 어느 날은 돼지고기 김치 볶음이 나와서 반찬을 남겼는데, 하필 그날이 '잔반 없는 날'이어서 급식 당번인 친구와 다투었나 봐요. 같은 학교에 다니는 제가 친척 동생을 도와줄 방법이 있었으면 좋겠어요.

자료 ❷ 다문화 특별 학급

재학생의 절반 이상이 다문화 학생인 ○○ 초등학교에서는 루마니아 출신 학생이 전교 부회장에 당선되기도 하고, 히잡을 쓰고 운동장을 달리는 학생의 모습도 볼 수 있다. 이 학교는 수준·나이 등으로 분류해 한 반에 15명 내외로 총 3개의 다문화 특별 학급을 운영 중이다. 특별 학급에서는 다양한 문화가 공존하는 분위기를 익혀 나가고, 일반 학급에서는 정규 수업을 받는다. 아이들이 함께 어울리다 보면 국적과 출신을 떠나 곧 친해지고 분위기에도 잘 적응하곤 한다.

자료 ❸ 문화적 모자이크를 꿈꾸는 도시, '토론토'

토론토는 주민 2명 중 1명이 외국에서 태어난 이민자로 구성되어 있어 다양한 문화가 공존하는 도시이며, 샐러드 볼 정책을 도입한 최초의 도시이다. 토론토의 다문화 정책은 우선 다양한 민족 집단에게 행정적·사회적 차원에서 동등한 서비스를 제공한다. 또한, 다문화와 관련된 종합 시설의 설치, 축제, 교육 등에 자금을 지속해서 지원하고 있다. 일례로 토론토는 '카리비안 카니발'을 매년 개최하여, 토론토에 살고 있는 카리브계 이주민들의 전통 문화를 함께 즐기고 다양한 문화적 배경을 가진 사람들이 서로 이해할 기회를 갖는다.

이것만은 꼭!

- 다문화 사회에서는 **문화적 차이에 관한 이해 부족**으로 갈등이 발생할 수 있다.
- **다문화 교육**을 확대하여 문화적 차이에 따른 갈등을 예방할 수 있도록 해야 한다.
- **샐러드 볼 이론**은 다양한 인종과 문화가 함께 어울리는 문화를 만들자는 관점이다.

콕콕! 개념 확인

정답과 해설 72쪽

A 다문화 사회로의 변화

01 빈칸에 알맞은 말을 쓰시오.

(1) 오늘날에는 다양한 인종, 종교, 언어 등 서로 다른 문화적 배경을 가진 사람들이 함께 살아가는 사회로 변화하게 되었는데, 이를 □□□ 사회라고 한다.

(2) 우리 사회는 외국인 근로자, □□□□ 이민자, 유학생, 북한 이탈 주민 등이 증가하면서 빠르게 다문화 사회로 진입하고 있다.

B 다문화 사회가 우리나라에 미치는 영향

02 알맞은 설명에 ○표를 하시오.

(1) 외국인 근로자들은 저출산·고령화에 따른 노동력 부족 문제를 해소하는 데 기여하였다. 또한, 국제결혼 이민자들은 젊은 사람이 적은 (도시, 농어촌) 지역에 활력을 불어넣고 있다.

(2) 언어, 가치관, 종교 등 문화의 차이로 인한 다문화 사회의 갈등은 (자문화 중심주의, 문화 상대주의)와 다른 집단에 대한 편견, 집단 간의 소통 부족에서 비롯된다.

(3) 다문화 가정의 자녀는 (모국어, 이중 언어)를 구사할 수 있게 됨으로써 가족 구성원 간의 소통에 도움을 주기도 하고, 학교와 가정 간 의사소통을 원활하게 해 준다.

(4) 외국인 근로자의 유입으로 중소기업에서는 (노동력, 일자리) 부족 문제를 해소할 수 있다.

(5) 다문화 사회에서는 외국인에 대한 편견과 (편애, 차별)로 갈등이 발생할 수 있다.

C 다문화 사회의 갈등 해결 노력

03 다음 글을 읽고 물음에 답하시오.

> 다문화 사회는 다양한 인종, 민족, 종교, 문화 등이 공존하기 때문에 여러 형태의 갈등이 나타나기도 한다. 이에 우리 사회는 외국인과 내국인이 조화롭게 살아가는 다문화 사회를 만들기 위해 노력하고 있다.
> 먼저 국가적 차원에서는 외국인 근로자에게 국내 근로자와 동등한 대우를 보장해 주는 제도를 마련하고, 국제결혼 이민자를 위한 정착 지원 프로그램을 운영하고 있으며, 다문화 가정의 삶의 질 향상을 위해 A의 법률을 제정하여 시행하고 있다. 그리고 지역 사회에서는 다문화 축제를 열어 외국인과 내국인이 함께할 수 있는 기회를 제공하고, 우리나라 문화 체험 및 한국어 교육 프로그램을 운영하고 있다.
> 한편, 개인적 차원에서는 문화 다양성을 존중하는 태도가 필요하다. 문화 다양성을 존중하기 위해서는 다른 문화에 대한 [(가)](이)나 고정 관념을 버리고 [(나)]와/과 문화 상대주의적 태도를 가져야 한다.

(1) 위 글의 밑줄 친 'A의 법률' 명칭을 쓰시오. (　　　　　)

(2) 위 글의 (가), (나)에 들어갈 알맞은 말을 쓰시오. (　　　　　)

탄탄! 내신 문제

정답과 해설 72쪽

A 다문화 사회로의 변화

01 그래프와 같은 현상이 나타난 원인으로 적절한 것은?

▲ 국내 거주 외국인 주민 수와 비중 추이

① 국제결혼 이민자의 증가
② 기업의 공장이 해외로 이전
③ 내국인의 해외 유학생 증가
④ 불법 체류 외국인의 단속 강화
⑤ 이주 노동자에 대한 인권 침해 증가

02 다음 글의 밑줄 친 '이곳'에 해당하는 지역으로 옳은 것은?

> 전 세계 80여 개국에서 온 7만여 명의 외국인이 거주하고 있는 이곳에서는 인도네시아, 몽골, 네팔, 타이, 파키스탄 음식 등 흔하지 않은 각국의 전통 음식을 접할 수 있다. 특히 주말이면 세계 여러 나라의 음식과 문화를 즐기러 전국 각지에서 모여든 수많은 한국인과 외국인들로 인산인해를 이룬다.

① 인천 차이나타운　② 안산 다문화 마을
③ 광희동 몽골타운　④ 김해 외국인 거리
⑤ 서초구 프랑스 마을

03 국내 거주 외국인 주민 중 그 비중이 가장 큰 것은?

① 유학생　② 외국인 근로자
③ 외국 국적 동포　④ 국제결혼 이민자
⑤ 외국인 주민 자녀

B 다문화 사회가 우리나라에 미치는 영향

04 다음과 같은 현상으로 인해 나타날 수 있는 긍정적인 영향을 〈보기〉에서 고른 것은?

> 오늘날 우리 사회는 급격한 사회 변화에 따라 인구 구성에도 변화가 나타나고 있다. 과거에는 특정 지역에 가야만 외국인을 볼 수 있었으나, 요즘에는 우리 주변에서 외국인을 자주 만날 수 있고 외국인이 텔레비전 프로그램에 출연하는 모습도 쉽게 접할 수 있다. 이와 같은 모습은 우리 사회가 다양한 인종, 민족, 종교, 문화를 가진 사람들이 함께 어우러져 살아가는 다문화 사회로 변화하면서 나타나게 된 현상이다.

보기
ㄱ. 결혼 기피 풍조가 줄어든다.
ㄴ. 문화 선택의 폭이 넓어진다.
ㄷ. 노동력 부족 현상이 완화된다.
ㄹ. 열악한 노동 환경이 개선된다.

① ㄱ, ㄴ　② ㄱ, ㄷ　③ ㄴ, ㄷ
④ ㄴ, ㄹ　⑤ ㄷ, ㄹ

05 다음 사례에서 A씨와 시어머니 간 갈등의 원인으로 가장 적절한 것은?

> 베트남 출신의 결혼 이주 여성 A씨는 결혼 초기 점심을 먹은 후 낮잠을 자다가 시어머니로부터 게으르다는 꾸중을 듣고 속이 상했다. 베트남은 더운 나라여서 낮잠 시간이 있는데, 이를 시어머니가 이해해 주지 않아 속이 상한 것이다. 베트남에서는 점심시간이 보통 두 시간 정도이고, 식사 후 잠을 자는 것이 건강에도 좋은 것으로 인식되고 있다.

① 더운 날씨
② A씨의 게으름
③ 시어머니의 권위주의
④ 문화 사대주의적 시각
⑤ 문화 차이에 관한 이해 부족

C 다문화 사회의 갈등 해결 노력

06 다음 사례에서 나타나는 문제점을 해결하기 위한 방안 중 개인적 차원의 노력으로 적절한 것은?

> 다문화 가정 학생인 갑은 얼마 전 교실을 나서며 따가운 눈총을 받았다. '다문화 가정 학생을 위한 문화 체험 행사'에 참여하느라 혼자만 수업에서 빠졌기 때문이다. 남은 학생들은 수업을 빠지는 갑이 '다문화 가정 학생의 특권'을 누리는 게 아니냐는 시선을 보냈다.

① 다문화 가정의 경제적 지원을 늘린다.
② 학교와 지역 단위로 다문화 교육을 강화한다.
③ 관용 정신을 발휘하여 서로 다른 문화와 소통한다.
④ 우리 민족의 정체성과 주체성 함양을 위해 노력한다.
⑤ 다문화 가정 학생들에게 우리 문화에 대한 자부심을 갖도록 한다.

07 다음 글에 제시된 정책을 통해 기대할 수 있는 효과로 적절하지 않은 것은?

> ○○교육 지원청은 다문화 가정 학생 13명이 참가한 가운데 '다문화 학생 이중 언어 말하기 대회'를 실시했다. 대회 출전자들은 '이중 문화를 가지면', '꿈을 향한 나의 노력', '엄마가 알려주신 일본 속담 이야기' 등의 다채로운 주제를 가지고 가정과 학교에서의 생활을 진솔하고 흥미롭게 풀어냈다. 이날 대회는 중국어, 일본어, 필리핀어, 러시아어, 우즈베키스탄어, 이란어의 6개 국어로 말하기 평가가 진행됐다.

① 세계화 시대에 국가 경쟁력을 높일 수 있다.
② 학교와 가정의 의사소통을 원활하게 해준다.
③ 다문화 가정의 무분별한 증가를 막을 수 있다.
④ 다문화 가정 자녀에 대한 편견을 줄일 수 있다.
⑤ 문화적 다양성을 존중하는 태도를 함양시킨다.

08 다음 법률에 규정되어 있어야 할 내용으로 옳은 것을 〈보기〉에서 고른 것은?

> **제1조 (목적)**
> 이 법은 다문화 가족 구성원이 안정적인 가족생활을 영위하고 사회 구성원으로서의 역할과 책임을 다할 수 있도록 함으로써 이들의 삶의 질 향상과 사회 통합에 이바지함을 목적으로 한다.
> **제2조 (정의)**
> 이 법에서 사용하는 용어의 뜻은 다음과 같다.
> 1. "다문화 가족"이란 다음 각 목의 어느 하나에 해당하는 가족을 말한다.
> 가.「재한 외국인 처우 기본법」 제2조 제3호의 결혼 이민자와 … (이하 생략)

〈보기〉
ㄱ. 다문화에 대한 이해 증진 교육
ㄴ. 결혼 이민자에 대한 생활 정보 제공
ㄷ. 불법 체류 외국인 근로자의 처리 절차
ㄹ. 한국어와 한국 문화에 대한 의무 수강

① ㄱ, ㄴ ② ㄱ, ㄷ ③ ㄴ, ㄷ
④ ㄴ, ㄹ ⑤ ㄷ, ㄹ

09 다음에서 설명하는 정책의 취지로 가장 적절한 것은?

> 캐나다는 1971년 다문화주의를 선언하고 각각의 인종이나 민족이 자신의 특성을 유지하면서 모든 사람이 평등하게 캐나다 사회에 참여하는 정책을 실시하였다. 이러한 정책은 여러 개의 조각이 조화를 이루어 하나의 작품이 되는 '모자이크'와 같다고 하여 모자이크 정책이라고 한다.

① 차이를 차별로 인식한다.
② 문화적 다양성을 존중한다.
③ 소수 민족을 특별히 보호한다.
④ 공익을 위해 개인의 기본권을 제한한다.
⑤ 여러 문화를 하나의 문화권으로 통합한다.

도전! 1등급 문제

정답과 해설 74쪽

01 다음 자료에 대한 분석 및 추론으로 옳지 않은 것은?

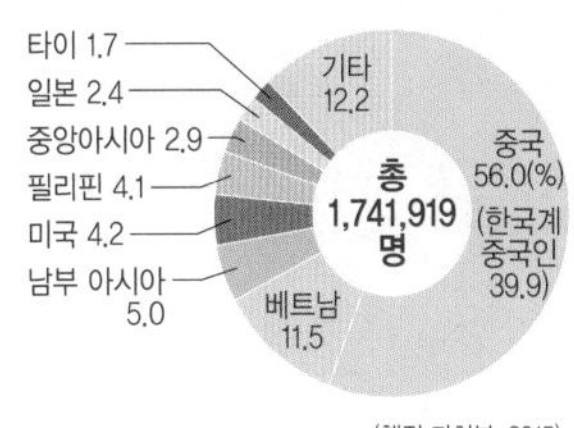

(행정 자치부, 2015)

▲ 국내 거주 외국인의 국적별 분포

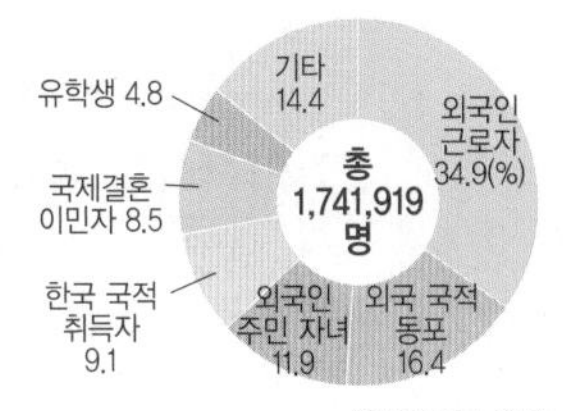

(행정 자치부, 2015)

▲ 국내 거주 외국인의 체류 유형별 분포

① 문화 간 갈등이 심화되었을 것이다.
② 저임금 근로자의 유입이 늘었을 것이다.
③ 노동력 부족 현상이 완화되었을 것이다.
④ 내국인과의 일자리 경쟁이 나타났을 것이다.
⑤ 국내 거주 외국인은 한국인으로서의 정체성이 강화되었을 것이다.

02 교사가 제시한 과제를 적절하게 수행하지 않은 학생은?

① 갑 : 복수 국적 취득자의 현황
② 을 : 외국인 유학생에 대한 차별 사례
③ 병 : 국제결혼 여성의 고부 간 갈등 사례
④ 정 : 다문화 가정 자녀의 학업 포기 현황
⑤ 무 : 외국인 근로자에 대한 인권 침해 사례

고난도

03 다음 글에서 갑은 부정, 을은 긍정의 대답을 하고 있다. 이러한 대답을 할 수 있는 공통된 질문으로 옳은 것은?

> 갑 : 용광로에 여러 가지 재료를 넣어 새로운 물질을 만들어 내듯이 한 사회라는 용광로에 다양한 문화 요소를 넣어 하나의 문화를 만들어 낼 수 있습니다.
> 을 : 재료 각각의 맛을 잃지 않으면서도 재료들 간 조화를 이루는 샐러드처럼 다문화 사회에서도 여러 요소들이 특징을 잃지 않은 채 어우러져 살아갈 수 있습니다.

① 다양한 문화들 간 우열을 가려야 하는가?
② 다양한 문화를 하나로 통합시켜야 하는가?
③ 다양한 문화들의 특성을 존중해야 하는가?
④ 세계화 시대에 다문화는 불가피한 현상인가?
⑤ 주류 문화와 비주류 문화를 구분해야 하는가?

통합 주제 해결하기

04 다문화 정책과 관련하여 다음 사례에서 강조하는 입장과 유사한 진술로 옳은 것은?

> 재학생의 절반 이상이 다문화 학생인 ○○ 초등학교에서는 루마니아 출신 학생이 전교 부회장에 당선되기도 하고, 히잡을 쓰고 운동장을 달리는 학생의 모습도 볼 수 있다. 이 학교는 수준·나이 등으로 분류해 한 반에 15명 내외로 총 3개의 다문화 특별 학급을 운영 중이다. 특별 학급에서는 다양한 문화가 공존하는 분위기를 익혀 나가고, 일반 학급에서는 정규 수업을 받는다. 아이들이 함께 어울리다 보면 국적과 출신을 떠나 곧 친해지고 분위기에도 잘 적응하곤 한다.

① 다문화 가정 자녀에 대해 특별한 혜택을 준다.
② 국제결혼 이주자의 국내 입국 요건을 강화한다.
③ 다문화 가정의 집단 거주지를 출신 국가별로 마련한다.
④ 다양한 접촉을 통해 다른 문화를 이해하는 기회를 가진다.
⑤ 다문화 학생들을 대상으로 한국어와 한국 문화 교육을 강화한다.

한눈에 보는

대단원 정리

01 다양한 문화권과 삶의 방식

키워드 #유럽 문화권 #건조 문화권 #아프리카 문화권 #북극 문화권 #동양 문화권 #아메리카 문화권 #오세아니아 문화권

A 문화와 문화권

문화	• 인간과 환경의 상호 작용 과정에서 형성된 언어, 종교, 의식주, 풍습 등의 생활 양식 • 지역마다 문화가 다양함
문화권	• 문화적 특성이 비교적 넓은 공간에 걸쳐 유사하게 나타나는 범위 • 오랜 기간에 걸쳐 비교적 넓은 범위에 동질적인 문화를 형성하게 됨 • 문화권 내에서는 비슷한 생활 양식과 문화 경관이 나타남

B 문화권 형성에 영향을 주는 요인

자연 환경	• 열대 기후 : 통풍이 잘되는 옷, 쌀(계절풍 기후 지역), 고상 가옥, 수상 가옥 등 • 건조 기후 : 온몸을 감싸는 헐렁한 옷, 밀과 고기, 흙벽돌집과 천막집 등 • 한대 기후 : 가축의 가죽이나 털을 이용한 보온 효과가 큰 옷, 날고기 섭취, 이글루, 고상 가옥 등
인문 환경	• 크리스트교 문화권 : 십자가를 세운 성당과 교회 • 이슬람교 문화권 : 돼지고기를 먹지 않음 • 힌두교 문화권 : 쇠고기를 먹지 않음 • 불교 문화권 : 불교 사원, 불상, 탑

C 다양한 문화권의 특징과 삶의 방식

주요 문화권	• 유럽 문화권 : 크리스트교, 근대 자본주의 발달, 북서부, 남부, 동부 유럽 문화권으로 구분 • 건조 문화권 : 이슬람교, 아랍어, 오아시스 농업과 유목 발달, 석유 개발 • 아프리카 문화권 : 토속 종교, 원시 농업과 수렵·채집 생활, 부족 단위의 생활, 플랜테이션 • 북극 문화권 : 이누이트, 순록 유목 • 동양 문화권 : 계절풍의 영향으로 벼농사 발달, 동아시아, 남부 아시아, 동남 아시아 문화권으로 구분 • 아메리카 문화권 : 앵글로아메리카 문화권(영어와 개신교), 라틴 아메리카 문화권(에스파냐어·포르투갈어와 가톨릭교, 혼혈족) • 오세아니아 문화권 : 애버리지니·마오리족, 유럽 문화의 이식(개신교)

02 문화 변동과 전통문화

키워드 #발명 #발견 #문화 전파 #문화 병존 #문화 융합 #문화 동화 #전통문화 #문화 정체성

A 문화 변동의 의미와 요인

(1) 의미 : 문화가 끊임없이 상호 작용하면서 변화하는 현상

(2) 요인

내재적 요인	• 발견 : 알려지지 않은 문화 요소를 찾아내는 것 • 발명 : 새로운 문화 요소를 만들어 내는 것
외재적 요인 (문화 전파)	• 직접 전파 : 문화 간의 직접적인 교류 • 간접 전파 : 매개체를 통한 전파 • 자극 전파 : 전파된 문화 요소에 자극을 받아 새로운 발명이 일어나는 것 → 전파+발명

B 문화 변동의 양상

(1) 문화 병존

의미	기존의 문화 요소와 전파된 다른 문화 요소가 함께 공존하는 현상
특징	한 사회의 문화적 정체성 보존 → 문화적 다양성 실현

(2) 문화 융합

의미	외래문화 요소와 전통문화 요소가 결합하여 새로운 문화 요소가 만들어지는 현상
특징	다양한 문화 창조 → 외래문화와 전통문화의 조화

(3) 문화 동화

의미	기존의 문화 요소가 다른 사회의 문화 체계에 흡수되어 소멸하는 현상
특징	외래문화와의 교류 과정에서 고유문화의 정체성 상실

C 전통문화의 창조적 계승

(1) 전통문화 : 과거로부터 이어져 내려오는 문화 요소 중에서 현재까지 그 가치를 인정받고 있는 것

(2) 전통문화의 창조적 계승 방안

지속적인 관심	전통문화의 고유성과 독창성 발견
전통문화의 재해석	현대적 감각에 맞는 문화 콘텐츠 개발
비판적 수용	외래문화의 비판적 수용

03 문화 상대주의와 보편 윤리

키워드 #문화적 차이 #자문화 중심주의 #문화 사대주의 #문화 상대주의 #극단적 문화 상대주의 #보편 윤리

A 문화적 차이

(1) 의미 : 문화가 지역에 따라 다양하게 나타나는 현상

(2) 발생원인

자연환경의 차이	기후, 지형 등의 차이
인문 환경의 차이	종교, 관습, 법 등의 차이

B 문화적 차이를 이해하는 태도

(1) 자문화 중심주의

의미	자기 문화를 가장 우월한 것으로 여기고 다른 문화는 열등하다고 생각하는 태도
문제점	다른 문화와의 갈등 초래, 문화 발전 저해, 제국주의

(2) 문화 사대주의

의미	다른 문화를 더 우월하다고 믿고 자기 문화를 무시하거나 낮게 평가하는 태도
문제점	자기 문화의 정체성 상실, 소속감·일체감 약화

(3) 문화 상대주의

의미	다른 사회의 문화를 그 사회의 입장에서 이해하려는 태도
특징	문화 간에 우열이 존재하지 않으며, 모든 문화는 고유한 가치를 지닌다는 생각
필요성	문화적 차이에 따른 갈등 방지 → 다양한 문화의 공존 가능 → 문화 다양성 보존

C 보편 윤리와 문화 이해

(1) 보편 윤리 : 시대와 지역을 초월하여 모든 사람이 존중하고 따라야 할 윤리적 가치 예 인간의 존엄성, 자유 등

(2) 극단적 문화 상대주의

의미	모든 문화를 무조건 인정하고 받아들여야 한다는 태도나 관점 → 보편 윤리 훼손
해결 방안	문화적 차이를 인정하면서도 자문화와 타문화가 보편 윤리에 어긋나지 않는지 성찰

04 다문화 사회와 문화 다양성

키워드 #다문화 #문화의 다양성 #문화 갈등 #다문화 이해 교육 강화 #관용 #문화 다양성 존중

A 다문화 사회로의 변화

다문화 사회	다양한 인종, 민족, 종교, 문화를 가진 사람들이 한 사회를 구성하여 함께 어우러져 살아가는 사회

B 다문화 사회가 우리나라에 미치는 영향

(1) 긍정적 영향

문화의 다양성 증진	해당 사회의 문화를 풍요롭게 해 다양한 문화적 경험을 할 수 있음
문화 발전	서로 다른 문화의 상호 작용으로 새로운 문화가 창조되기도 함
노동력 부족 문제 해소	외국인 근로자의 유입 → 중소기업의 인력난 해소에 도움을 줌
농촌 발전에 도움	국제결혼 이민자의 유입 → 농촌에 활력을 불어 넣음

(2) 부정적 영향

문화 갈등 발생	서로 다른 언어, 가치관 차이, 생활 양식 등에 관한 지식과 이해 부족으로 발생
편견과 차별	출신국에 따라 차별 대우가 존재
일자리 경쟁 증가	외국인과 내국인 간의 일자리 경쟁
다문화 가정 자녀의 학업 부적응	언어 소통의 문제, 어려운 경제 상황, 차별 등으로 학업을 중단한 학생이 많음

C 다문화 사회의 갈등 해결 노력

(1) 개인적·국가적 차원의 노력

개인적 차원의 노력	문화의 다양성 존중 노력, 관용의 실천 자세, 문화 간 상호 교류의 활성화 등
국가적 차원의 노력	다문화 교육 강화, 법과 제도적 지원 확대 등

(2) 우리나라의 다문화 정책 : 다문화 가족 지원법 제정 및 시행, 국제결혼 이민자를 위한 정착 지원 프로그램 운영, 우리나라 문화 체험 및 한국어 교육 프로그램 운영, 다문화 축제 개최 등

한번에 끝내는
대단원 문제

정답과 해설 75쪽

01 다음 지도는 종교 분포를 나타낸 것이다. A~D 종교에 대한 설명으로 옳은 것은?

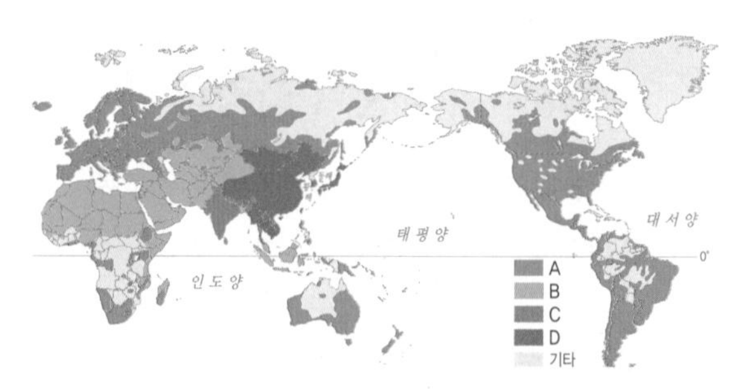

① A 종교의 여성들은 대부분 히잡을 착용한다.
② B 종교인들은 소를 신성시하여 쇠고기를 먹지 않는다.
③ C 종교인들은 십자가를 세운 성당이나 교회에서 예배를 드린다.
④ D 종교의 대표적인 경관으로 불상과 탑이 있다.
⑤ A~D 중 건조 문화권에서 주로 믿고 있는 종교는 A이다.

02 다음 글의 (가), (나)와 관련 있는 문화 지역을 지도의 A~D에서 골라 바르게 연결한 것은?

(가) 이곳의 주민들은 전통적으로 유목과 오아시스 농업을 해 왔으며, 이동식 가옥에 거주하였다. 이 지역은 국가 통치뿐만 아니라 일상생활에서도 이슬람교의 엄격한 계율이 적용된다.
(나) 이곳의 주민들은 주로 에스파냐어와 포르투갈어를 사용하고 가톨릭교의 비율이 높다. 또한, 원주민과 백인, 흑인이 함께 살아가면서 다양한 문화와 혼혈 인종이 생겨났다.

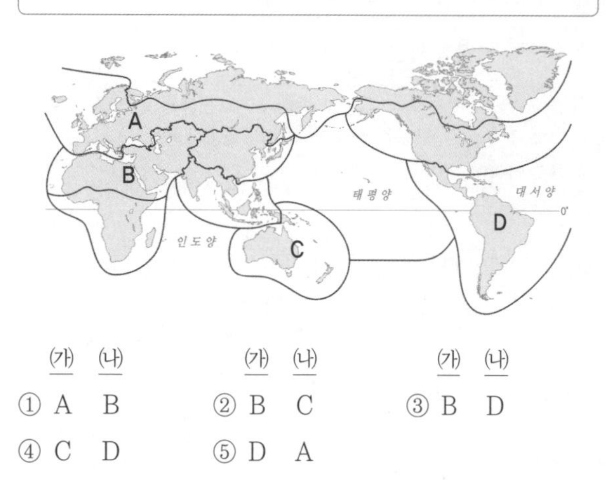

	(가)	(나)
①	A	B
②	B	C
③	B	D
④	C	D
⑤	D	A

03 다음 자료는 어느 문화 지역에 대한 모둠별 탐구 주제를 정리한 것이다. 이에 해당하는 지역을 지도의 A~E에서 고른 것은?

구분	분야	탐구 주제
모둠 1	생활	부족 중심의 생활이 이루어지고 있는 이유는 무엇인가?
모둠 2	종교	원시 종교의 영향이 많이 남아 있는 이유는 무엇인가?
모둠 3	산업	이동식 화전 농업과 플랜테이션이 발달한 이유는 무엇인가?

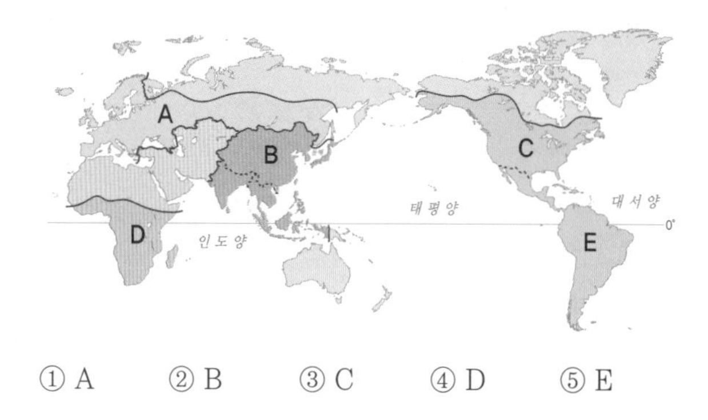

① A ② B ③ C ④ D ⑤ E

04 다음 (가), (나) 농업에 대한 옳은 설명을 그림의 A~D에서 골라 바르게 연결한 것은?

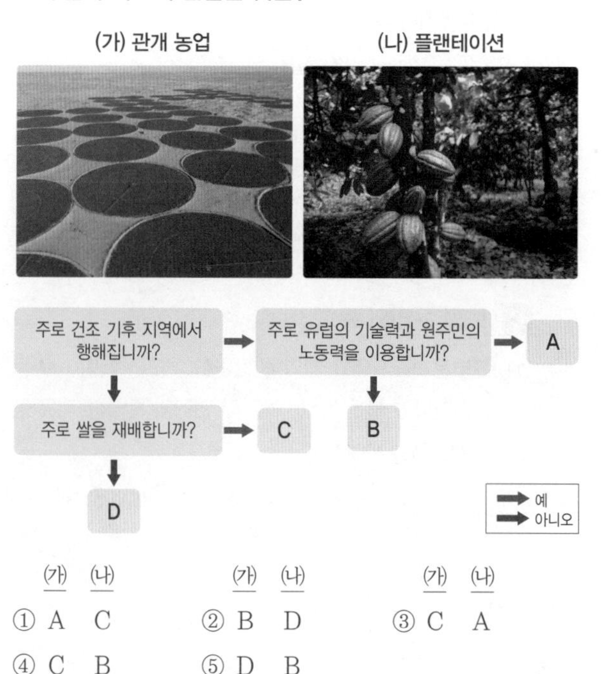

	(가)	(나)
①	A	C
②	B	D
③	C	A
④	C	B
⑤	D	B

05 다음 표는 문화 변동의 요인을 나타낸 것이다. (가)~(라)에 대한 옳은 설명을 〈보기〉에서 고른 것은?

구분	종류	특징·사례
내재적 요인	발명	(가)
	발견	신대륙 발견
외재적 요인	직접 전파	(나)
	간접 전파	(다)
	(라)	이두 문자

〈보기〉
ㄱ. (가)는 불, 과학 법칙 등이 해당한다.
ㄴ. (나)는 중국에서 불교와 한자가 들어온 것 등이 해당한다.
ㄷ. (다)는 외부의 압력에 의해 발생한다.
ㄹ. (라)는 자극 전파이다.

① ㄱ, ㄴ ② ㄱ, ㄷ ③ ㄴ, ㄷ
④ ㄴ, ㄹ ⑤ ㄷ, ㄹ

06 다음은 문화 변동의 양상을 A~C로 분류한 것이다. 이에 대한 설명으로 옳은 것은? (단, A~C는 각각 문화 동화, 문화 융합, 문화 병존 중 하나이다.)

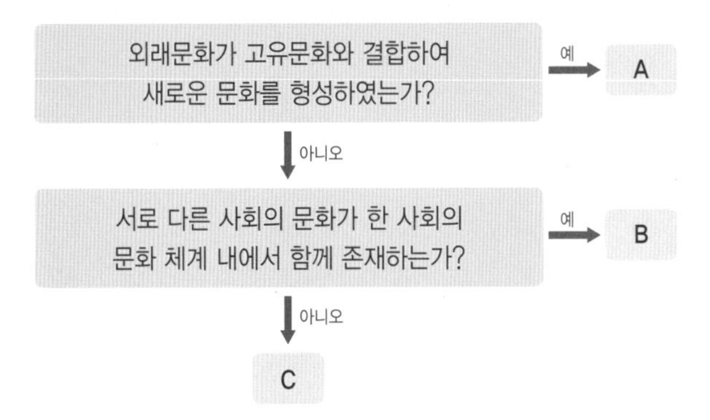

① 우리나라의 차이나타운은 A의 사례이다.
② A와 달리 B는 강제적으로 나타난다.
③ A와 C는 모두 매개체에 의해 나타난다.
④ A는 B와 달리 문화의 다양성 확대에 기여한다.
⑤ C는 B와 달리 자문화의 정체성이 상실된다.

07 다음 사례를 통해 추론할 수 있는 내용으로 가장 적절한 것은?

▲ 개량 한옥

우리나라의 한옥은 산업화 과정에서 생활하기 불편하다는 이유로 외면받았다. 그런데 최근에는 수세식 화장실이나 서양식 부엌과 같은 현대식 주거 문화가 결합된 개량 한옥이 늘고 있다.

① 전통문화를 현대적 감각에 맞게 재창조한다.
② 문화 교류를 통해 문화의 획일성이 강화된다.
③ 다양한 문화의 통합으로 단일 문화가 창조된다.
④ 국제 수준에 맞추어 문화의 정체성을 포기한다.
⑤ 문화의 세계화는 전통 문화의 순수성을 강화시킨다.

08 다음은 문화 이해 태도를 A~C로 분류한 것이다. A~C에 대한 옳은 설명을 〈보기〉에서 고른 것은? (단, A~C는 각각 자문화 중심주의, 문화 사대주의, 문화 상대주의 중 하나이다.)

〈보기〉
ㄱ. A는 문화 제국주의로 변질될 가능성이 높다.
ㄴ. B는 타문화의 고유한 가치를 존중한다.
ㄷ. C는 집단 내에서 일체감을 형성하는 데 기여한다.
ㄹ. A와 달리 C는 문화 간에 우열이 존재한다고 본다.

① ㄱ, ㄴ ② ㄱ, ㄷ ③ ㄴ, ㄷ
④ ㄴ, ㄹ ⑤ ㄷ, ㄹ

09 다음 밑줄 친 주장에 대한 비판으로 가장 적절한 것은?

> 인도에는 그 사회의 특수한 종교관을 반영하여 남편이 죽어서 매장될 때 살아 있는 아내도 함께 매장하는 풍습이 있다. 그런데 이를 두고 나름대로 가치 있고 의미 있는 문화로 인정해야 한다고 주장하는 사람들이 있다.

① 문화에 대한 우열을 함부로 가려서는 안 된다.
② 어떤 문화라도 보편 윤리에 어긋나서는 안 된다.
③ 어떤 문화라도 다양성 보존을 위해 그 가치를 인정해야 한다.
④ 문화의 내용은 오랜 기간에 걸쳐 축적되었으므로 존중해야 한다.
⑤ 문화는 그 사회의 특수한 환경과 사회적 맥락에서 이해되어야 한다.

10 다음은 다문화 정책에 대한 갑과 을의 입장이다. 이에 대한 옳은 설명을 〈보기〉에서 고른 것은?

> 갑 : 이민자들의 여러 문화들을 존중하여 각 문화들이 각자의 특성을 유지하면서 사회 발전에 기여하도록 해야 합니다.
> 을 : 이민자들의 여러 문화들을 기존의 문화에 흡수시키고 융합하여, 사회 갈등을 해소하고 사회 통합을 이루어야 합니다.

보기

ㄱ. 갑은 이질적 문화 간의 위계를 인정해야 한다고 본다.
ㄴ. 갑은 다양한 문화의 공존을 전제로 사회 통합을 추구해야 한다고 본다.
ㄷ. 을은 각 문화의 정체성과 가치를 존중해야 한다고 본다.
ㄹ. 을은 사회 통합 과정에서 중심 문화의 존재를 인정해야 한다고 본다.

① ㄱ, ㄴ ② ㄱ, ㄷ ③ ㄴ, ㄷ
④ ㄴ, ㄹ ⑤ ㄷ, ㄹ

11 다음 자료에 나타난 사회 변화가 우리 사회에 미칠 영향으로 옳지 않은 것은?

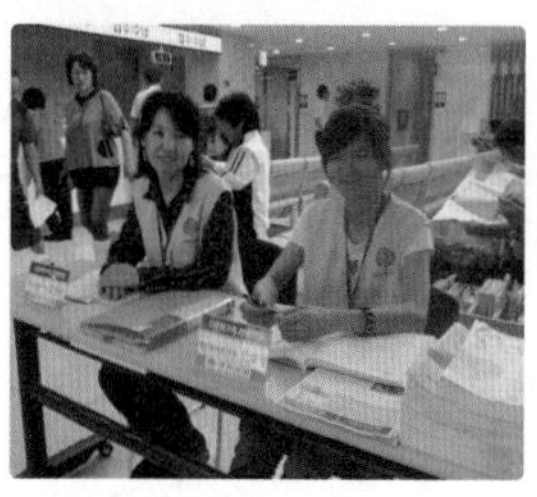
▲ 중국어와 베트남어 통역 도우미로 병원에서 근무하는 이주 여성들

▲ 초등학생 100명 중 약 2명은 다문화 학생(2015년 기준)

① 우리 사회의 문화를 더욱 풍부하게 해 준다.
② 문화적 갈등이 사회 문제로 대두될 수 있다.
③ 다양한 일자리 창출로 실업 문제가 해소된다.
④ 다문화 교육과 다문화 정책의 필요성이 증가한다.
⑤ 외국인에 대한 사회적 편견과 차별이 심화될 수 있다.

12 다음 글에서 주장하는 내용에 부합하는 정책을 〈보기〉에서 고른 것은?

> 우리나라가 다문화 정책을 본격 시행한 지 10년이 지났다. 다문화 정책은 그동안 다문화 가정의 사회적 위상을 끌어올렸지만, 정책의 목표가 이들을 주류 문화로 흡수하는 데 있는 것도 문제로 지적되었다. 앞으로 다문화 사회를 살아야 하는 한국인들과 아이들에게 이주민의 문화를 이해하도록 적절한 교육이 필요하다는 지적도 나왔다.

보기

ㄱ. 이주민에게 한국어를 무상으로 교육한다.
ㄴ. 이주민을 강사로 활용하는 다문화 체험 프로그램을 실시한다.
ㄷ. 다문화 축제를 통해 지역 주민들에게 다양한 나라의 문화를 소개한다.
ㄹ. 이주민을 위해 한국의 생활 정보를 상세히 제공하는 지원 센터를 운영한다.

① ㄱ, ㄴ ② ㄱ, ㄷ ③ ㄴ, ㄷ
④ ㄴ, ㄹ ⑤ ㄷ, ㄹ

13 다음 지도를 보고 물음에 답하시오.

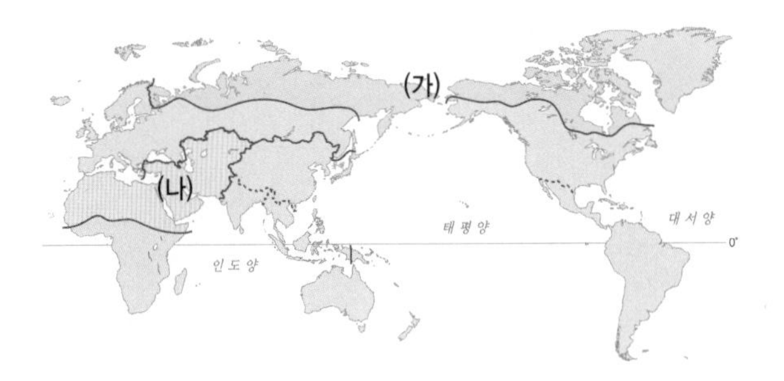

(1) 위 지도에 표시된 (가), (나) 문화권의 이름을 쓰시오.
(가) : (　　　　　　　　), (나) : (　　　　　　　　)

(2) 위 지도에 표시된 (가), (나) 문화권의 공통적인 특징을 서술하시오.

14 다음 글을 읽고 물음에 답하시오.

> ○○군은 '○○ 종가 음식 발굴 사업 최종 용역 보고회'를 통해 ○○군에 뿌리내리고 조상 대대로 살아온 하동 ☆씨 종가 음식 2종, 풍천 △씨 종가 음식 2종, 남원 □씨 종가 음식 2종 등 총 6종을 발굴하였다고 밝혔다. ○○군은 종가 음식을 널리 보급하기 위해 '정성과 예를 담은 밥상'이라는 뜻의 상표명과 마을 한옥 대문에서 착안한 상표 도안도 개발하여 보고하였다.

(1) 위 글에 제시된 전통문화를 쓰시오.
(　　　　　　　　)

(2) 전통문화의 발전과 관련하여 위 글이 시사하는 바를 서술하시오.

15 다음 글을 읽고 물음에 답하시오.

> 이슬람 문화권의 일부 지역에서는 가문의 명예를 더럽혔다는 이유로 남편이나 형제, 친척들이 여성을 살해하는 명예 살인이 벌어지기도 한다. 여성을 살해한 사람들은 붙잡혀도 가벼운 처벌만 받는 경우가 많기 때문에 아직도 이러한 악습이 사라지지 않고 있다.

(1) 위 글과 관련하여 다음 주장이 가지는 문화 이해 태도를 쓰시오. (　　　　　　　　)

> 명예 살인은 이슬람 문화권의 고유문화이므로 그 가치를 인정해야 한다.

(2) (1)의 문화 이해 태도가 가지는 문제점을 서술하시오.

16 다음 자료를 보고 물음에 답하시오.

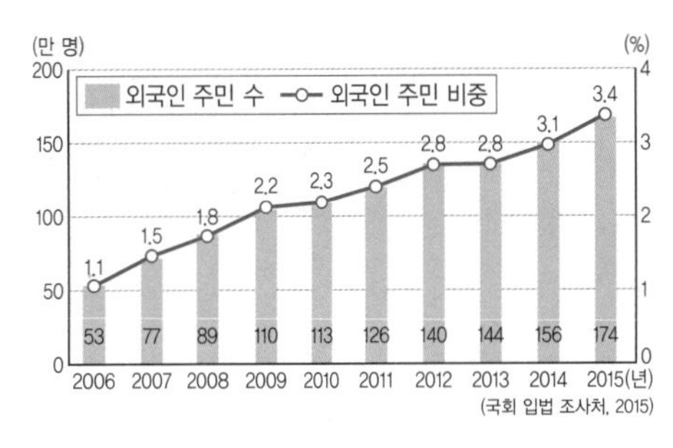

(국회 입법 조사처, 2015)

(1) 위와 같은 현상이 나타나는 사회를 무엇이라고 하는지 쓰시오. (　　　　　　　　)

(2) (1)의 사회가 가지는 긍정적 영향과 부정적 영향을 각각 한 가지씩 서술하시오.

긍정적 영향 :

부정적 영향 :

Ⅷ

세계화와 평화

키워드로 흐름 한눈에 보기

01 세계화의 양상과 문제

- 세계화
  - 세계 도시 → 세계의 중심지 역할
  - 다국적 기업 → 공간적 분업
  - 문제점 → 국가 간 빈부 격차, 문화의 획일화, 보편 윤리와 특수 윤리 간 갈등 등
  - → 세계화와 지역화는 동시에 이루어짐

세계화로 세계 도시와 다국적 기업이 등장했지만, 세계화로 인해 다양한 문제점들도 발생했음을 알아두어야 해.

02 국제 사회의 모습과 평화의 중요성

- 국제 사회
  - 국제 갈등 → 종교, 영토, 민족, 자원 갈등
  - 국제 협력 → 정상 회담, 국제 스포츠 대회 등
  - 국제 사회의 행위 주체 → 국가, 국제기구, 국제 비정부 기구 등
  - → 소극적 평화, 적극적 평화

국제 사회에서는 다양한 갈등과 협력 모습이 나타나며, 이를 통해 평화의 중요성을 깨달을 수 있어.

03 남북 분단 및 동아시아의 역사 갈등과 국제 평화

- 국제 평화
  - 남북 분단의 배경 → 냉전, 민족 내부의 갈등
  - 통일의 필요성 → 민족의 동질성 회복, 세계 평화에 기여 등
  - 동아시아의 역사 갈등 → 영토 분쟁, 역사 인식 문제
  - → 국제 평화를 위한 우리나라의 노력

남북 분단의 배경, 통일의 필요성, 동아시아의 역사 갈등을 이해하고, 국제 사회의 평화를 위한 우리나라의 노력을 살펴보자.

01 세계화의 양상과 문제

흐름 잡기

세계화

세계화와 지역화의 의미는? A

세계화에 따른 다양한 양상은? B

세계화의 문제점과 해결 방안은? C

A 세계화와 지역화

한·줄·단·서 **세계화** 현상과 함께 **지역화** 현상도 나타나!

1. 세계화

의미	전 세계가 긴밀하게 상호 의존하면서 국가의 경계를 넘어 하나의 단일한 체계로 통합되어 가는 현상
배경	교통·통신의 발달과 개방화로 국가 및 지역 간 물자와 사람, 정보 등의 교류와 이동 활발 자료 1
영향	• 경제 활동에서 전 지구적 규모의 기능적 통합이 일어남 • 세계 전체가 지구촌을 이루어 교류 → 국가 간 상호 의존성 강화 • 세계의 문화가 빠르게 동질화 됨 ─ 특히, 선진국의 문화가 보편화되는 경향이 나타나. • 세계 도시와 다국적 기업의 활동 촉진

2. 지역화

의미	세계화의 흐름 속에서 특정 지역이 정치적·경제적·문화적 측면에서 세계적인 가치를 갖게 되는 과정 (세계적인 가치: 지역적인 것이 세계적인 측면에서 가치를 갖게 되는 현상)
배경	세계화 시대에는 국가 단위가 아닌 지역이 세계의 주체로 등장, 지역이 지닌 요소들이 세계적인 가치를 얻게 됨
영향	• 세계화와 지역화는 동시에 이루어지는 경우가 많음 • 지역 경제 활성화 : *지리적 표시제, *장소 마케팅, 지역 축제 등 지역화 전략을 통해 지역 경제 활성화 도모 자료 2 ─ 지역의 가치를 높이는 전략이야.

• **지리적 표시제**
농산물 및 그 가공품의 명성, 품질, 기타 특성이 본질적으로 특정 지역의 지리적 특성에 기인하는 경우, 그 특정 지역에서 생산 및 가공된 특산품임을 표시하는 제도이다.

• **장소 마케팅**
특정한 장소가 가진 유형·무형의 자산을 기반으로 장소를 매력적인 상품으로 가꾸어 대내외에 판매하는 것을 말한다.

B 세계화에 따른 양상

한·줄·단·서 세계화로 인해 **세계 도시**와 **다국적 기업**이 등장했어.

1. 세계 도시

① 세계 도시의 의미와 성장 배경

- **의미** : 국가의 경계를 넘어 세계의 경제, 문화, 정치의 중심지 역할을 수행하는 도시
- **성장 배경** : 세계화에 따라 지역 간 교류와 협력의 강화, *세계 무역 기구(WTO) 출범 이후 국가 간 자유 무역 확대, 국제 협력과 분업의 확대, 생산의 국제화, 정보 통신의 발달 등

② 세계 도시의 역할 및 기능 자료 3

- **세계의 경제 활동 조절과 통제** : 다국적 기업의 본사와 국제 금융 업무 기능 집중 ─ 세계 도시는 세계의 자본과 정보를 집중적으로 유통하면서 전 세계에 영향력을 행사해.
- **전문화된 *생산자 서비스업의 발달** : 금융, 광고, 회계, 법률 서비스 기능이 집적됨
- **국제 정치의 중심지** : 국제기구의 본부가 있고, 다양한 국제회의 및 행사 등이 집중

③ 주요 세계 도시

- **뉴욕** : 세계적인 기업들의 본사와 은행·증권 회사 등 금융 기관이 집결해 있고, 국제 연합(UN) 본부가 있음 → 세계의 경제, 문화, 정치의 중심지 역할
- **런던** : 영국의 수도, 세계 경제의 중심지 기능 수행
- **도쿄** : 일본의 수도, 다국적 기업의 본사가 집중 분포

• **세계 무역 기구(WTO)**
자유 무역을 통한 세계 무역 증진을 위해 1995년에 설립된 기구이다. 회원국 간 무역 분쟁과 마찰을 조정하고, 자유 무역 중심의 세계 경제 체제 확립을 목표로 한다.

• **생산자 서비스업**
상품의 생산 및 유통 과정에 필요한 서비스로, 주로 금융, 보험, 부동산업, 회계 서비스, 연구 개발 등이 이에 해당한다.

교과서 자료 모아보기

자료 1 세계화와 교통수단의 발달

자·료·분·석 그림은 교통수단이 발달함에 따라 사람들이 인식하고 있는 지구의 상대적 크기를 나타낸 것이다. 과거 인류의 이동 수단은 마차·범선 수준에 국한되어 있었지만, 오늘날에는 초음속의 제트 비행기를 통한 이동이 가능해졌다. 이처럼 교통수단의 발달로 시공간 거리가 단축되고, 세계 여러 지역의 다양한 물자나 정보들이 신속하게 이동하면서 세계화가 활발하게 이루어지고 있다.

한·줄·핵·심 세계화란 교통·통신의 발달로 국가 간의 경계 약화되고, 세계가 하나의 단일한 체계로 통합되어 가는 현상을 말한다.

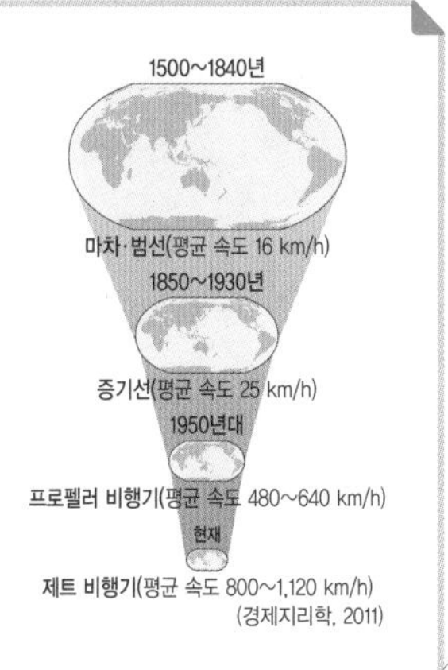

교통수단의 발달에 따른 지구의 상대적 크기 변화 ▶ (경제지리학, 2011)

키워드 체크

❶ 교통·통신의 발달로 국가의 경계를 넘어 세계가 하나로 통합되는 □□□이/가 진행되었다.

답 : □□□

자료 2 지리적 표시제와 장소 마케팅

우리나라에서는 '보성 녹차'를 시작으로 현재 100여 개 품목이 지리적 표시제로 등록되어 있으며, 유럽 연합에서도 치즈, 포도주, 햄 등 다양한 농산물과 가공품을 지리적 표시제로 지정하고 있다. 장소 마케팅은 장소를 상품화하는 것으로 뉴욕은 자유의 여신상을 이용하여 뉴욕이라는 장소의 상품 가치를 높였다.

▲ 보성 녹차

▲ 미국 자유의 여신상

자·료·분·석 지리적 표시제와 장소 마케팅은 세계화와 함께 나타난 지역화 현상으로, 각 지역은 지역화 전략을 통해 지역 경제를 활성화하고 지역의 세계적인 가치를 얻고 있다.

한·줄·핵·심 지리적 표시제, 장소 마케팅, 지역 축제의 개최 등은 대표적인 지역화 전략으로 지역 경제 활성화를 도모할 수 있다.

키워드 체크

❷ 특정 장소나 도시 공간을 상품으로 인식하고 사람들이 선호하는 이미지를 개발하여 지역의 가치를 상승시키는 홍보 전략은?

답 : □□ □□□

자료 3 세계 도시의 특징

자·료·분·석 세계 도시는 다국적 기업의 본사, 국제 금융 업무 기능, 생산자 서비스 기능이 집중되며, 이와 연관된 국제회의 및 인적·물적 교류가 활발히 이루어지는 곳이다. 세계 도시는 몇 개의 계층으로 구분할 수 있는데 최상위 세계 도시로는 전 세계에 영향을 미치는 뉴욕, 런던, 도쿄가 있다.

▲ 세계 도시의 분포

한·줄·핵·심 오늘날 세계 도시를 중심으로 인적·물적 교류가 활발하게 이루어지면서 세계 도시는 국제적으로 중추 역할을 하는 동시에 자국 내에서도 영향력 있는 중심지 역할을 한다.

키워드 체크

❸ 대표적인 최상위 세계 도시로는 유엔 본부가 있는 □□을 비롯해 런던, 도쿄가 있다.

답 : □□

키워드 체크 정답 ❶ 세계화 ❷ 장소 마케팅 ❸ 뉴욕

2. 다국적 기업

① **다국적 기업** : 세계 각지에 자회사, 지사, 생산 공장 등을 운영하며 전 세계를 대상으로 상품을 판매하는 기업

② **다국적 기업의 성장 배경**

- 교통과 통신의 발달로 세계 각 지역 간 상호 교류 및 의존성 강화
- 세계 무역 기구(WTO)의 등장과 자유 무역 협정(FTA)의 확대

자유 무역 협정(FTA): 국가 간 상품 이동을 자유화하는 협정을 말해.

③ **다국적 기업의 공간적 분업** 자료 4

기능	특성	입지 지역
관리 기능 (본사)	• 주로 본국에 위치 • 자본과 정보 확보에 유리한 지역에 입지	주로 본국의 대도시
연구 기능 (연구소)	• 주로 본국이나 선진국 등에 위치 • 연구 인력 확보에 유리한 지역에 입지	대학 및 연구소 밀집 지역
생산 기능 (생산 공장)	• 저임금 노동력이 풍부한 지역에 입지 • 현지 시장 개척, 무역 장벽 극복을 위해 선진국에 입지하기도 함	본국의 지방이나 개발 도상국

④ **다국적 기업이 지역에 미치는 영향**

본국	투자 유치국
• 장점 : 해외에서 얻은 이익으로 본국에 또 다른 투자 유발 • 단점 : 생산 공장의 국외 이전으로 실업률 증가, 산업 공동화 현상 발생	• 장점 : 고용 창출 효과 증대, 기술 이전(고급 기술 이전은 어려움) • 단점 : 다국적 기업의 본국으로 자본이 빠져나감, 환경 오염 악화 및 오염 방치

공간적 분업
기업의 기획 및 관리, 연구, 생산, 판매 기능이 세계적인 범위에서 공간적으로 분리되는 것을 말한다.

산업 공동화 현상
국내 기업이 비용을 절감하여 생산성을 높이기 위해 생산비가 저렴한 국외에 투자를 강화하고 공장을 옮길 경우 국내에서 해당 산업이 쇠퇴하는 현상을 말한다.

C 세계화에 따른 문제점과 해결 방안

한·줄·단·서 세계화로 인해 **국가 간 빈부 격차, 문화의 획일화, 보편 윤리와 특수 윤리 간 갈등**의 문제점이 나타나고 있어.

1. 국가 간 빈부 격차

① **문제점** : 선진국과 개발 도상국 간의 빈부 격차

② **해결 방안**

- 국제적 차원 : 개발 도상국이 경제적으로 자립할 수 있도록 국제기구를 통한 지원, 선진국의 투자와 기술 이전, 개발 도상국 간의 협력
- 개인적 차원 : 개발 도상국의 경제에 도움을 줄 수 있는 소비 실천 → 공정 무역 제품 구매, 공정 여행 등

공정 무역
개발 도상국의 기업과 생산자가 정당한 보상을 받을 수 있는 무역이다. 공정 무역 상품은 중간 유통 과정을 거치지 않고 생산자와 직접 거래하기 때문에 생산자에게 더 많은 이윤이 돌아간다.

2. 문화의 획일화 자료 5

① **문제점** : 국가 간 활발한 문화 교류로 서로에게 미치는 영향력이 증가하면서 전 세계의 문화가 비슷해져 가는 현상이 발생함

② **해결 방안** : 자국 문화의 정체성을 유지하면서 외래문화를 능동적으로 수용하는 자세가 필요함

3. 보편 윤리와 특수 윤리 간 갈등

① **문제점** : 보편 윤리가 강조되면서 특수 윤리와 충돌이 발생하기도 함

② **해결 방안** : 한 사회의 문화를 그 사회 구성원의 입장에서 바라보고 이해하려는 태도를 지녀야 함

자료 4 다국적 기업의 공간적 분업과 생산 공간 변화

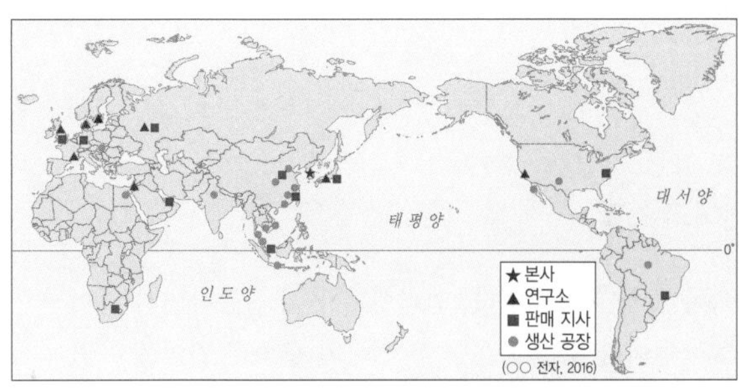

▲ ○○ 전자의 기능별 입지 분포

▲ ○○ 전자의 생산 기지 이동

최근 ○○ 전자는 자사 휴대 전화와 세탁기, 텔레비전 등의 생산 거점을 베트남으로 옮기고 있다. ○○ 전자가 자사의 주력 상품인 휴대 전화와 일부 전자 제품의 생산 거점을 베트남으로 집중시키는 가장 큰 이유는 낮은 인건비 때문이다. 이처럼 국가 간 교역이 활발해지고 생산 및 판매 시장이 넓어지면서, 다국적 기업은 생산비를 절감하고 원료 및 현지 시장을 확보하기 위해 지구촌 곳곳에서 활동하고 있다.

자·료·분·석 세계화로 개별 국가의 보호 무역 장벽이 허물어지고 많은 국가들이 자국 경제의 발전을 위해 외국 자본의 유치를 희망하면서, 다국적 기업의 활동과 영향력이 증대되고 있다. 다국적 기업이란 세계 여러 국가에 자회사, 지사, 연구소, 생산 공장 등을 두고 세계적인 규모로 생산과 판매 활동을 하는 기업을 말한다. 국내에 본사를 두고 있는 ○○ 전자는 세계 곳곳에서 생산과 판매 활동을 하는 다국적 기업이다. 본사는 국내에 있고, 연구소는 일본·영국·프랑스·미국 등에 입지해 있다. 생산 공장은 저렴한 노동력이 풍부한 중국·인도·베트남 등에 입지하고, 무역 장벽 극복 또는 시장 개척을 위해 미국 등에 입지해 있기도 하다.

한·줄·핵·심 다국적 기업의 본사는 선진국에, 생산 공장은 저임금 노동력이 풍부한 개발 도상국에 대부분 입지하고 있다.

키워드 체크

❹-1 세계 여러 국가에 자회사, 지사, 생산 공장 등을 두고 세계적인 규모로 생산과 판매 활동을 하는 기업은?

답 : □□□ 기업

❹-2 다국적 기업의 본사는 선진국에, □□□□은/는 저임금 노동력이 풍부한 개발 도상국에 입지하고 있다.

답 : □□ □□

자료 5 음식 문화의 획일화

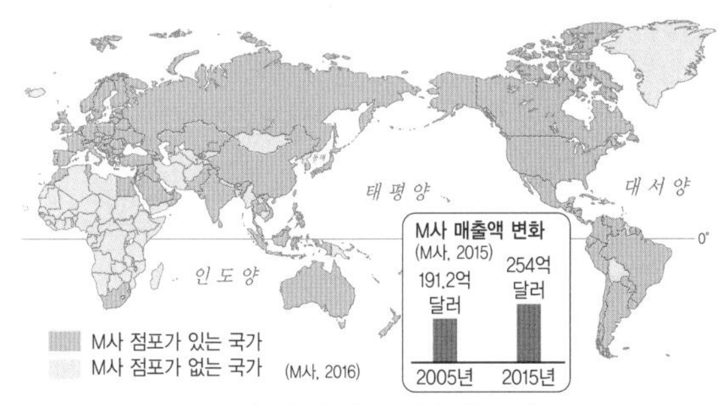

▲ M사 점포가 있는 국가와 없는 국가

도르플러 씨는 세계 곳곳으로 자주 출장을 다닌다. "부자 나라든 가난한 나라든 이제 세계 어디를 가건 상점마다 핫도그와 치즈 버거를 팔고 있어. 모든 것이 다 비슷비슷해져 버렸다고!"
[게르트 슈나이더, 『왜 세계화가 문제일까?』]

자·료·분·석 세계화로 인해 국가 간의 교류가 활발해지고 서로에게 미치는 영향력이 증가하면서 전 세계의 문화가 비슷해져 가고 있다. 특히, 세계화에 따라 서구권의 문화가 전 세계로 퍼져 나가면서 비서구권의 정치, 사회, 문화 등의 특징이 점차 서구화되고 있다. 한편, 의식주와 같은 일상의 생활 양식이나 대중 예술의 확산 과정에서도 문화의 획일화가 일어나 전통문화의 정체성이 약화되기도 한다.

한·줄·핵·심 세계화로 인해 국가 간의 교류가 활발해지면서 선진국 문화에 경제적으로 열세에 처해 있는 국가들의 문화가 잠식당하기도 한다.

키워드 체크

❺ 세계화로 인해 국가 간의 교류가 활발해지면서 □□□ 문화에 경제적으로 열세에 처해 있는 국가들의 문화가 잠식당하기도 한다.

답 : □□□

키워드 체크 정답 ❹-1 다국적 ❹-2 생산 공장 ❺ 선진국

세계화 시대의 문제점과 해결 방안

세계화란 전 세계가 긴밀하게 상호 의존하면서 단일한 체계로 통합되어 가는 현상을 말한다. 다음 자료를 통해 세계화로 인한 문제점과 이에 대한 해결 방안을 알아보자.

통합 주제 story

자료 ❶
국가 간 활발한 문화 교류로 세계의 다양한 문화를 손쉽게 접할 수 있게 되었지만, 한편으로는 문화적 다양성을 해치는 결과를 가져오기도 한다.

자료 ❷
세계화에 따라 자유 무역이 확대되고 선진국은 개발 도상국에 비해 부가 가치가 높은 상품을 수출하면서 시간이 지남에 따라 빈부 격차가 커지고 있다.

자료 ❸
신문 기사를 보면, 보편 윤리와 특수 윤리 간 갈등을 알 수 있다. 갈등을 해소하기 위해서는 특정 사회의 가치가 보편적 가치를 훼손하는 것은 아닌지 비판적으로 살펴보아야 한다.

자료 ❶ 문화의 획일화에 따른 언어의 소멸

지구촌에서 소수 민족의 언어가 급속하게 사라지고 있다. 인터넷 사용이 급증하면서 영어가 세계 공용어처럼 쓰여, 소수 민족의 언어나 방언 등은 사용 인구가 급속히 줄어들고 있기 때문이다. 인류가 오랜 시간 만들어 낸 1만여 개의 언어가 21세기 들어 6,000개 정도로 줄어들었다. 이처럼 언어가 사라지면 오랜 세월 축적된 인류의 지혜도 동시에 사라진다.

자료 ❷ 세계화와 빈부 격차

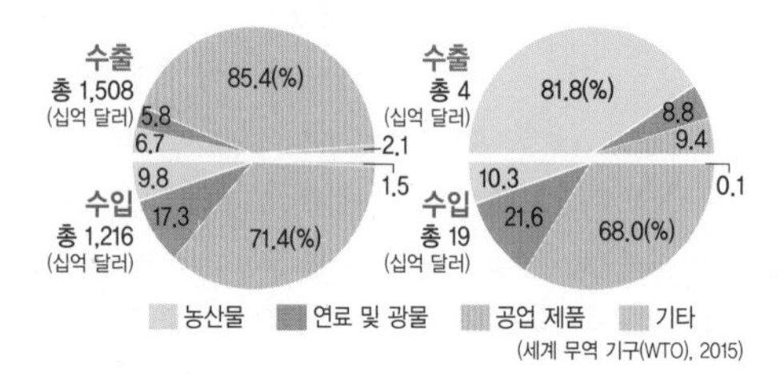

▲ 독일의 무역 구조(2014년) ▲ 에티오피아의 무역 구조(2014년)

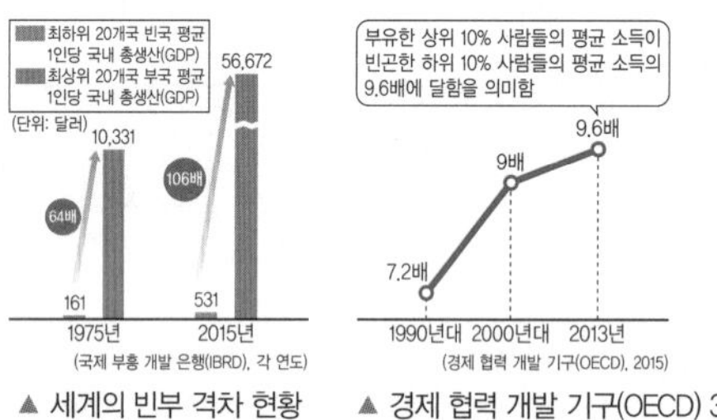

▲ 세계의 빈부 격차 현황 ▲ 경제 협력 개발 기구(OECD) 34개 회원국의 국내 평균 빈부 격차 현황

- 독일(선진국)의 경우 부가 가치가 높은 공업 제품의 수출 비중이 높은 반면, 에티오피아(개발 도상국)의 경우 상대적으로 부가 가치가 낮은 농산물의 수출 비중이 높다.
- 개발 도상국과 선진국의 빈부 격차가 커지고 있음을 알 수 있다.

자료 ❸ 보편 윤리와 특수 윤리 간 갈등 사례

싱가포르는 공공 시설물 파손을 엄격하게 처벌하는 것으로 유명하다. 싱가포르 정부는 지난 1994년 미국의 한 소년에게 자동차와 공공 자산을 파손한 혐의로 태형 6대를 집행하였다. 당시 여러 인권 단체가 태형이 인간 존엄성을 훼손하는 처벌 방법이라고 항의하였다. 그러나 싱가포르는 법원의 명령에 따라 태형을 집행하여 국제적 논란이 일어났다.

[○○신문, 2015. 3. 5.]

이것만은 꼭!

- 세계화가 진행됨에 따라 **문화의 획일화**와 **소멸 현상**이 나타나고 있다.
- 세계화로 인해 **선진국과 개발 도상국 간의 빈부 격차가 심화**되고 있다.
- 보편 윤리와 특수 윤리 간 갈등을 해결하려면 **세계 시민으로서의 바람직한 자세**를 가져야 한다.

콕콕! 개념 확인

정답과 해설 78쪽

A 세계화와 지역화

01 알맞은 설명에 ○표를 하시오.

(1) 국가 간, 지역 간에 물자와 사람, 정보 등의 교류와 이동이 활발해짐에 따라 국가의 경계를 넘어 세계가 하나로 통합되는 (세계화, 지역화)가 진행되었다.

(2) 농산물 및 그 가공품의 명성, 품질, 기타 특성이 본질적으로 특정 지역의 지리적 특성에 기인하는 경우, 그 특정 지역에서 생산 및 가공된 특산품임을 표시하는 것을 (장소 마케팅, 지리적 표시제)(이)라고 한다.

B 세계화에 따른 양상

02 빈칸에 들어갈 알맞은 말을 쓰시오.

(1) 런던, 뉴욕, 도쿄 등과 같이 정치, 경제 등 다양한 측면에서 세계의 중심지 역할을 하는 도시를 □□ 도시라고 한다.

(2) □□□ □□(이)란 기업의 규모가 커지면서 본사, 연구소, 생산 공장 등의 입지가 공간적으로 분리되는 현상이다.

(3) 세계 각지에 자회사, 지사, 생산 공장 등을 운영하며 전 세계를 대상으로 상품을 판매하는 기업을 □□□ □□(이)라고 한다.

03 지도에 표시된 A, B 도시의 이름을 쓰시오.

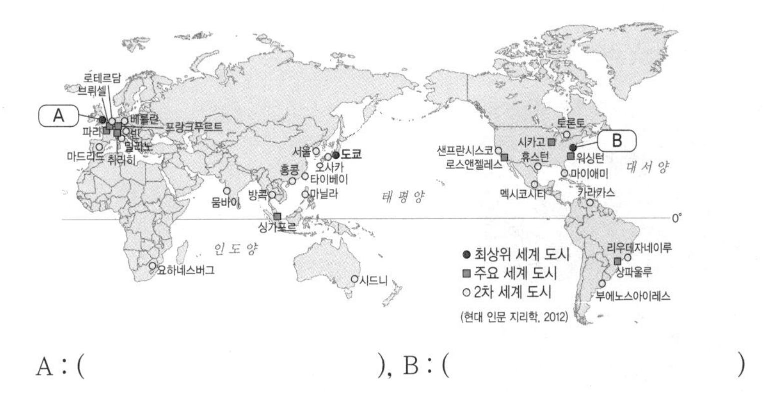

(현대 인문 지리학, 2012)

A : (   ), B : (   )

C 세계화에 따른 문제점과 해결 방안

04 빈칸에 들어갈 알맞은 말을 쓰시오.

(1) 세계화로 선진국과 개발 도상국 간의 □□ 격차가 심화되고 있다.

(2) 세계화로 인해 국가 간 문화 교류가 활발해지면서 전 세계의 문화가 비슷해져 가는 □□□ □□□ 현상이 나타나고 있다.

탄탄! 내신 문제

정답과 해설 78쪽

A 세계화와 지역화

01 그림은 교통 발달에 따른 지구의 상대적 크기 변화를 나타낸 것이다. 이에 대한 옳은 추론을 〈보기〉에서 고른 것은?

보기
ㄱ. 시간 거리가 길어질 것이다.
ㄴ. 장거리 물자 이동량이 증가할 것이다.
ㄷ. 국가 간 상호 의존성이 강화될 것이다.
ㄹ. 국가의 개념이 과거에 비해 상대적으로 중요해질 것이다.

① ㄱ, ㄴ ② ㄱ, ㄷ ③ ㄴ, ㄷ
④ ㄴ, ㄹ ⑤ ㄷ, ㄹ

02 다음은 세계화에 대한 수업 장면이다. 교사의 질문에 옳게 대답한 학생만을 있는 대로 고른 것은?

① 갑, 을 ② 갑, 병 ③ 을, 정
④ 갑, 을, 병 ⑤ 을, 병, 정

03 다음 글의 (가)에 들어갈 내용으로 가장 적합한 것은?

> 교통·통신이 발달함에 따라 세계 여러 지역의 문화가 유사해지고 있으나, 각 지역의 고유성이 반영된 문화가 나타나기도 한다. 이러한 현상은 대부분 (가) 과정에서 나타난다. 예를 들어 미국의 ○○ 기업에 의해 상품화된 햄버거는 세계 각지에서 동일하게 판매되지만 인도네시아에는 쌀로 만든 라이스 버거, 독일에는 전통 소시지가 들어간 뉴른 버거, 서남아시아에는 아랍식 빵으로 만든 아라비아 버거가 있다.

① 세계화와 지역화가 동시에 진행되는
② 문화적 전통성이 사라지고 획일화되는
③ 세계화에 따른 경제적 불평등이 심화되는
④ 문화 전파에 따른 지역 간 갈등이 증가하는
⑤ 외래문화 유입에 따른 전통문화가 소멸되는

04 다음 글의 (가), (나) 현상에 대한 설명으로 옳지 않은 것은?

> • (가) 은/는 전 세계가 긴밀하게 상호 의존하면서 국가의 경계를 넘어 단일한 체계로 통합되어 가는 현상을 말한다.
> • (나) 은/는 세계화의 흐름 속에서 특정 지역이 정치적·경제적·문화적 측면에서 세계적인 가치를 갖게 되는 과정을 의미한다.

① (가)로 인해 세계 각국의 문화적 동질성이 강화되고 있다.
② (가)로 인해 보편 윤리와 특수 윤리 간 갈등이 발생하기도 한다.
③ (나)의 전략으로 지역 축제의 개최, 지역 브랜드의 개발 등이 있다.
④ (가)가 진행됨에 따라 (나)는 쇠퇴하고 있다.
⑤ (가), (나)의 영향으로 국제 협력 및 분업이 활발해졌다.

B 세계화에 따른 양상

05 다음은 윤이가 필기한 노트 내용 중 일부이다. ㉠~㉤ 중 옳지 않은 것은?

〈다국적 기업이 끼치는 영향〉

1. 본국 : ㉠ 본국에 또 다른 투자 유발, ㉡ 산업 공동화 발생 우려
2. 투자 유치국 : ㉢ 고용 창출 효과 증대, ㉣ 고급 기술 이전, ㉤ 환경 오염 방치

① ㉠ ② ㉡ ③ ㉢ ④ ㉣ ⑤ ㉤

06 다음은 통합 사회 수업의 한 장면이다. (가)에 들어갈 용어로 가장 적절한 것은?

① 공정 무역 ② 자유 무역 ③ 산업 공동화
④ 지역화 전략 ⑤ 공간적 분업

C 세계화에 따른 문제점과 해결 방안

07 다음은 통합 사회 수행 평가 보고서의 일부이다. (가)에 들어갈 용어로 가장 적절한 것은?

〈학습 주제 : (가) 의 문제점〉

1. 문제점
   - 선진국과 개발 도상국 간의 빈부 격차 심화
   - 전 세계의 문화가 비슷해져 가는 현상이 발생함
   - 보편 윤리가 강조되면서 특수 윤리와의 충돌 발생

① 정보화 ② 지역화 ③ 세계화
④ 산업화 ⑤ 도시화

08 다음 글의 밑줄 친 ㉠~㉣에 대한 옳은 설명만을 〈보기〉에서 있는 대로 고른 것은?

㉠ 세계화란 국제 사회의 상호 의존성이 증가하여 국가 간의 경계가 약화되고 세계가 하나의 단일한 체계로 묶이는 것을 말한다. 최근에는 ㉡ 경제적 측면의 세계화뿐만 아니라 ㉢ 문화적 측면의 세계화도 촉진되고 있다. 하지만 세계화 과정에서 자유 무역이 확대되면 ㉣ 선진국과 개발 도상국 간의 격차가 커질 수 있다.

보기
ㄱ. ㉠은 교통·통신의 발달이 큰 영향을 끼쳤다.
ㄴ. ㉡으로 자본, 노동 등의 생산 요소가 자유롭게 이동하고 있다.
ㄷ. ㉢의 예로 한류 문화의 확산을 들 수 있다.
ㄹ. ㉣을 해결하기 위해 자유 경쟁을 확대해야 한다.

① ㄱ, ㄴ ② ㄱ, ㄷ ③ ㄴ, ㄹ
④ ㄱ, ㄴ, ㄷ ⑤ ㄴ, ㄷ, ㄹ

09 다음 글의 밑줄 친 부분에 대한 옳은 설명을 〈보기〉에서 고른 것은?

초콜릿은 어린아이부터 어른들까지 즐겨 먹는 간식 중 하나로 많은 사람에게 사랑받고 있다. 초콜릿은 전 세계적으로 수요가 존재하기 때문에 초콜릿의 주원료인 카카오를 생산하는 농가들이 많은 소득을 올릴 것으로 생각하지만 실제로는 그렇지 않다. 카카오는 몇몇 세계적인 유통 업체에 의해 거래되고 있어, 초콜릿에서 발생하는 이익 대부분이 카카오 유통 업체 및 초콜릿 제조업체에 돌아가기 때문이다. 이러한 생산 구조를 바꾸고자 하는 것이 공정 무역이다.

보기
ㄱ. 기존 무역 방식보다 제품 유통 구조가 복잡하다.
ㄴ. 주로 선진국에서 재배되어 가공된 상품이 거래 대상이다.
ㄷ. 현지 생산자에게 정당한 가격을 지급하는 윤리적 소비 운동이다.
ㄹ. 개발 도상국과 선진국의 빈부 격차를 줄일 수 있는 방안 중 하나이다.

① ㄱ, ㄴ ② ㄱ, ㄷ ③ ㄴ, ㄷ ④ ㄴ, ㄹ ⑤ ㄷ, ㄹ

도전! 1등급 문제

정답과 해설 79쪽

01 다음 글의 밑줄 친 ㉠, ㉡에 대한 옳은 추론만을 〈보기〉에서 있는 대로 고른 것은?

> K-pop 역사를 새로 쓰다.
> 그룹 ○○의 뮤직비디오가 공개 6개월 만에 ㉠ <u>유튜브 조회 수 1억 뷰를 돌파했습니다</u>. 노래와 안무가 결합된 뮤직비디오를 통해 한류 그룹들이 케이팝의 역사를 새로 쓰고 있습니다. 이 곡은 빌보드가 지난해 12월 ㉡ <u>전 세계에서 가장 많이 본 케이팝 뮤직비디오로</u> 선정하기도 했습니다.
> [△△신문, 2017. 07. 13.]

〈보기〉
ㄱ. ㉠ : 정보 통신 기술의 발달이 세계화를 촉진시킬 것이다.
ㄴ. ㉠ : 과거에 비해 문화가 다른 지역으로 확산되는 속도가 빠를 것이다.
ㄷ. ㉡ : 지역 문화의 고유성은 약화되고 지역 간 동질성은 강화될 것이다.
ㄹ. ㉡ : 정보의 이동 속도에서 공간적 거리의 중요성이 커질 것이다.

① ㄱ, ㄴ　② ㄱ, ㄹ　③ ㄷ, ㄹ
④ ㄱ, ㄴ, ㄷ　⑤ ㄴ, ㄷ, ㄹ

02 다음은 통합 사회 수행 평가 보고서의 일부이다. (가)에 들어갈 내용으로 가장 적절한 것은?

> 주제 : (가)
> 특정 장소 혹은 도시 공간을 상품으로 인식하고 사람들이 선호하는 이미지를 개발하여 지역의 가치를 상승시키는 홍보 전략이다. 그 지역만이 가지고 있는 자연환경, 역사적 배경, 문화적 특성을 상징물이나 디자인으로 만들어 지역의 이미지를 부각시킨다.

① 교통 발달에 따른 경제의 세계화
② 지역 경쟁력 강화를 위한 지역화 전략
③ 세계화로 인한 국가 간 빈부 격차 심화
④ 문화적 동질성 확대를 위한 세계화 전략
⑤ 세계적인 규모로 판매 활동을 하는 다국적 기업

03 지도는 어느 기업의 글로벌 네트워크를 나타낸 것이다. 이 기업과 관련된 옳은 설명만을 〈보기〉에서 있는 대로 고른 것은?

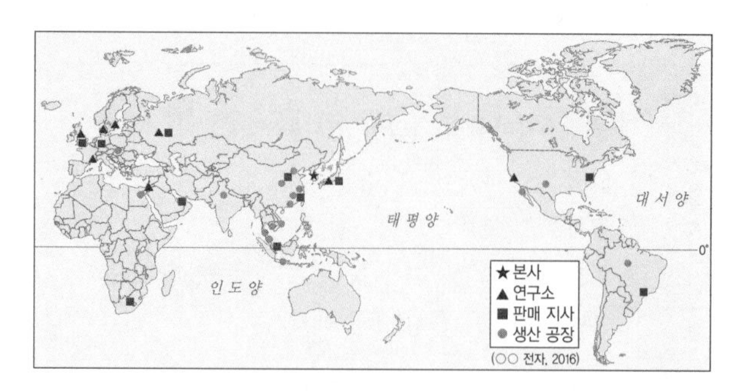

〈보기〉
ㄱ. 국경을 초월한 다국적 기업이다.
ㄴ. 교통과 통신의 발달로 기업 입지 범위가 확대된다.
ㄷ. 생산 공장은 대체로 저임금 노동력을 고용하기 유리한 곳에 있다.
ㄹ. 기업의 관리 기능은 생산·판매 기능에 비해 공간적으로 분산되어 있다.

① ㄱ, ㄴ　② ㄴ, ㄷ　③ ㄷ, ㄹ
④ ㄱ, ㄴ, ㄷ　⑤ ㄴ, ㄷ, ㄹ

고난도

04 지도는 계층별 세계 도시를 나타낸 것이다. A~C 도시군에 대한 옳은 설명만을 〈보기〉에서 있는 대로 고른 것은?

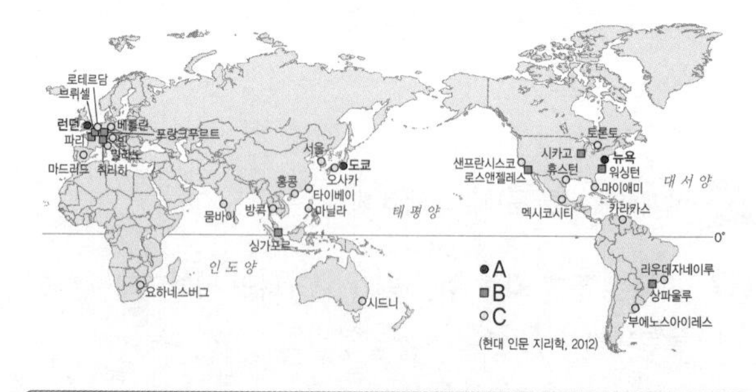

〈보기〉
ㄱ. A는 B보다 세계적인 금융 서비스 기능이 발달해 있다.
ㄴ. B는 C보다 하위 계층의 중심지이다.
ㄷ. C는 A보다 도시당 다국적 기업의 본사 수가 많다.
ㄹ. A에서 C로 갈수록 도시 수는 많다.

① ㄱ, ㄴ　② ㄱ, ㄹ　③ ㄷ, ㄹ
④ ㄱ, ㄴ, ㄹ　⑤ ㄴ, ㄷ, ㄹ

[05-07] 다음 자료를 보고 물음에 답하시오.

자료 ❶ 언어의 소멸

지구촌에서 소수 민족의 언어가 급속하게 사라지고 있다. 인터넷 사용이 급증하면서 영어가 세계 공용어처럼 쓰여, 소수 민족의 언어나 방언 등은 사용 인구가 급속히 줄어들고 있기 때문이다. 인류가 오랜 시간 만들어 낸 1만여 개의 언어가 21세기 들어 6,000개 정도로 줄어들었다. 이처럼 언어가 사라지면 오랜 세월 축적된 인류의 지혜도 동시에 사라진다.

자료 ❷ 세계화와 빈부 격차

(가) 무역 구조

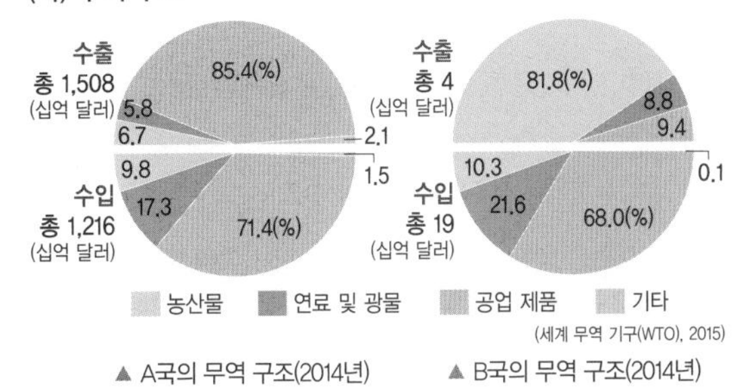

▲ A국의 무역 구조(2014년) ▲ B국의 무역 구조(2014년)

(나) 빈부 격차

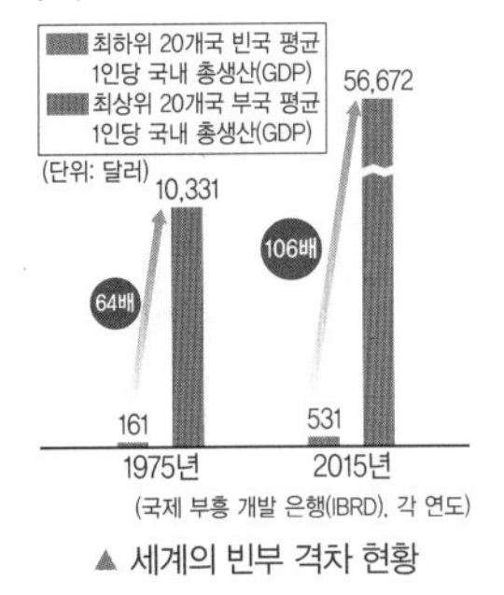

▲ 세계의 빈부 격차 현황

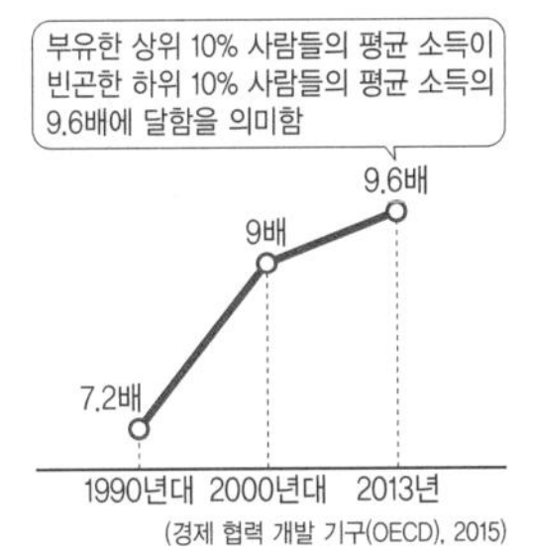

▲ 경제 협력 개발 기구(OECD) 34개 회원국의 국내 평균 빈부 격차 현황

자료 ❸ 갈등 사례

주제 [(가)] 간의 갈등

싱가포르는 공공 시설물 파손을 엄격하게 처벌하는 것으로 유명하다. 싱가포르 정부는 지난 1994년 미국의 한 소년에게 자동차와 공공 자산을 파손한 혐의로 태형 6대를 집행하였다. 당시 여러 인권 단체가 태형이 인간 존엄성을 훼손하는 처벌 방법이라고 항의하였다. 그러나 싱가포르는 법원의 명령에 따라 태형을 집행하여 국제적 논란이 일어났다.

[○○신문, 2015. 3. 5.]

05 자료❶에서 나타내고자 하는 의미로 가장 적절한 것은?

① 세계화의 영향을 받아 문화가 획일화되고 있다.
② 지역의 특수한 문화는 세계로 확산되기 마련이다.
③ 지역화 현상은 세계화가 진행됨에 따라 더욱 촉진될 수 있다.
④ 국제 교류가 활발해짐에 따라 국제 사회의 상호 의존성은 증가한다.
⑤ 세계화가 진행됨에 따라 지역의 지속적인 자립이 불가능해질 수 있다.

06 자료❶, ❷를 분석한 내용으로 옳은 것은?

① 자료❶에서 개발 도상국의 문화가 선진국의 문화를 잠식하고 있음을 알 수 있다.
② 자료❷에서 (가)의 A국은 B국에 비해 경제 및 기술 발달 수준이 높다.
③ 자료❷에서 (가)의 B국은 A국에 비해 부가 가치가 높은 상품의 수출 비중이 높다.
④ 자료❷의 (나)를 보면 세계의 빈부 격차가 점차 줄어들고 있음을 알 수 있다.
⑤ 자료❶과 자료❷는 세계화의 긍정적인 측면을 보여주고 있다.

07 자료❸의 (가)에 들어갈 내용으로 가장 적절한 것은?

① 개발과 보존
② 세계화와 지역화
③ 보편 윤리와 특수 윤리
④ 문화적 동질성과 획일성
⑤ 다문화주의와 문화 상대주의

02 국제 사회의 모습과 평화의 중요성

흐름 잡기

국제 사회

- 국제 사회 속 갈등과 협력은? A
- 국제 사회의 행위 주체와 역할은? B
- 국제 평화의 의미와 중요성은? C

A 국제 사회에서 발생하는 갈등과 협력

한·줄·단·서 국제 사회에는 **갈등**과 **협력**의 모습이 존재함을 알아야 해!

1. 국제 갈등 자료1

종교 갈등, 영토 갈등, 민족 갈등, 자원 갈등 등의 유형이 있어.

구분	내용
발생 원인	• 민족·종교·문화의 차이에 따른 갈등 • 지하자원·영토 등 국가의 이익을 둘러싼 갈등
특징	• 특정 국가에만 국한된 것이 아니라 전 지구적으로 영향을 미침 • 하나의 원인보다 여러 가지 원인이 복잡하게 얽혀 나타나는 경우가 많음
해결 방안	• 개별 국가들은 양보와 타협을 통해 외교적 협상으로 갈등을 해결해야 함 • 국제기구는 힘의 논리를 앞세우기보다 분쟁 당사국이 원만한 해결을 할 수 있도록 중재자 역할을 해야 함

2. 국제 협력

구분	내용
필요성	국가 간 의존 심화, 한 국가의 노력으로 해결할 수 없는 문제가 증가함
사례	• 국가 원수의 만남인 정상 회담과 같은 공식적인 국가 협력 • 국제 스포츠 대회를 통한 국가 간의 상호 교류와 이해 증진 (└ 올림픽, 월드컵 등) • 기아, 빈곤, 질병 등에 대한 협조 체제, 재난과 테러에 대한 공동 대응, •기후 변화 협약, 생물 다양성 보존 협약 등 (└ 공적 개발 원조(ODA) 등)

- **기후 변화 협약**
  지구 온난화 방지를 위해 온실가스의 배출량을 규제한 협약이다.

- **국제 연합(UN)**
  1945년에 창설, 평화로운 세계를 유지하기 위해 만들어진 국제기구이다. 분쟁 지역에 평화 유지군을 파견하여 분쟁 지역의 치안 및 재건 활동 등을 하고 군비를 축소하기 위한 활동 및 국제 협력 활동을 수행한다.

- **국제 통화 기금(IMF)**
  세계 무역 안정을 목적으로 설립한 국제 금융 기구이다.

- **다국적 기업**
  세계 각국에 자회사, 지사, 생산 공장 등을 두고 세계적인 규모로 생산과 판매 활동을 하는 기업을 말한다.

B 국제 사회의 행위 주체와 역할 자료2

한·줄·단·서 국제 사회의 행위 주체에는 **국가, 국제기구, 국제 비정부 기구** 등이 있어!

1. 국가

대한민국은 국가에 해당해.

① **의미 :** 공식성과 대표성을 지닌 가장 기본적인 행위 주체 → 국제 사회에서 가장 기본적이고 대표적인 행위 주체

② **목표 :** 자국의 이익과 자국민 보호를 위한 외교 활동을 최우선으로 함

③ **역할 :** 정상 회담, 국교 수립, 조약 체결, 국제기구 설립이나 가입, 동맹 형성 등

국교: 나라와 나라 사이에 맺는 외교 관계를 의미해.

2. 국제기구

정부 간 국제기구라고도 불러.

① **의미 :** 국제적 목적이나 활동을 위해 두 국가 이상으로 구성된 조직체

② **목표 :** 평화 유지, 경제·사회 협력 등

③ **역할 :** 국가들 사이의 이해관계를 조정하거나 국가 간 분쟁을 중재하는 역할을 함, 국가의 행위를 규율하는 국제 규범 정립

④ **예 :** •국제 연합(UN), 유럽 연합(EU), •국제 통화 기금(IMF) 등

3. 국제 비정부 기구

공공의 이익을 실현하기 위해 시민들이 자발적으로 만든 시민 단체를 의미해!

① **의미 :** 개인이나 민간단체 주도로 만들어진 자발적인 조직

② **목표 :** 환경, 평화, 인권 등 인류 공동의 이익을 위해 활동함

③ **역할 :** 국제적 연대를 통해 범세계적 문제를 제기하고 공동의 노력을 이끌어냄

④ **예 :** 국제 사면 위원회, 국경 없는 의사회, 그린피스 등

4. 기타

•다국적 기업, 개별 국가 내의 지방 정부, 국제적 영향력이 강한 개인 등

국제적 영향력이 강한 개인: 강대국의 전직 원수, 노벨상 수상자, 유명한 영화배우 등이 이에 해당해.

궁금해? 다양한 국제사회의 행위 주체!

국제 연합(UN)

국제 통화 기금(IMF)

국제 사면 위원회

국경 없는 의사회

자료 1 세계의 주요 분쟁 지역

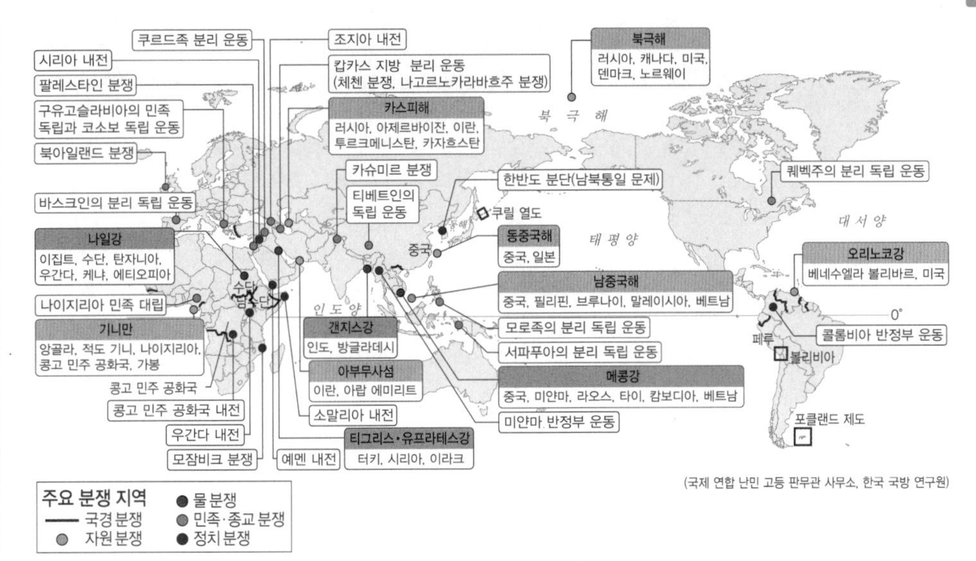

▲ 세계의 주요 분쟁 지역

자·료·분·석 오늘날 국제 사회는 이해관계의 대립이나 지나친 경쟁으로 갈등이 일어난다. 이러한 국제 갈등은 종교 갈등, 영토 갈등, 민족 갈등, 자원 갈등 등 다양한 유형으로 지금도 세계 곳곳에서 나타나고 있다.

- 영토·자원을 둘러싸고 갈등을 겪고 있는 주요 분쟁으로는 카스피해 분쟁, 북극해 영유권 주장, 동중국해와 남중국해 분쟁 등이 있다.
- 물 자원을 둘러싸고 갈등을 겪고 있는 주요 분쟁으로는 나일강 물 분쟁, 메콩강 물 분쟁, 티그리스·유프라테스강 물 분쟁 등이 있다.
- 민족·종교의 차이로 갈등을 겪고 있는 주요 분쟁으로는 북아일랜드 분쟁, 카슈미르 분쟁, 쿠르드족 분리 독립 운동 등이 있다.

한·줄·핵·심 국제 사회는 이해관계의 대립이나 지나친 경쟁으로 다양한 유형의 국제 갈등이 발생한다.

키워드 체크

❶ 카스피해 분쟁, 북극해 영유권 주장, 동중국해와 남중국해 분쟁 등은 모두 어떤 유형의 국제 갈등인가?

답 : 영토·□□ 갈등

자료 2 평화를 실현하기 위한 국제 사회 행위 주체의 노력

자·료·분·석 이스라엘과 요르단은 이스라엘 건국 이후 줄곧 극단적으로 대립해왔다. 1948년 이스라엘이 독립을 선포하자 요르단은 제1차 중동 전쟁에 참여하여 이스라엘과 전투를 전개하였다. 특히 양국은 1967년 중동 전쟁 이후 첨예한 적대 관계를 유지해왔다. 이러한 양국 정부가 미국과 국제 연합 등 국제 사회의 적극적인 중재로 1994년 평화 협정을 체결하였다. 이 협정에 따라 이스라엘은 중동 전쟁 당시 점령한 요르단 영토를 반환하는 대신에 동부 국경 지역의 안전을 보장받을 수 있게 되었고, 요르단은 잃어버린 영토를 되찾고 이스라엘로부터 물을 공급받을 수 있게 되었다.

한·줄·핵·심 다양한 국제 사회 행위 주체의 노력은 이스라엘과 요르단의 관계를 정상화하고 국제 평화를 실현하는 데 기여하였다.

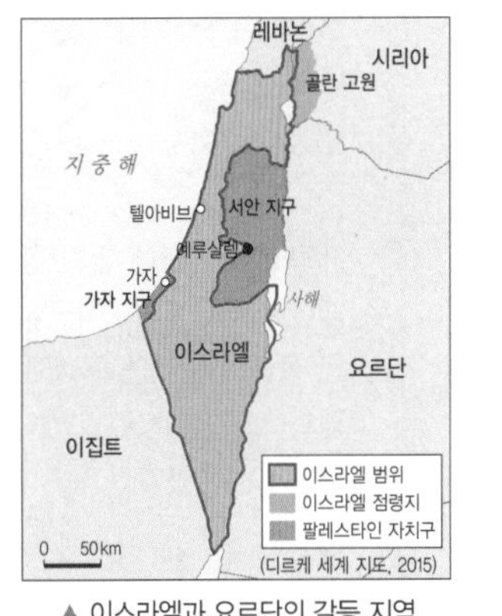

▲ 이스라엘과 요르단의 갈등 지역

키워드 체크

❷ 이스라엘과 요르단은 □□ □□와/과 같은 국제 사회의 행위 주체의 적극적인 중재로 1994년 평화 협정을 체결하였다.

답 : □□□□

키워드 체크 정답 ❶ 자원 ❷ 국제 연합

C 국제 평화의 의미와 중요성

한·줄·단·서 평화는 **소극적 평화**와 **적극적 평화**로 구분할 수 있어!

1. 평화의 의미 자료 3

① **사전적 의미 :** 인간 집단 간에 무력 충돌이 일어나지 않는 상태

② **구분 :** 소극적 평화와 적극적 평화

소극적 평화	• 의미 : 직접적 폭력의 사용이나 위협이 없고, 각 나라의 주권이 외부의 간섭을 받지 않는 상태 • 국내외적으로 전쟁, 테러, 범죄, 폭행이 발생하지 않는 상태 • 한계 : 직접적 폭력의 원인이 근본적으로 해결되지 않은 상태임
적극적 평화	• 의미 : 직접적 폭력뿐만 아니라 구조적 폭력과 문화적 폭력까지 사라진 상태 (직접적 폭력이나 구조적 폭력을 정당화하는 데 이용되는 폭력을 의미해.) • 국내외적으로 전쟁이 없을 뿐만 아니라 빈곤, 기아, 정치적 억압, 종교와 사상적 차별 등이 제거된 상태 • 필요성 : 인간다운 삶을 살아가기 위해서는 소극적 평화를 넘어 적극적 평화가 필요함

궁금해? 폭력의 구분!

직접적 폭력	전쟁, 테러, 범죄, 폭행 등의 물리적 폭력
구조적 폭력	빈곤, 기아, 정치적 억압 등 사회 구조가 가하는 폭력
문화적 폭력	종교, 사상, 언어, 예술, 과학 등 문화적 영역이 가하는 폭력

2. 평화가 중요한 이유

① **인류 생존의 바탕**
- 전쟁의 위협으로부터 벗어날 수 있음
- 소극적 평화의 개념과 상통함

② **국제 정의의 실현**
- 국가 간의 빈부 격차 해소, 반인도주의적 범죄를 방지하여 인권 증진
- 적극적 평화의 개념과 상통함

③ **인류의 번영 도모 :** 현재 세대뿐만 아니라 미래 세대의 생존과 안정까지 고려

교과서 자료 모아보기

자료 3 『손자병법』에 담긴 평화의 의미

손무는 『손자병법』이라는 병법서에 싸움에서 이기는 네 가지 방법을 소개하였다. 첫 번째 방법은 전쟁할 의도를 싸우기 전부터 없애버리는 방법으로 손무는 이 방법을 최상으로 삼았다. 두 번째 방법은 상대방의 주변국을 자국의 편으로 만드는 방법이고, 세 번째 방법은 상대방과 직접적으로 충돌하여 결판을 내는 방법이다. 마지막 방법은 성문을 걸어 잠근 적에게 몰려가 싸움을 거는 것으로 가장 어리석은 방법이다.

▲ 손무

자·료·분·석 '현대 평화학의 아버지'로 불리는 갈퉁(Galtung, J.)은 평화학 연구자이다. 갈퉁은 평화의 개념을 소극적 평화, 적극적 평화로 구분하고 적극적 평화를 이루기 위해서는 억압, 차별, 빈곤 등 구조적인 폭력의 문제를 해결해야 한다고 주장한다. 갈퉁은 춘추 시대 오나라의 전술가이자 전략가인 손무를 평화학의 창시자로 보았다. 갈퉁은 먼저 싸우지 않고 이기는 방법에 대해 말한 손무야말로 평화학의 창시자라고 하였다.

한·줄·핵·심 현대 평화학 연구자인 갈퉁은 싸우지 않고 평화적으로 이기는 방법을 우선이라고 본 손무야말로 평화학의 창시자라고 하였다.

키워드 체크

❸ '현대 평화학의 아버지' 갈퉁이 평화학의 창시자로 꼽는 인물은?

답 : □□

키워드 체크 ❸ 손무

국제 갈등과 국제 평화의 이해

국제 갈등이란 영토, 민족, 종교, 이데올로기 등의 원인으로 국가 간에 발생하는 갈등을 의미하며, 이러한 갈등의 종식을 국제 평화로 이해할 수 있다. 다음 자료를 통해 국제 갈등과 국제 평화를 알아보자.

통합 주제 story

자료 ❶

국제 사회는 이해관계의 대립이나 지나친 경쟁으로 갈등을 겪는다. 국제 갈등의 원인으로는 민족, 종교, 영토, 자원 등이 있다.

자료 ❷

세계에서 발생하는 갈등을 해소하기 위해 국제 연합(UN) 회원국인 우리나라는 평화 유지군을 파견함으로써 적극적인 평화 유지 활동을 전개하고 있다. 평화 유지 활동에는 분쟁 지역의 치안 및 재건 활동, 군비 축소를 위한 활동 및 국제 협력 활동 등이 있다.

자료 ❸

자료는 평화를 '소극적 평화'와 '적극적 평화'의 개념으로 구분하고 있다. 갈등의 진정한 해소를 통해 이루어지는 국제 평화에 도달하기 위해서는 소극적 평화에 머물지 않고 적극적 평화를 실현하기 위해 노력해야 한다.

자료 ❶ 세계의 주요 분쟁 지역

국제 사회는 서로 다른 이해관계의 대립이나 경쟁으로 분쟁을 겪고 있다. 아시아에서는 해양 자원 등을 이유로 남중국해, 동중국해에서 동아시아 국가들 간 영토 분쟁을 겪고 있으며, 아프리카에서는 민족 및 종교로 인해 내전을 겪고 있다. 이밖에도 시리아 내전, 팔레스타인 분쟁, 쿠르드족 분리 운동, 미얀마 반정부 운동 등 국제 사회에 큰 영향을 미치는 크고 작은 분쟁이 끊임없이 일어나고 있다.

자료 ❷ 국제 연합(UN)의 평화 유지 활동(PKO)

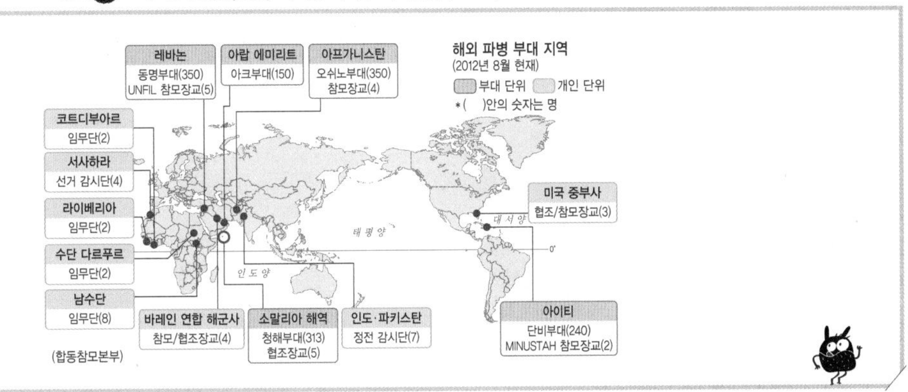

(합동참모본부)

자료 ❸ 실질적 국제 평화인 적극적 평화의 실현 의미

현대 평화학은 '평화'의 개념을 단순히 분쟁이나 폭력이 없는 상태가 아니라 갈등을 비폭력적으로 해결하는 적극적 차원으로 개념을 확장한다. '소극적 평화'란 물리적 힘으로 사람의 생명과 안전을 해치는 '직접적 폭력'이 해소된 상태이다. '적극적 평화'는 여기에서 더 나아가 법이나 제도처럼 사회 시스템에 내재된 억압인 '구조적 폭력'과 사상·종교·전통·담론 등의 형태로 가해지는 '문화적 폭력'까지 모두 제거된 상태이다. '적극적 평화'에서는 갈등 해결뿐만 아니라 빈곤이나 자연재해, 기후 변화까지도 평화 담론의 대상이 된다.

이것만은 꼭!

- **국제 사회**는 자원, 영토, 민족, 종교 등 다양한 원인으로 **국제 갈등**이 발생한다.
- **국제 갈등을 해소**하기 위한 갈등 조정자로서 **국제 연합(UN)의 역할**을 이해해야 한다.
- 평화를 단지 무력 충돌이 없는 상태로만 보는 **소극적 평화**의 개념을 넘어 모든 사람이 인간다운 삶을 누릴 수 있는 상태인 **적극적 평화**로 나아가야 한다.

콕콕! 개념 확인

정답과 해설 81쪽

A 국제 사회에서 발생하는 갈등과 협력

01 옳은 설명에 ○표, 틀린 설명에 ×표를 하시오.

(1) 국제 사회에는 국제 갈등과 국제 협력 등 다양한 모습이 나타나고 있다. ( )

(2) 국제 갈등은 어느 한 국가나 지역의 문제가 아니라 지구촌 전체의 문제로 보아야 한다. ( )

02 다음 지도가 나타내는 국제 분쟁(갈등)의 유형을 쓰시오.

( ) 분쟁(갈등)

B 국제 사회의 행위 주체와 역할

03 빈칸에 들어갈 알맞은 말을 쓰시오.

(1) 다국적 기업, 개별 국가 내의 지방 정부, 국제적 영향력이 강한 □□ 등도 국제 사회의 행위 주체로 활동한다.

(2) □□은/는 일정한 영토나 국민을 바탕으로 주권을 가진 국제 사회의 가장 기본적이고 대표적인 행위 주체이다.

(3) □□□□은/는 각 나라의 정부를 구성단위로 하여, 평화 유지, 경제·사회 협력 등 국제적 목적이나 활동을 위해 두 국가 이상으로 구성된 조직체이다.

(4) □□ □□□ □□은/는 개인이나 민간단체 주도로 만들어진 조직으로, 환경, 평화, 인권 등 인류 공동의 이익을 위해 활동하는 국제 사회의 행위 주체이다.

C 국제 평화의 의미와 중요성

04 알맞은 설명에 ○표를 하시오.

(1) (소극적 평화, 적극적 평화)는 직접적 폭력이 없는 상태로, 국내외적으로 전쟁, 분쟁, 테러, 범죄, 폭행 등이 발생하지 않는 상태이다.

(2) 평화를 실현하기 위한 국가 간의 협력과 노력은 세계에서 발생하는 빈부 격차나 인권 문제를 해결하는 등 국제 정의의 실현을 가능하게 하며, 이는 모두가 인간답게 살아가는 (소극적 평화, 적극적 평화)의 개념과 상통한다.

탄탄! 내신 문제

정답과 해설 81쪽

A 국제 사회에서 발생하는 갈등과 협력

01 다음은 지구촌 당면 문제에 대한 내용이다. 밑줄 친 ㉠~㉤ 중 옳지 않은 것은?

> 오늘날 지구촌 곳곳에서는 국제 갈등과 국제 협력 등 다양한 모습이 나타나고 있다. ㉠ 종교, 민족과 관련된 문제를 둘러싸고 국제적 갈등과 분쟁이 일어나고 있다. 또한, ㉡ 지하자원이나 영토 등 국가의 이익을 둘러싼 갈등도 나타나고 있다. ㉢ 국제 갈등은 특정 국가에만 국한된 것이 아니라 전 지구적으로 영향을 미친다. 이러한 국제 갈등을 해결하고 평화를 실현하기 위해서는 ㉣ 국제 사회 행위 주체들은 전쟁 및 테러를 방지하기 위해 노력해야 한다. 한편, 정부 간 ㉤ 국제기구는 힘의 논리를 앞세워 분쟁을 중재해야 한다.

① ㉠　② ㉡　③ ㉢　④ ㉣　⑤ ㉤

02 다음 자료에 나타난 국제 분쟁은 무엇인가?

> 중국 남쪽에 위치한 바다로 중국, 타이완, 베트남, 필리핀, 말레이시아, 브루나이의 6개 국가에 둘러싸인 해역이다. 이곳은 많은 원유와 천연가스가 매장되어 있는 것으로 추정된다. 또한, 전 세계 해양 물류의 절반과 원유 수송량의 약 60%가 이곳을 지나고 있다. 우리가 수입하는 원유의 대부분도 이 지역을 통해 운송되고 있다.
>
> 
>
> (○○ 신문, 2016. 7. 13.)

① 카스피해 분쟁
② 남중국해 분쟁
③ 메콩강 물 분쟁
④ 쿠릴 열도 분쟁
⑤ 센카쿠 열도(댜오위다오) 분쟁

03 국제 협력의 사례로 적절하지 않은 것은?

① 재난과 테러에 대해 공동 대응을 한다.
② 국가 원수의 만남을 통한 정상 회담을 진행한다.
③ 올림픽, 월드컵과 같은 국제 스포츠 대회를 운영한다.
④ 기아, 빈곤을 해결하기 위해 공적 개발 원조를 시행한다.
⑤ 자국의 이익을 위해 지구 온난화 협약에 참여하지 않는다.

B 국제 사회의 행위 주체와 역할

04 다음 중 국제기구가 아닌 것은?

① 국제 연합(UN)
② 국제 사면 위원회(AI)
③ 국제 통화 기금(IMF)
④ 세계 보건 기구(WHO)
⑤ 경제 협력 개발 기구(OECD)

05 다음 글의 (가)에 들어갈 국제 사회 행위 주체에 대한 역할로 옳은 것은?

> 20세기 세계화로 인해 한 국가의 노력으로 해결할 수 없는 많은 문제가 발생하였다. 이를 해결하기 위해서 등장한 (가) 은/는 개별 국가의 이해관계에서 벗어나 개인이나 민간단체를 중심으로 국제적 연대를 통해 범세계적인 문제를 제기하고 공동의 노력을 이끌어내는 데 기여한다.

① 국교를 수립하고 조약 체결 등을 한다.
② 국가 간 이해관계 조정 및 분쟁을 중재한다.
③ 국가의 행위를 규율하는 국제 규범을 정립한다.
④ 자국의 이익과 자국민 보호를 위한 외교를 한다.
⑤ 환경, 평화, 인권 등 인류 공동의 이익을 위해 활동한다.

06 다음 글의 ㉠, ㉡에 대한 설명으로 적절하지 않은 것은?

> • 일정한 영토와 국민, 주권을 요소로 하는 정치 집단인 (㉠)을/를 중심으로 국제 사회의 중요한 상호 작용 대부분이 이루어진다.
> • 개별 국가의 이해관계에서 벗어나 개인이나 민간단체를 중심으로 이루어진 (㉡)은/는 국제적 연대를 통해 범세계적인 문제를 제기하고 공동의 노력을 이끌어내는 데 기여한다.

① ㉠ : 정상 회담이나 외교, 국교 수립 등을 하는 주체이다.
② ㉠ : 여러 국제기구에 참여하여 공식적인 활동을 할 수 있는 자격을 지닌다.
③ ㉠ : 국제 연합, 유럽 연합 등이 이에 해당한다.
④ ㉡ : 국경 없는 의사회, 그린피스 등이 이에 해당한다.
⑤ ㉡ : 환경, 평화, 인권 등 인류 공동의 이익을 위해 활동한다.

07 자료에 제시된 분쟁을 해결하기 위한 국제 사회 행위 주체의 역할을 바르게 설명한 학생을 〈보기〉에서 고른 것은?

> • 분쟁 명칭 : 나일강 물 분쟁
> • 분쟁 대상국 : 이집트와 수단, 그리고 에티오피아를 비롯한 10여 개 나일강 상류 연안 국가들
> • 분쟁 원인 : 나일강 유역의 용수 확보권을 둘러싼 물 분쟁

보기
ㄱ. 갑 : 국제 분쟁은 국가 간 국력에 따라 해결되어야만 해.
ㄴ. 을 : 국제기구는 물 분쟁의 종식을 위해 중재자 역할을 적극적으로 해야 해.
ㄷ. 병 : 국제 비정부 기구는 물 부족에 시달리는 사람들의 구호를 위해 노력해야 해.
ㄹ. 정 : 분쟁 대상국은 나일강 유역의 용수 확보권 협상 시 자국의 이익만을 앞세워야 해.

① ㄱ, ㄴ ② ㄱ, ㄷ ③ ㄴ, ㄷ
④ ㄴ, ㄹ ⑤ ㄷ, ㄹ

08 다음 글의 주장과 일치하지 않는 것은 ?

> 국제 갈등은 어느 한 국가의 노력만으로 해결하기 어렵다. 국제 갈등을 해소하기 위해서는 갈등 당사자 간 대화와 양보를 통해 평화적으로 해결해야 하며, 갈등 조정자로서 국제기구, 비정부 기구의 역할이 중요하다. 또한, 국제법을 마련함으로써 해결 방안을 모색할 수도 있다.

① 필요에 따라 국제기구를 통한 해결 방안도 모색할 수 있다.
② 국제기구는 국가들의 이해관계를 조정하는 역할을 해야 한다.
③ 국제 갈등의 문제는 갈등 당사자들만의 문제로 국한해야 한다.
④ 국제 사회의 행위 주체들은 공동의 협력을 이끌어내기 위해 노력해야 한다.
⑤ 국제 갈등을 해결하기 위해 다양한 국제 사회 행위 주체들의 노력이 필요하다.

C 국제 평화의 의미와 중요성

09 다음 글의 ㉠, ㉡에 대한 옳은 설명만을 〈보기〉에서 있는 대로 고른 것은?

> 평화가 중요한 이유는 인류 생존의 바탕이기 때문이다. 전쟁의 공포 속에서 살아가는 사람들을 생존의 위협으로부터 구해내는 것은 (㉠)의 개념과 상통한다. 또한, 평화는 국제 정의를 실현해준다. 세계 속에서 발생하는 빈부 격차나 인권 문제를 해결하는 등 국제 정의의 실현은 모두가 인간답게 살아가는 (㉡)의 개념과 상통한다.

보기
ㄱ. ㉠ : 종교와 사상의 차별이 없는 상태
ㄴ. ㉠ : 전쟁, 테러가 발생하지 않는 상태
ㄷ. ㉡ : 억압과 착취가 존재하지 않는 상태
ㄹ. ㉡ : 빈곤과 기아와 같은 폭력이 제거된 상태

① ㄱ, ㄴ ② ㄱ, ㄷ ③ ㄷ, ㄹ
④ ㄱ, ㄴ, ㄹ ⑤ ㄴ, ㄷ, ㄹ

도전! 1등급 문제

정답과 해설 82쪽

01 다음과 같은 국제 갈등을 해결하기 위해 ㉠이 지녀야 할 자세를 〈보기〉에서 고른 것은?

> 메콩강 물 분쟁은 국제 하천인 메콩강을 둘러싼 6개국의 갈등이다. 메콩강 수위가 낮아지면서 ㉠ 중국과 메콩강 유역 국가들 사이에 분쟁이 발생하고 있다.

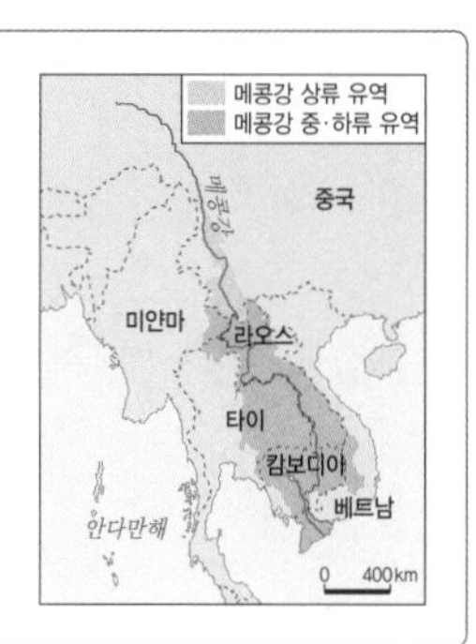

〈보기〉
ㄱ. 대화보다는 힘을 통해 문제를 해결해야 한다.
ㄴ. 자국의 이익을 최우선으로 하기 위해 노력한다.
ㄷ. 서로의 상황을 이해하기 위한 대화를 꾸준히 진행해야 한다.
ㄹ. 양보와 타협을 통한 외교적 협상으로 갈등을 해결하기 위해 노력해야 한다.

① ㄱ, ㄴ ② ㄱ, ㄷ ③ ㄴ, ㄷ ④ ㄴ, ㄹ ⑤ ㄷ, ㄹ

02 다음 문제를 해결하기 위한 노력으로 가장 적절한 것은?

> 기후 변화로 인한 지구 온난화 현상은 급속도로 가속화되고 있다. 지구 평균 기온이 상승하면 빙하가 녹고 해수면이 상승하여, 가뭄과 홍수 등의 재해가 잦아지게 된다. 이로 인해 몰디브나 투발루 등에서는 삶의 터전을 잃을 수 있고, 자연재해, 식량난, 질병 등으로 피해를 보는 사람들이 증가할 수 있다.

① 선진국의 노력으로만 지구촌 문제를 해결해야 한다.
② 강력한 군사력으로 다양한 국제 문제를 해결해야 한다.
③ 국가의 이익을 중시하는 입장으로 국제 문제를 인식해야 한다.
④ 지구촌 공동의 문제를 해결하기 위해 국가들이 협력해야 한다.
⑤ 국제 문제보다 국내 문제를 무조건 우선시하는 자세를 보여야 한다.

03 다음 글의 ㉠, ㉡에 대한 공통된 설명으로 옳은 것을 〈보기〉에서 고른 것은?

> ㉠ 그린피스는 미세 플라스틱의 위험성을 알리고, 생활용품 속 미세 플라스틱에 대한 법적 규제를 요구하였다.
> ㉡ 국경 없는 의사회는 전쟁, 자연재해, 전염병으로 모두가 꺼리는 곳에서 마지막까지 구조 활동을 펼쳤다.

〈보기〉
ㄱ. 국가의 행위를 규율하는 국제 규범을 정립한다.
ㄴ. 국제적 문제가 아닌 국내의 문제를 해결하는 데 집중한다.
ㄷ. 인류의 보편적 가치인 환경, 인권 보장 등을 위해 노력한다.
ㄹ. 특정 국가의 이해관계에서 벗어나 범세계적인 문제에 관심을 갖는다.

① ㄱ, ㄴ ② ㄱ, ㄷ ③ ㄴ, ㄷ ④ ㄴ, ㄹ ⑤ ㄷ, ㄹ

고난도

04 다음은 어떤 사상가와의 가상 인터뷰이다. 이 사상가의 입장으로 가장 적절한 것은?

> 기자 : 전쟁이 없는 상태가 곧 평화로운 상태입니까?
> 사상가 : 아닙니다. 전쟁을 피하는 평화는 소극적 평화에 불과합니다.
> 기자 : 선생님이 생각하는 진정한 평화란 어떤 것입니까?
> 사상가 : 인간다운 삶을 보장하기 위해 적극적 평화를 실현하는 것입니다.

① 직접적 폭력 사용을 통해 적극적 평화를 이루어야 한다.
② 전쟁, 테러, 폭력만을 제거함으로써 평화를 추구해야 한다.
③ 조직적이고 가시적인 폭력이 사라지는 것이 적극적 평화이다.
④ 직접적 폭력의 제거가 간접적 폭력의 제거보다 중요함을 알아야 한다.
⑤ 빈곤, 인권 침해 등도 폭력의 일종임을 이해하고, 이를 해결하기 위해 노력해야 한다.

남북 분단 및 동아시아의 역사 갈등과 국제 평화

흐름 잡기

국제 평화

- 남북 분단 배경과 통일의 필요성은? A
- 동아시아의 역사 갈등 해결 방안은? B
- 국제 평화를 위한 우리나라 노력은? C

A 남북 분단의 배경과 통일의 필요성

한·줄·단·서 **남북 분단의 배경**과 **통일의 필요성**을 이해하고, **통일을 위한 노력**을 알아두어야 해!

1. 남북 분단의 배경

① **국제적 배경 :** 제2차 세계 대전 이후 미국과 소련 양 축을 중심으로 하는 •냉전 질서로 재편되었음

② **국내적 배경 :** 민족 내부의 응집력 부족, 민족 내부의 이념적 갈등에서 기인한 6.25 전쟁의 발발

2. 통일의 의의와 필요성

① **통일의 의의 :** 민족의 생존과 번영을 위해 필요, 세계 평화에 기여

② **통일의 필요성**

개인적 차원	이산가족과 실향민의 아픔 해소
민족적 차원	민족의 동질성 회복
정치적 차원	분단에서 벗어나 정치적 안정과 평화, 세계 평화에 기여
사회·문화적 차원	다양한 갈등의 해소 기회, 전통 문화유산의 발전
경제적 차원	국내 경제 활성화, •분단 비용 감소, 국가 경쟁력 향상

3. 통일을 위한 노력 남북한 간의 평화적 교류와 협력, 통일에 우호적인 국제 환경 조성

•**냉전**
정치, 군사, 이데올로기적인 대립을 지속하면서 실질적인 전투가 아닌 경제, 외교, 정보 등을 통해 이루어지는 국제적 긴장과 대립 상태를 말한다.

•**분단 비용**
국방비, 외교비, 이산가족의 고통 등과 같이 남북이 분단되어 발생하는 비용이다.

B 동아시아의 역사 갈등과 해결 방안

한·줄·단·서 동아시아의 역사 갈등에는 **영토 분쟁**과 **역사 인식 문제**가 있어.

1. 동아시아의 역사 갈등

① **영토 분쟁** — 복잡하게 얽힌 역사적 배경과 해양 자원을 둘러싼 경쟁 등이 영토 분쟁의 원인이야.

- **쿠릴 열도(북방 도서) 분쟁 :** 일본과 러시아의 영토 분쟁
- **센카쿠 열도(댜오위다오) 분쟁 :** 일본과 중국의 영토 분쟁 자료1
- **시사 군도(파라셀 제도) 분쟁 :** 중국과 베트남의 영토 분쟁

궁금해? 여기가 영토 분쟁 지역

② **역사 인식 문제** — 한 · 중 · 일 삼국 간의 과거사 정리와 역사 왜곡 등이 역사 인식 문제의 원인이야.

일본의 역사 교과서 왜곡	일본이 역사 교과서에 식민 지배와 침략 전쟁을 정당화하고 역사를 왜곡하였음 → 우리나라가 강력하게 항의하였으나, 해당 교과서가 검정 심사에 통과되었음 (야스쿠니 신사 참배 행위도 침략 전쟁을 미화한다는 점에서 비판해야 해.)
일본의 독도 영유권 주장	우리나라의 고유 영토인 독도에 대해 일본은 1905년 일본의 영토로 편입되었다는 왜곡된 주장을 펼치고 있음
일본군 '위안부' 문제	일본 정부가 침략 전쟁 과정에서 일본군 '위안부'를 강제 동원하였으나, 이를 부정하는 주장을 함
중국의 •동북공정 자료2	우리나라의 역사에 해당하는 고조선, 부여, 고구려, 발해의 역사가 중국의 지방사라고 주장하면서 역사를 왜곡하고 있음

중국 영토 내의 소수 민족의 분리 독립을 막고 국경 지역을 안정시키기 위한 근거로 활용해.

•**동북공정**
중국이 동북 3성(랴오닝성, 지린성, 헤이룽장성)의 역사, 지리, 민족에 대한 문제를 집중적으로 연구하는 사업을 의미한다.

2. 동아시아의 역사 갈등 해결을 위한 노력

① **공동 역사 연구 진행 :** 동아시아 근현대 공동 역사 교재를 발행 자료3

② **국제 연대와 교류의 확대 :** 문화 교류와 청소년 교류를 통해 상호 이해 증진

자료 1 센카쿠 열도(댜오위다오) 분쟁

자·료·분·석 센카쿠 열도(댜오위다오)는 일본의 오키나와에서 남서쪽으로 약 400km, 중국 대륙에서 동쪽으로 약 350km 떨어진 동중국해에 위치한 군도(群島)이다. 이 지역은 일본이 청일 전쟁에서 승리한 이후 차지하였으나, 제2차 세계 대전 이후 미국이 점령하였다. 1972년에 일본에 반환하였지만 이 지역에 상당량의 석유와 천연가스가 매장된 사실이 알려지면서 중국은 물론 타이완도 자국의 영토라고 주장하고 있다.

▲ 센카쿠 열도(댜오위다오) 분쟁 지역

한·줄·핵·심 센카쿠 열도(댜오위다오) 분쟁은 청일 전쟁 등 복잡하게 얽힌 역사적 배경과 해양 자원을 둘러싼 갈등이 원인이다.

키워드 체크

❶ 센카쿠 열도(댜오위다오) 분쟁의 주요 당사국은 어디인가?

답 : □□, □□

자료 2 중국의 동북공정

▲ 중국의 역사 왜곡 속에 늘어나는 만리장성

▲ 동북 3성

자·료·분·석 동북공정이란 중국 동북부 지역의 동북 3성(랴오닝성, 지린성, 헤이룽장성)에 관한 역사, 지리, 민족 문제 등을 다루는 국가적 연구 사업을 의미한다. 중국은 이 사업을 통해 고조선, 고구려, 발해의 역사를 중국 역사에 포함하고자 했다. 우리 정부가 역사 주권의 침해라고 반발하면서 양국은 이 문제를 학문적 차원에 한정하고 더는 확산시키지 않는다고 약속하였으나, 다양한 방식으로 우리 고대사를 지속적으로 왜곡하고 있다.

한·줄·핵·심 중국은 동북공정을 통해 과거 만주 지역을 중심으로 전개된 우리 역사를 중국의 한 지방사로 규정하면서 우리의 고대사를 왜곡하고 있다.

키워드 체크

❷ 중국이 동북 3성에 관한 역사, 지리, 민족 문제 등을 다루는 국가적 연구 사업은?

답 : □□□□

자료 3 동아시아 근현대 공동 역사 교재 발행

자·료·분·석 일본의 역사 교과서 왜곡에 대응하기 위해 한·중·일 학자, 교사, 시민들은 공동 역사 교재를 제작하였다. 이러한 역사 교재는 상대의 역사를 올바로 이해하도록 하고 평화와 인권의 가치를 가르침으로써 과거의 갈등을 넘어 평화로운 미래로 나아가기 위한 바탕이 된다.

▲ 한·중·일 공동 역사 교재

한·줄·핵·심 공동 역사 연구 진행은 한·중·일 역사 갈등을 해소하고 동아시아에 평화를 정착시키는 데 기여할 것이다.

키워드 체크

❸ 일본의 역사 교과서 왜곡에 대응하기 위해 한·중·일 학자, 교사, 시민들이 제작한 것은?

답 : □□□□□□

키워드 체크 답 ❶ 일본, 중국 ❷ 동북공정 ❸ 공동 역사 교재

C 국제 사회의 평화를 위한 우리나라의 노력

한·줄·단·서 **우리나라의 중요성**을 **지정학적·경제적·정치적·문화적 측면**에서 이해하고, **국제 평화**를 위한 우리나라의 노력도 알아야 해.

1. 국제 사회에서 우리나라의 중요성

① **지정학적 측면** : 유라시아 대륙과 태평양을 연결하는 지리적 위치에 있음
(지정학은 '지리+정치'를 의미해.)

② **경제적 측면** : 세계 10위권의 경제 대국으로 성장

③ **정치적 측면** : 각종 국제기구에서 활동하여 국제 사회 내 영향력 증가

예 국제 연합(UN) 안전 보장 이사회의 비상임 이사국을 역임, 경제 협력 개발 기구(OECD), 아시아·태평양 경제 협력체(APEC) 등에서 주도적인 활동을 함

④ **문화적 측면**

- 많은 문화재가 •유네스코 세계 문화유산으로 등재
- 한류 열풍 확산
  (드라마, 케이팝(K-pop) 등의 대중문화가 세계로 확산되는 현상을 의미해.)

2. 국제 평화를 위한 우리나라의 노력

① **분단 극복** : 동아시아 지역의 군사적 대립과 긴장을 완화해야 함

② **평화 유지 활동** : 분쟁, 테러, 전쟁 등의 평화적 해결을 위한 국제 연합 평화 유지군 파견

③ **해외 원조** : 빈곤국과 빈곤으로 고통받는 사람들에게 원조를 함 자료 4
(우리나라는 원조를 받던 국가에서 원조를 주는 국가가 되었어.)

④ **환경 보호** : 친환경적인 산업의 발전, 탄소 배출량 감소, 지구 온난화 방지와 환경 보호에 적극 동참

•유네스코 세계 유산
유네스코(UNESCO)는 인류 전체를 위해 보호되어야 할 가치가 있다고 인정한 것을 세계 유산으로 지정하고 있다. 우리나라는 2016년 기준 11점의 문화유산과 1점의 자연 유산이 등재되었다.

교과서 자료 모아보기

자료 4 해외 원조 : 한국 국제 협력단(KOICA)의 역할

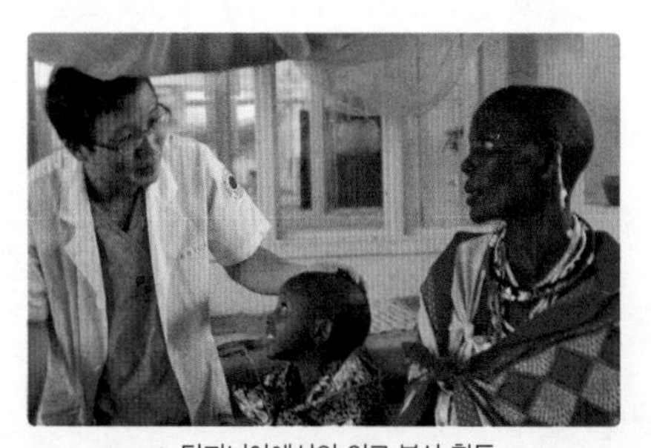

▲ 탄자니아에서의 의료 봉사 활동

▲ 피지의 유치원에 벽화를 그리고 있는 봉사 단원

자·료·분·석 한국 국제 협력단(KOICA)은 개발 도상국의 빈곤 퇴치와 경제·사회 발전을 지원하는 외교부 산하의 공공 기관이다. 이 기관은 정부 차원의 대외 무상 협력 사업을 전담하고 있으며 해외 봉사단 파견, 해외 재난 긴급 구호, 인도적 지원 사업, 민간 협력 사업 등 다양한 활동을 전개하고 있다. 주로 아시아, 아프리카, 중남부 아메리카 등에 해외 봉사단을 파견하여 학교를 건립해 주거나 의료 지원 사업 등을 펼치고 있다.

한·줄·핵·심 우리나라는 대외 무상 협력 사업 기관인 한국 국제 협력단(KOICA)을 통해 개발 도상국의 교육 및 직업 훈련, 보건 위생, 농촌 개발 등을 지원하고 있다.

키워드 체크
❹ 우리나라는 대외 무상 협력 사업 기관인 □□ □□ □□□(KOICA)을 통해 개발 도상국의 빈곤 퇴치와 경제·사회 발전을 지원하고 있다.
답 : □□ □□ □□□

키워드 체크 정답 ❹ 한국 국제 협력단

콕콕! 개념 확인

정답과 해설 83쪽

A 남북 분단의 배경과 통일의 필요성

01 빈칸에 들어갈 알맞은 말을 쓰시오.

(1) □□은/는 제2차 세계 대전 이후 미국을 중심으로 한 자본주의 진영과 소련을 중심으로 한 사회주의 진영이 이념을 중심으로 대립하는 것이다.

(2) □□ □□은/는 국방비, 외교비, 이산가족의 고통 등과 같이 남북이 분단되어 발생하는 비용이다.

B 동아시아의 역사 갈등과 해결 방안

02 빈칸에 들어갈 알맞은 말을 쓰시오.

(1) 일본 정부는 명백하게 우리 영토인 □□의 영유권을 주장하고 있다.

(2) □□ 정부는 식민 지배와 침략 전쟁을 긍정적으로 서술한 중·고등학교 역사 교과서를 검정 심사에 통과시키는 등 역사를 왜곡하고 있다.

03 지도를 보고 물음에 답하시오.

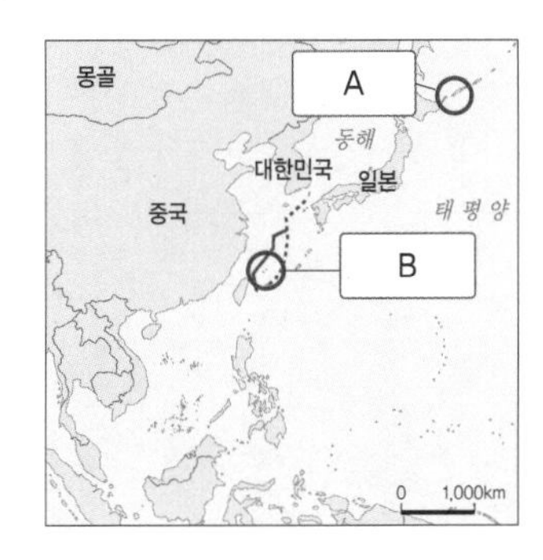

(1) A, B에 들어갈 분쟁 지역의 명칭을 쓰시오.

A : (   )

B : (   )

(2) 다음 글의 ㉠, ㉡에 들어갈 알맞은 말을 쓰시오.

> B 지역에서 분쟁이 일어나게 된 것은 ㉠ □□ 전쟁 등 복잡하게 얽힌 역사적 배경, ㉡ □□ 자원을 둘러싼 경쟁 등이 원인이다.

C 국제 사회의 평화를 위한 우리나라의 노력

04 국제 사회의 평화를 위해 우리나라가 노력해야 할 내용으로 옳으면 ○표, 틀리면 ×표를 하시오.

(1) 분단을 극복하여 동아시아 지역의 군사적 대립과 긴장을 완화해야 한다. (   )

(2) 자국의 이익을 위해 탄소 배출량을 줄이는 국제적 노력에 동참하지 않는다. (   )

(3) 경제적으로 어려운 나라를 돕거나 빈곤으로 고통받는 사람들에 대한 해외 원조를 해야 한다. (   )

(4) 지구촌 곳곳에서 일어나는 분쟁, 테러, 전쟁 등에 대해 국제 연합(UN)의 회원국으로서 평화 유지군을 파견해야 한다. (   )

탄탄! 내신 문제

정답과 해설 83쪽

A 남북 분단의 배경과 통일의 필요성

01 통일의 필요성에 대한 내용으로 적절하지 않은 것은?

① 민족의 경제적 발전과 번영을 위해 필요하다.
② 한반도의 평화 정착에 기여하기 위해 필요하다.
③ 대립에 따른 많은 분단 비용을 늘리기 위해 필요하다.
④ 남북한 구성원이 자유와 인권을 보장받기 위해 필요하다.
⑤ 분단으로 인한 이산가족의 고통을 덜어주기 위해 필요하다.

02 다음 글의 ㉠, ㉡에 들어갈 국가를 바르게 연결한 것은?

> 제2차 세계 대전이 끝나고 국제 정세는 (㉠)와/과 (㉡) 양 축을 중심으로 하는 냉전 질서로 재편되었다. 대륙과 태평양을 연결하는 지정학적 요충지였던 우리나라는 광복과 동시에 남쪽은 (㉠), 북쪽은 (㉡)의 영향력 아래 들어가게 되었다.

	㉠	㉡		㉠	㉡
①	미국	중국	②	소련	미국
③	중국	일본	④	미국	소련
⑤	중국	소련			

B 동아시아의 역사 갈등과 해결 방안

03 일본이 역사 교과서를 왜곡하는 이유로 가장 적절한 것은?

① 과거의 침략 전쟁 행위를 정당화하기 위해서이다.
② 동아시아 각국의 교류와 협력을 공고히 하기 위해서이다.
③ 일본 정부가 식민 지배에 대해 공식적으로 사과하기 위해서이다.
④ 동아시아의 역사적 사실 관계를 명확하게 규명하기 위해서이다.
⑤ 일본 정부가 일본군 '위안부'에 대한 강제성을 긍정하기 위해서이다.

04 지도의 A 지역에서 발생하는 분쟁에 대한 옳은 설명을 〈보기〉에서 고른 것은?

〈보기〉
ㄱ. 해양 자원을 둘러싼 경쟁이 심화되고 있다.
ㄴ. 이 지역은 러일 전쟁에서 일본 영토로 영입되었다.
ㄷ. 중국, 일본, 타이완이 자국의 영토라고 주장하고 있다.
ㄹ. 제2차 세계 대전 이후 중국이 실효적으로 지배하고 있다.

① ㄱ, ㄴ ② ㄱ, ㄷ ③ ㄴ, ㄷ
④ ㄴ, ㄹ ⑤ ㄷ, ㄹ

C 국제 사회의 평화를 위한 우리나라의 노력

05 국제 사회 속에서 우리나라의 중요성에 대한 설명으로 옳지 않은 것은?

① 세계 10위권의 경제 대국으로 성장하였다.
② 현재에도 군사적·경제적으로 원조 대상국이다.
③ 각종 국제기구에서 주도적인 활동을 하고 있다.
④ 예술·스포츠 분야에서도 영향력을 확대하고 있다.
⑤ 지정학적으로 유라시아 대륙과 태평양을 연결하는 지리적 요충지이다.

도전! 1등급 문제

정답과 해설 84쪽

01 (가), (나)에 대한 설명으로 옳은 것을 〈보기〉에서 고른 것은?

> • (가) 은/는 국방비, 외교비 등과 같이 남북이 분단되어 발생하는 비용이다.
> • (나) 은/는 통일 이후 경제 개발을 위한 비용 등과 같이 통일을 실현하는 데 드는 비용이다.

〈보기〉
ㄱ. (가)에는 이산가족의 고통과 같은 무형의 비용은 포함되어 있지 않다.
ㄴ. (가)는 (나)와 달리 통일을 위한 투자적 성격을 지닌다.
ㄷ. (나)에는 남북 교류를 위한 비용이 포함되어 있다.
ㄹ. (나)는 (가)와 달리 통일에 따른 편익의 증진을 가져온다.

① ㄱ, ㄴ ② ㄱ, ㄷ ③ ㄴ, ㄷ
④ ㄴ, ㄹ ⑤ ㄷ, ㄹ

고난도

02 다음 글을 통해 우리나라의 분단 상황을 극복하는 데 있어 얻을 수 있는 시사점으로 가장 적절한 것은?

> 〈사례〉
> 통일 10년이 흐른 지금 옛 동서독 사이의 물리적 장벽은 허물어졌지만, 마음의 장벽은 여전히 남아있다. 서독 주민은 못사는 동독 주민을 얕잡아 보고, 동독 주민은 거들먹거리는 서독 주민을 흘겨본다.

① 이념적 적대감을 해소한 외형적 통일을 강조해야 한다.
② 한반도 평화를 위한 동북아 다자 안보의 체계를 공고히 해야 한다.
③ 정치·군사적 방식을 통한 하나의 통일 국가 수립을 도모해야 한다.
④ 남북한의 이질성을 줄이기 위해 사회·문화적 교류를 확대해야 한다.
⑤ 통일에 대한 공감대를 형성하기 위해 주변 국가들과의 협력이 중요하다.

03 다음 글의 밑줄 친 ㉠의 의의만을 〈보기〉에서 있는 대로 고른 것은?

> 2001년 일본의 문부 과학성이 과거 제국주의의 침략과 식민 지배를 정당화하는 왜곡 교과서를 검정 심사에 통과시킨 것을 계기로 2002년 한·중·일 역사학자와 교수, 시민이 모여 동아시아 삼국의 근현대 ㉠ 공동 역사 교재를 출간하였다.

〈보기〉
ㄱ. 동아시아 국가 간 신뢰와 협력을 저해하였다.
ㄴ. 역사 인식의 차이를 좁혀 상호 간 이해를 증진시켰다.
ㄷ. 상대의 역사를 올바르게 이해하는 기회를 제공하였다.
ㄹ. 평화와 인권의 가치를 가르침으로써 과거의 갈등을 해소하는 계기를 마련하였다.

① ㄱ, ㄴ ② ㄴ, ㄷ ③ ㄴ, ㄹ
④ ㄱ, ㄴ, ㄹ ⑤ ㄴ, ㄷ, ㄹ

04 다음 글의 (가)에 대한 학생들의 설명 중 그 내용이 적절하지 않은 것은?

> (가) 은/는 중국 국경 안에서 전개된 모든 역사를 중국 역사로 만들기 위해 2002년부터 중국이 추진한 중국 변경 지역의 역사와 현상에 관한 연구 프로젝트를 의미한다.

① 다빈 : 고려는 고구려를 계승한 국가라고 보고 있어요.
② 강민 : 중국 정부가 소수 민족을 통합하여 현재의 영토를 확고히 하려고 해요.
③ 재석 : 중국 동북부 지역의 동북 3성의 역사, 지리, 민족 문제 등을 다루고 있어요.
④ 민재 : 고조선, 고구려, 발해의 역사를 중국의 한 지방사로 포함시키려 하고 있어요.
⑤ 성탁 : 북한이 붕괴되더라도 북한 지역에 영향력을 행사하려는 의도가 담겨 있어요.

한눈에 보는 대단원 정리

01 세계화의 양상과 문제

키워드 #세계화 #지역화 #세계 도시 #다국적 기업 #공간적 분업 #빈부 격차 #문화의 획일화 #보편 윤리 #특수 윤리

A 세계화와 지역화

구분	내용
세계화	• 의미 : 세계가 하나의 단일한 체계로 통합되는 현상 • 배경 : 교통·통신의 발달, 개방화 • 영향 : 국가 간 상호 의존성 강화, 세계 문화의 동질화, 세계 도시와 다국적 기업의 활동 촉진
지역화	• 의미 : 지역이 세계적인 가치를 갖는 것 • 배경 : 지역이 세계의 주체로 등장 • 전략 : 지리적 표시제, 장소 마케팅, 지역 축제

B 세계화에 따른 양상

구분	내용
세계 도시	• 의미 : 세계의 중심지 역할을 수행하는 도시 • 세계의 경제 활동 조절과 통제 • 전문화된 생산자 서비스업의 발달 • 국제 정치의 중심지 • 주요 세계 도시 : 뉴욕, 런던, 도쿄 등
다국적 기업	• 의미 : 세계적으로 생산과 판매 활동을 하는 기업 • 공간적 분업 : 본사(주로 본국의 대도시), 연구소(대학 및 연구소 밀집 지역), 생산 공장(지방이나 개발 도상국) • 본국에 미치는 영향 : 투자 유발, 산업 공동화 현상 발생 • 투자 유치국에 미치는 영향 : 고용 창출 효과 증대, 다국적 기업의 본국으로 자본이 빠져나감

C 세계화에 따른 문제점과 해결 방안

구분	내용
문제점	• 선진국과 개발 도상국의 빈부 격차 심화 • 문화의 획일화 문제 • 보편 윤리와 특수 윤리 간 갈등
해결 방안	• 각 국가의 경제 상황을 고려한 세계화가 진행되어야 함 • 개발 도상국의 경제에 도움을 줄 수 있는 소비 실천 : 공정 무역 제품 구매, 공정 여행 등 • 자국 문화의 정체성을 유지하면서 외래문화를 능동적으로 수용하는 자세 필요 • 보편 윤리를 존중하는 가운데 각 사회의 특수 윤리를 성찰하는 태도 지향

02 국제 사회의 모습과 평화의 중요성

키워드 #국제 갈등 #국제 협력 #국가 #국제기구 #국제 비정부 기구 #소극적 평화 #적극적 평화

A 국제 사회에서 발생하는 갈등과 협력

구분	내용
국제 갈등	• 민족, 종교, 문화, 영토 등으로 인한 갈등이 발생함 • 하나의 원인에 의해 발생하기보다 여러 가지 원인이 복잡하게 얽혀 나타남
국제 협력	• 한 국가의 노력으로 해결할 수 없는 문제가 증가하면서 필요성이 증대됨 • 사례 : 정상 회담, 국제 스포츠 대회, 기아·빈곤·질병 등에 대한 협조 체제, 재난과 테러에 대한 공동 대응, 기후 변화 협약, 생물 다양성 보존 협약 등

B 국제 사회의 행위 주체와 역할

구분	내용
국가	• 특징 : 공식성과 대표성을 지닌 가장 기본적인 행위 주체 • 역할 : 정상 회담, 국교 수립, 조약 체결 등
국제기구	• 특징 : 국제적 목적이나 활동을 위해 두 국가 이상으로 구성된 조직체 • 역할 : 국가들 사이의 이해관계를 조정하거나 국가 간 분쟁을 중재하는 역할을 함 • 예 : 국제 연합(UN), 유럽 연합(EU), 국제 통화 기금(IMF) 등
국제 비정부 기구	• 특징 : 개인이나 민간단체 주도로 만들어진 자발적인 조직 • 역할 : 국제적 연대를 통해 범세계적 문제를 제기하고 공동의 노력을 이끌어 내는 데 기여함
기타	다국적 기업, 개별 국가 내의 지방 정부, 국제적 영향력이 강한 개인 등

C 국제 평화의 의미와 중요성

구분	내용
소극적 평화	• 직접적 폭력의 사용이나 위협이 없는 상태 • 각 나라의 주권이 외부의 간섭을 받지 않는 상태
적극적 평화	• 직접적 폭력뿐만 아니라 구조적 폭력과 문화적 폭력까지 사라진 상태 • 인간다운 삶을 살아가기 위해 추구해야 할 평화
평화의 중요성	• 인류 생존의 바탕 • 국제 정의의 실현 • 인류의 번영 도모

03 남북 분단 및 동아시아의 역사 갈등과 국제 평화

키워드 #남북 분단 #통일 #영토 문제 #일본의 역사 교과서 왜곡 #중국의 동북공정 #공동 역사 교재 #국제 평화

A 남북 분단의 배경과 통일의 필요성

(1) 남북 분단의 배경

국제	제2차 세계 대전 후 냉전 질서의 재편
국내	민족 내부의 응집력 부족, 이념적 갈등 → 6.25 전쟁

(2) 통일의 의의 : 민족의 생존과 번영을 위해 필요, 세계 평화에 기여

(3) 통일의 필요성

개인	이산가족과 실향민의 아픔 해소 등
민족	민족의 동질성 회복 등
정치	분단에서 벗어나 정치적 안정과 평화에 기여 등
사회·문화	다양한 갈등 해소, 전통 문화유산의 발전 등
경제	국내 경제 활성화, 분단 비용 감소 등

(4) 통일을 위한 노력 : 남북한 간의 평화적 교류와 협력 추진, 통일에 우호적인 국제 환경 조성

B 동아시아의 역사 갈등과 해결 방안

영토 분쟁	• 역사적 배경, 해양 자원을 둘러싼 경쟁 등 • 쿠릴 열도(북방 도서) 분쟁, 센카쿠 열도(댜오위다오) 분쟁, 시사 군도(파라셀 제도) 분쟁
역사 인식 문제	• 한·중·일 삼국 간의 과거사 정리와 역사 왜곡에 관련한 문제 발생 • 일본의 역사 교과서 왜곡, 일본의 독도 영유권 주장, 일본군 '위안부' 문제, 중국의 동북공정 등
해결 방안	• 공동 역사 연구 진행 → 공동 역사 교재 발행 등 • 국제 연대와 교류의 확대 등

C 국제 사회의 평화를 위한 우리나라의 노력

우리나라의 중요성	지정학적·정치·경제·문화적 측면에서 국제 사회에서 갖는 중요성이 증가함
국제 평화를 위한 노력	분단 극복, 평화 유지 활동, 해외 원조, 환경 보호 등을 해야 함

기억나는 키워드나 핵심 내용 적어보기

A B C

A B C

A B C

한번에 끝내는 대단원 문제

정답과 해설 85쪽

01 다음은 통합 사회 수업 장면의 일부이다. (가)에 들어갈 내용으로 가장 적절한 것은?

① 세계화 ② 정보화 ③ 지역화
④ 도시화 ⑤ 산업화

02 다음은 어느 신문 기사의 내용이다. (가)에 들어갈 내용으로 가장 적절한 것은?

〈○○ 전자 생산 공장, 베트남으로 이전〉

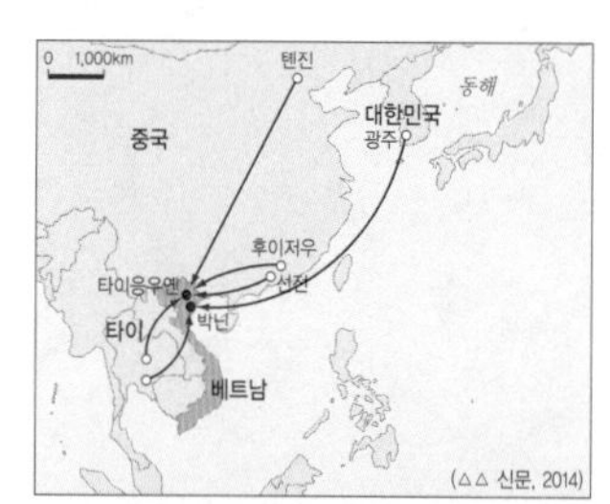

▲ ○○ 전자의 생산 기지 이동

국내에 본사를 두고 있는 ○○ 전자는 세계 곳곳에 사업장을 두고 있는 다국적 기업이다. 그런데 최근 ○○ 전자는 자사 휴대 전화와 세탁기, 텔레비전 등의 생산 거점을 베트남으로 옮기고 있다. ○○ 전자가 자사의 주력 상품인 휴대 전화와 일부 전자 제품의 생산 거점을 베트남으로 집중시키는 가장 큰 이유는 (가) 때문이다.

① 운송비 절감 ② 낮은 인건비
③ 고급 기술 인력 ④ 무역 장벽 극복
⑤ 넓은 생산 공장 부지

03 다음 글의 밑줄 친 도시에 대한 설명으로 옳지 않은 것은?

20세기 이후 급속하게 진행된 세계화는 경제, 문화, 정치 등 모든 분야에 걸쳐 많은 영향을 주었다. 세계 무역 기구(WTO) 출범 이후 무역 장벽이 낮아지면서 국제 교역량이 증가하였고 세계 자본 시장은 통합되었다. 또한, 국가 간, 지역 간 교류가 활발해지면서 국경의 의미는 점차 약해졌다. 특히 국제 협력과 분업의 확대, 생산의 국제화, 정보 통신의 발달은 <u>세계 도시</u>의 형성을 가져왔다.

① 생산자 서비스업이 발달하였다.
② 다양한 국제회의 및 행사가 이루어진다.
③ 도시 내 계층 간 불평등 수준이 매우 낮다.
④ 대표적인 도시로는 뉴욕, 런던, 도쿄 등이 있다.
⑤ 다국적 기업의 본사, 대형 금융 기관 등이 밀집해 있다.

04 그래프는 두 국가의 무역 구조를 나타낸 것이다. (가) 국가에 대한 (나) 국가의 상대적 특징을 그림의 A~E에서 고른 것은?

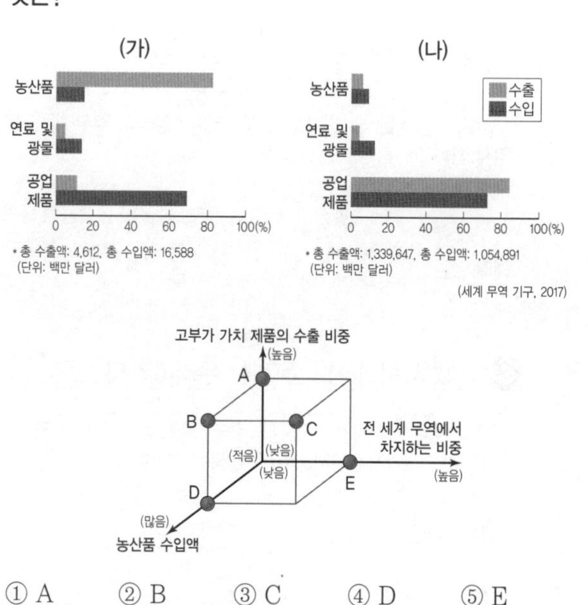

① A ② B ③ C ④ D ⑤ E

05 다음 글의 밑줄 친 '남극 조약'의 의의로 가장 적절한 것은?

> 20세기 초 남극 대륙을 놓고 영유권 분쟁이 심화되자 영유권을 주장하는 7개국과 그 외 5개국이 1959년에 '남극 조약'을 체결했다. 이 조약에 따라 남극 대륙은 누구도 영유권을 주장할 수 없고, 과학 연구 등 오직 평화적 목적으로만 이용할 수 있다.

① 국제 갈등을 궁극적으로 해소할 수 없는 한계를 보여준다.
② 국제법을 통하여 국제 갈등을 해결할 수 있음을 보여준다.
③ 국제 갈등은 힘의 논리에 의해서만 해결되어야 함을 보여준다.
④ 국제 갈등은 어느 한 국가의 노력만으로 해결 가능한 것임을 보여준다.
⑤ 영토 내 자원을 확보하기 위한 경쟁과 국제 갈등은 무관한 것임을 보여준다.

06 다음은 통합 사회 수업 장면의 일부이다. 선생님의 질문에 대한 대답으로 옳은 것은?

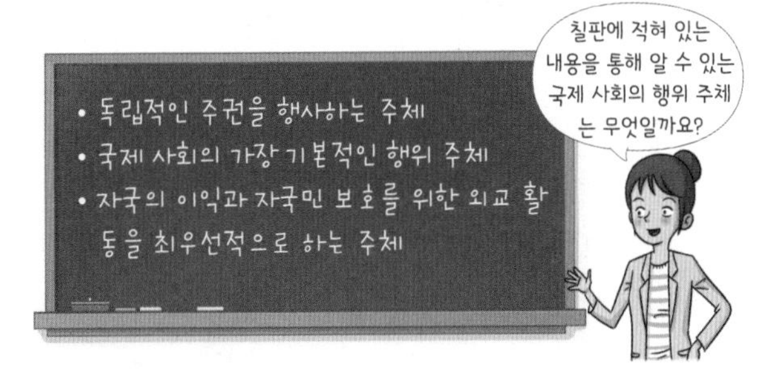

① 국가
② 국제기구
③ 다국적 기업
④ 국제 비정부 기구
⑤ 국제적 영향력이 강한 개인

07 다음은 국제 사회의 다양한 행위 주체가 협력한 사례이다. 이들이 협력한 이유로 가장 적절한 것은?

> 중남미의 최빈국인 아이티에서 진도 7.3의 대지진으로 25만 명이 희생되고 100만 명의 이재민이 발생하였다. 이에 국제 사회의 구호 지원은 커져 갔고, 국제 연합은 3,500명의 경찰력과 평화 유지군을 파견하였다. 빌 클린턴 전 미국 대통령도 아이티 현지를 방문하여 구호에 나섰으며, 국경 없는 의사회, 옥스팜, 적십자 등 구조 팀이 구호 대열에 참여하였다.

① 자국의 국제적 위상을 높이기 위함이다.
② 수혜국에 대한 영향력을 강화하기 위함이다.
③ 장기적으로 자신들에게 이익이 될 것이기 때문이다.
④ 국제법에 강제성을 지닌 협력 규정이 있기 때문이다.
⑤ 인권 존중, 자유와 평등, 평화 등 인류의 보편적 가치를 실현하기 위함이다.

08 다음 글의 ㉠, ㉡에 대한 옳은 설명만을 〈보기〉에서 있는 대로 고른 것은?

> 갈퉁은 평화를 이해하기 위해서는 먼저 폭력을 알아야 한다고 말하면서, 폭력을 직접적 폭력, 구조적 폭력, 문화적 폭력으로 구분하였다. 그는 전쟁이나 물리적 폭력이 없는 ㉠ 소극적 평화를 넘어 구조적 폭력과 문화적 폭력을 인식하고 이를 해결하는 것이 ㉡ 적극적 평화 실현을 위해 중요하다고 강조하였다.

〈보기〉
ㄱ. ㉠은 테러나 전쟁이 없는 상태이다.
ㄴ. ㉠은 종교나 사상의 차별이 없는 상태이다.
ㄷ. ㉡은 빈곤과 기아가 없는 상태이다.
ㄹ. ㉡은 인권 침해가 발생하지 않는 상태이다.

① ㄱ, ㄴ ② ㄱ, ㄷ
③ ㄴ, ㄹ ④ ㄱ, ㄷ, ㄹ
⑤ ㄴ, ㄷ, ㄹ

09 다음 필기 노트 중 (가)에 들어갈 내용으로 옳지 않은 것은?

〈주제 : 6.25 전쟁〉
1. 배경 : 남한과 북한의 대립 심화
2. 전개 과정 : 1950년 6월 25일, 북한군의 남침 → 유엔군 참전 및 인천 상륙 작전 성공 → 1953년 7월 27일, 휴전 협정 체결
3. 결과 : (가)

① 남북 분단이 고착화되었다.
② 수많은 전쟁고아가 발생하였다.
③ 이산가족의 고통과 아픔이 해소되었다.
④ 산업 시설과 농지 대부분이 파괴되었다.
⑤ 휴전선을 경계로 남과 북으로 나뉘었다.

10 다음은 통합 사회 수업 장면의 일부이다. 선생님의 질문에 적절하지 않은 대답을 한 학생은?

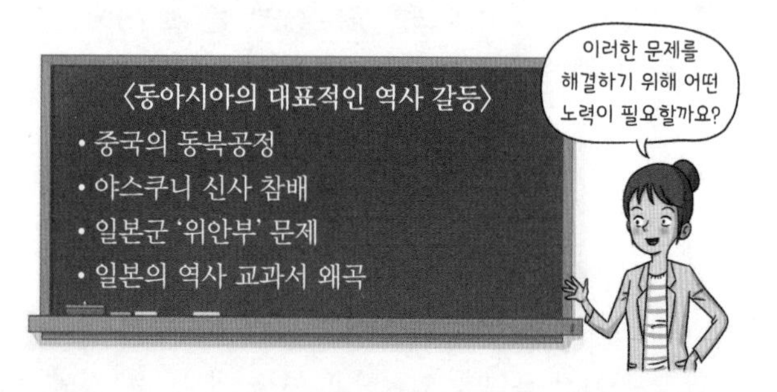

① 갑 : 역사적 사실 관계를 규명하는 작업을 진행해야 합니다.
② 을 : 역사 왜곡에 대해 논리적 접근보다 감정적으로 맞서야 합니다.
③ 병 : 폭넓은 문화 교류를 통해 상호 간 이해를 증진하고자 노력해야 합니다.
④ 정 : 역사 갈등을 평화롭게 해결하기 위해 공동으로 역사 교재를 발간합니다.
⑤ 무 : 서로의 역사 인식을 공유하면서 과거의 잘못을 인정하고 반성하는 태도가 필요합니다.

11 다음 글의 (가)에 들어갈 내용으로 옳지 않은 것은?

동아시아 각국은 정치적·경제적으로 긴밀한 협력 관계를 맺고 있지만, 역사 인식을 둘러싼 갈등이 발생하고 있다. 동아시아의 역사 갈등으로 (가) 이/가 있다.

① 중국 정부의 동북공정 추진
② 일본의 독도에 대한 부당한 영유권 주장
③ 일본군 '위안부' 문제에 대한 확대된 서술
④ 식민 지배를 정당화하는 역사 교과서 편찬
⑤ A급 전범이 합사된 야스쿠니 신사 참배 행위

12 한국 국제 협력단(KOICA)의 활동으로 적절하지 않은 것은?

① 개발 도상국의 보건 위생을 지원한다.
② 재난에 대한 긴급 구호 활동을 전개한다.
③ 수자원 관리 등 인프라 개선을 지원한다.
④ 국가 간 분쟁 지역에 평화 유지군을 파견한다.
⑤ 취학 아동의 교육과 미취업 인력들의 직업 훈련을 돕는다.

13 국제 사회의 평화에 기여할 수 있는 방안에 대해 적절하지 않은 대답을 한 학생은?

① 정민 : 경제적으로 어려운 나라를 돕기 위해 해외 원조를 해야 합니다.
② 승주 : 분단을 극복하여 동아시아 지역의 군사적 대립을 중단해야 합니다.
③ 미진 : 지구촌에 발생하는 분쟁, 전쟁에 대해서는 관여하지 말아야 합니다.
④ 병호 : 환경 보호를 위해 친환경적 산업을 발전시키고 탄소 배출량을 줄여야 합니다.
⑤ 혜영 : 개발 도상국 주민들의 삶의 질을 향상시킬 적정 기술 개발과 보급에 앞장서야 합니다.

14 다음 글을 읽고 물음에 답하시오.

> (가) 은/는 국가 및 지역 간의 경계를 허물고 세계를 하나의 마을처럼 만들고 있다. 이에 따라 자유로운 무역이 확대되고 전 세계의 다양한 문화를 쉽게 접할 수 있게 되었다.
> 하지만 (가) 이/가 긍정적인 영향만 가져오는 것은 아니다. ㉠ (가) 시대에는 지구촌 곳곳에서 다양한 문제가 나타나기도 한다.

(1) (가) 에 들어갈 알맞은 용어를 쓰시오.

( )

(2) 밑줄 친 ㉠에 대한 내용을 두 가지 이상 서술하시오.

15 지도는 어느 기업의 공간적 분업을 나타낸 것이다. 이러한 기업의 명칭과 생산 공장의 입지 특성을 개발 도상국과 선진국으로 구분하여 서술하시오.

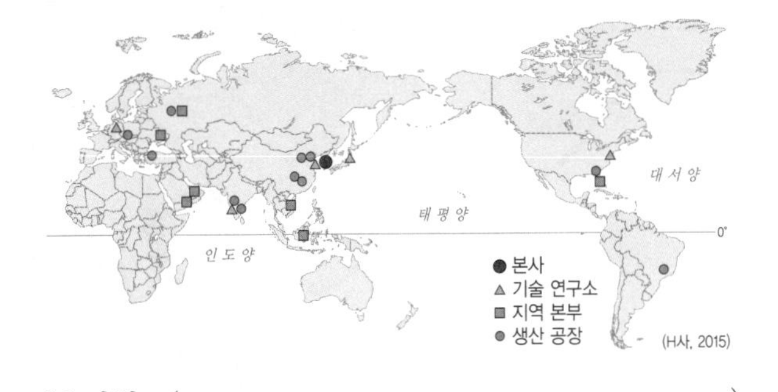

(1) 명칭 : ( )

(2) 생산 공장의 입지 특성

16 다음 글의 밑줄 친 '국경 없는 의사회'는 국제 사회의 행위 주체 중 어디에 해당하는지 쓰고, 국제 평화에 기여하는 의의를 서술하시오.

> 국경 없는 의사회는 '중립, 공평, 자원'의 3대 원칙과 '정치, 종교, 경제적 권력으로부터의 자유'라는 구호 아래 전쟁, 기아, 질병, 자연재해 등으로 고통받는 세계 각지 주민들을 구호하기 위해 설립한 국제 민간 의료 구호 단체이다.

(1) 국제 사회의 행위 주체 : ( )

(2) 국경 없는 의사회의 활동이 국제 평화에 기여하는 의의

17 다음 글에 해당하는 역사 갈등의 명칭과 이를 해결하기 위한 방안에 대해 서술하시오.

> 일본은 교과서에 한국 침략을 '진출'로, 출병을 '파견'으로 미화하는 등 식민 지배와 침략 전쟁을 정당화하고 역사를 왜곡하였다.

(1) 명칭 : ( )

(2) 해결 방안

Ⅸ

미래와 지속 가능한 삶

키워드로 흐름 한눈에 보기

01 세계의 인구 문제와 해결 방안

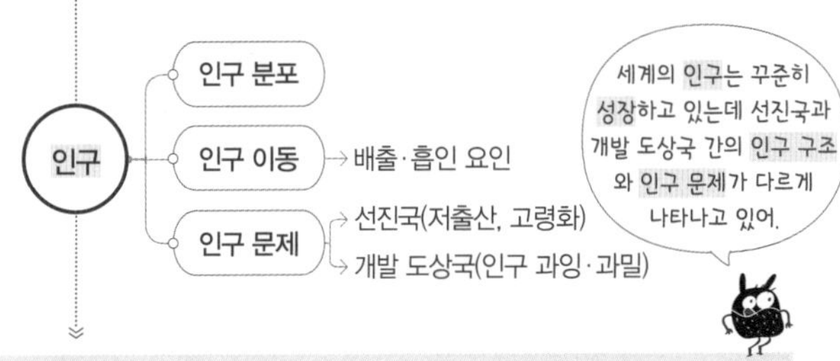

02 자원 이용과 지속 가능한 발전

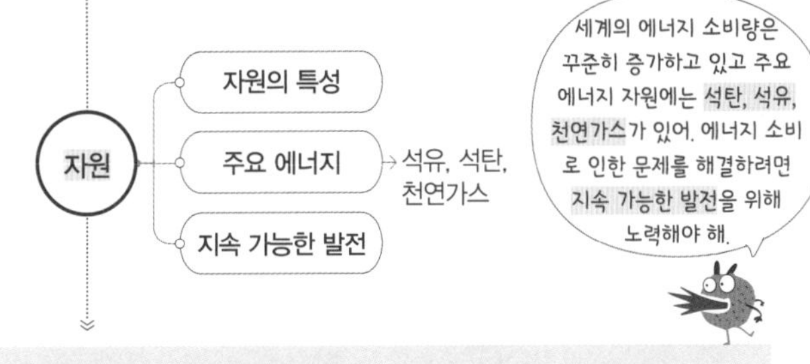

03 지구촌의 미래와 우리의 삶

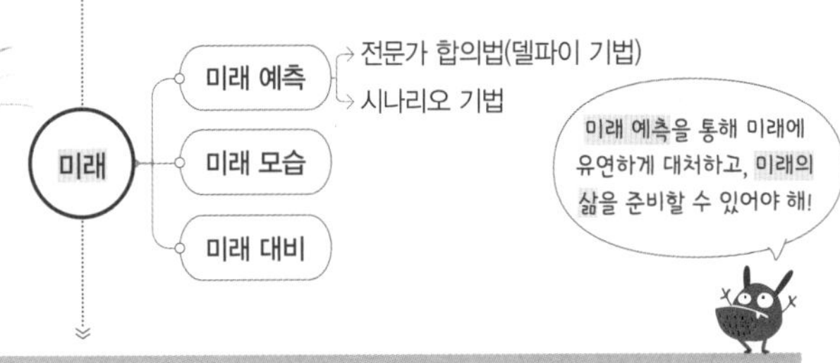

01 세계의 인구 문제와 해결 방안

흐름 잡기

인구

세계의 인구 변화와 분포 특징은? A

세계의 인구 이동 특징은? B

세계의 인구 구조와 인구 문제는? C

A 세계의 인구 변화와 분포

한·줄·단·서 **기후가 온화**하고 **넓은 평야** 지역, **산업과 도시가 발달한 지역은 인구 밀집 지역**이고, **사막** 기후 지역, **열대 우림 지역, 극지방, 고산 지역**은 **인구 희박 지역**이야.

1. 세계의 인구 변화 자료1

① **특징 :** 산업화 이후에 세계의 인구가 급격히 증가함

② **원인 :** 생활 수준의 향상, 의학 기술의 발달, 위생 시설의 개선, 식량 생산량 증가 등

2. 세계의 *인구 분포 자료2

① **특징**

- 대부분의 인구가 북반구에 거주함
- 고산 지역보다는 저지대에 많이 거주함
- 내륙보다는 해안에 많이 거주함

② **인구 밀집 지역과 희박 지역**

인구 밀집 지역	기후가 온화하고 넓은 평야가 분포하는 지역, 산업과 도시가 발달한 지역
인구 희박 지역	사막 기후 지역, 열대 우림 지역, 극지방, 고산 지역 등

● 인구 분포

인구 분포에 영향을 끼치는 요인은 크게 자연적 요인과 사회·경제적 요인으로 나눌 수 있다. 자연적 요인에는 기후, 지형, 식생, 토양 등이 있고, 사회·경제적 요인에는 산업, 교통, 문화, 교육 등이 있다.

B 세계의 인구 이동

한·줄·단·서 오늘날에는 **경제적·정치적·환경적 요인**에 의한 **인구 이동**이 활발하게 나타나고 있어!

1. 인구 이동의 요인

인구가 한 장소에서 다른 장소로 옮겨가는 것을 의미해.

① **인구 배출 요인**

- **의미 :** 특정 지역의 인구를 다른 지역으로 밀어내 이동하게 만드는 요인
- **사례 :** 빈곤, 낮은 임금 수준, 부족한 일자리, 생활 시설의 부족 등

교육 시설, 문화 시설, 보건 시설 등이 이에 해당하지.

② **인구 흡인 요인**

- **의미 :** 다른 지역으로부터 인구를 끌어들여 머무르게 하는 요인
- **사례 :** 높은 소득 수준, 높은 임금 수준, 풍부한 일자리, 쾌적한 주거 환경 등

2. 세계의 인구 이동 자료3

유형	특징	사례
경제적 이동	개발 도상국에서 임금 수준이 높고 고용 기회가 많은 선진국으로의 인구 이동	라틴 아메리카 출신 노동자들의 미국으로의 이동, 북부 아프리카 출신 노동자들의 유럽으로의 이동
정치적 이동	전쟁이나 분쟁에 의한 이동	서남아시아와 아프리카의 내전으로 인한 난민의 이동
환경적 이동	사막화, 해수면 상승 등 기후 변화에 따른 환경 재앙을 피해 이동	해수면 상승으로 인한 남태평양 섬 주민의 주변 국가로의 이동

오늘날 대부분의 인구 이동은 경제적 이동이야.

궁금해? 라틴 아메리카에서 미국으로의 인구 이동

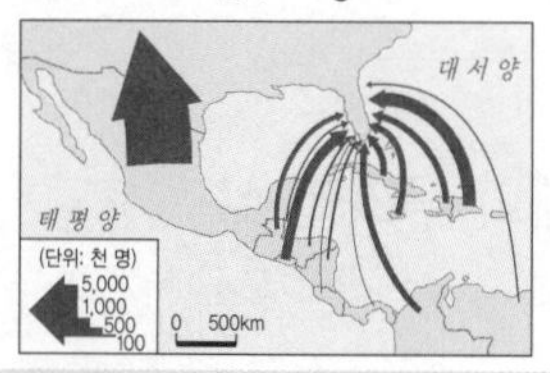

1980년대 이후 라틴 아메리카 출신의 노동자들은 임금 수준이 높고 일자리가 풍부한 미국으로 많이 유입되고 있다.

미국 내 라틴 아메리카 출신자의 비중이 증가하고 있어.

3. 인구 이동의 영향

① **인구 유입 지역 :** 노동력 확보로 경제 활성화, 문화적 다양성 증대, 주민 간의 문화적 차이에 따른 갈등 발생 등

② **인구 유출 지역 :** 해외 이주 노동자의 송금으로 외화 유입, 청장년층 노동력 감소 등

교과서 자료 모아보기

자료 1 세계의 인구 변화

자·료·분·석 그래프를 보면 세계의 인구는 지속적으로 증가하였다. 18세기 산업 혁명 이후 생활 수준의 향상, 의학 기술의 발달, 위생 시설의 개선, 식량 생산량 증가 등으로 인해 인구가 급격히 증가하기 시작했다. 20세기 후반 이후에 세계의 인구 성장은 저출산에 시달리는 선진국보다 출생률이 높은 개발 도상국이 주도하고 있다.

한·줄·핵·심 산업화 이후에 세계의 인구는 빠르게 성장하기 시작하였다.

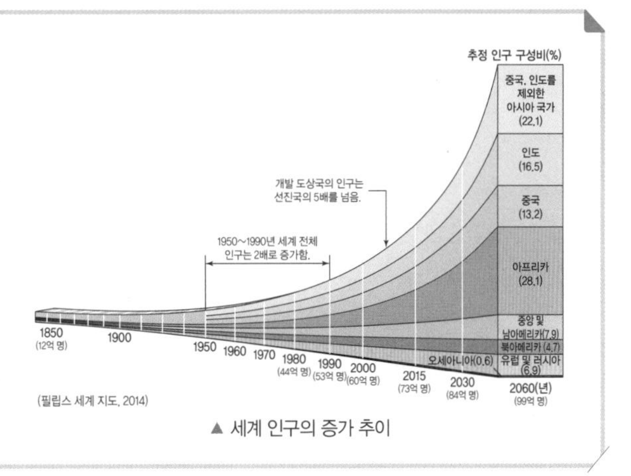

▲ 세계 인구의 증가 추이

키워드 체크

❶ 세계의 인구는 18세기 □□ □□ 이후에 급격히 증가하기 시작하였다.

답 : □□□□

자료 2 세계의 인구 분포

자·료·분·석 벼농사가 발달하여 많은 인구를 부양할 수 있는 아시아의 계절풍 기후 지역과 일찍부터 산업이 발달한 서부 유럽 및 미국 북동부 지역의 인구 밀도가 높다. 반면, 아프리카 북부, 오스트레일리아 내륙과 같은 사막 지역, 북극해 연안의 고위도 지역 등은 인구 밀도가 낮다.

한·줄·핵·심 기후, 지형, 산업 등 다양한 요인에 의해 인구 분포가 다르게 나타난다.

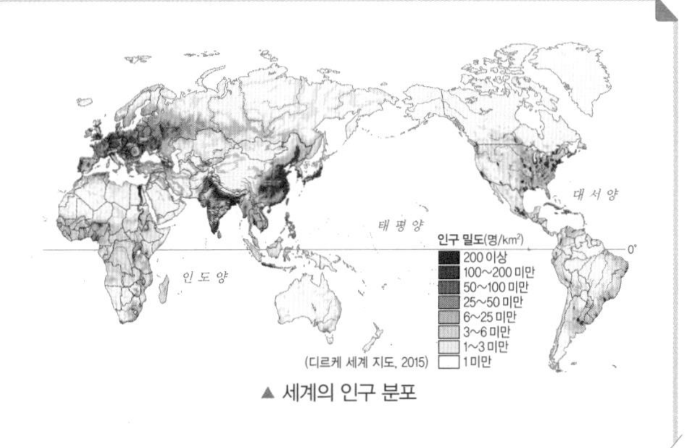

▲ 세계의 인구 분포

키워드 체크

❷ 아시아의 계절풍 기후 지역, 서부 유럽, 미국 북동부 지역 등은 인구 □□ 지역에 해당하고, 아프리카 북부, 오스트레일리아 내륙, 북극해 연안 등은 인구 □□ 지역에 해당한다.

답 : □□, □□

자료 3 세계의 주요 인구 이동

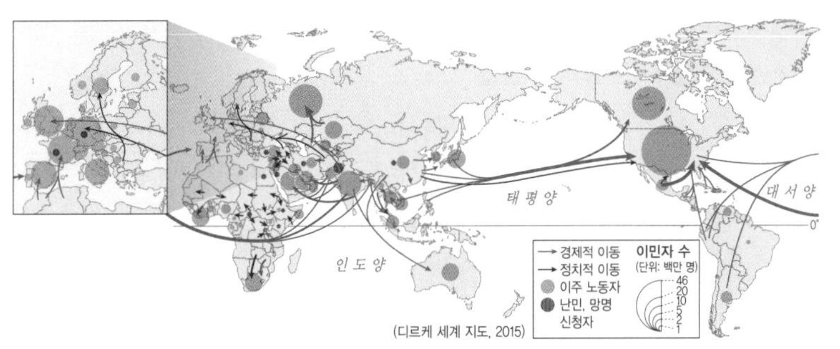

▲ 세계의 주요 인구 이동

자·료·분·석 교통의 발달, 세계화의 진전 등으로 전 지구적 차원에서 인구 이동이 활발하게 이루어지고 있다. 오늘날에는 경제적 이동과 정치적 이동이 활발한데, 개발 도상국에서 임금 수준이 높고 일자리가 풍부한 선진국으로 이동하는 것은 경제적 이동, 전쟁에 의한 난민의 이동은 정치적 이동에 해당한다.

한·줄·핵·심 오늘날에는 경제적 요인과 정치적 요인에 의한 인구 이동이 활발하게 이루어지고 있다.

키워드 체크

❸ 개발 도상국의 주민들이 선진국으로 이동하는 것은 □□적 이동에 해당하고, 전쟁에 의한 난민의 이동은 □□적 이동에 해당한다.

답 : □□, □□

키워드 체크 정답 ❶ 산업 혁명 ❷ 밀집, 희박 ❸ 경제, 정치

C 세계의 인구 구조와 인구 문제

한·줄·단·서 **선진국**에서는 **저출산, 고령화** 문제가 나타나고, **개발 도상국**에서는 **인구 과잉, 대도시 인구 과밀** 문제가 나타나고 있어.

1. 세계의 인구 구조 자료4

① 인구 구조의 의미 : 어느 인구 집단의 연령별·성별 인구 구성 상태
└ 국가 간 경제 수준과 지역에 따라 다르게 나타나지.

② 선진국과 개발 도상국의 인구 구조 비교 자료5

구분	선진국	개발 도상국
출생률	낮음	높음
유소년층 인구 비중	낮음	높음
노년층 인구 비중	높음	낮음
기대 수명	길	짧음
•중위 연령	높음	낮음
•노령화 지수	높음	낮음

•**중위 연령과 노령화 지수**
중위 연령은 전체 인구를 연령 순서대로 세웠을 때 중간에 있는 사람의 나이를 말한다. 노령화 지수는 유소년층 인구에 대한 노년층 인구의 비중으로, 노년층 인구 비중을 유소년층 인구 비중으로 나눈 후 100을 곱하여 구한다.

2. 세계의 인구 문제

① 선진국의 인구 문제

저출산	원인	여성의 사회 활동 증가, 결혼 및 출산에 대한 가치관 변화, 평균 결혼 연령의 상승, 출산과 육아 비용 부담 증가 등
	영향	경제 활동 인구의 감소에 따른 노동력 부족, 잠재 성장률 하락, 소비 감소에 따른 경제 성장 둔화, 장기적 경기 침체 발생 등
고령화	원인	의학 발달과 생활 수준 향상에 따른 평균 수명 연장
	영향	노년 부양비 증가, 노년층을 위한 사회적 비용 증가

세대 간 갈등 문제가 발생하는 원인이 될 수 있어.

② 개발 도상국의 인구 문제

•인구 부양력의 한계를 넘어설 정도로 인구가 지나치게 많기 때문이지.

인구 과잉	원인	사망률의 빠른 감소와 출생률의 완만한 감소에 따른 인구 급증
	영향	식량 및 자원의 부족 → 기아와 빈곤, 실업 등의 문제 발생
대도시 인구 과밀	원인	급속한 산업화·도시화에 따른 이촌 향도, 도시 내 인구의 높은 자연 증가율
	영향	일자리와 주택 부족, 교통 체증, 사회 기반 시설 부족 등 다양한 도시 문제 발생

•**인구 부양력**
한 나라의 인구가 그 나라의 사용 가능한 자원에 의하여 생활할 수 있는 능력을 말한다. 인구 부양력은 지역이 얼마만큼의 인구를 수용할 수 있는 능력을 가지고 있는가를 나타내는 척도가 되고 있다. 일반적으로 식량 생산량이 많은 지역, 산업이 발달한 지역 등에서 인구 부양력이 높게 나타난다.

3. 세계의 인구 문제 해결 방안 자료6

① 선진국의 인구 문제 해결 방안

저출산 대책	• 출산 및 육아 비용 지원, 양육 및 보육 시설 확충, 유급 출산 휴가 기간 연장 등 • 성별 임금 격차 해소 및 •유연 근무제 확대 등
고령화 대책	노년층 인구의 사회 보장 제도 강화, 일자리 확대와 정년 연장, 노인 복지 시설 확충 등

└ 출산을 장려하는 정책에 해당해.
— 여성에 대한 사회적 처우를 개선하는 정책에 해당해.
└ 노인 연금 제도가 대표적이지.

•**유연 근무제**
단시간 근로, 시차 출퇴근제, 요일 근무제, 재택근무 등과 같은 탄력적인 근무 형태를 말한다.

② 개발 도상국의 인구 문제 해결 방안

인구 과잉 대책	출산 억제 정책 실시, 경제 발전 및 식량 증산 정책 실시, 빈곤 해결 및 일자리 창출 등
대도시 인구 과밀 대책	도시 기반 시설 확충 및 촌락의 생활 환경 개선 사업, 중소 도시 육성 정책 실시, 인구 분산 정책 실시 등

└ 인구 부양력을 높이기 위한 정책이야.

③ **가치관의 변화를 통한 인구 문제 해결 방안 :** •가족 친화적 가치관 확대, 양성평등 문화 확립, 세대 간 정의 실현 등

현세대와 미래 세대 간의 형평성을 고려하여 미래 세대에게 부담을 미루지 않는 범위 내에서 합리적인 해결 방안을 모색해야 한다는 의미야.

•**가족 친화적 가치관**
결혼과 가족의 소중함, 정서적 지지자로서 자녀의 가치, 노년 인구를 삶의 지혜를 간직한 구성원으로 인정하는 등의 가치관을 의미한다.

자료 4 인구 변천 모형

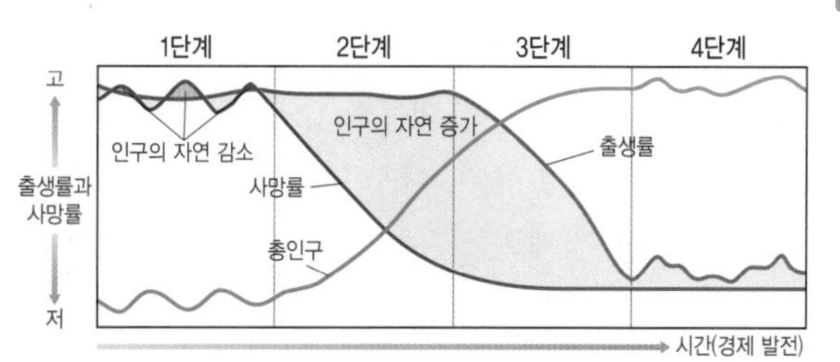

단계	1단계	2단계	3단계	4단계
출생률	매우 높음	매우 높음	급격히 감소함	매우 낮음
사망률	매우 높음	급격히 감소함	완만히 감소함	매우 낮음
인구 성장	정체함	증가함	증가함	정체함

▲ 인구 변천 모형 – 출생률과 사망률의 변화에 따라 인구 성장을 단계별로 구분한 것이야.

자·료·분·석 인구 변천 모형의 1단계(고위 정체기)는 출생률이 높고, 질병, 자연재해, 식량 부족 등으로 사망률도 높아 인구의 자연 증가율이 낮은 단계이다. 2단계(초기 팽창기)는 출생률은 높고 의학의 발달, 생활 환경 개선 등으로 사망률이 빠르게 감소하는 단계이다. 3단계(후기 팽창기)는 여성의 사회 활동 증가, 출산 억제 정책 실시 등으로 인구 증가율이 둔화되는 단계이다. 4단계(저위 정체기)는 출산에 대한 가치관 및 인식 변화로 출생률이 낮은 수준을 유지하여 인구 증가율도 낮은 단계로, 인구 고령화 현상이 심화되는 단계이다.

한·줄·핵·심 인구 변천 모형은 크게 1단계(고위 정체기), 2단계(초기 팽창기), 3단계(후기 팽창기), 4단계(저위 정체기)로 나눌 수 있다.

키워드 체크

❹ 현재 대부분의 선진국들은 인구 변천 모형의 몇 단계에 속하는가?

답 : □단계 (□□ □□□)

자료 5 선진국과 개발 도상국의 인구 구조

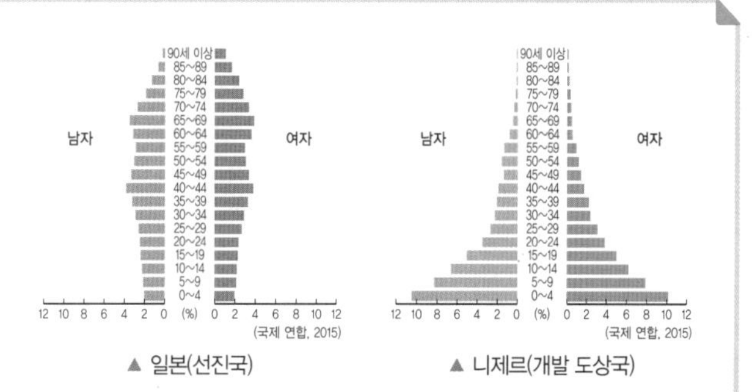

▲ 일본(선진국) ▲ 니제르(개발 도상국)

자·료·분·석 선진국인 일본은 경제 발달에 따른 여성의 사회 진출이 활발해지면서 출산율이 감소하여 유소년층 인구 비중이 낮은 반면, 평균 수명의 증가로 노년층의 인구 비중은 높다. 개발 도상국인 니제르는 여전히 출생률이 높아 유소년층 인구 비중이 높은 반면 노년층 인구 비중은 낮다.

한·줄·핵·심 선진국은 개발 도상국보다 유소년층 인구 비중이 낮고 노년층 인구 비중이 높아 중위 연령이 높게 나타난다.

키워드 체크

❺ 선진국과 개발 도상국의 인구 구조를 비교해 보면 선진국은 개발 도상국보다 □□□층 인구 비중이 낮고, □□층 인구 비중이 높게 나타난다.

답 : □□□, □□

자료 6 선진국과 개발 도상국의 인구 정책

스웨덴 정부는 부모 모두의 육아 휴직 기간을 충분히 보장하는 제도를 시행하고 있다. 자녀가 8살이 될 때까지 480일의 출산 휴가를 받는데, 부모가 공동으로 나눠서 사용할 수 있다. 부모 중에서 한 사람이 반드시 60일 이상 사용하고, 다른 한 사람은 420일 이하를 사용해야 한다. [○○신문, 2016. 9. 21.]

▲ 스웨덴의 저출산 문제 해결 정책

▲ 케냐의 출산 억제 정책 홍보 포스터 – '먹이고, 입히고, 교육시킬 수 있는 정도의 아이들만 가져라'라고 적혀 있어.

자·료·분·석 북유럽에 위치한 선진국인 스웨덴은 저출산 문제가 심각한 상황이다. 따라서 출산율을 높이기 위해 부모 모두의 육아 휴직 기간을 충분히 보장하는 출산 장려 정책을 시행하고 있다. 반면, 아프리카의 개발 도상국인 케냐는 높은 출산율로 인해 인구가 빠르게 증가하는 것을 막기 위해 출산 억제 정책을 시행하고 있다.

한·줄·핵·심 선진국은 저출산 문제를 해결하기 위해 출산 장려 정책을 시행하고 있고, 개발 도상국은 높은 출산율로 인한 빠른 인구 증가를 막기 위해 출산 억제 정책을 시행하고 있다.

키워드 체크

❻ 선진국인 스웨덴은 저출산 문제를 해결하기 위해 □□ □□ 정책을 시행하고 있다.

답 : □□ □□

키워드 체크 정답 ❹ 4, 저위 정체기 ❺ 유소년, 노년 ❻ 출산 장려

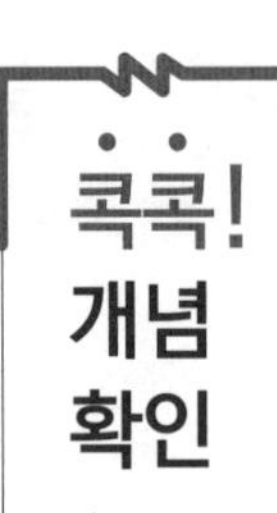

정답과 해설 88쪽

A 세계의 인구 변화와 분포

01 옳은 설명에 ○표, 틀린 설명에 ×표를 하시오.

(1) 세계의 인구는 산업화 이전보다 산업화 이후에 빠르게 성장하였다. ( )

(2) 세계의 인구는 대부분 남반구에 거주하고 있다. ( )

(3) 아마존강 유역, 북부 아프리카 일대, 북극해 연안은 인구 희박 지역이다. ( )

(4) 아시아 계절풍 기후 지역, 서부 유럽, 북아메리카 북동부 지역은 인구 밀집 지역이다. ( )

B 세계의 인구 이동

02 알맞은 설명에 ○표를 하시오.

(1) 인구 (배출, 흡인) 요인에는 낮은 임금 수준, 부족한 일자리, 생활 시설의 부족 등이 해당하고, 인구 (배출, 흡인) 요인에는 높은 소득 수준, 높은 임금 수준, 풍부한 일자리, 쾌적한 주거 환경 등이 해당한다.

(2) 라틴 아메리카 출신 노동자들이 미국으로 이주한 사례는 (경제적, 정치적, 환경적) 이동에 해당한다.

(3) 해수면 상승으로 남태평양 섬 주민들이 주변 국가로 이주한 사례는 (경제적, 정치적, 환경적) 이동에 해당한다.

(4) 서남아시아와 아프리카에서 내전을 피해 이주한 사례는 (경제적, 정치적, 환경적) 이동에 해당한다.

(5) 인구 이동이 발생할 경우 인구 (유입, 유출) 지역은 노동력 확보로 인한 경제 활성화 효과가 있고, 인구 (유입, 유출) 지역은 해외 이주 노동자의 송금으로 인한 외화 유입 효과가 있다.

C 세계의 인구 구조와 인구 문제

03 그래프는 일본과 니제르의 인구 구조를 나타낸 것이다. 이를 보고 물음에 답하시오.

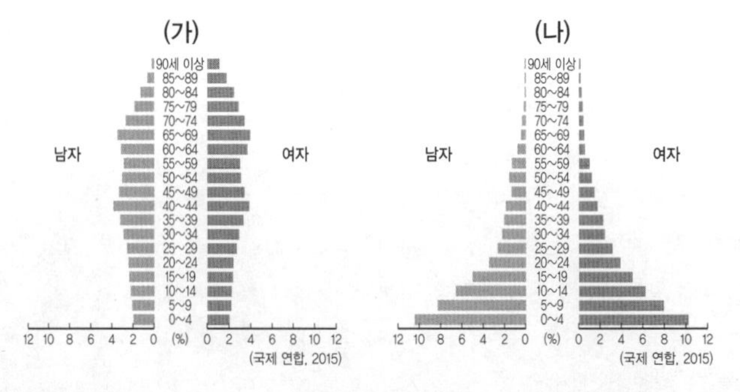

(1) ㈎, ㈏는 일본과 니제르 중 어느 국가에 해당하는지 각각 쓰시오.

(2) 다음 글은 ㈎, ㈏ 국가의 주요 특징을 설명한 것이다. 빈칸에 들어갈 알맞은 말을 쓰시오.

> ㈎ 국가는 ㈏ 국가보다 ① □□□층 인구 비중이 낮은 반면, ② □□층 인구 비중이 높다. 이러한 인구 구조로 인한 인구 문제를 해결하기 위해 ㈎ 국가는 ③ □□ □□ 정책을 실시해야 하고, ㈏ 국가는 ④ □□ □□ 정책을 실시해야 한다.

탄탄! 내신 문제

정답과 해설 88쪽

A 세계의 인구 변화와 분포

[01-02] 그래프는 지역(대륙)별 인구 변화를 나타낸 것이다. 이를 보고 물음에 답하시오.

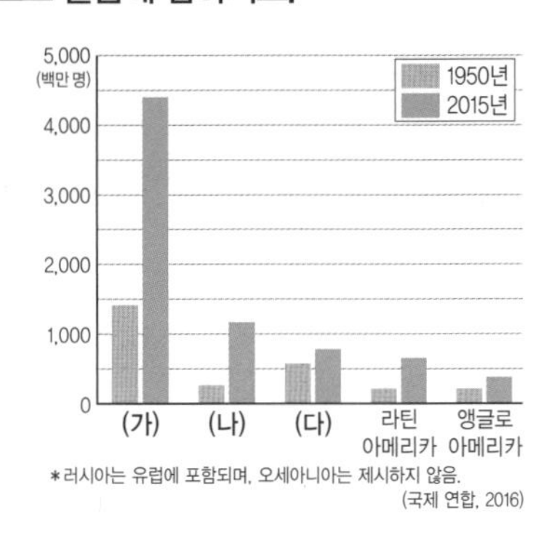

*러시아는 유럽에 포함되며, 오세아니아는 제시하지 않음.
(국제 연합, 2016)

01 (가)~(다) 지역(대륙)으로 옳은 것은?

	(가)	(나)	(다)
①	유럽	아프리카	아시아
②	아시아	유럽	아프리카
③	아시아	아프리카	유럽
④	아프리카	유럽	아시아
⑤	아프리카	아시아	유럽

02 그래프의 (가)~(다) 지역(대륙)에 대한 옳은 설명만을 〈보기〉에서 있는 대로 고른 것은?

보기
ㄱ. (가)는 (나)보다 1950년과 2015년 모두 인구가 많다.
ㄴ. (나)는 (다)보다 1950~2015년의 인구 증가율이 높다.
ㄷ. (다)는 (가)보다 경제 발달 수준이 높다.
ㄹ. (가)~(다) 중에서 산업화가 시작된 시기는 (나)가 가장 이르다.

① ㄱ, ㄷ ② ㄱ, ㄹ ③ ㄴ, ㄹ
④ ㄱ, ㄴ, ㄷ ⑤ ㄴ, ㄷ, ㄹ

03 지도는 세계의 인구 분포를 나타낸 것이다. 이에 대한 학생들의 대화 내용 중 옳지 않은 것은?

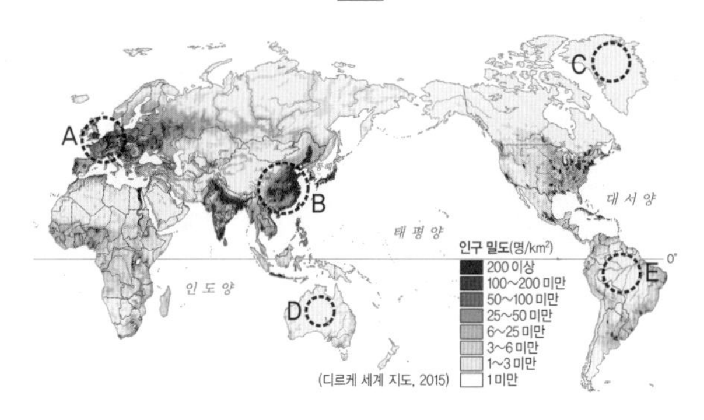

(디르케 세계 지도, 2015)

① 갑 : A는 일찍부터 산업이 발달해서 인구가 밀집해 있어.
② 을 : B에 인구가 밀집하게 된 가장 큰 이유는 밀 재배에 유리한 기후 조건 때문이야.
③ 병 : C는 지표면이 연중 눈과 얼음으로 덮여 있을 정도로 추워서 인간 거주에 불리해.
④ 정 : D에는 사막이 형성되어 있어서 물을 구하기 어렵기 때문에 인구 밀도가 매우 낮아.
⑤ 무 : E는 열대 우림이 울창하게 형성되어 있어서 주거지로 개발하기가 쉽지 않아.

B 세계의 인구 이동

04 다음 글의 (가), (나)에 해당하는 사례로 옳은 것은?

> 인구 이동의 요인에는 [(가)], [(나)]이 있다. [(가)]은 특정 지역의 인구를 다른 지역으로 밀어내 이동하게 만드는 요인을 말하고, [(나)]은 다른 지역으로부터 인구를 끌어들여 머무르게 하는 요인을 말한다.

	(가)	(나)
①	높은 실업률	높은 임금 수준
②	높은 실업률	생활 시설의 부족
③	높은 임금 수준	높은 실업률
④	높은 임금 수준	생활 시설의 부족
⑤	낮은 소득 수준	높은 실업률

05 지도의 (가), (나) 인구 이동에 대한 옳은 설명을 〈보기〉에서 고른 것은? (단, (가), (나)는 경제적 이동, 정치적 이동 중 하나임)

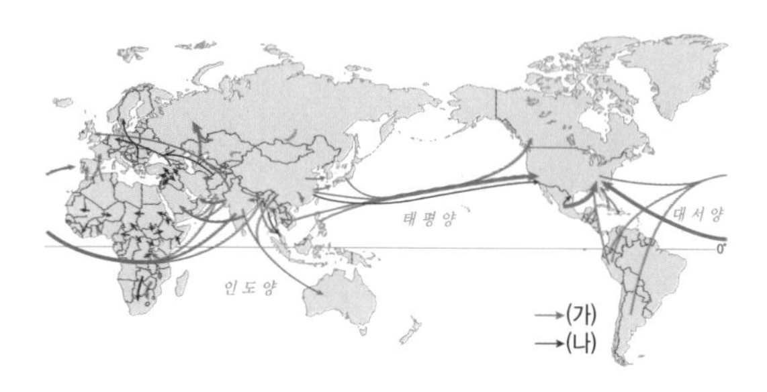

보기
ㄱ. (가)는 선진국에서 개발 도상국으로의 이동이 대부분이다.
ㄴ. (가)로 인해 인구 유입 지역에는 노동력 부족 문제가 완화되는 효과가 있다.
ㄷ. (나)의 발생 원인으로 유출 지역의 전쟁, 분쟁 등을 들 수 있다.
ㄹ. (가)는 정치적 이동, (나)는 경제적 이동에 해당한다.

① ㄱ, ㄴ　② ㄱ, ㄷ　③ ㄴ, ㄷ
④ ㄴ, ㄹ　⑤ ㄷ, ㄹ

C 세계의 인구 구조와 인구 문제

06 그래프의 (가)~(라) 단계에 대한 설명으로 옳은 것은?

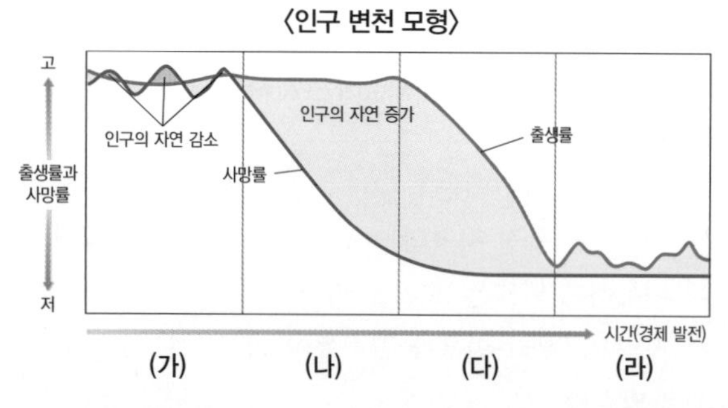

① (나)의 사망률 감소 원인으로 여성의 사회 진출 증가를 들 수 있다.
② 선진국의 대부분은 현재 (다)에 해당한다.
③ (가)는 (나)보다 인구의 자연 증가율이 높다.
④ (나)는 (라)보다 총인구가 많다.
⑤ (라)는 (다)보다 저출산·고령화 문제의 발생 가능성이 높다.

07 그래프는 두 국가의 인구 구조를 나타낸 것이다. (가) 국가와 비교한 (나) 국가의 상대적 특징을 〈보기〉에서 고른 것은?

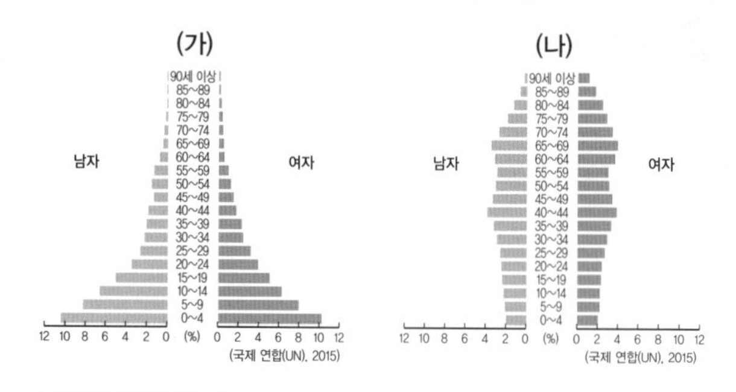

보기
ㄱ. 출생률이 높다.
ㄴ. 중위 연령이 높다.
ㄷ. 노년층 인구 비중이 높다.
ㄹ. 유소년층 인구 비중이 높다.

① ㄱ, ㄴ　② ㄱ, ㄷ　③ ㄴ, ㄷ
④ ㄴ, ㄹ　⑤ ㄷ, ㄹ

08 다음 신문 기사의 (가) 국가에 대한 설명으로 옳은 것은?

> (가) 은/는 부모 모두의 육아 휴직 기간을 충분히 보장하는 육아 휴직 제도를 시행하고 있다. 자녀가 8살이 될 때까지 부모는 480일의 출산 휴가를 받는데, 아버지와 어머니가 공동으로 나눠서 사용할 수 있다. 부모 중에서 한 사람이 반드시 60일 이상 사용하고, 다른 한 사람은 420일 이하를 사용해야 한다.
> [○○신문, 2016. 9. 21.]

① 농업 중심의 산업 구조가 나타난다.
② 아프리카에 위치한 개발 도상국이다.
③ 인구 변천 모형의 3단계에 해당한다.
④ 출생률이 높아 강력한 출산 억제 정책을 실시하고 있다.
⑤ 경제 활동 인구의 감소에 따른 노동력 부족 문제가 발생할 가능성이 높다.

도전! 1등급 문제

정답과 해설 89쪽

[01-02] 그래프는 세 지역(대륙)의 인구 순 이동 변화와 인구 비중 변화를 나타낸 것이다. 이를 보고 물음에 답하시오.

〈인구 순 이동 변화〉

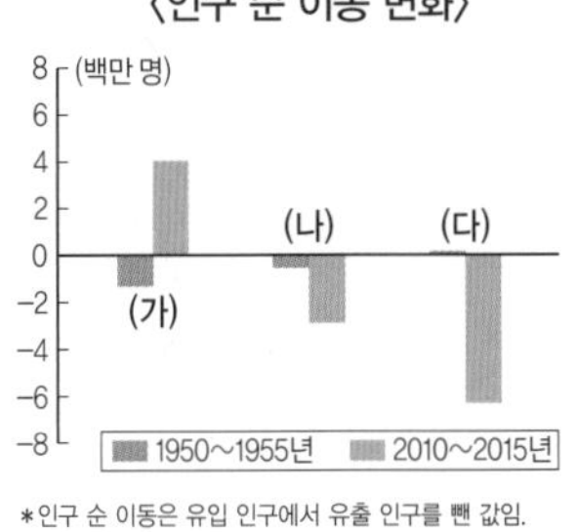

*인구 순 이동은 유입 인구에서 유출 인구를 뺀 값임. (국제 연합)

〈인구 비중 변화〉

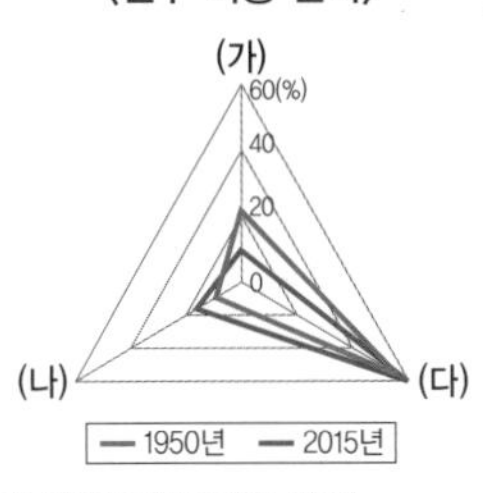

*세계의 총인구에서 차지하는 비중임. (국제 연합)

01 (가)~(다) 지역(대륙)으로 옳은 것은?

	(가)	(나)	(다)
①	유럽	아시아	아프리카
②	유럽	아프리카	아시아
③	아시아	아프리카	유럽
④	아프리카	유럽	아시아
⑤	아프리카	아시아	유럽

고난도

02 그래프의 (가)~(다) 지역(대륙)에 대한 옳은 설명을 〈보기〉에서 고른 것은?

보기
ㄱ. (가)는 (나)보다 1인당 지역 내 총생산이 많다.
ㄴ. (나)는 (다)보다 총인구가 많다.
ㄷ. (다)는 (가)보다 도시화율이 낮다.
ㄹ. (가)~(다) 중에서 출생률은 (가)가 가장 높다.

① ㄱ, ㄴ ② ㄱ, ㄷ ③ ㄴ, ㄷ
④ ㄴ, ㄹ ⑤ ㄷ, ㄹ

03 그래프의 (가) 지역(대륙)과 비교한 (나) 지역(대륙)의 상대적 특징을 〈보기〉에서 고른 것은? (단, (가), (나)는 유럽, 아프리카 중 하나임)

〈지역(대륙)별 중위 연령과 합계 출산율〉

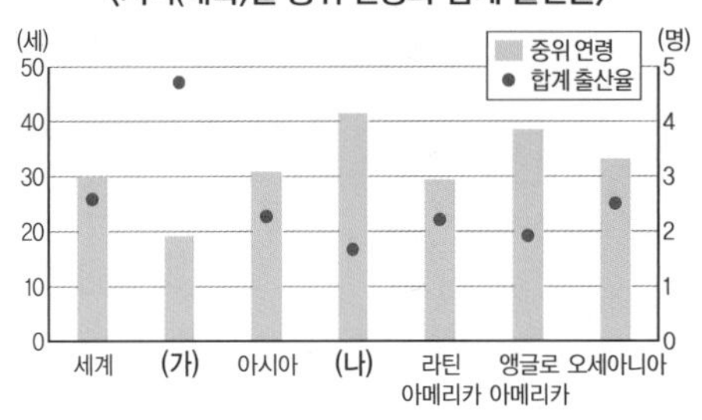

*중위 연령은 2015년, 합계 출산율은 2010~2015년 기준임. (국제 연합)

보기
ㄱ. 유소년층 인구 비중이 높다.
ㄴ. 인구의 자연 증가율이 높다.
ㄷ. 3차 산업 종사자의 비중이 높다.
ㄹ. 인구 변천 모형의 3단계에 진입한 시기가 이르다.

① ㄱ, ㄴ ② ㄱ, ㄷ ③ ㄴ, ㄷ
④ ㄴ, ㄹ ⑤ ㄷ, ㄹ

04 그래프는 국가별 출생률과 사망률을 나타낸 것이다. (가), (나) 국가군에 대한 옳은 설명을 〈보기〉에서 고른 것은?

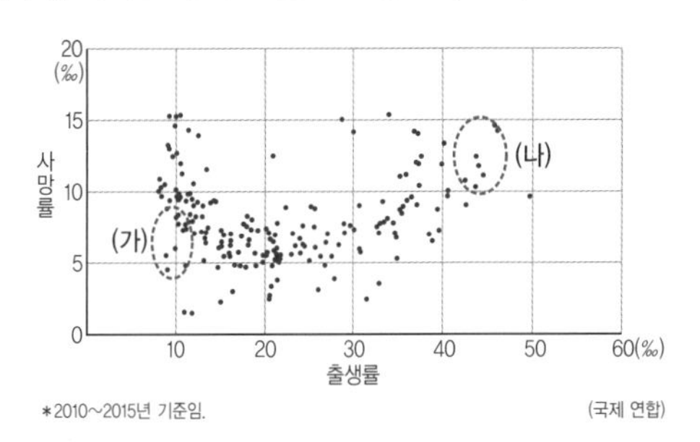

*2010~2015년 기준임. (국제 연합)

보기
ㄱ. (가)는 대부분 인구 변천 모형의 3단계에 해당한다.
ㄴ. (나)는 대부분 서부 유럽에 위치한다.
ㄷ. (가)는 (나)보다 1차 산업의 노동 생산성이 높다.
ㄹ. (나)는 (가)보다 중위 연령이 낮다.

① ㄱ, ㄴ ② ㄱ, ㄷ ③ ㄴ, ㄷ
④ ㄴ, ㄹ ⑤ ㄷ, ㄹ

02 자원 이용과 지속 가능한 발전

흐름 잡기

자원

자원의 의미와 특성은? A

자원의 분포와 소비는? B

지속 가능한 발전을 위한 노력은? C

• 자원의 의미

자원으로써 이용 가치가 있으려면 기술적·경제적으로 이용 가능해야 한다. 아래의 그림을 보면 기술적으로는 이용 가능한 자원이라도 경제성을 갖추지 못하면 실생활에서는 이용하지 못하게 된다. 우리가 현재 이용하고 있는 자원은 경제적 의미의 자원에 해당한다고 볼 수 있다.

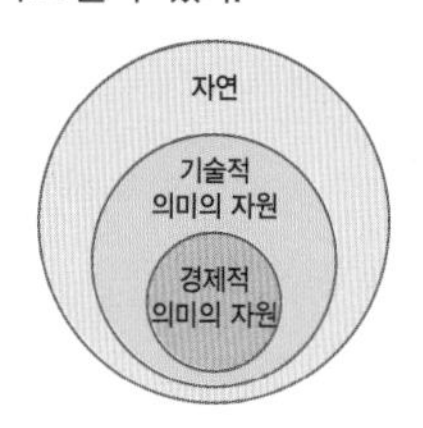

A 자원의 의미와 특성

한·줄·단·서 자원의 특성에는 **유한성, 편재성, 가변성**이 있어!

1. *자원의 의미 인간에게 이용 가치가 있으면서 기술적·경제적으로 이용 가능한 것

2. 자원의 특성

① 유한성

- 대부분의 자원은 매장량이 한정되어 있어 계속 사용하다 보면 언젠가는 고갈됨
- 예 석유, 석탄, 천연가스와 같은 화석 연료가 대표적임
  └ 동식물의 유해가 땅속에서 오랜 시간 동안 묻혀 높은 압력과 열을 받아 형성된 연료를 말해.

② 편재성

- 일부 자원은 지구상에 고르게 분포하지 않고 특정 지역에 편중되어 분포함
- 예 서남아시아에 세계 석유의 약 50%가 매장되어 있음
  └ 석유가 편재성이 높은 자원에 해당하는데, 이 때문에 석유는 국제 이동량이 많은 편이야.

③ 가변성

- 기술·경제·문화적 조건 등에 따라 자원의 의미와 가치가 달라짐
- 예 석유 : 과거에는 낙타의 발을 더럽히던 검은 물 → 현재는 세계에서 소비량이 가장 많은 에너지가 됨

B 자원의 분포와 소비

한·줄·단·서 세계 1차 에너지 소비량은 **석유 > 석탄 > 천연가스** 순으로 많아!

1. 자원의 소비량 변화

① 세계의 자원 소비량 : 인구 증가와 산업 발달로 자원 소비량 증가

② 세계 1차 에너지 자원의 소비 구조(2015년) : 석유 > 석탄 > 천연가스 순으로 많음 자료1
└ 석탄, 석유, 천연가스, 수력, 원자력 등과 같이 가공이 이루어지지 않은 에너지를 말해.

2. 주요 에너지 자원의 분포와 특징 자료2
└ 주요 에너지 자원으로는 석탄, 석유, 천연가스와 같은 화석 연료를 들 수 있어.

① 석탄

특징	• 산업용(제철 공업용, 발전용 등)으로 주로 이용 • 산업 혁명기의 주요 에너지원으로 이용 ┌ 증기 기관이 발명되면서 석탄의 소비량이 크게 증가하였어.
매장 및 분포	고기 조산대 주변에 많이 매장되어 있음
국제 이동	비교적 여러 지역에 고르게 매장되어 있어 국제 이동량이 적음 자료3

석탄은 자원의 편재성이 낮아서 상대적으로 편재성이 높은 석유에 비해 국제 이동량이 적은 편이야.

② 석유

특징	• 주로 수송용 및 산업용으로 이용 ┌ 석유는 석유 화학 공업의 원료로 이용되지. • 내연 기관의 발명(19세기), 자동차의 보급 등으로 소비량이 급증함
매장 및 분포	신생대 제3기층의 배사 구조에 주로 매장되어 있음 ┌ 석유는 천연가스와 함께 매장되어 있는 경우가 많아.
국제 이동	자원의 편재성이 커서 석탄에 비해 국제 이동량이 많음 자료3

③ 천연가스

특징	• 주로 산업용, 가정용으로 이용됨 • *냉동 액화 기술의 발달로 소비량이 급증함
매장 및 분포	석유와 함께 신생대 제3기층의 배사 구조에 주로 매장되어 있음
국제 이동	주로 육상 구간에서는 파이프라인을 이용하고, 해상 구간에서는 액화 가스 수송선을 이용하여 수송함 └ 석유, 천연가스 등을 수송하기 위해 파이프 관으로 만든 수송로를 의미하며, 송유관이라고도 해.

궁금해? 냉동 액화 기술

기체 상태의 천연가스를 약 -162℃로 냉각하여 액체로 응축하는 기술을 말한다. 천연가스를 냉동 액화시키게 되면 부피가 줄어들고 액체로 변하므로 장거리 수송에 유리해진다.

천연가스를 가스 상태로 운반하려면 많은 양을 운송하기가 어려웠는데, 냉동 액화 기술로 대량 운송이 가능해지면서 소비량이 급증했어.

자료 1 세계 1차 에너지 소비량의 변화

자·료·분·석 인구가 빠르게 증가하고 산업이 발달하면서 자원에 대한 수요가 증가하였고, 그 결과 세계 1차 에너지 소비량도 빠르게 증가하고 있다. 그래프를 보면, 세계 1차 에너지 소비량은 1965년에 비해 2015년에 세 배 이상 증가한 것을 알 수 있다. 2015년 현재 세계 1차 에너지 소비량은 석유 > 석탄 > 천연가스 > 수력 > 원자력 순으로 많은데, 화석 연료에 해당하는 석유, 석탄, 천연가스의 소비량이 세계 1차 에너지 소비량의 대부분을 차지할 정도로 화석 연료에 대한 에너지 의존도가 높은 상황이다.

한·줄·핵·심 2015년 현재 세계 1차 에너지 소비량은 석유 > 석탄 > 천연가스 > 수력 > 원자력 순으로 많다.

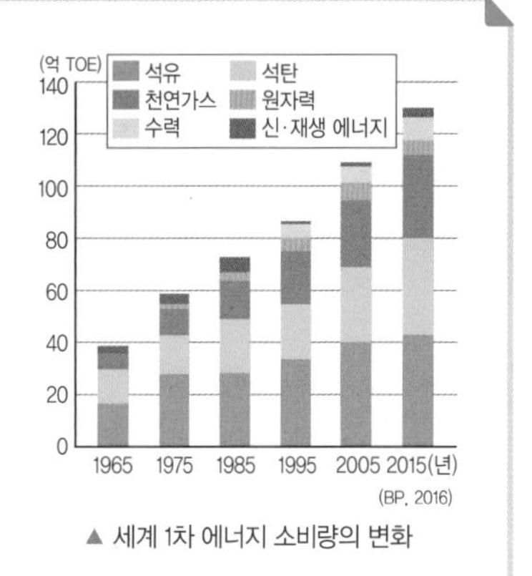

▲ 세계 1차 에너지 소비량의 변화

키워드 체크

❶ 2015년 현재 세계 1차 에너지 소비량은 □□ > □□ > □□□□ 순으로 많다.

답 : □□, □□, □□□□

자료 2 주요 에너지 자원의 국가별 생산과 소비

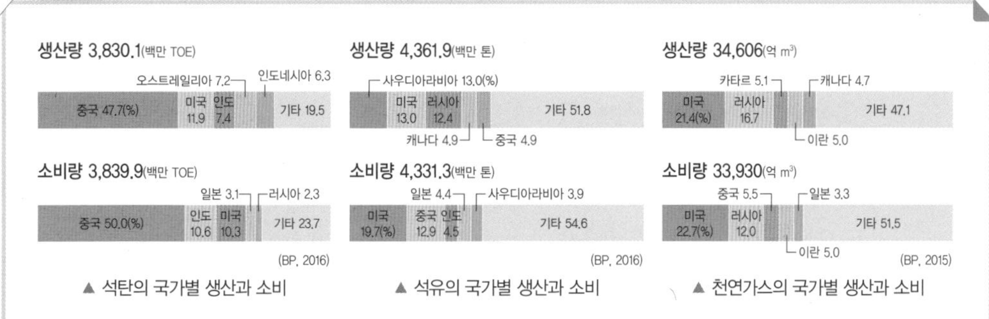

▲ 석탄의 국가별 생산과 소비 ▲ 석유의 국가별 생산과 소비 ▲ 천연가스의 국가별 생산과 소비

자·료·분·석 석탄은 중국의 생산량 비중과 소비량 비중이 50% 가까이 차지할 정도로 높다. 석유는 서남아시아에 위치한 사우디아라비아의 생산량 비중이 가장 높으며, 미국, 중국, 인도, 일본 등에서 많이 소비하고 있다. 천연가스는 미국, 러시아, 카타르 등의 생산 비중이 높고, 미국, 러시아 등에서 많이 소비하고 있다.

한·줄·핵·심 석탄은 중국의 생산량 비중과 소비량 비중이 매우 높고 석유는 사우디아라비아의 생산량 비중이 가장 높으며, 천연가스는 미국, 러시아의 생산량 비중과 소비량 비중이 높다.

키워드 체크

❷ 화석 연료 중에서 중국의 생산량 비중과 소비량 비중이 매우 높은 에너지는 □□이고, 사우디아라비아의 생산량 비중이 가장 높은 에너지는 □□이며, 미국, 러시아의 생산량 비중과 소비량 비중이 높은 에너지는 □□□□이다.

답 : □□, □□, □□□□

자료 3 석유과 석탄의 국제 이동

자·료·분·석 석유는 자원의 편재성이 커서 국제 이동량이 많은 편이다. 석유의 주요 수출국은 석유 생산량이 많은 사우디아라비아를 비롯한 서남아시아 국가들과 러시아 등이고, 주요 수입국은 미국, 중국, 인도, 일본, 우리나라 등이다. 석탄은 석유에 비해 국제 이동량이 적은 편이며, 주요 수출국은 인도네시아, 오스트레일리아 등이고, 주요 수입국은 중국, 인도, 일본 등이다.

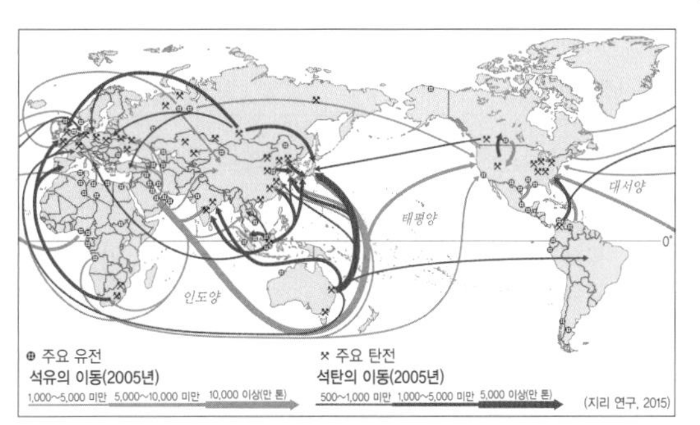

▲ 석유과 석탄의 주요 생산지와 국제 이동

한·줄·핵·심 석유는 편재성이 커서 국제 이동량이 많고, 석탄은 석유에 비해 국제 이동량이 적은 편이다.

키워드 체크

❸ 화석 연료 중에서 사우디아라비아를 비롯한 서남아시아 등에서 미국, 중국, 인도, 일본 등으로 많이 수출되는 에너지는 □□이다.

답 : □□

키워드 체크 정답 ❶ 석유, 석탄, 천연가스 ❷ 석탄, 석유, 천연가스 ❸ 석유

3. 자원의 분포와 소비에 따른 문제

① 자원 수급을 둘러싼 분쟁 자료 4

- 자원 민족주의의 심화로 자원 보유국과 자원 수입국 간의 분쟁 발생
  - **자원 민족주의** : 자원을 보유한 국가가 자원을 무기화하여 자원의 지배권을 확대하고 이익을 극대화하려는 움직임
  - **대표적인 사례** : 1973년과 1979년에 발생한 오일 쇼크(Oil Shock) → *석유의 가격이 급등하여 세계 경제에 큰 영향을 끼침
    - 오일 쇼크: 석유 파동을 의미해.
    - 석유의 가격이 급등: 석유 수출국 기구(OPEC)가 석유 판매로 인한 이익을 확대하기 위해 원유 생산량을 줄였기 때문이야.
- 자원 개발권을 둘러싼 국가 간 영역 분쟁 발생

② 자원 고갈 문제 : 인구 증가와 산업 발달로 자원 소비량 급증 → 자원의 고갈 가능성이 커짐

③ 환경 문제

- **원인** : 자원을 개발하고 소비하는 과정에서 오염 물질 배출
- **사례** : 화석 연료의 사용량 증가로 이산화 탄소 배출량 증가 → 지구 온난화 유발

④ 자원 소비량의 지역 간 격차 문제 : 선진국과 개발 도상국 간의 생활 수준 및 경제 발달 수준 차이로 인해 1인당 자원 소비량의 격차가 발생함

에너지 소비 상위 10개국의 화석 연료 소비량이 세계 소비량의 절반 이상을 차지하고 있으며, 이러한 자원 소비량 격차는 지역 간 불평등을 더욱 심화시키는 요인이 되고 있어.

● 국제 원유 가격의 변화

C 지속 가능한 발전을 위한 노력

한·줄·단·서 **지속 가능한 발전**을 위한 노력에는 **국제적·국가적 차원**과 **개인적 차원**의 노력이 있어.

1. 지속 가능한 발전의 의미와 필요성 자료 5

① 의미 : 미래 세대가 살아가는 데 필요한 자원과 환경을 손상하지 않으면서 현재를 살아가는 우리의 욕구를 동시에 충족하는 발전

② 필요성 : 산업 발달로 인류의 삶은 풍요롭고 편리해졌으나 그 과정에서 자원 고갈, 환경 오염 등의 문제가 발생하였기 때문에 필요성이 커짐

2. 지속 가능한 발전의 방안

경제적 지속성	• 환경적 가치를 고려한 경제 발전 • 빈곤 퇴치, 기업 책임, 소득 재분배 등 고려
환경적 지속성	• 인간과 자연의 조화와 균형 유지 • 기후 변화 대비, 생물 종 다양성 등 고려
사회적 지속성	• 세대 간 형평성 강조 • 인권, 평등, 건강, 문화적 다양성 등 고려

3. 지속 가능한 발전을 위한 노력

① 국제적·국가적 차원의 노력

- **경제적 측면**
  - 신·재생 에너지 보급 확대를 위한 제도 마련 자료 6
    - 신·재생 에너지 공급 의무화 제도가 이에 해당하지.
  - 공적 개발 원조 실시 → 개발 도상국의 빈곤 문제 해결과 경제 발전
- **환경적 측면**
  - 국제 환경 협약 체결 : 교토 의정서, 파리 협정 등
    - 지구 온난화 해결을 위해 국제 사회가 체결한 협약이야.
  - 온실가스를 감축하기 위한 제도 마련 : 온실가스 배출권 거래제 등
- **사회적 측면** : 사회 계층 간 통합을 위한 사회 취약 계층 지원 제도 마련
  - 기초 생활 보장 제도, 주거 및 보건 의료 분야의 사회 복지 서비스 등이 이에 해당하지.

② 개인적 차원의 노력

- 친환경적인 생활 방식, *윤리적 소비의 실천
- **사례** : 로컬 푸드 구매, 공정 무역 제품 이용, 빈곤국 주민 후원, 봉사 활동 참여 등

궁금해? 온실가스 배출권 거래제

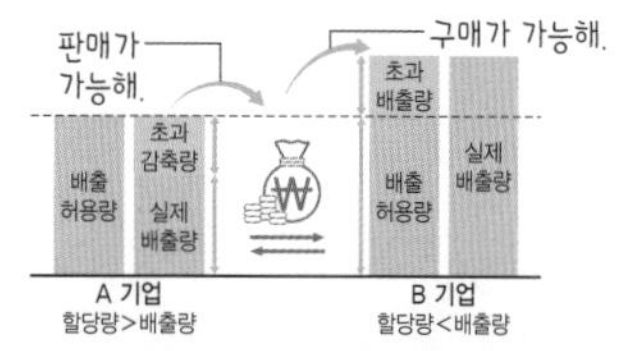

정부가 온실가스를 배출하는 사업장에게 연 단위로 온실가스 배출량을 할당하고, 실제로 배출한 온실가스 양을 측정하여 여분 또는 부족분의 배출권에 대해서는 거래를 허용하는 제도를 말한다.

● **윤리적 소비**

소비자가 윤리적인 가치 판단에 따라 상품이나 서비스를 구매하는 행위를 말하는데, 인간과 동물을 학대하거나 환경에 해를 가하지 않고 윤리적으로 생산된 상품을 구매하는 것을 말한다.

자료 4 에너지 자원을 둘러싼 갈등

자·료·분·석 에너지 자원을 둘러싼 갈등이 발생하는 대표적인 지역으로 카스피해, 북극해, 동중국해, 남중국해 등이 있다. 카스피해 주변 국가들 간에는 카스피해 주변에 매장되어 있는 석유, 천연가스를 확보하기 위해 경계선 획정을 놓고 갈등이 발생하고 있다. 북극해는 지구 온난화로 빙하가 감소하여 석유, 천연가스 등의 자원 개발 가능성이 높아지면서 주변국 간에 갈등이 나타나고 있다.

한·줄·핵·심 카스피해, 북극해, 동중국해, 남중국해 등에서는 석유, 천연가스 등과 같이 편재성이 큰 에너지 자원을 둘러싸고 갈등이 발생하고 있다.

▲ 에너지 자원을 둘러싼 갈등이 발생하는 지역

키워드 체크

❹ 카스피해 주변 국가들 간에 경계선 획정을 놓고 갈등이 발생하는 이유는 □□, □□□□ 등의 에너지 자원을 확보하기 위해서이다.

답 : □□, □□□□

자료 5 지속 가능한 발전

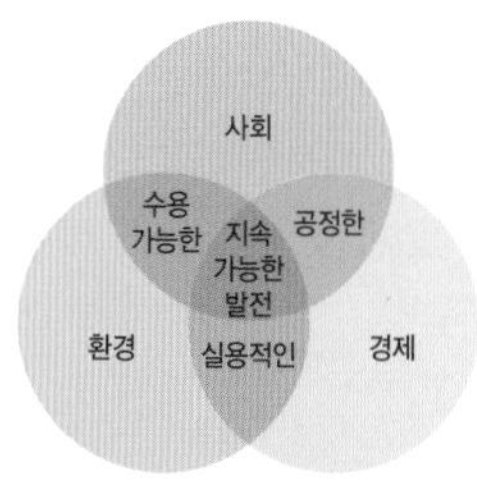

▲ 지속 가능한 발전의 개념

▲ 지속 가능한 발전의 목표

자·료·분·석 지속 가능한 발전은 미래 세대가 살아가는 데 필요한 자원과 환경을 손상하지 않으면서 현재를 살아가는 우리의 욕구를 동시에 충족하는 발전을 말한다. 초기의 지속 가능한 발전은 환경 보전과 경제 개발의 조화에 초점을 맞추었다. 최근에는 사회 공동체의 유지와 경제 발전 역시 조화롭게 지속 가능해야 한다는 주장이 힘을 얻고 있으며, 2015년 국제 연합 정상 개발 회의에서는 지속 가능한 발전을 위해 경제·사회·환경 측면을 통합적으로 고려한 17개의 목표를 제시하였다.

한·줄·핵·심 지속 가능한 발전은 미래 세대가 사용할 자원과 환경을 손상하지 않으면서 현재 세대의 필요를 충족하는 것으로 사회 안정과 통합, 경제 발전, 환경 보전이 균형을 이루는 발전을 의미한다.

키워드 체크

❺ 미래 세대가 살아가는 데 필요한 자원과 환경을 손상하지 않으면서 현재를 살아가는 우리의 욕구를 동시에 충족하는 발전은?

답 : □□ □□□ 발전

자료 6 주요 신·재생 에너지의 특징

▲ 태양광 발전

▲ 풍력 발전

▲ 지열 발전

자·료·분·석 화석 연료의 고갈 가능성이 높아지고, 화석 연료 연소 시 배출되는 이산화 탄소가 지구 온난화를 심화시키는 문제가 발생하면서 친환경적인 신·재생 에너지에 대한 관심이 커지고 있다. 대표적인 신·재생 에너지에는 태양광, 풍력, 지열 등이 있다. 태양광은 일사량이 풍부한 지역, 풍력은 바람이 지속적으로 부는 지역, 지열은 판의 경계부와 같이 지열이 풍부한 지역에서 개발 잠재력이 높게 나타난다.

한·줄·핵·심 자원 고갈과 환경 문제를 해결하고 지속 가능한 발전을 위해서 화석 연료의 사용량을 감축하고, 신·재생 에너지를 개발해야 한다.

키워드 체크

❻ 신·재생 에너지 중에서 □□□은 일사량이 풍부한 지역에서, □□은 바람이 지속적으로 부는 지역에서, □□은 판의 경계부에서 개발 잠재력이 높게 나타난다.

답 : □□□, □□, □□

키워드 체크 정답 ❹ 석유, 천연가스 ❺ 지속 가능한 ❻ 태양광, 풍력, 지열

세계의 에너지 소비 실태와 자원 민족주의

에너지 자원의 소비량이 꾸준히 증가하고 자원 민족주의가 확산되면서 자원 확보를 둘러싼 국가 간, 지역 간 갈등과 분쟁이 늘어나고 있다. 다음 자료를 통해 세계의 에너지 소비 실태와 자원 민족주의의 영향에 대해 알아보자.

통합 주제 story

자료❶

세계 1차 에너지 소비량의 변화를 나타낸 것이다. 인구 증가와 산업 발달로 세계의 에너지 소비량이 꾸준히 증가하고 있으며, 현재 소비량이 가장 많은 에너지는 석유이다.

자료❷

석유의 주요 생산지와 국제 이동을 나타낸 것이다. 세계 1차 에너지 소비량이 가장 많은 석유는 생산량이 많은 지역과 소비량이 많은 지역이 달라 국제 이동량이 많은 대표적인 자원이다.

자료❸

자료에서 알 수 있듯이 지구 온난화로 북극해의 얼음이 녹으면서 자원 개발 가능성이 커지자 북극해에 대한 소유권을 주장하는 주변 국가들 간의 갈등이 심화되고 있다.

자료 ❶ 세계 1차 에너지 소비량의 변화

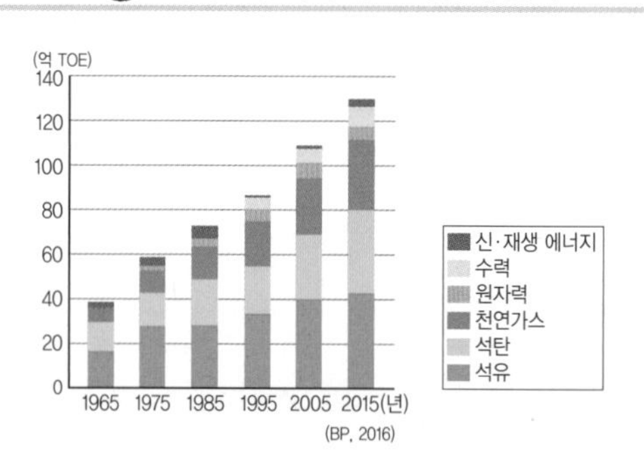

전 세계가 소비하는 에너지 자원의 비중은 석유, 석탄, 천연가스 순으로 많은데, 이들 자원은 전체 에너지에서 약 86%를 차지하고 있어 화석 에너지의 소비 비중이 높은 편이다.

자료 ❷ 석유의 주요 생산지와 국제 이동

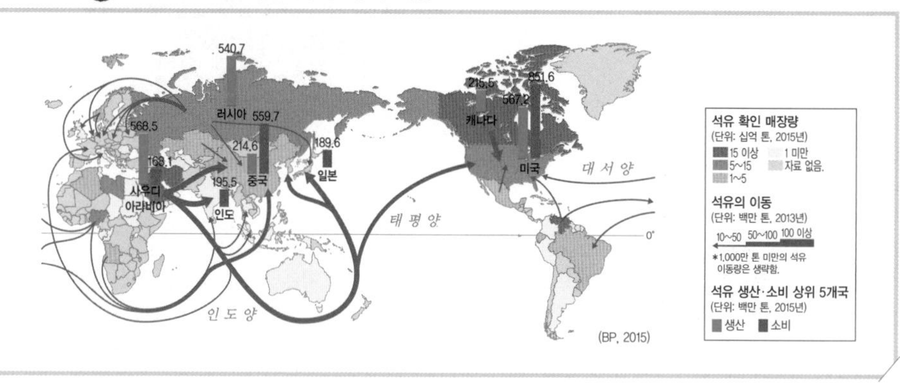

자료 ❸ 북극해 주변 지역의 자원을 둘러싼 갈등

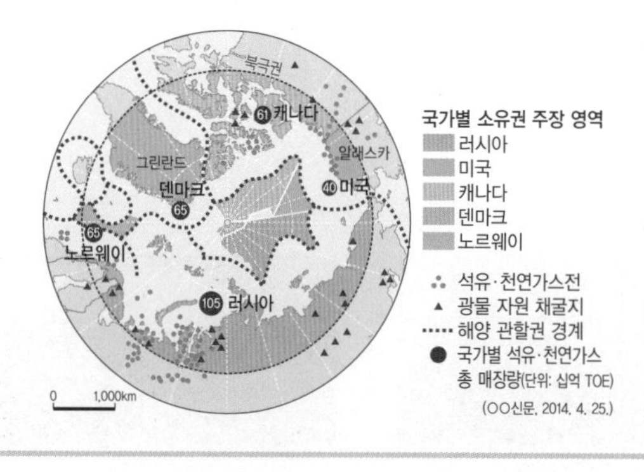

북극해는 지구 전체 원유 매장량의 13%, 천연가스 매장량의 30% 정도가 매장되어 있다. 이를 둘러싸고 덴마크, 캐나다, 미국, 러시아, 노르웨이 등 북극해 연안 국가들이 북극해 영유권을 두고 갈등을 겪고 있다.

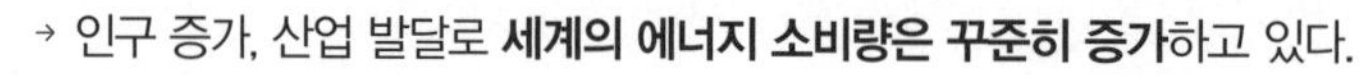

이것만은 꼭!

- 인구 증가, 산업 발달로 **세계의 에너지 소비량은 꾸준히 증가**하고 있다.
- 소비량이 많은 **석유**는 생산지와 소비지가 달라 **국제 이동량이 많은 편**이다.
- **자원 민족주의**가 심화되면서 세계 여러 지역에서 **자원 확보를 둘러싼 국가 간 갈등**이 나타나고 있다.

콕콕! 개념 확인

정답과 해설 90쪽

A 자원의 의미와 특성

01 알맞은 설명에 ○표를 하시오.

(1) 대부분의 자원은 매장량이 한정되어 있으므로 계속 사용하다보면 언젠가는 고갈되는데, 이를 자원의 (유한성, 편재성, 가변성)이라고 한다.

(2) 기술·경제·문화적 조건 등에 따라 자원의 의미와 가치가 달라지는데, 이를 자원의 (유한성, 편재성, 가변성)이라고 한다.

(3) 일부 자원은 고르게 분포하지 않고 특정 지역에 편중되어 분포하는데, 이를 자원의 (유한성, 편재성, 가변성)이라고 한다.

B 자원의 분포와 소비

02 옳은 설명에 ○표, 틀린 설명에 ×표를 하시오.

(1) 석탄은 주로 수송용으로 이용되고 있다. ( )

(2) 석탄은 산업 혁명기의 주요 에너지원으로 이용되었다. ( )

(3) 석탄은 주로 신생대 제3기층의 배사 구조에 매장되어 있다. ( )

(4) 석유는 자원의 편재성이 커서 석탄보다 국제 이동량이 많다. ( )

(5) 석유는 내연 기관의 발명, 자동차의 보급 등으로 소비량이 급증하였다. ( )

(6) 천연가스는 주로 고기 조산대 주변에 매장되어 있다. ( )

(7) 천연가스는 석탄보다 연소 시 대기 오염 물질 배출량이 많다. ( )

(8) 천연가스는 냉동 액화 기술의 발달로 소비량이 급격히 증가하였다. ( )

(9) 세계 1차 에너지 소비량은 석유 > 석탄 > 천연가스 순으로 많다. ( )

03 그래프는 세 화석 연료의 국가별 생산량 비중을 나타낸 것이다. (가)~(다) 에너지가 무엇인지 쓰시오.

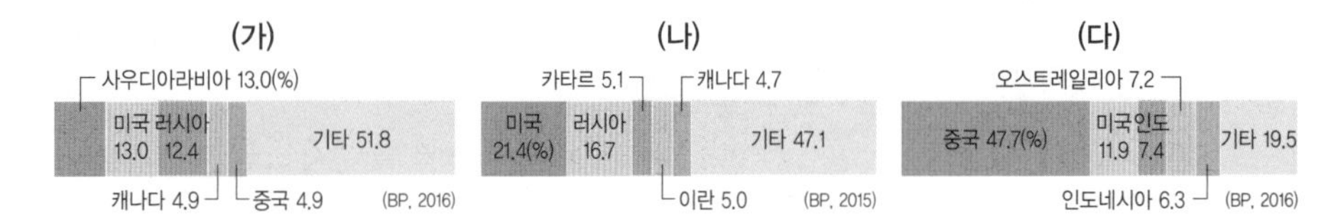

C 지속 가능한 발전을 위한 노력

04 다음 글을 읽고 물음에 답하시오.

> [(가)]은/는 미래 세대가 살아가는 데 필요한 자원과 환경을 손상하지 않으면서 현재를 살아가는 우리의 욕구를 동시에 충족하는 발전을 의미한다. [(가)]의 실현을 위한 ㉠ 국제적·국가적 차원의 노력과 개인적 차원의 노력이 계속되고 있다.

(1) (가)에 들어갈 용어를 쓰시오.

(2) 밑줄 친 ㉠의 사례를 경제적 측면과 환경적 측면으로 나누어 한 가지씩 쓰시오.

탄탄! 내신 문제

정답과 해설 90쪽

A 자원의 의미와 특성

01 다음 글의 (가)~(다)에 해당하는 자원의 특성으로 옳은 것은?

> (가) 일부 자원은 고르게 분포하지 않고 특정 지역에 편중되어 분포한다.
> (나) 대부분의 자원은 매장량이 한정되어 있어 언젠가는 고갈된다.
> (다) 기술·경제·문화적 조건 등에 따라 자원의 의미와 가치가 달라진다.

	(가)	(나)	(다)
①	가변성	유한성	편재성
②	가변성	편재성	유한성
③	유한성	편재성	가변성
④	편재성	가변성	유한성
⑤	편재성	유한성	가변성

B 자원의 분포와 소비

02 그래프의 (가)~(다) 에너지로 옳은 것은?

〈세계 1차 에너지 소비량 변화〉

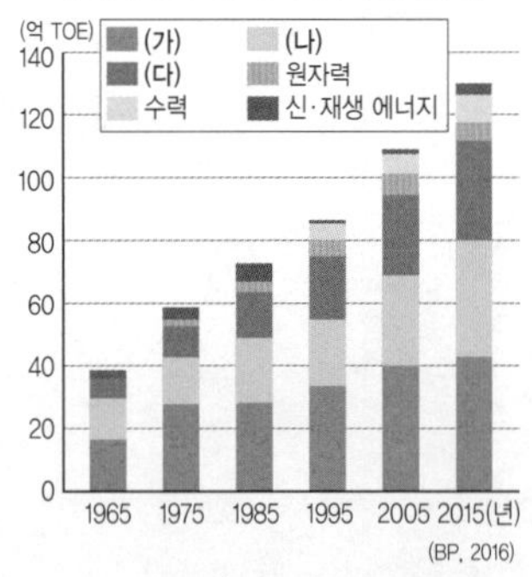

▲ 세계 1차 에너지 소비량의 변화

	(가)	(나)	(다)
①	석유	석탄	천연가스
②	석유	천연가스	석탄
③	석탄	석유	천연가스
④	천연가스	석유	석탄
⑤	천연가스	석탄	석유

03 지도는 두 화석 연료의 국제 이동을 나타낸 것이다. (가) 자원과 비교한 (나) 자원의 상대적 특징을 그림의 A~E에서 고른 것은?

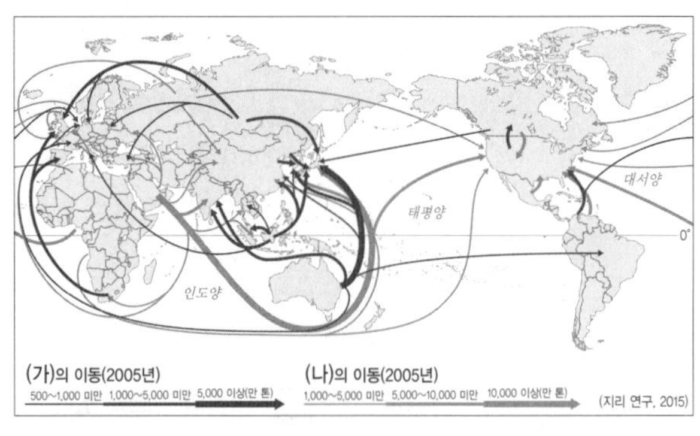

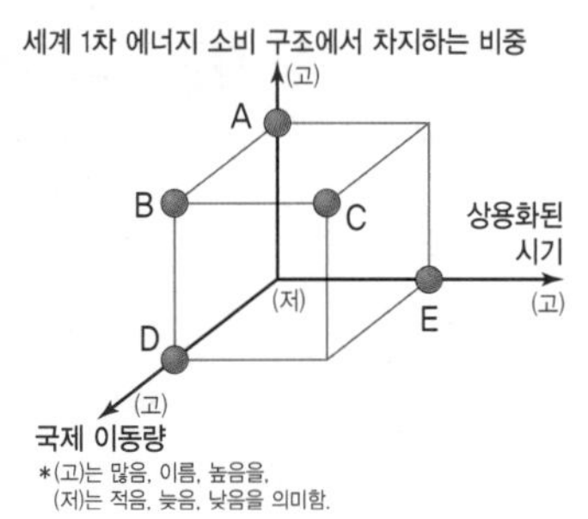

① A ② B ③ C ④ D ⑤ E

04 지도는 어느 화석 연료의 주요 생산지와 국제 이동을 나타낸 것이다. 이 자원에 대한 설명으로 옳은 것은?

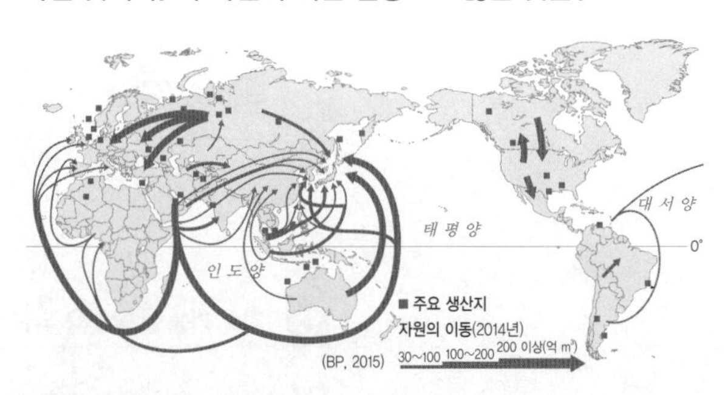

① 주로 제철 공업용, 발전용으로 이용된다.
② 고기 조산대 주변에 많이 매장되어 있다.
③ 냉동 액화 기술의 발달로 소비량이 급증하였다.
④ 세계 1차 에너지 소비 구조에서 차지하는 비중이 가장 높다.
⑤ 화석 연료 중에서 연소 시 대기 오염 물질 배출량이 가장 많다.

05 그래프는 세 화석 연료의 국가별 생산량을 나타낸 것이다. (가)~(다) 에너지에 대한 설명으로 옳은 것은?

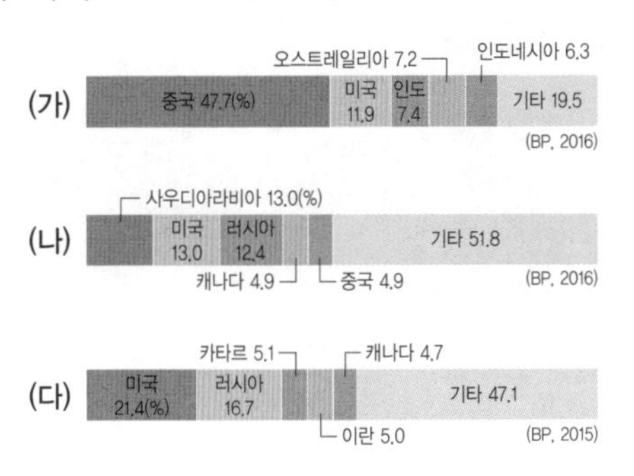

① (가)는 신생대 제3기층의 배사 구조에 주로 매장되어 있다.
② (나)는 냉동 액화 기술의 개발로 소비량이 급증하였다.
③ (다)는 산업 혁명기의 주요 에너지원이었다.
④ (가)는 (나)보다 생산량 대비 수출량이 많다.
⑤ (다)는 (가)보다 연소 시 대기 오염 물질 배출량이 적다.

06 지도에 표시된 지역에서 발생하는 분쟁의 공통적인 원인으로 옳은 것은?

① 서로 다른 종교 간의 갈등
② 소수 민족의 분리 독립 요구
③ 서로 다른 언어 사용자 간의 갈등
④ 국제 하천의 물 자원을 둘러싼 갈등
⑤ 석유, 천연가스 등의 자원을 둘러싼 갈등

C 지속 가능한 발전을 위한 노력

[07-08] 다음 자료를 보고 물음에 답하시오.

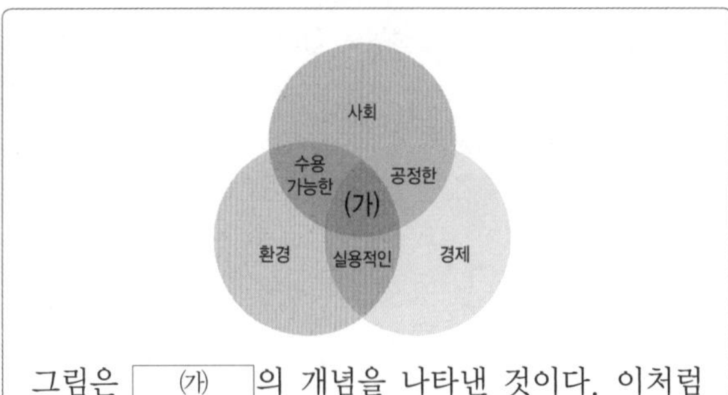

그림은 (가) 의 개념을 나타낸 것이다. 이처럼 (가) 을/를 통해 미래 세대가 살아가는 데 필요한 자원과 환경을 손상하지 않으면서 현재를 살아가는 우리의 욕구를 동시에 충족시킬 수 있다.

07 (가)에 들어갈 내용으로 가장 적절한 것은?

① 공정 무역
② 윤리적 소비
③ 자원 민족주의
④ 지속 가능한 발전
⑤ 경제 성장 중심의 발전

08 (가)의 실현을 위한 방안으로 옳지 않은 것은?

① 개인은 친환경적인 생활 방식을 실천한다.
② 개발 도상국에 대한 공적 개발 원조를 확대한다.
③ 유류세를 인하하여 화석 연료의 소비를 촉진시킨다.
④ 온실가스 감축을 위한 온실가스 배출권 거래제를 도입한다.
⑤ 사회 계층 간 통합을 위한 사회 취약 계층 지원 제도를 실시한다.

도전! 1등급 문제

정답과 해설 91쪽

[01-02] 그래프는 세 화석 연료의 대륙 내 생산량 비중을 나타낸 것이다. 이를 보고 물음에 답하시오.

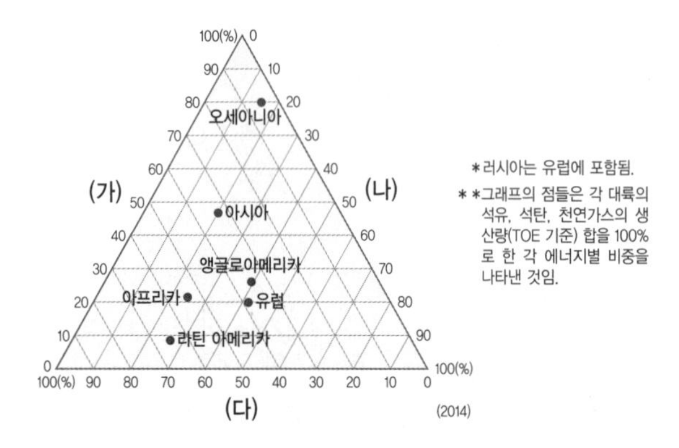

01 그래프의 (가)~(다) 에너지로 옳은 것은?

	(가)	(나)	(다)
①	석유	석탄	천연가스
②	석유	천연가스	석탄
③	석탄	석유	천연가스
④	석탄	천연가스	석유
⑤	천연가스	석탄	석유

고난도

02 그래프의 (가)~(다) 에너지에 대한 옳은 설명을 〈보기〉에서 고른 것은?

보기
ㄱ. (가)는 (나)보다 연소 시 대기 오염 물질 배출량이 많다.
ㄴ. (나)는 (다)보다 상용화된 시기가 늦다.
ㄷ. (다)는 (가)보다 수송용으로 이용되는 비중이 낮다.
ㄹ. 세계 1차 에너지 소비 구조에서 차지하는 비중은 (다)>(나)>(가) 순으로 높다.

① ㄱ, ㄴ ② ㄱ, ㄷ ③ ㄴ, ㄷ
④ ㄴ, ㄹ ⑤ ㄷ, ㄹ

03 지도는 두 화석 연료의 생산량이 많은 상위 5개국을 각각 나타낸 것이다. (가), (나) 에너지에 대한 옳은 설명을 〈보기〉에서 고른 것은?

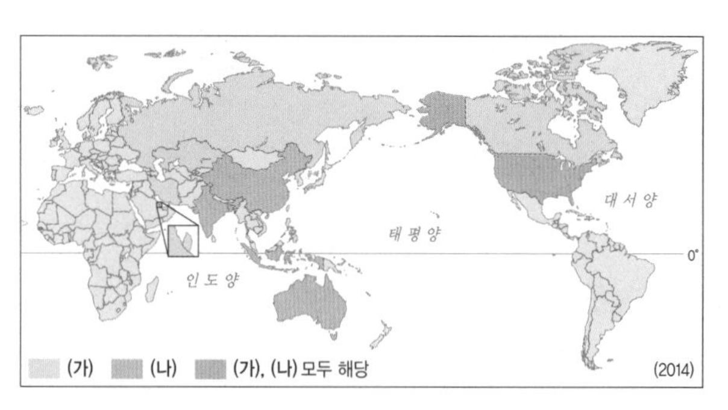

보기
ㄱ. (가)는 주로 고기 조산대 주변에 매장되어 있다.
ㄴ. (나)는 냉동 액화 기술의 개발로 소비량이 급증하였다.
ㄷ. (가)는 (나)보다 상용화된 시기가 늦다.
ㄹ. (나)는 (가)보다 연소 시 대기 오염 물질 배출량이 많다.

① ㄱ, ㄴ ② ㄱ, ㄷ ③ ㄴ, ㄷ
④ ㄴ, ㄹ ⑤ ㄷ, ㄹ

04 다음과 같은 제도를 실시함으로써 얻을 수 있는 효과로 가장 적절한 것은?

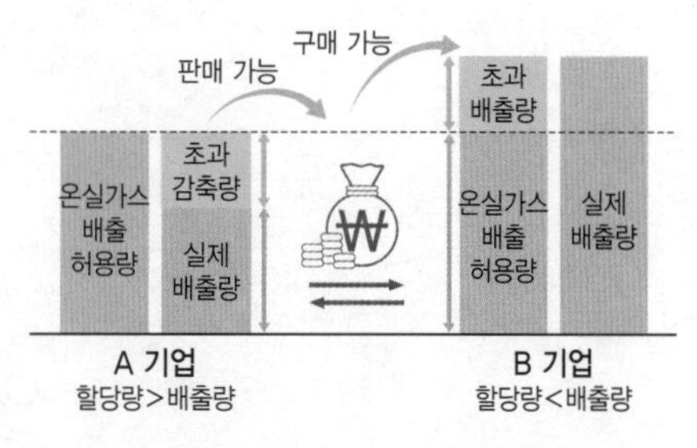

① 화석 연료의 소비를 촉진할 수 있다.
② 지구 온난화 문제를 완화할 수 있다.
③ 대기업의 내부 거래 행위를 막을 수 있다.
④ 공정 무역을 통한 윤리적 소비가 확대된다.
⑤ 신·재생 에너지의 공급량을 감축할 수 있다.

[05-07] 다음 자료를 보고 물음에 답하시오.

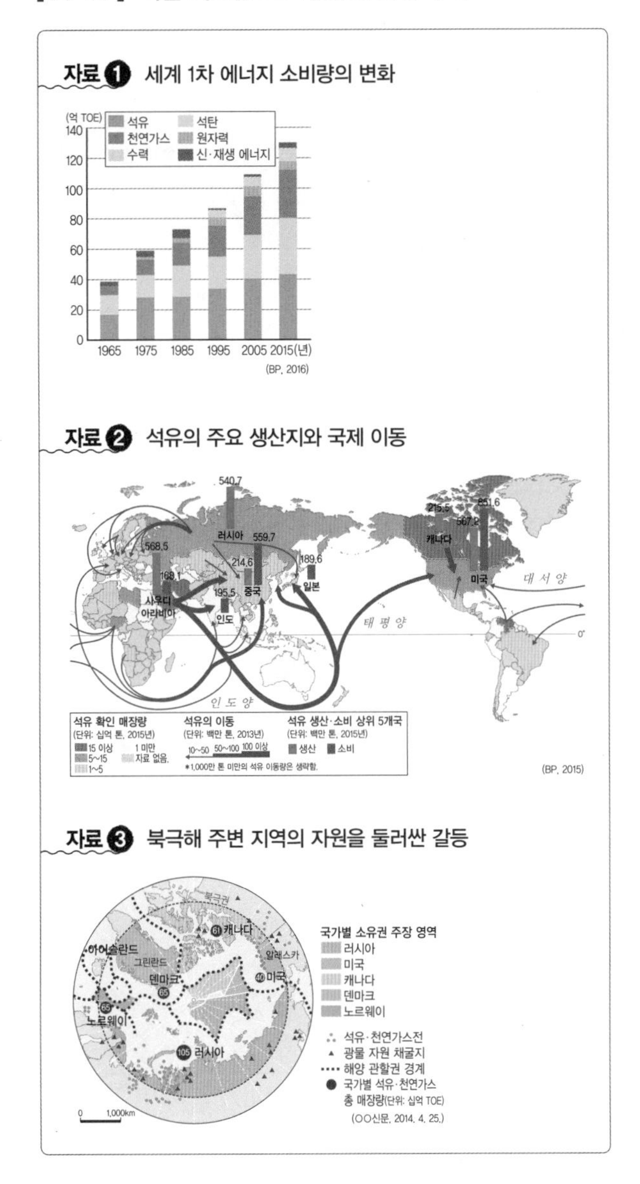

05 자료❶에 대한 옳은 분석만을 〈보기〉에서 있는 대로 고른 것은?

〈보기〉
ㄱ. 석유는 석탄보다 2015년에 소비량이 많다.
ㄴ. 석탄은 천연가스보다 1965~2015년의 소비량 증가율이 높다.
ㄷ. 1965년에 비해 2015년에 세계 1차 에너지 소비량은 세 배 이상 증가하였다.
ㄹ. 세계 1차 에너지 소비량에서 화석 연료의 소비량이 차지하는 비중은 2015년에 50%를 넘는다.

① ㄱ, ㄴ　② ㄱ, ㄷ　③ ㄴ, ㄹ
④ ㄱ, ㄷ, ㄹ　⑤ ㄴ, ㄷ, ㄹ

06 그래프의 (가) 시기에 나타난 국제 원유 가격의 변화 원인을 자료❷와 관련하여 옳게 해석한 것은?

〈국제 원유 가격의 변화〉

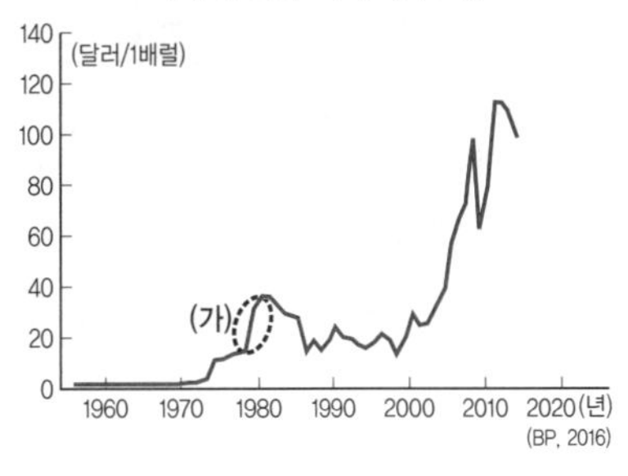

① 석유가 언젠가는 고갈되는 비재생 자원이기 때문이다.
② 내연 기관의 발명으로 석유에 대한 수요가 급증했기 때문이다.
③ 석유가 특정 지역에 편중되어 분포하는 경향이 강하기 때문이다.
④ 석유가 대량으로 매장되어 있는 지역이 추가로 발견되었기 때문이다.
⑤ 신·재생 에너지의 공급량을 확대하여 석유 소비량을 대체하였기 때문이다.

07 다음은 학생의 서술형 답안지이다. ㉠~㉤ 중 내용이 옳지 않은 것은?

문제 : 자료❸에 나타난 갈등의 원인을 자료❷와 관련지어 서술하시오.

답안지 : 자료❷에서 알 수 있듯이 ㉠ 석유는 생산지와 소비지가 대체로 일치하여 국제 이동량이 적은 편이다. 그러나 최근 ㉡ 자원 보유국의 자원 민족주의가 심화되면서 자원 수급 불안이 계속되자 석유 자원의 안정적 확보에 대한 관심이 커지고 있다. 그 결과 북극해 주변 국가들은 ㉢ 지구 온난화로 인해 개발 가능성이 높아진 북극해의 석유, 천연가스를 확보하기 위해 자료❸에 나타난 것과 같이 ㉣ 북극해에 대한 소유권을 주장하기 시작했다. 이와 유사한 갈등이 발생하고 있는 지역으로는 ㉤ 석유, 천연가스의 확보를 위해 경계 획정을 놓고 주변국 간 갈등이 발생하고 있는 카스피해를 들 수 있다.

① ㉠　② ㉡　③ ㉢　④ ㉣　⑤ ㉤

03 지구촌의 미래와 우리의 삶

흐름 잡기

미래

미래 지구촌은 어떤 모습일까? A

미래를 위해 무엇을 준비해야 할까? B

A 미래 예측과 미래 지구촌의 모습

한·줄·단·서 **미래 예측**을 통해 미래의 삶을 **계획**해 볼 수 있고, 미래 지구촌의 모습을 **정치·경제·사회적 측면**과 **환경적 측면** 등 다양한 측면에서 예측할 수 있어.

1. 미래 예측의 필요성

① 미래 예측을 통해 미래 사회에 대한 유연적 대처가 가능함

② 미래학의 발달로 과학적이고 체계적인 미래 예측이 가능함
미래학이 독립된 학문 영역으로 발전하면서 미래 예측의 정확도가 높아지게 되었어.

2. 미래 예측 방법 자료1

전문가 합의법 (•델파이 기법)	각 분야의 전문가에게 설문을 반복하여 특정한 주제에 관해 전문가 집단의 합의를 도출하는 방식
시나리오 기법	시나리오를 작성하여 미래에 대비하는 방법으로 여러 개의 미래를 가정하여 대비할 수 있음 (미래에 중요할 수도 있는 시나리오가 무시될 수 있다는 단점도 있어.)

3. 미래 지구촌의 모습

① 정치·경제·사회적 측면에서 본 미래

- 자유 무역의 확대, 국제기구의 활동 등 → 국가 간 상호 의존성 증대
- 다양한 원인에 의한 국가 간, 지역 간 갈등의 발생 빈도 증가
  영토(영역), 종교, 경제적 격차 등이 이에 해당해.

② 환경적 측면에서 본 미래

- 현재의 환경 문제를 해결하지 못할 경우 지구촌의 생태 환경은 더욱 악화될 것으로 예상됨
  생물 종 다양성 감소는 물론 인류의 생존까지 위협하게 될 거야.
- 인간이 이용할 수 있는 자원과 환경의 범위가 축소될 것으로 예상됨, 유전자 재조합 식품(GMO)의 재배 확대

③ 과학 기술의 발달과 변화하는 미래 자료2

- 인공 지능과 로봇 기술, •사물 인터넷, •교통 및 우주 항공 기술, 생명 공학 기술, 농업 기술 등의 발달 → 생활이 편리해지고, 인간의 활동 범위가 넓어짐
  4차 산업 혁명에 해당돼.
- 정보화가 보편화·고도화되면서 의사 결정에 대한 시민의 참여가 활발해짐 → 개인의 사회적 영향력 증대
- **새로운 문제의 발생 가능성** : 생명 윤리 문제, 신종 바이러스 등장, 특정 직업의 소멸로 인한 실업 문제 등

B 미래의 삶을 위한 준비

한·줄·단·서 미래의 삶을 위해서는 **올바른 인성과 가치관** 정립, **비판적 사고력** 증진, **세계 시민으로서 공동체 의식** 함양 등이 필요해!

1. 올바른 인성과 가치관 정립 공동체 구성원 간의 소통과 화합을 이룰 수 있는 개방적 태도와 관용 필요

2. 비판적 사고력 증진 사회 문제의 발생 원인, 배경 등을 명확하게 파악하여 사회 현상을 비판적·과학적으로 분석할 수 있어야 함

3. 세계 시민으로서 공동체 의식 함양 인류 공통의 가치인 인간의 존엄성, 자유와 평등, 정의 등을 전 지구적 차원에서 실현하려는 자세를 가져야 함

• 델파이 기법
설문을 반복하여 특정한 주제에 대해 전문가 집단의 합의를 도출하는 방식으로 진행된다. 전문가들이 회의 장소에서 대면하는 과정을 없애고 전문가들의 익명성을 보장함으로써 보다 자유롭고 객관적인 의견 수렴을 할 수 있다는 장점이 있다.

• 사물 인터넷(Internet of Things)
자동차, 냉장고, 세탁기, 시계 등의 사물에 인터넷이 연결되는 것을 말한다. 사물 인터넷은 각종 사물에 통신, 센서 기능을 장착해 스스로 데이터를 주고받으며 자동으로 구동하는 것이 가능해진다. 자율 주행 자동차나 스마트폰의 앱을 이용하여 집안의 전등, 보일러 등을 끄고 켜는 것이 대표적이다.

• 새로운 교통수단
교통 기술의 발달로 새로운 교통수단이 등장할 가능성이 높아지고 있다. 미래에 상용화될 교통수단으로 자율 주행 자동차, 하이퍼루프 등을 들 수 있다. 자율 주행 자동차는 운전자가 차량을 운전하지 않고도 스스로 주행하는 자동차를 말하고, 하이퍼루프는 진공 상태의 튜브 속에서 시속 약 1,200km로 달릴 수 있는 초고속 자기 부상 열차를 말한다. 이러한 새로운 교통수단의 등장으로 미래에는 현재보다 시·공간적 제약이 약해질 것으로 예상되고 있다.

교과서 자료 모아보기

자료 1 미래 예측의 방법

〈1차〉 개방형 질문
2050년 인간의 기대 수명 증감에 관한 의견과 근거를 간략히 서술하시오.

〈2차〉 1단계 설문 결과를 반영한 폐쇄형 질문
1. 인간의 기대 수명에 가장 큰 영향을 미치는 요인은 무엇일까요?
 ① 경제 발전 ② 환경 오염 ③ 생명 공학
2. 2050년에 인간의 기대 수명은 어떻게 될까요?
 ① 증가 ② 유지 ③ 감소

〈3차〉 2단계 설문 결과를 반영한 폐쇄형 질문
1. 생명 공학 중 인간 수명 연장에 도움을 줄 수 있는 분야는 무엇일까요?
 ① 신약 개발 ② 장기 복제 ③ 유전자 조작 ④ 난치병 치료
2. 2050년에 인간의 기대 수명은 현재보다 어느 정도 증가할까요?
 ① 5세 ② 10세 ③ 15세 ④ 20세 ⑤ 30세

▲ 전문가 합의법에서 사용하는 설문지 예시

시나리오1 암 치료 기술이 개발되고, 장기 이식이 가능해지는 등 생명 과학 기술이 훨씬 발전한다면, 인간의 수명은 길어질 것이다.

시나리오2 대기 오염, 수질 오염 등 환경 문제가 더욱 심각해지고 신종 바이러스가 퍼지면, 지금보다 인간의 수명은 짧아질 것이다.

시나리오3 세계의 식량 생산량이 증가하고 화석 연료를 대체할 새로운 에너지가 개발된다면, 인간 수명은 더욱 길어질 것이다.

▲ 시나리오 기법을 통한 미래 예측 예시

자·료·분·석 전문가 합의법(델파이 기법)은 각 분야의 전문가에게 설문을 반복하여 특정한 주제에 관해 전문가 집단의 합의를 도출하는 방식이다. 여러 번의 설문 조사를 실시하여 전문가들의 의견 수렴 및 합의를 도출하게 된다. 시나리오 기법은 미래에 일어날 일에 대해 시나리오를 작성함으로써 미래에 대비하는 방법이다.

한·줄·핵·심 미래 예측 방법에는 전문가 합의법(델파이 기법)과 시나리오 기법이 많이 사용되고 있다.

키워드 체크

❶ 미래 예측 방법 중 □□□ □□□은 각 분야의 전문가에게 설문을 반복하여 특정한 주제에 관해 전문가 집단의 합의를 도출하는 방식이고, □□□□ 기법은 미래에 일어날 일에 대해 시나리오를 작성함으로써 미래에 대비하는 방법이다.

답 : □□□ □□□, □□□□

자료 2 과학 기술의 발달과 미래의 변화

전기로 가는 무인 자동차 발전 기능을 갖추고 자율 주행이 가능한 자동차

인공 지능을 갖춘 로봇 머신 러닝을 통해 인간의 역할을 대신해 줄 로봇

생명체를 만들어 내는 합성 생물학 유전자 합성과 변형을 통한 유전자 변형 생물체의 출현

우주 엘리베이터와 공기 제작 기술 우주로 나가서 살아갈 수 있는 기술 개발

첨단화된 도시 농업 고층 빌딩에서 인공 빛과 기계를 이용한 첨단 농업 발달

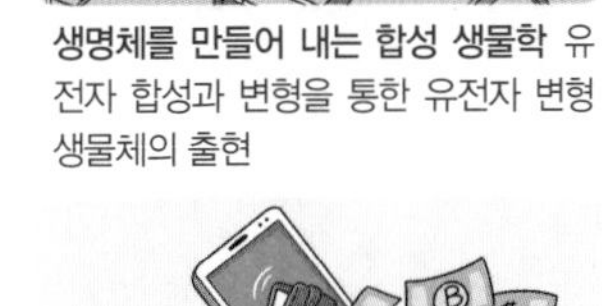
핀테크와 전자 화폐 금융과 과학 기술의 결합을 통한 전자 화폐의 사용

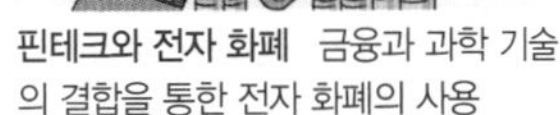
▲ 미래를 변화시킬 과학 기술들 [박영숙, 제롬 글렌, 『유엔 미래 보고서 2050』]

자·료·분·석 교통과 정보 통신 기술의 발달로 인간의 생활 공간이 세계로 확장되었고, 최근에는 가상 현실로 삶의 공간 개념이 확대되고 있다. 생명 공학은 난치병 치료와 회생 불가능한 환자의 생명을 연장하는 데 이바지하여 미래의 산업 발전을 주도할 것으로 예측된다. 또한, 자체 인공 신경망 구조를 통해 스스로 학습하는 딥 러닝 기술을 갖춘 인공 지능은 인간의 역할을 대신할 것이다. 그러나 정보 통신 기술에 따른 정보 격차, 개인 정보 유출, 생명 공학의 발달로 인간의 정체성과 도덕적 가치의 혼란이 발생할 수 있다.

한·줄·핵·심 과학 기술의 발달로 우리의 미래는 편리해질 것으로 예상되지만, 부정적 측면도 전망되고 있다.

키워드 체크

❷ 최신 인공 지능에 탑재되어 있는 기술로, 엄청난 양의 데이터를 자체 인공 신경망 구조를 통해 스스로 학습하는 기술을 무엇이라고 하는가?

답 : □□□

키워드 체크 정답 ❶ 전문가 합의법, 시나리오 ❷ 딥 러닝

콕콕! 개념 확인

정답과 해설 93쪽

A 미래 예측과 미래 지구촌의 모습

01 옳은 설명에 ○표, 틀린 설명에 ×표를 하시오.

(1) 미래 예측을 통해 미래 사회에 대한 유연적 대처가 가능해졌다. ( )

(2) 미래학이 독립된 학문 영역으로 발전하면서 미래 예측의 정확도가 낮아졌다. ( )

(3) 미래에는 국가 간, 지역 간에 상호 의존성이 낮아질 것으로 예상된다. ( )

(4) 미래에는 국가 간, 지역 간에 갈등의 발생 빈도가 증가할 것으로 예상된다. ( )

(5) 시나리오 기법은 미래에 중요할 수 있는 시나리오가 무시될 가능성이 없다. ( )

(6) 교통과 통신 기술의 발달로 인간의 활동 범위가 축소될 것으로 예상된다. ( )

(7) 현재의 환경 문제를 해결하지 못할 경우 미래에 생물 종의 다양성은 감소할 것이다. ( )

(8) 전문가 합의법은 전문가들의 대면 과정을 없애고 익명성을 보장하여 자유롭고 객관적인 의견 수렴을 할 수 있다는 장점이 있다. ( )

02 미래 예측 방법 중 해당되는 내용에 ○표를 하시오.

(1) (전문가 합의법, 시나리오 기법)은 각 분야의 전문가에게 설문을 반복하여 특정한 주제에 관해 전문가 집단의 합의를 도출하는 방법이다.

(2) (전문가 합의법, 시나리오 기법)은 여러 개의 미래를 가정한 시나리오를 작성하여 미래에 대비하는 방법이다.

(3) (전문가 합의법, 시나리오 기법)은 델파이 기법이라고도 불린다.

03 다음 설명에 해당하는 용어를 쓰시오.

(1) 자동차, 냉장고, 세탁기, 시계 등에 인터넷이 연결되는 것 ( )

(2) 엄청난 양의 데이터를 자체 인공 신경망 구조를 통해 스스로 학습하는 인공 지능 기술 ( )

(3) 운전자가 차량을 운전하지 않고도 스스로 주행하는 자동차 ( )

(4) 진공 상태의 튜브 속에서 시속 약 1,200km로 달릴 수 있는 초고속 자기 부상 열차 ( )

B 미래의 삶을 위한 준비

04 다음 글은 미래의 삶을 위해 우리가 갖추어야 할 자세에 대해 정리한 것이다. 빈칸에 들어갈 내용을 쓰시오.

> 우리는 미래의 삶에 대비하기 위해서 공동체 구성원 간의 소통과 화합을 이룰 수 있는 개방적 태도와 (1) □□을/를 갖추어야 한다. 또한, 사회 문제의 발생 원인, 배경 등을 명확하게 파악하여 사회 현상을 (2) □□적·과학적으로 분석할 수 있어야 하며, 세계 시민으로서의 (3) □□□ 의식을 함양해야 한다.

탄탄! 내신 문제

A 미래 예측과 미래 지구촌의 모습

[01-02] 다음 신문 기사를 읽고 물음에 답하시오.

> [(가)] 등과 같이 ㉠ 이전에 없던 새로운 기술이 등장하면서 새로운 산업 지형도를 만들어가고 있다. 미래 사회는 3차 산업 혁명과 달리 정보 통신 기술과 오프라인, 정보 통신 기술과 정보 통신 기술 등이 결합하여 생각지도 못한 서비스와 제품이 만들어진다.
>
> [○○ 신문, 2016. 10. 13.]

01 (가)에 들어갈 내용으로 적절하지 않은 것은?

① 드론 ② 3D 프린팅
③ 사물 인터넷 ④ 인공 지능(AI)
⑤ 내연 기관 자동차

02 신문 기사 중 밑줄 친 ㉠이 미래 지구촌에 끼치는 영향에 대한 적절한 추론만을 〈보기〉에서 있는 대로 고른 것은?

> 〈보기〉
> ㄱ. 인간의 활동 범위가 축소될 것이다.
> ㄴ. 국가 간 상호 의존성이 증대될 것이다.
> ㄷ. 특정 직업의 소멸로 인한 실업 문제가 발생할 것이다.
> ㄹ. 정책 및 의사 결정에 대한 시민의 참여가 활발해질 것이다.

① ㄱ, ㄷ ② ㄱ, ㄹ ③ ㄴ, ㄹ
④ ㄱ, ㄴ, ㄷ ⑤ ㄴ, ㄷ, ㄹ

03 다음은 학생이 수업 시간에 필기한 내용의 일부이다. (가), (나)에 들어갈 내용으로 옳은 것은?

■ 미래 예측 방법

(가)	○○○○을/를 작성하여 미래에 대비하는 방법으로 여러 개의 미래를 가정하여 대비할 수 있는데, 일반적으로 3~4개의 ○○○○을/를 작성함
(나)	각 분야의 전문가에게 설문을 반복하여 특정한 주제에 관해 전문가 집단의 합의를 도출하는 방식

	(가)	(나)
①	델파이 기법	시나리오 기법
②	델파이 기법	전문가 합의법
③	시나리오 기법	패널 기법
④	시나리오 기법	전문가 합의법
⑤	전문가 합의법	패널 기법

B 미래의 삶을 위한 준비

04 다음 글의 (가)에 들어갈 내용으로 적절하지 않은 것은?

> '로하스(LOHAS)'는 'Lifestyles of Health And Sustainability'의 앞 글자를 딴 용어로, 개인의 신체적·정신적 건강은 물론, 환경, 사회 정의 및 지속 가능한 소비에 높은 가치를 두고 생활하는 사람들의 새로운 생활 방식을 말한다. 이를 실현하기 위해서는 [(가)].

① 환경 보호에 적극적으로 참여해야 한다.
② 주변에 친환경 제품의 기대 효과를 홍보해야 한다.
③ 1회용 제품 사용량을 늘려 공공 위생을 개선해야 한다.
④ 지구 환경에 미칠 영향을 고려하여 구매를 결정해야 한다.
⑤ 생산지 주민의 지속 가능성을 해치지 않고 생산된 제품을 구매해야 한다.

도전! 1등급 문제

정답과 해설 93쪽

고난도

01 다음 글의 (가), (나)에 대한 옳은 설명만을 〈보기〉에서 있는 대로 고른 것은?

> 미래를 예측하기 위한 방법으로 (가), (나) 이/가 많이 사용되고 있다. (가) 은/는 각 분야의 전문가에게 설문을 반복하여 특정한 주제에 관해 전문가 집단의 합의를 도출하는 방식이다. (나) 은/는 미래에 일어날 일에 대해 시나리오를 작성함으로써 미래에 대비하는 방법이다.

보기
ㄱ. (가)는 익명성을 보장하여 자유로운 의견 제출과 객관적인 의견 수렴이 가능하다.
ㄴ. (나)는 모든 미래 상황에 대한 시나리오 작성이 가능하다.
ㄷ. (가), (나)는 모두 미래에 대한 불확실성이 거의 없을 때만 사용한다.
ㄹ. (가)는 델파이 기법, (나)는 시나리오 기법이다.

① ㄱ, ㄷ ② ㄱ, ㄹ ③ ㄴ, ㄹ
④ ㄱ, ㄴ, ㄷ ⑤ ㄴ, ㄷ, ㄹ

02 다음 글의 밑줄 친 ㉠에 해당하는 내용을 〈보기〉에서 고른 것은?

> 우리가 생각하는 것보다 빠르게 첨단 과학 기술로 인간의 능력이 향상된 '증강 인간'을 실현하여 인간 존재의 본질에 대한 의문을 불러일으키게 될 것이다. ㉠ <u>우리가 사람을 만나고 관계를 쌓는 방법과 사회적 계급, 정체성 등에 있어 많은 변화</u>가 예상된다.
>
> [클라우스 슈밥, 『제4차 산업 혁명』]

보기
ㄱ. 인간 활동의 공간적 범위가 축소된다.
ㄴ. SNS를 통한 인간관계 형성이 보편화된다.
ㄷ. 의사 결정에 대한 시민의 참여율이 낮아진다.
ㄹ. 가상 공간에서 익명성을 이용한 범죄가 증가한다.

① ㄱ, ㄴ ② ㄱ, ㄷ ③ ㄴ, ㄷ
④ ㄴ, ㄹ ⑤ ㄷ, ㄹ

03 다음 글의 밑줄 친 ㉠~㉤ 중 내용이 옳지 <u>않은</u> 것은?

> 미래 사회에는 자유 무역 확대, 국제기구의 활동 등으로 ㉠ <u>국가 간 상호 의존성이 증대</u>되고, 영토, 종교, 경제적 격차 등 다양한 원인에 의한 ㉡ <u>국가 간 갈등의 발생 빈도가 증가</u>할 것으로 예상된다. 또한, 현재의 환경 문제를 해결하지 못할 경우 ㉢ <u>인간이 이용할 수 있는 자원과 환경의 범위가 축소</u>될 것으로 예상된다. 인공 지능, 로봇, 사물 인터넷 등이 인간을 대체하게 되면서 ㉣ <u>건강, 사회 복지, 환경 분야를 중심으로 직업이 소멸</u>될 것으로 예상된다. 이 외에 생명 공학 기술의 발달은 난치병 치료에 크게 기여할 것으로 예상되나 ㉤ <u>생명 윤리 문제와 신종 바이러스의 등장을 유발하는 부작용이 나타날 가능성</u>도 있다.

① ㉠ ② ㉡ ③ ㉢ ④ ㉣ ⑤ ㉤

04 다음은 학생이 작성한 형성 평가지이다. ㉠~㉣ 중 답이 옳게 표시된 것만을 있는 대로 고른 것은?

> 〈형성 평가〉
>
> 1학년 ○반 이름 : ○○○
>
> ➡ 미래의 삶을 위해 가져야 할 태도에 대한 설명이 옳으면 '예', 옳지 않으면 '아니요'에 ✓표 하시오.
>
> 〈설명 1〉 공동체 구성원 간의 소통과 화합보다 개인의 자유와 이익이 우선시 되어야 한다.
> 예 ☑ 아니요 □ …… ㉠
>
> 〈설명 2〉 사회 문제의 발생 원인과 배경을 명확하게 파악하여 비판적·과학적으로 분석할 수 있어야 한다.
> 예 □ 아니요 ☑ …… ㉡
>
> 〈설명 3〉 인류 공통의 가치인 인간 존엄성, 자유와 평등, 정의 등을 전 지구적 차원에서 실현하려는 자세를 가져야 한다.
> 예 ☑ 아니요 □ …… ㉢
>
> 〈설명 4〉 사회 구성원이 합의한 기준과 절차를 준수하고, 적극적이면서도 책임감 있는 참여 자세를 갖춘다.
> 예 ☑ 아니요 □ …… ㉣

① ㉠, ㉡ ② ㉠, ㉢ ③ ㉢, ㉣
④ ㉠, ㉡, ㉣ ⑤ ㉡, ㉢, ㉣

01 세계의 인구 문제와 해결 방안

키워드 #인구 #인구 변화 #인구 분포 #인구 이동 #인구 구조 #인구 문제

A 세계의 인구 변화와 분포

세계의 인구 변화	• 특징 : 산업화 이후 세계 인구가 급격히 증가함 • 원인 : 생활 수준의 향상, 의학 기술의 발달, 위생 시설의 개선, 식량 생산량 증가 등
세계의 인구 분포	• 인구 밀집 지역 : 기후가 온화하고 넓은 평야가 분포하는 지역, 산업과 도시가 발달한 지역 등 • 인구 희박 지역 : 사막, 극지방, 열대 우림 지역 등

B 세계의 인구 이동

이동 요인	• 인구 배출 요인 : 특정 지역의 인구를 다른 지역으로 밀어내 이동하게 만드는 요인 예 빈곤, 낮은 임금 수준, 부족한 일자리, 생활 시설의 부족 등 • 인구 흡인 요인 : 다른 지역으로부터 인구를 끌어들여 머무르게 하는 요인 예 높은 소득 수준, 풍부한 일자리, 쾌적한 주거 환경 등
이동 유형	• 경제적 이동 : 높은 임금과 풍부한 일자리를 찾아 이동 • 정치적 이동 : 전쟁이나 분쟁에 의한 이동 • 환경적 이동 : 기후 변화에 따른 환경 재앙을 피해 이동

C 세계의 인구 구조와 인구 문제

선진국	저출산	• 원인 : 여성의 사회 활동 증가, 결혼과 출산에 대한 가치관 변화 등 • 대책 : 출산과 육아 비용 지원, 유급 출산 휴가 기간 연장 등
	고령화	• 원인 : 의학 발달과 생활 수준 향상에 따른 평균 수명 연장 • 대책 : 노년층 인구의 사회 보장 제도 강화, 일자리 확대와 정년 연장 등
개발 도상국	인구 과잉	• 원인 : 사망률은 급감하는 반면 출생률은 완만하게 감소하여 인구 급증 • 대책 : 출산 억제 정책 실시, 경제 발전 및 식량 증산 정책 실시 등
	대도시 인구 과밀	• 원인 : 이촌 향도, 도시 내 인구의 높은 자연 증가율 • 대책 : 인구 분산 정책 실시

02 자원 이용과 지속 가능한 발전(1)

키워드 #자원 #유한성 #편재성 #가변성 #석유 #석탄 #천연가스

A 자원의 의미와 특성

(1) 자원의 의미 : 인간에게 이용 가치가 있으면서 기술적·경제적으로 이용 가능한 것

(2) 자원의 특성

유한성	대부분의 자원은 매장량이 한정되어 있어 계속 사용하다 보면 언젠가는 고갈됨
편재성	일부 자원은 특정 지역에 편중되어 분포함 예 서남아시아에 세계 석유 매장량의 약 50% 매장
가변성	기술·경제·문화적 조건 등에 따라 자원의 의미와 가치가 달라짐

B 자원의 분포와 소비

(1) 세계 1차 에너지 자원의 소비 구조(2015년) : 석유 > 석탄 > 천연가스 > 수력 > 원자력 순으로 많음

(2) 주요 에너지 자원의 분포와 특징

석탄	• 주로 산업용으로 이용 • 고기 조산대 주변에 많이 매장 • 산업 혁명기의 주요 에너지원으로 이용 • 화석 에너지 중 연소 시 대기 오염 물질 배출량이 가장 많음 • 비교적 여러 지역에 고르게 매장 → 석유에 비해 국제 이동량이 적음
석유	• 수송용, 산업용으로 이용 • 신생대 제3기층의 배사 구조에 주로 매장 • 서남아시아에 집중적으로 매장 • 내연 기관 발명(19세기), 자동차의 보급 등으로 수요 급증 • 자원의 편재성이 큼 → 석탄에 비해 국제 이동량 많음
천연 가스	• 산업용, 가정용, 상업용으로 이용 • 신생대 제3기층의 배사 구조에 주로 매장 • 화석 에너지 중에서 연소 시 대기 오염 물질 배출량이 가장 적음 • 냉동 액화 기술의 발달로 소비량 급증 • 육상 구간은 파이프라인, 해상 구간은 액화 가스 수송선을 주로 이용하여 수송

02 자원 이용과 지속 가능한 발전(2)

키워드 #자원 민족주의 #지속 가능한 발전 #신·재생 에너지

(3) 자원의 분포와 소비에 따른 문제

자원 수급을 둘러싼 분쟁	• 자원 민족주의의 심화 → 자원 보유국과 자원 수입국 간의 분쟁 발생 예 오일 쇼크 • 자원 개발권을 둘러싼 국가 간 영역 분쟁 발생 • 에너지 자원을 둘러싼 갈등 발생 지역 : 카스피해, 북극해, 동중국해, 남중국해 등
자원 고갈 문제	• 원인 : 인구 증가와 산업 발달 → 자원의 소비량 증가 • 현재와 같은 자원 소비가 지속된다면 자원 부족 문제 직면
환경 문제	• 원인 : 자원을 개발·소비하는 과정에서 오염 물질 배출 → 환경 문제 발생 • 지구 온난화 : 화석 연료의 사용량 증가 → 이산화 탄소의 배출량 증가 → 지구 온난화 유발 → 다양한 기후 환경 변화 초래
자원 소비량의 지역 간 격차 문제	• 선진국과 개발 도상국 간의 생활 수준 및 경제 발달 수준 차이 → 1인당 자원 소비량의 격차 발생 • 영향 : 지역 간 불평등을 더욱 심화시킴

C 지속 가능한 발전을 위한 노력

(1) 지속 가능한 발전의 의미 : 미래 세대가 살아가는 데 필요한 자원과 환경을 손상하지 않으면서 현재를 살아가는 우리의 욕구를 동시에 충족하는 발전

(2) 지속 가능한 발전의 발전 방안

경제적 지속성	환경적 가치를 고려한 경제 발전
환경적 지속성	인간과 자연의 조화와 균형 유지
사회적 지속성	세대 간 형평성 강조

(3) 지속 가능한 발전을 위한 노력

국제적·국가적 차원의 노력	신·재생 에너지 보급 확대를 위한 제도 마련, 공적 개발 원조, 국제 환경 협약 체결, 지속 가능한 발전을 위한 법률과 정책 마련 등
개인적 차원의 노력	친환경적인 생활 방식, 윤리적 소비의 실천 등
신·재생 에너지 개발	• 특징 : 친환경적이나 경제성이 낮음 • 종류 : 태양광, 풍력, 지열 등

03 지구촌의 미래와 우리의 삶

키워드 #미래 #미래 예측 #미래의 지구촌 #미래의 삶 준비

A 미래 예측과 미래 지구촌의 모습

(1) 미래 예측

필요성		• 미래 예측을 통해 미래 사회에 대한 유연적 대처가 가능함 • 미래학의 발달로 과학적이고 체계적인 미래 예측 가능
방법	전문가 합의법 (델파이 기법)	각 분야의 전문가에게 설문을 반복하여 특정한 주제에 관해 전문가 집단의 합의를 도출하는 방식
	시나리오 기법	시나리오를 작성하여 미래에 대비하는 방법

(2) 미래 지구촌의 모습

정치·경제·사회적 측면의 미래	• 자유 무역의 확대, 국제기구의 활동 등 → 국가 간 상호 의존성 증대 • 국가 간, 지역 간 갈등의 발생 빈도 증가
환경적 측면의 미래	• 현재의 환경 문제를 해결하지 못할 경우 지구촌의 생태 환경은 더욱 악화될 것으로 예상 • 인간이 이용할 수 있는 자원과 환경의 범위가 축소될 것으로 예상
과학 기술의 발달과 변화하는 미래	• 인공 지능과 로봇 기술, 사물 인터넷 등의 발달 → 생활이 편리해지고, 인간의 활동 범위가 넓어짐 • 정보화가 보편화·고도화되면서 의사 결정에 대한 시민의 참여가 활발해짐 • 새로운 문제 발생 가능성 : 생명 윤리 문제, 신종 바이러스 등장, 특정 직업의 소멸로 인한 실업 문제 등

B 미래의 삶을 위한 준비

올바른 인성과 가치관 정립	개방적 태도와 관용의 정신 필요
비판적 사고력 증진	사회 현상을 비판적·과학적으로 분석하는 자세를 가짐
공동체 의식 함양	세계 시민으로서 인류 공통의 가치를 전 지구적 차원에서 실현하려는 자세를 가짐

한번에 끝내는
대단원 문제

정답과 해설 94쪽

[01-02] 그래프는 지역(대륙)별 인구 비중을 나타낸 것이다. 이를 보고 물음에 답하시오.

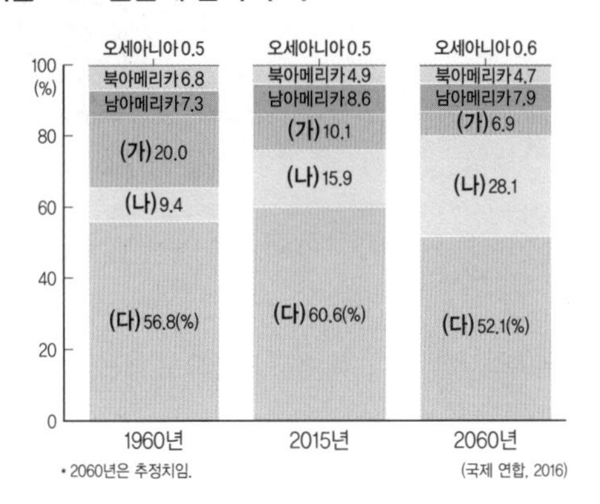

• 2060년은 추정치임. (국제 연합, 2016)

01 그래프의 (가)~(다) 지역(대륙)으로 옳은 것은?

	(가)	(나)	(다)
①	유럽	아시아	아프리카
②	유럽	아프리카	아시아
③	아시아	아프리카	유럽
④	아프리카	유럽	아시아
⑤	아프리카	아시아	유럽

02 그래프의 (가)~(다) 지역(대륙)에 대한 옳은 설명을 <보기>에서 고른 것은?

보기
ㄱ. (가)는 (나)보다 산업화가 먼저 시작되었다.
ㄴ. (나)는 (다)보다 1960~2015년의 인구 증가율이 높다.
ㄷ. (다)는 (가)보다 1인당 지역 내 총생산이 많다.
ㄹ. (가)~(다) 중에서 출생률은 (가)가 가장 높다.

① ㄱ, ㄴ ② ㄱ, ㄷ ③ ㄴ, ㄷ
④ ㄴ, ㄹ ⑤ ㄷ, ㄹ

03 지도는 세계의 인구 분포를 나타낸 것이다. 이에 대한 설명으로 옳은 것은?

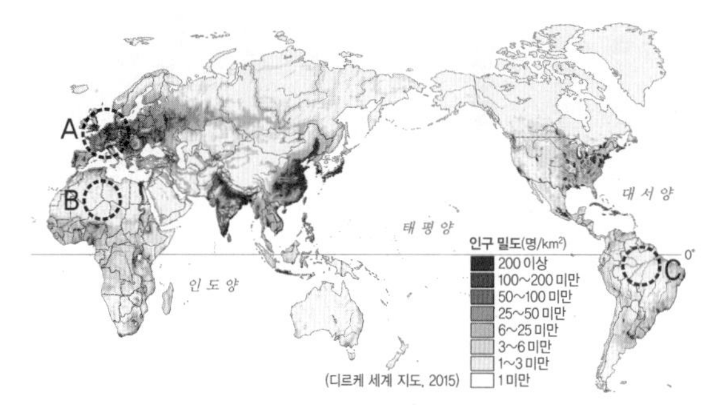

① 남반구는 북반구보다 인구가 많다.
② 오스트레일리아는 내륙보다 해안의 인구 밀도가 높다.
③ A 지역에서 인구 밀도가 높은 이유는 벼농사가 활발하여 인구 부양력이 높기 때문이다.
④ B 지역에서 인구 밀도가 낮은 이유는 열대림이 울창한 숲을 이루고 있기 때문이다.
⑤ C 지역에서 인구 밀도가 낮은 이유는 사막이 넓게 형성되어 있기 때문이다.

04 그래프의 (가)~(다) 지역(대륙)으로 옳은 것은?

<지역(대륙)별 인구 순 이동>

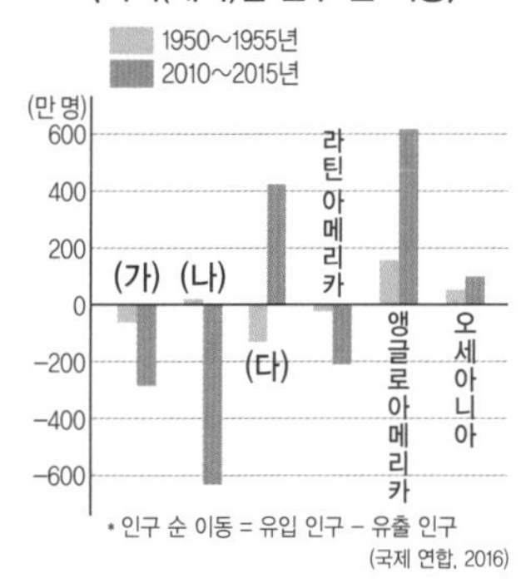

• 인구 순 이동 = 유입 인구 − 유출 인구
(국제 연합, 2016)

	(가)	(나)	(다)
①	유럽	아시아	아프리카
②	아시아	유럽	아프리카
③	아시아	아프리카	유럽
④	아프리카	유럽	아시아
⑤	아프리카	아시아	유럽

05 그래프는 두 국가의 인구 구조를 나타낸 것이다. (가), (나) 국가에 대한 설명으로 옳은 것은? (단, (가), (나)는 일본, 나이지리아 중 하나임)

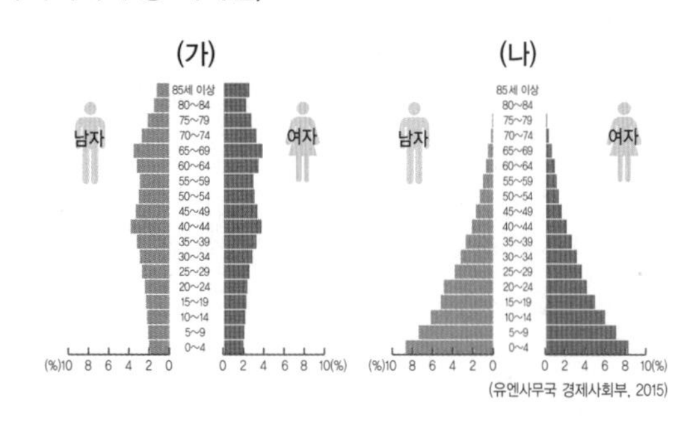

(유엔사무국 경제사회부, 2015)

① ㈎는 현재 인구 변천 모형의 3단계에 해당한다.
② ㈏는 출산 장려 정책을 적극적으로 실시할 필요성이 높다.
③ ㈎는 ㈏보다 1인당 국내 총생산이 많다.
④ ㈎는 ㈏보다 인구의 자연 증가율이 높다.
⑤ ㈏는 ㈎보다 중위 연령이 높다.

06 다음 지도 표현의 기준이 된 항목으로 옳은 것은?

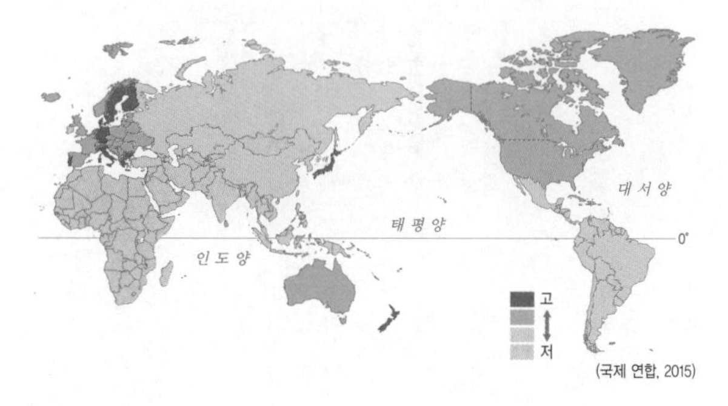

(국제 연합, 2015)

① 출생률　　② 사망률
③ 총인구　　④ 인구 밀도
⑤ 노년층 인구 비중

[07-08] 그래프는 세 화석 연료의 지역(대륙)별 생산량 변화를 나타낸 것이다. 이를 보고 물음에 답하시오.

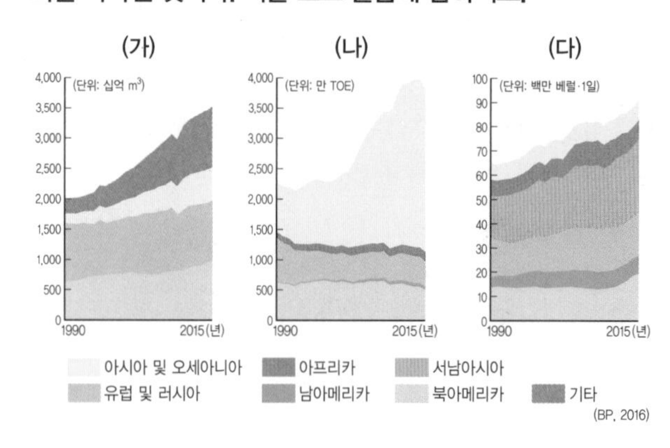

(BP, 2016)

07 그래프의 (가)~(다) 에너지 자원으로 옳은 것은?

	㈎	㈏	㈐
①	석유	석탄	천연가스
②	석유	천연가스	석탄
③	석탄	천연가스	석유
④	천연가스	석유	석탄
⑤	천연가스	석탄	석유

08 그래프의 (가)~(다) 에너지 자원에 대한 설명으로 옳은 것은?

① ㈎는 냉동 액화 기술의 발달로 소비량이 급증하였다.
② ㈏는 주로 신생대 제3기층의 배사 구조에 매장되어 있다.
③ ㈐는 산업 혁명기의 주요 에너지원이었다.
④ ㈎는 ㈏보다 연소 시 대기 오염 물질 배출량이 많다.
⑤ ㈏는 ㈐보다 세계 1차 에너지 소비 구조에서 차지하는 비중이 높다.

09 그래프는 세 화석 연료의 지역별 매장량 비중을 나타낸 것이다. (가)~(다) 에너지를 A~C에서 고른 것은?

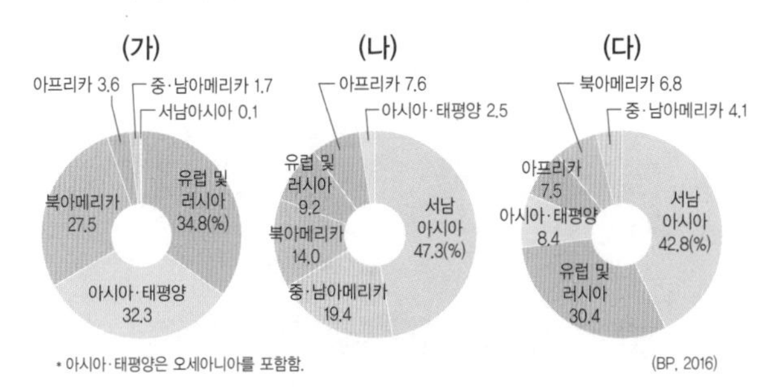

• 아시아·태평양은 오세아니아를 포함함. (BP, 2016)

〈세계의 1차 에너지 소비 구조 변화〉

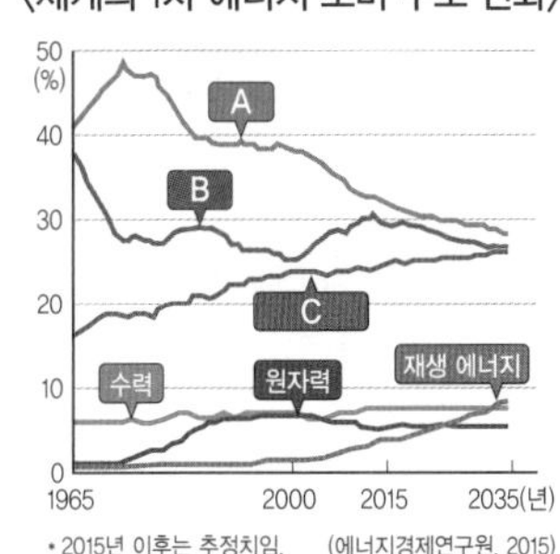

• 2015년 이후는 추정치임. (에너지경제연구원, 2015)

	(가)	(나)	(다)		(가)	(나)	(다)
①	A	B	C	②	A	C	B
③	B	A	C	④	B	C	A
⑤	C	A	B				

10 지도는 어느 에너지 자원의 국제 이동을 나타낸 것이다. 이 자원에 대한 설명으로 옳은 것은?

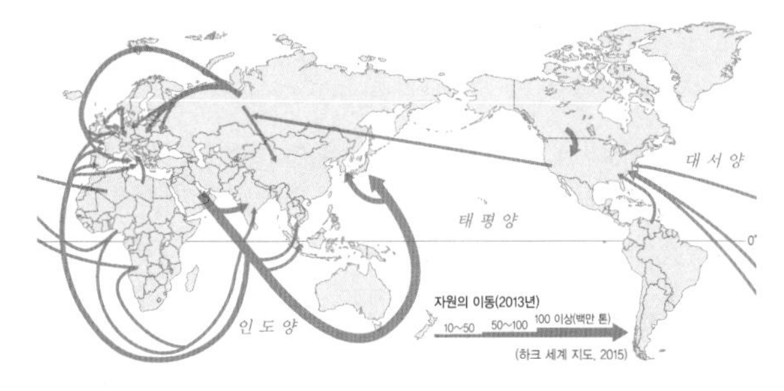

(하크 세계 지도, 2015)

① 주로 가정용으로 이용된다.
② 주로 고기 조산대 주변에 매장되어 있다.
③ 고갈의 위험이 없는 재생 가능한 에너지이다.
④ 지역적으로 고르게 매장되어 있어 국제 이동량이 적은 편이다.
⑤ 내연 기관의 발명, 자동차의 보급 등으로 소비량이 급증하였다.

11 다음 사진은 (가), (나)를 이용하는 발전소를 나타낸 것이다. 이에 대한 옳은 설명을 〈보기〉에서 고른 것은? (단, (가), (나)는 지열, 풍력, 태양광 중 하나임)

(가)

(나)

보기
ㄱ. (가)는 판의 경계부에서 개발 가능성이 높다.
ㄴ. (나)는 바람이 지속적으로 부는 지역에서 이용하기에 유리하다.
ㄷ. (가)는 (나)보다 발전 시 소음 발생량이 많다.
ㄹ. (가), (나)는 모두 발전량이 기상 조건의 영향을 많이 받는다.

① ㄱ, ㄴ ② ㄱ, ㄷ ③ ㄴ, ㄷ
④ ㄴ, ㄹ ⑤ ㄷ, ㄹ

12 다음 글의 밑줄 친 ㉠~㉤ 중 내용이 옳지 <u>않은</u> 것은?

교통과 정보·통신 기술의 발달로 ㉠ 인간의 생활 공간은 지역, 국가를 넘어서 세계로 확장되고 있을 뿐만 아니라, 최근에는 가상 현실로 삶의 공간 개념이 확대되고 있다. ㉡ 생명 공학은 난치병 치료와 회생 불가능한 환자의 생명을 연장하는 데 이바지함으로써 미래의 산업 발전을 주도할 것으로 예측된다. 또한, 스스로 학습하는 딥 러닝 기술을 갖춘 인공 지능은 인간의 역할을 대신하여 ㉢ 건강, 사회 복지, 환경 분야를 중심으로 직업이 소멸될 것이다. 그러나 과학 기술 발달에 따른 미래 사회에는 부정적 측면도 전망된다. ㉣ 정보 통신 기술에 따른 정보 격차, 전자 감시 체계, 개인 정보 유출, 인터넷 중독 등과 같은 문제가 심화될 수 있다. 또한, ㉤ 생명 공학의 발달로 인간의 정체성과 도덕적 가치의 혼란이 발생할 수 있다.

① ㉠ ② ㉡ ③ ㉢ ④ ㉣ ⑤ ㉤

13 지도에 나타난 인구 이동을 보고 물음에 답하시오.

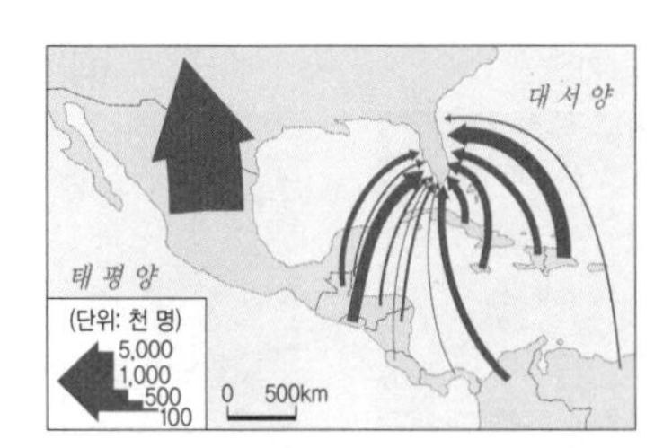

(1) 지도의 인구 이동은 정치적 이동, 경제적 이동, 환경적 이동 중 어떤 유형에 해당하는지 쓰시오.

( )

(2) 지도의 인구 이동이 인구 유입 지역에 끼친 긍정적 영향과 부정적 영향을 한 가지씩만 서술하시오.

14 그래프는 우리나라의 출생아 수와 합계 출산율 변화를 나타낸 것이다. 이와 같은 경향이 지속될 경우 나타날 것으로 예상되는 문제와 해결 방안을 각각 한 가지씩 서술하시오.

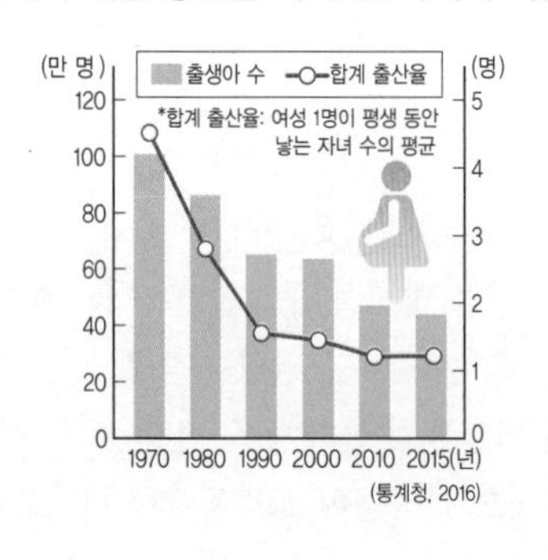

15 그래프는 두 화석 연료의 국가별 소비량 비중을 나타낸 것이다. 이를 보고 물음에 답하시오.

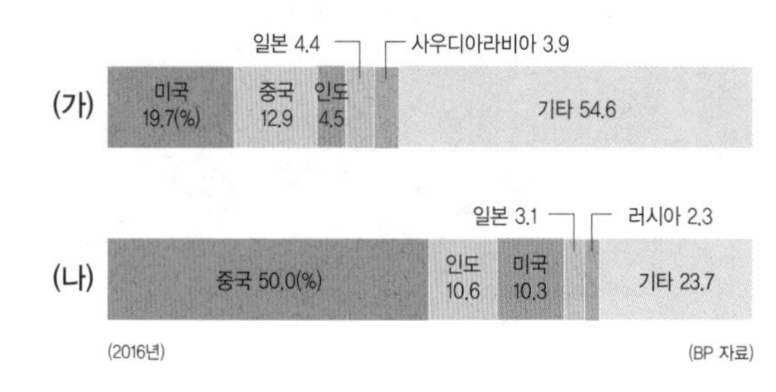

(1) ㈎, ㈏ 에너지는 무엇인지 쓰시오.

㈎ : ( ), ㈏ : ( )

(2) ㈎ 에너지와 비교한 ㈏ 에너지의 상대적 특징을 상용화된 시기, 세계 1차 에너지 소비 구조에서 차지하는 비중, 수송용으로 이용되는 비중 측면에서 서술하시오.

16 지구촌 시대를 맞아 우리가 세계의 주인으로서 책임 있게 행동하기 위해서 가져야 할 태도를 두 가지만 서술하시오.

힘이 되는 지학사

개념 학습과 정리가 한번에 끝나는 기본서

개념풀

통합사회

정답과 해설

개념 학습과 정리가 한번에 끝나는 기본서

개념풀

통합사회

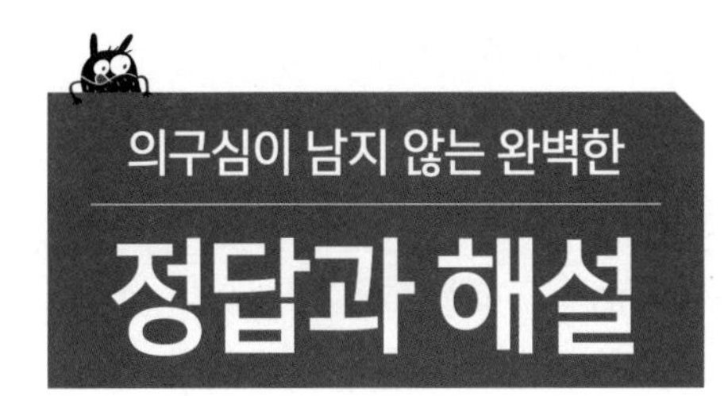

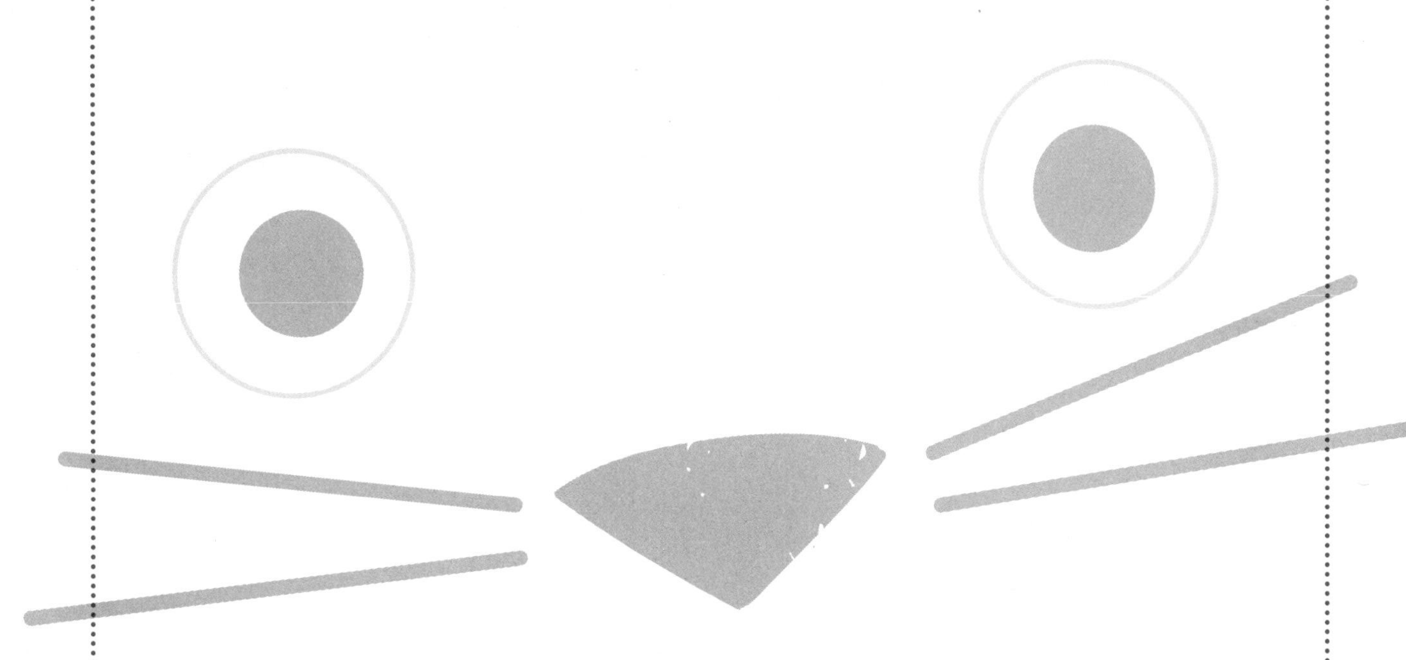

I »» 인간, 사회, 환경과 행복

01 인간, 사회, 환경의 탐구

콕콕! 개념 확인 16쪽

01 (1) 시간적 (2) 윤리적 (3) 사회적 (4) 공간적
02 (1) 다면적 (2) 통합적
03 (1) ○ (2) × (3) ○ (4) ○ (5) ×

03 (2) 동규는 커피 소비 현상을 사회적 관점으로 살펴보았다.
(5) 사회 현상은 하나의 관점보다는 통합적 관점으로 살펴볼 때 더 정확한 이해가 가능하다.

탄탄! 내신 문제 17~18쪽

01 ② **02** ② **03** ④ **04** ④ **05** ③ **06** ② **07** ③
08 ④ **09** ③ **10** ⑤

01 윤리적 관점의 특징

자료분석 **행복한 삶**과 **바람직한 사회의 방향**을 모색하는 데 도움을 주는 관점은 **윤리적 관점**이다. 윤리적 관점은 사회 현상을 **도덕적, 규범적 측면**에서 살펴보는 것을 의미한다.

02 공간적 관점의 이해

자료분석 제시된 자료는 네덜란드의 전통 신발인 클로그에 대한 설명이다. 클로그가 **네덜란드의 자연환경의 영향**을 받아 만들어졌다는 분석은 **공간적 관점**에서 살펴본 것이다. 공간적 관점은 여러 지역 간의 **유사점**과 **차이점**을 **이해**할 수 있고, **지역이나 공간이 사회 현상에 미치는 영향**을 파악하는 데 도움을 준다.

03 사회적 관점의 이해

[선택지 분석]

① 개인과 사회는 밀접한 관련이 있다.
➡ 개인과 사회는 상호 밀접한 연관성이 있다는 사회적 관점의 설명이다.

② 종교적인 이유가 커피 확산을 촉진시켰다.
➡ 제시문에서 이슬람교가 커피 확산의 원인임을 확인할 수 있다.

③ 사회적 관점으로 커피의 확산에 대해 조사한 결과이다.
➡ 종교를 통해 사회 현상을 바라보는 것은 사회적 관점이다.

✔ 커피가 전파된 이유를 윤리적 관점으로 접근한 내용이다.
➡ 제시문은 사회적 관점으로 현상을 분석한 것이다.

⑤ 사회 구조나 제도가 얼마나 인간에게 큰 영향을 주는지 알 수 있다.
➡ 종교와 같은 일종의 사회 구조나 제도를 살펴보는 것은 사회적 관점이다.

04 윤리적 관점의 이해

자료분석 제시된 자료는 멧돼지가 도심에 출현하게 된 원인을 **인간의 욕망으로 인한 무분별한 개발과 같은 윤리적 문제**에 관련하여 찾아보았기 때문에 **윤리적 관점**으로 조사하였다고 할 수 있다.

[선택지 분석]

✘ 경제적 관점으로 본 멧돼지의 도심 출현 원인
✘ 공간적 관점으로 본 멧돼지의 도심 출현 원인
✘ 사회적 관점으로 본 멧돼지의 도심 출현 원인
✔ 윤리적 관점으로 본 멧돼지의 도심 출현 원인
✘ 예술적 관점으로 본 멧돼지의 도심 출현 원인

05 시간적 관점의 이해

자료분석 제시문은 스페인의 '엘 클라시코'가 왜 치열한 경기가 되었는지를 역사적으로 분석한 글이다. 이처럼 **과거의 역사적 사실**을 통해 현재 나타나고 있는 **사회 현상의 배경과 맥락을 살펴보는 관점**은 **시간적 관점**에 해당한다.

[선택지 분석]

✘ 공간이 사회 현상에 미치는 영향이 무엇인지 파악할 수 있다. → 공간적 관점
✘ 공간 정보를 통해 여러 지역 간의 유사점과 차이점을 이해할 수 있다. → 공간적 관점
✔ 과거를 돌아봄으로써 현재 나타나고 있는 사회 현상을 이해할 수 있다. → 시간적 관점
✘ 인류의 보편적 가치는 바람직한 삶을 위한 방향을 찾는 데 도움을 준다. → 윤리적 관점
✘ 개인을 둘러싼 사회 구조, 사회 정책, 사회 제도의 영향력을 분석할 수 있다. → 사회적 관점

06 인간, 사회, 환경을 보는 다양한 관점

[선택지 분석]

㉠ 욕구와 양심에 초점을 맞추는 것은 윤리적 관점으로 볼 수 있다.
✕ ~~윤리적 관점~~의 전제는 사회 제도가 개인에게 큰 영향을 미친다는 것이다. → 사회적 관점
㉢ 시간적 관점을 통해 과거를 분석하여 현재의 문제나 현상에 대해 이해할 수 있다.
✕ ~~사회적 관점~~을 통해 각 지역이 어떻게 네트워크를 형성하고 상호 작용하는지 알 수 있다. → 공간적 관점

07 사회적 관점의 적용

자료분석 제시문은 파리 협정에 대한 설명이다. 파리 협정은 기후 변화를 해결하기 위해 온실가스 배출량을 줄이려는 내용을 담고 있다. 이렇게 **조약이나 협정을 살펴보는 것**은 **사회적 관점**으로 사회 현상을 분석한 것이다.

08 인간, 사회, 환경을 보는 다양한 관점

[선택지 분석]

ㄱ. 시간적 관점으로 보면 기후 변화는 전 지구적인 책임일 수 있다.
➡ 어떤 국가가 책임을 져야 하는지 알아보는 것은 윤리적 관점에 해당한다.

ㄴ. 공간적 관점으로 볼 때 기후 변화는 전 지구적으로 영향을 주고 있다.

ㄷ. 공간적 관점으로 볼 때 기후 변화는 산업화 이후 급속도로 진행되었다.
➡ 산업화 이후 진행되었다는 사실은 역사적 맥락을 이해한 것으로 시간적 관점에 해당한다.

ㄹ. 사회적 관점에서 기후 변화를 극복하기 위해 여러 협약이 체결되고 있다.
➡ 협약에 대해 조사한 것은 사회적 관점으로 현상을 살펴본 것이다.

09 통합적 관점의 특징

[선택지 분석]

① 적은 시간을 들여 빠르게 사회 현상을 알아보는 데 유리하다.
➡ 다양한 관점에서 탐구해야 하기 때문에 한 가지 관점에서 분석하는 것보다 시간이 더 오래 걸릴 수도 있다.

② 해결책을 도출하기보다 문제의 원인을 파악하는 데 더 유리하다.
➡ 통합적 관점에서 살펴보면 문제의 원인을 깊게 파악하여 다각적인 해결책을 모색할 수 있다.

③ 사회 현상에 대해 개별적 관점보다 더 깊이 있는 이해를 하도록 돕는다.
➡ 통합적 관점은 개별적인 관점보다 사회 현상을 더 잘 이해할 수 있게 해 준다.

④ 너무 많은 관점을 살펴봐야 하기 때문에 문제에 제대로 접근하기 어렵다.
➡ 통합적 관점을 통해 사회 현상에 대한 근본적인 해결책을 얻을 수 있다.

⑤ 복합적인 요인들이 얽혀있는 사회 현상을 다양한 관점으로 보는 것은 불가능하다.
➡ 복합적인 요인으로 얽혀있기 때문에 종합적으로 볼 필요가 있다.

10 통합적 관점의 중요성

자료분석 제시문은 고령화 현상을 '우리나라 고령 인구 비율 추이'라는 시간적 관점에서만 분석하면, 고령화의 정도가 도시와 농촌이라는 공간적 차이에 따라 다르게 나타난다는 공간적 관점의 내용을 놓칠 수 있으며, 고령화에 따라 사회 복지 부담이 증가할 것이라는 사회적 관점의 분석은, 노인 부양의 책임 문제를 윤리적 관점에서 함께 고려할 때 구체적인 해결책으로 이어질 수 있다는 내용이다. 이는 **고령화 현상**을 시간적, 공간적, 사회적, 윤리적 관점을 모두 동원하여 **통합적 관점에서 살펴보아야 좋은 해결책을 도출**해낼 수 있다고 강조하는 내용이다.

도전! 1등급 문제 19쪽

01 ③ 02 ④ 03 ① 04 ③

01 공간적 관점과 사회적 관점의 이해

자료분석 영찬이는 스위스에서 **아이젠**과 같은 신발을 고안한 것이 스위스의 **자연환경과 관련**이 있다고 분석하였으므로 **공간적 관점**에서 사회 문제를 탐구한 것이다. 지수는 **은어 문화**를 **정보 사회와 대중문화**에 연관시켜 분석하였으므로 **사회적 관점**에서 사회 문제를 탐구한 것이다.

02 인간, 사회, 환경을 보는 다양한 관점의 적용

자료분석 제시된 자료는 **우리나라의 지역 축제**에 대한 설명이다. **지역 축제의 기원**에 대해 조사한 것은 **시간적 관점**에 해당하며, 지역 축제가 **지역 특색을 반영**하였다는 내용은 **공간적 관점**에 해당한다. 또한, **지방 자치 단체**가 축제를 많이 열리게 했다는 분석은 **사회적 관점**에 해당한다.

[선택지 분석]

ㄱ. 지방 자치 단체의 정책에 대해 살펴본 것은 사회적 관점에 해당한다.
➡ 사회적 관점은 사회 구조, 제도, 정책 등을 살펴보는 것으로, 지방 자치 제도를 살펴본 것은 사회적 관점에서 분석한 것이다.

ㄴ. 지역 축제가 주로 지역의 고유성을 반영했다는 분석은 공간적 관점에 해당한다.
➡ 공간적 관점은 장소나 위치, 영역이나 네트워크 등 공간 정보를 바탕으로 사회 현상을 이해하는 것으로, 지역의 고유성을 반영했다는 분석은 공간적 관점에서 현상을 바라본 것이다.

ㄷ. 지역 홍보와 수익 창출을 목적으로 지역 축제가 열린다는 내용은 윤리적 관점에 해당한다.
➡ 지방 자치 단체와 연관된 내용이므로, 사회적 관점에 해당한다.

ㄹ. 고구려나 동예의 축제에 대해 살펴본 것은 과거를 통해 현재를 이해하는 시간적 관점에 해당한다.
➡ 시간적 관점은 어떤 사회 현상이나 사건을 시대적 배경과 맥락을 통해 살펴보는 것으로, 고구려와 동예의 제천 행사에서 지역 축제의 유래를 찾는 것은 시간적 관점으로 현상을 바라본 것이다.

03 인간, 사회, 환경을 보는 다양한 관점의 이해

자료분석 **(가)**는 **공간적 관점**에서 기후 변화 현상의 전 지구적 영향을 분석한 자료로, 사회 현상이 나타나는 **'공간'의 측면**에서 현상을 바라보았다. **(나)**는 기후 변화 협약에 관한 자료로, **협약과 같은 제도나 정책**을 살펴보는 것은 **사회적 관점**에서 현상을 바라본 것이다.

04 인간, 사회, 환경을 보는 다양한 관점의 적용

[선택지 분석]

① (가)는 공간적 관점에서 기후 변화 현상이 전 지구적 차원에서 영향을 미친다는 점을 분석하였다.

② (나)의 기후 변화 협약은 사회적 관점에서 현상을 분석한 사례이다.

③ ㈏와 같은 관점은 도덕적, 규범적 차원에서 올바른 가치 판단을 도와준다.

➡ (나)에는 사회적 관점이 나타나 있다. 도덕적, 규범적 차원에서 살펴보는 것은 윤리적 관점에 해당한다.

④ ㈎에 나타난 문제는 ㈏의 기후 변화 협약에서 이탈한 선진국들을 설득함으로써 해결의 실마리를 찾을 수 있다.

⑤ ㈎와 ㈏를 포함하여 기후 변화 현상을 다양한 관점에서 살펴보려는 노력이 필요하다.

➡ 하나의 사회 현상을 다양한 관점에서 통합적으로 살펴보려는 노력이 중요하다.

02 삶의 목적으로서의 행복

콕콕! 개념 확인 23쪽

01 행복
02 (1) 이성 (2) 평정심 (3) 석가모니 (4) 무위자연
03 (1) 인문 환경 (2) 시대
04 (1) ㉠ 지역 : 깨끗한 식수, ㉡ 지역 : 종교의 자유
(2) 지역 여건이 다르기 때문에
05 (1) 목적, 본질 (2) 조화 (3) 성찰

탄탄! 내신 문제 24쪽

01 ④ **02** ④ **03** ③ **04** ②

01 사상가들이 본 행복의 의미

[선택지 분석]

㉠ 노자 : 해탈의 경지에 이르는 것 (↳ 석가모니)

㉡ 디오게네스 : 스스로 만족하고 평정심을 잃지 않는 것

㉢ 석가모니 : 욕심을 버리고 물처럼 자연의 이치를 따르는 삶 (↳ 노자)

㉣ 아리스토텔레스 : 덕을 갖춘 이성적 활동을 잘 수행하는 것

02 행복의 다양한 기준

자료분석 **(가)**에서는 물이 부족하여 8시간씩 걸어 물을 길어오고 그 물조차 오염되어 있어 질병에 걸리는 상황이므로 **깨끗한 물을 얻는 것**이 **행복의 기준**일 것이다. **(나)**에서 필자는 전쟁의 승패, 자유나 민주주의보다 당장 생존을 위해 **식량을 확보하는 것**이 주인공에게 가장 큰 **행복**임을 서술하고 있다. 이처럼 **행복의 기준**은 **시대 상황**이나 **지역 여건의 영향**을 받는다.

03 고대 중국인의 행복

자료분석 고대 중국인들은 어릴 때부터 가족의 구성원이라는 점을 가장 중요한 사실로 교육받았다. 또한 주변 환경을 자신에 맞추어 바꾸기보다는 자신을 주변 환경에 맞추도록 수양하는 일을 중시하였다. 이러한 **고대 중국의 사회적 가치관이** 그곳에서 살고 있는 **중국인들의 행복의 기준에 영향**을 미친 것이다.

[선택지 분석]

① 현재 중국인의 행복의 기준은 고대 중국인의 기준과 같다.

➡ 시대적 상황과 지역 여건에 따라 행복의 기준은 다양하기 때문에, 현재 중국인의 행복의 기준이 고대 중국인과 같다고 단정 지을 수는 없다.

② 사회 구성원의 물질적 풍요는 행복과 정비례 관계에 있다.

➡ 해당 제시문에서는 알 수 없는 내용이다.

③ 한 사회의 가치관은 구성원의 행복의 기준에 영향을 미친다.

④ 고대 중국인에게 행복이란 부와 명예를 추구하는 것과 관련이 있다.

➡ 고대 중국인의 행복은 '화목한 인간관계를 맺고 평범하게 사는 것'이다.

⑤ 화목한 인간관계와 같은 정신적 가치는 물질적 가치보다 중요하지 않다.

➡ 고대 중국인들은 물질적 가치보다 화목한 인간관계와 같은 정신적 가치를 더 중시했다.

04 행복한 삶을 위한 노력

자료분석 제시문 속 대학생 ○○씨는 **자신의 삶**에 대해 진지하게 **성찰**하며 **행복해지기 위해 스스로 노력**하고 있다. 행복은 무엇을 이루기 위한 수단이 아니라 **삶의 목적 그 자체**이므로 능동적으로 자신이 만족감과 기쁨을 느끼는 것을 찾기 위해 노력해야 한다.

[선택지 분석]

① 성찰을 통해 자신이 만족하는 삶을 찾아야 한다.

② 삶의 목적을 실현하기 위해 현재의 행복을 희생할 필요가 있다.

➡ 행복은 무엇을 위해 희생해야 하는 도구적 가치가 아니라 삶의 궁극적인 목적이다.

③ '대학 졸업장'이 자신의 행복한 삶을 보장해 주지 않을 수도 있다.

④ 자신에게 의미 있는 목표를 설정하고 그것을 위해 노력해야 한다.

⑤ ○○씨가 자퇴를 고민하는 것은, 자신의 삶에 대해 스스로 고민하고 책임지려는 모습이다.

도전! 1등급 문제 25쪽

01 ⑤ **02** ③ **03** ⑤ **04** ④

01 지역 여건에 따른 행복의 기준

자료분석 **(가)**의 경우 일조량이 부족하기에 **햇볕을 쬘 수 있는 것**이 큰 행복일 수 있으며, **(나)**의 경우 **이슬람교의 종교적 교리를 잘 실천하는 것**이 행복의 기준일 수 있다. 따라서 자연환경이나 인문 환경과 같은 **지역 여건**은 **행복의 기준에 영향**을 준다.

[선택지 분석]

① (가) : 일조량이 부족한 것은 행복에 아무런 영향을 끼치지 않는다.
➡ 자연환경은 행복의 기준을 다르게 만드는 요소이다. 북유럽은 일조량이 부족하기 때문에 햇볕을 쬐는 것이 큰 행복일 것이다.

② (가) : 햇살이 풍부한 지역의 사람들이 생각하는 행복의 기준과 동일할 것이다.
➡ 일조량이 부족하기 때문에 햇살이 풍부한 지역과는 다른 행복의 기준을 가질 가능성이 크다.

③ (나) : 물질적 풍요로움이 행복의 기준일 것이다.
➡ 종교적 교리를 잘 실천하는 것이 행복의 기준일 것이다.

④ (나) : 다른 종교를 가지고 있는 사람들과 행복의 기준은 같을 것이다.
➡ 종교와 같은 인문 환경은 인간의 삶과 행복의 기준에 영향을 미치는 요인이다. 종교가 다를 경우 각 종교의 교리에 따라 행복의 기준이 다를 것이다.

⑤ (가), (나) : 지역의 자연환경이나 인문 환경에 따라 행복의 기준은 다를 수 있다.
➡ 지역 여건이 다르면 행복의 기준이 다를 수 있다.

02 시대 상황에 따른 행복의 기준

자료분석 제시문은 **이상화의 '빼앗긴 들에도 봄은 오는가'**라는 시이다. 이 시는 우리나라가 **일제의 식민 지배**를 받던 시대에 쓰여진 것으로, 이 시대에는 **나라의 독립과 국권 회복이 행복의 기준**이었다.

03 지역 여건에 따른 행복의 기준

자료분석 제시문은 미국과 일본 학생들이 어떤 기준에서 행복을 느끼는지에 관한 설명이다. **미국 학생들은 개인적인 성취나 획득**에서 행복을 더 느끼고, **일본 학생들은 친구 관계와 같은 집단** 속에서 행복을 찾는 경향이 있다. 이처럼 생활 방식과 같은 **지역 여건의 차이**는 **행복의 기준에 영향**을 미칠 수 있다.

[선택지 분석]

① 미국과 일본 학생들은 ~~유사한~~(→서로 다른) 상황에서 행복을 느끼고 있다.

② ~~미국~~(→일본) 학생들은 집단과의 관계 속에서 행복을 찾는 경향이 있다.

③ ~~일본~~(→미국) 학생들은 주로 개인적인 성취나 획득에서 행복감을 느낀다.

④ 미국 학생들과 일본 학생들의 행복의 기준이 다른 원인은 ~~시대 상황~~(→지역 여건)의 차이 때문이다.

⑤ 미국 학생들은 친구와 같은 사회적 관계보다 개인을 중시하는 사고방식을 가지고 있는 것으로 보인다.

04 행복한 삶을 위한 노력

자료분석 희원이는 **행복한 삶**을 위해서는 주체적으로 자신의 모습을 **성찰**하고, **의미 있는 목표**를 세워야 한다고 생각한다. 따라서 진수에게 삶의 목표를 세우고 행복의 의미를 찾는 **능동적인 자세와 노력**이 필요하다고 조언할 수 있다.

[선택지 분석]

① 사회적 인식을 고려해서 대학은 다녀야 해.
➡ 자신이 진정으로 하고 싶은 일을 사회적 인식이 방해할 수 있다.

② 자신의 쾌락을 위해 자퇴를 하는 것은 괜찮아.
➡ 현재를 즐기기 위해 자퇴하는 것은 진정한 행복의 길이 아니다.

③ 대학 진학을 목표로 공부했기에 자퇴는 잘못된 선택이야.
➡ 자신의 진정한 목표를 위해서라면 자퇴도 하나의 선택지에 속할 수 있다.

④ 스스로 삶의 목표를 선택하고 책임지는 자세를 가져야 해.

⑤ 성찰을 통해 자신보다 좋은 대학에 간 친구들과 비교해야 해.
➡ 타인과의 비교는 올바른 성찰의 자세가 아니다.

03 행복한 삶을 위한 조건

콕콕! 개념 확인 31쪽

01 (1) ○ (2) ×
02 (1) 최저 (2) 해소 (3) 높아
03 경제적 안정
04 (1) 행복감 (2) ㉠ 복수 정당, ㉡ 권력 분립
05 (1) 성찰 (2) 사회적 약자 (3) 행복감

01 (2) 교통, 문화, 예술, 체육 시설 등도 정주 환경에 속한다.

탄탄! 내신 문제 32~33쪽

01 ③ **02** ③ **03** ① **04** ⑤ **05** ① **06** ① **07** ⑤
08 ② **09** ④

01 질 높은 정주 환경의 조건

자료분석 **A 지역의 주민들**은 쓰레기 더미 위에서 의식주를 해결한다고 하였으므로 **오염 환경에 노출**되어 있다는 것을 알 수 있다. 따라서 **오염물이 없는 쾌적한 정주 환경이 필요**하다.

[선택지 분석]

① 아름다운 자연 경관
② 신뢰가 돈독한 이웃 주민
③ 오염물을 제거한 쾌적한 환경
④ 오페라 극장과 같은 문화 시설
⑤ 교통의 편리성을 높여 주는 지하철

02 질 높은 정주 환경의 조건

[선택지 분석]

① 우수한 교육 시설

② 치안 및 방범 서비스의 구축

③ ~~함부로 살 수 없는 고가의 주택~~ → 적당한(합리적인) 가격의 주택

④ 버스, 철도, 지하철 등 대중교통의 편리성

⑤ 인간과 자연이 공존을 이루는 깨끗한 자연환경

03 오스트리아 빈의 정주 환경

자료분석 제시문은 오스트리아의 수도인 빈의 정주 환경에 관해 설명한 글이다. **빈의 오랜 역사와 문화 공간 및 자연환경**은 빈의 시민들이 **행복한 삶**을 사는 데 기여하고 있다.

[선택지 분석]

㉠ 자연과 공존할 수 있는 공원

㉡ 인간다운 생활을 위한 문화 시설

✕ 최고급 주택과 상하수도 시설의 확충
➡ '최고급 주택'은 질 높은 정주 환경의 조건이 아니다.

✕ 역사적인 공간 대신 만든 현대적인 건축물
➡ 빈은 오랜 역사와 문화가 있는 도시로, 역사가 담긴 공간을 보존하는 것이 중요하다.

04 경제적 안정의 필요성

[선택지 분석]

① 내전을 멈추는 것이 아이들을 행복하게 할 것이다.
➡ 내전을 멈추는 것이 가장 먼저 이루어져야 할 행복의 조건이다.

② 아이들이 마음껏 공부할 수 있는 교육 시설이 필요하다.
➡ 아이들이 행복한 삶을 살기 위해서는 마음껏 학교에 다닐 수 있는 경제적 안정이 필요하다.

③ 아이들이 인간다운 삶을 살 수 있도록 경제적 지원이 필요하다.
➡ 굶주림과 열악한 교육 여건 등을 개선하기 위해서는 경제적 지원이 필요하다.

④ 아이들이 굶주림에서 벗어날 수 있도록 충분한 식량이 필요하다.

⑤ 전쟁에서 이기고 고통을 벗어날 수 있도록 더 좋은 무기를 제공해야 한다.
➡ 전쟁을 위한 무기를 제공하는 것은 내전을 더욱 심화시키는 결과를 가져올 수 있으므로 행복의 조건이라고 볼 수 없다.

05 경제적 안정과 행복의 관계

자료분석 **스티븐슨**과 **울퍼스**는 모두 **소득(부)이 많을수록 행복 수준도 더 높아진다고 주장**하고 있다. 즉, **경제적인 부**가 **행복**과 **정비례 관계**에 있다고 강조하고 있다.

[선택지 분석]

✓ 소득이 증가할수록 행복도 증가한다.

✕ 경제적으로 안정된 삶은 필요하지 않다.
➡ 두 학자 모두 경제적 안정을 강조하고 있다.

✕ 쾌락을 추구하는 삶이 바로 행복한 삶이다.
➡ 쾌락 추구가 아니라 경제적 안정을 추구하는 삶이 행복한 삶이다.

✕ 소득이 증가해도 어느 순간 행복은 정체된다.
➡ 스티븐슨의 주장처럼 돈이 행복에 미치는 영향에는 한계가 없으므로 소득 증가만큼 행복도 계속해서 증가할 것이다.

✕ 경제적 불평등이 해소되어야 행복은 실현된다.
➡ 제시문에 언급되지 않은 내용이다.

06 맹자가 강조하는 경제적 안정의 중요성

자료분석 **맹자**는 일반 백성들은 **고정적인 생업**이 있을 때[유항산] 흔들림 없는 **도덕적 마음**이 생긴다[유항심]고 하였다. 즉, 맹자는 **경제적 안정이 행복한 삶을 위한 조건**이라고 강조하였다.

[선택지 분석]

✓ 행복한 삶을 위해서는 생업이 보장되어야 한다.

✕ 행복한 삶은 물질적 가치를 배제할 때 실현 가능하다.
➡ 경제적 안정과 같은 기본적인 물질은 필요하다.

✕ 행복한 삶은 외적인 조건에 있는 것이 아니라 내적 만족에 있다.
➡ 제시문은 기본적인 생업과 같은 외적 조건도 중요함을 강조하고 있다.

✕ 행복한 삶을 위해서는 의식주의 해결보다 도덕적 실천이 중요하다.
➡ 기본적인 의식주를 해결할 수 있는 생업을 먼저 강조하였다.

✕ 행복은 인간이 궁극적으로 도달할 수 없는 이상적인 목표에 불과하다.
➡ 행복은 인간 행위의 궁극적인 목적이다.

07 민주주의와 행복의 관계

자료분석 제시문은 **민주주의가 무너진 A국**에 대한 설명이다. A국은 독재 정권으로 인해 정치적 문제와 경제적 문제가 모두 일어나고 있는데, 이를 통해 **민주주의의 실현**이 **행복한 삶의 조건**이라는 것을 알 수 있다.

[선택지 분석]

① 권력 분립 제도

② 국가 권력에 대한 감시 체제

③ 참여 중심의 정치 문화 성립

④ 언론 매체의 자유로운 보도 권리

⑤ 강력한 군사력을 갖춘 국가 건설 → 민주주의와 관계없는 내용

08 민주주의의 발전을 위한 제도적 장치

자료분석 (가)는 **복수 정당 제도**, (나)는 **권력 분립 제도**에 대한 설명이다. 복수 정당 제도와 권력 분립 제도는 모두 **민주적 제도**로서 민주주의를 발전시켜 **행복한 삶을 실현할 정치적 조건**이다.

09 도덕적 실천과 행복의 관계

자료분석

제시문 속 실험은 자기의 이익만을 위해 돈을 쓸 때보다 **타인을 위해 돈을 쓸 때 행복감이 더 크다는 것**을 나타낸다. 도덕적 실천을 통해 스스로 당당해지고 타인에게 도움이 되는 사람이라는 인식이 생기면 **자존감**이 높아지고 **행복감**도 높아질 수 있다.

[선택지 분석]

✗ 시우민 : 이 결과는 그저 우연의 일치야.
➡ 우연적인 결과가 아닌 타인을 배려하는 도덕적 실천의 결과이다.

✗ 수호 : 자기 자신에게 쓰기에 너무 적은 돈이기 때문이야.
➡ 돈의 액수의 적고 많음과는 관계없이 똑같은 결과가 나왔다.

✗ 디오 : 처음부터 실험자의 돈이었기 때문에 관련이 없어.
➡ 해당 내용에서는 알 수 없는 추론이다.

✓ 카이 : 타인의 행복에 대한 고려는 자신의 행복에도 도움을 주기 때문이야.
➡ 자기 자신만을 위해 돈을 썼을 때보다 남을 위해 돈을 썼을 때 더 행복감을 느꼈다는 실험 결과는 타인을 배려한 행위는 곧 자신의 행복과 관련이 있다는 것을 말해준다.

✗ 백현 : 누군가의 욕망을 채워주는 것은 언제나 행복을 가져다주기 때문이야.
➡ 누군가의 '욕망'을 채워주는 행위라는 설명은 없다. 나만 생각하는 것이 아니라 타인을 고려할 때 행복할 수 있다고 설명한다.

도전! 1등급 문제

34~35쪽

01 ④ 02 ② 03 ⑤ 04 ③ 05 ③ 06 ④ 07 ③

01 택리지에 제시된 질 높은 정주 환경

자료분석

제시된 자료는 이중환의 『택리지』이다. 택리지는 **지리**(풍수 지리적인 위치), **생리**(생존에 유리한 환경), **인심**(공동체 구성원들과의 신뢰감 있는 관계), **산수**(여유로운 자연환경)를 **질 높은 정주 환경의 조건**으로 제시하고 있다.

[선택지 분석]

① 풍수 지리적으로 좋은 위치 → 지리

② 자연을 감상할 수 있는 공간 → 산수

③ 사회 구성원들 간의 신뢰감 있는 관계 → 인심

✓ 시민들의 주권을 보장하는 민주적인 제도
➡ 택리지에서 민주적인 제도에 관한 언급은 없다.

⑤ 풍부한 생산물을 바탕으로 한 생존에 유리한 환경 → 생리

02 국민 소득과 행복의 관계

자료분석

A국의 국민 소득은 전 세계에서 최하위 수준이지만 행복 순위는 전 세계에서 1위를 기록하였다. **B 사상가(울퍼스)**는 경제적으로 부유한 나라가 더 행복하다고 주장하지만, **B 사상가의 주장**은 **A국과 같은 사례에서 비판받을 수 있다.**

[선택지 분석]

① 낭만과 여유가 보장된 사회는 구성원의 행복감을 이끌어낼 수 있다.

✓ 기본적인 생활을 위한 소득이 없더라도 행복한 삶을 실현할 수 있다.
➡ 의식주가 보장되는 최소한의 경제력은 행복을 실현하기 위한 기본적인 조건이다. A국의 1인당 국민 소득이 3,000달러가 되지 않는다고 했지 기본적인 생활을 위한 소득이 없다는 언급은 없다.

③ 소득이 높은 국가가 가난한 국가보다 무조건 행복하다고 말할 수 없다.
➡ 국민 소득은 매우 낮지만 행복 지수는 1위인 A국의 사례를 통해 알 수 있다.

④ 행복은 경제적 순위만으로 결정되는 것이 아니며 정서적 가치도 중요하다.
➡ '첫눈이 오면 낭만을 즐기는 행위'는 정서적 가치에 해당한다.

⑤ 아무리 국가가 부유해도 훌륭한 정치가 바탕이 되지 않으면 국민을 위해 사용되지 않을 수 있다.
➡ A국은 국민의 행복을 생각한 정치를 통해 공교육과 의료 서비스의 무상 제공 등의 법과 제도가 마련되었을 것이다.

03 자유와 행복의 관계

자료분석

개는 먹을 것을 걱정하지 않고 살아가지만, 삶의 주인이 자기 자신이 아니며 **구속받는 삶**을 산다. 반면 **늑대**는 배고픔은 있지만, 자신이 하고 싶은 것을 하고 가고 싶은 곳을 갈 수 있는 **자유가 보장**되어 있다. 따라서 **늑대는 진정한 행복을 위해서는 자유를 보장받아야 한다는 내용으로 개를 비판**할 것이다.

[선택지 분석]

✗ 행복은 고통이 없는 상태여야 해.
➡ '목의 상처'는 구속과 종속을 의미하는 것으로 '고통이 없는 상태'와는 거리가 멀다.

✗ 굶주림에서 벗어나는 것이 가장 행복해.
➡ 개의 관점에서 본 행복이지만, 굶주림에서 벗어나는 것만으로는 진정한 행복이라고 볼 수 없다.

✗ 주인님의 사랑을 받는 것이 가장 중요해.
➡ 개의 관점에서 느끼는 행복이나, 일시적이고 수동적일 수 있기 때문에 진정한 행복이라고 볼 수 없다.

✗ 함께 살아갈 존재가 있다는 것이 행복한 삶이야.
➡ 제시문은 함께 도우며 살아가는 공존을 강조한 글이 아니다.

✓ 자유롭게 내 삶의 방향을 선택하고 권리를 보장받는 것이 행복이야.
➡ 늑대의 관점으로, 늑대는 경제적으로 부족할 수 있지만 자유롭게 사는 것이 진정한 행복이라고 생각한다.

04 착한 사마리아인 법에 나타난 도덕적 실천

자료분석

제시문의 '착한 사마리아인 법'은 **타인을 위해 배려하고 희생하는 도덕적 실천이 중요**하다는 것을 보여준다. 위급한 상황에서 타인을 돕는 행위는 결국 **자신의 행복과도 깊은 관련**이 있다. 자신뿐만 아니라 공동체를 생각하는 도덕적 실천을 통해 **궁극적인 삶의 목적인 행복**에 이를 수 있다.

[선택지 분석]

① 인간은 타인과 함께 살아가는 존재이다.

② 역지사지의 자세로 타인을 배려하는 것이 중요하다.

③ 타인을 배려하는 삶이 자신의 자존감을 높여주지는 않는다.

➡ 타인을 배려하는 도덕적인 실천을 할 때 자신의 만족감과 행복감도 더 높아질 수 있다.

④ 타인의 행복을 포함한 공동체의 행복 실현이 자신에게 행복을 가져다준다.

⑤ 자신이 할 수 있는 한 타인을 위한 배려를 실천하는 삶은 개인과 사회의 행복을 위해 필요하다.

05 행복한 삶을 위한 조건

자료분석 자료 ❶~❸은 **모두 행복한 삶을 위한 조건**을 설명하고 있다. 자료 ❶은 행복한 삶을 위한 환경적 조건인 **질 높은 정주 환경**을, 자료 ❷는 정치적 조건인 **민주주의의 발전**을, 자료 ❸은 타인을 배려하는 **도덕적 실천**을 나타낸다.

[선택지 분석]

✗ 두준 : 자료 ❶에서는 물질적 풍요가 실현된 나라일수록 행복 지수가 높다는 것을 알 수 있어.

➡ 자료 ❶에서는 질 높은 정주 환경의 중요성을 설명하고 있다.

✗ 기광 : 자료 ❷를 통해 경제적 안정이 있어야 도덕적인 마음도 지켜질 수 있음을 알 수 있어.

➡ 자료 ❷에서는 민주주의의 발전과 행복의 상관관계를 제시하고 있다.

✓ 요섭 : 자료 ❸을 통해 조건 없는 배려가 자신의 행복에 기여할 수 있다는 것을 알 수 있어.

➡ 자료 ❸은 조건 없이 남을 도왔을 때 느껴지는 심리적 만족감이 자신의 건강 증진으로 이어질 수 있다는 것을 설명하고 있다.

✗ 동운 : 자료 ❶과 자료 ❷를 종합해 보면 개인의 도덕적 양심이 행복 실현의 조건이야.

➡ 도덕적 양심은 자료 ❸과 관련된 내용이다.

✗ 준형 : 자료 ❷와 자료 ❸을 통해 질 높은 정주 환경이 행복에 미치는 영향이 크다는 것을 알 수 있어.

➡ 질 높은 정주 환경은 자료 ❶과 관련된 내용이다.

06 행복한 삶을 위한 정치적, 도덕적 조건 비교

[선택지 분석]

① ㉠ 자료 ❷는 민주주의의 발전과 구성원의 행복 증진의 관련성을 보여준다.

② ㉡ 자료 ❸은 타인을 위한 도덕적 행위가 자신의 심리적, 신체적 만족감을 증진하는 데 기여한다는 것을 보여준다.

③ ㉢ 자료 ❸은 인간의 삶에 영향을 미치는 정신적 가치가 중요하다는 것을 보여준다.

✓ ㉣ 자료 ❷보다 자료 ❸이 경제적 안정이 인간의 삶의 질을 어떻게 향상시킬 수 있는지를 보여준다.

➡ 자료 ❷와 자료 ❸은 모두 경제적 안정과는 관련 없는 내용이다.

⑤ ㉤ 자료 ❷와 자료 ❸은 모두 행복한 삶을 위한 조건을 설명하는 글이다.

07 행복한 삶을 위한 도덕적 조건

자료분석 제시문에서 강조하는 **행복의 조건**은 다른 사람을 배려하고 다른 사람의 행복을 위한 선행을 하는 **도덕적 실천**이다. 이와 동일한 관점에서 행복의 조건을 설명한 글을 자료 ❸이다.

한번에 끝내는 대단원 문제 38~41쪽

01 ④ **02** ⑤ **03** ① **04** ⑤ **05** ① **06** ② **07** ③
08 ⑤ **09** ④ **10** ① **11** ④ **12** ⑤

13 (1) 통합적 관점 (2) [모범 답안] 사회 현상은 다양한 요인들이 복잡하게 얽혀있기 때문에 하나의 관점에만 의존하면 의미를 제대로 파악할 수 없다. 따라서 통합적인 관점에서 사회 현상을 이해하는 것이 필요하다.

14 (1) 행복의 조건 또는 행복 그 자체 (2) [모범 답안] 돈은 행복 그 자체일 수 없으며 단지 행복을 이루기 위한 수단일 뿐이다. 진정한 행복은 그 자체로서 목적이어야 한다.

15 (1) 민주주의 (2) [모범 답안] 선거를 통해 투표권을 행사한다, 시민 단체에 가입하여 활동한다, 집회나 시위 등에 참여하여 자신의 의사를 표현한다.

16 (1) 도덕적 실천(삶) (2) [모범 답안] '도를 세우는 일', 즉 도덕적 실천(삶)이 이루어지지 않는 사회에서는 사회와 사회 구성원들의 삶이 피폐해져 개인의 행복에도 악영향을 미칠 수 있기 때문이다.

01 인간, 사회, 환경을 바라보는 관점

[선택지 분석]

① 시대적 배경과 맥락을 탐구해야 한다. → 시간적 관점

② 사회의 제도, 구조, 정책 등 사회적 특성을 탐구해야 한다. → 사회적 관점

③ 공간에 따라 다르게 나타나는 지리적 특성을 살펴봐야 한다. → 공간적 관점

✓ 인간은 독립적 존재이므로 인간 중심으로 현상을 이해해야 한다.

➡ 개인의 독립성을 인정하고 자아 발전을 지향하는 삶도 중요하지만, 인간은 사회적 동물이기 때문에 인간, 사회, 환경을 조화롭게 이해해야 한다.

⑤ 사회가 바람직한 방향으로 나아갈 수 있도록 도덕적 판단을 해야 한다. → 윤리적 관점

02 공간적 관점에 대한 이해

자료분석 제시문은 **우리나라의 한옥**이 **기후의 영향**을 받아서 지금의 형태가 되었다고 설명한다. 한옥이 **기후와 같은 자연환경의 영향**을 받아서 만들어졌다고 분석한 것은 **공간적 관점**에서 현상을 바라본 것이다.

[선택지 분석]

ㄱ. (X) 한옥의 구조를 설명하고 있으므로 사회적 관점에 해당한다.

ㄴ. (X) 사계절의 변화를 강조하였으므로 시간적 관점에 해당한다.

ㄷ. 공간 정보를 통해 한옥이 지금의 모습을 형성하게 된 이유를 파악했다.

ㄹ. 우리나라의 기후가 거주지에 영향을 준 것은 공간적 관점으로 이해할 수 있다.

03 인간, 사회, 환경을 바라보는 다양한 관점

자료분석 **(가)**는 커피가 확산된 원인을 **'17세기'와 '18세기'라는 시간적 관점**에서 분석한 글이다. 그리고 **(나)**는 커피 생산 과정에서 나타난 **'아동 노동 문제'를 지적**하고 **'공정 무역'의 필요성을 강조**한 글로 커피 생산과 소비를 **윤리적 관점**에서 파악한 글이다.

04 통합적 관점의 이해

자료분석 **(가)**는 다양한 관점을 이용해 사회 현상을 바라보아야 한다고 서술하고 있으므로, **통합적 관점을 중시**하고 있다. **(나)**의 A는 한국의 고령화 사회를 조사하면서 '출산율 저하'라는 **하나의 관점**(사회적 관점)으로만 이해하려고 하였다. 따라서 통합적 관점을 중시하는 (가)에 따르면, A에게 사회 현상을 통합적으로 조사해야 한다는 조언이 필요하다.

05 시대 상황에 따른 행복의 기준

자료분석 제시문은 박완서의 소설 『그 산이 정말 거기 있었을까』의 내용으로, 제시문 속의 '전쟁'은 **'6.25 전쟁'**이다. 이 시기는 기본적인 인간의 욕구인 먹을 것을 구하는 것과 같은 **생존 자체가 위협받던 시절**이었다. 따라서 '나'는 전쟁이라는 역사적 사건을 겪으면서 그 상황에서 생존하기 위한 **의식주의 보장**을 **가장 중요한 행복의 기준**으로 삼고 있다.

06 행복의 다양한 기준의 이해

자료분석 제시문은 빅 데이터 분석을 통해 **4개국의 행복 연관어**를 조사한 자료이다. 제시문에서 지역에 따라 행복과 관련된 단어가 다르듯이, 지역의 자연환경이나 인문 환경 등 **지역 여건에 따라 행복의 기준도 다르게** 나타난다.

[선택지 분석]

ㄱ. 행복의 기준은 지역에 따라 다르게 나타난다.
➡ 제시된 4개국의 행복과 관련된 단어가 모두 다르듯이, 행복의 기준은 지역에 따라 다양하게 나타난다.

ㄴ. (X) 행복의 기준은 국가마다 가지고 있는 가치관과는 관련이 없다.
➡ 국가라는 공동체가 추구하는 가치에 따라 행복의 기준은 다양하게 나타난다.

ㄷ. (X) 유교 문화권이라는 공통점으로 인해 한국, 중국, 일본의 행복의 기준이 같다.
➡ 유교 문화권인 한국, 중국, 일본도 각 지역의 종교, 산업, 문화 등 인문 환경에 따라 행복의 기준이 모두 다르게 나타났다.

ㄹ. 지역의 인문 환경은 개인의 가치관에 영향을 미쳐 행복의 기준에 영향을 주기도 한다.

07 진정한 행복의 의미

자료분석 제시문에서 **갑**은 왕한테 **고개를 숙여 먹을 것을 얻는 것**을 행복이라고 생각하지만, **을**은 왕한테 굽실거리며 사는 것보다 **스스로의 상황에 만족하고 행복한 삶을 사는 것**을 중요하게 여기는 것을 알 수 있다.

[선택지 분석]

ㄱ. (X) 행복의 가장 중요한 요소는 권력을 바탕으로 한 경제적 안정이다. → 갑의 입장

ㄴ. 행복은 외적인 환경이 아니라 내적으로 만족하는 삶에서 비롯된다.

ㄷ. 진정한 행복은 자기 자신의 상황에 만족하고 처한 상황에서 즐거움을 누리는 삶이다.

ㄹ. (X) 경제적으로 안정된 삶을 살기 위해서는 높은 지위에 있는 사람의 명령을 따라야 한다. → 갑의 입장

08 진정한 행복을 위한 노력

자료분석 제시문 속 미다스 왕은 **진정한 행복에 대한 성찰 없이 행동하였다가 도리어 불행**해졌다. 제시문을 통해 진정한 행복을 위해서는 성찰을 통해 **자신이 무엇으로 행복을 느끼는지 파악하고 실천**하려는 노력이 중요함을 알 수 있다.

[선택지 분석]

(X) 성소 : 남들과 자신의 행복을 비교해야 해.
➡ 남들과의 비교는 올바른 성찰의 자세가 아니다.

(X) 미연 : 자신이 원하는 것은 모두 이루어야 해.
➡ 성찰을 통해 자신이 진정으로 원하는 것을 파악해야 한다.

(X) 일원 : 현재의 삶에 만족하는 자세를 가져야 해.
➡ 현재의 삶에 대해서도 성찰이 필요하다.

(X) 진수 : 행복에는 경제적 안정이 무엇보다 중요해.
➡ 미다스 왕은 황금이라는 경제적 부를 쫓다가 불행해졌다.

(O) 화영 : 진정한 행복이 무엇인지 성찰한 후 행동해야 해.

09 질 높은 정주 환경의 조건

자료분석 제시문은 **열악하고 비위생적인 정주 환경**에 관해 설명하고 있다. 이곳 사람들에게는 **깨끗하고 쾌적한 거주 공간**이 **행복의 가장 큰 기준**일 것이다.

[선택지 분석]

ㄱ. (X) 마음을 풍요롭게 할 아름다운 자연 경관이 필요하다.
➡ 아름다운 자연 경관도 질 높은 정주 환경의 조건이지만, 이 지역 사람들에게 꼭 필요한 조건은 아니다.

ㄴ. 거주지를 포함한 주변 환경은 위생적인 공간이어야 한다.

✗ 집은 다른 사람과 소통하는 생활의 기반이므로 교통의 요지에 있어야 한다.

➡ 교통의 요지도 질 높은 정주 환경의 조건이지만, 이 지역 사람들에게 꼭 필요한 조건은 아니다.

ㄹ 정주 환경은 인간이 외부의 위협으로부터 안정을 취할 수 있는 공간이어야 한다.

10 경제적 안정과 행복의 관계

자료분석 **행복을 위한 조건**을 물어본 설문조사 결과 '**경제적 여유**'가 40.2%로 행복의 조건 중 **1위**를 차지하였다. 이는 행복의 여러 조건 중 '**경제적 안정**'이 행복에 큰 영향을 미치고 있음을 나타낸다.

[선택지 분석]

✓ 삶의 질을 보장할 수 있는 경제적 안정을 강조하였다.

✗ 개인의 이익만을 추구하는 삶을 행복한 삶으로 보았다.

➡ 제시문에서 알 수 없는 내용이며, 개인의 이익뿐 아니라 공동체의 행복에도 관심을 가져야 한다.

✗ 신체적으로 고통이 없는 상태를 가장 중요하게 생각하였다.

➡ 헬레니즘 시대에 활동한 에피쿠로스의 행복론으로, 경제적 안정과는 관련이 없는 내용이다.

✗ 행복의 조건 중 정서적 안정이 가장 중요한 조건임을 알 수 있다.

➡ 설문조사에서는 경제적 안정(경제적 여유)이 가장 중요한 조건으로 뽑혔다.

✗ 자신의 삶의 목적을 설정하고 자아를 실현할 수 있는 시간을 가장 중요하게 생각하였다.

➡ 도덕적 성찰과 관련된 내용으로, 경제적 안정과는 관련이 없다.

11 민주주의의 발전과 행복의 관계

자료분석 제시문은 스위스의 '**란트슈게마인데**'를 예로 들어 행복의 조건 중 **민주주의의 발전**의 중요성을 강조하였다. 민주주의가 발전한 사회에서는 시민의 인권 및 자유와 평등이 보장되고, 시민의 정치적 의사가 정치 과정에 반영되어 표출된다.

[선택지 분석]

① 자유와 평등을 보장해 준다.

② 독재와 부패를 감시할 수 있다.

③ 시민의 정치적 의사가 잘 반영된다.

✓ 비도덕적인 일탈을 하지 않도록 도와준다.

➡ 비도덕적 일탈을 막는 것은 행복의 조건 중 '도덕적 성찰'과 관련된 내용이다.

⑤ 시민들은 자신의 의견을 자유롭게 표현할 수 있다.

12 도덕적 실천의 중요성

자료분석 **(가)**는 **도덕적 성찰**을 통해 하루하루 발전하는 삶을 사는 것이 진정한 행복이라고 보았으며(소크라테스), **(나)**는 자신의 마음속에 존재하는 **도덕 법칙을 강조**하였다(칸트). 따라서 **(가)**와 **(나)**는 **모두 도덕적 성찰과 도덕적 삶을 강조**하고 있다.

[선택지 분석]

✗ (가) : 자신의 발전을 위해서 타인에게 피해를 주는 것을 어느 정도 허용하고 있다.

➡ 타인에게 해를 입히며 하는 발전은 도덕적으로 어긋나기에 진정한 행복을 주지 못한다.

✗ (나) : 신적 존재에 대한 경외심과 존경심을 강조하고 있다.

➡ 신적 존재에 대한 언급은 없다.

✗ (나) : 도덕 법칙을 별에 비유하면서 두려워해야 할 것으로 보고 있다.

➡ 존경의 대상으로 본 것이지 두려워야 할 것으로 보지는 않는다.

✗ (가), (나) : 타인에 대한 무조건적인 희생을 강조하고 있다.

➡ 제시문에서 파악할 수 없는 내용이다.

✓ (가), (나) : 자기 자신의 삶을 도덕적으로 성찰하는 것의 중요성을 강조하고 있다.

13 통합적 관점의 필요성

채점 기준

상	통합적 관점의 필요성을 복잡한 사회 현상을 들어 정확하게 서술한 경우
중	통합적 관점의 필요성을 서술하였으나 그 내용이 미흡한 경우
하	여러 관점에서 보아야 한다고만 간단하게 서술한 경우

14 진정한 행복의 이해

채점 기준

상	진정한 행복은 수단이 아닌 그 자체로서 목적임을 서술한 경우
중	글이 주는 교훈을 행복과 연관시켰으나 부정확하게 서술한 경우
하	글이 주는 교훈을 행복과 연관시키기 못한 서술인 경우

15 민주주의의 발전과 행복의 관계

채점 기준

상	민주주의의 발전을 위한 실천 방안 두 가지를 모두 정확하게 서술한 경우
중	민주주의의 발전을 위한 실천 방안 중 한 가지만 정확하게 서술한 경우
하	민주주의의 발전을 위해서는 시민 참여가 필요하다고만 서술한 경우

16 도덕적 실천의 중요성

채점 기준

상	도덕적 실천이 중요한 이유를 개인의 행복과 연결하여 서술한 경우
중	도덕적 실천이 중요한 이유를 서술하였으나 개인의 행복과 연결하지 못한 경우
하	도덕적 실천이 중요하다고만 서술한 경우

Ⅱ ››› 자연환경과 인간

01 자연환경과 인간 생활

콕콕! 개념 확인 51쪽

01 (1) 열대 (2) 벼
02 (1) 충적 (2) 화산 (3) 고산
03 건조 기후
04 (1) A : 열대 저기압, B : 지진 (2) 태풍 (3) 내진

01 (1) 사막 기후 지역은 강한 햇빛을 막고 수분 증발을 막기 위해 온몸을 감싸는 옷을 입는다.
(2) 밀 농사는 건조 기후 지역과 유럽 및 아메리카 지역에서 주로 이루어진다.

03 건조 기후 지역에서는 전통적으로 유목과 오아시스 농업이 발달하였다. 최근에는 관개 시설 확충, 해수 담수화 시설 건설 등 불리한 자연환경을 극복하기 위한 노력이 이루어지고 있다.

탄탄! 내신 문제 52~55쪽

01 ①	02 ⑤	03 ②	04 ①	05 ④	06 ⑤	07 ④
08 ④	09 ④	10 ③	11 ②	12 ②	13 ②	14 ⑤
15 ①	16 ④	17 ⑤	18 ④	19 ①		

01 열대 우림 기후 지역의 전통 가옥

자료분석 제시된 그림의 전통 가옥은 주로 **열대 우림 기후 지역**에서 지면의 열기와 습기를 방지하기 위해 만들어진 **고상 가옥**이다. 열대 우림 기후는 연중 기온이 높고 강수량이 많아 습도가 높다.

[선택지 분석]
✔ 연중 고온 다습하다.
✘ 건기와 우기가 뚜렷하다. → 연중 강수량이 많음
✘ 4계절의 변화가 뚜렷하다. → 온대 기후에 해당
✘ 기온의 연교차가 매우 ~~크다~~. → 연중 기온이 높아 연교차 작음
↳ 작다
✘ 식생의 밀도가 낮은 편이다. → 건조 기후와 한대 기후에 해당

02 한대 기후 지역의 생활 양식

자료분석 엽서의 내용 중에서 **순록을 유목**하고 **날고기**를 먹는다는 것을 통해 **한대 기후 지역**임을 알 수 있다. 지도의 **(가)는 열대, (나)는 건조, (다)는 온대, (라)는 냉대, (마)는 한대 기후**이다.

[선택지 분석]
 (마)
➡ 한대 기후 지역 주민들은 과일과 채소를 먹기 어렵기 때문에 비타민을 얻기 위해 날고기를 섭취하는 경우가 많다.

03 기후에 따른 전통 의복

자료분석 자료의 **A는 열대 기후 지역**으로 덥고 습하기 때문에 **얇고 간편한 옷**을 즐겨 입는다. **B는 건조 기후의 사막 지역**으로 햇빛을 막고 수분 증발을 억제하기 위해 **온몸을 감싸는 옷**을 주로 입는다. **C는 한대 기후 지역**으로 추운 날씨로 인해 **동물의 털이나 가죽으로 만든 옷**을 입은 주민들의 모습을 쉽게 볼 수 있다.

04 기후에 따른 생활 양식

[선택지 분석]
✔ (가) : 향신료를 넣은 요리가 발달하였다. → 열대 기후
✘ (나) : ~~밀 농사보다는 벼농사~~가 발달하였다.
↳ 유목과 오아시스 농업
✘ (다) : 일상적으로 수렵 생활과 유목을 한다. → 한대 기후인 (마) 지역
✘ (라) : 열기를 피하기 위해 흙집을 짓는다. → 건조 기후인 (나) 지역
✘ (마) : 육류보다는 곡물 위주의 식생활이 많다.
➡ (마) 한대 기후는 기온이 낮아 농업에 불리하기 때문에 육류 중심의 식생활이 많다.

05 지중해 연안의 가옥 구조

자료분석 사진과 글의 내용으로 보아 제시된 지역은 그리스의 **산토리니섬**이다. 그리스는 **지중해 연안에 위치한 국가로 여름에 고온 건조한 기후**가 나타난다.

[선택지 분석]
✘ 열대 기후의 해안 지역 → 고상 가옥 발달
✘ 냉대 기후의 침엽수림 지역 → 통나무집 발달
✘ 건조 기후의 사막 내부 지역 → 흙벽돌집 발달
✔ 온대 기후의 지중해 연안 지역
✘ 한대 기후의 북극해 연안 지역 → 이글루 발달

06 이동식 화전 농업

자료분석 **열대 기후 지역**에서는 전통적으로 **이동식 화전 농업**이 이루어졌다. 이동식 화전 농업은 삼림이나 초지를 태우고 그 땅에 작물을 심어 경작한 후, 지력이 쇠퇴하면 다른 지역으로 이동하는 농업 방식이다.

[선택지 분석]
✘ ~~오아시스~~ 농업이라 불린다.
↳ 이동식 화전
✘ 화학 비료를 많이 사용한다. → 비료 대신 타고 남은 나무의 재를 이용
✘ 기계화율이 높은 농업 방식이다. → 아메리카 대륙의 밀 농사
✘ 주로 ~~온대~~ 기후 지역에서 행해진다.
↳ 열대
✔ 얌, 카사바 등 식량 작물을 주로 재배한다.

07 기후에 따른 전통 가옥 구조

[선택지 분석]
ㄱ. (가)는 유목으로 인한 이동 생활의 편리함을 위해 짓는다.
ㄴ. (나)의 재료는 주변에서 쉽게 구할 수 있는 것이다.
ㄷ. (다)의 벽은 단열 효과를 높이기 위해 두껍게 한다.
✘ (라)는 주로 냉대림으로 만든 통나무집이다.

➡ (라)는 열대 우림 기후 지역의 가옥 구조로 많은 강수로 인해 지붕의 경사가 급하다. 또한, 뜨거운 지열과 습기, 해충을 피하기 위해 고상 가옥을 짓고 통풍이 잘되도록 창문을 크게 하는 것이 특징이다.

08 세계의 전통 의복

자료분석 자료의 동물은 **낙타**로, **건조 기후에 적응한 낙타**의 특징을 표현한 것이다. 낙타는 한 번에 130L의 물을 마시고 몇 날 며칠을 버티고, 혹에 지방을 저장하여 몇 주 동안 먹지 않고 버틸 수 있다.

[선택지 분석]

④ 건조 기후 지역의 의복

➡ 낙타가 사는 곳은 건조 기후 지역인데, 건조 기후 지역에서는 온몸을 감싸는 흰색이나 검은색의 옷을 입는다.

09 세계의 음식

자료분석 갑의 설명에서 **유목, 양고기 등을 통해 건조 기후 지역**임을 알 수 있으며, 을의 설명에서 **음식이 쉽게 상한다는 것을 통해 열대 기후 지역**임을 알 수 있다.

[선택지 분석]

④ 갑 : B, 을 : C

➡ 지도에서 건조 기후가 나타나는 지역은 몽골(B) 지역으로, 이 지역은 주로 유목을 하기 때문에 목축을 통해 젖과 고기를 얻을 수 있다. 지도에서 가장 덥고 습한 기후가 나타나는 지역은 인도네시아(C) 지역으로, 인도네시아 등지에서는 음식이 상하는 것을 방지하기 위해 향신료를 많이 사용하며, 기름에 볶거나 튀기는 요리가 발달하였다.

10 쌀의 특징

자료분석 지도를 살펴보면 주로 **온대 계절풍 지역인 동아시아와 열대 계절풍 지역인 남부 아시아 및 동남아시아에 분포**되어 있음을 알 수 있다. 따라서 **A 작물은 쌀**이다.

[선택지 분석]

① 국수나 피자의 주원료로 이용된다. → 밀

② 사료용으로 이용되는 경우가 많다. → 옥수수

③ 주로 비옥한 충적 평야에서 재배된다.

④ ~~북반구보다 남반구에서~~ 많이 재배된다.
↳ 남반구보다 북반구에서

⑤ 강수량이 ~~적은 곳에서도~~ 재배가 잘된다.
↳ 많은 곳

➡ 기온이 높고 강수량이 많은 계절풍 기후 지역에서 주로 재배된다.

11 지형에 따른 생활 양식

[선택지 분석]

④ 해발 고도가 높은 고산 기후 지역이다.

➡ (가) 지역에서는 야마, 알파카 등 고산 기후 지역에 적응한 가축을 사육한다. 고산 기후는 연중 월평균 기온이 15℃ 내외로 항상 봄과 같은 날씨가 나타난다.

12 독특한 경관 지역

자료분석 베트남 북동부에 있는 **할롱 베이**는 에메랄드빛 바다에 **석회암이 오랜 침식 작용**을 받아 형성된 1,900여 개의 크고 작은 섬과 기암괴석이 솟아 있다. 터키의 **파묵칼레**도 **석회암이 용식 작용을 받아 형성된 지형**으로 경관이 아름다워 관광지로 유명하다.

[선택지 분석]

② 석회암의 용식

➡ 제시된 사진은 카르스트 지형에 해당한다. 카르스트 지형은 석회암이 물에 의한 용식 작용으로 형성된 것으로, 고온 다습한 환경에서 잘 나타난다.

13 세계의 대하천

자료분석 지도에 표시된 하천은 **나일강, 인더스강, 황허강, 티그리스강과 유프라테스강**이다. 이 지역은 토양이 비옥하여 농업에 유리하였고, 다른 지역보다 일찍 문명이 발달하였다.

[선택지 분석]

㉠ 세계 4대 문명의 발상지이다.

✕ 토양이 ~~척박~~하여 농업에는 ~~불리하다~~.
↳ 비옥 ↳ 유리하다

➡ 하천 주변에 형성된 충적 평야는 토양이 비옥하다.

㉢ 하천 주변에는 충적 평야가 발달하였다.

✕ 하천의 잦은 범람으로 인구 밀도는 ~~낮은 편~~이다.
↳ 높은 편

➡ 하천의 범람으로 형성된 충적 평야는 농업에 유리해 인구 밀도가 높은 편이다.

14 관개 농업

자료분석 지도에 표시된 지역은 건조 기후에 해당한다. **건조 기후 지역은 연 강수량이 적고, 강수량보다 증발량이 많아 농사를 짓기에 불리**하다. 따라서 오늘날에는 과학 기술의 발달로 **현대식 스프링클러를 설치**하여 지하수를 퍼 올려 대규모 관개 농업을 하는 곳도 있다.

[선택지 분석]

① 모내기를 하기 → 계절풍 기후

② 열대림을 벌목하기 → 열대 기후

③ 순록을 관리하기 → 한대 기후

④ 바나나를 수확하기 → 열대 기후

⑤ 스프링클러를 설치하기

15 지열 발전

자료분석 지도의 (가) 발전소는 **아이슬란드와 뉴질랜드의 지열 발전소** 분포를 나타낸 것이다. 두 지역 모두 판의 경계에 위치하여 화산 활동이 활발한 지역이다.

[선택지 분석]

④ 아이슬란드와 뉴질랜드는 판의 경계에 위치하여 화산 활동이 잦은 지역으로 지열 에너지의 이용이 활발하게 이루어진다.

16 우리나라의 지진

자료분석 자료는 역대 국내 지진 규모 10순위를 나타낸 것으로, 이를 통해 **우리나라의 지진 발생 현황**을 알 수 있다. 최근 한반도의 지진 발생 및 횟수가 급증하고 있다. 따라서 **건축물을 지을 때 내진 설계를 하는 등** 지진 발생에 대한 철저한 대비가 필요하다.

[선택지 분석]

✗ 농작물의 생산량을 감소시킨다. → 홍수, 가뭄, 열대 저기압 등

✗ 황사의 주요 원인이 되기도 한다. → 사막화

✗ 댐을 건설하면 피해를 줄일 수 있다.

➡ 댐 건설은 홍수 및 가뭄 방지, 용수 확보, 전력 생산 등을 위해 건설한다.

✓ 건축물을 지을 때 내진 설계가 중요하다.

✗ ~~기후적~~ 요인에 의한 자연재해에 해당한다. ↳ 지형(지질)적

17 화산 활동과 지진

자료분석 지도에 표시된 지역은 **환태평양 조산대로, 대부분의 지역이 해양판과 대륙판이 만나는 경계에 해당**한다. **지진, 화산 활동은 주로 판의 경계에서 나타나며**, 특히 세계 화산의 약 75%가 환태평양 조산대와 연관되어 있어 '불의 고리'라고 불린다.

[선택지 분석]

✗ 홍수

➡ 일시에 비가 많이 내릴 때 발생한다.

✗ 가뭄

➡ 오랫동안 비가 내리지 않아 발생한다.

✗ 열대 저기압

➡ 태풍, 허리케인 등으로 불리는 열대 저기압은 저위도 열대 해상에서 발생한다.

✗ 폭염과 폭설

➡ 폭염은 기온이 많이 오를 때, 폭설은 많은 눈이 단시간에 집중해 내릴 때 발생한다.

✓ 화산 활동과 지진

18 열대 저기압

자료분석 사진의 (가)는 태풍이다. **태풍이 오면 강한 바람과 많은 비가 내리기 때문에 시설물 파손 및 붕괴, 어선 및 자동차 파손 등의 문제가 발생한다. 따라서 이에 대한 철저한 대비가 필요**하다.

[선택지 분석]

① 담장의 붕괴 위험을 살펴본다.

② 간판이 떨어지지 않도록 점검한다.

③ 배수 시설 및 하천 제방을 점검한다.

✓ 폭설에 대비하여 제설 장비를 점검한다.

➡ 태풍은 주로 7~9월에 영향을 미치기 때문에 폭설에 대비한다는 진술은 옳지 않다.

⑤ 계곡의 야영객을 안전지대로 대피시킨다.

19 자연재해 관련 법 조항

[선택지 분석]

✓ 헌법

➡ 우리나라 헌법에서는 인간은 자연 및 인위적 위험 요소에서 벗어나, 안전하고 쾌적한 환경에서 행복을 추구하며 살아갈 수 있어야 한다는 권리를 밝히고 있다.

도전! 1등급 문제 56~57쪽

01 ④	02 ⑤	03 ⑤	04 ①	05 ④	06 ⑤	07 ⑤

01 고상 가옥의 특징

자료분석 자료에 나타난 전통 가옥은 고상 가옥이다. **고상 가옥**은 **열대 기후 지역**에서 볼 수 있다. 고상 가옥은 바닥을 지면으로부터 띄워 짓는 집으로, 통풍을 위해 창문을 크게 만드는 등 개방적인 가옥 구조가 특징이다.

[선택지 분석]

㉠ 해충으로부터 피해를 줄여야 한다.

➡ 열대 기후 지역의 지면에는 뱀, 들쥐, 유해 곤충 등 다양한 해충이 많기 때문에 지면으로부터 높게 가옥을 짓는다.

✗ 단열을 위해 창문은 작고 벽은 두껍게 해야 한다.

➡ 사막 지역의 가옥 구조에 대한 설명이다. 열대 기후 지역은 덥고 습하기 때문에 통풍을 위해 창문을 크게 만든다.

㉢ 많은 비에 대비하여 지붕 경사를 급하게 해야 한다.

➡ 급경사의 지붕은 빗물이 잘 흘러내리도록 고안된 것이다.

㉣ 기온과 습도가 높아 지면으로부터 떨어져 있어야 한다.

➡ 지면의 더위와 습기를 방지하기 위해 고상 가옥을 짓는다.

02 지진 해일

자료분석 지도는 해저 지진의 발생지와 이에 따른 **지진 해일의 시간대별 확산 과정**을 나타낸 것이다. 지진 해일은 바다 밑에서 일어나는 지진이나 화산 폭발 등 급격한 지각 변동에 의해 발생한다.

[선택지 분석]

✗ 갑: 강풍과 많은 강수를 수반합니다.

➡ 태풍, 허리케인 등 열대 저기압과 관련된 내용이다.

✗ 을: 주로 바람의 영향을 받아 확산됩니다.

➡ 산성비, 황사와 관련된 내용이다.

병: 해저에서 발생한 지진이 원인입니다.

➡ 지진 해일은 해저에서 일어난 지진으로 방출된 에너지에 의해 발생한다.

정: 해안 저지대에 침수를 유발하여 피해를 입힙니다.

➡ 지진 해일은 얕은 바다에 도달하면서 파도의 높이가 엄청나게 높아진다. 이로 인해 해안 저지대에 침수를 유발하여 많은 인명 및 재산 피해를 입힌다.

03 지진 피해와 대응

[선택지 분석]

✗ 지진 발생 규모와 사망자 수는 ~~비례한다~~.
↳ 비례하지 않는다

➡ 지진 발생 지역, 내진 설계의 유무에 따라 사망자 수는 달라질 수 있다.

✗ 자연재해는 예측이 불가능하므로 대비하는 것이 불가능하다.

➡ 자연재해는 예측이 불가능하지만, 평상시 예보 활동과 대피 훈련 등을 통해 피해를 최소화할 수 있다.

ㄷ 일본은 고베 지진 이후 지진 대응 체계를 전면 수정하였을 것이다.

➡ 일본은 고베 지진 이후 긴급 지진 속보 시스템을 마련하고, 내진 설계의 의무화 등 지진 대응 체계를 전면 수정하였다. 그 결과, 2016년의 구마모토 지진에서는 규모가 큰 지진임에도 사상자가 많지 않았다.

ㄹ 아이티보다 칠레 콘셉시온의 내진 설계가 잘 갖추어졌을 것이다.

➡ 아이티보다 칠레에서 규모가 더 큰 지진이 발생했으나, 내진 설계가 잘 갖추어진 칠레가 아이티보다 피해가 작게 나타났다.

04 세계 각 지역의 주민 생활

자료분석 **(가) 지역은 여름철 고온 건조한 기후가 나타나는 곳**으로 열대 저기압과는 관련이 없다. **(나)~(마)는 환태평양 조산대에 위치한 국가로 지각이 불안정하여 화산 활동이나 규모가 큰 지진이 활발**하다. 한편 화산 활동이 잦은 지역은 지하에 열이 많아 지하수를 이용한 지열 발전 잠재력이 높다. 또한, 온천, 간헐천 등을 관광 자원으로 활용할 수 있다.

[선택지 분석]

✔① (가) : 여름철 열대 저기압에 대비하여 축대를 점검한다.

➡ (가) 지역은 여름철 고온 건조한 기후가 나타나는 곳으로 열대 저기압과는 관련이 없다.

② (나) : 지진 해일에 대비하여 해안에 제방을 높게 건설한다.

➡ 일본은 환태평양 조산대에 위치한 국가로 지각이 불안정하여 화산 활동이나 규모가 큰 지진이 활발하다.

③ (다) : 지하의 뜨거운 열을 이용하여 전기를 생산한다.

➡ 필리핀은 환태평양 조산대에 위치한 국가로, 화산 활동이 잦은 지역은 지하에 열이 많아 지하수를 이용한 지열 발전 잠재력이 높다.

④ (라) : 온천과 간헐천을 이용한 관광 산업에 종사한다.

➡ 뉴질랜드는 환태평양 조산대에 위치한 국가로 온천, 간헐천 등을 관광 자원으로 활용한다.

⑤ (마) : 해발 고도에 따라 다양한 농작물을 재배한다.

➡ 안데스 산지는 해발 고도에 따라 기후가 달라지기 때문에 다양한 농작물을 재배한다.

05 커피의 특징

자료분석 ○○ 작물의 분포 지역은 대체로 **남·북위 25° 사이의 열대 및 아열대 기후 지역**이며, **브라질, 베트남 등의 생산 비중이 높은 것으로 보아 커피**로 추정할 수 있다.

[선택지 분석]

✗ 주로 ~~자급적~~인 형태로 재배된다.
↳ 상업적

➡ 커피는 주로 상업적인 형태로 재배된다.

ㄴ 작물의 가공품 소비로 설탕의 소비도 증가했다.

➡ 커피를 마실 때 설탕을 첨가하는 경우가 많기 때문에 커피 소비와 함께 설탕 소비도 증가하게 되었다.

✗ 작물의 ~~열매보다 잎을~~ 가공하여 음료로 마신다.
↳ 열매를

➡ 커피는 생두를 볶아(로스팅) 가공하여 음료로 마신다.

ㄹ 선진국 및 다국적 기업의 자본 투자 비중이 높다.

➡ 커피 수익의 대부분은 가공과 유통을 담당하는 선진국의 다국적 기업에게 돌아간다.

06 커피의 특징

[선택지 분석]

① 갑 : 자료 ❶을 통해 '○○ 작물'은 주로 열대 및 아열대 지역에서 재배되는 것을 알 수 있어.

➡ 적도 주변에서 재배되는 것으로 보아 커피의 주산지는 주로 열대 및 아열대 지역이다.

② 을 : 자료 ❶을 통해 '○○ 작물' 재배 상위 국가는 대부분 개발 도상국에 속한다는 것을 알 수 있어.

➡ 브라질, 베트남, 에티오피아 등은 개발 도상국에 속한다.

③ 병 : 자료 ❷를 통해 '○○ 작물'의 수요는 꾸준히 증가하고 있다는 것을 알 수 있어.

➡ 전 세계 커피 생산량이 증가하는 것으로 보아 커피의 수요는 증가하고 있다는 것을 알 수 있다.

④ 정 : 자료 ❷를 통해 '○○ 작물' 소비 상위 국가는 주로 유럽에 위치한 국가임을 알 수 있어.

➡ 커피 주요 소비국은 1위 핀란드부터 7위 벨기에까지 모두 유럽에 위치한 국가이다.

✔⑤ 무 : 자료 ❶, ❷를 종합해 보면 '○○ 작물'의 국제 이동량은 ~~적을~~ 거야.
↳ 많을

➡ 커피의 주요 생산국은 열대 지방에 위치한 개발 도상국인 데 비해 주요 소비국은 유럽 및 북아메리카에 위치한 선진국이다. 따라서 커피는 주요 생산국과 소비국이 다르므로 국제 이동량은 많다.

07 공정 무역

[선택지 분석]

➡ 공정 무역은 주로 생산자와 구매자 간의 직거래가 이루어지기 때문에 기존 무역보다 유통 단계가 단순하고, 이에 따라 다국적 기업의 이익은 줄어들 수 있다. 또한, 정당한 가격을 생산자에게 지급함으로써 원조가 아닌 상품 구매를 통해 도우려는 윤리적 소비 운동이기도 하다.

02 인간과 자연의 관계

콕콕! 개념 확인 63쪽

01 (1) 인간 중심주의 (2) 이분법적 (3) 베이컨
02 (1) ○ (2) × (3) ×
03 (1) 유기적 (2) 존재할 수 없음 (3) 조화
04 ㉠ 환경친화적, ㉡ 책임, ㉢ 환경 영향 평가, ㉣ 슬로 시티

02 (2) 자연을 인간의 욕구 충족을 위한 도구로써 이해하는 관점은 인간 중심주의이다.
(3) 과학 기술의 발전과 경제 성장을 이루어 인간의 삶을 풍요롭게 하는 데 도움을 주는 것은 인간 중심주의이다.

03 (1) 이분법적 관계는 인간과 자연을 분리해서 바라봄으로써 인간을 자연보다 우월한 존재로 보는 것이다.

탄탄! 내신 문제 64~65쪽

01 ① **02** ① **03** ④ **04** ⑤ **05** ⑤ **06** ③ **07** ③
08 ④ **09** ① **10** ②

01 인간 중심주의의 의미와 특징

[선택지 분석]

① 인간을 생태계를 구성하는 자연의 일부로 여기는 입장은 생태 중심주의이다.
② 자원이 고갈되고 환경이 파괴되는 등 심각한 환경 문제가 초래되었다.
➡ 인간 중심주의적 자연관은 환경 문제를 초래하는 결과를 낳았다.
③ 자연에 대한 탐구와 개발 욕구를 강화하여 경제 성장과 기술 발전을 가져왔다.
④ 자연을 인간의 욕구 충족을 위한 수단으로 인식하는 도구적 자연관을 가지게 했다.
⑤ 인간 중심주의는 자연을 유용성의 관점으로 평가하면서 효율적으로 사용하는 것이 중요하다고 보았다.

02 인간 중심주의의 사상가

자료분석: 갑은 기독교 사상가인 **아퀴나스**, 을은 고대 그리스 사상가인 **아리스토텔레스**이다. 두 사상가는 모두 **인간을 위해 자연을 이용해도 된다고** 보았다.

[선택지 분석]

① 인간은 생명 공동체의 구성원에 불과하다. → 생태 중심주의
② 인간과 자연을 분리하여 바라보아야 한다. → 인간 중심주의
③ 인간 외의 존재는 욕구 충족을 위한 도구이다. → 인간 중심주의
④ 인간은 다른 존재와 구분되는 우월한 존재이다. → 인간 중심주의
⑤ 다른 존재들과 달리 인간만이 가치가 있다. → 인간 중심주의

03 인간 중심주의의 환경 보호 이유

자료분석: **인간 중심주의**에서 갯벌이나 자연을 보호하자고 주장하는 근거는 인간에게 이로움을 가져다주는 수단이 될 수 있기 때문이다. 즉, **갯벌 보호가 인간에게 이로움을 가져다주기 때문에 갯벌 보호**를 하는 것이다.

[선택지 분석]

① 갯벌은 그 자체로 소중하기 때문이다.
→ 생태 중심주의
② 갯벌은 생명체가 살아가는 터전이기 때문이다.
➡ 인간 중심주의가 아니고, 생명 중심주의나 생태 중심주의에 대한 설명으로 이해할 수 있다.
③ 갯벌 보호가 인간의 이익보다 중요하기 때문이다.
→ 생태 중심주의
④ 갯벌 보호는 인간에게 이로움을 가져다주기 때문이다.
→ 인간 중심주의
⑤ 갯벌은 도덕적 고려의 대상이 될 수 있기 때문이다.
→ 생태 중심주의

04 베이컨의 입장

자료분석: '어느 근대 서양 사상가'는 인간 중심주의 사상가인 **베이컨**이다. 베이컨은 **자연을 인간에게 이롭도록 지식을 활용**해야 하며, 방황하고 있는 **자연을** 사냥해서 노예로 만들어 **인간의 이익에 봉사**하도록 해야 한다고 주장하였다.

[선택지 분석]

ㄱ. 인간과 자연은 전일적 관계를 지니고 있다.
→ 생태 중심주의
ㄴ. 인간과 자연은 상호 의존성을 지니는 관계이다.
→ 생태 중심주의
ㄷ. 인간의 자연에 대한 지배를 정당화하고 옹호한다.
ㄹ. 인간과 자연을 분리하고 자연을 개발과 극복의 대상으로 본다.

05 레오폴드의 대지 윤리

[선택지 분석]

① 대지를 경제적 관점으로만 평가해야 한다.
→ 인간 중심주의
② 인간은 내재적으로 다른 생명체보다 우월하다.
→ 인간 중심주의
③ 인간과 자연의 상호 간 의무를 중요시해야 한다.
➡ 생태 중심주의자들은 자연이 인간에게 의무를 지닌다고 보지는 않는다.
④ 토양, 물 같은 무생물은 도덕적 고려의 대상이 아니다.
➡ 생태 중심주의 사상가들은 토양, 물 같은 무생물도 도덕적 고려의 대상이라고 본다.
⑤ 인간은 자연 전체에 대해 도덕적 의무를 지니고 있다.

06 생태 중심주의의 이해

[선택지 분석]

① 생태 중심주의는 환경 파시즘으로 흐를 위험성이 있다는 점에서 비판을 받기도 한다.

② 생태 중심주의는 전일론적 관점에서 종이나 생명체까지 존중하는 입장이다.

③ 도덕 공동체의 범위를 동물과 식물로 한정하지 않고 더 나아가 무생물까지 보호하는 이론이다.

④ 생태 중심주의는 개별 생명체의 가치보다 생명 공동체의 안정을 중시하는 입장이다.

⑤ 생태 중심주의는 환경 보존을 위한 구체적인 실천 방안을 제시하기 어렵다는 한계를 지닌다.

07 생태 중심주의가 제시한 비판 이해

자료분석 제시된 글의 '나'는 **대지 윤리**를 주장한 **레오폴드**이다. **'어떤 사람들'**은 자연을 이익의 도구로 보며 대지를 경제적 가치로만 이해하는 입장으로, 이는 **인간 중심주의 입장**에 해당한다.

[선택지 분석]

ⓧ 인간이 생태계의 지배자라는 사실을 강조하는 입장은 인간 중심주의이다.

ⓧ 윤리적 배려 대상이 인간에 한정된다고 보는 입장은 인간 중심주의이다.

③ 자연은 내재적 가치를 지니고 있다고 보는 입장은 생태 중심주의자가 제시할 입장이다.

ⓧ 자연은 인간을 위해 존재하는 수단이라고 여기는 입장은 인간 중심주의이다.

ⓧ 대지는 경제적 이익의 대상에 불과하다고 보는 입장은 인간 중심주의이다.

08 유교의 자연관

자료분석 제시된 글은 **유교가 제시하는 자연관**이다. 유교는 만물이 **본래적 가치**를 지니고 있다고 보고, 인간과 자연이 조화를 이루는 **천인합일**의 경지를 추구하였다.

[선택지 분석]

① 우리가 살아가는 세계를 하나의 유기체로 인식하고 있다. → 유교의 자연관

② 인간을 포함한 만물이 모두 본래적 가치를 지니고 있다. → 유교의 자연관

③ 자연은 인간의 삶을 위해 존재하는 도구로만 이해해서는 안된다. → 유교의 자연관

④ 자연을 어떤 원인과 조건에 의해 끊임없이 변화하는 연기의 산물로 이해한다. → 불교의 자연관

⑤ 인간과 자연이 조화를 이루는 천인합일(天人合一)의 경지를 추구해야 한다고 본다. → 유교의 자연관

09 인간 중심주의와 생태 중심주의의 공통점

자료분석 (가)는 인간의 욕구를 조절하여 **자연의 내재적 가치를 보호**하자는 입장이고, (나)는 **인간의 장기적 이익을 위해 자연 보호**를 주장하는 입장이다. (가)와 (나) 두 입장 모두 자연 보호를 위해서는 **인간의 욕구를 적절히 조절**하고 **자연을 보전**해야 한다는 것을 강조하고 있다.

[선택지 분석]

ㄱ. 인간의 선택이 자연에 미칠 영향력을 고려해야 한다.
➡ (가), (나) 모두 인간이 자연에 미칠 영향력을 고려하여 신중하게 판단해야 한다고 보고 있다.

ㄴ. 자연을 보전하고 인간의 욕구를 적절히 조절해야 한다.
➡ (가)와 (나)의 공통점이다.

ⓧ 인간의 이익과 관련 없이 자연은 그 자체로 보존해야 한다.
➡ (나)는 자연 보호의 이유를 인류의 장기적 이익으로 설명하고 있다.

ⓧ 인간은 자연의 주인이고, 자연은 인간의 욕구 충족을 위한 도구이다.
➡ (나)에만 해당하는 내용으로, (가)는 자연을 인간을 위한 도구로 이해하는 입장이 아니다.

10 슈마허의 『작은 것이 아름답다』의 내용 이해

자료분석 제시문의 이 책은 슈마허의 『작은 것이 아름답다』는 책이다. 슈마허는 대량 생산에 의한 대량 소비 사회에서 자연의 수용 한계를 넘어섬을 지적하면서 **인간과 자연의 공존을 위한 방안을 제시하는 내용**을 담고 있다.

[선택지 분석]

① 이 책에서는 생태학에 기초한 삶을 구축하도록 노력해야 함을 강조하고 있다.

② 이 책에서는 절제 없는 생산과 소비가 미덕인 사회가 아니라 절제 있는 생산과 절약하는 소비를 강조하고 있다.

③ 이 책에서는 인간이 자연계의 한 부분으로서 자연과 함께 살아가야 함을 강조하고 있다.

④ 이 책에서는 인류와 자연의 공존의식을 바탕으로 환경 문제의 해결을 강조하고 있다.

⑤ 이 책에서는 환경 문제는 단순히 인간의 필요와 욕구에만 초점을 맞추지 않아야 한다는 것을 주장하고 있다.

도전! 1등급 문제

66~67쪽

01 ④ 02 ④ 03 ① 04 ④ 05 ⑤ 06 ① 07 ② 08 ⑤

01 인간 중심주의와 생태 중심주의의 비교

자료분석 **갑**은 인간만이 도덕적 지위를 지닌다고 보는 **인간 중심주의 입장**이고, **을**은 인간의 이익에만 초점을 맞추지 말고 생태계 전체를 고려해야 한다고 보는 **생태 중심주의 입장**이다.

[선택지 분석]

✗ 생명 공동체의 구성원은 인간뿐인가?
➡ 을이 부정할 질문이다.

✗ 인간은 도덕적 지위를 가지고 있는가?
➡ 갑, 을 모두 긍정할 질문이다.

✗ 자연은 인간의 이익과 생존을 위한 수단인가?
➡ 갑이 긍정할 질문이다.

✓ 인간은 자연 전체에 대해 직접적 의무를 지니는가?
➡ 갑은 부정, 을은 긍정할 질문이다.

✗ 생명이 없는 존재는 도덕적 고려의 대상에서 제외되는가?
➡ 을이 부정할 질문이다.

02 레오폴드의 '대지 윤리' 이해

자료분석 제시된 사상가는 **생태 중심주의자인 레오폴드**로, 글의 내용은 레오폴드의 '**대지 윤리**'에 대한 설명이다. '문제 상황'은 인간의 욕망으로 인한 과소비로 자원의 낭비가 심각해졌다는 내용이다.

[선택지 분석]

✗ 자연이 단순히 물리적 대상임을 알아야 한다.
→ 인간 중심주의

✗ 자연이 지닌 위계질서를 명확하게 알아야 한다.
→ 인간 중심주의

✗ 자연은 살아 있는 유기체가 아님을 알아야 한다.
→ 인간 중심주의

✓ 자연을 구성하는 모든 존재에 대해 가치를 인정해야 한다.
➡ 생태 중심주의자가 인간 중심주의로 인한 문제에 대해 제시할 적절한 조언이다.

✗ 자연은 인간의 이익을 위한 수단이자 도구임을 알아야 한다. → 인간 중심주의

03 그린벨트 운동의 의미

자료분석 **그린벨트 운동**이란 아프리카 밀림을 되살리기 위한 운동으로, 자연을 보호하는 동시에 여성 일자리 창출 효과도 지닌 운동이다. 이를 통해 **인간과 자연의 상생의 가치**를 알 수 있다.

[선택지 분석]

✓ 인간은 생태 공동체에서 특권을 지닌 존재임을 알아야 한다.
➡ 제시문은 인간이 생태 공동체를 위해 보호해야 할 의무가 있음을 설명한 것이지 특권을 누리는 존재임을 나타낸 것이 아니다.

② 인간이 지닌 지나친 욕망을 줄이기 위한 노력이 필요하다.

③ 인간은 자연의 만물과 조화롭게 살 의무가 있음을 알아야 한다.

④ 환경 문제를 해결하기 위해 구체적이고 현실적인 방법을 실천해야 한다.

⑤ 인간은 생태계의 생존에 대한 책임 의식을 가지고 환경 문제를 해결하기 위해 노력해야 한다.

04 인간과 자연의 공생을 위한 노력

[선택지 분석]

① 자연과 인간이 조화를 이루는 체계를 갖춘 생태 도시

② 동물의 서식지를 보호하기 위해 만든 생태 통로

③ 공해 없는 자연 속에서 느림의 삶을 추구하는 슬로 시티 운동

✓ 인간이 사용할 땅의 면적을 늘리기 위한 갯벌을 메운 간척지 형성 사업
➡ 갯벌을 메워 간척지를 만드는 사업은 오히려 인간의 이익을 위한 활동으로, 인간과 자연의 공생을 위한 노력의 일환으로 보기 어렵다.

⑤ 생태계 복원을 위해 일정 기간 사람의 출입을 통제하는 자연 휴식년제 도입

05 동양 전통 사상의 자연에 대한 관점

[선택지 분석]

✗ 생명체 사이에 위계질서가 존재한다.
➡ 동양의 자연관은 인간과 자연은 함께 조화를 이루며 살아가야 함을 보여준다.

✗ 세계는 독립적인 개체들의 집합체이다.
➡ 불교에서는 만물이 독립적으로 존재할 수 없다고 생각한다.

✗ 존재의 가치는 유용성에 의해 판단된다.
➡ 존재의 가치는 유용성에 의해 판단된다는 표현은 동양의 전통 사상에 해당하지 않는다. 동양 전통 사상은 만물은 본래적 가치를 지닌 것으로 이해한다.

✗ 자연은 인간의 이익을 얻기 위한 수단이다.
➡ 동양 전통 사상에서는 자연을 인간의 이익을 얻기 위한 수단으로만 이해하지 않는다.

✓ 만물은 유기적으로 하나의 전체를 형성한다.
➡ 동양 사상은 인간과 자연의 조화를 추구하면서 자연을 살아 있는 유기체로 이해한다.

06 불교와 유교의 자연관 비교

자료분석 **(가)는 불교의 자연관**이고, **(나)는 유교의 자연관**이다. 불교에서는 생명체 사이에 위계가 존재하지 않는다고 본다. 유교는 인간과 자연의 공존을 강조한다.

[선택지 분석]

ㄱ (가) : 생명체 사이에는 위계가 존재하지 않는다고 본다.
➡ 불교는 모든 존재가 연결되어 있다고 보며, 생명 평등을 주장한다. 따라서 생명체 사이에 위계는 존재하지 않는다고 본다.

✗ (가) : 자연을 목적을 지닌 질서 체계로 보아야 한다.
➡ 불교는 자연을 목적을 지닌 질서로 이해하지 않는다.

ㄷ (나) : 인간과 자연의 공존을 강조한다.
➡ 유교는 천인합일 사상을 전제로 인간과 자연의 공존을 강조하였다.

✗ (나) : 자연에 대한 과학적 탐구 자세를 강조한다.
➡ 자연에 대한 과학적 탐구 자세를 강조하는 입장은 근대의 서양 자연관으로, 동양 자연관의 특징이 아니다.

07 조력 발전소 건설에 대한 찬반 논쟁

자료분석 제시된 글은 **가로림만에 들어설 조력 발전소 건설에 대한 찬반 논쟁**에 관련한 내용이다. 찬성측 주장과 반대측 주장의 적절한 근거를 찾아야 한다.

[선택지 분석]

ㄱ ㉠ : 대체 에너지를 이용한 전력 생산이 필요하다.
➡ ㉠은 찬성측 입장으로, 찬성측은 조력 발전소 건설을 통해 대체 에너지로 전력 생산을 해야 한다고 주장한다.

✕ ㉠ : 갯벌에 존재하는 해양 생물을 보호해야 한다.
➡ ㉠은 갯벌에 존재하는 해양 생물을 보호하는 것보다 전력 생산을 위한 조력 발전소 건설이 더 필요하다고 보는 입장이다.

ㄷ ㉡ : 갯벌 감소로 수질 악화 문제가 발생한다.
➡ ㉡은 반대측 입장으로, 반대측은 조력 발전소 건설을 통해 갯벌이 감소하면 수질 악화 문제와 생태계 파괴 문제가 발생한다고 본다.

✕ ㉡ : 조력 발전은 전력 생산 과정에서 환경 파괴를 최소화한다.
➡ ㉡은 조력 발전소 건립으로 인해 갯벌이 감소하는 것에 대해 지적하면서, 이로 인해 환경 파괴가 일어난다고 보는 입장이다.

08 공리주의의 입장에서 조력 발전소 건설에 대한 타당성 조언

자료분석 글에 제시된 사상은 싱어의 **공리주의적 관점**이다. 공리주의는 **유용성을 도덕성 판단 기준으로 제시**하면서 옳은 행위란 사회 전체의 행복을 증진하는 것으로 보았다.

[선택지 분석]

✕① 지역 주민의 전체 동의가 없는 조력 발전소의 건설은 타당하지 않다.
➡ 공리주의는 주민 전체의 동의를 가지고 평가하는 것이 아니라 이익과 손해를 계산하여 판단하는 이론이다.

✕② 조력 발전소의 건설은 사회적 공감대를 얻기 어려우므로 건설해서는 안 된다.
➡ 공리주의는 사회적 공감대를 기준으로 평가하는 것이 아니라 이익과 손해를 계산하여 판단하는 이론이다.

✕③ 환경에 나쁜 영향을 주는 조력 발전소는 어떤 이유에서도 건설해서는 안 된다.
➡ 공리주의는 사업의 이익에 따라 건설 여부를 결정하므로 무조건 반대한다고 보기는 어렵다.

✕④ 갯벌과 해양 생태계는 도덕적 고려 대상에 속하므로 조력 발전소를 건설해서는 안 된다.
➡ 공리주의는 해양 생태계 자체를 도덕적 고려 대상에 속한다고 보는 입장은 아니다.

✓⑤ 조력 발전소 건설이 가져올 쾌락과 고통을 계산하여 이익을 극대화하는 선택을 해야 한다.

03 환경 문제 해결을 위한 방안

콕콕! 개념 확인 71쪽

01 (1) 자정 능력 (2) 오랜
02 (1) 화석 연료 (2) 산성비
03 (1) 사막화 (2) 사헬 지대
04 시민 단체

01 (1) 복원은 원래대로 회복하는 것을 의미한다.
(2) 환경 문제는 피해를 복구하는 데 오랜 시간이 걸린다.

탄탄! 내신 문제 72쪽

01 ④ **02** ④ **03** ② **04** ② **05** ⑤

01 환경 문제의 특징

[선택지 분석]

① ㉠ 산업화와 인구 증가 및 생활 수준의 향상
② ㉡ 전 세계의 자원 소비량과 폐기물의 양이 급증
③ ㉢ 생태계의 균형이 깨지고 자정 능력이 약해지면서
✓④ ㉣ 특정 국가에서만 발생
➡ 오늘날 환경 문제는 발생한 지역이나 국가를 벗어나 인접한 국가와 전 지구에 광범위한 영향을 미칠 정도로 피해 규모가 크다.
⑤ ㉤ 환경 문제와 관련된 국제 협약을 체결

02 지구 온난화

자료분석 사진은 지구 온난화의 피해를 나타낸 것이다. **지구 온난화**로 극지방의 빙하가 녹아내려 **동식물의 서식 환경이 변하고 있다.** 또한, 지구 온난화로 **해수면이 상승**하면서 일부 **해안 저지대나 섬 지역이 침수 피해**를 입고 있다.

[선택지 분석]

① 갑 : 열대림 파괴는 이 현상을 심화시킵니다.
② 을 : 화석 연료의 소비량 증가가 가장 중요한 요인입니다.
③ 병 : 교토 의정서는 이 현상의 완화를 위한 국제 협약입니다.
✓④ 정 : 건축물의 부식과 삼림 고사 등의 직접적인 원인이 됩니다. → 산성비의 피해와 관련 있음
⑤ 무 : 이 현상으로 인해 가뭄, 홍수, 태풍, 폭설 등의 자연 재해가 증가하고 있습니다.

03 환경 문제 해결을 위한 국제 협약

자료분석 환경 문제 관련 주요 국제 협약에는 기후 변화 협약, 람사르 협약, 몬트리올 의정서, 사막화 방지 협약 등이 있다. **람사르 협약**은 **습지의 파괴를 막고 물새가 서식하는 습지대를 보호**하기 위한 협약이다.

[선택지 분석]

✗(가) : ~~몬트리올 의정서~~ → 기후 변화 협약

✓(나) : 습지 보호

✗(다) : ~~기후 변화 협약~~ → 바젤 협약

✗(라) : ~~오존층 보호~~ → 유해 폐기물의 국가 간 이동 규제

✗(마) : ~~사막화 방지 협약~~ → 생물 다양성 협약

04 사막화와 열대림 파괴

자료분석 **사막화**란 기후 변화, 인간 활동 등에 의해 사막 주변과 초원 지역의 토양 질이 저하되어 **토양이 점차 사막으로 변하는 현상**을 말한다. 적도 주변의 **열대림**은 인구 증가에 따른 농경지와 임산 자원의 **무분별한 개발 등으로 파괴**되고 있다.

[선택지 분석]

✓A : 사막화, B : 열대림 파괴

➡ 사하라 사막 남부의 사헬 지대는 계속되는 가뭄과 함께 인구 급증으로 인한 지나친 가축의 방목으로 인해 식생 파괴가 겹치면서 사막화가 급속히 진행되고 있다.

05 환경 문제를 해결하기 위한 노력

자료분석 시민 단체는 환경 문제를 해결해 나가는 과정에서 정부와 시민, 기업과 시민, 시민과 시민을 잇는 다리 역할을 한다. **시민 단체**는 **환경 오염 유발 행위를 감시**하거나, **환경친화적인 행위를 하도록 지원**하기도 한다.

[선택지 분석]

✓시민 단체

➡ 제시된 글은 시민 단체에 해당하는 환경 관련 비정부 기구(NGO)인 그린피스의 환경 문제 해결을 위한 활동을 나타낸 것이다.

도전! 1등급 문제

73쪽

01 ③ **02** ④ **03** ① **04** ①

01 지구 온난화의 영향

자료분석 **지구 온난화**는 화석 연료의 사용 증가, 삼림 파괴 등으로 인한 **이산화 탄소 배출량이 증가하면서 지구의 대기 온도가 상승하는 현상**을 말한다. 따라서 그림에 표시된 A는 지구 온난화이다.

[선택지 분석]

ㄷ

➡ 지구 온난화가 심화되면 고산 지방이나 극지방에서는 빙하의 범위가 축소될 것이고, 이로 인해 해수면이 상승할 것이다. 따라서 지구 온난화가 심화될 경우 나타나게 될 변화는 그림의 ㄷ에 해당한다.

02 지구 온난화의 대책

자료분석 **전 지구적 차원의 환경 문제**는 **국제적 차원**에서뿐만 아니라 **각 국가의 정부와 기업, 시민 단체, 개인적 차원에서도 환경 문제를 해결**하기 위해 노력해야 한다.

[선택지 분석]

㉠ 개인은 자원의 재사용과 재활용을 생활화하도록 한다.

✗ 정부는 세금 인하를 통해 저렴한 에너지를 공급하도록 한다.

➡ 세금 인하를 통해 에너지를 저렴하게 공급하면 에너지 소비량이 증가한다.

㉢ 시민 단체는 다양한 환경 보호 활동에 시민 참여를 유도해야 한다.

㉣ 기업은 환경 정화 시설을 정비하고 환경친화적 제품을 생산해야 한다.

03 산성비의 피해 사례

자료분석 지도는 **산성비 피해**를 나타낸 것이다. 서부 유럽의 공업 지대에서 발생한 대기 오염 물질이 편서풍을 타고 북부 유럽과 동부 유럽으로 이동하여 이 지역에도 산성비 피해가 심각하다.

[선택지 분석]

㉠ 오염 물질의 지역 및 국가 간 확산

➡ 산성비는 공업 성장 과정에서 파생한 대기 오염이다. 산성비는 바람에 의해 주변 지역으로 이동하여 공업이 크게 발달하지 않은 지역도 피해를 입을 수 있다는 점에서 국제 문제로 부각되고 있다.

㉡ 공업 발달에 따라 파생된 환경 문제

➡ 지도는 공업이 크게 발달한 지역에서 발생한 대기 오염 물질로 인한 피해로, 산성비의 피해 사례를 나타낸 것이다.

✗ 열대림 파괴에 의한 지구의 자정 능력 상실

➡ 열대림 파괴는 주로 적도 주변 지역에서 나타나고 있다.

✗ 장기간의 가뭄, 과도한 방목으로 인한 환경 문제

➡ 인구 증가로 인한 방목지와 경작지의 확대로 나타나는 환경 문제는 사막화이다. 이러한 사막화가 가장 뚜렷하게 나타나는 곳은 사막 주변 지역으로, 아프리카의 사헬 지대가 대표적이다.

04 파리 기후 변화 협약

자료분석 **파리 기후 변화 협약은 195개 협약 당사국 모두가 참여**하여 2020년을 시작으로 2050년까지 지구촌 온실가스 배출량을 '0'으로 만들겠다는 것을 목표로 한다.

[선택지 분석]

㉠ 신·재생 에너지 개발에 적극적으로 투자해야 한다.

➡ 신·재생 에너지는 화석 에너지에 비해 온실가스 배출이 적기 때문에 지구 온난화를 완화시킬 수 있다.

㉡ 온실가스를 흡수할 수 있는 삼림을 보호해야 한다.

➡ 삼림은 주요 온실가스인 이산화 탄소를 흡수하고 산소를 배출하므로 삼림을 보호하면 이산화 탄소 증가를 완화시키는 데 도움이 된다.

✗ 유해 폐기물 이동에 대한 사전 통보가 이루어져야 한다.

➡ 유해 폐기물 이동에 대한 사전 통보는 바젤 협약과 관련이 있다.

✗ 선진국의 환경 오염 시설을 개발 도상국으로 이전해야 한다.

➡ 환경 문제는 전 지구적 차원의 문제이기 때문에 오염 시설 이전은 환경 오염을 줄이기 위한 대책이 될 수 없다.

한번에 끝내는 대단원 문제 76~79쪽

01 ② 02 ① 03 ① 04 ③ 05 ④ 06 ② 07 ①
08 ① 09 ⑤ 10 ④ 11 ② 12 ④ 13 ④

14 (1) 생태 중심주의 (2) [모범 답안] 인간 중심주의는 인간을 자연과 독립된 존재로 우월하게 본다. 그러나 이와 달리 생태 중심주의는 인간을 자연 생태계의 구성원에 불과하다고 본다. (3) [모범 답안] 현재 환경 문제는 인간 중심주의에서 비롯된 것이 많다. 따라서 이를 해결하기 위해서는 자연을 인간의 이익을 도모하기 위한 수단으로 보는 것이 아니라, 인간과 자연이 공존해야 하는 관계로써 이해해야 한다.

15 (1) 흙벽돌집 (2) [모범 답안] ① 강수량이 적어 지붕에서 빗물을 빨리 흘려보낼 필요가 없기 때문이다. ② 건물 바깥의 뜨거운 열기를 차단하고 모래바람을 막기 위해서이다.

16 (1) 산성비 (2) [모범 답안] 산성비는 화력 발전소와 공장, 자동차 등에서 배출되는 황산화물과 질소 산화물처럼 산성이 강한 물질이 비와 섞여 내리는 것이다. 산성비는 숲의 나무와 농경지의 작물을 말라 죽게 하고, 하천과 호수를 오염시키며, 도시의 건축물을 부식시킨다.

01 초원 지역의 가옥 구조

자료분석 제시된 자료의 가옥은 천이나 가죽으로 지은 **천막집**이다. 천막집은 **이동식 가옥**의 대표적인 형태이다. 만들고 해체하는 데 오랜 시간이 걸리지 않는 이러한 가옥은 가축을 먹일 물과 풀을 찾아 이동하는 것이 중요한 **유목민**들에게는 매우 적절한 가옥 유형이다. 이와 같은 이동식 가옥은 주로 건조 기후의 **초원 지대**에서 볼 수 있다.

[선택지 분석]

✗ ~~이동보다 정착~~하기에 편리한 구조이다.
↳ 정착보다 이동

✓ 유목 생활을 하는 사람들이 주로 이용한다.

✗ 많은 강수량으로 인해 지붕의 경사가 급하다.
➡ 열대 우림 기후 지역의 고상 가옥 특징이다.

✗ 기온의 일교차가 큰 사막 기후 지역에 적합하다.
➡ 사막 기후는 주로 흙벽돌집이 나타난다.

✗ 지면에서 올라오는 지열을 막기 위해 고상식으로 짓는다.
➡ 열대 우림 기후 지역의 고상 가옥과 관련 있다.

02 화산 지형

자료분석 제시된 지도는 **화산의 분포**를 나타낸 것이다. 화산은 신생대에 분출한 **용암**이 굳어 형성되었다. 또한, 화산 지형의 **온천**, **간헐천** 등은 **관광 자원**으로 이용된다.

[선택지 분석]

ㄱ 용암이 분출하여 형성되었다.

ㄴ 온천이 많고 관광 자원으로 이용된다.

✗ 석회암으로 이루어진 카르스트 지형이다.
➡ 석회암은 이산화 탄소를 포함한 물에 용식이 잘 되므로 석회암 지대에는 카르스트 지형이 발달하였다.

✗ 주로 어업이나 양식업에 종사하는 사람들이 많다.
➡ 해안 지역에 거주하는 주민들의 생활 모습이다.

03 기후에 따른 주민 생활

자료분석 지도의 A는 **온대 기후**, B는 **건조 기후**, C는 **열대 기후**, D는 **한대 기후**, E는 **열대 몬순(계절풍) 기후 지역**에 해당한다. 눈과 얼음을 이용한 전통 가옥은 주로 한대 기후에서 나타난다.

[선택지 분석]

✓ A – 주민들이 주로 눈과 얼음을 이용하여 만든 가옥에서 살고 있다. → 한대 기후에 해당함

② B – 주민들이 지하수를 끌어올려 관개 농업을 한다.

③ C – 원주민들이 가족과 함께 이동식 화전 농업을 한다.

④ D – 주민들이 이끼를 찾아 이동하며 순록을 유목한다.

⑤ E – 주민들이 충적 평야에서 벼농사를 한다.

04 열대 저기압의 특징

[선택지 분석]

ㄱ 태풍, 허리케인, 사이클론 등

ㄴ 열대의 바다에서 주로 발생

✗ ~~고위도에서 저위도~~ 지방으로 이동
↳ 저위도에서 고위도

ㄹ 강한 바람과 많은 강수 동반

ㅁ 배수 시설 및 하천 제방 점검

05 열대 저기압의 피해 지역

자료분석 태풍, 허리케인 등으로 불리는 **열대 저기압**은 강한 바람과 많은 강수를 동반하여 큰 피해를 준다. D는 멕시코만에서 발생하여 미국 남부 지역에 피해를 주는 **허리케인**의 영향으로 피해가 자주 발생할 것이다.

06 인간 중심주의와 생태 중심주의 비교

자료분석 갑은 인간을 위해 낮은 산과 숲이 개발될 수 있다는 입장이고, 을은 낮은 산과 숲은 인간의 이익과 무관하게 그 자체로 가치가 있어 보호해야 한다는 입장이다. 따라서 **갑은 인간 중심주의, 을은 생태 중심주의** 입장을 나타낸다.

[선택지 분석]

ㄱ 갑 : 자연의 가치는 인간의 이익이나 필요에 따라 평가될 수 있다. → 인간 중심주의

✗ 갑 : 인간의 가장 중요한 의무는 생태계 안정을 유지하도록 노력하는 것이다. → 생태 중심주의

ㄷ 을 : 인간과 자연은 상호 의존적 관계이므로, 공존을 위해 자연 보호에 힘써야 한다. → 생태 중심주의

✗ 을 : 인간은 자연에 비해 우월한 존재이므로, 자연을 관리할 관리자로 인식되어야 한다. → 인간 중심주의

07 대지 윤리에 대한 이해

자료분석 **A 윤리는 레오폴드의 대지 윤리**이다. 레오폴드는 토양, 물, 식물, 동물이 모여 있는 대지는 존중받아야 한다고 주장하였다. 대지는 생명 공동체로 경제적 가치로만 평가될 수 없이 그 자체가 중요하다고 본다.

[선택지 분석]

✔① 미영 : 인간을 대지의 지배자이자 관리자로 보아야 합니다. → 인간 중심주의

② 재민 : 자연을 효용성의 관점으로만 파악해서는 안 됩니다. → 생태 중심주의

③ 준하 : 도덕 공동체의 범위를 생태계 전체로 확장해야 합니다. → 생태 중심주의

④ 선영 : 자연과 인간의 관계를 전일주의(全一主義)의 관점에서 바라보아야 합니다. → 생태 중심주의

⑤ 정은 : 인간은 자연으로부터 독립된 존재가 아니라 자연의 일부라고 보아야 합니다. → 생태 중심주의

08 생태 관광

자료분석 제시문은 **생태 관광**의 뜻과 생태 관광의 의의를 보여주는 글이다. (가)에는 생태 관광의 태도가 들어가야 한다. 생태 관광은 자연의 본래적 특성을 존중하고 자연 그대로의 모습을 경험하는 것이다.

[선택지 분석]

✔① 인간의 풍요와 삶의 편리함을 위해 자연을 이용할 수 있다

➡ 생태 관광은 자연의 본래적 특성을 존중하고 보호한다.

② 인간은 모든 생명체의 가치를 존중하고 자연을 보호해야 한다

③ 인간과 자연은 서로 대립하는 관계가 아닌 공존하는 관계여야 한다

④ 인간 중심주의적 사고를 바탕으로 자연을 지배의 대상으로 여겨서는 안 된다

⑤ 유기적으로 연결된 인간의 삶과 생태계가 조화를 이룰 방법을 모색해야 한다

09 생태 통로

자료분석 **생태 통로**는 인간이 만든 도로나 시설물에 의해 야생 동물의 서식지가 분리되는 것을 막기 위해 인공적으로 만든 길을 의미한다. 이러한 생태 통로는 **인간의 필요에 의한 자연 개발을 허용**하면서도, 이로 인한 **부정적 영향을 최소화하기 위한 장치**로서 의미가 있다.

[선택지 분석]

① 갑 : 인간과 자연이 공존해야 하는 관계임을 보여주고 있어요.

② 을 : 인간과 자연은 어느 한쪽이 우위를 지니는 관계가 아니어야 해요.

③ 병 : 인간이 자연의 영향 속에서 살아가는 생태계의 구성원임을 잊지 말아야 해요.

④ 정 : 개발을 할 때는 생태계에 미칠 부정적인 영향을 최소화하는 데도 힘써야 해요.

✔⑤ 무 : 인간은 풍요롭고 편리한 생활을 위해 각종 편의 시설을 무조건 만들 수 있는 권리가 있어요.

➡ 인간은 자연을 이용하는 주체이지만, 동시에 자연의 영향 속에서 살아가는 생태계의 한 구성원이기 때문에 인간의 이익만을 추구하는 권리는 주장할 수 없다.

10 환경 문제

자료분석 (가)는 성층권에 있는 오존층이 파괴되어 **자외선이 과다**하게 대기 중으로 들어온다는 내용이고, (나)는 **그린란드의 얼음이 녹아내리고 있다**는 내용이다. (다)는 **사헬 지대**와 관련된 환경 문제이다.

[선택지 분석]

✔ (가)는 오존층 파괴, (나)는 지구 온난화, (다)는 사막화이다.

➡ 오존층 파괴는 염화플루오린화탄소의 사용량 증가가 원인이며, 자외선의 증가로 백내장, 피부암 등이 발생하게 된다. 지구 온난화는 화석 연료의 사용 증가, 삼림 파괴 등 인위적 요인으로 심화되고 있다. 이에 따라 세계 곳곳에서 이상 기후 현상이 나타나고 있으며, 빙하가 녹아내려 해수면이 상승하고 있다. 사막화란 사막이 아닌 초원 지대가 사막으로 변화하는 현상을 말한다. 장기간의 가뭄, 과도한 경작과 목축, 무분별한 삼림 벌채 등으로 인해 지표의 식생이 사라지면 토양이 쉽게 유실되어 사막화가 심화된다.

11 주요 환경 문제의 피해 지역

자료분석 A는 북서 유럽의 산성비 피해 지역, B는 아프리카의 사막화 피해 지역, C는 인도양의 섬나라 몰디브, D는 보르네오섬의 열대 우림 파괴 지역을 나타내고 있다. **산성비**는 공업화가 진행되지 않은 지역에도 피해를 발생시킨다. 스칸디나비아 반도의 삼림 지대는 서부 유럽의 공업 지역에서 발생한 오염 물질이 **편서풍**을 타고 날아와 피해를 입고 있다. 몰디브는 **해수면 상승**에 의한 **해안 저지대의 침수**로 해발 고도가 낮은 지역의 피해가 확대되고 있다.

[선택지 분석]

㉮ A 지역에서는 대기 오염으로 인한 산성비 피해가 발생했어요.

~~을~~ : B 지역에서는 벌목으로 인해 열대 우림 파괴가 나타났어요.

➡ B(사헬 지대)는 과도한 목축과 관개 농업으로 사막화가 진행되고 있는 지역이다.

㉯ C 지역에서는 지구 온난화로 해수면이 상승하면서 국토가 잠기고 있어요.

~~정~~ : D 지역에서는 농경지 개간으로 사막화가 빠르게 진행되고 있어요.

➡ D(보르네오섬)는 목재 수요의 증가로 인한 벌채, 플랜테이션 농장 확대를 위한 개발, 이동식 화전 농업을 위한 벌채 등으로 열대 우림의 파괴가 심각한 지역이다.

12 환경 문제 관련 국제 협약

자료분석 **지도는 사막화 현상**을 나타낸 것이다. 국제 사회는 심각한 가뭄 및 사막화의 영향을 받는 국가들의 사막화 방지를 위해 '**사막화 방지 협약**'을 체결하였다.

[선택지 분석]

✘ 바젤 협약 → 유해 폐기물의 국가 간 이동 및 처리 통제

✘ 람사르 협약 → 습지 보호

✘ 몬트리올 의정서 → 오존층 파괴 물질 규제

✔ 사막화 방지 협약

✘ 생물 다양성 협약 → 지속 가능한 생태계 유지

13 파리 협정

자료분석 **파리 협정**(2015년)은 2020년 이후의 새 기후 변화 체제 수립을 위한 최종 합의문이다. 파리 협정에서는 **선진국과 개발 도상국 모두 온실가스 감축 의무에 동참하도록 규정**하고 있다. 파리 협정은 **지구 온난화를 해결하기 위한 국제 협약**이다.

[선택지 분석]

갑: 기업은 폐수 및 매연 등의 환경 정화 시설을 정비해야 해.

을: 정부는 신·재생 에너지 개발을 위한 지원금을 늘려야 해.

~~병~~: 화력 발전소를 많이 건설하여 발전 효율을 높여야 해.

➡ 화력 발전소의 건설은 화석 연료의 사용량을 증가시켜 지구 온난화를 가속화시키는 요인이 된다.

정: 시민 단체를 중심으로 에너지 절약 운동이 더 활성화되어야 해.

14 생태 중심주의의 특징

(2) 채점 기준

상	인간 중심주의와 생태 중심주의의 인간과 자연의 관계를 비교하여 정확하게 서술한 경우
중	인간 중심주의와 생태 중심주의의 인간과 자연의 관계 중 하나만 정확하게 서술한 경우
하	인간 중심주의와 생태 중심주의의 인간과 자연의 관계를 정확하게 서술하지 못한 경우

(3) 채점 기준

상	현재 환경 문제의 원인이 인간 중심주의임을 밝히고, 이를 해결하기 위해 인간과 자연이 공존해야 한다는 가치관이 필요함을 충분히 서술한 경우
중	생태 중심주의가 지닌 장점만을 설명함으로써 현재 환경 문제 해결에 접근하여 서술한 경우
하	환경 문제의 원인과 해결책에 대해 정확하게 파악하지 못하고 서술한 경우

15 건조 기후 지역의 가옥 구조

채점 기준

상	기후 환경과의 연관성을 정확하게 서술한 경우
중	기후 환경과의 연관성이 일부만 드러나게 서술한 경우
하	기후 환경과의 연관성을 정확하게 파악하지 못하고 서술한 경우

16 환경 문제

채점 기준

상	산성비의 원인과 영향을 정확하게 서술한 경우
중	산성비의 원인과 영향 중 하나만 정확하게 서술한 경우
하	산성비의 원인과 영향을 정확하게 파악하지 못하고 서술한 경우

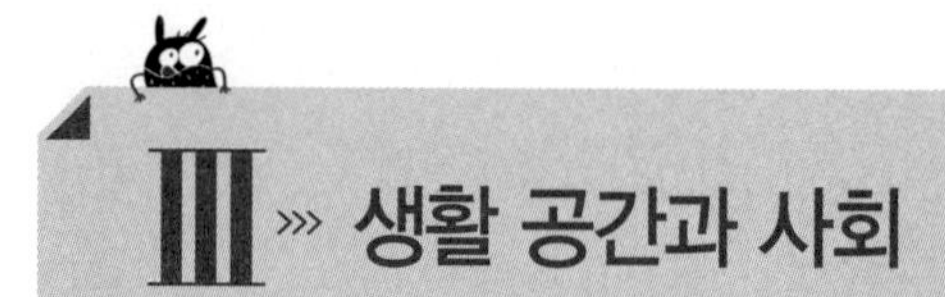

III 생활 공간과 사회

01 산업화와 도시화

콕콕! 개념 확인 87쪽

01 (1) 산업화 (2) 도시화
02 (1) 이촌 향도 (2) 도시성
03 (1) 낮아지고 → 높아지고
(2) 1차적 인간관계 → 2차적 인간관계
04 (1) (가) 열대야, (나) 재생 (2) ① ○ ② ×

04 (2) ② 도시 재생 사업은 낙후된 도시 공간에 새로운 기능을 도입하여 도시를 새롭게 부흥시키는 사업이다.

탄탄! 내신 문제 88~89쪽

01 ② 02 ③ 03 ⑤ 04 ⑤ 05 ④ 06 ④ 07 ②
08 ⑤ 09 ①

01 산업화와 도시화의 특징

[선택지 분석]

① 산업 혁명 이후 본격적인 산업화가 이루어졌다.

② 최근에는 ~~선진국~~에서 도시화가 더욱 빠르게 진행되고 있다. ↳ 개발 도상국

③ 도시화는 도시에 거주하는 인구 비율이 증가하는 현상이다.

④ 산업화와 도시화는 서로 밀접한 관계를 맺고 전 세계적으로 진행되고 있다.

⑤ 산업화가 진행되면서 1차 산업 비중은 점차 감소하고 3차 산업 비중이 증가하였다.

02 산업화와 도시화의 의미

자료분석 **산업화는 1차 산업 중심에서 2차·3차 산업 중심으로 산업 구조가 고도화되는 현상을**, **도시화는 도시 거주 인구 비율이 증가하고 도시적 생활 양식이 확대되는 현상**을 의미한다. **세계화**는 교통·통신의 발달로 인해 **국가 간 상호 의존성이 증대**되고 **국경을 넘어 인적·물적 교류가 확대되는 현상**을 의미한다.

03 우리나라의 도시화 과정

[선택지 분석]

✗ 본격적인 도시화는 ~~1980년대~~ 이후 진행되었다. ↳ 1960년대

✗ 지역별 도시화율은 호남권이 수도권보다 ~~높다~~. → 낮다

➡ 우리나라의 도시화는 1960년대 이후 수도권과 남동 임해 지역을 중심으로 진행되었다. 따라서 이들 지역의 도시화율이 높다.

ㄷ 현재 도시 인구 비율이 촌락 인구 비율보다 높다.
ㄹ 공업이 발달한 지역을 중심으로 도시화가 빠르게 진행되었다.

04 우리나라의 도시 발달 과정

자료분석 제시된 자료는 우리나라의 도시 발달 과정을 나타낸 지도이다. **1970년**에는 전체적인 도시 수도 적고 서울, 대전, 대구, 부산 등의 **대도시 위주로 발달**한 반면, **2010년에는 서울과 부산 주변의 중소 도시가 성장하면서 대도시권이 형성**되고 도시 간 격차가 1970년에 비해 더 크게 벌어졌다.

[선택지 분석]

① 경부 축의 도시들이 크게 성장하였다.
② 2010년 수도권은 영남권보다 인구수가 더 많다.
③ 1970년보다 2010년에 인구 100만 명 이상의 도시 수가 더 많다.
④ 1970~2010년 인천은 대구보다 인구 증가율이 높다.
⑤ 1970~2010년 광주광역시 주변의 도시 인구가 대전광역시 주변의 도시 인구보다 많이 증가하였다.
➡ 수도권과의 인접성으로 인해 대전광역시 주변의 도시 인구가 광주광역시 주변의 도시 인구보다 더 많이 증가하였다.

05 산업화·도시화로 인한 생활 공간의 변화

[선택지 분석]

ㄱ 주거지와 직장의 평균 거리가 ~~가까워졌다~~. ↳ 멀어졌다
ㄴ 도시 내부 지역의 기능 분화가 나타나기도 하였다.
ㄷ 고층 건물이 많아지면서 토지 이용의 집약도가 ~~낮아졌다~~. ↳ 높아졌다
ㄹ 대도시와 주변 지역 간의 기능적 상호 의존성이 더욱 높아졌다.

06 지표 환경의 변화에 따른 영향

자료분석 그래프는 도로가 **아스팔트, 콘크리트 등으로 포장되면서 빗물이 땅 속으로 흡수되지 않는 불투수 면적률의 증가 현상**을 나타낸 것이다. 최근에 도시화, 산업화가 빠르게 진행되면서 자연 녹지 면적이 줄어들고 인공 구조물로 포장된 불투수 면적률이 빠르게 증가하고 있다. **불투수 면적률이 높아지게 될 경우** 토양의 빗물 흡수 능력이 낮아지고, 지표 유출량이 증가하면서 **강수 시 하천으로 유입되는 빗물의 양이 증가하고 그로 인해 홍수 발생 위험이 커진다.** 또한, 토양 속으로 흡수·저장되는 빗물의 양이 감소하면서 **상대 습도는 낮아지게 된다.**

[선택지 분석]

ㄱ 범람 및 침수 위험이 ~~낮아진다~~. ↳ 높아진다
ㄴ 토양의 빗물 흡수 능력이 낮아진다.
ㄷ 평균 기온이 낮아지고 습도가 높아진다.
➡ 아스팔트, 콘크리트 면적의 증가로 평균 기온이 높아지고 습도가 낮아진다.
ㄹ 강수 시 하천으로 유입되는 빗물의 양이 증가한다.

07 도시화에 따른 토지 이용 변화

자료분석 도시화로 인해 임야, 논밭 등의 녹지 면적이 줄어들고 콘크리트나 아스팔트로 포장된 대지와 도로 면적이 증가하고 있다. **포장 면적이 증가할 경우** 평균 기온이 높아지면서 **열섬 현상이나 열대야 현상이 심화**되고 숲이나 녹지가 파괴되는 과정에서 **생물 종 다양성이 줄어드는 문제가 심화**된다.

[선택지 분석]

① 열대야 일수가 증가하였을 것이다.
② 생물 종 다양성이 ~~높아졌을~~ 것이다. ↳ 낮아졌을
③ 토지 이용의 집약도가 높아졌을 것이다.
④ 자동차 등록 대수가 증가하였을 것이다.
⑤ 3차 산업 종사자 비율이 증가하였을 것이다.

08 슬로 시티의 지정 배경

자료분석 **슬로 시티는 느림의 가치를 바탕으로 지역의 고유성과 자연환경을 보전하고자 하는 지역 개발 방식**이다. **슬로 시티로 지정된 지역은 지역성을 바탕으로 주민들의 기존 생활 방식을 존중하는 지역 발전을 추진**함으로써 지역의 이미지를 높이고 경제를 발전시키기 위해 노력하고 있다.

[선택지 분석]

① 대도시 중심의 효율적인 지역 개발 추진
➡ 촌락 및 지방 중소 도시의 지역 개발 전략 중 하나이다.
② 대규모 공업 단지 건설을 통한 일자리 창출
➡ 지역을 있는 그대로 유지·보전하는 발전 전략이다.
③ 현대식 관광 단지 건설을 통한 서비스업 발달 촉진
➡ 기존의 주거 환경과 생활 공간을 그대로 유지하는 지역 개발 전략이다.
④ 쾌적한 주거 단지 조성을 통한 주택 부족 문제 해결
➡ 대도시 주변의 신도시 개발에 대한 설명이다.
⑤ 지역 특성과 자연환경을 보전하기 위한 지역 개발 추진

09 도시 습지의 영향

[선택지 분석]

ㄱ 생물 종 다양성이 증가한다.
ㄴ 도시의 냉방 비용이 줄어든다.
➡ 도시에 습지 공간이 조성되면, 평균 기온이 낮아지므로 냉방 비용이 줄어든다.
ㄷ 토지 이용의 집약도가 ~~높아진다~~. ↳ 낮아진다
ㄹ 주변 지역의 상대 습도가 ~~낮아진다~~. ↳ 높아진다

도전! 1등급 문제

90~91쪽

01 ⑤ 02 ② 03 ② 04 ③ 05 ② 06 ② 07 ④ 08 ②

01 세계 도시 인구의 성장

[선택지 분석]

ㄱ. 2014년은 1990년에 비해 도시 인구가 약 ~~2배 이상~~ 증가하였다.
↳2배 미만

➡ 2014년의 세계 도시 인구는 약 38억 명으로 1990년의 도시 인구인 약 22억 명의 2배 미만이다.

ㄴ. 2030년 전체 도시 인구에서 ~~(나)~~가 차지하는 비율은 ~~(가)~~보다 높을 것이다.
↳(가) ↳(나)

➡ 2030년 (가)의 인구가 (나)의 인구보다 많으므로 전체 도시 인구에서 차지하는 비율 또한, (가)가 (나)보다 높다.

ㄷ (가)는 (나)보다 1990~2030년 도시 개수의 증가율이 높다.

➡ (가)는 10개에서 41개로 약 4배 증가한 반면, (나)는 294개에서 731개로 약 2.5배 증가하였다.

ㄹ 1990년에는 (나)가 (가)보다 전체 인구가 더 많았다.

➡ 1990년 (나)의 그래프 굵기가 (가)보다 굵은 것으로 보아 전체 인구가 더 많았음을 알 수 있다.

02 토지 이용의 변화

자료분석 자료는 두 시기의 토지 이용 변화를 나타낸 것이다. **(가) 시기**는 (나) 시기에 비해 **임야와 논밭 면적이 좁고 대지, 도로 면적이 넓은 것으로 보아 도시화가 진행된 최근**이며, **(나)는 (가)보다 과거**임을 추론할 수 있다. 그래프에서 A는 도시화된 (가) 시기의 수치가 높게 나타나는 항목이며, B는 (가)보다 도시화가 덜 진행된 (나) 시기의 수치가 높게 나타나는 항목이다. 따라서 **A에는 도시화율, 불투수 면적률, 3차 산업 종사자 비율**이 들어갈 수 있으며, **B에는 1차 산업 종사자 비율**이 들어갈 수 있다.

03 도시 내부 지역의 공간적 분화

자료분석 자료는 서울시의 도심에 해당하는 (가)와 주변 지역인 (나)를 나타낸 것이다. **(가)는 업무 및 상업 기능이 집중된 곳으로 고층 빌딩이 많고 토지 이용의 집약도가 높다.** 이에 비해 **(나)는 주거 기능이 주로 발달하였으며, 고밀도의 아파트 단지가 입지해 있다.**

[선택지 분석]

✗① 평균 지가가 ~~높다~~.
↳낮다

➡ 주변 지역은 도심보다 평균 지가가 낮다.

✓② 초등학교 학생 수가 많다.

➡ 주변 지역은 주거와 교육 기능 중심으로 발달해 있으며 상주인구가 많아 초등학교 학생 수도 많다.

✗③ 주민들의 평균 통근 시간이 ~~짧다~~.
↳길다

➡ 업무 기능은 도심에 주로 집중해 있으므로 주변 지역의 주민들의 평균 통근 시간은 도심 지역 주민들보다 길다.

✗④ 업무 및 상업 기능의 집적도가 ~~높다~~.
↳낮다

➡ 업무 및 상업 기능의 집적도는 도심이 주변 지역보다 높다.

✗⑤ 출근 시 유입 인구가 유출 인구보다 ~~많다~~.
↳적다

➡ 출근 시 유입 인구는 회사가 많은 도심이 주변 지역보다 많다.

04 산업화로 인한 영향

[선택지 분석]

① 인구가 증가하였다.

➡ 주거 지역 확대, 일자리 확충으로 상주인구가 증가하였다.

② 산업화가 진행되었다.

➡ 대규모 산업 단지가 조성되면서 산업화가 진행되었음을 알 수 있다.

✓③ 녹지 비율이 ~~높아졌다~~.
↳낮아졌다

➡ 산업 단지가 건설되고 주거 지역 등이 확대되면서 녹지 면적은 감소하였을 것이다.

④ 유동 인구가 증가하였다.

➡ 인구가 증가하고, 교통로가 확충되면서 유동 인구가 증가하였을 것이다.

⑤ 토지 이용의 집약도가 증가했다.

➡ 고층 건물의 건설 등 토지 이용의 집약도가 증가했다.

05 지표 상태 변화에 따른 영향

자료분석 **(가)는 도시화 이전 단계로, 녹지와 자연 토양이 잘 보전**되어 있으며, **(나)는 도시화가 진행된 단계로, 지표의 대부분이 콘크리트나 아스팔트로 포장되어 빗물의 토양 흡수량과 증발률이 감소**하고, 대신 **하천으로 유입되는 빗물의 양이 증가**한다.

[선택지 분석]

ㄱ (가)는 (나)보다 토양의 빗물 흡수율이 높을 것이다.

➡ (가)는 녹지가 잘 보전되어 있어 포장률이 높아진 (나)보다 토양의 빗물 흡수율이 높다.

✗ㄴ (가)는 (나)보다 강수 시 하천 유량 변화가 ~~클~~ 것이다.
↳작을

➡ 강수 시 하천의 유량 변화는 하천으로 유입되는 빗물의 양이 많은 (나)가 (가)보다 크다.

ㄷ (나)는 (가)보다 평균 기온이 높을 것이다.

➡ (나)는 (가)보다 콘크리트, 아스팔트 포장 면적이 넓고, 고층 빌딩이 밀집하여 바람길이 막히면서 열섬 현상이 나타나 평균 기온이 높아졌을 것이다.

✗ㄹ (나)는 (가)보다 상대 습도가 ~~높을~~ 것이다.
↳낮을

➡ 상대 습도는 자연 녹지와 토양이 잘 보전되어 있는 (가)가 (나)보다 높다.

06 도시 농업의 영향

[선택지 분석]

① 열섬 현상이 완화된다.

➡ 도시 농업이 확대될 경우 녹지 공간이 늘어나면서 열섬 현상이 완화될 수 있다.

✓② 교통 체증 문제가 완화된다.

➡ 도시 농업의 확대와 교통 체증 문제는 직접적인 관련성이 없다.

③ 빗물의 흡수와 순환을 촉진한다.

➡ 녹지 공간이 늘어나면서 빗물의 토양 흡수력이 증대되고 하천으로 유입되는 빗물의 양이 줄어든다.

④ 여름철 전력 소비량이 감소한다.

➡ 도시 농업의 확대로 녹지 공간이 늘어나면서 열섬 현상이 완화되고 그로 인해 여름철 전력 소비량이 감소한다.

⑤ 대기 중 이산화 탄소 농도가 감소한다.
➡ 녹지 공간이 늘어날 경우 이산화 탄소 흡수량이 늘어나면서 대기 중 이산화 탄소 농도는 감소한다.

07 우리나라의 산업화

자료분석 제시된 자료 ❶은 우리나라의 산업별 취업자 수 변화를 나타낸 것이다. **1965년에는 1차 산업 취업자 수 비중이 63%, 3차 산업 취업자 수 비중은 28.3%**였으나 **2015년**에는 **1차 산업 취업자 수 비중이 5.2%로 급감하였고, 3차 산업 취업자 수 비중은 77.5%로 크게 증가**하였다.

[선택지 분석]

① 농업 생산량이 ~~감소~~하였을 것이다. ↳증가
➡ 농업 취업자 수 비중은 크게 감소하였지만 과학 기술의 개발, 영농 기계의 활용 등으로 인해 농업 생산량은 오히려 증가하였다.

② 경지 면적 비율이 ~~높아졌을~~ 것이다. ↳낮아졌을
➡ 산업화, 도시화가 진행되면서 경지 면적 비율은 오히려 크게 감소하였다.

③ 탈공업화가 빠르게 진행되고 있을 것이다.
➡ 광공업 취업자 수 비중은 1965년에 비해 2015년 증가하였다. 따라서 이 자료를 통해 탈공업화 현상을 추론할 수 없다.

④ 서비스업의 종류와 수가 많아졌을 것이다.
➡ 경제가 발전하면서 산업 구조는 고도화되고, 서비스업의 종류와 수가 많아지면서 서비스업 취업자 수 비중이 크게 증가한다.

⑤ 도시와 촌락 간의 인구 격차가 ~~감소~~하였을 것이다. ↳증가
➡ 산업 구조가 고도화되면서 1차 산업에 비해 2·3차 산업이 발달한 도시로의 인구 집중이 가속화되고 그 결과 도시와 촌락 간의 인구 격차는 증가하였다.

08 우리나라의 도시화율 변화

자료분석 제시된 자료 ❷는 우리나라의 도시화율과 지역별 도시화율을 나타낸 것이다. 도시화율은 전체 인구 중 도시에 거주하고 있는 인구 비율을 나타낸 것이다. 2015년 기준 **우리나라의 도시화율은 91.8%**이며, 서울을 비롯한 **주요 대도시들은 약 100%**이다. 이에 비해 강원, 경북, 전남 등 **촌락이 많이 분포하는 지역들은 도시화율이 상대적으로 낮게 나타난다.**

[선택지 분석]

ㄱ 현재 전체 인구 중 90% 이상이 도시에 거주
➡ 현재 도시화율은 91.8%로, 전체 인구 중 90% 이상이 도시에 거주하고 있음을 알 수 있다.

ㄴ 1차 산업이 발달한 제주도는 현재 도시화율이 가장 낮다.
➡ 제주도보다 경북, 전남의 도시화율이 더 낮다.

ㄷ 서울과 모든 광역시들은 도시화율이 100%로 매우 높다.
➡ 인천, 울산의 도시화율은 100% 미만이다.

ㄹ 도시 지역 인구수는 대체로 해당 지역의 전체 인구 규모에 비례
➡ 서울, 부산, 경기 등 인구가 많은 지역의 도시 지역 인구수는 다른 지역에 비해 많다.

02 교통·통신의 발달과 정보화

콕콕! 개념 확인 97쪽

01 (1) 확대 (2) 교외화 (3) 높아
02 (1) 빨대 효과 (2) 생태 통로
03 (1) 완화된다 → 심화된다 (2) 대기 오염 → 외래종 유입
04 (1) (가) 정보 격차, (나) 사이버 범죄 (2) ① ○ ② ×

04 (2) ② (나)는 사이버 범죄의 유형별 발생 현황을 나타낸 것으로, 이 중에서 발생 비율이 가장 높은 것은 인터넷 사기이다.

탄탄! 내신 문제 98~99쪽

01 ④ **02** ① **03** ② **04** ① **05** ⑤ **06** ⑤ **07** ⑤
08 ④ **09** ③

01 교통 발달에 따른 영향

자료분석 제시된 자료는 서울-부산 간의 철도 교통을 이용한 이동 시간 변화를 나타낸 것이다. **고속 철도의 발달로 1950년에 비해 2004년 서울-부산 간의 이동 시간은 약 3배 이상 단축**되었다.

[선택지 분석]

① 생활 공간 범위가 확대되었다.
② 두 지역 간의 교류가 증대되었다.
③ 물리적 거리의 제약이 감소하였다.
④ 서울의 중심 기능이 부산으로 이전되었다. → 이전되지 않음
⑤ 서울-부산 간 항공 교통의 이용객 수 비중이 감소하였다.

02 거가 대교 개통에 따른 영향

[선택지 분석]

ㄱ 부산의 통근권이 확대될 것이다.
ㄴ 거제의 접근성이 높아졌을 것이다.
ㄷ 통영과 부산 간의 교류는 ~~감소~~할 것이다. ↳증가
➡ 거가 대교의 개통으로 통영과 부산 간 이동 거리와 시간이 단축되면서 교류는 증가할 것이다.
ㄹ 부산과 거제 간 이동객 수가 ~~감소~~할 것이다. ↳증가
➡ 교통의 발달로 시간 거리가 단축되면서 부산과 거제 간의 이동객 수는 증가할 것이다.

03 교통 발달로 인한 교류 확대

[선택지 분석]

① 통신의 발달 → 시간 거리 단축의 주요 원인이 아님
② 교통의 발달
③ 기술의 발달 → 어떤 기술인지가 불명확함

✗ 비용의 감소 → 시간 거리 단축의 직접적 원인이 아님

✗ 생활권의 확대 → 시간 거리 단축의 원인이 아니라 결과임

04 교통 발달의 영향

[선택지 분석]

ㄱ. 대도시권이 형성된다.

ㄴ. 통근권 범위가 확대된다.

✗ 지역 고유의 특성이 강화된다.

➡ 교통 발달로 교류가 확대되면서 지역 고유의 특성이 약화되는 경우가 많다.

✗ 주거 지역의 범위가 도시 중심부로 축소된다.

➡ 교통 발달로 시간 거리가 단축되면서 주거 지역의 범위는 외곽 지역으로 확대된다.

05 고속 도로 연장에 따른 변화

자료 분석 제시된 자료는 고속 도로 연장 추이를 나타낸 것이다. **고속 도로가 확대되는 과정에서 녹지 면적은 감소하고 콘크리트, 아스팔트 포장 면적이 증대되면서 빗물의 토양 흡수율은 감소**한다. 또한, 고속 도로 건설을 위해 **산림이 파괴되면서 야생 동물의 서식지가 감소**하고, **자동차 통행량의 증가로 대기 중 이산화 탄소 농도, 소음이나 먼지 등이 증가**하게 된다.

[선택지 분석]

✗ 녹지 면적이 ~~증가~~할 것이다. ↳ 감소

✗ 빗물의 토양 흡수율이 ~~높아질~~ 것이다. ↳ 낮아질

✗ 야생 동물의 서식지가 ~~확대될~~ 것이다. ↳ 줄어들

✗ 대기 중 이산화 탄소 농도가 ~~감소~~할 것이다. ↳ 증가

✓ 소음과 먼지로 인한 생태계 피해가 증가할 것이다.

06 호남 고속 철도 개통에 따른 영향

[선택지 분석]

✗ 서울과의 접근성이 낮아졌기 때문 → 접근성의 변화는 없음

✗ 다른 지역과의 물리적 거리가 증가하였기 때문 → 물리적 거리는 변화 없음

✗ 환경 파괴로 인해 주거 환경의 쾌적성이 낮아졌기 때문 → 교통로가 신설된 곳이 아니므로 환경 파괴는 더 심화되지 않음

✗ 도로 교통 이용 비중의 증가로 교통 체증이 심화되었기 때문 → 도로 교통 이용 비중에는 변화가 없음

✓ 고속 철도가 지나는 지역으로 인구와 기능이 유출되었기 때문

07 정보화 사회의 특징

[선택지 분석]

✗ 유통의 공간적 제약이 ~~강화~~된다. ↳ 약화

✗ 대면 접촉을 통한 교류 비중이 ~~확대~~된다. ↳ 감소

✗ 석유 자원에 대한 의존도가 더욱 높아진다.

➡ 지식·정보를 활용한 첨단 산업 비중이 높아지면서, 석유를 활용한 공업 비중이 낮아지게 된다.

✗ 주거와 업무 기능의 도심 집중이 ~~심화~~된다. ↳ 완화

✓ 지식, 정보가 산업 전반에 미치는 영향이 커진다.

08 공간 활용 기술의 발달

자료 분석 제시된 자료는 정보화 사회의 특징과 정보화를 통한 공간 활용 기술의 발달을 설명하고 있다. **위성 위치 확인 시스템(GPS)은 인공위성을 이용하여 현재 위치를 알려주는 시스템**이며, **지리 정보 시스템(GIS)은 다양한 지리 정보를 수치화하여 컴퓨터에 입력·저장하고, 이를 다양한 방법으로 분석·종합하여 제공하는 시스템**이다. 환경 영향 평가는 도로나 산업 단지 등을 건설할 때 해당 사업이 환경에 미치는 다양한 영향을 미리 예측하고 분석하여 환경에 대한 부정적 영향을 줄일 수 있는 방안을 마련하는 제도이다.

09 정보 격차

자료 분석 제시된 그래프는 정보 소외 계층의 정보화 수준을 나타낸 것이다. 장애인, 저소득층, 농어민 등 **사회적 약자들의 정보 접근 지수와 정보 활용 지수는 일반 국민들에 비해 낮게 나타난다.** 이처럼 **정보에 접근할 수 있는 제도와 환경의 차이로 인해 지역 간, 계층 간 정보 활용도의 차이가 심화되는 현상을 정보 격차**라 한다.

[선택지 분석]

✗ 사이버 범죄의 증가

➡ 사이버 범죄는 인터넷 사기, 저작권 침해, 사이버 폭력 등이 해당된다.

✗ 관료에 의한 정보의 통제와 독점

➡ '감시 사회'에 대한 설명이다.

✓ 정보 접근 및 활용도의 격차 심화

✗ 개인 정보 유출에 따른 사생활 침해

➡ 정보화에 따른 또 다른 문제 중 하나이다.

✗ 개인주의의 만연화와 인간 소외 현상 심화

➡ 정보화에 따른 또 다른 문제 중 하나이다.

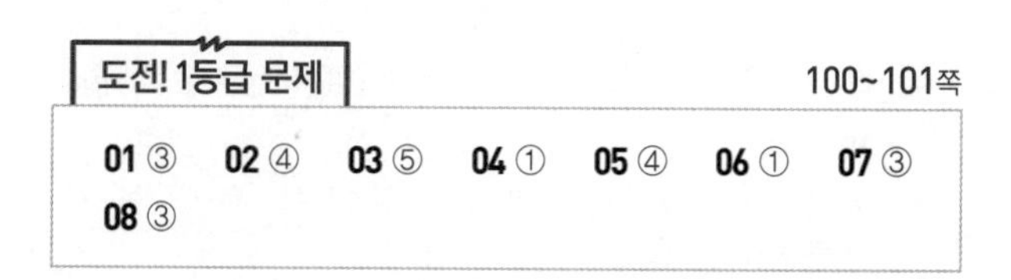

도전! 1등급 문제 100~101쪽

01 ③ 02 ④ 03 ⑤ 04 ① 05 ④ 06 ① 07 ③ 08 ③

01 경부 고속 철도 개통에 따른 영향

자료분석

제시된 자료는 경부 고속 철도 개통 전인 2003년과 개통 후인 2011년의 교통수단별 분담률 변화를 나타낸 것이다. **고속 철도는 정시성과 안전성이 뛰어나고, 도로 교통에 비해 신속하면서 항공 교통보다 교통비가 저렴한 장점**이 있다. 따라서 **고속 철도의 개통 이후** 서울-부산 간 교통수단별 분담률은 **철도 교통이 크게 증가한 반면, 항공 교통은 감소**하였다. 따라서 그래프에서 분담률 증가율이 가장 큰 (가)가 철도, 분담률이 가장 큰 폭으로 감소한 (다)는 항공 교통이며, (나)는 도로 교통이다.

02 대도시권의 공간 구조

자료분석

제시된 자료는 **대도시권의 공간 구조**를 모식적으로 나타낸 것이다. **A는 대도시권**을 의미하며 **B는** 중심 도시로의 **통근 가능권**이다. **C는** 중심 도시에 인접한 **교외 지역**이며, **D는 배후 농촌 지역**이다.

[선택지 분석]

ㄱ 교통이 발달할수록 A의 범위는 확대된다.

➡ 교통이 발달할수록 중심 도시와 주변 지역 간의 교류가 활발해지면서 대도시의 일상생활 범위인 대도시권의 범위는 교통로를 따라 확대된다.

ㄴ B는 중심 도시로의 통근이 가능한 범위이다.

➡ B는 통근권으로 교통이 발달할수록 외곽으로 확대된다.

ㄷ C는 D보다 건물들의 평균 높이가 높다.

➡ C는 교외 지역으로 쾌적한 주거 환경과 중심 도시로의 인접성 등으로 인해 인구가 증가하고 있다. 따라서 C는 고층 아파트 밀집 지역이 조성되면서 촌락 경관이 많이 남아있는 배후 농촌 지역인 D보다 건물들의 평균 높이가 높다.

✗ D는 C보다 아파트 거주자 비율이 ~~높다~~. ↳ 낮다

➡ D는 촌락 지역으로 신도시가 발달한 C보다 아파트 거주자 비율이 낮다.

03 수도권 교통 발달에 따른 영향

[선택지 분석]

① 인구의 교외화가 가속화될 것이다.

➡ 서울과 경기도를 연결하는 전철 노선이 연장될 경우 서울로의 출퇴근이 용이해지면서 인구의 교외화는 더욱 가속화된다.

② 서울로의 통근자 비율이 증가할 것이다.

➡ 전철 노선의 연장으로 서울로의 통근 시간이 단축되면서 통근자 비율이 증가할 것이다.

③ 도로 교통 이용자 비율이 감소할 것이다.

➡ 정시성과 안전성이 뛰어난 전철 노선의 연장으로 도로 교통 이용자 비율은 상대적으로 감소할 것이다.

④ 신설 역 주변의 유동 인구 비율이 증가할 것이다.

➡ 신설 역 주변은 출퇴근, 통학 등을 목적으로 하는 유동 인구 비율이 크게 증가할 것이다.

✔⑤ 서울의 핵심 업무 기능이 외곽으로 이전될 것이다.

➡ 행정 기능 등을 포함한 서울의 핵심 업무 기능은 교통이 발달해도 외곽으로 이전되기 어렵다.

04 교통 발달에 따른 영향

자료분석

제시된 사례는 교통 발달에 따른 지역 경제의 변화를 나타낸 것이다. 하천 교통이 발달했을 당시 **강경은 금강 수운 교통의 중심지**로, 상업이 발달하였다. 그러나 이후 **도로, 철도 등의 육상 교통이 발달하고 하천 교통이 쇠퇴하면서 경제가 점차 침체**되었다. 한편, **서울-양양 간 고속 도로가 개통**된 이후 **양양**은 수도권과의 접근성이 향상되면서 **유동 인구가 증가하여 경제가 활성화**되고 있는 반면, 고속 도로가 지나지 않는 **기존의 상업 지역들은 유동 인구 감소**로 인해 **경제적 어려움**을 겪고 있다.

[선택지 분석]

✔ 교통 발달로 인한 지역 경제의 변화

➡ 두 사례 모두 교통의 발달이나 새로운 교통로 개발로 인해 지역 경제가 활성화되거나 침체된 현상을 다루고 있다.

✗ 관광 산업을 통한 경제 활성화 방안 → 제시된 사례와 관련 없음

✗ 수운 교통의 쇠퇴로 인한 상권의 변화 → 첫 번째 사례에만 해당

✗ 고속 도로 개통에 따른 생태 환경의 변화 → 제시된 사례와 관련 없음

✗ 교통로의 신설로 인한 접근성의 차이 완화

➡ 두 번째 사례는 새로운 교통로의 신설로 접근성의 차이가 발생하면서 지역 격차가 심화된 경우이다.

05 정보 격차

자료분석

제시된 그래프는 정보 소외 계층의 정보화 수준을 나타낸 것이다. 장애인, 저소득층, 농어민 등 **사회적 약자들의 정보 접근 지수와 정보 활용 지수는 일반 국민들에 비해 낮게 나타난다.** 이처럼 **정보에 접근할 수 있는 제도와 환경의 차이로 인해 지역 간, 계층 간 정보 활용도의 차이가 심화되는 현상**을 **정보 격차**라 한다.

[선택지 분석]

✗ 익명성을 활용한 사생활 침해 → 사생활 침해

✗ 인터넷을 통한 개인 정보 유출 → 사생활 침해

✗ 지나친 인터넷 사용으로 인한 인터넷 중독

➡ 정보화에 따른 문제 중 하나이나, 제시된 자료와 관련이 없다.

✔ 정보에 접근할 수 있는 제도와 환경의 차이

➡ 정보 격차는 지역 간, 계층 간 정보에 접근할 수 있는 제도나 환경의 차이로 인해 발생한다.

✗ 기술의 발달로 인한 개인의 감시와 통제 증가 → 감시 사회의 원인

06 사이버 범죄의 종류와 발생 현황

[선택지 분석]

ㄱ 정보 통신망 이용 범죄는 불법 콘텐츠 범죄보다 발생률이 높다.

➡ 그래프 하단의 수치를 보면, 정보 통신망 이용 범죄의 전체 발생 건수가 불법 콘텐츠 범죄보다 많음을 알 수 있다.

ㄴ 사이버 범죄 중 가장 높은 비중을 보이는 것은 인터넷 사기이다.

➡ 인터넷 사기는 2014년, 2015년 둘다 가장 발생 건수가 많다.

✗ 모든 사이버 범죄는 2014년에 비해 2015년 발생 건수가 증가하였다.

➡ 개인 위치 정보 침해, 사이버 음란물, 사이버 도박 등은 2014년보다 2015년 발생 건수가 감소하였다.

✕ 이러한 문제의 해결 방안으로 낙후 지역의 정보화 교육 지원 확대를 들 수 있다.
➡ 낙후 지역의 정보화 교육 지원 확대는 정보 격차에 따른 문제의 해결 방안이다.

07 전자 상거래의 영향

자료분석 제시된 자료 ❶은 온라인 쇼핑과 모바일 쇼핑을 이용한 전자 상거래 액수 변화를 나타낸 것이며, 자료 ❷는 국내 택배 시장의 물동량 및 해외 직접 구매 물량의 변화를 나타낸 것이다. 정보화와 통신 수단의 발달로 **전자 상거래가 활성화**되면서 **온라인 쇼핑, 모바일 쇼핑 거래액은 빠르게 증가**하고 있으며, **해외 직접 구매 물량과 택배 물동량**도 이러한 **전자 상거래의 발달로 크게 증가**하고 있다.

[선택지 분석]

✕ 모바일 쇼핑은 온라인 쇼핑보다 ~~먼저~~ 활성화되었다.
↳ 나중에
➡ 모바일 쇼핑의 활성화 시기는 온라인 쇼핑보다 늦은 2013년 정도이다.

ㄴ 전자 상거래의 활성화는 택배 산업의 성장에 긍정적인 영향을 미쳤다.
➡ 전자 상거래가 활성화되면서 주문한 제품을 소비자에게 직접 배송해 주는 택배 산업이 크게 발달하였다.

ㄷ 택배 산업의 성장과 해외 직접 구매 물량의 증가는 서로 양의 상관관계를 갖는다.
➡ 택배 물동량의 변화와 해외 직접 구매 물량의 변화는 2011년 이후 둘 다 꾸준히 증가하면서 양(+)의 상관관계를 보이고 있다.

✕ 2011~2015년 국내 택배 시장 물동량의 증가율은 해외 직접 구매 물량의 증가율보다 ~~높다~~.
↳ 낮다
➡ 국내 택배 시장 물동량은 2011년에 비해 2015년 약 1.4배 정도 증가한 반면, 해외 직접 구매 물량은 약 2.8배 정도 증가하였다.

08 전자 상거래 발달의 영향

[선택지 분석]

① 유통 단계가 점차 간소화된다.
➡ 전자 상거래가 등장하면서 생산자와 소비자 간의 직거래가 증가하고 도소매업을 거치지 않아 기존 상거래에 비해 유통 단계가 간소화되고 있다.

② 사이버 금융 범죄 건수가 증가한다.
➡ 온라인이나 모바일 쇼핑이 증가하면서 인터넷 금융 사기를 포함한 사이버 금융 범죄 건수가 크게 증가하고 있다.

✓③ 상업에서 대형 매장의 필요성이 ~~커진다~~.
↳ 작아진다
➡ 온라인 쇼핑이나 모바일 쇼핑은 인터넷상의 상점을 이용하기 때문에 대형 매장이 필요하지 않다.

④ 물품 구매 시 소요되는 평균 시간이 단축된다.
➡ 전자 상거래는 상점까지 이동할 필요가 없기 때문에 물품 구매 시 소요되는 평균 시간이 단축된다.

⑤ 택배를 비롯한 물류 산업 사업체 수가 증가한다.
➡ 온라인이나 모바일로 주문한 상품은 택배를 통해 배송되기 때문에 택배 산업이나 물건을 임시 보관하는 창고업 등과 같은 물류 산업 사업체 수가 크게 증가하고 있다.

03 우리 지역의 변화와 발전

콕콕! 개념 확인 106쪽

01 (1) 지역 (2) 지역 조사
02 (1) ㉠ (2) ㉢ (3) ㉡
03 ㉠ 실내 조사, ㉡ 야외(현지) 조사
04 (1) 도시화 → 교외화 (2) 지역 브랜드 → 지리적 표시제
05 (1) ○ (2) × (3) × (4) ○

03 지역 정보의 수집 방법에는 실내 조사와 야외(현지) 조사가 있다. 일반적으로 실내 조사가 야외(현지) 조사보다 먼저 시행된다.

05 (2) 지리적 표시제, 지역 브랜드화, 지역 축제 등은 낙후된 촌락 지역이나 지방 중소 도시의 경제를 활성화시키기 위한 방안이다.
(3) 각종 시설 부족으로 인한 인구 유출은 촌락 지역의 문제이다.

탄탄! 내신 문제 107~108쪽

01 ③ **02** ③ **03** ① **04** ⑤ **05** ① **06** ③ **07** ⑤ **08** ③ **09** ⑤

01 지역과 지역성

자료분석 **지역**은 **지리적 특성이 다른 지역과 구별되는 지표상의 공간 범위를** 의미하며, **지역성**은 자연환경과 인문 환경의 상호 작용으로 형성된 **지역의 고유한 특성**이다. 일반적으로 **지역성**은 고정된 것이 아니라 교통 발달, 도시화, 산업 단지 조성 등으로 인해 **지속적으로 변화**한다.

02 지역 조사 단계

자료분석 지역 조사는 '**지역 조사의 목적과 주제 및 지역 선정 → 실내 조사 → 야외(현지) 조사 → 지역 정보의 종합 및 분석 → 보고서 작성**' 순으로 이루어진다. (가)는 야외(현지) 조사 이전에 진행하는 실내 조사이고, (나)는 마지막 단계인 '보고서 작성'에 해당한다. (다)는 야외(현지) 조사이며, (라)는 지역 조사의 첫 번째 단계에 해당한다. 따라서 순서대로 배열하면 (라) → (가) → (다) → (나)이다.

03 실내 조사 과정의 특징

[선택지 분석]

✓① 주민들을 대상으로 면담을 실시한다.
➡ 야외(현지) 조사 시 실행하는 조사 방법이다.

② 도서관에서 관련 논문을 검색해 본다.
③ 인터넷을 이용하여 통계 자료를 수집한다.
④ 문헌 검색을 통해 지역의 역사를 알아본다.
⑤ 인공위성 영상 자료를 이용하여 지표 변화를 파악한다.

04 지역 변화의 부정적 영향

[선택지 분석]

✗ 인구 증가
➡ 인구가 증가하면 경제 활동이 활발해지면서 경제가 발전하기 때문에 지역 변화의 부정적인 측면으로 볼 수 없다.

ㄴ 생태계 파괴

ㄷ 주민들 간 갈등 발생

ㄹ 사회 기반 시설의 부족

05 지역 조사 계획

자료분석 지역의 성장 및 확대 과정은 행정 구역 변화를 통해 파악할 수 있으며, 이는 인터넷 통계 조사를 통해 확인할 수 있다. 따라서 1모둠의 조사 내용과 조사 항목 및 방법이 적절하다.

06 촌락 지역의 변화

자료분석 제시된 자료는 어느 지역의 인구 구조 변화를 나타낸 것이다. 1970년에 비해 2015년 **유소년층 인구 비중과 20대 연령층 비중이 크게 감소한 반면, 노년층 인구 비중이 증가**한 것으로 보아 인구 유출로 인한 **인구 감소와 고령화 현상이 동시에 진행되고 있는 촌락** 지역임을 알 수 있다. 1970년에 비해 2015년 노년층 인구 비중이 증가하였으며, 이에 따라 평균 연령도 높아졌다. 20~30대의 여성 인구 비중은 크게 감소하였다.

07 도시화로 인한 지역 변화

[선택지 분석]

✗ 경지 면적이 ~~증가~~하였다. ↳ 감소
➡ 도시화로 인해 시가지 면적이 증가하면서 경지 면적은 감소하였다.

✗ 전업농가 비율이 ~~증가~~하였다. ↳ 감소
➡ 도시화가 진행되면서 전업농가 비율은 감소하고, 농업과 2·3차 산업을 함께 하는 겸업농가 비율이 증가하였다.

ㄷ 서울로의 통근자 비율이 높아졌다.

ㄹ 아파트 거주 인구 비율이 높아졌다.

08 도시 재개발의 문제

[선택지 분석]

✗ 생태 환경의 악화 → 제시된 글과 관련 없음

✗ 범죄 증가로 인한 치안 불안 → 제시된 글과 관련 없음

✓ 원거주민들의 낮은 재정착률

✗ 교통량 증가로 인한 교통 체증 → 제시된 글과 관련 없음

✗ 인구 밀도 증가로 인한 기반 시설의 부족 → 제시된 글과 관련 없음

09 촌락 지역의 문제점과 해결 방안

자료분석 제시된 글에서는 **농가 인구의 절대적인 감소**와 **고령화에 따른 노동력 부족**을 말하고 있다. 이에 대한 해결 방안으로는 **영농의 기계화와 농번기 인력 지원**이 적절하다.

도전! 1등급 문제 109쪽

01 ② 02 ⑤ 03 ④ 04 ⑤

01 지역 조사 방법

[선택지 분석]

ㄱ 상인들을 만나 서해안 고속 도로 개통 이후 매출액의 변화가 있었는지 면담
➡ 조사 주제 및 조사 방법이 모두 적절하다. 일반적으로 고속 도로의 개통 이후 교통이 편리한 지역을 중심으로 관광 산업이 발달하면서 상업 매출액이 증가하는 경우가 많다.

✗ 초등학교에 방문해서 과밀 학급으로 인한 문제점을 확인
➡ 과밀 학급은 촌락 지역의 변화 모습이라고 볼 수 없다. 촌락 지역은 유소년층의 감소로 초등학교가 폐교되거나 통폐합되고 있다.

ㄷ 군청을 방문해서 최근 5년간 관광객 수 변화 통계 자료를 확인
➡ 조사 주제 및 조사 방법이 모두 적절하다.

✗ 토지 이용 변화에 대해 설문 조사를 실시
➡ 조사 방법이 적절치 않다. 토지 이용 변화는 예전 지도와 현재의 지도를 비교하거나 통계를 조사한다.

02 태백시의 지역 변화

자료분석 제시된 자료는 태백시의 산업 구조 변화에 따른 주민 생활 변화를 나타낸 것이다. **전통적인 광산촌이었던 태백시**는 **석탄 채굴 산업의 쇠퇴와 함께 경제가 침체**되었었지만, 최근 들어 석탄 박물관, 관광 단지가 조성되면서 **3차 산업 중심으로의 경제 발전을 추진**하고 있다.

[선택지 분석]

⑤ 석탄 생산량은 과거가 현재보다 많았으며, 광업 종사자 비중도 과거가 현재보다 높았다. 관광 수입은 현재가 과거보다 많으며, 유동 인구수도 관광 산업이 발달하고 있는 현재가 과거보다 많다.

03 지역 조사 단계와 방법

[선택지 분석]

① (가)는 실내 조사, (나)는 야외(현지) 조사이다.
➡ 교통 체증 원인 파악을 위해 통계 자료를 검색하는 것은 실내 조사이고, 실제로 교통 정체 구간에 가서 교통량을 측정하고 관련 담당자와 면담하는 것은 야외(현지) 조사이다.

② 자료 ❶은 지역 조사 계획을 수립하는 활동이다.
➡ 조사 주제와 조사 방법을 구체적으로 정하는 단계는 지역 조사 단계 중 가장 먼저 실시되는 지역 조사 계획 수립에 해당한다.

③ 자료 ❷의 활동은 (나) 단계에서 이루어진다.
➡ 교통 행정과 직원과의 면담, 실제 촬영 등의 조사 활동은 야외(현지) 조사 단계에서 실시한다.

✓ 일반적으로 ~~(나)는 (가)보다~~ 먼저 진행한다. ↳ (가)는 (나)보다

⑤ (가)와 (나)는 지역 정보 수집 단계에 해당한다.
➡ 실내 조사인 (가)와 야외(현지) 조사인 (나)를 통해 조사 지역에 대한 정보를 수집할 수 있다.

04 지역 조사 방법

[선택지 분석]

✕ 대기 중 이산화 탄소 농도 변화

➡ 교통 체증의 원인이 아니라 교통 체증으로 인한 영향을 알아보기 위한 조사 주제이다.

✕ 광역 버스 운행 이용객 수 변화 → 교통 체증의 원인과 관련 없음

✕ 동일 구간의 평균 이동 시간 변화

➡ 교통 체증에 따른 영향을 알아보기 위한 조사 주제이다.

✕ 도로 확대로 인한 녹지 면적 감소 → 교통 체증의 원인과 관련 없음

✓ 인구 변화와 자동차 등록 대수 변화

➡ 교통 체증은 급격한 인구 증가와 자동차 등록 대수의 증가로 인해 발생한다.

한번에 끝내는 대단원 문제 112~115쪽

01 ② 02 ⑤ 03 ④ 04 ① 05 ① 06 ③ 07 ①
08 ④ 09 ① 10 ④ 11 ① 12 ③

13 (1) 이촌 향도 현상 (2) [모범 답안] 도시 인구 과밀화에 따른 부작용이 심화되면서 도시를 벗어나 촌락으로 이동하는 인구가 증가하였기 때문이다.

14 (1) [모범 답안] 관광객 증가로 인한 관광 수입의 증대와 각종 기업 유치에 따른 일자리 창출 (2) 빨대 효과

15 (1) 정보화로 인한 통신의 발달 (2) [모범 답안] 사이버 범죄나 전자 금융 사기, 개인 정보 유출에 따른 피해가 증가하고 있다.

16 (1) [모범 답안] 총인구 및 지역별 인구 변화와 전입·전출 인구를 조사한다. (2) [모범 답안] 문헌 조사와 인터넷 조사를 통해 관련 통계 자료를 수집한다.

01 도시화 단계와 도시화율의 변화

자료분석 | 제시된 자료는 도시화 단계와 우리나라의 도시화율 변화를 나타낸 것이다. **도시화 단계는 도시화율이 30% 미만인 초기 단계, 30~70%인 가속화 단계, 70% 이상인 종착 단계로 구분**된다. 우리나라는 도시화의 가속화 단계를 거쳐 현재 도시화율이 90% 이상으로 종착 단계에 해당한다.

[선택지 분석]

✕ 본격적인 산업화는 ~~초기 단계~~에 시작된다.
↳ 가속화 단계

✓ 역도시화 현상은 종착 단계에서 주로 나타난다.

➡ 대도시의 인구가 촌락으로 이동하는 역도시화 현상은 종착 단계에서 주로 나타난다. 역도시화 현상으로 인해 도시화 종착 단계는 이전 단계보다 도시 인구 증가율이 둔화된다.

✕ 1960년 우리나라의 도시화율은 ~~초기 단계~~에 해당한다.
↳ 가속화 단계

➡ 1960년 우리나라의 도시화율은 39.1%로 가속화 단계에 해당한다.

✕ 1970년에 우리나라는 촌락 인구가 도시 인구보다 ~~많았다~~.
↳ 적었다

➡ 1970년 우리나라의 도시화율은 50.1%로 도시 인구가 촌락 인구보다 더 많았다.

✕ 이촌 향도 현상은 ~~종착 단계~~에서 가장 두드러지게 나타난다.
↳ 가속화 단계

➡ 촌락 인구가 도시로 이동하는 이촌 향도 현상은 가속화 단계에 두드러지게 나타난다. 이촌 향도 현상으로 인해 가속화 단계는 다른 시기보다 도시 인구 증가율이 높다.

02 지표 피복 상태의 변화 원인

자료분석 | 제시된 그래프는 불투수 면적률의 변화를 나타낸 것이다. **불투수 면적률은 빗물이 지하로 흡수되지 못하는 면적 비율을 의미**하며, 콘크리트나 아스팔트로 **포장된 면적과 비례**한다. **도시화·산업화가 진행되면서 불투수 면적률은 빠르게 높아지고 있다.**

[선택지 분석]

✕ 자연 습지의 조성 → 불투수 면적률이 낮아짐

✕ 자연 하천의 복원 → 불투수 면적률이 낮아짐

ㄷ 산업화에 따른 녹지 개발

➡ 산업화가 진행되면 포장 면적이 증가하여 불투수 면적률이 높아진다.

ㄹ 콘크리트 포장 면적의 증가

➡ 포장된 도로는 빗물을 흡수하지 못하므로 포장 면적이 증가할 경우 불투수 면적률이 높아진다.

03 도시 내부 구조의 변화 과정

자료분석 | 제시된 자료는 도시 성장으로 인한 도시 내부 구조의 변화 과정을 나타낸 것이다. 도시에 인구와 기능이 집중하면서 규모가 확대되고, 이 과정에서 **도시 내부는 도심, 부도심, 주변 지역으로 기능에 따른 분화가 발생**한다. 한편, 중심 도시와 교통이 편리한 외곽 지역은 신도시가 발달하면서 대도시권이 형성된다.

[선택지 분석]

✕ (가)는 (나)보다 중심지와 배후지 간의 상호 작용이 ~~활발하다~~.
↳ 미약하다

➡ (가)는 (나)보다 인구와 기능이 적은 소도시 단계로 지역 간 상호 작용이 미약하다.

✕ (가)는 (다)보다 도시 인구가 ~~많다~~.
↳ 적다

✕ (나)는 (다)보다 주민들의 평균 통근 거리가 ~~멀다~~.
↳ 가깝다

➡ (다)는 인구의 교외화가 진행되면서 외곽 도시에서 중심 도시로 출퇴근하는 주민들이 많아진다. 따라서 주민들의 평균 통근 거리는 (나)보다 멀다.

✓ (다)는 (나)보다 도시 내부의 기능 분화가 뚜렷하다.

➡ 도시 내부의 기능 분화는 인구와 기능이 많은 (다)가 (나)보다 뚜렷하다.

✕ 교통이 발달함에 따라 ~~(나)→(가)→(다)~~ 순으로 변화한다.
↳ (가)→(나)→(다)

04 열대야 현상의 지역별 분포

[선택지 분석]

✓ 대도시는 촌락 지역보다 연 발생 일수가 많다.

➡ 대도시는 인공 열의 방출량이 많고, 녹지 면적이 적어 촌락 지역보다 열대야 발생 일수가 많다.

~~X~~ 서해안은 동위도상의 동해안보다 연 발생 일수가 ~~많다~~.
↳ 적다

➡ 대체로 서해안은 동위도상의 동해안보다 연 발생 일수가 적다. 이러한 현상은 특히 남부 지방에서 두드러지게 잘 나타난다.

~~X~~ 열대야 현상의 연 발생 일수는 인구 규모에 ~~비례한다~~.
↳ 비례하지 않는다

➡ 서울보다 인구가 적은 대구, 포항은 서울에 비해 열대야 현상의 연 발생 일수가 많다.

~~X~~ 열대야 현상의 연 발생 일수는 고위도로 갈수록 ~~증가한다~~.
↳ 감소한다

➡ 고위도 지역으로 갈수록 평균 기온이 낮기 때문에 열대야 현상의 발생 일수가 감소한다.

~~X~~ 내륙 산간 지방은 동위도상의 해안 지역보다 연 발생 일수가 ~~많다~~.
↳ 적다

➡ 내륙 산간 지방은 해발 고도가 높아 평균 기온이 낮기 때문에 동위도상의 해안 지역보다 연 발생 일수가 적다.

05 수도권 전철 노선 확대의 영향

[선택지 분석]

✔ 서울 인구의 교외화가 가속화될 것이다.

➡ 전철 노선이 확대되면서 서울과의 시간 거리가 단축되어 인구의 교외화가 가속화될 것이다.

~~X~~ 서울의 주택 부족 문제가 ~~심화~~될 것이다.
↳ 완화

➡ 교통이 편리한 서울 외곽 지역에 새로운 신도시들이 건설되면서 인구의 교외화가 진행되고 그로 인해 서울의 주택 부족 문제는 완화될 것이다.

~~X~~ 경기도 신도시들의 슬럼화가 진행될 것이다.

➡ 전철 노선의 연장으로 서울과의 접근성이 향상되면서 경기도 신도시들의 인구가 증가하고 경제가 발전할 것이다.

~~X~~ 서울의 행정 기능이 외곽으로 ~~이전될 것이다~~.
↳ 이전되지 않는다

➡ 전철 노선이 연장되어도 서울의 중심 행정 기능은 외곽으로 이전되지 않는다.

~~X~~ 서울-경기도 간의 통근자 비율이 ~~감소~~할 것이다.
↳ 증가

➡ 전철 노선의 연장으로 서울-경기도 간 통근자 비율은 과거에 비해 증가할 것이다.

06 고속 철도 개통의 영향

자료분석 **고속 철도 개통 이후 철도 교통 분담률이 크게 증가한 반면, 도로 교통과 항공 교통 분담률은 감소하였다.** 따라서 **분담률이 가장 크게 증가한 (가)는 철도 교통**이며, 반대로 **분담률 감소 폭이 가장 큰 (나)는 항공 교통**이다.

[선택지 분석]

~~X~~ 운임료가 ~~저렴하다~~.
↳ 비싸다

~~X~~ 평균 수송 거리가 ~~짧다~~.
↳ 길다

✔ 기상 제약을 많이 받는다.

➡ 항공 교통은 해운 교통과 함께 기상 제약을 많이 받는 교통수단 중 하나이다.

~~X~~ 화물 수송의 비중이 ~~높다~~.
↳ 낮다

~~X~~ 전국적으로 이용객 수가 ~~많다~~.
↳ 적다

07 교통 발달에 따른 문제점

[선택지 분석]

✔ 교통 발달에 따른 문제점

➡ 〈사례 1〉은 새로운 도로 건설로 인한 야생 동물의 서식지나 이동 통로 파괴에 대한 것이며, 〈사례 2〉는 해운 교통으로 인한 해양 생태계 파괴에 대한 것이다. 두 사례 모두 교통 발달에 따른 문제점에 해당한다.

~~X~~ 환경 파괴 원인과 그 대책 → 사례와 관련 없음

~~X~~ 산업화로 인한 생태 환경 파괴 → 사례와 관련 없음

~~X~~ 정보화로 인한 생활 양식 변화 → 사례와 관련 없음

~~X~~ 도시 문제의 종류와 해결 방안 → 사례와 관련 없음

08 정보 격차에 대한 해결책

[선택지 분석]

~~X~~ 정보 윤리 교육을 정기적으로 실시한다.
→ 사이버 범죄의 해결 방안

~~X~~ 인터넷 중독 예방 프로그램을 진행한다.
→ 인터넷 중독의 해결 방안

~~X~~ 개인 정보 보호를 위한 관련 법령을 강화한다.
→ 개인 정보 유출의 해결 방안

✔ 정보 소외 계층에 정보화 관련 기기를 보급한다.

➡ 정보 격차를 줄이기 위해서는 정보 소외 계층에 정보화 관련 기기를 보급하거나 정보 활용 교육 프로그램을 제공해야 한다.

~~X~~ 누리 소통망(SNS)에서 실명 공개 원칙을 적용한다.
→ 사이버 범죄의 해결 방안

09 전자 상거래의 영향

자료분석 **전자 상거래가 활성화**되면서 판매 제품을 보관하는 **창고업과 소비자에게 제품을 배송해 주는 택배 물류업 등 운송 관련 서비스업**이 빠르게 발달하고 있다.

[선택지 분석]

ㄱ) 전자 상거래의 발달이 영향을 미쳤다.

➡ 전자 상거래의 발달로 택배업, 물류 창고업 등 창고 및 운송 관련 서비스업이 빠르게 성장하고 있다.

ㄴ) 매출액 증가율은 종사자 수의 증가율보다 높다.

➡ 매출액은 약 6조 원에서 약 20조 원으로 3배 이상 증가한 반면, 종사자 수는 약 7만 명에서 약 12만 명 정도로 1.7배 정도 증가하였다.

X 직거래 및 해외 직접 구매 비중이 ~~감소~~하였을 것이다.
↳ 증가

➡ 직거래 및 해외 직접 구매 제품의 경우 창고에 보관하거나 택배를 통해 배송되는 경우가 대부분이다. 최근 창고 및 운송 관련 서비스업의 발달은 이러한 직거래와 해외 직접 구매의 증가와 관련된다.

X 2000년에 비해 2014년 종사자당 매출액이 ~~감소~~하였다.
↳ 증가

➡ 2000년 종사자당 매출액은 (6÷7)로 약 0.8 정도이며, 2014년 종사자당 매출액은 (20÷12)로 약 1.6 정도이다. 따라서 종사자당 매출액은 2000년에 비해 2014년 증가하였다.

10 지역 조사 과정

자료분석 | 제시된 자료는 지역 조사 과정을 순서대로 정리한 것이다. 지역 조사는 '**지역 조사 목적 및 지역 선정 → 실내 조사 → 야외(현지) 조사 → 지역 정보의 종합 및 분석 → 보고서 작성**' 순으로 이루어진다.

[선택지 분석]

① ㉠ : 지리 정보의 수집 과정에 해당한다.
➡ 지리 정보의 수집 과정에서는 실내 조사와 야외(현지) 조사를 통해 지역 정보를 수집한다.

② ㉡ : 지리 정보를 종합·정리하여 분석하는 단계이다.
➡ 지리 정보의 분석 단계에서는 수집한 지역 정보를 각종 도표나 그래프 등으로 변환하여 지역 특성을 분석한다.

③ ㉢ : 일반적으로 ㉣보다 먼저 실시한다.
➡ ㉢은 실내 조사 단계로 야외(현지) 조사 단계인 ㉣보다 먼저 실시한다.

④ ㉣ : 인공위성 영상 자료를 통해 확인한다.
➡ 소비자가 물품 구매를 위해 이동한 거리는 설문을 통해 확인할 수 있다.

⑤ ㉤ : 점지도, 유선도 등의 통계 지도로 나타낸다.
➡ 편의점, 백화점의 분포는 점지도를 통해 나타내며, 재화의 도달 범위는 유선도 등의 통계 지도를 통해 표현할 수 있다.

11 지역 경제 활성화 전략

자료분석 | 제시된 자료는 **지리적 표시제**와 **지역 심벌마크**를 나타낸 것이다. 이는 낙후된 촌락이나 지방 중소 도시가 지역을 홍보하고 관광 산업을 발전시키기 위한 **지역 경제 활성화 전략** 중 하나이다.

[선택지 분석]

㉠ 관광객 유치를 통한 지역 경제 활성화에 도움이 된다.
➡ 지리적 표시제와 지역 심벌마크는 지역 특산물을 홍보하고 관광객 유치를 통해 지역 경제를 활성화시키고자 하는 지역 발전 전략 중 하나이다.

㉡ 해당 지역의 특산물이나 자연환경을 특화시켜 표현한다.
➡ 지리적 표시제는 지역 특산물을 특화시켜 진행하며, 지역 심벌마크 또한 지역 특산물이나 자연환경을 특화시켜 표현함으로써 지역을 홍보하고 이미지를 개선할 수 있다.

㉢ 심벌마크를 통한 지역 홍보 노력은 ~~대도시~~일수록 활발하다. (↳ 지방 중소 도시나 촌락)
➡ 지역 홍보 노력은 지역 경제가 낙후된 지방 중소 도시나 촌락 지역이 대도시보다 활발하다.

㉣ 최근 들어 지역 간의 독특성보다 공통성과 보편성을 강조하는 경향이 두드러지고 있다.
➡ 지역 간 경쟁이 활발해지면서 지역의 독특성을 홍보하고 이를 통해 관광객을 유치하려는 경향이 두드러지고 있다.

12 근교 촌락 지역의 변화

자료분석 | 제시된 자료는 최근 빠르게 도시화되고 있는 근교 촌락 지역의 변화를 나타낸 것이다. 전통 촌락 지역이었던 **(가) 지역**은 **최근 도시화로 인해 아파트 단지, 대형 마트 등이 입지하면서 인구가 크게 증가**하고 있다.

[선택지 분석]

① 인구 밀도가 증가했을 것이다.
➡ 도시화로 인해 아파트 단지가 조성되면서 인구 밀도가 증가하였을 것이다.

② 평균 지가가 높아졌을 것이다.
➡ 인구 증가로 토지 집약도가 높아지고 도시화로 인해 평균 지가가 높아졌을 것이다.

③ 노년층 인구 비율이 ~~증가~~했을 것이다. (↳ 감소)
➡ 도시화로 인해 청장년층과 유소년층 인구 비율이 크게 증가하고 노년층 인구 비율이 감소하였다.

④ 주민들의 직업 구성이 다양해졌을 것이다.
➡ 도시화로 1차 산업 종사자 비율이 감소하고 2·3차 산업 종사자 비율이 높아지면서 주민들의 직업 구성은 다양해졌을 것이다.

⑤ 중심 시가지로 출퇴근하는 인구 비율이 증가했을 것이다.
➡ 새로 조성된 아파트 단지에 거주하는 인구 중 상당수는 2·3차 산업에 종사하면서 중심 시가지로 출퇴근할 것이다.

13 도시화 과정

채점 기준

상	도시 인구 과밀화와 역도시화(도시 → 촌락으로의 인구 이동) 현상을 모두 포함하여 서술한 경우
중	도시 인구 과밀화와 역도시화 현상 중 한 가지만 정확하게 서술한 경우
하	도시 인구 과밀화와 역도시화 현상을 정확하게 서술하지 못한 경우

14 교통 발달에 따른 영향

채점 기준

상	교통 발달에 따른 긍정적 변화 두 가지를 정확하게 서술한 경우
중	교통 발달에 따른 긍정적 변화를 한 가지만 서술한 경우
하	교통 발달에 따른 긍정적 변화를 정확하게 서술하지 못한 경우

15 전자 상거래 발달의 영향

채점 기준

상	정보화로 인한 문제 중 전자 상거래에 대한 부분이 잘 드러나도록 정확하게 서술한 경우
중	정보화로 인해 발생하고 있는 일반적인 문제에 대해 서술한 경우
하	정보화로 인한 문제를 정확하게 서술하지 못한 경우

16 지역 조사 과정

채점 기준

상	조사 내용에 적합한 조사 항목과 조사 방법을 정확하게 서술한 경우
중	조사 내용에 적합한 조사 항목과 조사 방법 중 한 가지만 정확하게 서술한 경우
하	조사 내용에 적합한 조사 항목과 조사 방법을 정확하게 서술하지 못한 경우

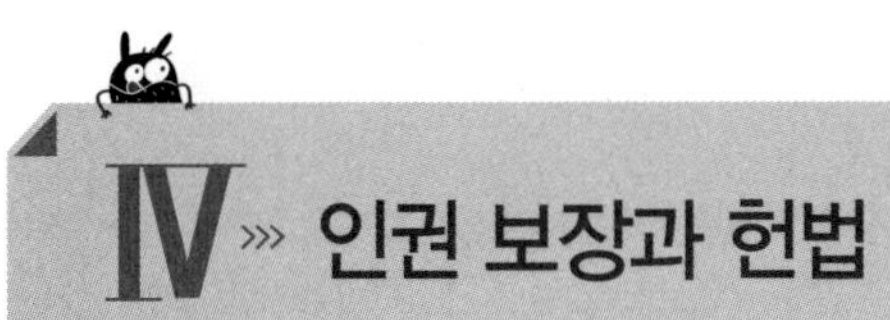

IV »» 인권 보장과 헌법

01 ~ 인권의 의미와 현대 사회의 인권

콕콕! 개념 확인 122쪽

01 (1) 보편성 (2) 인권
02 (1) 시민 혁명, 평등권 (2) 차티스트 (3) 바이마르, 사회권
03 (1) 연대권 (2) 세계 인권 선언
04 (1) 주거권 (2) 연대권 05 (1) 안전권 (2) 문화권

탄탄! 내신 문제 123~124쪽

01 ④ 02 ② 03 ④ 04 ⑤ 05 ④ 06 ① 07 ③
08 ② 09 ③ 10 ③

01 인권의 의미와 특징

[선택지 분석]

① 자연적으로 주어진 권리이다.
② 태어나면서부터 보장되는 권리이다.
③ 인간의 존엄성을 실현하는 방안이다.
④ ~~사회적 계층에 따라 차등화된~~ 권리이다.
↳ 누구에게나 동등하게 보장되는
⑤ 인간이라면 누구나 누릴 수 있는 권리이다.

02 인권의 특징

자료분석 ㉠의 '**인류 구성원 모두**'라는 부분은 인종, 성별, 종교 등과 관계없이 보장되는 **인권의 보편성**과 관련이 있으며, ㉡의 '**남에게 양도할 수 없는**'이라는 부분은 누구도 침범할 수 없는 권리라는 **인권의 불가침성**과 관련이 있다.

03 프랑스 혁명의 의의

[선택지 분석]

① 자유권, 평등권 확립의 계기가 되었다.
② 봉건적 신분제가 붕괴하는 계기가 되었다.
③ 계몽사상, 사회 계약설 등의 영향을 받았다.
④ 참정권이 보편적 인권으로 자리잡는 계기가 되었다.
➡ 시민 혁명 이후에도 직업, 재산, 성별 등에 따라 선거권이 제한되었다.
⑤ 상공업의 발달 과정에서 성장한 시민 계층이 주도하였다.

04 인권 선언의 비교

자료분석 (가)는 프랑스 혁명 직후 발표된 **인간과 시민의 권리 선언**(1789)이고, (나)는 **세계 인권 선언**(1948)이다. 제시된 (가)와 (나)는 모두 **자유권과 평등권을 천부 인권으로 강조**하고 있다.

[선택지 분석]

~~①~~ 사회적 소수자의 권리를 중시하고 있다. → 제시문에서 파악 불가
~~②~~ 국가의 인권 보장 책무를 강조하고 있다. → 제시문에서 파악 불가
~~③~~ 복지 국가의 이론적 기반을 명시하고 있다. → 사회권
~~④~~ 인간다운 삶이 국민의 권리임을 밝히고 있다. → 사회권
⑤ 자유와 평등이 천부적 권리임을 명시하고 있다.

05 프랑스 혁명의 특징

자료분석 프랑스 혁명은 봉건 체제의 억압에서 벗어나 시민의 자유와 평등을 보장할 것을 주장하였다. 인간과 시민의 권리 선언 중 **제1조에서는 평등권이, 제2조에서는 자유권이 부각**되고 있다.

[선택지 분석]

~~㉠~~ 최소한의 인간다운 생활의 보장을 주장하였다. → 사회권
㉡ 부당하게 차별을 받지 않을 권리를 중시하였다. → 평등권
~~㉢~~ 정치에 참여할 권리의 차별 없는 보장을 주장하였다. → 참정권
㉣ 국가 권력의 간섭에서 벗어나 자유롭게 생활할 권리를 중시하였다. → 자유권

06 바이마르 헌법과 사회권

자료분석 독일 바이마르 헌법은 국가가 사회적 약자를 보호하고, 모든 국민의 인간다운 생활을 보장해야 한다는 **사회권을 최초로 명시한 헌법**이다.

[선택지 분석]

① 사회권으로 분류되는 권리이다.
~~②~~ 시민 혁명을 계기로 강조된 권리이다. → 자유권, 평등권
~~③~~ 부당한 이유로 차별받지 않을 권리이다. → 평등권
~~④~~ 차티스트 운동이 보장받고자 한 권리이다. → 참정권
~~⑤~~ 정치 권력으로부터 간섭받지 않을 권리이다. → 자유권

07 차티스트 운동의 특징

[선택지 분석]

~~①~~ 계몽사상의 영향을 받았다.
➡ 시민 혁명과 관련된 내용이다.
~~②~~ 여성의 참정권 보장을 주장하였다.
➡ 노동자의 참정권 보장만 주장하였으며, 여성의 참정권 보장은 후에 여성 참정권 운동에서 주장되었다.
③ 노동자의 참정권 보장을 주장하였다.
~~④~~ 지구촌 모두의 인권 보장을 위한 협력을 강조하였다.
➡ 연대권은 세계 인권 선언(1948)이 채택된 이후 나타난 인권이다.
~~⑤~~ 부당한 식민지 지배에 대항한 권리 수호 운동이었다.
➡ 미국의 독립 혁명에 관한 설명이다.

08 주거권의 등장 배경

자료분석 오늘날 인구의 도시 집중에 의한 도시 환경의 변화에 따라 다양한 인권이 대두되고 있다. 그 중 제시문과 같이 주택 부족 및 주택 임대 가격 상승으로 인하여 **안정적인 주거 환경에서 인간다운 주거 생활을 할 권리인 주거권**에 대한 요구가 커지고 있다.

09 문화권의 의미와 특징

자료분석 갑국 정부가 문화를 향유할 기회를 제공함으로써 보장하고자 하는 권리는 **문화권**이다. 문화권은 사회적 약자들의 문화에 대한 **사회적 배제와 소외를 해결**하고, 소수 집단의 문화에 대한 **차별과 무시를 타파**하기 위해 현대 사회에서 **새롭게 생겨난 권리**이다.

[선택지 분석]

ㄱ. 국제적인 연대를 추구하는 권리이다. → 연대권

ㄴ. 문화 활동에 참여하고 향유할 권리이다.

ㄷ. 현대 사회에서 새롭게 요구되는 권리이다.

ㄹ. 건강하고 쾌적한 환경 속에서 인간답게 생활할 수 있는 권리이다. → 환경권

10 인권의 구분

자료분석 인권은 인권 보장의 시간적 개념을 고려하여 세대로 구분하기도 하는데, (가)는 자유권을 강조한 **1세대 인권**, (나)는 연대권을 강조한 **3세대 인권**, (다)는 사회권을 강조한 **2세대 인권**이다.

[선택지 분석]

① ~~(가)~~는 바이마르 헌법을 계기로 확립되었다. ↳ (다)

② (나)는 ~~차티스트 운동을 계기로~~ 보장된 권리이다. ↳ 세계 인권 선언을 통해

③ (나)는 인류 전체의 인권 보장을 위한 전 세계적인 연대와 단결을 강조한다.

④ ~~(다)~~는 '인간과 시민의 권리 선언'을 통해 명시된 권리이다. ↳ (가)

⑤ ~~(가) → (나) → (다)~~의 순서로 발전하였다. ↳ (가) → (다) → (나)

도전! 1등급 문제 125쪽

01 ⑤ 02 ③ 03 ④ 04 ④

01 인권의 특징

자료분석 봉건제에 맞선 시민 혁명을 통해 **자유권과 평등권을 보장**받게 되었으며, 노동자와 여성들의 참정권 보장 운동을 통해 **오늘날의 참정권이 확립**되었다는 내용을 통해, 인권이 **많은 사람들의 노력으로 그 내용과 범위를 확장시켜 온 역사적 산물**임을 알 수 있다.

[선택지 분석]

① 인류 구성원 모두가 가지고 있는 권리이다.
➡ 인권의 특징 중 보편성으로, 제시문에서 추론할 수 없다.

② 남에게 양도할 수 없는 불가침의 권리이다.
➡ 인권의 특징 중 불가침성으로, 제시문에서 추론할 수 없다.

③ 태어나면서부터 자연적으로 주어진 권리이다.
➡ 인권의 특징 중 천부성으로, 제시문에서 추론할 수 없다.

④ 국가가 적극적으로 개입하여 보장하는 권리이다.
➡ 사회권과 관련된 내용으로, 제시문에서 추론할 수 없다.

⑤ 많은 사람들이 노력하여 그 내용과 범위를 확장시켜 온 역사적 산물이다.

02 세계 인권 선언의 주요 내용

자료분석 세계 인권 선언의 내용 중 **㉠에는 자유권과 평등권**이 나타나 있으며, **㉡, ㉢에는 사회권**이 나타나 있다. 사회 보장을 요구할 권리나 적절한 휴식과 여가를 가질 권리는 최소한의 인간다운 생활을 보장하기 위한 권리라는 점에서 사회권에 해당한다.

[선택지 분석]

ㄱ. ㉠은 현대 사회에서 새롭게 나타난 권리이다.
➡ 자유권와 평등권은 역사가 오래된 인권이다.

ㄴ. ㉠은 인권의 특징 중 보편성과 천부성을 명시하고 있다.
➡ '모든 사람'이라는 부분에서 보편성이, '태어날 때부터'라는 부분에서 천부성이 나타나 있다.

ㄷ. ㉡은 바이마르 헌법에서 처음으로 명시된 권리이다.
➡ 최소한의 인간다운 생활을 보장하기 위한 사회권은 바이마르 헌법에서 처음으로 명시하였다.

ㄹ. ㉢은 시대에 따라 인권을 분류할 경우 1세대 인권에 해당한다.
➡ 사회권은 2세대 인권에 해당한다.

03 도시화에 따른 사회 변화

자료분석 도시화율의 상승은 **도시 지역에 거주하는 인구의 비율이 높아짐**을 의미한다. 전체 인구가 증가하고 있다고 전제되어 있기에 도시 거주 인구의 규모는 커지고 있다.

[선택지 분석]

① 도시 환경의 변화가 나타날 것이다.
➡ 도시 거주 인구가 증가할 경우 환경의 변화가 나타날 것이다.

② 도시에 거주하는 인구가 증가할 것이다.
➡ 도시화율의 상승은 도시 거주 인구의 증가를 의미한다.

③ 주택 부족과 같은 주거 문제가 나타날 것이다.
➡ 도시 거주 인구가 증가함에 따라 주택 부족, 임대료 상승 등 주거 문제가 나타날 가능성이 커진다.

④ 자유권, 참정권 보장의 필요성이 대두할 것이다.
➡ 자유권과 참정권은 1세대 인권으로, 인구의 도시 집중에 의한 문제를 해결하기 위한 인권으로는 적합하지 않다.

⑤ 기존의 인권 개념으로 해결되지 않는 문제가 발생할 것이다.
➡ 주거권, 환경권과 같은 새로운 인권의 필요성이 대두할 것이다.

04 헌법에 명시된 현대 사회의 인권

자료분석 헌법 제35조 ①은 환경권, 제35조 ②는 주거권에 대한 내용으로, ㉠은 **환경권이 국민의 권리**임을 명시하고 있으며, ㉡은 국가와 국민의 **환경 보전 의무**를 명시하고 있다. 그리고 ㉢은 **주거권의 보장이 국가의 의무**임을 명시하고 있다.

[선택지 분석]

ㄱ. ㉠은 깨끗한 환경을 국가에 요구하는 근거가 된다.
➡ ㉠은 쾌적한 환경에서 생활하는 것이 권리라고 명시하고 있다. 따라서 국민은 국가에 환경권을 요구할 수 있다.

ㄴ. ㉠은 자본주의가 발달하는 과정에서 강조된 권리이다.
➡ 환경권은 현대 사회에서 나타난 인권이다. 오히려 자본주의의 발달 과정에서는 산업화로 인해 환경 오염이 심화되었다.

ⓒ ㉢은 환경 보호를 국민의 의무로 규정하고 있다.
➡ 환경 보호가 국가뿐만 아니라 국민의 의무라고 명시하고 있다.

ⓔ ㉣은 안정적인 주거 환경의 조성을 국가의 의무로 규정하고 있다
➡ ㉣은 국가가 주거권의 확립을 위해 노력해야 한다고 명시하고 있다. 즉 주거권이 국가의 의무임을 규정하고 있다.

02 인권 보장을 위한 헌법의 역할과 시민 참여

콕콕! 개념 확인 131쪽

01 (1) 참정권 (2) 사회권 (3) 권력 분립 제도
02 (1) 입헌주의 (2) 헌법 재판소 (3) 공공복리
03 (1) 헌법 (2) 법률
04 (1) 시민 참여 (2) 비폭력적인
05 (1) 시민 불복종 (2) 시민 참여 (3) 선거, 투표

탄탄! 내신 문제 132~133쪽

01 ③ **02** ① **03** ⑤ **04** ① **05** ③ **06** ⑤ **07** ④
08 ④ **09** ③ **10** ⑤ **11** ⑤

01 권력 분립 제도의 의미와 목적

자료분석 제시된 자료에 나타난 제도는 **권력 분립 제도**이다. 권력 분립 제도는 국가 권력을 각 국가 기관에 나누어 국가 기관 간 상호 **견제와 균형을 유지**함으로써, 국가 기관의 **권력 남용을 예방**하여 **국민의 인권을 보장**하는 제도이다. 우리나라의 경우 입법권은 국회에, 행정권은 정부에, 사법권은 법원에 속하도록 **헌법에 명시**하고 있다.

[선택지 분석]

① 헌법에 보장된 제도적 장치이다.
② 국민의 인권을 보장하기 위한 방안이다.
✔ 국가 권력 간 상호 ~~협력을~~ 이루도록 한다. ↳ 견제와 균형을
④ 국가 기관에 의한 권력 남용을 방지하고자 한다.
⑤ 국가 권력을 각 국가 기관에 나누어 맡기는 것이다.

02 기본권의 이해

[선택지 분석]

✔ 참정권에는 청원권, 공무 담임권 등이 있다.
➡ 참정권에는 선거권, 공무 담임권, 국민 투표권이 있다. 청원권은 청구권에 해당한다.
② 평등권은 불합리한 차별을 받지 않을 권리이다.
③ 청구권은 다른 기본권을 보장하기 위한 권리이다.
④ 자유권은 국가의 간섭을 받지 않고 자유롭게 생활할 권리이다.
⑤ 사회권은 국가에 대하여 인간다운 생활의 보장을 요구할 수 있는 권리이다.

03 헌법 소원 심판의 특징

자료분석 **법률이나 국가 권력**에 의해 기본권을 침해당한 국민은 헌법 재판소에 **헌법 소원 심판을 청구**할 수 있다. **헌법 재판소**는 최고법인 헌법에 비추어 공권력이나 법률이 국민의 기본권을 침해했다고 판단될 때 **위헌 결정**을 내린다.

[선택지 분석]

① 국민의 기본권을 보장하기 위한 방안이다.
② 공권력의 기본권 침해 여부에 대해 심판한다.
③ 헌법을 위반한 법률에 대해 위헌 결정을 내린다.
④ 국가 권력 및 법률로부터 인권을 보호하는 수단이다.
✔ 재판을 통해 개인 간의 권리 침해에 대한 구제 방안을 제시한다.
➡ 헌법 소원 심판은 개인 간의 권리 침해가 아니라 공권력 및 법률에 의한 기본권 침해에 대해 심판한다.

04 인권과 헌법의 관계

자료분석 헌법 제10조는 **인간의 존엄과 가치 및 행복 추구권**을 불가침의 기본적 인권으로 규정하고, 이러한 인권의 보장이 **국가의 의무**임을 명시하고 있다.

[선택지 분석]

ⓖ 국민은 국가에 인권의 보장을 요구할 수 있다.
➡ 국민의 권리이기에 국가에 요구할 수 있다.
ⓛ 국가는 국민의 인권 보장을 위해 노력해야 한다.
✕ 인권은 필요한 경우 제한되거나 타인에게 양도 가능하다.
➡ 인권은 불가침의 권리이므로 타인에게 양도할 수 없다.
✕ 인권은 국민의 성별, 나이, 신분 등에 따라 차등적으로 보장된다.
➡ 인권은 모든 국민에게 평등하게 부여된 권리이다.

05 참정권의 이해

자료분석 선거권은 선거에 참여할 권리로 **참정권**에 속한다. 참정권은 국민이 **국가의 의사 결정 과정에 참여**할 수 있는 권리로, **선거권, 공무 담임권, 국민 투표권**이 있다.

[선택지 분석]

✕ 국민이 국가에 대해 손해 배상을 청구할 수 있는 권리이다. → 청구권
ⓛ 국민이 국가의 의사 결정 과정에 참여할 수 있는 권리이다.
ⓒ 국민이 나라의 공적인 일을 맡을 수 있는 권리도 여기에 해당한다. → 공무 담임권(참정권)
✕ 다른 기본권이 침해되었을 때, 이를 구제하도록 국가에 요구할 수 있는 권리이다. → 청구권

06 기본권의 제한과 한계

자료분석 헌법 제37조 ②는 "국민의 모든 자유와 권리는 **국가 안전 보장, 질서 유지** 또는 **공공복리**를 위하여 필요한 경우에 한하여 **법률로써 제한**할 수 있으며, 제한하는 경우에도 자유와 권리의 **본질적인 내용**을 침해할 수 없다."고 기본권의 제한과 한계를 명시하고 있다.

[선택지 분석]

① 공공복리를 위해 제한할 수 있다.

② 사회의 질서 유지를 위한 경우 제한 가능하다.

③ 국가의 안전 보장을 위한 경우 제한 가능하다.

④ 국회에서 제정한 법률에 의해서만 제한 가능하다.

⑤ 불가피한 경우 기본권의 본질적인 내용도 제한할 수 있다.
➡ 자유와 권리의 본질적인 내용까지는 제한할 수 없다.

07 청구권의 이해

자료분석 제시문은 **청구권 중 청원권**에 대한 헌법 조항이다. 청구권은 기본권 침해에 대한 **구제를 요구할 수 있는 권리**로, 국가 배상 청구권, 형사 보상 청구권 등이 있다.

[선택지 분석]

① 선거권, 공무 담임권 등이 해당한다. → 참정권

② 신체의 자유, 종교의 자유 등이 해당한다. → 자유권

③ 불합리한 차별을 거부할 수 있는 권리이다. → 평등권

④ 국가에 기본권의 구제를 요구할 수 있는 권리이다.

⑤ 국가에 인간다운 생활의 보장을 요구할 수 있는 권리이다. → 사회권

08 국민 투표제의 이해

[선택지 분석]

ㄱ. 시민 불복종의 대표적 유형이다.
➡ 시민 불복종은 법을 위반하는 참여 방법이다.

ㄴ. 국가 권력에 대한 견제 수단이다.
➡ 정부 정책에 대한 평가를 통해 견제가 가능하다.

ㄷ. 간접적으로 주권을 행사하는 참여 방법이다.
➡ 전체 국민이 정책 결정에 참여한다는 점에서 직접적으로 주권을 행사하는 참여 방법이다.

ㄹ. 시민의 의견을 정치 과정에 반영하는 장치이다.

09 준법 의식의 필요성

[선택지 분석]

① 보다 정의로운 사회를 구현하기 위해서이다.

② 사회 질서를 안정적으로 유지하기 위해서이다.

③ 법을 지키는 사람이 손해를 보게 되기 때문이다.
➡ 법을 지키는 사람이 손해를 보게 되는 사회는 정의롭지 못한 사회이다. 법과 규칙을 준수하라고 가르치는 이유는 정의로운 사회를 구현하기 위해서이다.

④ 구성원 간의 갈등과 충돌을 예방할 수 있기 때문이다.

⑤ 개인의 자유와 권리를 안정적으로 보호할 수 있기 때문이다.

10 시민 참여의 기능

자료분석 갑은 **서명 운동에 참여**하여 공공 문제에 관한 자신의 의견을 밝히고 **여론을 형성**하고 있으며, 을은 **1인 시위**를 통해 공공 문제에 대한 **자신의 주장을 적극적으로 알리고 있다.** 따라서 두 사례는 모두 시민이 공동체의 문제에 관심을 가지고 **정치 과정에 참여하는 시민 참여**에 해당한다.

[선택지 분석]

① 시민이 자신의 권리를 지키는 방법이다.

② 시민이 정책 결정 과정에 참여하는 방법이다.

③ 시민이 사회의 공공 문제에 개입하는 방법이다.

④ 시민이 국가 권력을 견제하고 감시하는 방법이다.

⑤ 사회 구성원의 기본권 침해를 ~~초래~~(→ 예방)할 수 있는 방법이다.

11 시민 불복종의 성립 조건

자료분석 제시문의 ㉠에 들어갈 개념은 **시민 불복종**이다. 합법적인 방법으로 인권을 보호할 수 없는 경우, **의도적인 위법 행위**인 시민 불복종이 요구되기도 한다.

[선택지 분석]

① 최후의 수단인 경우에만 인정받을 수 있다.

② 공개적이며 비폭력적인 경우 정당화될 수 있다.

③ 잘못된 법이나 정책을 바로잡기 위한 행위이다.

④ 행위의 목적이 공공의 이익을 위한 것이어야 한다.

⑤ 현행 법 체제 아래에서의 처벌은 거부하는 행위이다.
➡ 위법 행위에 대한 처벌을 감수해야 시민 불복종으로 인정받을 수 있다.

도전! 1등급 문제

134~135쪽

01 ①　02 ⑤　03 ③　04 ④　05 ④　06 ④　07 ⑤　08 ⑤

01 헌법 재판소를 통한 기본권 침해 구제

자료분석 헌법 재판소는 **헌법 소원 심판**을 통해 공권력 및 법률이 국민의 기본권을 침해하고 있는지 여부를 판단하며, 이를 통해 **기본권을 보장**하고자 한다.

[선택지 분석]

ㄱ. ㉠은 인권 보장을 위한 헌법적 장치이다.
➡ 헌법 재판소는 인권 보장을 위해 헌법에 따라 설치된 국가 기관이다.

ㄴ. ㉡은 국가 기관에 의한 기본권 침해를 심판한다.
➡ 헌법 소원 심판은 공권력 및 법률에 의한 기본권 침해에 대해 심판한다.

ㄷ. ㉢으로 인해 구치소의 조치가 정당함이 인정되었다.
➡ 위헌 결정으로 인해 구치소의 조치가 헌법에 위배됨, 즉 부당함이 인정되었다.

ㄹ. ㉣은 헌법상 보장된 기본권 중 참정권이다.
➡ 종교의 자유가 구제받게 되었다는 점에서 ㉣은 자유권이다.

02 기본권의 이해

자료분석
㉠에 제시된 **신체의 자유**는 기본권 중 **자유권**에 해당하며, ㉡에 제시된 **선거권**은 기본권 중 **참정권**에 해당한다. 그리고 ㉢에 제시된 모든 국민의 **인간다운 생활을 할 권리**는 **사회권**을 나타낸다.

[선택지 분석]

✕ ㉠은 차티스트 운동이 추구한 기본권이다.
➡ 차티스트 운동이 추구한 기본권은 ㉡인 참정권이다.

✕ ㉡은 시민 혁명을 계기로 확립된 기본권이다.
➡ 시민 혁명을 계기로 확립된 기본권은 자유권과 평등권이다.

ㄷ ㉢에 나타난 기본권이 처음 명시된 헌법은 바이마르 헌법이다.

ㄹ ㉠과 달리 ㉢에 나타난 기본권은 국가의 적극적인 노력을 요구하는 권리이다.
➡ 자유권은 국가의 간섭을 받지 않고자 하는 권리인 반면, 사회권은 국가에게 일정한 요구를 한다는 점에서 차이가 있다.

03 헌법에 명시된 기본권 보장 방안

자료분석
제시된 헌법 조항에서 알 수 있는 헌법 재판소의 설치 및 헌법에 열거되지 않은 권리의 보장은 모두 **국가 권력의 남용을 방지하여 국민의 기본권을 보장**하기 위한 것이다.

[선택지 분석]

✕ 침해된 기본권을 보장하기 위한 제도이다. → 헌법 재판소만 해당

ㄴ 국민의 기본권 보장을 목적으로 하고 있다.

ㄷ 국가 권력의 남용을 방지하기 위한 방안이다.

✕ 정치 과정에의 참여를 보장하기 위한 방안이다. → 관련 없음

04 기본권 제한의 이해

자료분석
제시된 사례에서는 다른 국민의 전염병 피해를 예방한다는 **공공복리를 위해 이동의 자유라는 기본권이 제한**되고 있으며, 기본권 제한이 자유와 권리의 본질적인 내용을 침해하지 않는다고 판단했기에 **헌법 재판소에서 합헌 결정**이 내려졌다.

[선택지 분석]

✕ 기본권 제한의 사유가 헌법에 위반된다.
➡ 공공복리는 헌법에 부합하는 사유이다.

ㄴ 기본권 제한의 방법이 헌법에 부합한다.
➡ 법률을 통한 기본권 제한은 헌법에 부합하는 방법이다.

✕ 국가 안전 보장을 위해 기본권이 제한되고 있다.
➡ 다른 국민의 피해 예방은 공공복리에 해당한다.

ㄹ 이동의 자유를 제한하는 것은 자유권의 본질적인 내용을 침해하지 않는다.

05 시민 참여와 기본권 제한

자료분석
갑은 시위라는 방법을 통해 **정치 과정에 참여**하고자 하였으나 '법원의 경계 지점의 100미터 이내에서는 시위를 할 수 없다.'는 **현행법에 의해 시위의 자유가 제한**되고 있다.

[선택지 분석]

① 갑은 시민 참여를 실천하고 있다.
➡ 시위를 통해 의견을 개진하는 것은 시민 참여의 한 방법이다.

② 갑의 기본권 중 자유권이 제한되고 있다.
➡ 집회 및 시위의 자유는 자유권에 해당한다.

③ 기본권 제한은 요건에 부합되게 이루어졌다.
➡ 법률에 따라 기본권이 제한되고 있으므로 기본권 제한의 요건에 부합한다.

✔ 제한되고 있는 기본권은 현대 복지 국가에서 중시하는 권리이다.
➡ 갑은 자유권이 제한되고 있으며, 현대 복지 국가에서 중시하는 권리는 사회권이다.

⑤ 갑은 기본권 제한이 부당하다고 판단될 경우 헌법 소원 심판을 청구할 수 있다
➡ 헌법 재판소의 헌법 소원 심판을 통해 해당 법률의 위헌 여부를 판단할 수 있다.

06 시민 불복종의 성립 조건

[선택지 분석]

✕ 사익이 아닌 공익을 위한 행위이기에 시민 불복종에 해당한다.
➡ 공익을 위한 행위는 시민 불복종의 성립 조건 중 하나이며, 모든 조건이 충족되어야 시민 불복종으로 인정된다.

ㄴ 물리적 저항이라는 점에서 시민 불복종의 조건에 부합되지 않는다.
➡ 비폭력성은 시민 불복종의 중요한 성립 조건이다.

✕ 자유권에 대한 제한은 어떠한 경우에도 부당하기에 저항은 정당한 행위이다.
➡ 자유권 또한 필요한 경우에 한하여 법률로써 제한 가능하다.

ㄹ 시민 불복종이 되기 위해서는 헌법 소원 심판 청구 같은 방안을 먼저 시도했어야 한다.
➡ 시민 불복종은 다른 모든 합법적인 수단을 동원해도 해결되지 않을 때 마지막으로 행사하는 최후의 수단이어야 한다.

07 권력 분립 제도의 내용

자료분석
제시된 헌법 조항은 모두 **권력 분립을 위한 국가 기관 간의 견제 수단**에 해당한다. 우리나라는 입법권, 사법권, 행정권을 각각 국회, 법원, 정부에 나누어 맡기는 **권력 분립 제도**를 시행하고 있으며, 이를 통해 국가 권력의 남용을 막고 **국민의 자유와 권리를 보호**하고 있다.

[선택지 분석]

✕갑: 헌법 제61조는 입법부에 대한 행정부의 견제를 명시하고 있어.
➡ 국회에 의한 국정 감사는 행정부에 대한 입법부의 견제 수단이다.

✕을: 헌법 제79조 ①은 행정부에 의해 입법부가 제정한 법률이 제한될 수 있음을 보여 주고 있어.
➡ 대통령의 사면·감형·복권 권한은 사법부의 판결이 행정부에 의해 제한될 수 있음을 보여 준다.

병: 헌법 제107조 ①에 의해 입법부가 제정한 법률이라도 사법부에 의해 제한될 수 있어.

정: 위 헌법 조항들은 입법, 행정, 사법과 관련된 권력이 상호 견제되고 있음을 보여 주고 있어.

08 국민 주권의 원리를 구현하는 제도적 장치

자료분석 **(가)는 복수 정당제, (나)는 국민 투표제**와 관련된 헌법 조항이다. 복수 정당제를 통해 다양한 국민의 의견이 정치 과정에 반영될 수 있으며, 국민 투표제를 통해 국민의 의사가 정책 결정에 반영된다. 즉 복수 정당제와 국민 투표제 모두 국민의 의사를 정치 과정에 반영하는 **국민 주권의 원리를 구현하기 위한 제도적 장치**이다.

[선택지 분석]

✗ (가)는 권력 분립을 명시하고 있다.
➡ 복수 정당제를 명시하고 있다.

✗ (가)는 시민 불복종을 정당화하고 있다.
➡ 관련 없는 내용이다.

✗ (나)는 대의 민주주의를 강조하고 있다.
➡ 국민 투표는 전체 국민이 정책 결정에 참여한다는 점에서 직접 민주주의를 강조하고 있다.

✗ (나)에는 기본권 중 사회권이 나타나 있다.
➡ 국민 투표권은 참정권에 해당한다.

✓ (가), (나) 모두 국민 주권의 원리를 구현하기 위한 제도적 장치이다.

03 인권 문제의 양상과 해결 방안

콕콕! 개념 확인 140쪽

01 (1) 사회적 소수자 (2) 근로 계약서 (3) 인권 감수성
02 (1) 이주 노동자 (2) 15세, 7시간
03 (1) 50% (2) 유급 휴일 (3) 고용 노동부
04 (1) 인종 차별 (2) 인권 지수
05 (1) 국제 사면 위원회 (2) 책임 의식 또는 세계 시민 의식

탄탄! 내신 문제 141~142쪽

01 ③ **02** ⑤ **03** ② **04** ① **05** ② **06** ② **07** ⑤
08 ④ **09** ② **10** ①

01 사회적 소수자의 특징

자료분석 제시된 남아프리카공화국의 사례에서 사회적 소수자는 단순히 수의 많고 적음이 아니라 **사회적 상층부를 얼마나 많이 차지하는지 여부**에 의해 결정됨을 알 수 있다.

[선택지 분석]

✗ 수적으로 소수이다. → 수가 기준이 아니다.

✗ 법적 보호를 받지 못한다. → 제시문에서 확인할 수 없다.

✓ 주류 집단에 비해 권력이 열세이다.

✗ 소수자를 규정하는 기준은 ~~절대적~~이다. ↳ 상대적

✗ 스스로 사회적 소수자임을 인식하지 못한다.
↳ 스스로 차별받는 집단에 속해 있다는 의식을 가지고 있다.

02 근로 기준법의 이해

[선택지 분석]

✗ 갑 : 나도 유급 휴가를 받을 수 있어.

✗ 을 : 학생이라도 최저 임금을 받을 수 있어.

✗ 병 : 고용주의 연장 근무 요청은 거부할 수 있어.

✗ 정 : 초과 근무를 하면 추가 수당을 요구할 수 있어.
➡ 갑, 을, 병, 정의 진술은 모두 옳은 내용이지만 제시된 법 조항과는 관련이 없다.

✓ 무 : 휴식 시간은 법적으로 보장되는 노동자의 권리야.

03 국내 인권 문제의 해결 방안

[선택지 분석]

㉠ (가) : 인권 감수성 함양

✗ ~~(가)~~ : 인권 보호 캠페인 실시 → 사회·제도적 차원의 방안
↳ (나)

㉢ (나) : 인권 보장을 위한 법률 마련

✗ ~~(나)~~ : 사회적 소수자에 대한 편견 해소 → 의식적 차원의 방안
↳ (가)

04 노동권 침해의 대응 방안

자료분석 제시된 사례에서 ○○마트가 갑에게 근로 계약서와 다르게 임금을 지불한 경우 이는 **임금 체불**에 해당하며, ○○마트는 **갑의 노동권을 침해**한 것이다.

[선택지 분석]

㉠ 고용 노동부에 임금 체불 사실을 신고한다.
➡ 최저 임금 미준수나 임금 체불은 고용 노동부에 신고하여 권리를 구제받을 수 있다.

㉡ 대한 법률 구조 공단에서 ○○마트의 행위에 대해 법률 상담을 받는다.

✗ 더 이상의 임금 체불을 피하기 위해 다른 마트에서 새로운 일자리를 찾는다.
➡ 문제의 회피가 아니라 문제의 해결을 위해 노력해야 한다.

✗ ○○마트 직원들과의 인간적인 정을 고려하여 더 이상 문제 제기를 하지 않는다.
➡ 자신의 권리를 지키기 위해서는 적극적으로 문제를 제기하고 해결 방안을 모색해야 한다.

05 사회적 소수자 문제에 대한 사회·제도적 차원의 해결 방안

[선택지 분석]

㉠ 사회·제도적 차원의 해결 방안이다.

✗ 청소년 노동권을 보호하기 위한 방안이다.
➡ 장애인 차별을 해결하기 위한 방안이다.

✗ 국제 사회의 인권 문제를 해결하기 위한 방안이다.
➡ 법률 제정을 통해 우리나라의 사회적 소수자에 대한 인권 문제를 해결하고자 한다.

㉣ 사회적 소수자의 인권 문제를 해결하기 위한 방안이다.

06 청소년 노동권의 이해

[선택지 분석]

① 근로 기준법의 보호 대상이다.
② 최저 임금의 ~~적용 예외 대상이다~~. → 적용 대상이다.
③ 산업 재해 보상 보험의 보호 대상이다.
④ 하루 7시간을 초과하여 근무할 수 없다.
⑤ 휴일 근무나 연장 근무를 할 경우 50%의 가산 임금을 받을 수 있다.

07 청소년 노동권의 보장

[선택지 분석]

① 근무 전 근로 계약서를 작성한다.
② 임금 체불시 고용 노동부에 신고한다.
③ 근로 기준법에 명시된 주요 내용을 숙지한다.
④ 노동권을 침해당한 경우 정부 기관에 법률 상담을 신청한다.
⑤ 부당한 요구에 대해서는 고용주의 입장에서 생각하고 판단한다.
➡ 부당한 요구에 대해서는 근로자의 입장에서 생각하여 적극적으로 대처할 수 있어야 한다.

08 세계 인권 문제의 해결 방안

자료분석 국제 사회의 인권 문제는 문제가 발생하는 당사국의 해결 의지가 약한 경우가 많아 개별 국가의 차원에서 문제를 해결하기 어렵기 때문에 **국제적인 공조가 필요**하다.

[선택지 분석]

① 국제 행위 주체들의 노력이 필요하다.
② 인류를 하나의 공동체로 인식해야 한다.
③ 비정부 기구들의 인권 보호 활동을 지원해야 한다.
④ 개별 국가의 정책에 대한 국제적인 간섭을 최소화해야 한다.
➡ 국제 사회의 참여와 협력이 필요하다.
⑤ 각국 정부가 책임 의식을 가지고 인권 보장에 참여해야 한다.

09 세계 인권 문제의 특징

자료분석 제시된 지도에서 붉은 색으로 표시된 곳일수록 굶주림이 심각한 곳으로, **특정 지역의 국가에서 심하게 나타나고 있다.** 기아는 가뭄, 기근, 내전 등에 의해 발생하므로, 당사국의 노력만으로는 해결하기 어렵다. 따라서 기아를 겪는 나라에 대한 **다른 나라의 지원 및 협력이 필요**하다.

[선택지 분석]

ㄱ. 국가별로 인권의 상황이 다르다.
➡ 지도에서 각 나라의 색 표시가 다른 것을 보면 국가별로 인권의 상황이 다름을 알 수 있다.
ㄴ. 개별 국가 차원에서의 해결이 최선이다.
➡ 기아 문제는 당사국의 노력만으로 해결하기 어려우므로 다른 국가의 지원과 협력이 필요하다.
ㄷ. 문제의 해결을 위해 국제적 연대가 필요하다.
ㄹ. 굶주림의 문제는 모든 국가가 직면하고 있는 문제이다.
➡ 국가별로 기아 지수가 다르게 나타나고 있으므로, 모든 국가가 굶주림의 문제를 겪는 것은 아니다.

10 비정부 기구의 역할

자료분석 제시문의 A는 **국경 없는 의사회**이다. 국경 없는 의사회는 **민간 의료 구호 단체로 비정부 기구**이며, 전 세계 70여개 이상의 국가에서 활동하며 **세계 인권 문제를 해결**하고자 노력하고 있다.

[선택지 분석]

ㄱ. 비정부 기구(NGO)에 해당한다.
ㄴ. 세계 인권 문제를 해결하고자 한다.
ㄷ. 인권 개선을 위한 ~~국가 차원~~의 기구이다. → 민간 차원
ㄹ. ~~소속 국가의 인권 보장~~을 목적으로 한다. → 국제 사회의 인권 문제 해결

도전! 1등급 문제 143쪽

01 ④ **02** ⑤ **03** ③ **04** ①

01 근로 계약서 작성의 이해

[선택지 분석]

① 주 1일의 유급 휴일이 명시되어야 한다.
➡ 일주일을 개근하고 15시간 이상 일을 하였을 경우 하루의 유급 휴가를 받을 수 있다.
② 휴게 시간이 1시간 이상 명시되어야 한다.
➡ 근로 기준법에 따르면 8시간 이상 근무할 경우 1시간 이상의 휴게 시간을 주어야 한다.
③ 수습 기간이라도 최저 임금이 지급되어야 한다.
➡ 최저 임금은 근로 조건에 관계없이 지급되어야 한다.
④ 초과 근무에 대해서는 25%의 가산 임금을 지급해야 한다.
➡ 주당 35시간을 초과하는 근무에 대해서는 50%의 가산 임금을 지급해야 한다.
⑤ 근로 기준법에 명시된 청소년 근로자의 1일 근무 시간을 초과하고 있다.
➡ 청소년의 경우 1일 근무 시간은 7시간이며, 합의에 따라 1일 1시간 연장이 가능하다.

02 사회적 소수자의 특징

자료분석 갑은 자기 나라에서는 주류 집단으로 사회적 소수자들을 차별하였으나, B국으로 이민을 간 이후에는 사회적 소수자가 되었다. 즉 **사회적 소수자를 구분하는 기준은 상대적이다.**

[선택지 분석]

ㄱ. 집단에 속하는 구성원의 수로 구분된다.
➡ 구성원 수의 많고 적음은 기준이 아니다.
ㄴ. 스스로 차별받는다고 의식하는 집단이다.
➡ 사회적 소수자의 기준에 부합하나 제시문과 관련이 없다.

~~주류 집단에게 지속적으로 차별을 받는다.~~
➡ 사회적 소수자의 기준에 부합하나 가장 적절한 진술로 보기 어렵다.

~~주류 집단에 비해 소속된 사람의 수가 적다.~~
➡ 구성원 수의 많고 적음은 기준이 아니다.

✔ 사회적 소수자를 구분하는 기준은 상대적이다.

03 난민 문제의 이해

자료분석 | 난민은 사회·경제적으로 권리를 보장해 줄 국가가 없기 때문에 인권을 보호받지 못하고 있으며, 이를 해결하기 위해 **난민에 대한 국제 사회의 관심과 지원이 필요**하다.

[선택지 분석]

~~갑~~: 난민의 인권이 적절히 보호되고 있어.
➡ 생존을 위한 기본적 인권조차 보장되지 못하고 있다.

을: 난민은 국가의 보호를 받지 못하고 있어.
➡ 살던 나라를 떠난 난민의 경우 사회·경제적 권리를 보장해 줄 국가가 없어 보호를 받지 못하고 있다.

병: 난민의 인권 문제에 대한 관심과 지원이 필요해.

~~정~~: 전 지구적 차원에서 난민 문제에 대한 협력이 이루어지고 있어.
➡ 인권을 보호받지 못하고 있는 상황으로 보아, 국제적 협력이 제대로 이루어지고 못하고 있음을 알 수 있다.

04 난민 문제의 해결 방안

자료분석 | (가)에 제시된 '난민의 지위에 관한 협약'은 국가 간에 체결한 국제 협약이라는 **제도를 활용한 국제적 차원의 해결 방안**을, (나)에 제시된 피터 싱어의 '실천 윤리학'은 어려움에 처한 사람을 돕는 행위에 대한 **개인의 의식 개선을 통한 해결 방안**을 강조하고 있다.

[선택지 분석]

ㄱ (가)는 국제적 협력을 통한 해결을 중시한다.

ㄴ (나)는 개인의 의식 개선을 강조하고 있다.

~~ㄷ~~ (가), (나) 모두 사회·제도적 차원에서 해결 방안을 모색하고 있다.
➡ (가)는 사회·제도적 차원에서, (나)는 의식적 차원에서 해결 방안을 모색하고 있다.

~~ㄹ~~ (가)와 달리 (나)는 난민 문제를 특정 집단이 해결해야 할 문제로 인식하고 있다.
➡ (나)는 세계 시민 의식을 가지고 지구촌 문제에 적극 참여해야 함을 강조하고 있다.

한번에 끝내는 대단원 문제 146~149쪽

01 ①	02 ②	03 ④	04 ③	05 ②	06 ④	07 ④
08 ③	09 ⑤	10 ②	11 ①	12 ①	13 ④	14 ④

15 (1) ㉠ 자유권, ㉡ 사회권 (2) [모범 답안] ㉠의 자유권은 국가의 간섭에서 벗어나 자유롭게 생활할 수 있는 권리인 반면, ㉡의 사회권은 국가에 인간다운 생활의 보장을 요구할 수 있는 권리이다.

16 (1) 제18조 : 자유권, 제21조 : 참정권, 제23조 : 사회권, 제27조 : 문화권 (2) [모범 답안] 문화권과 다른 기본권 모두 인간으로서 당연히 누려야 할 기본적인 권리라는 점에서 공통점이 있으나, 다른 기본권과 달리 문화권은 현대 사회에서 새롭게 등장하였다는 점에서 차이가 있다.

17 (1) 시민 불복종 (2) [모범 답안] 행위 목적에 정당성이 있어야 하며, 비폭력적 방법이어야 하고, 위법 행위에 대한 처벌을 감수해야 하며, 최후의 수단으로 시행되어야 한다.

18 (1) 사회적 소수자 (2) [모범 답안] • **제도적 차원** : 사회적 소수자의 차별을 금지하는 법률을 제정한다. 인권 보호 캠페인을 실시한다. • **의식적 차원** : 다른 사람의 권리에 대한 인권 감수성을 함양한다. 사회적 소수자에 대한 편견을 버린다.

01 인권의 특징

[선택지 분석]

✔ 인권은 천부적인 권리이다.

~~인권은 양도할 수 없는 권리이다.~~ → 불가침성

~~인권은 영구히 보장되는 권리이다.~~ → 항구성

~~인권은 ~~특정 계급에 한정된~~ 권리이다.~~ ↳ 모든 사람이 가지는

~~인권은 생애 중 박탈되지 않는 권리이다.~~ → 항구성

02 인권의 발달 과정

[선택지 분석]

~~㉠을 통해 ~~사회권~~이 확립되었다.~~ → 자유권, 평등권

✔ ㉠은 사회 계약설의 영향을 받아 발생하였다.
➡ 사회 계약설을 통해 국가는 국민의 필요에 의해 형성되었으며, 국가가 제기능을 못할 경우 혁명이 가능함을 인식함으로써 시민 혁명이 발생하게 되었다.

~~㉡을 통해 ~~평등권~~이 확립되었다.~~ → 참정권

~~㉡은 ~~남녀의 동등한~~ 선거권 부여를 주장하였다.~~ ↳ 남성 노동자의

~~㉢을 통해 ~~자유권~~이 확립되었다.~~ → 사회권

03 문화권의 이해

자료분석 | 소득에 따라 문화 격차가 나타나고 있다는 점에서 **문화권이 제한**되고 있음을 알 수 있다. **문화권**은 국민 누구나 **문화 활동에 참여하고 문화를 향유할 권리**로, 행복하고 의미 있는 삶을 창조하는 권리이다.

[선택지 분석]

~~정치에 참여할 수 있는 권리이다.~~ → 참정권

~~안전을 보호받을 수 있는 권리이다.~~ → 안전권

~~국가로부터 자유로울 수 있는 권리이다.~~ → 자유권

✓ 누구나 문화를 향유할 수 있는 권리이다.

✗ 쾌적한 환경에서 생활할 수 있는 권리이다. → 환경권

04 사회권의 등장 배경

자료분석 산업 혁명의 진행 과정에서 나타난 여러 가지 문제들로 인해, 국민들의 실질적인 권리 보호를 위해 **국가가 주체가 되어 사회적 약자의 삶의 질을 개선**해야 한다는 요구가 증가하였으며, 이에 따라 **사회권이 등장**하게 되었다.

[선택지 분석]

✗ 프랑스 인권 선언을 통해 천부적인 권리임이 명시되었다.
➡ 국민의 인간다운 생활을 보장하기 위해서 독일 바이마르 헌법을 시작으로 사회권이 보장되기 시작하였다.

ㄴ 오늘날 대부분의 복지 국가에서 추구하고 있는 권리이다.

ㄷ 교육을 받을 권리, 쾌적한 환경에서 생활할 권리 등이 포함된다.

✗ 다른 기본권이 침해되었을 때 이에 대한 구제를 요구할 수 있는 권리이다.
➡ 청구권에 대한 설명이다.

05 주거권의 이해

자료분석 제시된 법률은 '**주거 기본법**'의 일부 조항으로, 우리나라는 주거 기본법을 제정하여 **국민의 주거권을 보장**하고 주거 안정과 주거 수준 향상을 위한 정책을 추진하고 있다.

[선택지 분석]

ㄱ 현대 사회에서 새롭게 등장한 인권이다.

✗ 근대 시민 혁명을 계기로 확립된 권리이다. → 자유권, 평등권

ㄷ 도시로의 인구 집중에 따라 필요성이 제기된 권리이다.

✗ 성별, 재산 등에 따른 차별 없는 참정권 보장을 목적으로 한다.
➡ 제시된 법률은 주거권 보장을 목적으로 한다.

06 헌법이 보장하는 기본권

자료분석 교육을 받을 권리는 **사회권**에 해당하며, 사회권은 국가에 인간다운 생활의 보장을 요구할 수 있는 권리이다. 사회권에는 **근로의 권리, 사회 보장을 받을 권리** 등이 있다.

[선택지 분석]

✗ 불합리하게 차별받지 않을 권리이다. → 평등권

✗ 정치 과정에 참여할 수 있는 권리이다. → 참정권

✗ 기본권 침해에 대한 구제를 요구할 수 있는 권리이다. → 청구권

✓ 국가에 인간다운 생활의 보장을 요구할 수 있는 권리이다.

✗ 국가 권력의 간섭을 받지 않고 자유롭게 생활할 수 있는 권리이다. → 자유권

07 기본권 보장을 위한 제도적 장치

자료분석 제시된 복수 정당 제도, 민주적 선거 제도, 권력 분립 제도, 헌법 재판소의 운영 등은 모두 **국민의 기본권 보장을 위한 헌법상의 제도적 장치**에 해당한다.

08 시민 불복종의 성립 조건

[선택지 분석]

✗ 현행법에 의한 처벌을 ~~거부해야~~ 한다. ↳ 감수해야

ㄴ 비폭력적으로 운동이 전개되어야 한다.

ㄷ 행위의 목적이 사회적으로 정당해야 한다.

✗ 시민 불복종 외에 선택 가능한 ~~다른 대안이 존재해야 한다~~. → 다른 대안이 없는 최후의 수단이어야 한다.

09 헌법 재판소의 기능

자료분석 **헌법 재판소**는 국민의 인권이 침해될 경우 이에 대해 심판하여 인권을 보장하는 국가 기관이다. 제시된 사례에서는 **국가 권력의 행사에 대해 위헌 판결을 내림으로써 기본권을 구제**하고 있다.

[선택지 분석]

✗ 사회권이 국가 권력에 의해 부당하게 침해되었다.
➡ 종교의 자유는 자유권에 해당한다.

✗ 헌법적 장치를 통해 국민의 참정권을 보장한 사례이다.
➡ 헌법 재판소는 헌법적 장치에 해당하지만, 사례를 통해 보장된 권리는 자유권이다.

ㄷ 헌법 소원 심판을 통해 권리의 구제가 이루어지고 있다.
➡ 법률이나 공권력이 헌법에 보장된 국민의 기본권을 침해할 경우 헌법 재판소에 헌법 소원 심판을 청구할 수 있다.

ㄹ 헌법 재판소는 기본권 제한의 원칙이 지켜지지 않았다고 판단하였다.
➡ 헌법 재판소는 종교의 자유가 과도하게 제한되어 자유와 권리의 본질적인 부분이 침해되었다고 판단하여 위헌 결정을 내린 것이다.

10 권력 분립 제도의 목적

자료분석 제시된 헌법 조항들은 **권력 분립 제도**를 나타내고 있다. 권력 분립 제도는 국가 권력을 나누어 **국가 기관 간 상호 견제와 균형을 유지**함으로써, 국가 기관의 권력 남용을 예방하고 **국민의 인권을 보호**하고자 한다.

[선택지 분석]

ㄱ 국가 기관에 의한 권력의 남용을 예방하고자 한다.

✗ 국민 개개인의 무분별한 권리 행사를 통제하고자 한다.
➡ 기본권 제한의 목적으로, 권력 분립 제도와는 관련이 없다.

ㄷ 국가 기관에 의한 기본권의 침해를 방지하고자 한다.

✗ 개인이나 집단 사이의 이익 충돌에 따른 갈등을 방지하고자 한다.
➡ 준법 의식이 필요한 이유로, 권력 분립 제도와는 관련이 없다.

11 청소년 노동권의 보장

자료분석 청소년은 **만 15세 이상**이어야 근로할 수 있으며, 원칙적으로 **하루 7시간, 일주일에 35시간을 초과하여** 근무할 수 없다. 또한, 근로 계약 시 반드시 **근로 계약서를 작성**해야 하며, 청소년이라 하더라도 **유급 휴일**을 받을 수 있다.

[선택지 분석]

ㄱ) 일주일에 하루의 유급 휴일 보장은 적절하다.

➡ 일주일을 개근하고 15시간 이상 일을 하면 하루의 유급 휴일을 받을 수 있다.

ㄴ) 하루 근로 시간은 근로 기준법에 위배되지 않는다.

➡ 제시된 사례에서 을의 근로 시간은 6시간으로, 근로 기준법의 최대 기준인 7시간을 넘지 않는다.

✕ 사업주가 희망하지 않을 경우 휴게 시간을 주지 않아도 된다.

➡ 근로 기준법에 따라 사용자는 근로 시간이 4시간인 경우에는 30분 이상, 8시간인 경우에는 1시간 이상의 휴게 시간을 주어야 한다.

✕ 청소년의 경우 최저 임금의 90% 수준으로 임금을 지급하는 것이 적절하다.

➡ 청소년도 성인과 동일한 최저 임금을 적용받는다.

12 비정부 기구의 특징

자료분석 국제 사면 위원회와 국경 없는 의사회는 양심수 구제 활동, 빈곤 아동 지원, 난민 구호 활동 등을 통해 **전 세계적 차원의 인권 문제 해결**을 위해 노력하는 **비정부 기구**이다.

[선택지 분석]

ㄱ) 특정 국가에 소속되지 않은 단체이다.

ㄴ) 세계 인권 문제의 해결을 목적으로 한다.

✕ 특정 국가 국민의 인권 보장을 목적으로 한다.

➡ 세계적 차원에서 전 세계의 인권 문제 해결을 위해 노력하고 있다.

✕ 개인적 차원에서 세계의 인권 문제를 해결하는 방안이다.

➡ 단체를 이루어 직접 활동을 하고 있다는 점에서 개인적 차원의 활동으로 보기 어렵다.

13 사회적 소수자의 기준

자료분석 A 대학의 특별 전형 대상자는 **사회적 소수자**이다. 사회적 소수자는 신체적 또는 문화적 특징으로 불리한 환경에 놓이거나 **차별 대우를 받는 사람들**을 의미한다.

[선택지 분석]

① 사회생활에서 차별을 받고 있는 사람들이다.

② 사회적으로 불리한 환경에 놓인 사람들이다.

③ 주류 집단에 비해 권력이 열세인 사람들이다.

✔ 수적으로 주류 집단에 비하여 소수인 사람들이다.

➡ 수의 많고 적음은 사회적 소수자의 기준이 아니다. 수적으로 많더라도 권력이 열세인 경우 사회적 소수자가 된다.

⑤ 자신이 차별받는 집단에 속해 있다는 의식을 가진 사람들이다.

14 세계 인권 문제의 해결 방안

자료분석 (가)의 빈곤 퇴치 기여금 지급은 **국제적 연대**를 바탕으로 한 **사회적 차원의 해결 방법**이고, (나)의 사랑의 저금통 캠페인 참여는 **세계 시민 의식**을 바탕으로 한 **개인적 차원의 해결 방법**이다.

[선택지 분석]

① (가)는 국제적 연대의 사례에 해당한다.

➡ A국을 비롯한 10여 개국은 세계 빈곤 문제의 해결을 위해 국제적 연대를 이루고 있다.

② (가)의 활동은 아프리카 빈곤 문제 해결에 많은 도움이 될 것이다.

③ (나)는 전 지구적 공동체 의식을 바탕으로 한다.

➡ 다른 나라 사람을 위한 기부는 책임 의식과 세계 시민 의식을 바탕으로 한다.

✔ (가)와 달리 (나)는 사회적 차원의 노력에 해당한다.

➡ (나)는 개인적·의식적 차원의 노력에 해당한다.

⑤ (가), (나) 모두 국제 사회의 인권 문제 해결을 목적으로 한다.

15 인권의 발달 과정

채점 기준

상	국가와 개인의 관계로 ㉠과 ㉡의 차이점을 정확히 서술한 경우
중	㉠과 ㉡의 차이점은 서술하였으나, 국가와 개인의 관계가 제대로 나타나지 않은 경우
하	㉠과 ㉡의 차이점을 정확히 서술하지 못한 경우

16 세계 인권 선언과 현대 사회의 인권

채점 기준

상	문화권과 다른 기본권의 공통점과 차이점을 모두 정확히 서술한 경우
중	문화권과 다른 기본권의 공통점과 차이점 중 한 가지만 정확히 서술한 경우
하	문화권과 다른 기본권의 공통점과 차이점 모두 부정확하게 서술한 경우

17 시민 불복종의 성립 조건

채점 기준

상	시민 불복종의 네 가지 요건을 모두 정확히 서술한 경우
중	시민 불복종의 요건 중 세 가지만 정확히 서술한 경우
하	시민 불복종의 요건 중 한 두 가지만 정확히 서술한 경우

18 사회적 소수자 인권 문제의 해결 방안

채점 기준

상	제도적 차원과 의식적 차원의 해결 방안을 모두 정확히 서술한 경우
중	제도적 차원과 의식적 차원 중 한 가지 차원의 해결 방안만 정확히 서술한 경우
하	두 차원을 구분하지 못하고 해결 방안을 부정확하게 서술한 경우

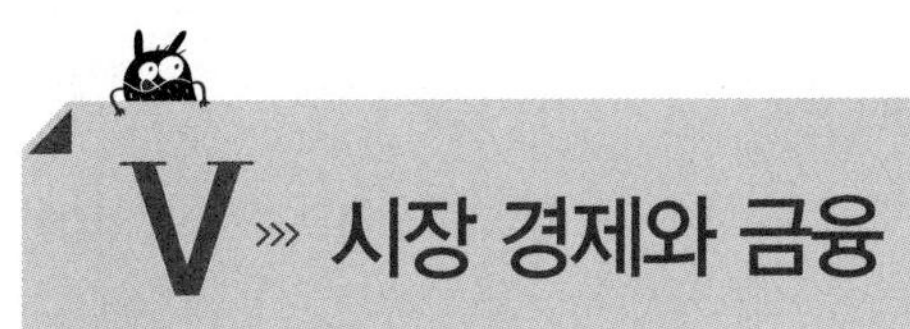

V 시장 경제와 금융

01 자본주의와 합리적 선택

콕콕! 개념 확인 156쪽

01 (1) 시장 (2) 사유
02 (1) 상업 (2) 보이지 않는 손 (3) 신자유주의
03 (1) 대공황 (2) 수정 자본주의
04 (1) A : 암묵적 비용, B : 기회비용 (2) 300

탄탄! 내신 문제 157~158쪽

01 ③ **02** ④ **03** ① **04** ④ **05** ② **06** ② **07** ③
08 ② **09** ⑤

01 자본주의의 특징

[선택지 분석]

① 사유 재산권이 법적으로 보장된다.
➡ 개인의 재산 소유를 법적으로 보장하는 것은 개인의 사적인 이익 추구가 허용됨을 의미한다.

② 대부분의 경제 활동이 시장에서 일어난다.
➡ 경제 활동의 자유가 인정되므로 필요한 상품의 구입과 판매 등이 시장을 통해 이루어진다.

③ 경제적 효율성보다 분배의 형평성을 강조한다.
➡ 분배의 형평성은 국가가 경제에 개입하면서 강조된 것이다. 자본주의는 형평성보다는 효율성을 강조한다.

④ '보이지 않는 손'에 의해 자원 배분이 이루어진다.
➡ '보이지 않는 손'은 시장 가격을 의미한다. 자본주의는 시장 가격에 의해 자원 배분이 이루어진다.

⑤ 경제 주체들이 이윤 극대화를 위해 최선을 다한다.
➡ 사유 재산제가 보장되기 때문에 경제 주체들이 이윤 극대화를 위해 최선을 다한다.

02 자본주의의 장점

[선택지 분석]

ㄱ. 공공재의 공급이 활발하다.
➡ 공공재는 공공의 이익에 필요하지만 수익이 크지 않기 때문에 민간 경제 주체가 공급하기를 꺼린다. 따라서 자본주의 사회에서는 공공재의 공급이 활발하지 않다.

ㄴ. 개인의 성취동기가 촉진된다.
➡ 자본주의는 개인의 자유로운 경제 활동을 특징으로 하므로, 이윤 추구를 위해 열심히 일하려는 성취동기가 촉진된다.

ㄷ. 경제적 불균등 문제가 해소된다.
➡ 자본주의는 자본의 차이, 능력의 차이 등에 따라 경제적 불균등 문제가 발생할 수 있다.

ㄹ. 사회 전체의 경제적 효율성이 증대된다.
➡ 자본주의는 시장 가격을 통해 자원이 효율적으로 배분되고, 개별 경제 주체들의 자유로운 경쟁에 의해 사회 전체의 경제적 효율성이 증대된다.

03 자본주의의 역사적 전개 과정

자료 분석 A는 상품의 유통 과정에서 이윤을 추구하는 16세기 **상업 자본주의**, B는 산업 혁명 이후 등장한 **산업 자본주의**, C는 시장 실패와 대공황을 극복하기 위해 등장한 **수정 자본주의**, D는 석유 파동으로 발생한 스태그플레이션을 해결하기 위해 등장한 **신자유주의**이다.

[선택지 분석]

① A는 상품의 유통 과정에서 이윤을 추구하였다.
➡ 상업 자본주의는 상품 생산 자체보다는 다른 나라와의 상품의 유통 과정에서 이윤을 추구하였다.

② B는 ~~케인스~~의 경제 이론에 바탕을 두고 있다.
↳ 애덤 스미스

③ C에서는 ~~과거의 비대한 정부 기능이 축소되었다~~.
↳ 정부의 기능이 확대되었다

④ D에서는 사회 보장 제도를 대폭 ~~확대~~하였다.
↳ 축소

⑤ 자유방임주의는 ~~B보다 C~~에서 더 잘 적용된다.
↳ C보다 B

04 자본주의 경제 이론 비교

자료 분석 (가)는 애덤 스미스의 **자유방임주의**, (나)는 케인스의 **수정 자본주의** 이론이다. 자유방임주의는 시장의 **자유로운 경제 활동**을 강조하였으며, 수정 자본주의는 **정부의 적극적인 시장 개입**을 주장하였다.

[선택지 분석]

① (가)는 수정 자본주의의 이론적 배경이다.
➡ 자유방임주의는 산업 자본주의의 이론적 뒷받침이 되었다.

② (나)는 '보이지 않는 손'의 역할을 중시한다.
➡ 보이지 않는 손은 시장 가격을 말한다. 시장 가격의 자동 조정 기능은 자유방임주의에서 강조한다.

③ (가)와 달리 (나)는 정부 실패를 비판한다.
➡ 수정 자본주의는 시장 실패를 비판한다. 정부 실패를 비판하는 것은 신자유주의이다.

④ (가)보다 (나)에서 정부의 역할이 클 것이다.
➡ 자유방임주의는 정부의 경제 개입을 최소화해야 한다고 주장하는 반면, 수정 자본주의는 정부의 적극적인 경제 개입을 강조한다.

⑤ (가)는 (나)에 비해 사회적 약자의 배려를 강조한다.
➡ 사회적 약자의 배려는 정부의 개입을 통해 이루어지므로 수정 자본주의에서 강조한다.

05 세계 대공황

[선택지 분석]

ㄱ. 자유방임주의 경제의 한계를 드러냈다.
➡ 자유방임주의에 바탕을 둔 산업 자본주의가 문제점을 나타내면서 대공황이 발생하였다.

ㄴ. 사회주의 계획 경제 체제가 등장하는 계기가 되었다.
➡ 대공황으로 인해 수정 자본주의가 등장하였다.

✕ 노동 시장의 유연성 강화와 복지 축소를 강조하게 되었다.
➡ 노동 시장에서 노동자의 권리를 강조하고, 빈곤층 구제를 위한 복지 제도의 강화 등이 나타났다.

㉣ 미국은 유효 수요 확대 정책을 통해 경제 위기에서 벗어났다.
➡ 유효 수요 확대는 소비자의 구매 능력을 늘리는 것을 의미한다. 미국은 공공사업 실시 등을 통해 고용을 창출하였고, 이것이 소득을 통한 소비 증대로 이어져 위기를 극복할 수 있었다.

06 신자유주의 경제 정책

자료분석 (가)는 **신자유주의**이다. 신자유주의는 정부의 시장 개입이 오히려 자원 배분의 비효율성을 초래하는 문제를 해결하기 위해 등장하였으며, **정부의 역할을 제한**하고 시장의 기능과 **자유로운 경제 활동을 강조**하였다.

[선택지 분석]

㉠ 정부 보유 주식을 매각하여 공기업을 민영화한다.

✕ 공공 서비스 요금의 상승에 대한 규제를 강화한다.
→ 수정 자본주의

㉢ 부실기업은 시장 원리를 적용하여 자동으로 퇴출시킨다.

✕ 소득 격차의 해소를 위해 복지 예산을 지속적으로 늘린다. → 수정 자본주의

07 자본주의의 발달 과정

[선택지 분석]

① ㉠ : 절대 왕정의 중상주의 정책이 영향을 주었다.
➡ 중상주의 정책을 바탕으로 상업 자본주의가 발달하였다.

② ㉡ : 애덤 스미스의 자유방임주의가 이론적 뒷받침이 되었다.

③ ㉢ : 석유 파동으로 인해 스태그플레이션이 발생하였다.
➡ 석유 파동과 스태그플레이션은 신자유주의의 등장 배경이다. 시장 실패 현상에는 독과점 기업의 횡포, 빈부 격차, 실업 발생 등이 있다.

④ ㉣ : 1929년 미국에서부터 시작된 세계 대공황이 계기가 되었다.

⑤ ㉤ : 정부 개입의 비효율성을 줄이기 위해 자유로운 경쟁을 강조하였다.
➡ 신자유주의는 시장의 자율성을 강조한다.

08 합리적 선택의 필요성

자료분석 제시된 사례에서 갑과 을 모두 어느 하나는 포기하고 다른 하나를 선택해야 하는 상황에 처해 있다. 이처럼 **자원의 희소성** 때문에 **선택의 문제**가 발생하며, **기회비용보다 편익이 큰 선택이 합리적 선택**이다.

[선택지 분석]

㉠ 기회비용

✕ 분업의 이익 → 제시된 사례에서는 알 수 없다.

㉢ 자원의 희소성

✕ 보이지 않는 손 → 시장 가격의 자동 조정 기능을 의미한다.

09 합리적 선택의 한계

자료분석 월 가입비에 따라 치안이나 구조 서비스가 달라진다는 것은 기업이 이윤 추구라는 효율성을 중시하는 측면에서는 합리적 선택일 수 있다. 그러나 **치안**이나 **구조 서비스**처럼 **공공의 이익을 중시하는 분야에서는 효율성만 중시할 경우 공공의 이익이 침해**될 수 있는데, 이를 통해 **합리적 선택에도 한계**가 있음을 알 수 있다.

[선택지 분석]

✕ 합리적 선택에서는 효율성보다는 공공성을 중시해야 한다.
➡ 합리적 선택에서는 효율성을 중시한다.

✕ 경제에 대한 정부의 규제와 개입은 빈부 격차를 확대시킨다.
➡ 정부의 규제와 개입에 대한 언급은 없다.

✕ 기업의 이윤 극대화는 사회 전체의 안정을 위해 꼭 필요하다.
➡ 기업의 이윤 극대화는 사회 갈등을 초래할 수 있다.

✕ 시장 경제에 대한 지나친 의존은 경제적 효율성을 저하시킨다.
➡ 시장 경제 자체는 경제적 효율성을 추구한다.

✔ 경제 주체가 효율성만을 중시할 경우 공공의 이익이 침해될 수 있다.
➡ 효율성만을 중시한다면 치안이나 구조 서비스와 같은 공공의 이익이 침해될 수 있다.

도전! 1등급 문제 159쪽

01 ⑤ 02 ② 03 ③ 04 ②

01 자본주의의 특징

[선택지 분석]

① 개인이 재산을 관리하여 수익을 얻는다.
➡ 사유 재산제가 보장되기 때문에 가능하다.

② 대부분의 경제 활동이 시장에서 이루어진다.
➡ 시장의 가격 기능을 통해 생산, 소비, 분배가 이루어진다.

③ 자유 경쟁을 통하여 경제적 부를 증진시킨다.
➡ 사유 재산제와 개인의 경제 활동 보장으로 경쟁이 이루어지면 이를 통해 사회 전체의 경제적 부가 증진된다.

④ 이윤 동기는 생산자의 생산 의욕을 고취시킨다.
➡ 개인이 열심히 일한 만큼 이윤을 얻을 수 있으므로 생산 의욕이 고취된다.

✔ 균등한 소득 분배를 통해 빈부 격차가 줄어든다.
➡ 자본주의는 원칙적으로 사유 재산제와 개인의 자유로운 경제 활동이 보장되므로 소득 분배는 균등해지기가 어렵다.

02 합리적 선택과 기회비용

자료분석 갑은 스마트폰을 구입하기 위해 A, B, C의 **스마트폰을 디자인, 데이터 용량, 무료 통화 시간을 기준으로 평가**해 보았다. 디자인을 40점 만점으로 정하고, 데이터 용량과 무료 통화 시간은 각각 30점 만점으로 하여 갑이 스스로 매긴 점수가 표에 제시되어 있다.

[선택지 분석]

①지출 가능한 예산 규모가 나타나지 않았다.

➡ 갑이 얼마의 예산으로 스마트폰을 구입할 것인지는 제시되어 있지 않다.

②가격이 동일하다면 B의 기회비용이 가장 작다.

➡ 가격이 동일하다면 A를 선택할 경우 B와 C를 포기하는데 그 중에서 점수가 높은 C의 85점이 A의 기회비용이다. B를 선택한다면 포기한 A와 C중 점수가 높은 A의 90점이 B의 기회비용이다. C를 선택한다면 포기한 A와 B 중 점수가 높은 A의 90점이 C의 기회비용이다. 따라서 가격이 동일하다면 A를 선택할 때의 기회비용이 가장 작다.

③합리적 선택의 의사 결정 과정 중에서 대안 평가에 해당한다.

➡ 선택의 기준에 따라 각각의 대안을 평가하는 대안 평가 단계에 해당한다.

④디자인을 고려하지 않더라도 갑의 선택은 바뀌지 않을 것이다.

➡ 현재 상태에서 갑은 점수가 가장 높은 A를 선택할 것이다. 그리고 만일 디자인을 고려하지 않더라도 A의 점수가 가장 높으므로 A를 선택할 것이다.

⑤가격이 동일하다면 A를 선택하는 것이 가장 합리적인 선택이다.

➡ 가격이 동일하다면 기회비용이 가장 작은 것을 선택해야 하므로, A를 선택하는 것이 가장 합리적이다.

03 미국 뉴딜 정책의 등장 배경

자료분석

자료 ❶은 1933년 미국 루스벨트 정부가 실시한 **'뉴딜(New Deal) 정책'**의 내용이다. 케인스는 당시 발생한 경제 대공황이 일어난 원인이 생산물을 실제로 구매할 수 있는 수요인 **'유효 수요'가 부족**했기 때문이라고 진단하고, 유효 수요를 증가시키려면 **정부가 시장에 개입**하여 고용률을 높이고 소득 격차를 줄여야 한다고 주장하였다. 이러한 이론에 따라 미국 정부는 농산물 가격 하락 방지를 위해 농민에게 자금을 지원하며, 전기와 댐 건설 사업 등을 추진하는 등 **지역 개발과 일자리 창출을 도모**하였다.

[선택지 분석]

①유효 수요 부족으로 소비가 위축되었다.

➡ 소득을 가지고 실제로 소비할 수 있는 힘이 유효 수요이다. 대공황으로 실업이 증가하면서 소비자들이 소비할 여력이 부족해져 소비가 위축되었다.

②기업의 도산과 대량 실업이 발생하였다.

➡ 미국의 뉴딜 정책은 전 세계적으로 기업의 도산 및 대량 실업을 발생시킨 대공황을 타개하기 위해 실시된 정책이다.

③정부의 지나친 개입이 비효율을 초래하였다.

➡ 시장 실패 현상으로 정부가 시장에 개입해야 할 필요성이 대두되면서 뉴딜 정책이 실시된 것이다.

④빈부 격차의 확대가 사회 문제로 부각되었다.

➡ 빈부 격차의 확대는 시장 실패 현상 중 하나이다.

⑤시장 가격의 자동 조정 기능이 제대로 작동하지 않았다.

➡ 시장 실패로 인하여 시장 기능이 제대로 작동하지 않아 자원이 효율적으로 배분되지 못하였다.

04 신자유주의 경제 정책

자료분석

자료 ❷는 **신자유주의자인 밀턴 프리드먼의 주장**이다. 프리드먼은 정부의 경제 개입의 문제점을 비판하면서 **기업의 자율성을 존중**하는 신자유주의로 돌아가야 함을 주장하였다. 신자유주의는 기업의 자유로운 활동에 대한 정부 규제 완화 및 철폐, **복지 축소, 공기업 민영화** 등을 주장하였고 **세계화와 자유 무역의 확대**를 옹호하였다.

[선택지 분석]

ㄱ 노동 시장의 유연성을 강화한다.

➡ 신자유주의에서는 임금이나 근로 조건, 해고 요건 등 근로 환경에 국가가 개입하지 말고 노동 시장에 맡겨둘 것을 강조한다.

ㄴ 사회 보장의 대상과 내용을 확대한다.

➡ 신자유주의에서는 지나친 사회 보장이 경제의 비효율을 초래하므로 사회 보장의 축소를 주장한다.

ㄷ 기업의 이윤을 사회에 환원하도록 유도한다.

➡ 신자유주의에서는 기업의 자율성을 존중하므로 이윤의 사회 환원은 기업이 스스로 선택할 문제라고 본다.

ㄹ 공기업을 민영화하여 자유롭게 경쟁하도록 한다.

02 시장 경제의 발전을 위한 참여자의 역할

콕콕! 개념 확인 164쪽

01 (1) 가격 (2) 독과점
02 (1) 적게 (2) 공공재 (3) 단결권
03 윤리적 소비
04 (1) A : 기업가 정신, B : 사회적 책임 (2) 윤리 경영

탄탄! 내신 문제 165~166쪽

01 ③ **02** ② **03** ⑤ **04** ⑤ **05** ② **06** ③ **07** ①
08 ④ **09** ⑤ **10** ③

01 시장의 기능

자료분석

참외 가격이 오르면 참외 대신 다른 과일을 사는 사람은 참외가 꼭 필요한 사람은 아니다. 반면 참외 가격이 오르더라도 참외를 사는 사람은 참외가 꼭 필요한 사람이다. 결국 시장 가격은 **참외라는 자원을 필요한 사람에게 효율적으로 배분**하는 역할을 한다.

[선택지 분석]

①외부 효과를 해소한다.

➡ 외부 효과는 정부가 개입하여 적절한 유인 수단을 동원해야 해결할 수 있다.

②독과점의 횡포를 방지한다.

➡ 독과점의 횡포는 시장 실패의 현상이다. 시장에 맡겨두면 해결이 어려우므로 정부가 나서서 공정 경쟁을 유지하도록 견제함으로써 그 횡포를 방지한다.

✔ 자원의 효율적 배분을 실현한다.
➡ 시장 가격은 합리적인 경제 활동을 하는 데 필요한 정보를 시장 참여자에게 제공해 주는 신호등 역할을 하게 된다. 그 결과, 인위적인 간섭 없이도 사회적으로 희소한 자원이 필요한 사람에게 필요한 양만큼 흘러가게 되어 결과적으로 자원이 효율적으로 배분된다.

✘ 소득 분배의 불균형을 완화한다.
➡ 자유로운 시장 경제 체제에서는 소득 분배의 불균형이 나타날 수밖에 없다.

✘ 공공재의 원활한 공급을 유지한다.
➡ 시장 경제 체제에만 맡겨둘 경우 공공재의 공급이 부족해진다.

02 시장 기능의 한계

[선택지 분석]

① 독과점 문제

✔ 공공재 과잉 공급
➡ 공공재는 대가를 지불하지 않아도 이용할 수 있으므로 사회적으로 필요한 양만큼 생산되지 못하는 한계가 있다.

③ 외부 효과의 발생
➡ 시장 경제에서는 외부 효과로 인해 자원이 효율적으로 배분되지 않는다.

④ 경제적 불평등 발생

⑤ 실업과 인플레이션 발생
➡ 경기 변동에 따라 실업이 발생하기도 하고, 극심한 물가 상승이 나타나 소비자에게 피해를 주기도 한다.

03 외부 효과의 사례

[선택지 분석]

① 골목 담장에 아름다운 벽화가 그려져 있어 지나갈 때 기분이 좋다. → 외부 경제의 사례

② 지하철이 개통되자 지하철역 주변 지역의 상가 매출액이 증가하였다. → 외부 경제의 사례

③ 학교 주변에 고가 도로가 건설되면서 소음으로 수업에 방해를 받게 되었다. → 외부 불경제의 사례

④ 염색 공장에서 나오는 폐수 때문에 근처 양어장 업주들이 피해를 입고 있다. → 외부 불경제의 사례

✔ ○○자동차 회사가 판매 가격을 올리자 △△자동차를 사려는 사람들이 증가하였다.
➡ ○○자동차의 판매 가격 인상으로 다른 자동차 회사의 매출이 증가하는 것은 시장 가격의 기능이다.

04 독점 규제 및 공정 거래에 관한 법률

자료분석 | 제시된 법률은 '**독점 규제 및 공정 거래에 관한 법률**'의 일부 조항이다. 이 법률은 사업자의 시장 지배적 지위의 남용과 과도한 경제력의 집중을 방지하고, 부당한 공동 행위 및 불공정 경쟁 행위를 규제하여 **공정하고 자유로운 경쟁을 촉진**함으로써 창의적인 기업 활동을 조장하고 소비자를 보호함과 아울러 **국민경제의 균형 있는 발전을 도모함**을 목적으로 한다.

[선택지 분석]

✘ 국제 경쟁력 강화

✘ 빈부 격차의 해소

✘ 기업의 업종 전문화

✘ 생산자의 이윤 증대

✔ 공정한 경쟁 질서 유지
➡ 특정 기업이 부당하게 시장을 지배할 경우 공정한 경쟁 질서를 침해할 가능성이 크다. 따라서 정부가 법률을 통해 기업의 시장 지배적 지위의 남용을 규제한다.

05 시장 경제의 한계와 정부의 대처 방안

[선택지 분석]

ㄱ (가)는 담합 행위를 규제하는 내용을 담고 있다.
➡ 독과점에서 가장 문제가 되는 것은 과점 업체들이 담합 행위를 통해 소비자 가격을 올리고 품질을 저하시키는 행위이다. 따라서 이런 행위들은 정부가 법률로써 규제해야 한다.

✘ (나)는 생산량 제한, 세금 부과 등을 들 수 있다.
➡ 긍정적 외부 효과는 사회적 최적 수준보다 적게 생산되므로 보조금 지급, 세제 혜택 등을 통해 생산을 촉진시켜야 한다.

✘ (다)는 보조금 지급, 세제 혜택 등을 들 수 있다.
➡ 부정적 외부 효과는 사회적 최적 수준보다 많이 생산되므로 생산량 제한, 세금 부과 등으로 생산을 줄여야 한다.

ㄹ (라)는 도로, 국방, 치안 등의 공공재 부족을 들 수 있다.
➡ 공공재는 시장 기능에 맡기면 공급이 부족해지므로 정부가 직접 생산하는 경우가 많다.

06 기업가의 혁신

[선택지 분석]

① 갑 : A 섬유회사는 친환경 원료를 개발하여 비용 절감에 성공하였습니다. → 새로운 원료 개발

② 을 : B 택배회사는 업계 최초로 드론을 활용한 택배 사업을 시작하였습니다. → 새로운 상품 개발

✔ 병 : C 가전회사는 에어컨 수요가 늘어나자 사원을 대규모로 채용하였습니다.
➡ 상품에 대한 수요가 늘어나자 생산을 늘리기 위해 사원을 증원한 것은 기업의 일반적인 활동으로, 혁신 사례에 해당하지 않는다.

④ 정 : D 보험회사는 자율 출퇴근제를 도입하여 일과 가정의 양립을 도모하였습니다. → 새로운 경영 방식

⑤ 무 : E 자동차 회사는 아무도 진출하지 않았던 아프리카 오지의 시장을 개척하였습니다. → 새로운 시장 개척

07 시장 참여자로서 정부의 역할

자료분석 | 제시된 도로와 항만은 모두 **공공재**이다. 공공재는 모든 사람이 이용할 수 있으나 수익성이 별로 없어서 기업이 생산하려 하지 않는다. 그래서 시장 경제 체제에서는 **공공재의 공급이 부족**해질 수밖에 없으므로 **정부가 직접 생산**한다.

[선택지 분석]

ㄱ 자원의 효율적 배분을 위한 것이다.

➡ 시장 경제에 맡겨둘 경우 공공재가 부족해지기 때문에 정부가 직접 생산하여 자원을 효율적으로 배분한다.

ㄴ 생산 활동에 간접적으로 기여하게 된다.

➡ 도로와 항만은 사회 기반 시설이므로 정부가 직접 생산에 나설 경우 고용을 창출하고 소득을 증대시키며 다른 산업의 발달에 기여하게 된다.

ㄷ 공정한 경쟁을 해치는 경제 주체의 행위를 규제할 수 있다.

➡ 불공정한 경쟁 행위를 규제하는 것은 아니다.

ㄹ 부정적 유인책을 활용하여 외부 효과를 예방하는 효과가 있다.

➡ 공공재 생산은 외부 효과와는 관련이 없다.

08 기업의 사회적 책임

[선택지 분석]

① 기업 경영의 투명성을 높인다.

➡ 기업에 대한 신뢰를 높인다.

② 빈곤층에 대한 지원 사업을 실시한다.

➡ 사회적 소외 계층을 돕는다.

③ 소비자에게 안전하고 편리한 상품을 생산한다.

➡ 소비자에 대한 책임을 다한다.

④ 전문 경영인을 영입하여 기업 규모를 확대한다.

➡ 전문 경영인의 영입은 새로운 경영 활동으로, 사회적 책임보다는 기업가 정신에 가깝다.

⑤ 근로자의 근로 환경을 개선하며 인권을 보장한다.

➡ 근로자의 인권을 존중한다.

09 노동 3권의 내용

자료분석 (가)는 **단체 교섭권**, (나)는 **단체 행동권**, (다)는 **단결권**으로 **노동 3권**에 해당한다. 정부는 **법적으로 노동 3권을 보장**하여 노동자의 권리를 보호하고 있다.

10 윤리적 소비의 실천 사례

[선택지 분석]

① 재활용 소재를 활용한 제품을 구입한다.

➡ 환경 보호와 관련된 윤리적 소비이다.

② 공정 무역을 통해 들어온 상품을 구입한다.

➡ 저개발국의 노동자를 보호하기 위한 윤리적 소비이다.

③ 인터넷을 통해 가장 저렴한 제품을 구입한다.

➡ 비용이 가장 적게 드는 제품을 구입하는 것은 합리적 소비에 해당한다.

④ 에너지 소비 효율 등급이 높은 제품을 구입한다.

➡ 에너지 절약과 관련된 윤리적 소비이다.

⑤ 빈곤국의 아동들을 위해 기부금을 내는 기업의 제품을 구입한다.

➡ 빈곤국 아동을 돕기 위한 윤리적 소비이다.

도전! 1등급 문제

167쪽

01 ① 02 ③ 03 ② 04 ④

01 외부 효과의 특징

자료분석 (가)와 (나)는 모두 의도하지 않은 이익이나 손해를 주면서도 보상이나 처벌이 없는 **외부 효과의 사례**이며, (가)는 긍정적 외부 효과인 **외부 경제**, (나)는 부정적 외부 효과인 **외부 불경제**의 사례이다.

[선택지 분석]

① (가)에서 갑의 편익은 사회 전체의 편익보다 크다.

➡ 외부 경제는 모든 사람들이 편익을 누리기 때문에 당사자인 갑의 편익보다 사회 전체의 편익이 크다.

② (가)에서 갑이 그리는 벽화의 양은 사회적 최적 수준보다 적다.

➡ 외부 경제는 사회적 최적 수준보다 적게 생산된다.

③ (나)에서 개인의 이익과 공공의 이익이 충돌하고 있다.

➡ 을이 개인의 이익을 얻으려는 과정에서 마을 주민들의 공공의 이익이 침해되고 있다.

④ (나)에서 정부가 폐수 방류 행위를 규제하면 을의 편익은 줄어든다.

➡ 정부가 을의 폐수 방류 행위를 규제하면 을은 공공의 이익을 침해한 대가를 치러야 하므로 을의 편익은 줄어들 것이다.

⑤ (가), (나) 모두 시장이 자원을 효율적으로 배분하지 못하는 사례이다.

➡ 외부 경제는 사회적 최적 수준보다 적게 생산되고, 외부 불경제는 사회적 최적 수준보다 많이 생산됨으로써 자원이 효율적으로 배분되지 못한다.

02 일하기 좋은 회사의 조건

[선택지 분석]

① 일과 놀이를 엄격히 구분해야 한다.

➡ 회사 놀이터는 일과 놀이를 구분하지 않겠다는 의도이다.

② 직장의 위계질서는 효율성 향상의 지름길이다.

➡ 직장의 위계질서보다는 즐거운 노동 환경을 조성하는 것이 제시문의 핵심이다.

③ 즐거운 노동 환경에서 노동 생산성이 높아진다.

➡ 즐거운 환경에서 일하도록 한 결과 직원들의 스트레스 요인이 줄어들어 수익률이 증가하였다.

④ 노동자는 노동 환경의 개선을 위해 노력해야 한다.

➡ 노동 환경의 개선은 기업가가 노력해야 할 부분이다.

⑤ 노동자의 노동권 보장은 사용자의 배려에서 나온다.

➡ 노동권은 사용자의 배려가 아니라 법적으로 보장된 노동자의 당연한 권리이다.

03 시장 경제의 한계

자료분석 (가)는 **독과점과 담합**, (나)는 비배제성과 무임승차로 인한 **공공재의 공급 부족**, (다)는 소득 격차에 따른 **경제적 불평등**을 보여 주고 있으며, 이들은 모두 시장 경제의 한계에 해당한다. 따라서 **시장 경제의 한계**와 관련된 내용을 찾으면 된다.

04 시장 경제의 한계와 대처 방안

[선택지 분석]

① (가)의 담합은 제품 가격을 인상시켜 소비자 피해를 야기한다.
➡ 담합을 통해 가격을 인상하고 품질을 저하시켜 이윤을 추구함으로써 소비자들이 피해를 입게 된다.

② (가)에서 정부는 담합을 불공정 경쟁 행위로 보고 규제하였다.
➡ 사례에서 정부 기관인 공정 거래 위원회는 담합을 공정한 거래 질서를 해치는 행위로 보고 과징금 등으로 규제하였다.

③ (나)와 같은 재화와 서비스는 정부가 직접 생산하는 경우가 많다.
➡ 공공재는 대부분 정부가 직접 생산한다.

④ (나)와 같은 재화와 서비스의 생산을 시장 기능에 맡겨둘 경우 필요한 양보다 많이 생산된다.
➡ 공공재의 생산을 시장 기능에 맡겨두면 기업들이 생산을 꺼려 필요한 양보다 적게 생산된다.

⑤ (다)의 문제는 조세 정책이나 사회 보장 제도 등을 통해 해결할 수 있다.

03 국제 분업과 무역의 확대

콕콕! 개념 확인 173쪽

01 (1) 국제 분업, 이익 (2) 생산비
02 A : 절대 우위, B : 비교 우위
03 (1) 규모 (2) 높은
04 (1) 자유 무역 협정 (2) 경쟁력

탄탄! 내신 문제 174~175쪽

01 ⑤ **02** ⑤ **03** ④ **04** ⑤ **05** ③ **06** ② **07** ①
08 ③ **09** ④

01 국제 분업의 발생 원인

자료분석 | 제시문의 밑줄 친 **A는 국제 분업**이다. 한 국가나 기업이 가지고 있는 자원이나 기술 등에는 한계가 있으며, 모든 재화와 서비스를 다른 국가나 기업보다 적은 비용으로 생산할 수는 없기 때문에 국가나 기업은 선택과 집중을 통해 **더 잘 만들 수 있는 재화와 서비스의 생산에 특화**하게 된다. 이를 국제 분업이라고 하며, 이러한 분업으로 만든 생산물을 서로 교역함으로써 **무역이 발생**한다.

[선택지 분석]

① 각국이 보유한 기술 수준에 차이가 있기 때문에
➡ 기술 수준이 높은 나라는 기술 집약적 상품을 생산한다.

② 각 상품의 공급과 수요가 나라마다 다르기 때문에
➡ 공급이 수요보다 많은 제품을 생산하여 수출한다.

③ 생산비를 줄이면 더 큰 이익을 얻을 수 있기 때문에
➡ 국제 분업으로 생산하면 모든 상품을 생산할 때보다 생산비를 줄일 수 있어 더 큰 이익을 얻을 수 있다.

④ 생산 요소가 지역에 따라 분포의 차이를 보이기 때문에
➡ 특정 지하자원이 많이 분포한 나라는 그 자원을 특화하여 생산한다.

⑤ 거래 당사국 중 어느 한 나라가 이익을 얻을 수 있기 때문에
➡ 국제 분업을 통해 무역을 하면 거래 당사국 모두가 이익을 얻을 수 있다.

02 무역(국제 거래)의 특징

자료분석 | 제시문의 밑줄 친 **'이것'은 무역(국제 거래)**이다. 무역은 각 나라가 자신들이 생산한 **상품이나 서비스를 다른 나라와 사고파는 국제 거래**를 의미한다.

[선택지 분석]

ㄱ. 국내 거래에 비해 시장 규모가 작다.
➡ 국제 거래는 국내 거래에 비해 시장 규모가 크다.

ㄴ. 생산물의 이동이 국내 거래보다 자유롭다.
➡ 국제 거래는 국내 거래보다 생산물의 이동이 제한적이다.

ㄷ. 수입 규제 조치에 의해 제한을 받을 수 있다.
➡ 국제 거래에서는 해당 국가의 정책에 따라 상품 거래에서 관세나 수입 할당제 등의 제한을 받을 수 있다.

ㄹ. 각국의 화폐, 환율, 경제 여건 등에 영향을 받는다.
➡ 국제 거래는 각국의 여러 가지 상황에 영향을 받는다.

03 절대 우위와 비교 우위

[선택지 분석]

ㄱ. 두 재화 모두 절대 우위는 A국에 있다.
➡ A국이 B국에 비해 노트북과 스마트폰 생산비가 모두 적게 든다. 따라서 두 재화 모두 A국이 절대 우위를 가진다.

ㄴ. B국은 노트북에 비교 우위가 있다.
➡ B국은 스마트폰 1단위 생산의 기회비용이 노트북 16/21단위로, A국(노트북 8/3단위)보다 작아 스마트폰에 비교 우위가 있다.

ㄷ. 절대 우위론에 의하면 A국과 B국의 무역은 불가능하다.
➡ 절대 우위론은 절대 우위에 있는 재화를 생산해야 한다는 것인데, A국이 두 재화 모두 절대 우위에 있으므로 A국이 모두 생산해야 한다. 이 경우 B국은 두 재화 모두를 생산하지 못하므로 무역을 할 수 없다.

ㄹ. A국이 비교 우위 제품에 특화하여 무역을 할 경우 5달러의 이익이 발생한다.
➡ 노트북 1단위를 생산하는 데 드는 기회비용은 A국(스마트폰 3/8단위)이 B국(스마트폰 21/16단위)보다 작으므로 A국은 노트북에 비교 우위가 있다. 따라서 A국은 노트북을 2단위 생산하고, B국은 스마트폰을 2단위 생산하여 각각 1단위씩 교환하면, A국은 무역 이전에는 11달러를 들여 노트북과 스마트폰을 1단위씩 생산했지만, 무역을 통해 6달러로 노트북과 스마트폰 1단위씩을 갖게 되므로 무역 이전에 비해 5달러의 이익이 발생한다.

04 우리나라의 베트남 수출입 현황 분석

[선택지 분석]

① 우리나라는 무선 통신 기기에 비교 우위가 있다.
➡ 수출 순위가 높은 제품이 비교 우위가 있는 제품이므로, 주요 수출 품목 중 2위인 무선 통신 기기에 비교 우위가 있다.

② 베트남은 노동 집약적 상품에 비교 우위가 있다.
➡ 주요 수입 품목 중 1, 2위인 의류와 신발은 노동력이 많이 소요되는 노동 집약형 상품이다.

③ 우리나라는 반도체 생산비가 베트남에 비해 낮다.
➡ 반도체는 우리나라가 베트남에 가장 많이 수출하는 상품이다. 이는 반도체 생산비가 베트남에 비해 낮기 때문에 가능하다.

④ 베트남은 무선 통신 기기에 대한 수요가 높은 편이다.
➡ 베트남이 우리나라로부터 무선 통신 기기를 많이 수입하는 것은, 이러한 상품에 대한 수요가 높기 때문이다.

⑤ 베트남은 우리나라에 비해 의류 관련 원료를 더 많이 생산한다.
➡ 우리나라는 베트남으로부터 의류 관련 원료가 아니라 의류를 많이 수입한다.

05 무역 확대의 영향

[선택지 분석]

① 소비자의 상품 선택의 범위가 확대된다.
➡ 소비자는 다양한 재화와 서비스 가운데서 질 좋고 저렴한 것을 선택할 수 있어 보다 풍요로운 소비 생활을 할 수 있다.

② 서비스, 자본, 노동 등의 이동이 활발해진다.

③ 국가 간 경제 성장으로 무역 마찰이 줄어든다.
➡ 자유 무역의 확대로 경쟁력이 약한 국내 산업이 피해를 입을 수 있는데, 이것이 무역 마찰로 발전하는 경우가 많다.

④ 경쟁력 있는 산업에서는 새로운 일자리가 창출된다.
➡ 경쟁력 있는 산업이라면 수출을 위해 생산량을 늘려야 하므로 그 분야의 고용이 창출된다.

⑤ 기업들은 좋은 상품을 만들기 위해 기술 개발에 주력한다.
➡ 국내 기업들은 더 넓은 외국 시장을 개척하고 외국 기업과의 경쟁에서 이기기 위해 기술 혁신에 힘쓴다.

06 지역 경제 협력체

[선택지 분석]

① 유럽 연합(EU)
➡ 유럽의 28개 국가로 구성된 국가 연합이다. 처음에는 유럽 지역의 경제 협력체로 출발했지만 현재는 외교 안보 정책까지 함께 하고 있다.

② 세계 무역 기구(WTO)
➡ 국가 간 무역 장벽을 제거하고 자유 무역을 확대하기 위해 설립된 국제기구로, 지역 간 경제 협력체가 아니다.

③ 남미 공동 시장(MERCOSUR)
➡ 브라질·아르헨티나·우루과이·파라과이 4개국에 의해 1995년 1월에 발족한 유럽 연합(EU) 형의 공동 시장이다.

④ 북미 자유 무역 협정(NAFTA)
➡ 북미의 캐나다, 미국, 멕시코 3국이 관세와 무역 장벽을 없애고 자유 무역권을 형성한 지역 경제 협력체이다.

⑤ 아시아·태평양 경제 협력체(APEC)
➡ 아시아·태평양 지역의 경제적인 협력을 증대시키기 위한 협의 기구로, 미국, 중국, 한국 등 21개국으로 구성된다.

07 국제 거래(무역) 확대의 긍정적 영향

[선택지 분석]

① 국내의 모든 산업이 고르게 성장한다.
➡ 국제 경쟁력이 있는 산업은 성장하지만, 국제 경쟁력이 없는 산업은 큰 타격을 입고 도태될 수 있다.

② 다양한 제품을 저렴하게 구매할 수 있다.

③ 국내 경제가 활성화되고 일자리가 창출된다.
➡ 기업의 효율성과 생산성이 높아지고, 이 과정에서 국내 경제가 활성화되고 일자리가 창출된다.

④ 새로운 기술 교류가 이루어져 경제 발전에 기여한다.
➡ 첨단 산업이나 선진화된 기술을 도입하여 경제 발전에 기여할 수 있다.

⑤ 문화 교류가 활성화되어 다양한 문화를 누릴 기회가 증가한다.
➡ 외국의 문화가 들어오면서 문화 교류가 활성화되어 외국의 유명 뮤지컬이나 음식을 국내에서 접할 수 있게 된다.

08 무역 확대의 영향

[선택지 분석]

① ㉠ : 기업은 규모의 경제를 실현하여 높은 이윤을 추구할 수 있다.
➡ 규모의 경제는 생산 규모가 커지거나 생산량이 늘어날수록 평균 생산 비용이 하락하는 경제 현상이다. 무역이 확대되면 기업은 세계 시장을 대상으로 거래하게 되므로 규모의 경제를 실현하여 생산비의 절감을 통해 높은 이윤을 추구할 수 있다.

② ㉠ : 저렴하고 질 좋은 상품 구매로 소비 생활의 만족감이 증대한다.
➡ 우리나라에 없는 다양한 제품을 저렴하게 구매함으로써 소비 생활의 만족감을 높일 수 있다.

③ ㉠ : 생산 요소의 자유로운 이동으로 계층 간 빈부 격차가 해소된다.
➡ 생산 요소의 자유로운 이동으로 계층 간 빈부 격차가 해소된다고 보기는 어렵다.

④ ㉡ : 국제 경쟁력이 약한 국내 기업은 도태될 수 있다.

⑤ ㉡ : 정부의 자율적인 정책 결정이 제한을 받을 수 있다.
➡ 정부가 국내 산업을 보호하거나 지원하는 정책을 펴면 외국 정부나 기업의 이해관계와 상충되어 국가 간 갈등과 충돌이 일어날 수 있고, 이러한 갈등이 정치적 문제로 확산될 가능성도 있다.

09 우리나라의 주요 수출입 상대국

[선택지 분석]

✕ 중국과의 교역에서 적자를 나타내고 있다.
➡ 수출 총액이 수입 총액보다 많고 수출 총액 중에서 중국이 차지하는 비율이 수입 총액에서 중국이 차지하는 비율보다 높기 때문에 우리나라의 중국에 대한 수출액이 수입액보다 많아 흑자를 나타내고 있다.

ㄴ 특정 국가들에 대한 무역 의존도가 높은 편이다.
➡ 수출과 수입 모두에서 중국, 미국, 일본의 비중이 매우 높다.

✕ 교역 상대국을 강대국 중심으로 단일화할 필요가 있다.
➡ 무역의 비중이 중국, 미국, 일본 등에 집중되어 있어서 이들 나라에 경제적 문제가 발생했을 경우 우리나라가 받게 되는 타격은 클 수밖에 없다. 따라서 수출국과 수입국을 다변화하려는 노력이 필요하다.

ㄹ 일본과의 교역에서는 무역의 구조적 개선이 요구된다.
➡ 일본과의 교역에서는 수입이 수출보다 많아 무역 적자가 나타나고 있다. 따라서 무역의 구조적 개선이 요구된다.

도전! 1등급 문제

176~177쪽

01 ③ 02 ④ 03 ② 04 ⑤ 05 ④ 06 ③ 07 ② 08 ④

01 우리나라 수출 품목의 변화

[선택지 분석]

① ✕ 무역 의존도가 크게 높아지고 있다.
➡ 제시된 자료로는 무역 의존도를 알 수 없다.

② ✕ 수출 대상국이 점차 다양해지고 있다.
➡ 제시된 자료에서 수출 대상국은 알 수 없다.

③ ✓ 첨단 산업이 지속적으로 성장하고 있다.
➡ 반도체와 같은 첨단 산업의 수출 비중이 점차 증가하고 있다.

④ ✕ 자동차의 생산비가 점차 높아지고 있다.
➡ 생산비가 높아지고 있다면 특화하여 생산할 이유가 없다. 자동차가 2014년 수출 품목에 있는 것으로 보아 자동차의 생산비가 낮아지고 있음을 알 수 있다.

⑤ ✕ 노동 집약적 상품의 수출 비중이 늘어나고 있다.
➡ 노동 집약적 상품은 의류, 신발 등 노동력이 많이 필요한 상품이다. 1990년에는 노동 집약적 상품의 비중이 높게 나타났지만, 2014년에는 노동 집약적 상품보다는 반도체나 자동차 등 기술 집약적 상품의 비중이 높게 나타난다.

02 자유 무역 협정의 효과

[선택지 분석]

① ✕ 국가 내 계층 간 빈부 격차를 줄일 것이다.
➡ 자유 무역 협정 체결과 계층 간 빈부 격차 감소와는 관련이 없다.

② ✓ 양국의 비교 우위 상품의 교역이 촉진될 것이다.
➡ 자유 무역 협정은 당사국들의 비교 우위 상품을 자유롭게 교역하자는 것이므로 해당 상품의 교역이 증가할 것이다.

③ ✕ 다국적 기업의 국내 진출이 억제될 것이다.
➡ 자유 무역의 확대로 다국적 기업의 진출이 활발해질 것이다.

④ ✕ 우리나라와 남미의 전통문화가 통합될 것이다.
➡ 자유 무역의 확대는 양국 간의 문화 교류를 촉진시키지만, 그렇다고 하여 양국의 전통문화가 통합될지는 알 수 없다.

⑤ ✕ 경제 활동에 대한 정부 개입의 필요성이 증대할 것이다.
➡ 자유 무역이 확대되면 보호 무역의 특징인 정부 개입의 필요성은 감소할 것이다.

03 석탄의 주요 수출국과 수입국

[선택지 분석]

ㄱ 중국과 일본은 석탄에 대한 수요가 높을 것이다.
➡ 중국과 일본의 석탄 수입이 많은 것으로 보아 이들 국가에서는 석탄을 많이 필요로 할 것이다.

✕ 인도네시아는 인도에 비해 석탄 매장량이 적을 것이다.
➡ 인도네시아는 석탄 수출국, 인도는 석탄 수입국이다. 인도네시아가 인도에 비해 석탄 매장량이 많기 때문에 석탄을 특화하여 수출하는 것이다.

ㄷ 석탄의 매장량이 나라별로 다르기 때문에 무역이 발생하는 것이다.
➡ 생산 요소의 지역별 분포 차이로 무역이 발생한다.

✕ 오스트레일리아의 석탄 수출액이 중국의 석탄 수입액보다 많을 것이다.
➡ 석탄 수출액과 수입액은 자료에 나타나 있지 않다.

04 절대 우위와 비교 우위의 분석

[선택지 분석]

① 갑국은 Y재에 절대 우위가 있다.
➡ Y재 1단위를 생산하는 데 갑국은 25달러, 을국은 100달러가 필요하므로, 갑국이 Y재에 절대 우위가 있다.

② 을국은 X재에 비교 우위가 있다.
➡ X재 1단위를 생산하는 데 드는 기회비용은 을국(Y재 60/100단위)이 갑국(Y재 30/25단위)보다 작으므로 을국은 X재에 비교 우위가 있다.

③ 갑국은 Y재, 을국은 X재를 특화하는 것이 좋다.
➡ 갑국은 Y재, 을국은 X재에 비교 우위가 있으므로, 비교 우위 제품을 특화하여 교역하는 것이 좋다.

④ 갑국과 을국이 특화하여 1단위씩 교환한다면 갑국의 이익은 5달러이다.
➡ 갑국이 Y재에 특화하여 50달러로 Y재를 2단위 생산하여 을국에 1단위를 주고, 을국의 X재를 1단위 받는다면 무역 이전의 55달러에 비해 5달러가 이익이다.

⑤ ✓ 갑국과 을국이 특화하여 1단위씩 교환한다면 을국의 이익은 30달러이다.
➡ 을국이 120달러로 X재 2단위를 생산하여 갑국의 Y재와 교환하면 무역 이전의 160달러에 비해 40달러가 이익이다.

05 무역 확대의 영향

자료분석 1970년 580억 달러에 불과했던 전 세계 무역 규모는 **10년마다 거의 두 배 이상 가파르게 증가**하였다. 특히 세계화가 본격적으로 진행된 2000년대 이후 더욱 급속히 증가하여 2014년 현재 약 38조 달러에 육박하고 있는데, 이는 **무역의 지속적인 확대**를 보여 주는 자료이다.

[선택지 분석]

① 규모의 경제를 통해 기업의 생산비가 줄어든다.
➡ 무역의 규모가 확대되면 기업은 세계 시장을 대상으로 생산을 하기 때문에 생산 규모가 늘어나면서 상품 단위당 평균 생산 비용이 감소하는 규모의 경제를 실현할 수 있다.

②경쟁력이 약한 산업에서 대량 실업을 초래할 수 있다.
➡ 국제 경쟁력을 갖추지 못한 산업은 외국 기업의 값싸고 질 좋은 수입품에 자리를 내줄 수밖에 없다. 따라서 연관 산업의 쇠퇴와 함께 대량 실업을 초래할 수 있다.

③다른 나라의 경제 상황에 영향을 받는 일이 많아진다.
➡ 무역의 확대로 세계 경제의 불안 요인이 국내 경제에 영향을 미치게 된다.

④소비자들이 선택할 수 있는 상품의 범위가 축소될 수 있다.
➡ 값싸고 질 좋은 외국 상품이 수입되어 소비자들이 선택할 수 있는 상품의 범위가 넓어진다.

⑤기업의 연구 개발 투자가 확대되어 효율성과 생산성이 높아진다.
➡ 해외 기업들과의 치열한 경쟁에서 살아남기 위해서는 기술 개발에 투자해야 하므로 기업의 효율성과 생산성이 높아질 것이다.

06 세계 무역 기구와 자유 무역 협정

[선택지 분석]

ㄱ. ㉠은 보호 무역을 추구한다. → 자유 무역을 추구

ㄴ. ㉠은 무역 분쟁을 조정한다.
➡ 세계 무역 기구는 회원국들의 무역 정책을 점검하고, 국가 간에 발생하는 무역 분쟁을 조정한다.

ㄷ. ㉡은 비회원국에게는 배타적이다.
➡ 자유 무역 협정의 회원국끼리는 무역 장벽을 없애면서 자유 무역을 추구하지만, 비회원국에게는 관세나 수입 제한 조치 등을 통해 보호 무역을 추구한다.

ㄹ. ㉡은 회원국 모두에게 국제 수지의 흑자를 가져다준다.
➡ 자유 무역 협정을 체결하면 비교 우위 상품에 특화하여 서로 교역하므로 무역 규모는 확대되지만 교역 당사국의 수출액이 수입액보다 항상 큰 것은 아니므로 국제 수지의 흑자를 가져다줄지는 알 수 없다.

07 자유 무역 협정의 문제점

[선택지 분석]

①다른 나라의 선진 기술 도입을 어렵게 할 수 있다.
➡ 자유 무역으로 선진 기술 도입은 촉진될 수 있다.

②경쟁력을 갖추지 못한 국내 산업에 어려움을 줄 수 있다.
➡ 우리나라가 체결한 자유 무역 협정의 결과 농업 분야의 피해액이 큰 것은 우리나라 농업 분야의 경쟁력이 떨어지기 때문이다.

③국가 간 무역 장벽을 강화하여 무역 충돌을 일으킬 수 있다.
➡ 자유 무역 협정은 국가 간 무역 장벽을 제거함으로써 무역의 자유화를 도모하는 것이다.

④정부가 경제 정책을 자율적으로 운영하는 데 제약이 될 수 있다.
➡ 무역의 확대로 발생하는 문제점이지만 제시된 내용과는 거리가 멀다.

⑤수입품의 가격을 상승시킴으로써 소비자의 선택의 폭을 좁힐 수 있다.
➡ 관세를 부과하지 않아 수입품이 싸게 들어오기 때문에 소비자의 선택의 폭이 넓어진다.

08 자유 무역과 보호 무역의 대처 방안

자료분석 (가)는 자유 무역 협정으로 인한 문제점, (나)는 미국의 보호 무역 조치로 인한 피해를 말하고 있다. **자유 무역**이 확대되면 **경쟁력이 취약한 산업이 피해**를 입게 되고, 선진국이 **보호 무역** 조치를 취하면 **수출이 둔화**된다.

[선택지 분석]

①선진국의 보호 무역 조치에 맞서 관세를 인상한다.
➡ 국제적 고립을 초래할 수 있다.

②국산품 애용을 생활화하여 수입품의 범람을 막는다.
➡ 국산품이라도 품질이 우수하지 않으면 소비자들이 외면한다.

③선진국으로의 수출보다는 개발 도상국으로의 수출로 전환한다.
➡ 수출 시장이 넓지 않아 효과가 약하다.

④기술 개발에 적극 투자하여 제품의 품질 향상을 위해 노력한다.
➡ 품질이 우수하면 국제 경쟁력을 갖추게 되고, 소비자의 수요는 당연히 증가하므로, 선진국이라도 보호 무역 조치만을 고수할 수는 없을 것이다.

⑤자유 무역 협정 체결을 중지하고 보호 무역을 통해 자립 경제를 도모한다.
➡ 국제적 고립을 초래할 수 있다.

04 안정적인 경제생활과 금융 설계

콕콕! 개념 확인 182쪽

01 (1) 주식 (2) 채권 (3) 연금 (4) 예금, 예금자 보호
02 (1) ㉡ (2) ㉢ (3) ㉠
03 (1) 청년기 (2) 수입, 지출
04 (1) A : 목표 달성을 위한 대안 모색, B : 재무 실행 평가와 수정
(2) 은퇴 후 필요한 월 생활비, 월 평균 연금 수령액 등

탄탄! 내신 문제 183~184쪽

01 ③ **02** ② **03** ③ **04** ② **05** ③ **06** ① **07** ③ **08** ①

01 금융 자산의 종류

자료분석 배당금과 시세 차익을 기대할 수 있는 것은 **주식**이다. 원금을 안정적으로 보장받을 수 있는 것은 **예금**이다. **채권**은 예금에 비해 수익성이 높지만 안전성은 낮다. 그러나 주식보다는 안전성이 높다. 따라서 **갑은 주식, 을은 예금, 병은 채권을 선호**할 것이다.

02 자산 관리 현황 분석

[선택지 분석]

① 갑의 투자는 "계란을 한 바구니에 담지 마라."라는 격언에 충실한 방법이다.
➡ 갑은 주식에 5천만 원을 모두 투자하였으므로 분산 투자 원칙에 충실하지 않았다.

② 은행이 파산하더라도 을은 원금을 모두 회수할 수 있다.
➡ 예금은 예금자 보호법에 의해 5천만 원까지 보호를 받을 수 있으므로 을은 원금 5천만 원을 모두 회수할 수 있다.

③ 갑은 을과 병에 비해 유동성을 가장 중시하였다.
➡ 주식은 수익성은 높지만 안전성이 낮고, 팔려고 내놓아도 팔리지 않는 경우가 있어 유동성도 높지 않다. 따라서 갑이 가장 중시한 것은 수익성이다.

④ 예금 금리가 내릴 경우 을에 비해 병이 더 큰 손실을 입게 된다.
➡ 병은 예금 금리의 영향을 받지 않는 주식과 채권에도 투자했으므로 을에 비해 손실이 적다.

⑤ 병은 갑에 비해 수익성은 높지만 안전성이 낮은 투자를 하였다.
➡ 채권은 주식에 비해 수익성은 낮지만 안전성이 높다.

03 주식의 특징

자료분석 제시된 사진은 **주식이 거래되는 증권 시장의 모습**이다. 주식은 주식회사가 경영 자금을 마련하기 위해 투자자로부터 돈을 받고 발행하는 증서로, **수익성은 높지만 안전성은 낮다.**

[선택지 분석]

① 예금자 보호법의 적용을 받는다. → 예금 · 적금

② 유동성과 안전성은 높지만, 수익성이 낮다. → 예금 · 적금

③ 투자 수익은 시세 차익과 배당금으로 구성된다.
➡ 주식을 싼 값에 사서 비싼 값에 팔면 시세 차익을 얻을 수 있다. 또 주식회사가 수익을 내면 주주들은 소유한 주식에 비례하여 배당금을 받는다.

④ 미래에 발생할 수 있는 사고로 인한 큰 손해를 막아주는 역할을 한다. → 보험

⑤ 계약 기간 동안 일정한 금액을 정기적으로 납입하여 만기일에 원금과 이자를 받는다. → 적금

04 자산 관리의 원칙

자료분석 제시된 자산 관리의 원칙 중 투자한 금융 자산의 가치가 보호될 수 있는 정도인 **A는 안전성**, 금융 상품의 가격 상승이나 이자 수익을 기대할 수 있는 정도인 **B는 수익성**, 보유한 자산을 현금으로 쉽게 전환할 수 있는 정도인 **C는 유동성**에 해당한다.

[선택지 분석]

ㄱ. A는 원금과 이자가 보전될 수 있는 정도를 의미한다.

ㄴ. 일반적으로 A가 높은 자산일수록 ~~B도 높다~~. ↳ B는 낮다

ㄷ. 채권은 주식보다 B가 ~~높다~~. ↳ 낮다

ㄹ. 예금은 C는 높지만 B는 낮다.

05 생애 주기별 금융 설계의 내용

[선택지 분석]

① 10대에는 용돈을 어떻게 써야할 지에 대해 미리 계획해야 한다.

② 20대에는 결혼 비용을 어떻게 마련할 것인지에 대해 계획을 세워야 한다.

③ 40대에는 자녀의 양육에 많은 돈이 들어가므로 은행 대출을 최대한 많이 받아야 한다.
➡ 자녀의 양육과 교육 비용은 소득의 범위 내에서 지출하도록 해야 한다. 은행 대출을 받으면 이자까지 갚아야 하므로 불가피한 경우에 최소한으로 대출받도록 한다.

④ 50대에는 보험이나 연금 등을 점검하여 노후 생활을 위한 준비를 해야 한다.

⑤ 60대에는 수입보다 지출이 많은 시기이므로 지출 비용을 적절히 조정해야 한다.

06 생애 주기별 수입과 지출 분석

자료분석 제시된 그래프는 갑의 생애 주기에 따른 수입과 지출의 흐름을 나타낸 것이다. **A는 저축에 해당하는 부분**으로, 대체로 퇴직 이후에는 소득보다 소비가 많아지기 때문에 **A의 면적이 넓고 B의 면적이 좁아야 안정된 노후 생활이 가능**하다.

[선택지 분석]

ㄱ. A의 면적이 넓을수록 갑은 퇴직 이후에 안정적인 생활을 할 수 있다.
➡ A는 저축에 해당하므로 A의 면적이 넓을수록 노후 생활이 안정적이다.

ㄴ. B에는 갑의 건강 유지 비용과 병원비가 포함되어 있다.
➡ 은퇴 이후에는 수입보다 지출이 많으므로 지출 비용을 점검해야 한다. 이때 건강 유지 비용과 병원비는 꼭 확보해야 한다.

ㄷ. 갑의 퇴직 시기가 늦춰질수록 A보다 B의 면적이 넓어질 것이다.
➡ 퇴직 시기가 늦춰지면 저축할 수 있는 여유가 생기므로 A의 면적이 넓어진다.

ㄹ. 갑의 소비 수준은 소득 수준의 변화에 따라 비례적으로 변화한다.
➡ 그래프를 보면 수입이 지출을 초과하는 시기도 있고, 반대로 지출이 수입을 초과하는 시기도 있다. 따라서 소득과 소비가 꼭 비례하는 것은 아니다.

07 금융 설계 과정

자료분석 **금융 설계**란 자신의 생애 주기별 과업을 바탕으로 재무 목표를 설정하고, 미래의 수입과 지출을 예상하여 **목표 달성에 필요한 구체적인 자금 계획을 세우는 것**을 말한다. 이것은 안정적인 인생을 위해 제한된 소득을 현재와 장래의 생활에 어떻게 배분할 것인지를 **사전에 자세히 검토해 보는 작업**이라고 할 수 있다.

[선택지 분석]

① (가) : 생애 주기 전체를 고려하여 설정해야 한다.

② (나) : 자산과 부채, 수입과 지출의 상태를 파악한다.

③ (다) : 수익성을 가장 우선하여 행동 계획을 수립한다.
➡ 수익성뿐만 아니라 안전성과 유동성도 고려해야 한다.

④ (라) : 재무 목표를 바탕으로 성실하게 행동 계획을 실천한다.

⑤ (마) : 목표 달성 정도를 평가하고 달성하지 못한 경우 문제점을 파악한다.

08 50대의 재무 설계의 특징

[선택지 분석]

✓ 노후를 위해 보험이나 연금 상황을 점검한다.
➡ 50대는 퇴직을 준비하는 시기이므로 노후 준비에 보탬이 되는 보험이나 연금 상황을 꼭 점검해야 한다.

✗ 자녀의 교육과 결혼에 모든 자산을 지출한다.
➡ 노후에 대한 대비를 하지 않으면 노후에 안정적인 생활이 어려워질 수 있다.

✗ 퇴직금을 담보로 주식이나 부동산에 투자한다.
➡ 은퇴 이후의 삶을 준비해야 하므로, 자산 관리에서 유동성과 안전성을 확보하는 것이 중요하다. 주식은 안전성이 매우 낮고, 부동산은 유동성이 낮으므로, 퇴직금을 담보로 투자하는 것은 매우 위험하다.

✗ 자산의 대부분을 부부의 여가 활동에 지출한다.
➡ 부부의 여가 활동에 지출하는 것도 필요하지만 노후 준비 자산까지 지출해서는 안 된다.

✗ 은행으로부터 대출을 받아 새로운 사업을 시작한다.
➡ 새로운 사업을 시작하는 것은 신중히 생각해야 할 부분이다. 사업이 실패할 경우 은행 대출금을 갚는 문제 등으로 노후 생활의 안정이 위협받을 수 있다.

도전! 1등급 문제 185쪽

01 ④ 02 ③ 03 ③ 04 ⑤

01 금융 자산의 특징

자료분석 주식은 수익성이 높지만 안전성이나 유동성은 낮고, 예금은 안전성과 유동성은 높지만 수익성이 낮다. 따라서 제시된 그래프에서 **A는 주식, B는 예금**이다.

[선택지 분석]

✗ A는 국가 및 지방 자치 단체에서 발행할 수도 있다.
➡ 주식은 주식회사에서만 발행한다. 국가 및 지방 자치 단체에서 발행할 수 있는 것은 채권이다.

ㄴ 유동성은 A보다 B가 높다.
➡ 유동성은 현금화가 가능한 정도이다. 주식은 팔려야 현금화할 수 있지만, 예금은 은행에 가서 찾으면 즉시 현금화가 가능하므로 예금이 주식보다 유동성이 높다.

✗ 은행 금리가 높아지면 B보다 A의 선호도가 높아질 것이다.
➡ 은행 금리가 높아지면 예금(B)에 대한 선호도가 높아진다.

ㄹ (가)에는 '안전성'이 들어갈 수 있다.
➡ 예금은 주식에 비해 수익성은 낮지만 안전성은 높다.

02 금융 자산과 자산 관리

[선택지 분석]

① 갑은 은행이 파산하더라도 원금과 이자를 보호받는다.
➡ 예금은 5,000만 원까지는 예금자 보호법의 적용을 받아 은행이 파산하더라도 원금과 이자를 보호받는다.

② 을의 금융 상품은 전문가가 투자를 대신한다.
➡ 펀드는 투자 전문가가 투자를 대신해 주는 간접 투자 상품이다.

✓ 병은 분산 투자 원칙에 충실하였다.
➡ 3~4개의 종목이라도 모두 주식에만 투자했으므로 분산 투자 원칙에 충실했다고 볼 수 없다.

④ 정의 금융 상품은 모두 시세 차익을 기대할 수 있다.
➡ 주식과 채권은 모두 싸게 사서 비싸게 팔 수 있으므로 시세 차익을 기대할 수 있다.

⑤ 무는 노후 생활의 안정을 중시하고 있다.
➡ 연금은 노후에 일정액을 매달 받을 수 있는 금융 상품이므로, 노후 생활의 안정을 위해 필요하다.

03 생애 주기별 소득과 소비 분석

자료분석 제시된 그래프에서 (가)는 점차 본인의 소득에 따라 경제생활을 하게 되는 **청년기**이며, (나)는 일반적으로 소득이 가장 많은 **중·장년기**이고, (다)는 수입보다 지출이 많아지는 **노년기**이다.

[선택지 분석]

✗ (가) 시기에는 소비보다 소득이 많다.
➡ 그래프를 보면 (가) 시기에는 소득이 거의 없다. 하지만 필수적인 소비는 이루어져야 하므로 소득보다 소비가 많을 것이다.

ㄴ (나) 시기에는 저축할 여력이 가장 많다.
➡ 중·장년기는 소득이 가장 많은 시기이므로, 저축할 여력도 가장 많다.

ㄷ (다) 시기에는 보험, 연금 등을 잘 활용해야 한다.
➡ 노년기에는 보험이나 연금 상품을 잘 활용해야 한다.

✗ A 시기에 누적된 저축액이 가장 많다.
➡ A 시기는 납입하는 저축액이 가장 많은 시기이다. 누적된 저축액은 (나)의 마지막 부분에서 가장 많다.

04 금융 설계 과정

자료분석 (가)는 **재무 목표 설정** 단계, (나)는 **재무 실행 평가와 수정** 단계, (다)는 목표 달성을 위한 대안 모색(**행동 계획 수립**) 단계, (라)는 **재무 상태 분석** 단계이다.

[선택지 분석]

① (가)는 재무 목표를 설정하는 단계에 해당한다.
➡ 주택 마련을 위해서는 일정한 액수의 돈이 필요하므로 재무 목표에 해당한다.

② (나)는 재무 행동 계획을 수정하는 단계이다.
➡ 갑은 월급 증가라는 상황 변화에 대해 주식 투자라는 재무 행동으로 계획을 수정하였다.

③ (다)에서는 수익성보다는 안전성을 중시하는 투자 전략을 세우고 있다.
➡ 정기 예금은 안전성을 중시하며, 채권은 주식에 비해서는 수익성이 낮고 안전성이 높다.

④ (라)에서는 현재 소득과 보유 자산뿐만 아니라 지출 상황도 점검해야 한다.

➡ (라)는 재무 상황을 파악하는 단계로서 현재 소득과 보유 자산, 미래 소득, 현재와 미래의 지출 상황까지 점검해야 한다.

⑤ 금융 설계의 과정은 (가)-(다)-(라)-(나)의 순서로 이루어진다.

➡ (가)-(라)-(다)-(나)의 순서이다.

한번에 끝내는 대단원 문제 188~191쪽

01 ④ **02** ④ **03** ③ **04** ② **05** ③ **06** ④ **07** ⑤
08 ⑤ **09** ③ **10** ④ **11** ③ **12** ⑤ **13** ④

14 (1) 수정 자본주의 (2) [모범 답안] 수정 자본주의는 국가가 적극적으로 시장에 개입하여 시장 실패를 해결해야 한다고 주장하였다.

15 (1) 소비자 주권 (2) [모범 답안] 비용과 편익을 고려하여 합리적 소비를 한다, 환경과 사회적 약자를 고려하는 윤리적 소비를 한다.

16 (1) 갑국 : 자동차, 을국 : 쌀 (2) [모범 답안] 쌀 1톤을 생산하기 위해 갑국은 자동차 2대를 포기해야 하고, 을국은 자동차 1/2대를 포기해야 한다. 자동차 1대를 생산하기 위해 갑국은 쌀 1/2톤을 포기해야 하고, 을국은 쌀 2톤을 포기해야 한다. 따라서 갑국은 자동차를 선택하고, 을국은 쌀을 선택하는 것이 기회비용이 작아 유리하다.

17 (1) 수익성 (2) [모범 답안] 분산 투자 원칙을 지키지 않고 주식에만 모두 투자하였기 때문에, 주식 가격이 폭락할 경우 원금 손실의 위험이 있다.

01 자본주의 경제 체제의 긍정적 효과

[선택지 분석]

✕ 빈부 격차 완화

➡ 사유 재산권과 자유로운 경쟁이 보장되므로 빈부 격차가 커질 수 있다.

ㄴ. 개인의 창의성 발휘

➡ 자유로운 경쟁이 보장되므로 개인의 창의성 발휘가 쉽다.

✕ 노사 갈등 해소

➡ 노동자와 사용자의 이해관계 대립으로 노사 갈등이 악화될 수 있다.

ㄹ. 자원의 효율적 배분

➡ 대부분의 경제 활동이 시장에서 일어나기 때문에 시장을 통해 수요와 공급이 균형을 이루면서 자원의 효율적인 배분이 이루어진다.

02 신자유주의에서 정부의 역할

자료분석 (가)는 **신자유주의**이다. 1970년대 석유 파동으로 발생한 스태그플레이션을 동반한 경기 침체를 정부가 제대로 해결하지 못하면서 **정부의 시장 개입을 비판**하는 신자유주의가 지지를 얻게 되었다. 신자유주의는 **기업에 대한 정부 규제 완화 및 철폐, 공기업 민영화, 복지 축소** 등을 주장하였다.

[선택지 분석]

✕ 부유세 신설 → 수정 자본주의에 적합

✕ 불공정 약관 규제 → 수정 자본주의에 적합

✕ 부동산 투기 지역 지정 → 수정 자본주의에 적합

✓ 기초 연금 수급자의 범위 축소

➡ 사회 보장을 축소하는 것은 정부가 경제 개입을 줄이겠다는 의미이므로 신자유주의에 적합하다.

✕ 대기업의 중소 기업 업종 진출 제한 → 수정 자본주의에 적합

03 시장 참여자로서 정부의 역할

자료분석 (가)에서 가격 담합은 시장의 공정한 경쟁을 해치는 **불공정 경쟁 행위**이다. 따라서 정부는 담합 기업에 대해 과징금을 부과하여 **공정한 경쟁을 촉진**하고 있다. (나)에서 섬 지역을 오가는 병원선은 공공의 이익을 위해 꼭 필요한 **의료 서비스를 제공하는 공공재**이다. 공공재는 시장 경제 원리에 맡겨 놓으면 제대로 공급되지 않기 때문에, **정부가 직접 공공재를 생산하여 공급**한다.

04 기회비용 분석

자료분석 사례에서 갑, 을, 병은 모두 여행을 선택했지만, 기회비용은 각기 다르다. 우선 여행 경비는 1인당 100만 원이므로, **갑, 을, 병의 명시적 비용은 같다.** 갑은 직장의 정기 휴가를 이용하였으므로 암묵적 비용이 들지 않는다. 을은 3일간 영업을 하지 않을 경우 150만 원을 벌지 못하므로, **을의 암묵적 비용은 150만 원**이다. 병은 아르바이트를 3일 못하므로, **병의 암묵적 비용은 3일치 아르바이트비인 30만 원**이다. 따라서 명시적 비용과 암묵적 비용을 합한 기회비용은 **갑 100만 원, 을 250만 원, 병 130만 원**이다.

[선택지 분석]

ㄱ. 갑은 을보다 기회비용이 작다.

➡ 갑 100만 원, 을 250만 원이다.

✕ 갑은 을보다 명시적 비용이 작다.

➡ 명시적 비용은 여행 경비로서 갑, 을, 병 모두 100만 원으로 같다.

ㄷ. 병은 갑보다 암묵적 비용이 크다.

➡ 갑은 암묵적 비용이 없고, 병은 30만 원이 암묵적 비용이다.

✕ 을과 달리 갑, 병의 편익은 기회비용보다 크다.

➡ 편익은 선택한 것의 만족도로서, 사례에서 여행을 선택한 것에 대한 만족도는 얼마인지 알 수 없다. 따라서 편익과 기회비용을 비교할 수 없다.

05 외부 효과의 구분

자료분석 (가)의 벽화 그리기는 많은 사람들에게 대가 없이 이익을 주고 있으므로 **(가)는 긍정적 외부 효과(외부 경제)의 사례**이다. (나)는 야구 경기로 인해 수면을 방해받고 있지만 어떤 보상도 받지 못하므로 **부정적 외부 효과(외부 불경제)의 사례**이다.

[선택지 분석]

✕ (가)는 사회 전체가 필요로 하는 양보다 많이 생산된다.

➡ 긍정적 외부 효과(외부 경제)는 사회 전체가 필요로 하는 양보다 적게 생산된다.

ㄱ. (가)는 '산토끼 잡으려다 집토끼 놓친다.'라는 속담의 의미와 관련이 있다.
➡ 어떤 것을 선택하려면 다른 것을 포기할 수밖에 없다는 뜻으로, 기회비용과 관련된 속담이다.

ㄴ. (나)에서 을에게 생긴 손해에 대한 보상은 이루어지지 않는다.
➡ 부정적 외부 효과(외부 불경제)에서는 피해에 대한 보상이 이루어지지 않는다.

ㄷ. (나)의 문제를 해결하기 위해서 야구 경기장에 보조금을 지급할 수 있다.
➡ 부정적 외부 효과(외부 불경제)는 과태료 부과 등의 제재를 가해 생산량을 줄여야 한다.

ㄹ. (가)와 달리 (나)는 자원이 비효율적으로 배분된다.
➡ 외부 효과는 긍정적이든 부정적이든 사회 전체가 필요로 하는 양과 일치하지 않으므로 자원의 비효율적인 배분을 초래한다.

06 기업의 사회적 책임

자료분석 | 제시문은 **기업의 사회적 책임을 강조**하고 있다. 기업의 사회적 책임은 단순히 사회에서 필요로 하는 재화와 서비스를 생산한다는 의미를 넘어 **건전한 이윤을 추구하는 것**과 함께 **소비자의 권익을 고려하는 것**이다. 더불어 기업의 **경영 방침이 윤리적**인지, **공정한 경쟁**을 하고 있는지, **노동자의 복지**에 힘쓰고 있는지 등도 포함한다.

[선택지 분석]

① 지역 사회의 환경 보호에 앞장선다.
② 영세 중소기업의 기술 개발을 지원한다.
③ 낙후된 학교에 시설 투자나 장학금을 지원한다.
④ 다른 기업과의 합병을 통해 기업 규모를 늘린다.
➡ 합병을 통해 규모를 늘리는 것은 기업 자신의 이익을 취하는 것이므로 사회적 책임을 실천한 사례로 볼 수 없다.
⑤ 농촌 지역에 도서관을 지어 문화 혜택의 기회를 확대한다.

07 비교 우위 분석

[선택지 분석]

ㄱ. 갑국은 두 재화 모두 비교 우위가 있고 옷 생산에 절대 우위가 있다.
➡ 갑국은 두 재화 모두 을국보다 생산비가 적게 들므로 두 재화 모두에 절대 우위가 있다.

ㄴ. 갑국은 특화된 재화를 한 단위 교역할 때마다 4만 원의 이익을 얻을 수 있다.
➡ 옷 1단위를 생산하는 데 드는 기회비용은 갑국(신발 7/9단위)이 을국(신발 16/12단위)보다 작으므로 갑국은 옷에 비교 우위가 있다. 따라서 갑국이 옷을 2단위 생산(7만 원×2=14만 원)하여 을국과 무역을 통해 교환하면, 무역 이전의 생산비(7만 원+9만 원=16만 원)보다 2만 원의 이익을 얻을 수 있다.

ㄷ. 을국은 신발을 특화하여 생산할 필요성이 있다.
➡ 신발 1단위를 생산하는 데 드는 기회비용은 을국(옷 12/16단위)이 갑국(옷 9/7단위)보다 작으므로 을국은 신발에 비교 우위가 있다. 따라서 을국은 신발을 특화하여 생산하는 것이 좋다.

ㄹ. 갑국과 을국은 한 단위를 교역할 때마다 총 6만 원의 비용 절감 효과를 얻을 수 있다.
➡ 을국은 무역 이전에는 28만 원으로 옷 1단위와 신발 1단위를 생산하여 소비했지만, 무역 이후에는 24만 원으로 옷 1단위와 신발 1단위를 소비할 수 있으므로 무역 이전에 비해 4만 원이 절약된다. 따라서 갑국은 2만 원, 을국은 4만 원의 무역 이익이 생기므로 총 6만 원의 비용이 절감된다.

08 윤리적 소비의 실천 사례

[선택지 분석]

① 생산 농민에게 유기농 생산물을 직접 구입하는 갑
② 값이 비싸더라도 에너지 소비 효율 1등급 제품을 사용하는 을
③ 구입할 때마다 기부금이 자동으로 적립되는 제품을 구매하는 병
④ 해외여행에서 될 수 있으면 현지인이 운영하는 숙소를 이용하는 정
➡ 공정 여행을 실천하고 있으므로 윤리적 소비이다.
⑤ 동물을 대상으로 인체 유해 여부 실험을 거친 화장품을 구입하는 무
➡ 동물을 대상으로 실험하는 것은 동물을 학대하는 행위이므로 이러한 제품을 구입하는 것은 윤리적 소비라고 볼 수 없다.

09 무역 확대의 긍정적 영향

[선택지 분석]

① 갑 : 외국 기업의 국내 진출로 일자리가 늘어날 것입니다.
② 을 : 국내 기업은 기술 혁신을 통해 경쟁력이 강화될 것입니다.
③ 병 : 정부가 자유롭게 경제 정책을 시행할 수 있게 될 것입니다.
➡ 무역이 확대되면 정부가 경제 정책을 자율적으로 운영하는 데 제약을 받을 수 있다. 정부가 국내 산업을 보호하거나 지원하는 정책을 펴면 외국 정부나 기업의 이해관계와 상충되어 국가 간 갈등과 마찰이 일어날 수 있다.
④ 정 : 소비자는 값싸고 질 좋은 상품을 선택할 수 있게 될 것입니다.
⑤ 무 : 문화 교류가 활성화되어 다양한 문화를 누릴 기회가 증가할 것입니다.

10 효과적인 자산 관리의 원칙

자료분석 | 갑은 을의 조언에 따라 생활비 지출을 50만 원 줄였고, 요구불 예금을 1/10로 줄였다. 그리고 정기 예금을 2배로 늘렸으며, **나머지 돈을 펀드에 모두 투자**했다. 이는 안전성은 높으나 수익성이 낮은 예금 위주의 자산 관리에서 탈피하여, **더 높은 수익성을 추구하는 펀드 위주의 자산 관리로 전환**한 것이다.

[선택지 분석]

ㄱ. 언제든지 급히 쓸 수 있는 자금이 필요합니다.
➡ 유동성이 높은 요구불 예금을 오히려 줄였다.

✗ 수익성보다 안전성을 중시하는 투자가 필요합니다.
➡ 예금을 줄이고 펀드에 가입했으므로 안전성보다는 수익성을 중시했다.

✗ 미래의 소비보다 현재의 소비를 더 중시해야 합니다.
➡ 생활비 지출은 현재의 소비, 예금이나 펀드 가입 등은 미래의 소비이다. 생활비 지출을 줄였으므로 현재의 소비보다는 미래의 소비를 더 중시했다.

✓ 수익성이 높은 상품의 투자를 전문가에게 맡기는 것이 좋습니다.
➡ 갑이 펀드에 400만 원을 새로 가입한 것으로 보아, 을은 수익성이 높은 간접 투자 상품을 권유했을 것이다.

✗ 여러 곳에 분산 투자하는 것보다는 한 곳에 집중 투자해야 합니다.
➡ 상담 이전에는 예금에만 투자했지만, 상담 이후에는 예금, 펀드 등에 분산 투자했다.

11 금융 자산의 종류

자료분석: 만기가 없는 금융 상품인 **A는 주식**, 만기가 있으면서 예금자 보호법이 적용되지 않는 **B는 채권**, 만기가 있으며 예금자 보호법의 적용을 받는 **C는 정기 예금**에 해당한다.

[선택지 분석]

① A는 원금을 잃을 수도 있다.
➡ 주식은 투자한 회사가 파산하면 원금을 잃을 수도 있다.

② B는 시세 차익을 기대할 수 있다.
➡ 채권은 이자 수익과 시세 차익을 기대할 수 있다.

✓ C에 투자할 경우 주주로서의 지위를 갖는다.
➡ 주식(A)에 투자할 경우 주주로서의 지위를 갖는다.

④ B는 A에 비해 안전성이 높다.
➡ 채권은 주식에 비해 안전성이 높다. 특히 국채는 국가가 발행하는 것이므로 회사채에 비해 안전성이 높다.

⑤ A는 C에 비해 수익성이 높다.
➡ 주식은 시세 차익, 배당금 등이 있어 정기 예금에 비해 수익성이 높다.

12 생애 주기별 재무 목표

[선택지 분석]

① ㉠ 재무적 독립 성취
➡ 20대에는 취업을 시작하므로 재무적 독립을 성취한다.

② ㉡ 자녀 출산 및 양육비 마련
➡ 30대에는 결혼하여 자녀를 갖게 되므로 자녀 출산과 양육을 위한 재무 설계가 필요하다.

③ ㉢ 자녀 교육비 마련

④ ㉣ 보험 및 연금 상황 검토
➡ 50대는 은퇴를 시작하는 시기이므로 은퇴 이후의 수입원인 보험과 연금 상황을 점검해야 한다.

✓ ㉤ 퇴직금 주식 투자 실행
➡ 60대는 은퇴를 하고 뚜렷한 소득원이 없는 상황이므로 그동안 저축했던 돈으로 살아가야 할 시기이다. 따라서 이때는 위험성이 큰 주식 투자를 줄이고 안전성이 높은 예금이나 채권에 투자하는 것이 좋다.

13 생애 주기별 수입 및 지출 곡선

[선택지 분석]

✗ ㉠과 ㉢의 합이 ㉡보다 커야 안정된 노후 생활이 가능하다.
➡ ㉠과 ㉢은 수입보다 지출이 많은 부분이고, ㉡은 수입이 지출을 초과하는 부분으로서 저축에 해당한다. 지출보다 저축이 많아야 안정된 노후 생활이 가능하다.

✗ (가) 시기는 다양한 과업이 요구되는 시기로 수입과 지출이 균형을 이룬다.
➡ (가) 시기는 수입보다 지출이 많다.

✗ (나) 시기는 가족 부양, 주택 마련 등으로 수입보다 지출이 많아 부채가 증가한다.
➡ (나) 시기는 수입이 지출보다 많아 저축이 가능하다.

✓ (다) 시기에 연금과 보험을 수령할 경우 ㉢의 크기가 줄어든다.
➡ ㉢은 노년기에 수입보다 지출이 많은 부분이다. 따라서 연금과 보험을 수령하면 수입이 늘어나므로 ㉢의 크기가 줄어든다.

✗ (다) 시기는 (나) 시기에 비해 지출보다 수입이 많다.
➡ (다) 시기는 노년기로 수입보다 지출이 많은 시기이다.

14 수정 자본주의와 국가의 역할

채점 기준

상	국가의 적극적 역할과 시장 실패 해결 의지가 드러나도록 서술한 경우
중	국가의 적극적인 역할은 서술하였지만, 시장 실패 해결은 서술하지 않은 경우
하	국가의 역할과 시장 실패 해결 등이 명확히 드러나지 않게 서술한 경우

15 소비자 주권의 실천

채점 기준

상	합리적 소비와 윤리적 소비를 언급하면서 그 내용을 정확히 서술한 경우
중	합리적 소비와 윤리적 소비만 언급한 경우
하	합리적 소비와 윤리적 소비 중 한 가지만 언급한 경우

16 비교 우위 계산

채점 기준

상	기회비용의 개념을 활용하여 포기한 것과 선택한 것의 가치를 정확히 서술한 경우
중	기회비용의 개념을 활용하지 않고 서술한 경우
하	비교 우위나 기회비용의 개념을 정확하게 인식하지 못한 서술인 경우

17 자산 관리의 원칙과 분산 투자

채점 기준

상	분산 투자 원칙과 원금 손실 위험이 드러나게 서술한 경우
중	원금 손실 위험만 제시하여 서술한 경우
하	갑의 투자 방식의 문제점을 정확하게 파악하지 못한 서술인 경우

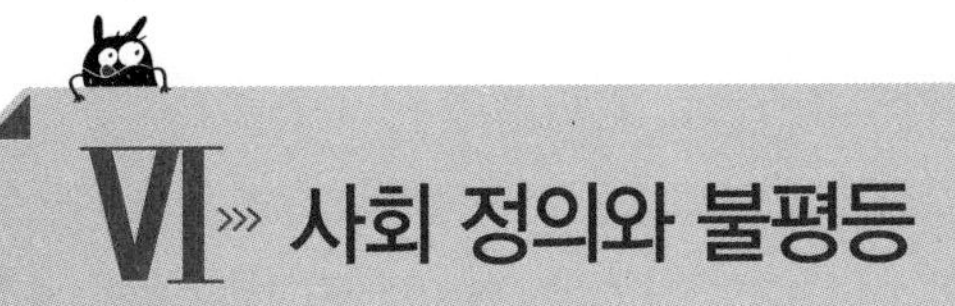

VI 사회 정의와 불평등

01 정의의 의미와 기준

콕콕! 개념 확인 197쪽

01 (1) 아리스토텔레스 (2) 교정적 (3) 같게, 다르게
02 (1) 판단 기준 (2) 개인선 (3) 권리 또는 인권
03 (1) 이익 (2) 업적 (3) 필요
04 (1) 분배적 정의 (2) 필요에 따른 분배
05 (1) ㉡ (2) ㉢ (3) ㉠

탄탄! 내신 문제 198쪽

01 ④ **02** ⑤ **03** ④ **04** ① **05** ②

01 정의의 의미

[선택지 분석]
① 공정한 분배를 추구하는 것이다.
② 옳음, 공정성, 공평성과 비슷한 의미이다.
③ 마땅히 받을 만한 몫을 공정하게 받는 것이다.
④ '같은 것은 같게, ~~다른 것도 같게~~' 대우하는 것이다.
↳ 다른 것은 다르게
⑤ 오늘날에는 공정한 절차에 따라 자유와 평등이 조화롭게 실현된 상태를 의미하기도 한다.

02 아리스토텔레스의 정의론

자료분석 제시문은 아리스토텔레스가 주장한 정의론의 내용이다. **아리스토텔레스**는 정의란 합당한 자기의 몫을 받는 것과 법에 따르는 것이라 하였고, 일반적 정의와 특수적 정의로 구분하였다. **특수적 정의** 중 같은 가치를 지닌 두 물건을 교환함으로써 교환의 결과가 공정하게 하는 것이 **교환적 정의**이다. 교환적 정의는 **등가(等價)의 원칙**을 바탕으로 시장의 거래나 교섭의 공정성을 실현하는 정의이다.

[선택지 분석]
①, ② 교정적 정의를 시정(是正)적 정의라고도 한다.

03 정의의 필요성

[선택지 분석]
✕ 개인선보다 공동선을 추구하기 위해
➡ 정의는 개인선과 공동선을 조화롭게 추구하여 사회적 갈등을 최소화해 주는 역할을 한다.
㉡ 이해 갈등을 공정하게 처리하기 위해
㉢ 사회 구성원들의 인간다운 삶을 실현하기 위해
㉣ 공동체 전체의 나아갈 방향에 대한 합의에 도달하기 위해

04 플라톤의 정의의 기준

자료분석 제시된 자료는 **플라톤이 제시한 '이상 사회'인 '정의로운 사회'**에 대한 설명이다. 플라톤은 생산자는 절제의 미덕, 수호자는 용기의 미덕, 통치자는 지혜의 미덕을 갖춰야 한다고 주장하였으며, 이러한 덕목들이 조화롭게 실현될 때 '정의로운 사회'가 실현된다고 하였다. 여기서 생산자, 수호자, 통치자의 역할은 **능력과 소질에 따라 나누는 것**이다.

05 분배적 정의의 실질적 기준

자료분석 갑은 전문적 지식이나 자질을 기준으로 하므로 **능력에 따른 분배**를, 을은 사회적 필요를 기준으로 하므로 **필요에 따른 분배**를, 병은 업무 성과나 실적을 기준으로 하므로 **업적에 따른 분배**를 주장하고 있다.

도전! 1등급 문제 199쪽

01 ① **02** ④ **03** ④ **04** ①

01 '청탁 금지법'에 나타난 정의의 의미

자료분석 '청탁 금지법'에 나타난 정의는 **옳음과 공정성을 가지고 잘못된 행위를 바로 잡는 교정적 의미**를 가지고 있다. 여기서 **교정적 정의**란 다른 사람에게 해를 끼치면 그만큼 보상하고, 다른 사람에게 이익을 주었으면 그만큼 받게 함으로써 **서로 간의 동등하지 않음을 바로잡는 것**이다.

[선택지 분석]
㉠ 옳음, 공정성을 의미한다.
㉡ 잘못된 행위를 바로 잡는 것이다.
✕ 각자의 몫을 정당하게 분배하는 것이다. → 분배적 정의
✕ ~~자신의 가치관과 신념~~에 따라 옳고 그름을 판정하는 것이다.
↳ 공정하고 객관적인 기준

02 분배적 정의의 기준별 문제점

자료분석 제시된 자료에서 해외 견학 지원자 추천의 기준으로 갑은 반 단합을 위해 애쓴 **업적**을, 을은 외국어 구사 **능력**을, 병은 가정 형편에 의한 **필요**를 정의의 기준으로 제시하고 있다.

[선택지 분석]
① 갑 → 을(갑이 을을 비판) : 능력을 평가하는 정확한 기준을 마련하기 어려워.
② 갑 → 병(갑이 병을 비판) : 모두의 필요를 만족하게 할 수는 없어.
③ 을 → 갑(을이 갑을 비판) : 지나친 경쟁으로 부정행위가 발생할 수 있어.
④ 을 → 병(을이 병을 비판) : 사회적 약자를 배려해야만 해.
➡ 병이 갑이나 을에게 비판할 수 있는 내용이다.
⑤ 병 → 을(병이 을을 비판) : 능력은 선천적인 자질이나 우연적인 요소의 영향을 받을 수 있어.

03 분배적 정의의 기준별 문제점

자료분석 마을에서 공동으로 김치를 담가 나눌 때, 분배의 기준으로 갑은 김장을 담근 **업적**을, 을은 경력이나 자격증 등의 **능력**을, 병은 부양가족 수나 경제 형편 등의 **필요**를 제시하고 있다.

[선택지 분석]

✕ 갑 : 열심히 일하려는 동기가 약해질 수 있다. ↳병

ⓛ 을 : 경력이 많거나 자격증이 있다고 해서 김치를 잘 담근다거나 성실하다는 보장은 없다.

✕ 병 : 경쟁이 과열되면 일하는 분위기가 좋지 않을 수 있다. ↳갑

ⓔ 병 : 일하지 않으려는 사람이 많아져 목표만큼 김치를 담그지 못할 수도 있다.

04 성과 연봉제에 나타난 정의의 기준

자료분석 제시된 자료에서 성과 연봉제는 개인의 업무에 대한 성과 평가에 따라 급여가 결정되는 임금 체계로, **능력과 업적에 따른 분배적 정의를 실현하기 위한 제도**이다. 이 제도는 기업의 성과 향상을 위해 기업의 임금 유연성을 확보하고, 근로자의 무임승차 방지와 근로자의 노력을 극대화하여 기업의 생산성을 향상시키려는 제도이다.

[선택지 분석]

ⓖ 근로자의 무임승차를 방지할 수 있다.

ⓛ 기업의 임금 유연성을 확보할 수 있다.

✕ 경쟁으로 인한 비인간화를 극복할 수 있다.

➡ 지나친 경쟁으로 인해 인간관계가 나빠져 비인간화 현상이 나타날 수 있다.

✕ 누구나 인정하는 객관적이고 공정한 평가 기준을 제시할 수 있다.

➡ 업무 성과에 대한 객관적이고 공정한 평가 기준을 제시하기가 어려울 수 있다.

02 다양한 정의관의 특징과 적용

콕콕! 개념 확인 205쪽

01 (1) 자유 (2) 이기주의 (3) 개인선 (4) 롤스
02 (1) 공동체 (2) 집단주의 (3) 자아 정체성
03 (1) 매킨타이어 (2) 공동선
04 (1) ㉡, ㉢ (2) ㉠, ㉣ **05** (1) 보완 (2) 조화

탄탄! 내신 문제 206~207쪽

01 ③ **02** ⑤ **03** ⑤ **04** ③ **05** ④ **06** ④ **07** ③
08 ④ **09** ④ **10** ③

01 자유주의의 특징

자료분석 밑줄 친 '이 사상'은 **자유주의**이다. 자유주의는 모든 인간은 존엄하며, 타인이나 사회의 억압과 구속에서 벗어나 자신이 원하는 삶을 살 수 있는 **자유와 권리**가 있다고 주장한다.

[선택지 분석]

① 자유라는 가치를 가장 중시한다.

② 개인이 사회에 우선한다고 본다.

✔ 공동체의 전통과 규범을 중시한다. → 공동체주의

④ 타인의 자유를 침해하는 것은 옳지 않다고 본다.

⑤ 자신의 이익만을 추구하는 극단적 이기주의와는 구별된다.

02 자유주의적 정의관의 특징

[선택지 분석]

① 개인의 자율성을 최대한 허용한다.

② 개인선을 실현하는 것이 곧 정의라 본다.

③ 지나치게 강조할 경우 이기주의와 사회에 대한 무관심이 나타날 수 있다.

④ 자유로운 경쟁을 통해 공정하게 취득한 이익을 보장하는 것이 옳다고 본다.

✔ 개인의 재산권을 침해하는 소득 재분배 정책에 대해서는 무조건 반대하는 입장이다.

➡ 자유주의적 정의관에는 소득 재분배 정책을 반대하는 자유 지상주의적 입장이 있지만, 사회적 약자의 복지를 배려하는 것이 정의롭다는 롤스와 같은 입장도 있다.

03 노직의 자유 지상주의

자료분석 제시문은 **자유 지상주의자인 노직**의 주장이다. 노직은 개인의 **선택권과 소유권을 최대한 보장**해야 하며, 사회적 약자를 위한 복지 정책은 개인의 자유와 권리를 침해하는 것이므로 정의롭지 못하다고 주장하였다. 그는 국가는 개인의 소유권을 보호하는 역할에 머물러야 한다는 **소극적 국가관**을 제시하였으며, 사회적 약자의 삶은 개인의 자발적인 자선 행위를 통해 개선해야 한다고 주장하였다.

[선택지 분석]

✕ ~~적극적 국가관~~을 제시하였다. ↳소극적 국가관

✕ 사회 재분배 정책을 ~~지지하였다~~. → 반대하였다.

✕ 기본적 자유의 평등을 강조하였다. → 롤스의 주장

✕ 사회적·경제적 불평등을 ~~부정하였다~~. → 인정하였다.

✔ 개인의 선택권과 소유권을 최대한 보장해야 한다고 주장하였다.

04 공동체주의의 특징

자료분석 제시문에 나타난 관점은 **공동체주의**이다. 공동체주의는 개인보다 **공동체의 가치와 선이 우선**한다고 보는 사상으로, 개인은 독립적인 존재가 아니라 **공동체의 구성원**으로 존재한다고 본다.

[선택지 분석]

① 공동체의 가치와 선을 우선시한다.

② 개인과 공동체는 유기적 관계에 있다고 본다.

③ 집단의 이익과 목적을 위해 개인의 희생을 강요한다.

➡ 공동체주의는 개인과 사회의 행복 증진을 추구한다는 점에서 집단의 이익과 목적을 위해 개인의 희생을 강요하는 집단주의와 구별된다.

④ 개인의 삶은 공동체의 역사와 문화에 밀접한 연관을 갖는다고 주장한다.

⑤ 개인은 사회적 역할을 수행하면서 자신의 정체성을 형성한다고 주장한다.

05 공동체주의적 정의관의 입장

[선택지 분석]

ㄱ. 개인만이 궁극적 가치를 지닌다. → 자유주의적 정의관

ㄴ. 공동선을 실현하는 것이 곧 정의이다.

ㄷ. 각자의 역할과 의무를 성실히 이행한다.

ㄹ. 자아 정체성은 개인의 선택으로 이루어진다. → 자유주의적 정의관

06 매킨타이어와 공동체주의적 정의관

자료분석 제시문은 **공동체주의자인 매킨타이어**의 주장이다. 매킨타이어는 개인의 정체성은 다양한 공동체 속에서 찾아야 하며, 공동체를 위한 **의무와 역할**이 곧 개인에게도 좋은 것이라고 주장하였다.

[선택지 분석]

① 책임과 의무를 성실히 이행한다.

② 공동체의 이익이나 공동선을 추구한다.

③ 공동선을 실현하면 개인선도 실현된다.

④ 국가는 국민의 자유와 권리를 보호하기 위해 존재한다. → 자유주의

⑤ 개인은 독립적인 존재가 아니라 공동체의 구성원으로서 존재한다.

07 공동체주의적 관점

자료분석 제시된 자료는 국가란 개인에게 공동체의 가치와 목적을 내면화하면서, 소속감을 가지고 책무를 이행할 수 있도록 해야 한다는 **공동체주의적 관점에서 본 국가의 역할**이다. 따라서 선택지의 2, 3에 표시가 되어야 한다.

[선택지 분석]

① 공동선보다 개인선을 중시한다.

➡ 자유주의의 입장이다.

② 개인은 각자의 역할과 의무를 다한다.

③ 개인과 공동체는 유기적 관계이다.

④ 집단주의를 신봉한다.

➡ 공동체주의는 개인과 공동체의 유기적 관계 속에서 개인과 사회의 행복 증진을 추구한다는 점에서 집단주의와 구별된다.

08 자유주의적 정의관과 공동체주의적 정의관의 입장

자료분석 **갑은 자유주의**(적 정의관), **을은 공동체주의**(적 정의관)의 입장이다. 따라서 A는 자유주의의 입장을, B는 자유주의와 공동체주의의 공통 입장을, C는 공동체주의의 입장을 찾으면 된다.

[선택지 분석]

① A : 공익보다 사익 추구를 더 강조한다.

② A : 개인의 의무보다 권리를 더 요구한다.

③ B : 의무와 권리, 공익과 사익이 조화를 이룰 수 있다.

④ B : 개인의 행복한 삶을 바탕으로 정의로운 사회를 실현할 수 있다고 본다. → 자유주의의 입장(A)

⑤ C : 공동선과 공익을 우선시한다.

09 헌법 제23조의 의미

자료분석 제시된 대한민국 헌법 제23조 ①은 **재산권 행사의 자유**를, 제23조 ②는 **재산권 행사의 공공복리 적합 의무**를 명시하고 있다. 이는 재산권을 개인의 권리로 보장하면서도 재산권 행사가 **사회 전체의 이익과 조화**를 이루어야 한다는 것을 나타낸다.

[선택지 분석]

① 재산권을 개인의 권리로 보고 있다.

② 재산권 행사의 자유를 보장하고 있다.

③ 재산권 행사의 공공복리 적합 의무를 명시하고 있다.

④ 재산권 행사는 공동체의 의무와 관련이 없다는 내용이다.

➡ 제시된 헌법 조항은 재산권 행사를 개인의 권리로 보장하면서도, 동시에 공공복리 적합이라는 공동체에 대한 의무를 부여하여 재산권 행사가 사회 전체의 이익과 조화를 이룰 수 있도록 하고 있다.

⑤ 재산권 행사가 사회 전체의 이익과 조화를 이루어야 한다고 보고 있다.

10 '대형 마트 영업 규제' 찬반론

자료분석 제시문은 유통 산업 발전법에 따라 한 지방 자치 단체에서 중대한 공익의 보호를 이유로 '대형 마트 영업 규제'의 내용을 조례로 제정한 사례이다. 이는 **영세 상인의 생존권 보호와 경제적 상생 발전**이라는 **공익 추구를 위해 대형 마트의 영업 이익**이라는 **사익을 제한**한 것이다.

[선택지 분석]

ㄱ. 반대 : 영업의 자유를 침해할 수 있다.

➡ 대형 마트의 영업의 자유를 침해할 수 있다.

ㄴ. 반대 : 야간 영업 등을 제한함으로써 근로자의 건강권을 해칠 수 있다.

➡ 야간 영업 등을 제한함으로써 근로자의 건강권을 해치는 것이 아니라 보호할 수 있으며, 이는 대형 마트 영업 규제를 찬성하는 입장의 주장이다.

ㄷ. 찬성 : 대형 유통업체의 독점을 막고 건전한 유통 질서를 확립할 수 있다.

ㄹ. 찬성 : 영세 상인의 생존권을 보장하고 중소 유통업과의 상생 발전을 도모할 수 있다.

도전! 1등급 문제 208~209쪽

01 ④ 02 ⑤ 03 ② 04 ④ 05 ⑤ 06 ③ 07 ④

01 롤스와 매킨타이어의 사상 비교

자료분석 갑은 **자유주의자**인 **롤스**, 을은 **공동체주의자**인 **매킨타이어**이다. 롤스는 정의의 원칙으로 **기본적 자유의 평등 원칙과, 차등의 원칙, 기회 균등의 원칙**을 제시하였다. 매킨타이어는 다양한 공동체 속에서 개인은 자아 발견과 자아 실현을 하며, **공동체로부터 기대와 책무**를 물려받는다고 하였다.

[선택지 분석]

① 갑 : 기본적 자유의 평등을 중시한다.

② 갑 : 사회·경제적 불평등은 허용되지만, 최소화하려는 재분배 정책이 필요하다.

③ 갑 : 개인의 자유와 권리를 최대한 보장하여 개인선을 실현하는 것이 정의이다.

✔ 을 : 개인의 선택권은 최대한 보장되어야 한다.
➡ 자유 지상주의자인 노직의 주장이다.

⑤ 을 : 개인은 사회적 역할을 수행함으로써 자신의 정체성을 형성한다.

02 자유주의적 정의관과 공동체주의적 정의관의 특징

자료분석 A는 자유주의적 정의관의 입장에서는 **긍정**, 공동체주의적 정의관의 입장에서는 **부정**할 질문이, B는 자유주의적 정의관의 입장에서 **긍정**할 질문이, C는 공동체주의적 정의관의 입장에서 **긍정**할 질문이 들어가야 한다.

[선택지 분석]

① A : 개인이 사회에 우선하는가? → 자유주의적 정의관

② B : 개인의 자유와 권리는 실현되어야 하는가? → 자유주의적 정의관

③ B : 경쟁을 통한 자유로운 개인의 욕구 충족이 국부(國富)로 이어진다고 확신하는가? → 자유주의적 정의관

④ C : 개인과 공동체는 상호 유기적 관계인가? → 공동체주의적 정의관

✔ C : 사회적 약자를 돕는 행위를 자선(慈善) 행위로 보는가?
➡ 자유주의적 정의관의 입장으로, C에 부적절한 질문이다.

03 착한 사마리아인 법

자료분석 제시문은 '착한 사마리아인 이야기'에서 유래한 '착한 사마리아인 법'에 대한 설명이다. '**착한 사마리아인 법**'은 구조 활동이 개인이 자율적으로 결정한 문제인지, 공동체의 구성원으로서 누구나 지녀야 할 당연한 의무인지를 놓고 논란이 있다. 즉, **개인의 자유권을 의무로 법제화하는 데 있어** 자유주의와 공동체주의의 입장이 대립하는 것이라 할 수 있다.

[선택지 분석]

✗ 복지 정책의 범위 문제

✔ 개인의 자유와 의무의 구분 문제
➡ 자유주의적 정의관에서는 인명 구조 활동을 의무로 한다면 판단과 선택의 자유를 제한한다고 생각하여 법제화를 반대할 것이고, 공동체주의적 정의관에서는 위험에 처한 사람을 돕는 것은 공동체 구성원으로서의 당연한 의무라 생각하여 법제화를 찬성할 것이다.

✗ 건전하고 올바른 가치관 형성 문제

✗ 인명 구조 활동의 의미와 방법의 문제

✗ 민족과 인종을 구분하지 않는 인권의 문제

04 개발 제한 구역 규제 찬반론

[선택지 분석]

① A : 녹색 성장 및 지속 가능한 개발을 해야 한다.

② A : 국토 개발을 땅으로 밖에 여기지 않는 태도는 미래 세대에 대한 무책임한 태도이다.

③ B : 개발 제한 구역 지정과 유지 과정에서 민주적 소통과 법적 근거를 마련해야 한다.

✔ C : 수도권의 인구가 적절히 분산될 것이다.
➡ 수도권 지역의 개발 제한 구역 해제는 곧 수도권의 인구 집중을 유발할 뿐만 아니라, 도시가 마구잡이로 확장될 경우 교통, 상·하수도, 교육 등 생활 기반 시설의 부족 문제가 발생할 수 있다.

⑤ C : 개인의 재산권에 대해 공익이라는 명분으로 희생을 강요할 수는 없다.

05 개인선과 공동선의 갈등

[선택지 분석]

① 민정 : 자료 ❶은 지역 사회의 경제 활성화 현상에서 볼 수 있는 지나친 사익 추구로 인한 문제점이야.

② 민수 : 자료 ❶에서 임대료의 폭등은 지역 경제와 나아가 건물주 자신에게까지 피해를 주는 결과를 낳았어.

③ 진희 : 자료 ❷에서 양심적 병역 거부에 대한 찬반 입장이 충돌하고 있어.

④ 지아 : 자료 ❷에서 양심적 병역 거부자에 대한 헌법 재판소와 법원의 입장이 다른 경우도 있어.

✔ 혜진 : 자료 ❸에서 선거 투표를 권리라고 생각한다면 투표율이 높아질 것 같아.
➡ 선거 투표가 권리라고 생각하기 때문에 의무감이 줄어들어 투표율이 낮아지는 것이다. 선거 투표가 국가와 공동체를 위해 개인이 해야 할 의무라고 생각한다면 투표율이 높아질 것이다.

06 양심적 병역 거부 문제에 대한 자유주의적 관점

[선택지 분석]

✗ 단순 군복무 회피와 구분하기 어렵다. → 공동체주의적 관점(반대)

ㄴ. 개인은 양심에 따라 행동할 권리가 있다. → 자유주의적 관점(찬성)

ㄷ. 안보는 인권 보장을 위한 것인데, 안보를 위해 인권을 희생하는 것은 모순이다. → 자유주의적 관점(찬성)

✗ 안보라는 공공재의 혜택을 받지만 군복무를 하지 않는 것은 이기적인 행동이다. → 공동체주의적 관점(반대)

07 의무 투표제에 대한 공동체주의적 관점

[선택지 분석]

✕ 투표할 권리는 시민의 개인적 권리이다.
➡ 자유주의적 관점에서 투표는 의무가 아닌 시민의 개인적 권리이므로 의무 투표제를 반대한다.

ㄴ 유권자는 개인의 권리보다 의무를 더 중시해야 한다.
➡ 공동체주의적 관점에서 투표는 시민의 의무이므로, 의무 투표제를 통한 의무의 이행을 찬성한다.

✕ 의무 투표제에서의 투표율은 실제 정치에 관한 관심을 반영하지 못한다.
➡ 자유주의적 관점에서 의무 투표제는 그릇된 정보를 가진 사람이나 정치에 관심이 없는 사람도 투표를 하게 되기 때문에 투표율이 실제 정치에 관한 관심을 반영하지 못한다고 주장한다.

ㄹ 후보자들은 유권자들의 투표 참여를 독려하는 활동에서 벗어나 선거 공약에 더욱 힘을 모을 수 있다.
➡ 공동체주의적 관점에서 의무 투표제에 찬성하는 주장이다.

03 사회 및 공간 불평등 현상과 정의로운 사회

콕콕! 개념 확인 215쪽

01 (1) 사회 불평등 (2) 양극화 (3) 사회적 약자
02 (1) 공간 (2) 높고, 밀집 (3) 증가하고
03 (1) ㄷ (2) ㄴ (3) ㄱ
04 (1) 역차별 (2) 지역 격차 완화 (3) 공동체

탄탄! 내신 문제 216~217쪽

01 ④ 02 ① 03 ③ 04 ⑤ 05 ③ 06 ② 07 ②
08 ② 09 ③ 10 ③

01 사회 불평등 현상의 특징

[선택지 분석]

① 경제적 격차는 주거, 여가, 교육 등 다양한 측면에 영향을 미친다.

② 불평등의 정도가 심해지면 구성원 간의 사회적 갈등이 나타날 수 있다.

③ 사회 불평등은 사회적 자원의 희소성으로 불가피하게 나타나는 현상이다.

④ 경제적 불평등을 포함한 다양한 사회 불평등은 한 세대에서만 국한되어 나타난다.
➡ 사회 불평등은 부모에서 자녀로 되물림되기도 한다.

⑤ 사회적 자원이 차등적으로 분배되어 구성원들의 위치가 서열화되어 있는 상태를 말한다.

02 사회 계층의 양극화

자료분석: 제시된 자료는 **우리나라의 중산층 비율**을 기간별로 나타낸 것이다. 우리나라 중산층은 1990년대 중반 이후 **지속적으로 감소하는 추세**를 보이고 있으며, 탈락한 중산층은 대부분 저소득층으로 편입되고 있다. 이는 상층과 하층의 비중이 늘어나는 **사회 계층의 양극화 현상**을 더욱 가속화시키고 있다.

03 북한 이탈 주민(사회적 약자)에 대한 차별 원인

[선택지 분석]

ㄱ 북한에 대한 부정적 인식

ㄴ 차별을 용인하는 사회적 환경

ㄷ 북한 이탈 주민에 대한 선입견과 편견

✕ 자유 민주주의 체제에 대한 이해 부족
➡ 북한 이탈 주민이 우리나라에서 겪게 되는 어려움으로, 차별의 원인이라고는 보기 어렵다.

04 지역 간 건강 불평등 사례

자료분석: 제시된 자료에 따르면 우리나라는 **지역 간 보건 의료 수준의 격차가 매우 크게 나타나고 있으며**, 특히 대도시와 농어촌은 2배 이상 격차가 나고 있다.

[선택지 분석]

① 석진 : 대도시와 농어촌이 2배 이상 격차가 났어.

② 아람 : 지역 간 보건 의료 수준의 격차가 매우 커.

③ 서진 : 이런 현상이 계속되면 정의로운 사회가 실현되기 어려워.

④ 민영 : 우리나라의 지역 간 보건 의료 수준을 비교할 수 있는 자료야.

⑤ 호영 : 의료 수준의 격차는 경제, 교육, 문화 등의 격차를 발생시키는 원인이야.
➡ 재산과 소득의 차이에 따른 경제적 격차가 교육, 문화, 의료 등에서 다양한 불평등을 발생시키는 원인이다.

05 수도권 집중도와 공간 불평등

자료분석: 제시된 자료는 통계청이 발표한 2014년 수도권 집중도이다. 수도권은 **우리나라 국토의 12% 정도를 차지**하고 있지만, 인구, 지역 총생산, 금융 기관, 상급 종합 병원, 4년제 대학교, 사업체 수에서는 전체의 절반을 차지하고 있으며, 매출액 상위 100대 기업 본사의 90%가 위치해 있다. 이는 다양한 사회 자원과 기반 시설 등의 **수도권 집중도가 매우 높다**는 것을 보여주는 것이다.

[선택지 분석]

① 수도권 중심의 성장 거점 개발의 결과이다.

② 전체 국토 면적에서 수도권이 차지하는 비중은 작다.

③ 국토의 효율적인 이용과 안정된 국가 발전을 ~~가져올 수 있다~~. → 악영향을 미친다.

④ 수도권에 인구와 자본이 유입되어 있으므로 크게 성장하였을 것이다.

⑤ 비수도권 지역은 수도권에 비해 상대적으로 성장이 정체되거나 낙후되었을 것이다.

06 장애인 의무 고용 제도

자료분석 제시문에서 설명하고 있는 장애인 의무 고용 제도는 **장애인에 대한 적극적 우대 조치**이다. 적극적 우대 조치는 사회적으로 차별받는 사회적 약자에게 **실질적인 기회의 평등을 보장**하기 위해 다양한 측면에서 직간접적으로 혜택을 제공하는 제도이다.

07 적극적 우대 조치의 역차별 문제

자료분석 제시문은 적극적 우대 조치를 도입할 때, '새로운 차별'인 **'역차별'**에 주의하라는 내용이다. 적극적 우대 조치로 사회적 약자가 받게 되는 **혜택의 범위와 정도가 과도할 시**에는 사회적 약자가 아닌 사람들에게 차별을 주는 결과로 나타날 수 있다.

08 지역 격차 완화를 위한 자립형 지역 발전 방안

[선택지 분석]

ㄱ 지역 브랜드 구축

ㄴ ✕ 수도권 공공 기관의 지방 이전

ㄷ 관광 마을 조성 및 지역 축제 개최

ㄹ ✕ 지방 이전 기업에 대한 세금 감면 및 규제 완화

➡ ㄴ, ㄹ은 수도권 과밀화 현상을 막고 공간 불평등을 해소하기 위해 수도권에 집중된 다양한 기능을 지방으로 분산하는 정책이다.

09 사회 복지 제도 – 사회 보험

자료분석 **국민 건강 보험**은 사회 복지 제도 중 **사회 보험**에 해당한다. 사회 보험은 일정 수준의 소득이 있는 **개인과 정부, 기업이 보험료를 분담**하여 구성원의 사회적 위험에 대비하는 제도이다.

[선택지 분석]

ㄱ ✕ 국가가 전액을 지원한다. → 공공 부조

ㄴ 국민연금, 고용 보험 등이 대표적이다.

ㄷ 사회 복지 제도 중 사회 보험에 해당한다.

ㄹ ✕ 도움이 필요한 국민에게 다양한 서비스 혜택을 제공하는 제도이다. → 사회 서비스

10 도시 내부의 공간 불평등 해소

자료분석 **도시 내부의 낙후 지역을 재개발**하는 것은 **도시 내부의 공간 불평등 해소**와 관련된 정책이며, 이를 위해 지방 자치 단체가 개선 사업을 실시하고 있다.

도전! 1등급 문제

218~219쪽

01 ⑤	02 ③	03 ④	04 ②	05 ①	06 ④	07 ⑤

01 소득 불평등과 사회 이동

자료분석 **(가)**는 **소득 구간 최하위 소득 10% 집단과 최고 소득 10% 집단**의 2005년, 2015년 **가구당 월평균 소득 변화**이며, **(나)**는 **사회 이동 가능성 인지도**이다. (나)는 사회 이동 가능성이 '매우 높다' 또는 '높다'라고 응답한 사람의 비율을 그래프로 나타낸 것으로, 2009년부터 2015년으로 갈수록 **그 비율이 낮아지고 있다**.

[선택지 분석]

ㄱ ✕ (가)에서 최하위 소득 10% 집단과 최고 소득 10% 집단의 소득 격차는 줄어들었다.

➡ 소득 격차율은 2005년 10.8%에서 2015년 11.06%로 늘어났다. [소득 격차율 계산 : (낮은 소득/높은 소득)×100]

ㄴ ✕ (가)에서 최하위 소득 10% 집단의 월평균 소득 증가율은 최고 소득 10% 집단에 비해 낮다.

➡ 2005년과 2015년을 비교했을 때 월평균 소득 증가율은 최하위 소득 10% 집단이 49.3%, 최고 소득 10% 집단이 46.3%로 최하위 소득 집단이 높다. [소득 증가율 계산 : (소득 증가분/이전 소득)×100]

ㄷ (나)에서 국민들은 사회 계층의 이동 가능성이 점점 낮아지고 있다고 생각한다.

ㄹ (가), (나)의 현상은 계층 간의 갈등으로 이어질 수 있다.

02 지역 간 의료 불평등

[선택지 분석]

① 병원과 약국은 수도권과 대도시에 집중되어 있다.

② 도시와 촌락의 격차에 따른 공간 불평등 현상이다.

③ ✓ 지방 주민들과 대도시 주민들의 갈등은 없을 것이다.

➡ 공간 불평등 현상은 혜택을 제대로 받지 못하는 지역 주민들의 경제적, 사회·문화적 생활 수준을 떨어뜨리고, 이는 상대적으로 발전된 지역 주민과의 갈등으로 이어져 사회 통합을 저해하는 요인으로 작용할 수 있다.

④ 지역에 따른 의료 서비스의 불평등은 다른 사회 영역의 불평등과 연계될 수 있다.

⑤ 무료 의료 봉사, 긴급 의료 지원 체제 구축 등을 통한 지방 의료 서비스의 확충이 필요하다.

03 관광 마을 조성 성공 사례

자료분석 제시문은 철거 계획이 있었지만 벽화 사업을 통해 **관광 마을을 조성**하여 마을 보존에 성공한 동피랑 마을의 사례이다. 해당 사례에서 통영시는 '마을 만들기 지원 센터'를 통해 동피랑 마을의 **지속 가능한 발전**을 지원하고 있다.

[선택지 분석]

ㄱ ✕ 혁신 도시 개발

➡ 혁신 도시는 공공 기관 지방 이전을 계기로 지역의 성장 거점에 조성되는 미래형 도시이다. 혁신 도시 개발은 공간 불평등 해소를 위한 정책이기는 하나 해당 사례와는 관련이 없다.

ㄴ 지역 브랜드 및 관광 마을 조성

ㄷ ✕ 저소득 계층의 최저 생활 보장과 자립 지원

➡ 공공 부조와 관련된 내용으로 해당 사례와는 관련이 없다.

ㄹ 지속적인 자립형 지역 발전을 위한 정부와 지방 자치 단체의 지원

04 사회 불평등 현상을 바라보는 관점 비교

자료분석 사회 불평등 현상의 원인에 대해 (가)는 개인의 능력과 노력의 차이라는 **개인적·의식적 관점**에서 보고 있으며, (나)는 불평등한 사회 구조 때문이라는 **사회적·제도적 관점**에서 보고 있다.

[선택지 분석]

ㄱ (가) : 차별적 대우는 사회의 유지 및 발전에 필요한 것이다.
➡ 개인적·의식적 관점은 개인의 능력과 노력에는 차이가 있으므로, 그에 따른 차별적 대우는 합당하다고 주장한다.

✕ (가) : 부유한 사람들은 자신들에게 유리하도록 사회 불평등을 더욱 유지하려고 한다. → 사회적 · 제도적 관점[(나)]

ㄷ (나) : 사회 불평등 현상으로 사회는 불안정한 상태가 될 것이다.
➡ 사회적·제도적 관점은 사회 불평등 현상은 불합리한 사회 구조로 인해 나타나는 현상이므로, 이를 해결하지 않으면 사회 갈등을 유발하여 사회는 불안정한 상태가 될 것이라고 주장한다.

✕ (나) : 열심히 일한 사람과 그렇지 않은 사람의 보상은 달라야 한다. → 개인적 · 의식적 관점[(가)]

05 사회 불평등의 양상 및 해결 방안

[선택지 분석]

✓ 자료 ❶을 통해 우리나라의 소득 불평등 정도가 ~~완화되고~~ 있음을 알 수 있다. ↳ 심화되고

② 자료 ❷는 소득 수준이 높은 암환자들의 생존율이 높음을 보여주고 있다.

③ 자료 ❸은 부모와 가정의 소득 수준이 교육비 지출에 영향을 주어 교육 격차가 나타남을 보여주고 있다.

④ 자료 ❹는 소득 격차를 완화하여 사회 불평등을 해결하고자 하는 제도들이다.

⑤ 자료 ❷, ❸에 나타난 문제를 완화하기 위해서는 자료 ❹와 같은 정책이 필요하다.

06 소득 격차에 따른 의료와 교육 분야의 불평등

[선택지 분석]

ㄱ 자료 ❷의 암환자의 생존률 차이나 자료 ❸의 교육비의 지출 차이는 모두 소득 격차에서 발생한다.

ㄴ 자료 ❷에서 암환자의 생존율은 소득 5분위 계층이 1분위 계층에 비해 높다.

ㄷ 소득이 높은 계층이 낮은 계층보다 생존율이 높다는 것이다.

✓ 자료 ❸을 통해 소득 격차는 교육 격차에 거의 영향을 미치지 않는다는 것을 알 수 있다.
➡ 자료 ❸에 나타난 가구당 월평균 교육비 지출의 차이는 교육 환경의 격차로 이어져 사회 불평등을 야기할 수 있다.

ㅁ 소득 수준이 낮은 계층에 대한 의료와 교육 분야에서의 경제적 지원을 통해 불평등 현상을 완화할 수 있도록 해야 한다.

07 경제적 격차에 따른 공간 불평등 현상의 해결 방안

자료분석 제시된 사례는 유지 보수 비용을 부담하지 않는다는 이유로 임대 세대 주민들의 아파트 편의 시설 사용을 제한하는 **사회 불평등 문제**이다. 이는 **경제적 격차가 공간 이용의 불평등 문제로 나타난 것**이다. 따라서 경제적 격차가 공간 불평등으로 이어지지 않도록 직접적인 유지 보수 비용을 지원하는 것이 가장 효과적인 문제 해결 방법이다.

한번에 끝내는 대단원 문제 222~225쪽

01 ⑤ 02 ② 03 ⑤ 04 ③ 05 ③ 06 ③ 07 ④
08 ② 09 ⑤ 10 ① 11 ⑤ 12 ④

13 (1) 필요에 따른 분배 (2) [모범 답안] 구성원 모두의 필요를 충족하기가 쉽지 않다. 열심히 일하려는 동기를 약화시켜 경제적 효율성이 떨어질 수 있다.

14 (1) 여성에 대한 차별 (2) [모범 답안] 유리 천장 지수는 지수가 낮을수록 여성에 대한 차별 정도가 심한 것인데, 우리나라는 OECD 회원국들 중 최하위로 여성에 대한 차별이 심한 나라이다.

15 (1) 공동체주의적 정의관 (2) [모범 답안] 공동체주의적 정의관의 입장에서 인간의 자아는 자신의 사회적·역사적 역할과 지위로부터 분리될 수 없기 때문에, 과거 독일인이 행한 잘못을 현재 세대가 책임지는 것이 바람직하다고 보는 것이다.

16 (1) 혁신 도시 (2) [모범 답안] 혁신 도시 건설은 지역 산업과 연계된 도시별 주제를 설정하여 특색 있는 미래형 도시로 개발하는 것으로, 지역 격차 완화를 위한 정책 중 하나이다.

01 정의의 의미

자료분석 제시문에서 철학자들이 공통적으로 말하는 덕목은 '**정의**'이다. 공자는 자신의 삶의 목표를 '**천하의 바른 정도(正道)를 이루는 것**'이라 말하였으며, 아리스토텔레스는 '**각자에게 합당한 몫을 주는 것**'이라는 분배적 정의를 제시하였다.

[선택지 분석]

① 개인이 지켜야 할 올바른 도리이다.

② 사회적으로 규정된 올바른 행위이다.

③ 개인이나 사회가 추구해야 할 기본적인 덕목이다.

④ 같은 것은 같게 다른 것은 다르게 대우하는 것이다.

✓ 처벌을 제외한 사회적 대우나 보상에 있어 '마땅히 받을 만한 몫'을 공정하게 받는 것을 말한다.
➡ '마땅히 받을 만한 몫'을 공정하게 받는 정의는 사회적 대우나 보상, 그리고 처벌도 포함된다. 처벌에 대한 정의를 교정적(시정적) 정의라 한다.

02 정의의 필요성

자료분석 제시문의 첫 번째 문장은 사회 구성원들의 인간다운 삶을 위한 개인의 기본적 권리를 보장하기 위해 정의가 필요하다고 말하고 있고, 두 번째 문장은 사회 구성원들이 신뢰하고 협력할 수 있는 사회 통합을 위해 정의가 필요하다고 말하고 있다. 따라서 ㉠**에는 '기본적 권리'**, ㉡**에는 '사회 통합'**이 들어가야 한다.

03 필요에 따른 분배의 문제점

자료분석 제시문에서 주희는 가난하고 약한 사람들을 구제하고 토지의 독점도 방지해야 한다고 주장하였는데, 이는 분배적 정의의 실질적 기준 중 **필요에 따른 분배**로 볼 수 있다. 필요에 따른 분배는 의식주를 비롯한 기본적 욕구 충족이 어려운 사람들에게 필요한 재화나 가치를 분배하는 것으로, **사회적·경제적 약자를 배려**하고 최소한의 **인간다운 삶을 보장**해 준다.

[선택지 분석]

✕ 사회적 약자에 대한 배려가 부족하다.
➡ 능력과 업적에 따른 분배의 문제점이다.

✕ 능력을 평가하는 기준 마련이 어렵다.
➡ 능력에 따른 분배의 문제점이다.

ㄷ 모두의 필요를 충족하기가 쉽지 않다.

ㄹ 성취동기와 노동 의욕을 약화시켜 경제적 효율성을 높이는 것이 어려울 수 있다.

04 분배적 정의의 실질적 기준

[선택지 분석]

㉠ 연구 비용을 지속적으로 지원해 줄 수 있는 경제적 능력이 있는 사람 → 능력에 따른 분배

㉡ 신약을 개발하는 데 결정적 역할을 담당한 동료 연구자
↳ 업적에 따른 분배

㉢ 이 치료제를 빨리 먹지 않으면 생명이 위독한 환자
↳ 필요에 따른 분배

05 롤스의 정의론

자료분석 제시문은 자유주의자인 **롤스의 『정의론』**의 내용이다. 롤스는 모든 사람은 기본적 자유를 최대한 누릴 수 있는 평등한 권리를 가져야 하며, 정의로운 사회에서도 사회적·경제적 불평등은 허용되지만, 사회적 약자에게 최대의 이익을 보장하기 위해서 **국가의 재분배 정책이 필요**하다고 하였다.

[선택지 분석]

✕ 개인의 선택권과 소유권을 최대한 보장한다.
➡ 자유 지상주의자인 노직의 주장이다.

ㄴ 자유와 평등의 조화를 통해 공정한 분배를 실현한다.

ㄷ 국가는 제도나 정책을 통해 분배 문제에 개입하여야 한다.

✕ 이익 추구의 과정에서 타인의 자유를 침해하는 것은 불가피하다.
➡ 극단적 이기주의를 옹호하는 내용으로, 자유주의는 개인의 자유를 누리기 위해서는 타인의 자유도 존중해야 한다고 주장하므로 극단적 이기주의와는 구별된다.

06 샌델의 공동체주의적 정의관

자료분석 제시문은 개인보다 공동체의 가치와 선을 우선하는 **공동체주의자인 샌델**의 주장이다. 샌델은 시민들이 **연고 의식**과 **책임 의식**을 가지고 공동체의 활동에 참여할 것을 강조하였다.

[선택지 분석]

① 개인보다 공동체의 가치와 선이 우선한다.

② 개인과 공동체는 유기적 관계를 맺고 있다.

✔③ 국가는 국민의 자유와 권리를 보호하기 위해서 존재한다.
➡ 자유주의적 정의관에서 주장하는 국가관이다.

④ 공동체의 발전을 통해 공동체에 속한 개인도 행복한 삶을 영위할 수 있다.

⑤ 자아 정체성은 개인이 속한 공동체의 역사와 문화, 전통을 통해 형성된다.

07 공동체주의적 정의관

자료분석 (가)는 자유주의의 문제점을 비판하는 공동체주의자의 입장이다. **공동체주의자**는 높은 보수를 받는 사람이 더 많은 세금을 내는 것은 **공동선을 실현하는 것으로 정당하다**고 본다.

[선택지 분석]

✕ 선행은 자발적 선택의 문제이다. → 자유주의적 정의관

ㄴ 공동선을 증진할 수 있다면 공동체에 대한 구성원의 의무로서 정의롭다.

✕ 스스로 노력하여 얻은 재산에 대한 개인의 권리를 부당하게 침해하는 것이다. → 자유주의적 정의관

ㄹ 높은 보수를 받는 사람들에게 걷은 세금은 경제적으로 더 절박한 사람들에게 쓰일 수 있다.

08 의무 투표제에 대한 자유주의적 정의관의 입장

자료분석 **자유주의적 정의관**의 입장에서는 투표할 권리를 시민의 개인적 권리로 보기 때문에 이러한 시민의 자유와 권리를 규제하는 **의무 투표제를 반대**한다.

[선택지 분석]

ㄱ 투표 불참자에게 실제로 제재를 가하기 어렵다.
➡ 자유주의적 정의관의 입장에서는 투표 불참자에게 실제로 제재를 가하기 어렵기 때문에 의무 투표제는 효과적으로 운영되기 어렵다고 주장한다.

✕ 의회가 정치 과정에 유권자의 뜻을 더 정확히 반영할 수 있다.
➡ 공동체주의적 정의관의 입장에서는 의무 투표제로 투표를 강제함으로써 유권자들에게 정치 참여의 장점을 알게 해 주고, 의회가 유권자의 뜻을 더 정확히 반영할 수 있으므로 의무 투표제를 시행해야 한다고 주장한다.

ㄷ 의무 투표제에서의 투표율은 실제 정치에 관한 관심도를 반영하지 못한다.
➡ 자유주의적 정의관의 입장에서는 의무 투표제는 그릇된 정보를 가진 사람이나 정치에 관심이 없는 사람도 투표를 하게 되기 때문에 투표율이 실제 정치에 관한 관심을 반영하지 못한다고 주장한다.

✕ 후보자들은 유권자의 투표 참여를 독려하기보다 선거 공약에 더욱 힘을 모을 수 있다.
➡ 공동체주의적 정의관에서는 의무 투표제를 시행하면 후보자들이 유권자의 투표 참여 독려에 힘을 쏟지 않아도 되기 때문에, 더 좋은 선거 공약을 만들기 위해 노력하게 된다고 주장한다.

09 소상공인들에 대한 사회 불평등 현상

자료분석 제시문에서 가맹점주들은 본사와의 부당한 계약으로 가게 운영에 피해를 보고 있으며, 높은 카드 수수료와 비현실적인 금융 지원 등으로 사회적 불이익을 당하고 있는데, 이는 **불합리한 계약 관계와 차별을 용인하는 사회적 환경**으로 인해 발생한 **사회적 약자에 대한 사회 불평등**의 사례이다.

[선택지 분석]

①✗ 사회적 약자에 대한 역차별의 문제
➡ 소상공인(사회적 약자)에 대한 차별 문제가 나타나고 있다.

②✗ 계층 간의 소득 격차로 인한 불평등

③✗ 개인의 지나친 이익 추구와 과열 경쟁

④✗ 지역 간 자연환경 및 생산 요소의 차이

⑤✓ 불합리한 계약 관계와 차별을 용인하는 사회적 환경

10 공간 불평등 완화 사례

자료분석 | 제시문의 추모 공원 협약은 특정 지역에 기피 시설이 밀집되는 문제를 해결한 **공간 불평등 완화 사례**이다. 이 협약의 체결로 지방 자치 단체들은 추모 공원과 관련된 예산을 절감할 수 있고, 지역 주민들의 편의가 향상되었으며, 추모 공원의 난립으로 인한 환경오염과 환경 파괴를 줄일 수 있다.

[선택지 분석]

①✓ ~~사회적 약자에 대한 차별~~을 해결하기 위한 정책이다.
↳ 공간 불평등

② 지방 자치 단체의 노력으로 해당 지역 주민들의 편의가 향상되었다.

③ 협약을 통해 특정 지역에 기피 시설이 밀집되는 문제를 해결할 수 있다.

④ 협약 체결로 관련 시군들은 추모 공원과 관련된 예산을 절감할 수 있을 것이다.

⑤ 광역 화장장의 설립으로 화장장의 개발 난립을 막고 환경 파괴도 최소화할 수 있을 것이다.

11 사회·공간 불평등의 전이

자료분석 | 제시문은 **사회·경제적 격차**에서 비롯된 불평등이 **공간 불평등**으로 이어지고, 다시 자녀에 대한 **교육 불평등**으로 **대물림**되면서 이어지는 모습을 보여주고 있다.

[선택지 분석]

①✗ 사회 계층 간의 차이는 제한적이다.
➡ 사회 계층 간의 차이는 한계가 없다.

②✗ 공간 불평등의 원인은 ~~사회 불평등~~이다.
↳ 성장 위주의 개발 정책

③✗ 문제 해결을 위해 사회적 약자에 대한 차별을 줄여야 한다.
➡ 해당 문제는 경제적 격차와 공간 불평등에 관련된 내용이다.

④✗ 사회 구성원들이 인정하는 범위 내에서 공간 불평등을 완화해야 한다.
➡ 옳은 내용이지만, 사회 불평등이 공간 불평등을 심화시키고, 공간 불평등이 다시 교육 격차와 같은 불평등으로 이어진다는 제시문의 핵심 내용과는 거리가 멀다.

⑤✓ 사회 불평등이 공간 불평등으로, 다시 불평등의 심화로 이어질 수 있다.

12 교육 복지 우선 지원 사업의 성격

자료분석 | 제시문의 교육 복지 우선 지원 사업은 **저소득 계층을 위한 사회 복지 서비스 사업**으로, 계층 간의 소득 격차 심화, 가정의 기능 약화, 급격한 도시화 등으로 인해 나타나는 교육에서의 다양한 격차에 대해 학교와 지역 사회가 적극적으로 대처하여 **교육 결과의 평등을 실현**하기 위해 실시하고 있다.

[선택지 분석]

✗ 기회의 평등을 보장하는 것이 목적이다.
➡ 기회의 평등이 아니라 교육 결과의 평등을 추구한다.

ㄴ 학교와 지역 사회가 교육 결과의 평등을 실현하고 있다.

✗ 보험료를 분담하여 구성원의 사회적 위험에 대비하는 제도이다.
➡ 사회 복지 제도 중 사회 보험에 대한 설명이다.

ㄹ 소득 격차, 급격한 도시화, 가정 기능의 약화 등으로 인한 교육 격차를 완화시킨다.

13 필요에 따른 분배의 문제점

채점 기준

상	필요에 따른 분배의 문제점을 두 가지 모두 정확히 서술한 경우
중	필요에 따른 분배의 문제점을 한 가지만 정확히 서술한 경우
하	필요에 따른 분배의 의미만 언급하고, 문제점을 제대로 서술하지 못한 경우

14 유리 천장 지수로 본 우리나라의 여성 차별 현황

채점 기준

상	제시된 자료를 바탕으로 우리나라의 상황을 정확히 서술한 경우
중	자료에 대한 분석을 제대로 언급하지 않고 우리나라의 상황만을 서술한 경우
하	여성이 차별당하고 있다고 간단하게 서술한 경우

15 공동체주의적 정의관

채점 기준

상	공동체주의적 정의관의 관점에서 이유를 정확히 서술한 경우
중	공동체주의적 정의관의 관점이기는 하나 이유를 부정확하게 서술한 경우
하	현재 세대가 책임져야 한다고만 간단히 서술한 경우

16 혁신 도시와 지역 격차 완화 정책

채점 기준

상	혁신 도시의 건설 목적을 지역 격차 완화 정책이라고 정확히 서술한 경우
중	혁신 도시의 건설 목적을 비슷하게 서술한 경우
하	혁신 도시 건설 목적을 제대로 설명하지 못한 경우

VIII ≫ 문화와 다양성

01 ~ 다양한 문화권과 삶의 방식

콕콕! 개념 확인 232쪽

01 (1) 문화 (2) 여러 가지
02 (1) 천막집(게르) (2) 건조 기후
03 (1) 크리스트교 (2) 이슬람교
(3) A : 유럽 문화권, B : 건조 문화권
04 (1) 리오그란데강 (2) 영어 (3) 북극

01 (1) 문화권은 문화적 특성이 비교적 넓은 공간에 걸쳐 유사하게 나타나는 범위를 말한다.

탄탄! 내신 문제 233~234쪽

01 ④ **02** ② **03** ⑤ **04** ② **05** ② **06** ① **07** ③
08 ③ **09** ⑤ **10** ④

01 문화와 문화권

자료분석 **문화는 한 사회의 구성원이 만들어 낸 공통의 생활 양식**이고, **문화권**은 이러한 문화적 특성이 유사하게 나타나 **주위의 다른 지역과 구별되는 지표 공간**이다.

[선택지 분석]
㉠ 문화에는 언어, 종교, 의식주, 풍습 등이 포함된다.
㉡ 문화는 인간과 환경의 상호 작용 과정에서 형성된 생활 양식이다.
㉢ 동질적인 문화를 형성하는 지역을 하나의 문화권으로 묶을 수 있다.
✕ 같은 문화권 내에서는 생활 양식은 비슷하나 문화 경관은 ~~다르게~~ 나타난다.
↳ 비슷하게

02 세계의 주식 문화권

자료분석 A는 **동남아시아 및 동아시아 지역**의 주식으로 이용되는 것을 통해 **쌀(벼)**이라는 것을 알 수 있다. B는 **서남아시아 및 중앙아시아, 유럽** 등의 주식이며, **북아메리카와 남아메리카 일부, 오스트레일리아**에서 고기와 함께 주식으로 이용되는 **밀**이다.

[선택지 분석]
㉠ A는 주로 계절풍 기후 지역에서 재배된다.
✕ B를 주식으로 하는 지역은 건조 문화권과 일치한다.
➡ 밀을 주식으로 하는 지역은 건조 문화권보다 범위가 넓다.
✕ A는 B보다 세계적으로 널리 소비된다.
➡ 밀은 쌀보다 재배 범위가 넓고, 소비되는 지역도 넓다.
㉣ B는 A보다 빵이나 면을 만드는 데 많이 이용된다.

03 세계의 종교

자료분석 다양한 기준으로 지역을 구분할 수 있는데, 이때 해당 지역의 특징을 파악할 수 있는가를 묻는 문항이다. 제시된 지도는 **주요 종교를 기준으로 구분**한 것이다.

[선택지 분석]
⑤ 크리스트교는 유럽과 아메리카, 오세아니아에 분포하며, 이슬람교는 서남아시아와 북부 아프리카, 불교는 동아시아와 동남아시아, 힌두교는 인도에 주로 분포한다.

04 종교별 음식 문화

자료분석 음식 문화에 영향을 주는 **인문·사회적 요인**으로는 **종교, 관습, 세계화** 등이 있다. 여러 가지 요인 중에서 종교는 한 국가나 지역의 음식 문화에 가장 영향력이 큰 요인으로, **종교와 관련된 금기 음식**이 있어 특정 음식을 먹지 않는 경우가 나타난다.

[선택지 분석]
② 불교는 살생을 금지하여 육식을 금기시한다. 이슬람교는 돼지를 불결한 동물로 여겨 사육하지도 먹지도 않는다. 힌두교는 소를 청결하고 신성한 동물이라고 여겨 먹지 않는다.

05 이슬람교의 특징

자료분석 제시된 **사진은 이슬람교 여성들의 의복**이다. 이슬람교를 믿는 여성들은 히잡, 차도르 등 천으로 몸을 가리는 복장을 많이 한다. 히잡은 이슬람교 여성이 머리에 쓰는 것이며, 차도르는 머리에서 발목까지 덮는 통옷이다.

[선택지 분석]
① ✕ 육식을 금기시한다. → 불교
② 할랄 산업이 발달하였다.
➡ 이슬람 율법에 제시되어 있는 이슬람교도에게 허용된 것을 할랄이라 한다.
③ ✕ ~~동아시아~~ 지역에서 발생하였다.
↳ 서남아시아
④ ✕ 대표적인 종교 경관으로 ~~불상, 탑~~ 등이 있다. → 불교
↳ 모스크
⑤ ✕ 십자가를 세운 성당이나 교회에서 예배를 드린다. → 크리스트교

06 세계의 문화권

[선택지 분석]
㉠ 문화권의 경계 지역에는 점이 지대가 나타나기도 한다.
㉡ 문화권을 구분하는 대표적인 기준으로는 종교, 언어 등이 있다.
✕ 동일한 문화권에 속한 국가들 간에는 ~~경제 발전 수준~~이 비슷하다.
↳ 생활 양식과 문화 경관
✕ A~G 중 총인구에서 크리스트교 신자의 비중이 가장 높은 지역은 C이다.
➡ C는 건조 문화권으로 이슬람교 신자의 비중이 가장 높다.

07 건조 문화권

자료분석 지도의 **A는 북극 문화권, B는 유럽 문화권, C는 건조 문화권, D는 아프리카 문화권, E는 동양 문화권, F는 오세아니아 문화권, G는 아메리카 문화권**이다.

[선택지 분석]

⑤ 제시된 내용은 이슬람교의 영향으로 형성된 특징을 나타내고 있으며, 이러한 특징이 나타나는 곳은 건조 문화권으로 지도의 C에 해당한다.

08 건조 문화권과 오세아니아 문화권

자료분석 **C는** 북부 아프리카, 서남아시아, 중앙아시아에 걸쳐 있는 **건조 문화권**이고, **F는 오세아니아 문화권**에 해당한다. 건조 문화권은 아랍어 사용 비중이 높고 이슬람교 신자가 많으며, 오세아니아 문화권은 영어 사용 비중이 높고 크리스트교 신자가 많다.

[선택지 분석]

⑤ 건조 문화권은 주민의 대부분이 아랍어를 사용하며, 이슬람교를 신봉하고, 오아시스 농업과 유목을 많이 한다. 반면 오세아니아 문화권은 유럽 문화의 영향을 받아 크리스트교의 비중이 높다.

09 세계의 문화권

[선택지 분석]

① A에서는 주로 플랜테이션이 이루어진다.
➡ 플랜테이션은 주로 열대 기후에서 이루어진다.

② B는 부족 중심의 문화가 보편적으로 나타난다.
➡ 부족 중심의 문화는 아프리카 문화권의 특징이다.

③ C는 ~~양고기~~를 먹지 않는 음식 문화가 발달해 있다.
↳ 돼지고기

④ D와 E는 주로 수렵과 채집 위주의 생활을 하고 있다.
➡ 수렵과 채집 위주의 생활은 아프리카 문화권의 특징이다.

⑤ B는 F와 G의 문화 요소에 영향을 주었다.

10 동양 문화권

자료분석 **동양 문화권**은 동아시아, 동남아시아, 남부 아시아 일대로, 이 지역은 **계절풍**의 영향으로 **여름철 기온이 높고 강수량이 풍부**하여 **벼농사**가 발달하기에 유리하다는 공통점이 나타난다.

[선택지 분석]

갑: 여름이 서늘한 지역입니다. → 여름 기온이 높음

을: 동양 문화권에 해당하는 지역입니다.

병: 연중 비가 고르게 내리는 지역입니다. → 여름철에 강수량 집중

정: 계절풍이 부는 지역입니다.

도전! 1등급 문제 235쪽

01 ② 02 ① 03 ⑤ 04 ⑤

01 세계의 언어

[선택지 분석]

② (가)는 영어를 공용어로 사용하는 국가를 나타낸 것이다. 영어는 세계에서 가장 넓은 지역에서 통용되는 언어로, 대표적인 사용 국가는 영국, 미국, 캐나다, 오스트레일리아, 뉴질랜드, 아일랜드 등이다. (나)는 에스파냐와 과거 에스파냐의 식민 지배를 받은 라틴 아메리카의 여러 국가들이 표시되어 있다. 따라서 (나)는 에스파냐어를 공용어로 사용하는 국가를 나타낸 것이다.

02 동양 문화권의 구분

[선택지 분석]

① A는 한국, 중국, 일본 등이 위치한 동아시아로, 한자, 유교, 불교 등의 문화 요소가 나타나고 벼농사가 활발하게 이루어진다. 또한, 젓가락과 한자 문화가 발달해 있다.
B는 인도, 파키스탄, 방글라데시, 스리랑카 등이 위치한 남부 아시아로, 인도는 영어와 힌두교의 비중이 높다.
C는 태평양과 인도양을 연결하는 지리적 중심부에 위치한 동남아시아이다. 타이, 미얀마 등은 불교, 필리핀은 가톨릭교, 인도네시아와 말레이시아는 이슬람교 비중이 높다. 또한, 이 지역에서는 플랜테이션이 발달하였다.

03 문화권의 점이 지대

[선택지 분석]

① A → 유럽 문화권

② B → 건조 문화권

③ C → 아프리카 문화권

④ D → 오세아니아 문화권

⑤ E
➡ E는 앵글로아메리카 문화권과 라틴 아메리카 문화권의 점이 지대로, 두 문화권 간의 활발한 교류로 인해 문화 요소의 다양성과 변동성이 크게 나타난다.

04 라틴 아메리카 문화권

[선택지 분석]

① A → 동아시아 문화권

② B → 동남 및 남부 아시아 문화권

③ C → 오세아니아 문화권

④ D → 앵글로아메리카 문화권

⑤ E
➡ 라틴 아메리카 문화권은 리오그란데강 남쪽 지역으로, 과거 남부 유럽의 식민 지배 영향으로 주민들은 주로 에스파냐어와 포르투갈어를 사용하고 가톨릭교의 비중이 높다. 또한, 라틴 아메리카는 원주민과 유럽에서 건너온 백인, 아프리카에서 노예로 끌려온 흑인이 함께 살아가면서 다양한 문화와 혼혈 인종이 생겨났다.

02 문화 변동과 전통문화

콕콕! 개념 확인 241쪽

01 (1) 문화 변동 (2) 자극 전파
02 (1) ㉡ (2) ㉢ (3) ㉠
03 (1) 전통문화 (2) 정체성
04 (1) 간접 전파 (2) 문화 콘텐츠

탄탄! 내신 문제 242~243쪽

01 ① **02** ⑤ **03** ③ **04** ② **05** ① **06** ④ **07** ②
08 ⑤ **09** ②

01 문화 변동의 요인

[선택지 분석]

✔ 자극 전파는 ~~발견과~~ 발명이 합쳐진 것이다. ↳ 전파와

② 발명은 새로운 문화 요소를 만들어 내는 것이다.
③ 직접 전파는 직접적인 인적 교류에 의해 발생한다.
④ 현대 사회에서의 문화 전파의 양상은 간접 전파가 주류를 이루고 있다.
⑤ 발견은 이미 존재하고 있었지만, 아직 세상에 알려지지 않은 것을 찾아내는 행위를 말한다.

02 문화 변동의 요인

[선택지 분석]

(가) 과학자들이 인간의 유전자 지도를 완성하였다. → 발견
(나) 체로키족은 영어에서 아이디어를 얻어 체로키 문자를 고안해 냈다. → 자극 전파
(다) 미국의 D. 포리스트는 진공관의 원리를 이용하여 라디오 장치를 개발하였다. → 발명
(라) 문익점이 중국으로부터 목화씨를 가져와 우리나라 의복 문화에 변혁이 초래되었다. → 직접 전파
(마) 한국의 드라마와 노래가 인터넷 등을 통해 전 세계로 퍼지면서 한류 열풍이 불고 있다. → 간접 전파

03 문화 융합의 사례

자료분석 성공회 강화성당은 겉모양은 전통 사찰 양식으로 전통문화의 성격을 가지고 있고, 내부 구조는 전형적인 성당의 모습으로 외래문화의 성격을 가지고 있다. 즉, 고유문화와 외래문화가 만나서 **새로운 제3의 문화가 탄생한 문화 융합의 사례**이다.

[선택지 분석]

✘ 직접 전파 → 직접적인 인적 교류를 통해 문화가 변동하는 것
✘ 간접 전파 → 미디어 등 매개체에 의한 접촉으로 문화가 변동하는 것
✔ 문화 융합 → 고유문화와 외래문화가 합쳐져 제3의 문화가 나타나는 것
✘ 문화 동화 → 고유문화가 외래문화에 흡수되어 사라지는 것
✘ 문화 병존 → 고유문화와 외래문화가 함께 공존하는 것

04 문화 융합의 사례

자료분석 각각의 문화가 그 고유의 정체성과 가치 체계를 **그대로 유지하면서 공존**하는 경우는 **문화 병존**, 두 문화가 서로 혼합되어 **새로운 문화**가 나타나는 경우는 **문화 융합**, 고유문화가 외래문화에 **흡수**되는 경우는 **문화 동화**이다. 제시문의 밑줄 친 부분은 문화 융합을 나타낸다.

[선택지 분석]

✘ 길거리 표지판에 한글과 영어가 함께 적혀 있는 경우 → 문화 병존
✔ 불고기와 피자가 합쳐져서 불고기 피자라는 음식이 등장하는 경우 → 문화 융합
✘ 미국 인디언의 문화가 고유성을 상실하고 백인들의 문화에 흡수된 경우 → 문화 동화
✘ 아파트 면적을 '평'으로 표시하던 방식이 사라지고 '제곱미터'로 표시하는 경우 → 문화 동화
✘ 중국에 사는 동포들이 우리의 고유한 풍습과 언어, 가치관을 그대로 간직하며 살고 있는 경우 → 문화 병존

05 문화 병존의 특징

자료분석 말레이시아에서는 다양한 종교가 함께 존재하고 있다. 그래서 한 도시에 여러 종교의 사원이 함께 들어서 있으며, 다양한 종교의 기념일을 공휴일로 지정하고 있다. 이는 **여러 문화가 함께 공존하는 문화 병존의 사례**라고 할 수 있다.

[선택지 분석]

✔ 문화의 다양성을 촉진한다.
➡ 문화 병존이 나타나면 한 사회의 문화적 정체성이 보존되면서 문화적 다양성이 실현된다.

✘ 자문화의 정체성이 상실된다.
➡ 문화적 정체성이 보존된다.

✘ 사회 내부의 요인에 의해 나타난다.
➡ 문화 병존은 사회 외부의 요인에 의해 나타나는 문화 전파의 한 유형이다.

✘ 내집단 의식이 약한 사회에서 주로 나타난다.
➡ 문화 동화의 특징이다.

✘ 서로 다른 문화가 합쳐져서 새로운 문화가 나타난 결과이다.
➡ 문화 융합에 대한 설명이다.

06 전통문화의 역할

[선택지 분석]

✘ 구성원 간의 갈등을 조정한다.
➡ 제시문에서 파악할 수 없는 내용이다.

✘ 구성원의 사고와 행동을 다양화시킨다.
➡ 인간 탑 쌓기를 통해 구성원의 사고와 행동이 통일된다.

✗ 국가의 이미지를 대외적으로 상승시킨다.
➡ 인간 탑 쌓기는 에스파냐 카탈루냐 지방의 전통문화이다. 따라서 국가 이미지와는 관계가 없다.

✓ 세대 간 전승을 통해 사회가 지속되도록 한다.
➡ 인간 탑 쌓기 기술은 세대를 거쳐 전승됨으로써 공동체 의식을 함양하고 사회가 계속 유지되도록 한다.

✗ 고부가 가치를 지닌 문화 산업 육성에 기여한다.
➡ 인간 탑 쌓기로 인해 상업적인 이익을 얻는다는 내용은 없다.

07 전통문화의 성격

[선택지 분석]

ㄱ 전통문화는 한 사회를 유지하는 정신적 자산이다.

✗ 전통문화는 시대의 변화에 관계없이 변화하지 않는다.
➡ 전통문화는 시대의 변화에 맞게 수정되는 경우가 많다.

✗ 전통문화는 오늘날과 달리 조상들의 가치를 반영한다.
➡ 오늘날에도 전통문화는 조상들의 가치를 반영한다.

ㄹ 전통문화는 물질문화뿐만 아니라 관념 문화에서도 찾을 수 있다.

08 전통문화의 고유성

자료분석 부탄은 외국인의 입국을 제한하고 부탄에 머무르는 동안에는 부탄인 안내자를 통해 여행을 해야 하는 등 **전통문화의 고유성**을 지키기 위해 노력하고 있다.

[선택지 분석]

✗ 외래문화는 받아들여서는 안 된다.
➡ 외래문화를 거부하는 것이 아니라 부탄의 전통문화를 지키려는 것이다.

✗ 외래문화와 전통문화는 조화가 불가능하다.
➡ 제시문에 언급되어 있지 않다.

✗ 외국인 관광객은 자국의 경제에 도움이 되지 않는다.
➡ 경제에 도움이 되지 않아서 외국인 관광객의 입국을 제한하는 것이 아니라 전통문화를 지키기 위해서이다.

✗ 선진 외래문화와 어울리지 않는 전통문화는 폐기해야 한다.
➡ 부탄은 전통문화의 고유성을 지키려고 노력하고 있다.

✓ 전통문화의 고유성을 지킴으로써 문화 정체성을 잃지 않아야 한다.
➡ 건물에 부탄 전통 문양이 그려져 있고, 부탄인 안내자를 통해 여행을 하는 것 등에서 부탄은 전통문화의 고유성을 지켜 문화 정체성을 잃지 않으려고 노력하고 있음을 알 수 있다.

09 전통문화의 창조적 계승

자료분석 퓨전 국악 뮤지컬 「판타스틱」은 3개국 언어 동시 출력과 다양한 영상 구현이 가능한 사물 인터넷 기술 적용 등 **우리의 전통문화를 현대인의 감각에 맞게 창조적으로 재해석**했다고 볼 수 있다.

[선택지 분석]

✗ 우리의 전통문화를 원형 그대로 보존해야 한다.
➡ 원형 그대로 보존하면 재해석될 수가 없다.

✓ 전통문화를 현대인의 감각에 맞게 재해석해야 한다.

✗ 한국적인 특징을 버리고 세계적인 색깔로 변형시켜야 한다.
➡ 세계인의 감각에 맞추더라도 한국적인 특징을 버린다면 이미 전통문화는 소멸되는 것이다.

✗ 서구 문화의 기준에 맞추어 우리의 전통문화를 바꾸어야 한다.
➡ 세계인의 공감을 얻도록 재구성하면 된다. 굳이 서구 문화의 기준에 맞출 필요는 없다.

✗ 한국인이 공감할 수 있는 수준으로 전통문화를 표현해야 한다.
➡ 세계화의 추세에 맞추어 외국인들도 공감할 수 있는 수준으로 전통문화를 재창조해야 한다.

도전! 1등급 문제

244~245쪽

01 ⑤ 02 ② 03 ② 04 ① 05 ② 06 ④ 07 ④ 08 ④

01 문화 변동의 사례

자료분석 (가)의 이두 문자는 **전파와 발명이 결합된 자극 전파**의 사례이고, (나)의 라이스버거는 두 문화가 결합하여 **새로운 제3의 문화**가 나타난 **문화 융합**의 사례이다.

[선택지 분석]

✗ (나)는 기존 문화의 정체성을 잃을 수 있다.
➡ 문화 융합은 새로운 제3의 문화 속에 기존 문화 요소가 포함되어 있다.

✗ (가)와 달리 (나)는 강제적인 방법을 통해 이루어진다.
➡ 자극 전파와 문화 융합은 모두 강제적인 방법을 통해 이루어진다고 보기 어렵다.

ㄷ (가), (나) 모두 문화의 외재적 변동과 관련된다.

ㄹ (가)에서는 자극 전파, (나)에서는 문화 융합이 나타나 있다.

02 문화 변동의 양상

자료분석 제시된 표에서 A는 자국의 문화적 정체성이 상실되었으므로 **문화 동화**, C는 새로운 제3의 문화 요소가 나타났으므로 **문화 융합**, B는 **문화 병존**이다.

[선택지 분석]

✗ A가 활발해질수록 문화의 다양성이 촉진된다.
➡ 문화 동화는 자문화가 소멸되는 것이므로 문화의 다양성이 위축된다.

✓ B의 예로 달력에 양력과 음력이 함께 기재되어 있는 것을 들 수 있다.
➡ 우리의 고유문화인 음력과 외래문화인 양력을 함께 사용하는 것은 문화 병존의 사례이다.

✗ C는 타문화에 대한 거부 의사가 강한 사회에서 주로 나타난다.
➡ 문화 융합은 타문화를 수용하는 입장이다.

~~⑤~~ C와 달리 A, B에는 외재적 문화 변동이 나타나 있다.

➡ 문화 병존, 문화 동화, 문화 융합 모두 외재적 문화 변동으로 볼 수 있다.

~~⑤~~ 강제적 문화 접변은 대부분 A나 C보다는 B를 목적으로 한다.

➡ 문화 변동이 강제적으로 이루어지는 강제적 문화 접변으로 인해 자문화가 소멸되는 문화 동화(A)가 주로 나타난다.

03 문화 변동의 양상

자료분석 (가)는 A 문화와 B 문화가 **함께 존재**하고 있으므로 **문화 병존**에 해당하고, (나)는 A 문화가 **소멸**되었으므로 **문화 동화**이며, (다)는 A 문화와 B 문화의 교류 과정에서 **새로운 C 문화**가 나타났으므로 **문화 융합**에 해당한다.

[선택지 분석]

ㄱ. (가)는 문화의 다양성에 기여한다.

➡ 문화 병존이 나타나면 여러 사회의 문화가 함께 존재하므로 문화적 다양성이 실현된다.

~~ㄴ.~~ (나)는 고유문화의 정체성이 강한 경우에 나타난다.

➡ 문화 동화는 고유문화가 소멸되는 것이므로 고유문화의 정체성이 약한 경우에 나타난다.

ㄷ. (다)는 기존에 없던 제3의 문화가 나타나는 경우이다.

~~ㄹ.~~ (가)에 비해 (나), (다)에서는 고유문화와 외래문화 간의 갈등이 심한 편이다.

➡ (가)의 문화 병존의 경우 공존하는 두 문화 중 하나의 문화만을 중시하는 사람들에 의해 갈등이 발생할 수 있다.

04 문화 변동의 양상

자료분석 (가)는 원주민 고유의 토속 신앙을 잃었으므로 **문화 동화**의 사례이고, (나)는 중국의 문화와 한국의 문화가 공존하므로 **문화 병존**의 사례이다.

[선택지 분석]

✔① (가)에는 문화 동화 현상이 나타나 있다.

~~②~~ (나)에서는 자기 문화의 정체성을 상실하였다.

➡ 조선족은 한국 고유의 음식과 한국어 등 자기 문화의 정체성을 간직하고 있다.

~~③~~ (가)는 (나)와 달리 매개체에 의한 문화 전파이다.

➡ (가)는 식민 지배였으므로 직접 전파였고, (나)도 한국 사람들이 중국으로 이민을 가서 문화를 전파한 것이므로 직접 전파이다. 매개체에 의한 문화 전파는 간접 전파이다.

~~④~~ (나)에서는 (가)와 달리 새롭게 발명된 문화 요소가 존재한다.

➡ 문화 병존은 고유문화와 외래문화가 공존하고 있는 것으로, 새롭게 발명된 문화 요소가 존재하는 것은 아니다.

~~⑤~~ (가)와 (나) 모두에서 강제적 문화 접변이 나타났다.

➡ (가)에서만 강제적 문화 접변이 나타났다.

05 전통문화의 역할

자료분석 상부상조 문화나 효(孝)와 예(禮) 사상은 **관념 문화**이며, 이러한 가치와 태도 등은 한 사회를 유지하는 **정신적 자산**이 된다. 해당 문화들은 **도덕 규범의 기초**로 작용하며, 타인과 공동체에 대한 배려를 통해 **사회 유지와 통합**에 중요한 역할을 한다.

[선택지 분석]

① 구성원 간의 갈등을 예방한다.

✔② 문화 산업의 상업적인 육성에 기여한다.

➡ 상업적인 이익을 목적으로 하지 않는다.

③ 구성원들이 문화 정체성을 갖도록 해 준다.

➡ 각 문화에서 중시되는 정신과 가치는 구성원에게 많은 영향을 주며, 문화 정체성 형성에 기여한다.

④ 구성원들의 행동방식에 긍정적인 영향을 준다.

⑤ 한 사회의 세대 간 단절을 막아 사회가 지속되도록 한다.

➡ 상부상조 문화와 효와 예 사상은 세배 문화 등으로 이어져 젊은 세대와 기성세대 간의 교류를 통해 세대 간 통합과 사회 유지 기능을 한다.

06 전통문화의 창조적 계승 방안

자료분석 사물놀이와 한복은 우리의 전통문화이다. '일렉트릭 사물놀이' 밴드는 사물놀이를 서양의 전자 악기와 결합하여 **젊은이들의 감각에 맞게 재구성**하였다. 한복도 현대인의 생활에 편리하게 재구성하여 생활 한복으로 변화되었다. 이를 통해 우리의 전통문화도 **새로운 문화 요소와의 창의적인 결합**을 통해 **현대적 감각으로 재해석**하여 새롭게 발전시킬 수 있음을 알 수 있다.

[선택지 분석]

~~①~~ 외래문화와 전통문화는 병존하기 힘들다.

➡ 전통문화가 외래문화와 결합하여 재창조되었으므로 병존이 가능하다.

~~②~~ 전통문화는 상업적인 이익과 결부시켜서는 안 된다.

➡ 전통문화의 재창조로 인해 상업적인 이익을 얻는다고 해서 부도덕한 일이라고 볼 수는 없다.

~~③~~ 전통문화 중에서 우수한 것은 변형시키지 않고 보존해야 한다.

➡ 우수한 전통문화도 현대인의 감각에 맞게 재창조한다면 더 널리 보급될 수 있다.

✔④ 전통문화를 현대적 감각으로 재해석하여 새롭게 발전시켜야 한다.

~~⑤~~ 보편화된 세계적 문화와 전통문화의 발전 방향은 일치되어야 한다.

➡ 전통문화가 반드시 세계적인 문화와 동일한 방향으로 발전할 필요는 없다.

07 우리 사회의 문화 변동 양상

자료분석 외래문화의 유입으로 오늘날 상투 문화가 소멸되었으므로 **(가)는 문화 동화**의 사례이고, 라이스버거는 서양의 음식 문화와 우리나라의 음식 문화가 결합된 형태이므로 **(나)는 문화 융합**의 사례이며, 외래문화인 양력과 전통문화인 음력이 공존하는 **(다)는 문화 병존**의 사례이다.

[선택지 분석]

~~①~~ (가)는 강제적인 상황에서만 나타난다.

➡ 문화 동화가 반드시 강제적인 상황에서만 발생하는 것은 아니다. 자발적으로 외래문화를 받아들이면서 자문화가 소멸되기도 한다.

✗ ㈏는 주로 다른 문화에 대한 배타성 때문에 발생한다.
➡ 다른 문화에 대한 배타성이 있다면 자문화와 섞여서 새로운 문화가 나타날 수 없다.

✗ ㈐는 전파와 발명이 함께 이루어진 경우이다.
➡ 자극 전파에 대한 설명이다.

✓ ㈎보다 ㈐가 문화 다양성 유지에 기여한다.

✗ ㈏는 ㈐와 달리 다문화 사회의 갈등 해결에 도움이 된다.
➡ 상대방의 문화를 존중하는 것은 문화 병존과 문화 융합 모두에 해당한다.

08 문화 변동의 양상

자료분석 (가)는 문화 동화이므로 **자문화의 정체성 소멸**에 대한 질문이 A에 들어가야 하고, (나)는 문화 융합이므로 **새로운 제3의 문화가 생성**되는지와 관련된 질문이 B에 들어가야 한다.

[선택지 분석]

✗ A : 자발적 원인에 의한 문화 변동인가?
➡ (가)를 구별해낼 수 없는 질문이다.

✗ A : 외재적 요인에 의한 문화 변동인가?
➡ (가)~(다) 모두 외재적 요인에 의한 문화 변동이다.

✗ B : 자문화의 정체성이 소멸되는가?
➡ A에 적합한 질문이다.

✓ B : 새로운 제3의 문화가 생성되는가?

✗ B : 단기간에 걸쳐 변동이 발생하였는가?
➡ (나)를 구별해낼 수 없는 질문이다.

03 문화 상대주의와 보편 윤리

콕콕! 개념 확인 249쪽

01 (1) 인문 환경 (2) 다양하게
02 (1) 배척 (2) 있다
03 (1) ㉡ (2) ㉠ (3) ㉢
04 (1) A : 보편 윤리, B : 연고주의 (2) 극단적 문화 상대주의

탄탄! 내신 문제 250쪽

01 ① **02** ① **03** ④ **04** ③

01 문화적 차이의 발생원인

자료분석 열대 지방은 눈이 내리지 않는 자연환경을 가지고 있기 때문에 눈을 표현하는 단어가 없는 반면, 북극 지방은 항상 눈 속에서 생활하는 자연환경을 가지고 있기 때문에 눈의 상태에 관한 다양한 표현이 발달하였다. 이처럼 **문화적 차이**는 각 사회가 **서로 다른 자연환경에 적응하며 나름의 생활 방식을 형성**하는 과정에서 나타난다.

[선택지 분석]

✓ 자연환경의 차이

✗ 사회 구조의 차이 → 경제 구조, 정치 구조, 교육 구조 등

✗ 인문 환경의 차이 → 종교, 도덕, 관습 등

✗ 사회화 과정의 차이 → 사회화 과정은 개인마다 다를 수 있음

✗ 문화 이해 태도의 차이 → 해당 주제와는 관련이 없음

02 자문화 중심주의의 특징

자료분석 첫 번째 사례는 중국이 자기 나라만 우수하다고 믿고 다른 나라를 열등하게 취급한 **중화사상**을 나타내고, 두 번째 사례는 이슬람 무장 단체가 다른 사회의 문화 유적을 '우상 숭배 금지'라는 명분을 내세워 파괴한 사례이다. 중화사상과 이슬람 무장 단체의 행동은 모두 자기 문화만 우수하다고 여겨 **자기 문화를 기준으로 다른 문화를 평가**하는 **자문화 중심주의**에 해당한다.

[선택지 분석]

㉠ 타문화를 부정적으로 평가하는 경향이 있다.
➡ 자문화 중심주의는 다른 사회의 문화가 갖는 고유한 의미와 가치를 인정하지 않기 때문에 다른 사회의 문화를 배척하는 태도로 이어질 수 있다.

㉡ 특정 문화를 기준으로 우열을 가리는 태도를 갖고 있다.
➡ 자문화 중심주의는 자기 문화를 기준으로 문화 간의 우열을 가린다.

✗ 선진 외국 문화를 무비판적으로 수용하는 태도에 해당한다. → 문화 사대주의

✗ 문화를 그 사회의 환경과 상황에 적응한 결과물로 이해하고 있다. → 문화 상대주의

03 문화 상대주의의 특징

자료분석 갑은 상대의 손바닥에 침을 뱉어 반가움을 표현하는 인사 문화를 그 지역의 자연적 환경을 토대로 이해하려 하고 있다. 이는 다른 사회의 인사 문화를 **그 사회의 자연환경을 고려하여 이해하는 문화 상대주의적 태도**라 할 수 있다.

[선택지 분석]

✗ 문화 제국주의로 이어질 우려가 있다. → 자문화 중심주의

✗ 자기 문화의 주체성을 상실할 가능성이 크다. → 문화 사대주의

✗ 서로 다른 문화 간에 우열이 있음을 인정한다. → 문화 사대주의, 자문화 중심주의

✓ 다른 사회의 문화를 그 사회의 맥락 속에서 파악한다.

✗ 다른 사회에 자기 문화의 수용을 강요할 가능성이 높다. → 자문화 중심주의

04 보편 윤리와 문화 이해

자료분석 오늘날에도 일부 이슬람 국가에서 행해지고 있는 명예 살인은 여성의 인권을 침해하고 생명을 해치는 악습이다. 따라서 우리는 **문화적 차이를 인정**하면서도 **보편 윤리적 관점에서 타문화를 성찰**할 필요가 있다.

[선택지 분석]

ⓧ 문화 다양성의 특징을 알아보자.

➡ 명예 살인은 악습이므로 문화 다양성으로 보는 것은 잘못이다.

ⓧ 문화 상대주의가 필요한 이유를 알아보자.

➡ 문화 상대주의를 지나치게 강조할 경우 보편 윤리에 어긋나는 것도 이해하려고 하는 극단적 문화 상대주의가 나타난다.

✔ 보편 윤리의 관점에서 타문화를 성찰해 보자.

ⓧ 문화적 차이가 발생하는 이유를 생각해 보자.

➡ 문화적 차이는 자연환경과 인문환경의 차이에서 발생한다. 제시문과는 거리가 멀다.

ⓧ 개인의 인성이 문화적 차이를 가져오는 과정을 알아보자.

➡ 개인의 인성이 문화적 차이를 가져오지는 않는다.

도전! 1등급 문제

251쪽

01 ① **02** ⑤ **03** ⑤ **04** ⑤

01 문화의 특징

[선택지 분석]

✔ 문화 현상은 보편성과 다양성을 띤다.

➡ 어느 나라든 장례 문화는 보편적으로 나타나지만 구체적인 방식은 나라마다 다양하다.

ⓧ 모든 문화는 보편 윤리에 어긋나지 않는다.

➡ 보편 윤리에 어긋나는 문화도 존재한다.

ⓧ 인간은 자연환경의 지배를 받을 수밖에 없다.

➡ 제시된 사례에는 자연환경과 인문 환경의 영향이 모두 나타나 있다. 자연환경의 영향만 받는 것은 아니다.

ⓧ 인간은 문화를 통해 자연환경의 제약을 극복한다.

➡ 인간은 문화를 통해 자연환경의 제약을 극복하기도 하지만 자연환경에 적응하기도 한다.

ⓧ 한 사회의 문화는 종교의 영향을 가장 많이 받는다.

➡ 종교의 영향을 받기는 하지만 가장 많이 받는다고 단정할 수는 없다.

02 문화 이해 태도의 구분

자료분석 제시된 표에서 문화 간의 우열을 인정하지 않는 **C는 문화 상대주의**이며, 자기 문화를 낮게 평가하는 **A는 문화 사대주의**이고, **B는 자문화 중심주의**이다.

[선택지 분석]

ㄱ. ~~A~~는 문화 제국주의로 흐를 수 있다. → 자문화 중심주의(B)

ㄴ. ~~B~~는 자문화의 정체성을 상실할 수 있다. → 문화 사대주의(A)

㉢ C는 다른 사회의 문화를 객관적으로 이해할 수 있다.

㉣ A, B와 달리 C는 다양한 문화의 공존에 기여한다.

03 문화 상대주의의 특징

자료분석 몽골의 유목민들이 목욕을 일생에 세 번만 하는 것이 열악한 자연환경 때문이라고 이해하는 것은 **그 사회의 입장에서 그 문화의 맥락을 살펴보는 것**이므로 **문화 상대주의**적 문화 이해 태도이다.

[선택지 분석]

ⓧ 자문화의 주체성 상실을 초래하기도 한다. → 문화 사대주의

ⓧ 자기 문화를 기준으로 다른 사회의 문화를 평가한다. → 자문화 중심주의

ⓧ 구성원들의 소속감을 고취시키지만 국제적 고립을 초래하기도 한다. → 자문화 중심주의

ⓧ 문화의 특수성을 강조하여 인류 보편적 가치의 존재를 인정하지 않는다. → 극단적 문화 상대주의

✔ 문화적 차이에 따른 갈등을 방지하여 문화 다양성을 보존할 수 있게 해 준다.

04 극단적 문화 상대주의의 문제점

자료분석 갑은 중동이나 아시아의 일부 지역에서 나타나는 조혼 풍습에 대해 그 사회의 입장에서 이해해야 한다는 **문화 상대주의적 태도**를 갖고 있다. 그러나 조혼은 지나치게 어린 나이에 결혼함으로써 여성의 삶의 질을 떨어뜨리고 인간 존엄성을 침해하는 악습이므로 **보편 윤리적 관점에 어긋난다.** 따라서 갑의 문화 이해 태도는 **극단적 문화 상대주의**라고 할 수 있다.

[선택지 분석]

ⓧ 국수주의를 초래할 우려가 있다. → 자문화 중심주의

ⓧ 국가 간 문화적 마찰이 발생할 수 있다. → 자문화 중심주의

ⓧ 자기 문화의 정체성을 상실할 우려가 있다. → 문화 사대주의

ⓧ 절대적 기준에 비추어 문화를 평가하고 있다. → 자문화 중심주의, 문화 사대주의

✔ 인류가 지켜야 할 보편 윤리를 무시하고 있다.

04 다문화 사회와 문화 다양성

콕콕! 개념 확인

256쪽

01 (1) 다문화 (2) 국제결혼

02 (1) 농어촌 (2) 자문화 중심주의 (3) 이중 언어 (4) 노동력 (5) 차별

03 (1) 다문화 가족 지원법 (2) (가) 편견, (나) 관용

02 (2) 문화 상대주의는 다른 사회의 문화를 그 사회의 입장에서 이해하려는 태도이다.

탄탄! 내신 문제

257~258쪽

01 ① **02** ② **03** ② **04** ③ **05** ⑤ **06** ③ **07** ③ **08** ① **09** ②

01 다문화 사회

자료분석

그래프에서 **국내 거주 외국인 주민 수는 꾸준히 증가**하여 2015년에는 170만 명이 넘고 있다. **국제결혼**을 하여 들어오는 사람들이 크게 늘어나고 있고, **외국인 근로자, 유학생** 등이 들어오면서 다문화 사회가 형성되고 있다.

[선택지 분석]

✔ 국제결혼 이민자의 증가

✘ 기업의 공장이 해외로 이전

➡ 기업의 공장이 해외로 이전하면 일자리가 줄어들어 취업하기가 어려우므로 외국인 근로자들이 들어오기를 꺼린다.

✘ 내국인의 해외 유학생 증가

➡ 외국인 유학생의 증가는 다문화 사회의 도래에 기여한다. 그러나 내국인의 해외 유학생 증가는 해당 국가의 사회를 다문화시킨다.

✘ 불법 체류 외국인의 단속 강화

➡ 단속을 강화하면 추방당하는 외국인이 늘어난다.

✘ 이주 노동자에 대한 인권 침해 증가

➡ 인권 침해 증가가 알려지면 한국으로 오기를 꺼리는 외국인이 많아질 것이다.

02 안산 다문화 마을

자료분석

글의 밑줄 친 '이곳'은 **안산 다문화 마을**이다. 2009년 5월 1일 지식경제부는 경기도 안산시 단원구 원곡동 일대를 **안산 다문화 마을 특구**로 지정했다. 본래 안산시는 반월 공단과 시화 공단의 배후 도시로 건설된 계획도시로 많은 근로자가 거주하고 있다. 현재 외국인 주민 센터가 위치한 원곡동은 공단을 처음 조성했을 때 숙소가 위치했던 곳으로 다세대·다가구 건물이 많았다. 집값이 싸고 공단에 가까우면서도 교통이 편리한 원곡동에 외국인 근로자들이 몰려들면서 하나의 마을을 형성하게 된 것이다.

[선택지 분석]

✘ 인천 차이나타운

➡ 인천항이 개항된 이후 중국인들이 모여 살면서 중국의 문화가 형성된 곳이다. 주말마다 이곳의 독특한 경관과 중국의 음식 문화를 즐기기 위해 많은 관광객이 방문하고 있다

✔ 안산 다문화 마을

➡ 안산시에는 반월 공단과 시화 공단에서 일하는 외국인 근로자들이 많이 거주하고 있다. 이에 안산시는 외국인 주민 센터를 설치하여 이들에게 필요한 다양한 행정 서비스를 지원하고 있다.

✘ 광희동 몽골타운

➡ 1990년대 초반 서울 광희동에 러시아 보따리장수들을 위한 식당과 술집, 숙박 시설이 들어서면서 러시아타운이 형성되었다. 그 후 2000년대 초반 러시아 상인들이 중국으로 옮겨가면서 몽골인이 그 빈자리를 채우기 시작하였고, 이로 인해 몽골타운이 자리 잡게 되었다.

✘ 김해 외국인 거리

➡ 김해시에는 중소기업에 근무하는 외국인 근로자가 많다. 외국인 근로자 수가 증가하면서 구도심의 재래시장을 중심으로 외국인 거리가 형성되었다.

✘ 서초구 프랑스 마을

➡ 서래마을은 국내에 거주하고 있는 프랑스인의 40%가 넘는 800여 명이 모여 사는 곳이다.

03 다문화 사회

자료분석

2015년 기준으로 우리나라에 거주하고 있는 외국인 주민 수는 약 174만 명이다. 이 중에서 **외국인 근로자가 약 34.9%로 가장 높은 비중을 차지**하고 있으며, 그 다음으로 외국 국적 동포, 외국인 주민 자녀, 국제결혼 이민자 순이다.

[선택지 분석]

✔ 우리나라는 1990년대 후반 국내 생산직 근로자의 임금이 상승하고 내국인 근로자들이 기피하는 업종이 생기면서 생산직을 중심으로 노동력 부족 현상이 심해졌다. 이후 중국을 비롯한 아시아 지역으로부터 저임금 노동력이 유입되면서 외국인 근로자가 증가하기 시작하였다.

04 다문화 사회의 영향

[선택지 분석]

✘ 결혼 기피 풍조가 줄어든다.

➡ 다문화 사회와는 관련이 없다. 자녀 양육, 주택 부족, 취업 문제 등과 관련이 있다.

ㄴ 문화 선택의 폭이 넓어진다.

➡ 다문화 사회로 인해 다양한 문화가 유입되면서 문화 선택의 폭이 넓어진다.

ㄷ 노동력 부족 현상이 완화된다.

➡ 외국인 근로자의 유입으로 중소기업의 노동력 부족 현상이 완화된다.

✘ 열악한 노동 환경이 개선된다.

➡ 외국인 근로자가 단순 노무직인 경우가 많아 저임금과 노동 환경 악화로 이어지고 있다.

05 다문화 사회의 갈등

[선택지 분석]

✘ 더운 날씨

➡ 베트남이 더운 날씨이지 한국이 더운 날씨인 것은 아니다.

✘ A씨의 게으름

➡ A씨가 게을러서 낮잠을 자는 것이 아니라 베트남에서의 문화적 관습 때문이다.

✘ 시어머니의 권위주의

➡ 시어머니가 며느리에 대해 권위를 내세우기 위해 낮잠 자는 행위를 비난하는 것은 아니다.

✘ 문화 사대주의적 시각

➡ 문화 사대주의가 아니라 자문화 중심주의적 시각이다.

✔ 문화 차이에 관한 이해 부족

➡ 시어머니가 베트남의 낮잠 문화를 이해하지 못했기 때문에 갈등이 발생한 것이다.

06 다문화 사회 갈등 해소 노력

자료분석

갑이 학급 친구들로부터 따가운 눈총을 받는 것은 친구들의 **편견** 때문이다. 다문화 가정 학생들에 대해 갖는 부정적인 시선이 문제인 것이다. 다문화 가정 학생을 우리와 함께 살아가는 사회의 구성원으로 인정하지 않고 차별하는 것은 **인간의 존엄성을 침해**하는 인권 문제로 민주주의의 이념에도 어긋난다.

[선택지 분석]

~~①~~ 다문화 가정의 경제적 지원을 늘린다. → 국가적 차원의 노력

~~②~~ 학교와 지역 단위로 다문화 교육을 강화한다. → 국가적 차원의 노력

✓③ 관용 정신을 발휘하여 서로 다른 문화와 소통한다. → 개인적 차원의 노력

~~④~~ 우리 민족의 정체성과 주체성 함양을 위해 노력한다.
➡ 이주민과의 갈등을 초래할 가능성이 크다.

~~⑤~~ 다문화 가정 학생들에게 우리 문화에 대한 자부심을 갖도록 한다.
➡ 우리 문화에 대한 자부심을 갖도록 강요하는 것은 다문화 가정 학생들에게 거부감을 불러일으킬 수 있다.

07 다문화 정책

자료분석 | '**다문화 학생 이중 언어 말하기 대회**'는 다문화 가정 학생이 갖고 있는 이중 언어 능력을 발휘할 기회를 줌으로써 우리 사회의 구성원으로서 당당하게 자리매김하고 **문화적 다양성**을 실현하는 데 도움을 준다.

[선택지 분석]

① 세계화 시대에 국가 경쟁력을 높일 수 있다.
➡ 이중 언어를 사용하는 사람이 늘어나면서 다양한 분야에서 언어적 소질을 활용할 수 있다.

② 학교와 가정의 의사소통을 원활하게 해준다.
➡ 한국어와 모국어를 모두 사용할 수 있으므로 학교와 가정의 의사소통을 돕는다.

✓③ 다문화 가정의 무분별한 증가를 막을 수 있다.
➡ 이중 언어와 다문화 가정 증가와는 관련이 없다.

④ 다문화 가정 자녀에 대한 편견을 줄일 수 있다.
➡ 다문화 가정 자녀의 능력을 보여줌으로써 이들에 대한 편견을 줄일 수 있다.

⑤ 문화적 다양성을 존중하는 태도를 함양시킨다.
➡ 사용하는 언어가 다양해짐으로써 문화적 다양성이 실현되고 있으며, 이러한 문화적 다양성을 존중하는 태도를 함양시킬 수 있다.

08 다문화 가족 지원법

자료분석 | 제시된 법률은 **다문화 가족 지원법**이다. 이 법은 다문화 가족 구성원이 안정적인 생활을 영위할 수 있도록 **국가의 책임과 각종 지원 정책**에 관한 내용이 담겨져 있다.

[선택지 분석]

ㄱ 다문화에 대한 이해 증진 교육
➡ 다문화 가족에 대한 사회적 차별 및 편견을 예방하기 위한 목적이다.

ㄴ 결혼 이민자에 대한 생활 정보 제공
➡ 결혼 이민자가 불편 없이 생활할 수 있도록 하기 위함이다.

~~ㄷ~~ 불법 체류 외국인 근로자의 처리 절차
➡ 다문화 가족은 국제결혼 이민자 등을 말한다. 불법 체류 외국인 근로자는 포함하지 않는다.

~~ㄹ~~ 한국어와 한국 문화에 대한 의무 수강
➡ 다문화 가족을 위한 내용이 아니다.

09 캐나다의 다문화 정책

자료분석 | 캐나다는 공동체에 존재하는 '다름'으로 인해 국가 발전이 저해되고 국가가 분열되게 되었을 때, 비로소 함께 살아가는 방법으로 사회 전체가 **다문화주의**를 받아들였다. 캐나다는 모자이크 작품 같이 다양한 민족과 문화가 서로의 존재를 인정하고 공존하는 정책을 취하고 있다. 다문화주의는 캐나다의 정치, 경제, 교육, 예술 등 사회 전반 곳곳에 뿌리 깊게 스며들어 있는 중요한 사회 통념이다.

[선택지 분석]

~~①~~ 차이를 차별로 인식한다.
➡ 차이를 차별로 인식하면 문화 간 갈등을 불러일으킨다.

✓② 문화적 다양성을 존중한다.
➡ 서로 다른 문화를 인정하고 이해하고 있기 때문에 문화적 다양성을 존중한다.

~~③~~ 소수 민족을 특별히 보호한다.
➡ 소수 민족을 특별히 보호하는 것이 아니라 모든 사회의 문화를 똑같이 존중하는 것이다.

~~④~~ 공익을 위해 개인의 기본권을 제한한다.
➡ 개인의 기본권 제한에 대한 내용은 없다.

~~⑤~~ 여러 문화를 하나의 문화권으로 통합한다.
➡ 하나의 문화권으로 통합하는 것이 아니라 여러 문화를 있는 그대로 존중하는 것이다.

도전! 1등급 문제

259쪽

01 ⑤ **02** ① **03** ③ **04** ④

01 다문화 사회

[선택지 분석]

① 문화 간 갈등이 심화되었을 것이다.
➡ 국내 거주 외국인의 증가로 다양한 문화가 유입되면서 문화 간 갈등이 심화되었음을 알 수 있다.

② 저임금 근로자의 유입이 늘었을 것이다.
➡ 국내 거주 외국인을 국적별로 보면 중국이나 베트남, 필리핀 등 동남아시아 출신 국가가 많다. 개발 도상국 출신은 단순 노무직의 저임금 근로자가 대부분이다.

③ 노동력 부족 현상이 완화되었을 것이다.
➡ 외국인 근로자 비중이 높기 때문에 중소기업의 노동력 부족 현상 완화에 도움이 되었을 것이다.

④ 내국인과의 일자리 경쟁이 나타났을 것이다.
➡ 외국인 근로자의 비중이 높아지면서 내국인과의 일자리 경쟁이 나타났음을 알 수 있다.

✓⑤ 국내 거주 외국인은 한국인으로서의 정체성이 강화되었을 것이다.
➡ 국내 거주 외국인은 한국인으로서의 정체성이 강하지 않을 것이다.

02 다문화 사회의 부정적 영향

[선택지 분석]

①갑 : 복수 국적 취득자의 현황
➡ 복수 국적을 가졌다고 해서 문화 간 갈등을 유발하는 것은 아니다.

②을 : 외국인 유학생에 대한 차별 사례
➡ 외국인 유학생은 내국인 학생에 비해 차별받는 사례가 나타날 수 있다.

③병 : 국제결혼 여성의 고부 간 갈등 사례
➡ 문화 간 이해 부족에서 자주 발생한다.

④정 : 다문화 가정 자녀의 학업 포기 현황
➡ 언어 소통의 부족과 서로 다른 문화에 대한 이해 부족과 편견 등에서 비롯된다.

⑤무 : 외국인 근로자에 대한 인권 침해 사례
➡ 출신 국가에 대한 편견이 크게 작용한다.

03 용광로 이론과 샐러드 볼 이론

자료분석 **갑은 용광로 이론, 을은 샐러드 볼 이론**을 말하고 있다. 용광로 이론은 펄펄 끓는 용광로처럼 여러 민족의 다양한 문화를 하나로 녹여 **그 사회의 주류 문화에 동화시키고자 하는 관점**이며, **샐러드 볼 이론**은 국가라는 샐러드 볼 안에서 각 문화의 고유한 맛이 나타날 수 있도록 **다양한 인종과 문화가 함께 어울리는 문화를 만들자는 관점**이다.

[선택지 분석]

① 다양한 문화들 간 우열을 가려야 하는가? → 용광로 이론

② 다양한 문화를 하나로 통합시켜야 하는가? → 용광로 이론

③ 다양한 문화들의 특성을 존중해야 하는가? → 샐러드 볼 이론

④ 세계화 시대에 다문화는 불가피한 현상인가?
→ 다문화 정책과 관련이 없음

⑤ 주류 문화와 비주류 문화를 구분해야 하는가? → 용광로 이론

04 다문화 정책

자료분석 ○○ 초등학교에서는 다양한 인종, 민족 출신의 학생들이 함께 어우러져 생활하고 있다. 이런 생활을 통해 **서로의 문화를 존중함으로써 다양한 문화가 공존할 수 있게 된다.**

[선택지 분석]

① 다문화 가정 자녀에 대해 특별한 혜택을 준다.
➡ 특별한 혜택이 아니라 동등한 혜택을 준다.

② 국제결혼 이주자의 국내 입국 요건을 강화한다.
➡ 국내 입국 요건을 강화할 경우 국제결혼 이주자가 국내에서 생활하기가 어려워질 수 있다.

③ 다문화 가정의 집단 거주지를 출신 국가별로 마련한다.
➡ 출신 국가별 차별로 이어질 수 있다.

④ 다양한 접촉을 통해 다른 문화를 이해하는 기회를 가진다.
➡ 접촉 기회를 늘릴 경우 다양한 문화를 존중하는 태도를 함양시킬 수 있다.

⑤ 다문화 학생들을 대상으로 한국어와 한국 문화 교육을 강화한다.
➡ 한국 문화 교육보다 상대국 문화를 존중하는 노력이 필요하다.

한번에 끝내는 대단원 문제 262~265쪽

01 ④ **02** ③ **03** ④ **04** ② **05** ④ **06** ⑤ **07** ①
08 ③ **09** ② **10** ④ **11** ③ **12** ③

13 (1) (가) 북극 문화권, (나) 건조 문화권 (2) [모범 답안] 북극 문화권에 사는 네네츠족, 이누이트, 라프족 등은 순록을 유목한다. 건조 문화권의 주민들은 전통적으로 유목과 오아시스 농업을 하였다. 따라서 공통적인 특징은 유목이다.

14 (1) 종가 음식 (2) [모범 답안] 전통문화를 현대적 감각으로 재해석하여 새로운 문화 콘텐츠로 발전시켜야 한다.

15 (1) 극단적 문화 상대주의 (2) [모범 답안] 모든 문화를 무조건 인정하고 받아들이는 극단적 문화 상대주의는 보편 윤리에 어긋나는 문화까지도 인정하여 보편 윤리를 훼손한다.

16 (1) 다문화 사회 (2) [모범 답안] **긍정적 영향** : 문화의 다양성 증진에 기여한다. 노동력 부족 문제를 해결할 수 있다. / **부정적 영향** : 문화적 차이에 관한 이해 부족으로 문화 갈등이 발생할 수 있다. 외국인에 대한 편견과 차별로 사회 갈등이 발생할 수 있다.

01 세계의 종교 분포

자료분석 종교 분포 지도를 통해 A~D에 해당하는 종교를 파악할 수 있다. **크리스트교(A)는 유럽, 아메리카, 오세아니아에, 이슬람교(B)는 서남아시아와 북부 아프리카**에, **힌두교(C)는 인도, 불교(D)는 동남아시아 및 동부 아시아**에 주로 분포한다.

[선택지 분석]

① ~~A~~ 종교인의 여성들은 대부분 히잡을 착용한다. ↳B

② ~~B~~ 종교인들은 소를 신성시하여 쇠고기를 먹지 않는다. ↳C

③ ~~C~~ 종교인들은 십자가를 세운 성당이나 교회에서 예배를 드린다. → A

④ D 종교의 대표적인 경관으로 불상과 탑이 있다.

⑤ A~D 중 건조 문화권에서 주로 믿고 있는 종교는 ~~A~~이다. ↳B

02 세계의 문화권

자료분석 지도의 A는 유럽 문화권, B는 **건조 문화권**, C는 오세아니아 문화권, D는 **라틴 아메리카 문화권**이다. 제시된 글의 **(가)는 건조 문화 지역, (나)는 라틴 아메리카 문화 지역**에 대한 설명이다.

[선택지 분석]

③ (가)에서 유목과 오아시스 농업, 이동식 가옥, 이슬람교를 믿는다는 것으로 보아 건조 문화권과 관련 있다.
(나)에서 주로 에스파냐어와 포르투갈어를 사용하고 가톨릭교의 비율이 높으며 혼혈 인종이 많은 것으로 보아 라틴 아메리카 문화권과 관련 있다.

03 아프리카 문화권

자료분석 제시된 지도에서 **A는 유럽 문화권, B는 동아시아 문화권, C는 앵글로아메리카 문화권, D는 아프리카 문화권, E는 라틴 아메리카 문화권**을 나타낸다.

[선택지 분석]

✓ 아프리카 문화권은 사하라 사막 이남의 중남부 아프리카 일대로, 대부분 지역에서 열대 기후가 나타난다. 이곳은 원시 종교의 영향이 남아 있으며 부족 중심의 생활이 이루어지고 민족과 언어가 다양하게 나타난다. 주민들은 원시 농업과 수렵, 채집 생활을 주로 하고 있으며 전통적으로 이동식 화전 농업이 이루어지지만, 식민 지배의 영향으로 일부 지역에서는 플랜테이션이 발달하였다.

04 관개 농업과 플랜테이션

[선택지 분석]

✓ (가) 관개 농업은 건조 지역의 오아시스나 외래 하천, 지하 관개 수로 등을 이용한 농업을 말하며, 이곳에서는 대추야자나 밀 등의 작물이 재배된다. (나) 플랜테이션은 유럽의 기술력과 자본, 원주민의 노동력을 이용하여 이루어지는 농업 방식이다. 이곳에서는 주로 카카오, 고무, 커피 등의 상업적인 작물이 대규모로 재배된다.

05 문화 변동의 요인

[선택지 분석]

✗ ㄱ. (가)는 불, 과학 법칙 등이 해당한다.
➡ 불, 과학 법칙 등은 발견의 사례이다. 발명의 사례에는 한글 창제, 새로운 종교의 창시 등이 있다.

ㄴ. (나)는 중국에서 불교와 한자가 들어온 것 등이 해당한다.

✗ ㄷ. (다)는 외부의 압력에 의해 발생한다.
➡ 간접 전파는 텔레비전, 인터넷, 신문 등 매개체에 의한 전파로, 대부분 자발적인 의지에 의해 발생한다.

ㄹ. (라)는 자극 전파이다.
➡ 이두 문자는 신라의 설총이 중국에서 전래된 한자를 보고 아이디어를 얻어 발명한 것으로 자극 전파의 사례이다.

06 문화 변동의 양상

자료분석: 외래문화가 고유문화와 결합하여 새로운 문화를 형성한 **A는 문화 융합**, 서로 다른 사회의 문화가 한 사회의 문화 체계 내에서 함께 존재하는 **B는 문화 병존**, 그리고 **C는 문화 동화**이다.

[선택지 분석]

✗ ① 우리나라의 차이나타운은 A의 사례이다.
➡ 우리나라의 차이나타운은 문화 병존(B)의 사례이다.

✗ ② A와 달리 B는 강제적으로 나타난다.
➡ 문화 융합과 문화 병존은 대부분 자발적으로 나타난다.

✗ ③ A와 C는 모두 매개체에 의해 나타난다.
➡ 문화 융합과 문화 동화는 문화 변동의 양상이며, 문화 변동의 요인이 무엇인지는 제시된 자료로는 알 수 없다.

✗ ④ A는 B와 달리 문화의 다양성 확대에 기여한다.
➡ 문화 융합과 문화 병존은 모두 자문화와 외래문화의 요소가 함께 존재하므로 문화의 다양성 확대에 기여한다.

✓ ⑤ C는 B와 달리 자문화의 정체성이 상실된다.

07 전통문화의 창조적 계승

자료분석: **한옥은 우리나라의 전통 주거 문화**이며, 오늘날에는 현대인의 감각에 맞추어 수세식 화장실, 서양식 부엌 등을 넣어 개량한 한옥이 늘고 있다. **개량 한옥**은 현대인의 주거 생활에 맞추어 한옥을 개량한 것으로, **전통문화를 창조적으로 계승한 사례**이다.

[선택지 분석]

✓ ① 전통문화를 현대적 감각에 맞게 재창조한다.

✗ ② 문화 교류를 통해 문화의 획일성이 강화된다.
➡ 문화 교류는 문화의 다양성을 강화시킨다.

✗ ③ 다양한 문화의 통합으로 단일 문화가 창조된다.
➡ 제시된 내용과 관련 없는 내용이다.

✗ ④ 국제 수준에 맞추어 문화의 정체성을 포기한다.
➡ 개량 한옥은 전통문화를 창조적으로 계승하여 문화 정체성을 지킨 사례이다.

✗ ⑤ 문화의 세계화는 전통문화의 순수성을 강화시킨다.
➡ 개량 한옥은 우리나라의 전통적인 주거 문화를 현대적 감각으로 재해석한 사례이다.

08 문화 이해 태도의 구분

자료분석: A는 자기 문화의 주체성을 약화시키는 문화 이해 태도이므로 **문화 사대주의**, B는 문화를 특정 기준에 의해 평가하지 않으므로 **문화 상대주의**, C는 **자문화 중심주의**이다. 문화 사대주의와 자문화 중심주의는 문화를 특정 기준에 따라 평가한다.

[선택지 분석]

✗ ㄱ. ~~A~~는 문화 제국주의로 변질될 가능성이 높다. ↳ C

ㄴ. B는 타문화의 고유한 가치를 존중한다.

ㄷ. C는 집단 내에서 일체감을 형성하는 데 기여한다.

✗ ㄹ. ~~A와 달리 C는~~ 문화 간에 우열이 존재한다고 본다. ↳ A와 C는 모두

09 극단적 문화 상대주의에 대한 비판

자료분석: **순장 풍습**은 살아 있는 사람을 생매장하는 것으로 인간의 생명을 훼손하므로 **보편 윤리에 어긋난다**. 따라서 순장 풍습을 나름대로 가치 있고 의미 있는 것으로 평가하는 주장은 **극단적 문화 상대주의**이다.

[선택지 분석]

✗ ① 문화에 대한 우열을 함부로 가려서는 안 된다.
➡ 문화 상대주의는 문화의 우열을 가리지 않는다.

✓ ② 어떤 문화라도 보편 윤리에 어긋나서는 안 된다.

✗ ③ 어떤 문화라도 다양성 보존을 위해 그 가치를 인정해야 한다. → 극단적 문화 상대주의

✗ ④ 문화의 내용은 오랜 기간에 걸쳐 축적되었으므로 존중해야 한다. → 문화 상대주의

✗ ⑤ 문화는 그 사회의 특수한 환경과 사회적 맥락에서 이해되어야 한다. → 문화 상대주의

10 다문화 정책의 종류 및 특징

자료분석 다문화 정책 중 갑은 샐러드 볼 정책, 을은 용광로 정책을 말하고 있다. **샐러드 볼 이론**은 국가라는 샐러드 볼 안에서 각 문화의 고유한 맛이 나타날 수 있도록 **다양한 인종과 문화가 함께 어울리는 문화**를 만들자는 관점이며, **용광로 이론**은 펄펄 끓는 용광로처럼 여러 민족의 다양한 문화를 하나로 녹여 **그 사회의 주류 문화에 동화**시키자는 관점이다.

[선택지 분석]

✗ 갑은 이질적 문화 간의 위계를 인정해야 한다고 본다. ↳을

ㄴ 갑은 다양한 문화의 공존을 전제로 사회 통합을 추구해야 한다고 본다.

✗ 을은 각 문화의 정체성과 가치를 존중해야 한다고 본다. ↳갑

ㄹ 을은 사회 통합 과정에서 중심 문화의 존재를 인정해야 한다고 본다.

11 다문화 사회의 영향

자료분석 제시된 사진 자료에서 국내 거주 외국인의 근로 활동이 늘어나고, 초등학생 100명 중 약 2명이 다문화 학생인 것으로 보아 우리나라가 **다문화 사회로 변화하고 있음**을 알 수 있다.

[선택지 분석]

① 우리 사회의 문화를 더욱 풍부하게 해 준다.
➡ 다양한 문화적 경험을 할 수 있는 선택의 폭을 넓혀 일상생활을 더욱 풍요롭게 해 준다.

② 문화적 갈등이 사회 문제로 대두될 수 있다.
➡ 문화적 차이에 관한 무지와 이해 부족으로 문화적 갈등이 발생할 수 있다.

③ 다양한 일자리 창출로 실업 문제가 해소된다.
➡ 외국인과 내국인 간의 일자리 경쟁이 심화될 수 있다.

④ 다문화 교육과 다문화 정책의 필요성이 증가한다.
➡ 다문화 사회에서 나타나는 갈등을 해소하기 위해 다문화 이해 교육과 다문화 정책이 필요하다.

⑤ 외국인에 대한 사회적 편견과 차별이 심화될 수 있다.
➡ 피부색이나 언어, 국적이 다르다는 이유에서 비롯한 편견은 사회적 차별로 이어져 심각한 사회 갈등을 초래할 수 있다.

12 우리나라의 다문화 정책

자료분석 제시문은 우리나라의 다문화 정책이 주로 주류 문화인 한국 문화를 이주민에게 소개하여 그들이 한국 사회에 적응하도록 하는 데 중점을 두었음을 언급하면서, 이제는 한국인들이 **다양한 이주민의 문화를 이해**하도록 하여 **문화의 다양성을 존중**하는 데 중점을 두어야 한다고 주장한다.

[선택지 분석]

✗ 이주민에게 한국어를 무상으로 교육한다.
➡ 한국어 교육은 한국 문화를 주류 문화로 인정하는 것으로, 이주민들을 한국 생활에 적응시키는 데 중점을 두는 방식이다.

ㄴ 이주민을 강사로 활용하는 다문화 체험 프로그램을 실시한다.

ㄷ 다문화 축제를 통해 지역 주민들에게 다양한 나라의 문화를 소개한다.

✗ 이주민을 위해 한국의 생활 정보를 상세히 제공하는 지원 센터를 운영한다.
➡ 한국의 생활 정보 제공은 이주민들이 한국 생활에 적응하는 데 중점을 두는 정책이다.

13 세계의 문화권

채점 기준

상	북극 문화권과 건조 문화권의 유목 특징을 정확히 서술한 경우
중	북극 문화권과 건조 문화권 중 한 곳의 유목 특징만 서술한 경우
하	북극 문화권과 건조 문화권의 일반적인 특징만 서술한 경우

14 전통문화의 창조적 계승 방안

채점 기준

상	현대적 감각에 따른 전통문화의 재해석을 정확히 서술한 경우
중	전통문화의 재해석을 서술하였지만, 현대적 감각이 언급되지 않은 경우
하	전통문화를 발전시켜야 한다고만 추상적으로 서술한 경우

15 극단적 문화 상대주의의 문제점

채점 기준

상	극단적 문화 상대주의의 의미와 보편 윤리 훼손이라는 문제점을 정확히 서술한 경우
중	극단적 문화 상대주의의 의미와 문제점을 서술하였지만, 보편 윤리가 언급되지 않은 경우
하	극단적 문화 상대주의의 의미만 서술한 경우

16 다문화 사회의 영향

채점 기준

상	다문화 사회의 긍정적 영향과 부정적 영향을 모두 정확히 서술한 경우
중	다문화 사회의 긍정적 영향과 부정적 영향 중 한 가지만 정확히 서술한 경우
하	다문화 사회는 많은 영향을 준다고만 간단하게 서술한 경우

VIII 세계화와 평화

01 세계화의 양상과 문제

콕콕! 개념 확인 273쪽

01 (1) 세계화 (2) 지리적 표시제
02 (1) 세계 (2) 공간적 분업 (3) 다국적 기업
03 A : 런던, B : 뉴욕
04 (1) 빈부 (2) 문화의 획일화

01 (1) 지역화는 세계화의 흐름 속에서 특정 지역이 정치적·경제적·문화적 측면에서 세계적인 가치를 갖게 되는 것을 말한다.
(2) 장소 마케팅은 특정한 장소가 가진 유형·무형의 자산을 기반으로 장소를 매력적인 상품으로 가꾸어 대내외에 판매하는 것을 말한다.

03 (2) 대표적인 최상위 세계 도시로는 런던(A), 뉴욕(B), 도쿄가 있다.

탄탄! 내신 문제 274~275쪽

01 ③ **02** ④ **03** ① **04** ④ **05** ④ **06** ⑤ **07** ③
08 ④ **09** ⑤

01 교통 발달에 따른 변화

자료분석 그림은 교통수단이 발달함에 따라 사람들이 인식하고 있는 지구의 상대적 크기를 나타낸 것이다. **교통 발달**로 **세계의 시공간 거리가 단축**되고, 각 국가는 국경을 넘어 **교류를 확대**하고 있다.

[선택지 분석]

ㄱ. 시간 거리가 ~~길어질~~ 짧아질 것이다.
➡ 교통수단이 발달함에 따라 동일한 거리의 시간 거리가 훨씬 짧아지고 있다.

ㄴ. 장거리 물자 이동량이 증가할 것이다.

ㄷ. 국가 간 상호 의존성이 강화될 것이다.

ㄹ. 국가의 개념이 과거에 비해 상대적으로 ~~중요해질~~ 약해질 것이다.
➡ 교통의 발달로 국경의 제한이 점차 사라지고 있다.

02 세계화의 영향

자료분석 **세계화**로 국제 사회의 상호 의존성이 증가하면서 민족 및 국가의 경계가 약화되고, 전 세계가 하나로 통합된다. 또한, 세계의 문화가 빠르게 **동질화**되고 있다.

[선택지 분석]

갑: 다른 지역의 문화를 경험할 수 있는 기회가 늘어납니다.
을: 시공간적 제약이 극복되고 있습니다.
병: 다국적 기업의 활동이 활발해집니다.
정: 국가 간 문화적 ~~이질성~~ 동질성이 강화됩니다.
➡ 세계화는 사람, 자본, 정보뿐만 아니라 문화의 이동 및 교류도 활발해져 문화적 동질성이 강화된다.

03 세계화와 지역화

자료분석 **세계화**로 여러 지역의 **문화가 유사**해지는 경향이 나타나지만 **각 지역의 고유성이 반영된 문화**가 나타나기도 한다. 이러한 사례는 햄버거와 같은 음식 문화에서도 찾아 볼 수 있다. 제시된 글은 세계화가 진행되면서 나타나는 동질적 문화 경관과 각 지역의 **지역화**에 대한 내용이다.

04 세계화와 지역화의 영향

자료분석 **(가)** 인간의 공간적 활동 범위가 국경의 제한을 넘어 전 세계가 같은 정치적·경제적·사회적·문화적 생활권을 형성해 나가는 범세계적인 흐름과 추세는 **세계화**이다.
(나) 특정 지역이 경제적·문화적·정치적 측면에서 세계적인 가치를 갖게 되는 과정은 **지역화**이다.

[선택지 분석]

① (가)로 인해 세계 각국의 문화적 동질성이 강화되고 있다.
② (가)로 인해 보편 윤리와 특수 윤리 간 갈등이 발생하기도 한다.
③ (나)의 전략으로 지역 축제의 개최, 지역 브랜드의 개발 등이 있다.
④ (가)가 진행됨에 따라 (나)는 쇠퇴하고 있다.
➡ 세계화와 지역화는 동시에 이루어지는 경우가 많으며 세계화가 진행됨에 따라 지역화는 더욱 촉진된다.
⑤ (가), (나)의 영향으로 국제 협력 및 분업이 활발해졌다.

05 다국적 기업의 영향

자료분석 **다국적 기업**은 **공간적 분업**을 통해 이익을 극대화하는 경우가 많은데, 이 과정에서 **본국과 투자 유치국에 긍정적·부정적 영향**을 끼치게 된다.

[선택지 분석]

① ㉠ 본국에 또 다른 투자 유발
② ㉡ 산업 공동화 발생 우려
③ ㉢ 고용 창출 효과 증대
④ ㉢ 고급 기술 이전
➡ 다국적 기업이 투자 유치국에 진출할 경우 단순 제조 기술을 이전하는 경우는 있으나, 고급 핵심 기술을 이전해 주는 경우는 극히 드물다.
⑤ ㉣ 환경 오염 방치

06 다국적 기업의 공간적 분업

자료분석 **다국적 기업**은 세계 각국에 자회사, 지사, 생산 공장 등을 두고 전 세계적인 규모로 생산·판매 활동을 한다. 일반적으로 다국적 기업의 본사, 상품 연구 및 개발 부서와 같은 **핵심 기능은 선진국의 중심지**에, **생산 공장은 개발 도상국에 입지**한다.

[선택지 분석]

✗ 공정 무역
➡ 개발 도상국의 기업과 생산자가 정당한 보상을 받을 수 있는 무역을 말한다.

✗ 자유 무역
➡ 상품 교역에 대한 정부의 간섭을 최소화하는 무역이다.

✗ 산업 공동화
➡ 생산비가 저렴한 국외에 투자를 강화하고 공장을 옮길 경우 국내에서 해당 산업이 쇠퇴하는 현상을 말한다.

✗ 지역화 전략
➡ 지역 브랜드 개발, 지리적 표시제 등이 있다.

✓ 공간적 분업
➡ 기업의 기획 및 관리, 연구, 생산, 판매 기능이 세계적인 범위에서 공간적으로 분리되는 것을 말한다.

07 세계화의 문제점

자료분석 **세계화**는 다국적 기업의 활동을 촉진하여 개발 도상국에게 제품 생산, 고용 창출 등 경제 발전의 기회를 제공하고, 국가 간 문화 교류를 통해 문화 다양성을 확산시키는 등 긍정적 역할을 하지만 **국가 간 빈부 격차, 문화의 획일화, 보편 윤리와 특수 윤리 간 갈등**의 문제를 낳기도 한다.

08 세계화의 양상과 문제점

자료분석 **경제적 측면의 세계화**는 세계가 거대한 단일 시장으로 통합되는 것을 말하며, 우리나라의 한류 문화 등은 **문화적 측면의 세계화**라고 할 수 있다.

[선택지 분석]

ㄱ) ㉠은 교통·통신의 발달이 큰 영향을 끼쳤다.

ㄴ) ㉡으로 자본, 노동 등의 생산 요소가 자유롭게 이동하고 있다.

ㄷ) ㉢의 예로 한류 문화의 확산을 들 수 있다.

✗ ㉣을 해결하기 위해 자유 경쟁을 확대해야 한다.
➡ 자유 경쟁을 확대하면 국가 간 빈부 격차는 더욱 커진다.

09 공정 무역

자료분석 **공정 무역**은 선진국과 개발 도상국 사이의 불공정한 거래를 막고, **정당한 가격을 생산자에게 지급**함으로써 원조가 아닌 경제 활동으로 빈곤 문제를 해결하자는 운동이다.

[선택지 분석]

✗ 기존 무역 방식보다 제품 유통 구조가 ~~복잡~~하다. ↳단순
➡ 공정 무역은 주로 생산자와 구매자 간의 직거래로 이루어지기 때문에 기존 무역보다 유통 단계가 단순하다.

✗ 주로 선진국에서 재배되어 가공된 상품이 거래 대상이다.
➡ 공정 무역은 커피, 바나나, 카카오 등 주로 저위도의 개발 도상국에서 생산되는 제품이 주요 거래 대상이다.

ㄷ) 현지 생산자에게 정당한 가격을 지급하는 윤리적 소비 운동이다.

ㄹ) 개발 도상국과 선진국의 빈부 격차를 줄일 수 있는 방안 중 하나이다.

도전! 1등급 문제 276~277쪽

01 ④ 02 ② 03 ④ 04 ② 05 ① 06 ② 07 ③

01 세계화의 특징

자료분석 신문 기사는 전 세계에 유행했던 한 대중가요에 관한 내용이다. **정보 통신 기술의 발달**로 **정보와 문화의 이동**이 빠르게 이루어지면서 **세계화가 촉진**되었다.

[선택지 분석]

ㄱ) ㉠ : 정보 통신 기술의 발달이 세계화를 촉진시킬 것이다.

ㄴ) ㉠ : 과거에 비해 문화가 다른 지역으로 확산되는 속도가 빠를 것이다.

ㄷ) ㉡ : 지역 문화의 고유성은 약화되고 지역 간 동질성은 강화될 것이다.

✗ ㉡ : 정보의 이동 속도에서 공간적 거리의 중요성이 ~~커질~~ 것이다. ↳작아질
➡ 인터넷을 통한 정보의 이동은 공간적 거리의 중요성을 약화시키고 있다.

02 지역화 전략

자료분석 세계적인 범위에서 이루어지는 경쟁에서 살아남기 위해 지역의 정체성을 기반으로 경제를 활성화하고, 지역 경쟁력을 갖추기 위한 다양한 노력들이 끊임없이 이루어지고 있다. **지역 경쟁력 강화**를 위한 대표적인 **지역화 전략**으로는 **장소 마케팅, 지리적 표시제** 등이 있다.

[선택지 분석]

✗ 교통 발달에 따른 경제의 세계화
➡ 경제적 세계화와 관련된 주제이다.

✓ 지역 경쟁력 강화를 위한 지역화 전략
➡ 제시된 글은 지역의 고유성을 바탕으로 지역이 세계화 시대에 알맞은 독자적인 가치를 지니도록 하는 데 목적을 두고 있다. 이는 지역화 전략과 관련이 있다.

✗ 세계화로 인한 국가 간 빈부 격차 심화
➡ 세계화의 문제점에 해당한다.

✗ 문화적 동질성 확대를 위한 세계화 전략
➡ 세계화의 영향에 해당한다.

✗ 세계적인 규모로 판매 활동을 하는 다국적 기업
➡ 경제적 세계화와 관련된 주제이다.

03 다국적 기업의 공간적 분업

자료분석 **다국적 기업**은 교통과 통신의 발달로 국경을 초월하여 세계 각국에 자회사, 지사, 생산 공장 등을 두고 **세계적인 규모로 생산과 판매 활동을 하는 기업**을 말한다.

[선택지 분석]

ㄱ 국경을 초월한 다국적 기업이다.
➡ 지도의 기업은 세계 여러 나라에 진출하여 제품을 생산·판매하고 있으므로 다국적 기업에 해당한다.

ㄴ 교통과 통신의 발달로 기업 입지 범위가 확대된다.
➡ 다국적 기업의 생산과 판매 시설이 국경을 넘어 세계로 확대될 수 있었던 것은 교통과 통신의 발달이 있었기 때문이다.

ㄷ 생산 공장은 대체로 저임금 노동력을 고용하기 유리한 곳에 있다.
➡ 생산 공장은 중국과 동남아시아 지역에 주로 위치하는데, 이 곳은 상대적으로 저렴한 노동력이 풍부한 곳이다.

✗ 기업의 관리 기능은 생산·판매 기능에 비해 공간적으로 분산되어 있다.
➡ 기업의 관리 기능인 본사는 우리나라에만 있고 생산·판매 기능은 해외에 분산 입지해 있으므로, 관리 기능에 비해 생산·판매 기능이 공간적으로 분산되어 있다.

04 세계화와 세계 도시

자료분석 지도는 세계 금융과 경제 환경에 미치는 영향력을 기준으로 **세계 도시를 계층별로 구분한 것**이다. A는 최상위 세계 도시, B는 주요 세계 도시, C는 2차 세계 도시이다.

[선택지 분석]

ㄱ A는 B보다 세계적인 금융 서비스 기능이 발달해 있다.
➡ A는 B보다 상위 계층의 도시이므로, 세계적인 금융 서비스 기능이 발달해 있다. 일반적으로 상위 계층의 세계 도시일수록 국제 금융에 미치는 영향력이 크다.

✗ B는 C보다 ~~하위~~ 계층의 중심지이다. ↳ 상위
➡ C에서 A로 갈수록 상위 계층의 세계 도시이다.

✗ C는 A보다 도시당 다국적 기업의 본사 수가 ~~많다~~. ↳ 적다
➡ 도시당 다국적 기업의 본사 수는 최상위 세계 도시인 A가 C보다 많다.

ㄹ A에서 C로 갈수록 도시 수는 많다.
➡ 하위 계층 도시가 상위 계층 도시보다 도시의 수가 많다.

05 문화의 획일화에 따른 언어의 소멸

자료분석 자료 ❶은 영어 사용이 확산되면서 영어를 제외한 다른 언어들이 사라질 수 있다는 내용이다. 세계화의 영향으로 **문화가 획일화**되면서 **언어의 소멸**이 나타나고 있다.

[선택지 분석]

✓ 세계화의 영향을 받아 문화가 획일화되고 있다.
➡ 세계화가 진행됨에 따라 문화의 획일화와 소멸 현상이 나타나고 있다. 세계화로 인해 국가 간의 교류가 활발해지고 서로에게 미치는 영향력이 증가하면서 전 세계의 문화가 비슷해져 가고 있다.

✗ 지역의 특수한 문화는 세계로 확산되기 마련이다. → 지역화

✗ 지역화 현상은 세계화가 진행됨에 따라 더욱 촉진될 수 있다. → 지역화

✗ 국제 교류가 활발해짐에 따라 국제 사회의 상호 의존성은 증가한다. → 세계화의 영향

✗ 세계화가 진행됨에 따라 지역의 지속적인 자립이 불가능해질 수 있다.

06 세계화에 따른 문제점

[선택지 분석]

✗ 자료 ❶에서 개발 도상국의 문화가 선진국의 문화를 잠식하고 있음을 알 수 있다.
➡ 선진국 문화에 경제적·문화적으로 열세에 처해 있는 국가들의 문화가 잠식당하는 경우가 많다.

✓ 자료 ❷에서 (가)의 A국은 B국에 비해 경제 및 기술 발달 수준이 높다.
➡ A국은 공업 제품의 수출 비중이 높고, B국은 농산물의 수출 비중이 높다. 따라서 A국은 선진국이고, B국은 개발 도상국이다. 실제로 A는 독일, B는 에티오피아이다.

✗ 자료 ❷에서 (가)의 B국은 A국에 비해 부가 가치가 높은 상품의 수출 비중이 ~~높다~~. ↳ 낮다
➡ 공업 제품은 농산물에 비해 부가 가치가 높다.

✗ 자료 ❷의 (나)를 보면 세계의 빈부 격차가 점차 ~~줄어들고~~ 있음을 알 수 있다. ↳ 심해지고
➡ 자료에서도 알 수 있듯이 세계화가 진행되면서 국가 간 빈부 격차가 점차 심해지고 있다.

✗ 자료 ❶과 자료 ❷는 세계화의 ~~긍정적인~~ 측면을 보여주고 있다. ↳ 부정적인
➡ 자료 ❶은 문화의 획일화, 자료 ❷는 국가 간 빈부 격차로, 이는 세계화에 따른 문제점에 해당한다.

07 보편 윤리와 특수 윤리

자료분석 자료 ❸에서 태형이 인간 존엄성을 훼손하는 처벌 방법이라는 것은 **보편 윤리**에 해당하고, 싱가포르의 태형 집행은 **특수 윤리**에 해당한다.

[선택지 분석]

✗ 개발과 보존

✗ 세계화와 지역화

✓ 보편 윤리와 특수 윤리
➡ 세계화로 인해 보편 윤리와 특수 윤리 간 갈등이 발생하고 있다. 특수 윤리는 특정 지역, 종교, 민족 단위에서 공유하는 규범으로, 세계화로 인해 국제 사회의 보편 윤리와 충돌하는 사례가 생겨나고 있다.

✗ 문화적 동질성과 획일성

✗ 다문화주의와 문화 상대주의

02 국제 사회의 모습과 평화의 중요성

콕콕! 개념 확인 282쪽

01 (1) ○ (2) ○
02 민족·종교
03 (1) 개인 (2) 국가 (3) 국제기구 (4) 국제 비정부 기구
04 (1) 소극적 평화 (2) 적극적 평화

04 (1) 적극적 평화는 직접적 폭력뿐만 아니라 구조적 폭력과 문화적 폭력까지 사라진 상태이다.
(2) 인류 생존의 바탕이 소극적 평화의 개념과 상통한다.

탄탄! 내신 문제 283~284쪽

01 ⑤ **02** ② **03** ⑤ **04** ② **05** ⑤ **06** ③ **07** ③ **08** ③ **09** ⑤

01 국제 사회에서 발생하는 갈등

자료분석 제시된 글은 지구촌 곳곳에서 나타나는 국제 갈등의 사례와 특징을 나타낸 것이다. 국제 사회에서 **정부 간 국제기구**는 힘의 논리를 앞세우기보다는 분쟁 당사국이 원만한 해결을 모색할 수 있도록 **중재자 역할을 담당**해야 한다.

[선택지 분석]

① ㉠ 종교, 민족과 관련된 문제를 둘러싸고 국제적 갈등과 분쟁이 일어나고 있다.
② ㉡ 지하자원이나 영토 등 국가의 이익을 둘러싼 갈등도 나타나고 있다.
③ ㉢ 국제 갈등은 특정 국가에만 국한된 것이 아니라 전 지구적으로 영향을 미친다.
④ ㉣ 국제 사회 행위 주체들은 전쟁 및 테러를 방지하기 위해 노력해야 한다.
⑤ ㉤ 국제기구는 힘의 논리를 앞세워 분쟁을 중재해야 한다.
➡ 분쟁 당사국들이 원만한 해결을 할 수 있도록 중재자 역할을 해야 한다.

02 남중국해 분쟁

자료분석 제시된 자료는 **남중국해 분쟁**에 대한 내용이다. 남중국해는 중국의 남쪽에 위치한 바다로 중국, 타이완, 베트남, 필리핀, 말레이시아, 브루나이의 6개 국가에 둘러싸인 해역이다. 이 지역에는 많은 원유와 천연가스가 매장되어 있는 것으로 추정되어 국제 분쟁이 발생하고 있다.

[선택지 분석]

① 카스피해 분쟁 → 러시아, 아제르바이잔, 이란, 투르크메니스탄, 카자흐스탄 분쟁
② 남중국해 분쟁
③ 메콩강 물 분쟁 → 중국, 미얀마, 라오스, 타이, 캄보디아, 베트남 분쟁
④ 쿠릴 열도 분쟁 → 러시아, 일본 분쟁
⑤ 센카쿠 열도(댜오위다오) 분쟁 → 일본, 중국 분쟁

03 국제 협력의 사례

[선택지 분석]

① 재난과 테러에 대해 공동 대응을 한다.
→ 국제 협력의 대표적인 사례
② 국가 원수의 만남을 통한 정상 회담을 진행한다.
→ 국제 협력의 사례
③ 올림픽, 월드컵과 같은 국제 스포츠 대회를 운영한다.
→ 국제 협력의 사례
④ 기아, 빈곤을 해결하기 위해 공적 개발 원조를 시행한다.
→ 국제 협력의 사례
⑤ 자국의 이익을 위해 지구 온난화 협약에 ~~참여하지 않는다~~. ↳ 참여한다
➡ 자국의 이익만을 고수하기보다 국제 사회에서 발생하는 다양한 문제에 대해 전 지구적 차원에서 협약에 참여하는 것이 필요하다.

04 국제기구

[선택지 분석]

① 국제 연합(UN) → 국제기구
② 국제 사면 위원회(AI) → 국제 비정부 기구
➡ 국제 사면 위원회(국제 앰네스티)는 대표적인 국제 비정부 기구이다.
③ 국제 통화 기금(IMF) → 국제기구
④ 세계 보건 기구(WHO) → 국제기구
⑤ 경제 협력 개발 기구(OECD) → 국제기구

05 국제 비정부 기구의 역할

자료분석 **(가)는 국제 비정부 기구**를 의미한다. 국제 비정부 기구는 개별 국가의 이해관계에서 벗어나 **개인이나 민간단체를 중심**으로 국제적 연대를 통해 범세계적인 문제를 제기하고 공동의 노력을 이끌어내는 데 기여한다.

[선택지 분석]

① 국교를 수립하고 조약 체결 등을 한다. → 국가의 역할
② 국가 간 이해관계 조정 및 분쟁을 중재한다. → 국제기구의 역할
③ 국가의 행위를 규율하는 국제 규범을 정립한다. → 국제기구의 역할
④ 자국의 이익과 자국민 보호를 위한 외교를 한다. → 국가의 역할
⑤ 환경, 평화, 인권 등 인류 공동의 이익을 위해 활동한다.

06 국가와 국제 비정부 기구 비교

자료분석 **㉠은 국가**이고, **㉡은 국제 비정부 기구**이다. **국가**는 국제 사회에서 **가장 기본적이고 대표적인 행위 주체**이고, **국제 비정부 기구**는 **개인이나 민간단체 주도**로 만들어진 자발적인 조직이다.

[선택지 분석]

① ㉠ : 정상 회담이나 외교, 국교 수립 등을 하는 주체이다. → 국가

② ㉠ : 여러 국제기구에 참여하여 공식적인 활동을 할 수 있는 자격을 지닌다. → 국가

③ ㉠ : 국제 연합, 유럽 연합 등이 이에 해당한다. → 국제기구
➡ ㉠은 국가이고, ㉡은 국제 비정부 기구이다.

④ ㉡ : 국경 없는 의사회, 그린피스 등이 이에 해당한다. → 국제 비정부 기구

⑤ ㉡ : 환경, 평화, 인권 등 인류 공동의 이익을 위해 활동한다. → 국제 비정부 기구

07 국제 갈등

자료분석 **나일강 물 분쟁**은 **나일강 유역의 용수 확보권을 둘러싼 물 분쟁**으로, 이집트와 수단, 그리고 에티오피아를 비롯한 나일강 연안 국가들이 분쟁 대상국이다.

[선택지 분석]

✕ 갑 : 국제 분쟁은 국가 간 국력에 따라 해결되어야 한다는 주장은 옳은 설명이 아니다.

㉡ 을 : 국제기구는 분쟁의 중재자 역할을 통해 갈등을 완화하도록 노력해야 한다. → 국제기구의 역할

㉢ 병 : 국제 비정부 기구는 물 부족에 시달리는 사람들의 구호를 위해 노력해야 한다. → 국제 비정부 기구의 역할

✕ 정 : 분쟁 대상국이 분쟁 해결 시 자국의 이익만을 앞세울 경우 갈등은 더욱 심화될 수 있다.

08 국제 갈등의 해결 방안

자료분석 제시된 글은 국제 갈등을 해결하기 위해서는 어느 한 국가의 노력만으로는 해결하기 어려움을 설명하고 있다. 따라서 갈등 당사자 간 대화와 양보를 통한 **평화적 해결**이 필요하며, 갈등 조정자로서 **국제기구와 국제 비정부 기구의 역할이 중요시**되고 있다.

[선택지 분석]

① 필요에 따라 국제기구를 통한 해결 방안도 모색할 수 있다.

② 국제기구는 국가들의 이해관계를 조정하는 역할을 해야 한다.

③ 국제 갈등의 문제는 갈등 당사자들만의 문제로 국한해야 한다.
➡ 국제 갈등의 문제는 갈등 당사자만의 문제라고 보기 어렵다. 따라서 국제 갈등의 해결을 위해 국제법 마련과 국제기구, 국제 비정부 기구의 노력이 필요하다.

④ 국제 사회의 행위 주체들은 공동의 협력을 이끌어내기 위해 노력해야 한다.
➡ 공동의 협력을 이끌어내기 위해 노력하며, 협력의 자세로 임해야 한다.

⑤ 국제 갈등을 해결하기 위해 다양한 국제 사회 행위 주체들의 노력이 필요하다.

09 소극적 평화와 적극적 평화

자료분석 **㉠은 소극적 평화, ㉡은 적극적 평화**이다. 전쟁의 공포 속에 살아가는 사람들을 생존의 위협으로부터 구해내는 것은 소극적 평화의 개념과 상통한다. 세계 속에서 발생하는 빈부 격차나 인권 문제를 해결하는 등 국제 정의의 실현은 적극적 평화의 개념과 상통한다.

[선택지 분석]

✕ ㉠ : 종교와 사상의 차별이 없는 상태 → 적극적 평화

㉡ ㉠ : 전쟁과 테러가 발생하지 않는 상태 → 소극적 평화

㉢ ㉡ : 억압과 착취가 존재하지 않는 상태 → 적극적 평화

㉣ ㉡ : 빈곤과 기아와 같은 폭력이 제거된 상태 → 적극적 평화

도전! 1등급 문제 285쪽

01 ⑤ 02 ④ 03 ⑤ 04 ⑤

01 국제 갈등의 해결 사례

자료분석 제시된 자료는 **메콩강을 둘러싼 갈등**을 보여주고 있다. 메콩강 중·하류 유역 국가들은 중국이 이기적인 목적으로 강물을 사용하고 댐을 건설하여 가뭄이 초래되었다고 주장한다. 이와 달리 중국은 메콩강 물 부족 현상은 100년 만의 가뭄 탓이지 중국의 댐 때문이 아니라며 항변하고 있다.

[선택지 분석]

✕ 대화보다는 힘을 통해 문제를 해결해야 한다.
➡ 국제 갈등의 문제는 힘의 논리로만 해결하려 해서는 안 된다. 갈등 당사자 국가와의 대화를 통한 평화적 해결로 접근해야 한다.

✕ 자국의 이익을 최우선으로 하기 위해 노력한다.
➡ 국가가 자국의 이익만을 추구하면 타 국가와 이해관계가 충돌할 수 있다. 따라서 양보와 타협의 자세가 요구된다.

㉢ 서로의 상황을 이해하기 위한 대화를 꾸준히 진행해야 한다.
➡ 다양한 국제 사회의 행위 주체를 통해 대화로 갈등을 해결하도록 노력해야 한다.

㉣ 양보와 타협을 통한 외교적 협상으로 갈등을 해결하기 위해 노력해야 한다.
➡ 국제 갈등은 한 나라만의 문제가 아니므로, 갈등을 해결하기 위해 서로를 이해하고 양보와 타협하는 자세가 중요하다.

02 기후 변화에 대한 국제적 대응

[선택지 분석]

✕ 선진국의 노력으로만 지구촌 문제를 해결해야 한다.
➡ 기후 변화 문제는 선진국만의 문제가 아니라, 지구촌 전체의 협력이 필요한 문제이다.

✕ 강력한 군사력으로 다양한 국제 문제를 해결해야 한다.
➡ 군사력으로 국제 문제를 해결하는 것은 적절하지 않다.

✕ 국가의 이익을 중시하는 입장으로 국제 문제를 인식해야 한다.

➡ 국제 문제는 자국의 이익만을 주장하여 해결할 수 없는 문제들이 있다. 이익을 추구하는 자세보다 양보와 타협을 통한 국제 문제 해결이 필요하다.

✔ 지구촌 공동의 문제를 해결하기 위해 국가들이 협력해야 한다.

➡ 기후 변화는 한 국가의 노력으로 막을 수 있는 문제가 아니므로, 지구촌 공동의 문제를 해결하기 위해 국가들이 협력해야 한다.

✗ 국제 문제보다 국내 문제를 무조건 우선시하는 자세를 보여야 한다.

➡ 국제 문제보다 국내 문제만을 우선시하면 지구촌의 협력을 기대하기 힘들다.

03 국제 비정부 기구의 역할

자료분석 **그린피스**와 **국경 없는 의사회**는 **대표적인 국제 비정부 기구**이다. 국제 비정부 기구는 환경, 평화, 인권 등 인류 공동의 이익을 위해 활동하는 국제 사회의 행위 주체이다.

[선택지 분석]

✗ 국가의 행위를 규율하는 국제 규범을 정립한다.

➡ 국제 규범의 정립은 국제기구가 하는 역할이다.

✗ 국제적 문제가 아닌 국내의 문제를 해결하는 데 집중한다.

➡ 국제 비정부 기구는 개별 국가의 이익을 넘어서 국제적 문제에 관심을 가지고 인류 공동의 이익을 위해 활동한다.

ⓒ 인류 보편적 가치인 환경, 인권 보장 등을 위해 노력한다.

➡ 환경, 인권 보장, 평화 등 인류 공동의 이익을 위해 활동하는 국제 비정부 기구는 오늘날 시민 사회의 영향력이 강화되면서 그 역할도 확대되고 있다.

ⓔ 특정 국가의 이해관계에서 벗어나 범세계적인 문제에 관심을 갖는다.

➡ 국제 비정부 기구의 특징에 해당한다.

04 소극적 평화와 적극적 평화

자료분석 제시된 사상가는 **갈퉁**이다. 갈퉁은 평화의 개념을 소극적 평화, 적극적 평화로 구분하고 **적극적 평화**를 이룸으로써 인간다운 삶을 보장해야 한다고 주장하였다.

[선택지 분석]

✗ 직접적 폭력 사용을 통해 적극적 평화를 이루어야 한다.

➡ 적극적 평화란 직접적 폭력은 물론 구조적 폭력, 문화적 폭력도 사라진 상태이다. 갈퉁은 직접적 폭력 사용을 통한 평화를 강조하지 않는다.

✗ 전쟁, 테러, 폭력만을 제거함으로써 평화를 추구해야 한다.

➡ 전쟁, 테러, 폭력만을 제거하여 이룬 평화는 소극적 평화이다.

✗ 조직적이고 가시적인 폭력이 사라지는 것이 적극적 평화이다.

➡ 조직적이고 가시적 폭력은 직접적 폭력에 해당한다. 따라서 소극적 평화에 대한 서술에 해당한다.

✗ 직접적 폭력의 제거가 간접적 폭력의 제거보다 중요함을 알아야 한다.

➡ 갈퉁은 '인간은 궁극적으로 적극적 평화를 이루어야 한다'고 주장하였다. 따라서 직접적 폭력의 제거로 이루어지는 소극적 평화를 더 중시한 것은 아니다.

✔ 빈곤, 인권 침해 등도 폭력의 일종임을 이해하고, 이를 해결하기 위해 노력해야 한다.

➡ 빈곤, 인권 침해 등은 간접적 폭력에 해당하며, 갈퉁은 이를 해결하기 위한 노력을 통해 적극적 평화에 이를 것을 주장하였다.

03 남북 분단 및 동아시아의 역사 갈등과 국제 평화

콕콕! 개념 확인 289쪽

01 (1) 냉전 (2) 분단 비용
02 (1) 독도 (2) 일본
03 (1) A : 쿠릴 열도(북방 도서), B : 센카쿠 열도(댜오위다오)
(2) ㉠ 청일, ㉡ 해양
04 (1) ○ (2) × (3) ○ (4) ○

04 (2) 탄소 배출량 감소를 위한 국제적 노력에 동참해야 한다.

탄탄! 내신 문제 290쪽

01 ③ **02** ④ **03** ① **04** ② **05** ②

01 통일의 필요성

[선택지 분석]

① 민족의 경제적 발전과 번영을 위해 필요하다.

② 한반도의 평화 정착에 기여하기 위해 필요하다.

✔ 대립에 따른 많은 분단 비용을 늘리기 위해 필요하다.

➡ 통일은 분단 비용을 줄여주고 국가 경쟁력을 높여준다.

④ 남북한 구성원이 자유와 인권을 보장받기 위해 필요하다.

⑤ 분단으로 인한 이산가족의 고통을 덜어주기 위해 필요하다.

02 남북 분단의 배경

자료분석 **제2차 세계대전 이후** 국제 정세는 미국과 소련 양 축을 중심으로 하는 **냉전** 질서로 재편되었다. 우리나라는 광복 이후 남쪽은 미국, 북쪽은 소련의 영향력 아래 들어가게 되었다.

[선택지 분석]

✗ ㉠ 미국, ㉡ ~~중국~~ → 소련

✗ ㉠ ~~소련~~ → 미국, ㉡ ~~미국~~ → 소련

✗ ㉠ ~~중국~~ → 미국, ㉡ ~~일본~~ → 소련

✔ ㉠ 미국, ㉡ 소련

✗ ㉠ ~~중국~~ → 미국, ㉡ 소련

03 일본의 역사 교과서 왜곡

자료분석 **일본이 역사 교과서에 식민 지배와 침략 전쟁을 정당화하고 역사를 왜곡**하였다. 이에 우리나라가 강력하게 항의하였으나 해당 교과서가 검정 심사에 통과되었다.

[선택지 분석]

✓ 과거의 침략 전쟁 행위를 정당화하기 위해서이다.

✗ 동아시아 각국의 교류와 협력을 공고히 하기 위해서이다.
➡ 역사 왜곡을 사죄하였을 때 동아시아의 갈등이 해소되어 협력을 공고히 할 수 있다.

✗ 일본 정부가 식민 지배에 대해 공식적으로 사과하기 위해서이다.
➡ 역사 왜곡은 공식적인 사과가 아니며, 오히려 자신들의 행위를 정당화하는 것이다.

✗ 동아시아의 역사적 사실 관계를 명확하게 규명하기 위해서이다.
➡ 역사적 사실 관계를 왜곡하고 있다.

✗ 일본 정부가 일본군 '위안부'에 대한 강제성을 긍정하기 위해서이다.
➡ 일본 정부는 일본군 '위안부'에 대해 강제성이 없는 자발적 선택이었다며 역사를 왜곡하고 있다.

04 동아시아의 영토 분쟁

자료분석 A 지역은 **센카쿠 열도(댜오위다오)**로 동아시아의 영토 분쟁 지역이다. 이 지역에 석유와 천연가스 등 자원이 풍부하다는 사실이 밝혀진 후 **중국은 물론 타이완도 자국의 영토라고 주장**하고 있다.

[선택지 분석]

ㄱ 해양 자원을 둘러싼 경쟁이 심화되고 있다.
➡ 센카쿠 열도 지역 인근에는 많은 해양 자원이 매장되어 있다고 알려져 있다. 따라서 이 분쟁은 해양 자원을 둘러싼 경쟁이 심화되는 것을 보여주는 사례이다.

✗ 이 지역은 ~~러일 전쟁~~에서 일본 영토로 영입되었다. (→ 청일 전쟁)

ㄷ 중국, 일본, 타이완이 자국의 영토라고 주장하고 있다.
➡ 갈등 대상국은 중국, 일본, 타이완이다.

✗ 제2차 세계대전 이후 ~~중국~~이 실효적으로 지배하고 있다. (→ 일본)

05 국제 사회 속의 우리나라

[선택지 분석]

① 세계 10위권의 경제 대국으로 성장하였다.

✓ 현재에도 군사적·경제적으로 원조 대상국이다.
➡ 우리나라는 최초로 원조 받는 국가에서 원조하는 국가로 바뀐 국가이다.

③ 각종 국제기구에서 주도적인 활동을 하고 있다.

④ 예술, 스포츠 분야에서도 영향력을 확대하고 있다.

⑤ 지정학적으로 유라시아 대륙과 태평양을 연결하는 지리적 요충지이다.

도전! 1등급 문제 291쪽

01 ⑤ 02 ④ 03 ⑤ 04 ①

01 통일 비용, 분단 비용

자료분석 **분단 비용**은 국방비, 외교비 등과 같이 남북이 분단되어 발생하는 비용이다. **통일 비용**은 통일 후 경제 개발을 위한 비용 등 통일을 실현하는 데 드는 비용이다. 따라서 (가)는 분단 비용, (나)는 통일 비용이다.

[선택지 분석]

✗ (가)에는 이산가족의 고통과 같은 무형의 비용은 ~~포함되어 있지 않다~~. (→ 포함되어 있다)
➡ 이산가족의 고통과 같은 무형의 비용도 분단 비용에 포함되어 있다.

✗ ~~(가)는 (나)~~와 달리 통일을 위한 투자적 성격을 지닌다. (→ (나)는 (가))
➡ 통일을 위한 투자적 성격은 (나)의 특징이다.

ㄷ (나)에는 남북 교류를 위한 비용이 포함되어 있다.
➡ 통일 비용은 통일을 실현하기 위한 비용이다. 따라서 남북 교류를 위한 비용이 포함되어 있다.

ㄹ (나)는 (가)와 달리 통일에 따른 편익의 증진을 가져온다.
➡ (나)는 소모적 비용이 아닌 투자적 성격으로, 통일에 따른 편익의 증진을 가져온다.

02 분단 문제 해결의 시사점

자료분석 제시된 사례는 **사회·문화적 통일을 위한 노력이 필요**함을 나타내고 있다. 통일을 위해서는 남북한의 이질성을 줄이고 교류를 확대하여 서로를 이해하는 노력이 선행되어야 한다.

[선택지 분석]

✗ 이념적 적대감을 해소한 외형적 통일을 강조해야 한다.
➡ 사례는 마음의 장벽으로 인한 갈등이다. 따라서 외형적 통일이 아닌 내면적 통일이 필요하다.

✗ 한반도 평화를 위한 동북아 다자 안보의 체계를 공고히 해야 한다.
➡ 한반도 평화를 위한 동북아 다자 안보의 체계를 강조하는 것은 정치적 통일을 위한 논의로, 사례의 사회·문화적 통일을 위한 노력에 적절하지 않다.

✗ 정치·군사적 방식을 통한 하나의 통일 국가 수립을 도모해야 한다.
➡ 사례는 정치·군사적 방법이 아닌 사회·문화적 통일을 위한 노력이 필요함을 제시하고 있다.

✓ 남북한의 이질성을 줄이기 위해 사회·문화적 교류를 확대해야 한다.
➡ 마음의 장벽을 허물기 위해서는 서로를 이해하는 노력이 필요하다. 이를 위해 사회·문화적 교류를 증진해야 한다.

✗ 통일에 대한 공감대를 형성하기 위해 주변 국가들과의 협력이 중요하다.
➡ 사례는 주변 국가들과의 관계가 아닌 마음의 장벽을 허물기 위한 자국 내의 노력이 필요함을 담고 있다.

03 공동 역사 교재 출간의 의의

자료분석 갈등과 분쟁을 불러오는 **역사 왜곡**을 막기 위해 서로의 역사 인식을 공유하면서 과거의 잘못을 인정하고 반성하는 태도가 필요하다. 각국의 양심적 지식인과 시민 단체들은 평화롭게 갈등을 해결하기 위해 **공동 역사 교재를 편찬**하였다. 이러한 공동 역사 연구 진행은 한·중·일 역사 갈등을 해소하고 동아시아에 평화를 정착시키는 데 기여할 것이다.

[선택지 분석]

ㄱ. 동아시아 국가 간 신뢰와 협력을 ~~저해하였다~~. ↳ 높인다
➡ 서로의 인식을 공유하여 협력을 높이는 계기가 된다.

ㄴ. 역사 인식의 차이를 좁혀 상호 간 이해를 증진시켰다.
➡ 공동 역사 교재 편찬은 서로의 역사 인식을 공유하는 계기가 된다.

ㄷ. 상대의 역사를 올바르게 이해하는 기회를 제공하였다.
➡ 공동 역사 교재 편찬은 상대의 역사를 올바르게 이해하는 계기가 된다.

ㄹ. 평화와 인권의 가치를 가르침으로써 과거의 갈등을 해소하는 계기를 마련하였다.
➡ 동아시아의 평화 정착을 위해 과거의 잘못을 반성하는 것이 중요하다.

04 동북공정

자료분석 (가)에 들어갈 말은 동북공정이다. **동북공정**이란 중국 동북부 지역의 동북 3성에 관한 역사, 지리, 민족 문제 등을 다루는 국가적 연구 사업을 의미한다. 중국은 이 사업을 통해 고조선, 고구려, 발해의 역사를 중국 역사에 포함하고자 했다. 우리 정부가 역사 주권의 침해라고 반발하면서, 양국은 이 문제를 학문적 차원에 한정하고 더는 확산시키지 않는다고 약속하였으나, **다양한 방식으로 우리 고대사를 지속적으로 왜곡**하고 있다.

[선택지 분석]

① 다빈 : 고려는 고구려를 계승한 국가라고 보고 있어요.
➡ 동북공정은 고구려의 역사를 중국의 지방 역사로 이해하기 때문에 고려와 고구려는 무관하다고 본다.

② 강민 : 중국 정부가 소수 민족을 통합하여 현재의 영토를 확고히 하려고 해요.
➡ 중국 정부가 동북공정을 추진하는 이유이다.

③ 재석 : 중국 동북부 지역의 동북 3성의 역사, 지리, 민족 문제 등을 다루고 있어요.
➡ 동북공정의 '동북'은 헤이룽장성, 지린성, 랴오닝성의 동북 3성을 의미한다.

④ 민재 : 고조선, 고구려, 발해의 역사를 중국의 한 지방사로 포함시키려 하고 있어요.
➡ 동북공정은 고조선, 고구려, 발해의 역사를 중국 중앙 정부에 예속된 지방 정권으로 이해한다.

⑤ 성탁 : 북한이 붕괴되더라도 북한 지역에 영향력을 행사하려는 의도가 담겨 있어요.
➡ 중국 정부가 동북공정을 추진하는 이유이다.

한번에 끝내는 대단원 문제 294~297쪽

01 ① 02 ② 03 ③ 04 ③ 05 ② 06 ① 07 ⑤
08 ④ 09 ③ 10 ② 11 ③ 12 ④ 13 ③

14 (1) 세계화 (2) [모범 답안] 세계화는 국가 간 빈부 격차의 심화를 초래할 수 있고, 전 세계적으로 문화의 획일화와 소멸의 문제를 가져올 수 있다. 또한, 세계화는 보편 윤리와 특수 윤리 간 갈등을 낳을 수 있다.

15 (1) 다국적 기업 (2) [모범 답안] 중국·인도 등의 개발 도상국에 생산 공장을 건설하는 이유는 저렴한 노동력을 활용하여 생산비를 절감하기 위해서이고, 유럽·미국 등의 선진국에 생산 공장을 건설하는 이유는 무역 장벽을 극복하거나 새로운 시장을 개척하기 위해서이다.

16 (1) 국제 비정부 기구 (2) [모범 답안] 국경 없는 의사회의 활동은 인권, 보건 등의 문제 해결에 도움을 줌으로써 인간다운 삶을 지향하는 적극적 평화의 실현에 기여할 것이다.

17 (1) 일본의 역사 교과서 왜곡 (2) [모범 답안] 일본의 역사 교과서 왜곡에 대응하고, 역사 갈등을 완화하기 위해 관련 국가들은 공동 역사 연구를 통해 상호 간 이해를 증진해야 한다.

01 세계화에 따른 영향

자료분석 제시된 자료는 (가)로 인해 우리들의 삶이 어떻게 변하였는지를 발표하는 장면이다. 세계화로 **다국적 기업의 활동 증가**, **외국 자본과 기술의 직접 투자** 등이 이루어지면서 **유통의 세계화**가 촉진되고 있으며, **문화적 동질성이 강화**되고 있다.

[선택지 분석]

✔ 세계화

✗ 정보화 → 정보와 관련된 기술이 발달하는 것을 정보화라고 함

✗ 지역화 → 특정 지역이 정치적·경제적·문화적 측면에서 세계적인 가치를 갖게 되는 과정

✗ 도시화 → 촌락 인구가 감소하고 도시 인구가 증가하거나 도시적 생활 양식이 보편화되는 것

✗ 산업화 → 농업 비중이 감소하고 공업 비중이 증가하는 것

02 다국적 기업의 공간적 분업

자료분석 자료의 기업은 중국, 타이 등에서 베트남으로 생산 기지를 이동하고 있다. 다국적 기업은 **생산비 절감**을 위해 **저임금 노동력을 확보하기 유리한 지역**에 생산 공장을 설립하는 경우가 많다. 한편, **현지 시장을 개척**하고 **무역 장벽을 극복하기 위해** 선진국에 생산 공장을 설립하는 경우도 있다.

[선택지 분석]

✔ 낮은 인건비
➡ 베트남은 중국보다 인건비가 저렴하다. 따라서 생산 공장을 이전할 경우 더 많은 이익 창출이 가능하다.

03 세계 도시의 특징

자료분석 세계 도시는 **자본과 정보가 모이는 곳**이어서 **다국적 기업, 국제 금융 업무, 생산자 서비스 기능이 집중**되어 있으며, **국제회의 및 인적·물적 교류가 활발**히 이루어진다.

[선택지 분석]

① 생산자 서비스업이 발달하였다.

② 다양한 국제회의 및 행사가 이루어진다.

③ 도시 내 계층 간 불평등 수준이 매우 낮다.
➡ 세계 도시는 고소득 전문 관리 계층이 증가하는 한편, 단순 서비스업과 영세 소기업에 종사하는 저소득층과 개발 도상국의 이민자를 중심으로 한 극빈층도 증가한다. 따라서 도시 내 사회 계층 간의 불평등 수준이 높아져 사회 양극화 현상이 심하게 나타난다.

④ 대표적인 도시로는 뉴욕, 런던, 도쿄 등이 있다.

⑤ 다국적 기업의 본사, 대형 금융 기관 등이 밀집해 있다.

04 개발 도상국과 선진국의 무역 구조

자료분석 **선진국**의 경우 **부가 가치가 높은 공업 제품의 수출 비중이 높은** 반면, **개발 도상국**은 상대적으로 **부가 가치가 낮은 농산품의 수출 비중이 높다.** 따라서 (가)는 개발 도상국(에티오피아), (나)는 선진국(독일)임을 알 수 있다.

[선택지 분석]

① (가)는 농산품의 수출 비중이 높고, (나)는 공업 제품의 수출 비중이 높은 것으로 보아 고부가 가치 제품의 수출 비중은 (나)가 (가)보다 높다. (가)의 총 수입액은 16,588백만 달러이고, 농산품 수입액 비중은 약 16%이다. (나)의 총 수입액은 1,054,891백만 달러이고, 농산품 수입액 비중은 약 10%이다. 따라서 농산품 수입액은 (가)보다 (나)가 많다. (나)는 (가)에 비해 수출입액이 월등히 많으므로 전 세계 무역에서 차지하는 비중이 크다.

05 남극 조약의 의의

자료분석 **남극 조약**의 사례는 남극 대륙을 놓고 영유권 분쟁이 심화되어 국제 갈등이 발생하자, 이를 **국제법을 통하여 해결**하려고 한 사례이다.

[선택지 분석]

① 국제 갈등을 궁극적으로 해소할 수 없는 한계를 보여준다.
➡ 남극 조약은 국제법을 통해 국제 갈등의 해결 방안을 모색한 사례이다.

② 국제법을 통하여 국제 갈등을 해결할 수 있음을 보여준다.
➡ 남극 조약은 국제 협약 등 국제법을 통하여 갈등을 해결한 사례이다.

③ 국제 갈등은 힘의 논리에 의해서만 해결되어야 함을 보여준다.
➡ 국제 갈등을 힘의 논리로 해결하려는 태도를 버리고, 국가 간 협력을 효과적으로 하기 위해 대화와 협력, 갈등 조정이 필요함을 알아야 한다.

④ 국제 갈등은 어느 한 국가의 노력만으로 해결 가능한 것임을 보여준다.
➡ 국제 갈등은 어느 한 국가의 노력만으로 해결하기는 어렵고, 당사자 그리고 국제기구나 국제 비정부 기구의 조정 역할이 중시된다.

⑤ 영토 내 자원을 확보하기 위한 경쟁과 국제 갈등은 무관한 것임을 보여준다.
➡ 영토와 관련된 국제 갈등은 대부분 영토 내 자원을 확보하기 위한 경쟁과 결부된다. 남극을 둘러싼 갈등도 남극 대륙에 있는 자원 확보로부터 원인을 찾을 수 있다.

06 국제 사회의 행위 주체

자료분석 **국제 사회의 가장 기본적인 행위 주체**이자 독립적인 주권을 행사하는 주체는 **국가**이다. 국가는 자국의 이익과 자국민 보호를 위한 외교 활동을 최우선적으로 하는 주체이다.

[선택지 분석]

① 국가
➡ 국가는 일정한 영토와 국민을 바탕으로 주권을 지닌 국제 사회의 가장 기본적이고 대표적인 행위 주체이다.

② 국제기구
➡ 국제적 목적이나 활동을 위해 두 국가 이상으로 구성된 조직체이다.

③ 다국적 기업
➡ 세계적으로 생산과 판매 활동을 하는 기업이다.

④ 국제 비정부 기구
➡ 개인이나 민간단체 주도로 만들어진 자발적인 조직이다.

⑤ 국제적 영향력이 강한 개인
➡ 강대국의 전직 원수, 노벨상 수상자, 유명한 영화배우 등이 해당한다.

07 국제 협력의 이유

자료분석 아이티 구호 활동에 국제 사회의 다양한 행위 주체들이 노력하고 있음을 나타낸 글이다. 국제 사회의 다양한 행위 주체들은 **인권 존중, 자유와 평등, 평화 등 인류의 보편적 가치를 실현하기 위하여 협력**을 한다.

[선택지 분석]

① 자국의 국제적 위상을 높이기 위함이다.
➡ 국제적 위상을 높이기 위한 활동이 아니다.

② 수혜국에 대한 영향력을 강화하기 위함이다.
➡ 수혜국(아이티)에 영향력을 강화하기 위한 목적으로 구호 활동을 하는 것은 아니다.

③ 장기적으로 자신들에게 이익이 될 것이기 때문이다.
➡ 장기적인 이익을 위해서 돕는 행위가 아니라 지구촌 전체의 보편적 가치 증진을 위한 협력 사례이다.

④ 국제법에 강제성을 지닌 협력 규정이 있기 때문이다.
➡ 구호 활동은 국제법에 강제성을 지닌 협력 규정으로 나타나 있지 않다.

⑤ 인권 존중, 자유와 평등, 평화 등 인류의 보편적 가치를 실현하기 위함이다.

08 소극적 평화와 적극적 평화

자료분석 제시된 자료는 갈퉁이 이해하는 **평화의 개념**에 대한 설명으로, 물리적 폭력이 없는 **소극적 평화**와 소극적 평화를 넘어 구조적 폭력과 문화적 폭력이 없는 **적극적 평화**를 구분하는 문제이다.

[선택지 분석]

ㄱ ㉠은 테러나 전쟁이 없는 상태이다.
➡ 테러나 전쟁은 직접적 폭력이므로, 이것이 없는 상태는 소극적 평화에 해당한다.

✕ ㉠은 종교나 사상의 차별이 없는 상태이다.
➡ 종교나 사상은 문화적 영역에 속하며, 이에 대한 차별이 없는 상태는 적극적 평화에 해당한다.

ㄷ ㉡은 빈곤과 기아가 없는 상태이다.
➡ 빈곤과 기아는 구조적 폭력에 해당하므로, 이것이 없는 상태는 적극적 평화에 해당한다.

ㄹ ㉡은 인권 침해가 발생하지 않는 상태이다.
➡ 인권 침해는 구조적 폭력과 문화적 폭력에 해당한다. 따라서 이것이 발생하지 않는 상태는 적극적 평화에 해당한다.

09 6·25 전쟁의 결과

[선택지 분석]

① 남북 분단이 고착화되었다.

② 수많은 전쟁고아가 발생하였다.

③ 이산가족의 고통과 아픔이 해소되었다.
➡ 6·25 전쟁으로 수많은 이산가족이 발생하였으며, 그들의 고통과 아픔은 현재까지도 이어지고 있다.

④ 산업 시설과 농지 대부분이 파괴되었다.
➡ 6·25 전쟁으로 대부분의 산업 시설과 농지들이 파괴되었고 가난이 지속되었다.

⑤ 휴전선을 경계로 남과 북으로 나뉘었다.
➡ 전쟁을 일시적으로 중단하는 휴전으로 남과 북은 나뉘어졌다.

10 동아시아의 역사 갈등

자료분석 일본군 '위안부' 문제와 일본의 역사 교과서 왜곡, 야스쿠니 신사 참배, 중국의 동북공정 등은 **동아시아의 대표적인 역사 갈등 사례들**이다.

[선택지 분석]

① 갑 : 역사적 사실 관계를 규명하는 작업을 진행해야 합니다.
➡ 역사적 사실 관계를 규명하는 작업을 철저히 진행하면 역사 왜곡을 막아 갈등을 줄여나갈 수 있다.

② 을 : 역사 왜곡에 대해 논리적 접근보다 감정적으로 맞서야 합니다.
➡ 역사 왜곡에 대해 감정적으로 맞서면 갈등이 지속될 것이다.

③ 병 : 폭넓은 문화 교류를 통해 상호 간 이해를 증진하고자 노력해야 합니다.
➡ 역사 갈등의 해소는 서로 간의 이해 증진으로부터 시작될 수 있다. 폭넓은 문화 교류는 서로 간의 이해 증진에 도움이 된다.

④ 정 : 역사 갈등을 평화롭게 해결하기 위해 공동으로 역사 교재를 발간합니다.
➡ 서로 간의 역사 인식을 공유하여 역사 교재를 공동 편찬하는 것은 역사 갈등을 해소하는 방안이 될 수 있다.

⑤ 무 : 서로의 역사 인식을 공유하면서 과거의 잘못을 인정하고 반성하는 태도가 필요합니다.
➡ 과거의 잘못에 대한 사죄가 전제되어야 갈등이 해소될 수 있다.

11 동아시아의 역사 갈등 사례

[선택지 분석]

① 중국 정부의 동북공정 추진

② 일본의 독도에 대한 부당한 영유권 주장
➡ 독도의 소유에 대한 역사 왜곡을 전제로 부당한 영유권을 주장하는 사례이다.

③ 일본군 '위안부' 문제에 대한 확대된 서술
➡ 일본 정부는 일본군 '위안부' 강제 동원에 대한 사실을 축소·은폐하려 한다.

④ 식민 지배를 정당화하는 역사 교과서 편찬

⑤ A급 전범이 합사된 야스쿠니 신사 참배 행위

12 한국 국제 협력단의 활동

[선택지 분석]

① 개발 도상국의 보건 위생을 지원한다.

② 재난에 대한 긴급 구호 활동 전개한다.

③ 수자원 관리 등 인프라 개선을 지원한다.

④ 국가 간 분쟁 지역에 평화 유지군을 파견한다.
➡ 국가 간 분쟁의 평화적 해결을 목적으로 평화 유지군을 파견하는 것은 국제 연합(UN)의 활동으로, 한국 국제 협력단의 활동으로 적절하지 않다.

⑤ 취학 아동의 교육과 미취업 인력들의 직업 훈련을 돕는다.

13 국제 사회의 평화에 대한 기여 방안

[선택지 분석]

① 정민 : 경제적으로 어려운 나라를 돕기 위해 해외 원조를 해야 합니다.
➡ 평화에 대한 기여 방안에 속한다.

② 승주 : 분단을 극복하여 동아시아 지역의 군사적 대립을 중단해야 합니다.
➡ 우리나라의 통일은 남북 갈등을 해소하고, 동아시아 지역의 군사적 대립과 긴장을 완화하여 동아시아와 세계의 평화에 기여하게 된다.

③ 미진 : 지구촌에 발생하는 분쟁, 전쟁에 대해서는 관여하지 말아야 합니다.
➡ 분쟁, 전쟁을 지속하는 것은 폭력의 상황으로, 평화에 위배되는 행위이다. 국제 사회의 평화를 위해 분쟁과 전쟁을 예방하고 갈등을 조절하기 위한 적극적인 노력이 필요하다.

④ 병호 : 환경 보호를 위해 친환경적 산업을 발전시키고 탄소 배출량을 줄여야 합니다.
➡ 친환경적인 산업의 발전, 탄소 배출량 감소, 지구 온난화 방지와 환경 보호에 적극 동참하는 등의 환경 보호는 모두 평화 보존의 일환이다.

⑤ 혜영 : 개발 도상국 주민들의 삶의 질을 향상시킬 적정 기술 개발과 보급에 앞장서야 합니다.
➡ 적정 기술이란 그 기술이 적용되는 사회 공동체의 정치적, 문화적, 환경적 조건을 고려해 해당 지역 주민의 삶의 질을 궁극적으로 향상시킬 기술을 의미한다. 이를 통해 개발 도상국의 삶의 질을 높여 빈곤과 기아에서 벗어나게 함으로써 적극적 평화에 기여할 수 있다.

14 세계화에 따른 문제점

채점 기준

상	세계화의 문제점을 두 가지 이상 정확하게 서술한 경우
중	세계화의 문제점을 한 가지만 정확하게 서술한 경우
하	세계화의 문제점을 정확하게 서술하지 못한 경우

15 다국적 기업의 공간적 분업

채점 기준

상	개발 도상국과 선진국의 생산 공장 입지 특성을 정확하게 서술한 경우
중	개발 도상국과 선진국의 생산 공장 입지 특성을 하나만 정확하게 서술한 경우
하	개발 도상국과 선진국의 생산 공장 입지 특성을 정확하게 서술하지 못한 경우

16 국경 없는 의사회 활동

채점 기준

상	국경 없는 의사회의 활동을 인권, 보건 등 인간다운 삶을 지향하는 적극적 평화와 결부하여 서술한 경우
중	국경 없는 의사회의 활동이 인권, 보건 등에 기여함을 서술한 경우
하	국경 없는 의사회의 활동 내용만을 나열하고, 인권, 보건 등과 결부시켜 서술하지 못한 경우

17 역사 갈등 사례

채점 기준

상	역사 왜곡 문제에 대응하기 위한 공동 역사 연구의 필요성과 의의를 모두 서술한 경우
중	역사 왜곡 문제에 대응하기 위한 공동 역사 연구의 필요성만을 서술한 경우
하	역사 왜곡 문제에 대해 적절한 해결 방안을 제시하지 못한 경우

IX 미래와 지속 가능한 삶

01 세계의 인구 문제와 해결 방안

콕콕! 개념 확인 304쪽

01 (1) ○ (2) × (3) ○ (4) ○

02 (1) 배출, 흡인 (2) 경제적 (3) 환경적 (4) 정치적 (5) 유입, 유출

03 (1) (가) 일본, (나) 니제르
(2) ① 유소년, ② 노년, ③ 출산 장려, ④ 출산 억제

01 (2) 세계의 인구는 대부분 북반구에 분포한다.

02 (1) 특정 지역의 인구를 다른 지역으로 밀어내 이동하게 만드는 요인을 인구 배출 요인, 다른 지역으로부터 인구를 끌어들여 머무르게 하는 요인을 인구 흡인 요인이라고 한다.
(2) 경제적 이동은 개발 도상국에서 선진국으로의 인구 이동이 대부분이다.
(3) 환경 재앙을 피해 이동하는 것은 환경적 이동이다.
(4) 전쟁이나 분쟁에 의한 이동은 정치적 이동이다.
(5) 인구 유입 지역은 노동력 확보로 경제 활성화, 문화적 다양성 증대 등이 나타나며, 인구 유출 지역은 해외 이주 노동자의 송금으로 외화 유입 등이 나타난다.

탄탄! 내신 문제 305~306쪽

01 ③ **02** ④ **03** ② **04** ① **05** ③ **06** ⑤ **07** ③ **08** ⑤

01 지역(대륙)별 인구 변화

자료분석 1950년과 2015년 두 시기 모두 **인구가 가장 많은 (가)는 아시아**이다. 1950~2015년의 **인구 증가율이 가장 높은 (나)는 출생률이 높은 아프리카**이며, 1950~2015년의 **인구 증가율이 가장 낮은 (다)는 출생률이 낮은 유럽**이다.

02 지역(대륙)별 특징

자료분석 **아시아**는 모든 시기에 **인구가 가장 많고, 아프리카**는 출생률이 높아 **인구의 자연 증가율이 가장 높으며, 유럽**은 세 지역(대륙) 중 **경제 발달 수준이 가장 높다.**

[선택지 분석]

ㄱ (가)는 (나)보다 1950년과 2015년 모두 인구가 많다.
➡ 아시아는 인구가 가장 많은 지역(대륙)이다.

ㄴ (나)는 (다)보다 1950~2015년의 인구 증가율이 높다.

➡ 아프리카는 유럽보다 출생률이 높아 인구도 빠르게 증가하고 있다.

ㄷ. (다)는 (가)보다 경제 발달 수준이 높다.

➡ 유럽은 아시아보다 경제 발달 수준이 높다.

✕ (가)~(다) 중에서 산업화가 시작된 시기는 ~~(나)~~가 가장 이르다. ↳ (다) 유럽이

03 세계의 인구 분포

[선택지 분석]

① 갑 : A는 일찍부터 산업이 발달해서 인구가 밀집해 있어. → A는 유럽 지역

② 을 : B에 인구가 밀집하게 된 가장 큰 이유는 ~~밀~~ 재배에 유리한 기후 조건 때문이야. ↳ 쌀 → B는 중국의 동부 지역

③ 병 : C는 지표면이 연중 눈과 얼음으로 덮여 있을 정도로 추워서 인간 거주에 불리해. → C는 한대 기후 지역

④ 정 : D에는 사막이 형성되어 있어서 물을 구하기 어렵기 때문에 인구 밀도가 매우 낮아. → D는 오스트레일리아 내륙

⑤ 무 : E는 열대 우림이 울창하게 형성되어 있어서 주거지로 개발하기가 쉽지 않아. → E는 아마존강 유역의 열대 우림 지역

04 인구 이동의 요인

자료분석 인구 이동 요인에는 **흡인 요인**과 **배출 요인**이 있다. 특정 지역의 인구를 다른 지역으로 밀어내 이동하게 만드는 요인을 **배출 요인**이라고 하고, 다른 지역으로부터 인구를 끌어들여 머무르게 하는 요인을 **흡인 요인**이라고 한다. 따라서 **(가)는 배출 요인, (나)는 흡인 요인**에 해당한다.

[선택지 분석]

	(가)	(나)
✓	높은 실업률 → 배출 요인	높은 임금 수준 → 흡인 요인
✕	높은 실업률 → 배출 요인	생활 시설의 부족 → 배출 요인
✕	높은 임금 수준 → 흡인 요인	높은 실업률 → 배출 요인
✕	높은 임금 수준 → 흡인 요인	생활 시설의 부족 → 배출 요인
✕	낮은 소득 수준 → 배출 요인	높은 실업률 → 배출 요인

05 세계의 인구 이동

자료분석 인도, 중국, 멕시코 등의 **개발 도상국에서 선진국으로 이동**하는 경향이 나타나는 **(가)는 경제적 이동**에 해당한다. 시리아, 동아프리카 일대의 **내전, 분쟁 지역에서 인근 지역으로 이동**하는 경향이 나타나는 **(나)는 정치적 이동**에 해당한다.

[선택지 분석]

✕ (가)는 ~~선진국에서 개발 도상국~~으로의 이동이 대부분이다. ↳ 개발 도상국에서 선진국

ㄴ. (가)로 인해 인구 유입 지역에는 노동력 부족 문제가 완화되는 효과가 있다.

ㄷ. (나)의 발생 원인으로 유출 지역의 전쟁, 분쟁 등을 들 수 있다.

✕ (가)는 ~~정치적~~ 이동, (나)는 ~~경제적~~ 이동에 해당한다. ↳ 경제적 ↳ 정치적

06 인구 변천 모형

자료분석 출생률과 사망률이 모두 높은 (가)는 **1단계(고위 정체기)**, 사망률이 감소하는 (나)는 **2단계(초기 팽창기)**, 출생률도 감소하는 (다)는 **3단계(후기 팽창기)**, 출생률과 사망률이 모두 낮은 (라)는 **4단계(저위 정체기)**에 해당한다.

[선택지 분석]

✕ (나)의 사망률 감소 원인으로 ~~여성의 사회 진출 증가~~를 들 수 있다. ↳ 의학의 발달, 생활 환경의 개선 등

✕ 선진국의 대부분은 현재 ~~(다)~~에 해당한다. ↳ (라)

✕ (가)는 (나)보다 인구의 자연 증가율이 ~~높다~~. ↳ 낮다

✕ (나)는 (라)보다 총인구가 ~~많다~~. ↳ 적다

✓ (라)는 (다)보다 저출산·고령화 문제의 발생 가능성이 높다.

➡ (라)는 출생률이 낮은 수준을 유지하여 인구 증가율도 낮은 단계로, 저출산·고령화 현상이 심화되는 단계이다.

07 선진국과 개발 도상국의 인구 구조

자료분석 (가)는 (나)보다 **유소년층 인구 비중이 높고 노년층 인구 비중이 낮다**. 따라서 **(가)는 개발 도상국**이고, **(나)는 선진국**이다.

[선택지 분석]

✕ 출생률이 ~~높다~~. ↳ 낮다

ㄴ. 중위 연령이 높다.

ㄷ. 노년층 인구 비중이 높다.

✕ 유소년층 인구 비중이 ~~높다~~. ↳ 낮다

08 선진국의 인구 정책

자료분석 (가) 국가에서는 부모 모두의 육아 휴직 기간을 충분히 보장하는 **육아 휴직 제도**를 시행하고 있다. 따라서 (가)는 **출산 장려 정책**을 시행하는 **선진국**임을 알 수 있다. 실제로 (가)는 북유럽의 선진국인 스웨덴이다.

[선택지 분석]

✕ ~~농업~~ 중심의 산업 구조가 나타난다. ↳ 3차 산업

✕ ~~아프리카에 위치한 개발 도상국~~이다. ↳ 북유럽에 위치한 선진국

✕ 인구 변천 모형의 ~~3단계~~에 해당한다. ↳ 4단계

✕ ~~출생률이 높아 강력한 출산 억제 정책~~을 실시하고 있다. ↳ 출생률이 낮아 출산 장려 정책

✓ 경제 활동 인구의 감소에 따른 노동력 부족 문제가 발생할 가능성이 높다.

도전! 1등급 문제 307쪽

01 ② **02** ② **03** ⑤ **04** ⑤

01 지역(대륙)별 인구 특징

자료분석 현재 인구의 순 유입이 발생하고 1950~2015년에 인구 비중이 감소한 **(가)는 유럽**이다. 모든 시기에 인구의 순 유출이 발생하고 1950~2015년에 인구 비중이 증가한 **(나)는 아프리카**이다. 2015년에 인구 비중이 가장 높은 **(다)는 아시아**이다.

02 지역(대륙)별 특징

[선택지 분석]

ㄱ (가)는 (나)보다 1인당 지역 내 총생산이 많다.

➡ 주로 선진국으로 구성된 유럽은 주로 개발 도상국으로 구성된 아프리카보다 경제 발달 수준이 높아 1인당 지역 내 총생산도 많다.

✕ (나)는 (다)보다 총인구가 ~~많다~~. ↳ 적다

➡ 아시아는 모든 지역(대륙) 중에서 인구가 가장 많다. 아프리카는 아시아 다음으로 인구가 많은 지역(대륙)이다.

ㄷ (다)는 (가)보다 도시화율이 낮다.

➡ 일찍부터 산업화가 이루어져 도시화도 함께 진행된 유럽은 도시화율이 높은 편이다. 따라서 아시아는 유럽보다 도시화율이 낮다.

✕ (가)~(다) 중에서 출생률은 ~~(다)~~가 가장 높다. ↳ (나)

➡ 세 지역(대륙) 중에서 출생률은 유럽이 가장 낮고, 아프리카가 가장 높다.

03 지역(대륙)별 인구 특징

자료분석 합계 출산율이 가장 높고 중위 연령이 가장 낮은 **(가)는 아프리카**이고, 합계 출산율이 가장 낮고 중위 연령이 가장 높은 **(나)는 유럽**이다.

[선택지 분석]

✕ 유소년층 인구 비중이 ~~높다~~. ↳ 낮다

➡ 유럽은 아프리카보다 출생률이 낮아 유소년층 인구 비중도 낮다.

✕ 인구의 자연 증가율이 ~~높다~~. ↳ 낮다

➡ 유럽은 아프리카보다 출생률이 낮아 인구의 자연 증가율도 낮다.

ㄷ 3차 산업 종사자의 비중이 높다.

➡ 유럽은 아프리카보다 일찍부터 산업화되었으므로 3차 산업 종사자의 비중이 높다.

ㄹ 인구 변천 모형의 3단계에 진입한 시기가 이르다.

➡ 유럽은 아프리카보다 일찍부터 산업화되었고 인구 변천 단계도 먼저 진행되었으므로 3단계에 진입한 시기가 이르다.

04 선진국과 개발 도상국의 인구 구조

자료분석 출생률과 사망률이 낮은 **(가)는 선진국으로 이루어진 국가군**이고, 출생률과 사망률이 높은 **(나)는 개발 도상국으로 이루어진 국가군**이다.

[선택지 분석]

✕ (가)는 대부분 인구 변천 모형의 ~~3단계~~에 해당한다. ↳ 4단계

➡ 선진국의 대부분은 출생률과 사망률이 낮은 수준을 유지하고 있으므로 인구 변천 모형의 4단계에 해당한다.

✕ (나)는 대부분 ~~서부 유럽~~에 위치한다. ↳ 동남아시아, 남부 아시아, 아프리카, 라틴 아메리카 등

➡ 서부 유럽 국가의 대부분은 선진국이다. 개발 도상국은 동남아시아, 남부 아시아, 아프리카, 라틴 아메리카 등에 위치한다.

ㄷ (가)는 (나)보다 1차 산업의 노동 생산성이 높다.

➡ 선진국은 개발 도상국보다 1차 산업 종사자의 비중은 낮지만 1차 산업의 기계화, 과학화 수준이 높아 노동 생산성이 높다.

ㄹ (나)는 (가)보다 중위 연령이 낮다.

➡ 개발 도상국은 선진국보다 유소년층 인구 비중이 높고 노년층 인구 비중이 낮으므로 중위 연령이 낮다.

02 자원 이용과 지속 가능한 발전

콕콕! 개념 확인 313쪽

01 (1) 유한성 (2) 가변성 (3) 편재성
02 (1) × (2) ○ (3) × (4) ○ (5) ○ (6) × (7) × (8) ○ (9) ○
03 (가) 석유, (나) 천연가스, (다) 석탄
04 (1) 지속 가능한 발전 (2) 경제적 측면 : 신·재생 에너지 보급 확대, 공적 개발 원조 실시 등 / 환경적 측면 : 국제 환경 협약 체결, 온실가스 감축 제도 마련 등

02 (1) 석탄은 주로 산업용으로 이용되고 있다.
(3) 석탄은 고기 조산대 주변에 많이 매장되어 있다.
(6) 천연가스는 주로 신생대 제3기층의 배사 구조에 매장되어 있다.
(7) 천연가스는 석탄보다 연소 시 대기 오염 물질 배출량이 적다.

탄탄! 내신 문제 314~315쪽

01 ⑤ **02** ① **03** ② **04** ③ **05** ⑤ **06** ⑤ **07** ④ **08** ③

01 자원의 특성

자료분석 (가) 일부 자원은 고르게 분포하지 않고 특정 지역에 편중되어 분포하는데, 이는 자원의 **편재성**이다. (나) 대부분의 자원은 매장량이 한정되어 있어 언젠가는 고갈되는데, 이는 자원의 **유한성**이다. (다) 기술·경제·문화적 조건 등에 따라 자원의 의미와 가치가 달라지는데, 이는 자원의 **가변성**이다.

02 세계 1차 에너지 소비량 변화

자료분석 2015년 현재 세계 1차 에너지 소비 구조에서 차지하는 비중이 가장 높은 **(가)는 석유**이고, 석유 다음으로 소비량이 많은 **(나)는 석탄**이며, 석유, 석탄 다음으로 세 번째로 소비량이 많은 **(다)는 천연가스**이다.

03 석탄과 석유의 국제 이동

자료분석 오스트레일리아, 인도네시아, 남아프리카 공화국 등에서 한국, 중국, 일본, 유럽 등으로 주로 이동하는 **(가)는 석탄**이다. 서남아시아에서 한국, 중국, 일본, 미국, 유럽 등으로 주로 이동하고 석탄보다 국제 이동량이 많은 **(나)는 석유**이다.

[선택지 분석]

② 석유는 석탄보다 국제 이동량이 많고 세계 1차 에너지 소비 구조에서 차지하는 비중이 높으며, 상용화된 시기가 늦다.

04 천연가스의 특징

자료분석 서남아시아 외에도 **러시아에서 유럽으로의 이동**도 매우 많은 것으로 보아 이 자원은 **천연가스**이다. 천연가스는 미국, 러시아, 카타르, 이란 등에서 생산량이 많다.

[선택지 분석]

① 주로 ~~제철 공업용, 발전용~~으로 이용된다.
↳ 가정용, 산업용

② ~~고기 조산대 주변~~에 많이 매장되어 있다.
↳ 신생대 제3기층의 배사 구조

③ 냉동 액화 기술의 발달로 소비량이 급증하였다.

④ 세계 1차 에너지 소비 구조에서 차지하는 비중이 가장 높다. → 석유에 대한 설명임

⑤ 화석 연료 중에서 연소 시 대기 오염 물질 배출량이 가장 ~~많다~~.
↳ 적다

05 화석 연료의 국가별 생산량 비중

자료분석 **중국**의 생산량 비중이 50% 가까이 되는 **(가)는 석탄**이다. **사우디아라비아**의 생산량이 가장 많은 **(나)는 석유**이다. **미국, 러시아, 카타르** 등의 생산량이 많은 **(다)는 천연가스**이다.

[선택지 분석]

① (가)는 ~~신생대 제3기층의 배사 구조~~에 주로 매장되어 있다.
↳ 고기 조산대 주변

② (나)는 냉동 액화 기술의 개발로 소비량이 급증하였다.
➡ 석유는 내연 기관의 발명, 자가용의 보급 등으로 소비량이 급증하였다.

③ (다)는 산업 혁명기의 주요 에너지원이었다. → 석탄에 대한 설명임

④ (가)는 (나)보다 생산량 대비 수출량이 ~~많다~~.
↳ 적다

⑤ (다)는 (가)보다 연소 시 대기 오염 물질 배출량이 적다.

06 자원을 둘러싼 국가 간 갈등

자료분석 지도에 표시된 지역은 **카스피해, 북극해, 동중국해, 남중국해, 포클랜드 제도**이다. 이 지역들은 석유, 천연가스 매장량이 많은 것으로 알려지면서 이를 둘러싼 주변 국가 간 갈등이 발생하고 있다.

07 지속 가능한 발전의 의미

자료분석 미래 세대가 살아가는 데 필요한 자원과 환경을 손상하지 않으면서 현재를 살아가는 우리의 욕구를 동시에 충족시키는 발전인 (가)는 **지속 가능한 발전**에 해당한다. 초기의 지속 가능한 발전은 환경 보전과 경제 개발의 조화에 초점을 맞추었다. 최근에는 사회 공동체의 유지와 경제 발전 역시 조화롭게 지속 가능해야 한다는 주장이 힘을 얻고 있다.

08 지속 가능한 발전의 실현 방안

[선택지 분석]

① 개인은 친환경적인 생활 방식을 실천한다.

② 개발 도상국에 대한 공적 개발 원조를 확대한다.

③ 유류세를 인하하여 화석 연료의 소비를 촉진시킨다.
➡ 신·재생 에너지 사용량을 늘려 화석 연료의 소비를 줄여야 한다.

④ 온실가스 감축을 위한 온실가스 배출권 거래제를 도입한다.

⑤ 사회 계층 간 통합을 위한 사회 취약 계층 지원 제도를 실시한다.

도전! 1등급 문제

316~317쪽

01 ④ 02 ① 03 ⑤ 04 ② 05 ④ 06 ③ 07 ①

01 대륙별 화석 연료 생산량 비중

자료분석 **오스트레일리아**가 속한 오세아니아 내에서 생산량 비중이 가장 높은 **(가)는 석탄**이다. **러시아**가 속한 유럽 내에서 생산량 비중이 가장 높은 **(나)는 천연가스**이다. 라틴 아메리카 내에서 생산량 비중이 가장 높은 **(다)는 석유**이다.

02 화석 연료별 특징

[선택지 분석]

ㄱ. (가)는 (나)보다 연소 시 대기 오염 물질 배출량이 많다.
➡ 석탄은 화석 연료 중에서 연소 시 대기 오염 물질 배출량이 가장 많고, 천연가스는 가장 적다.

ㄴ. (나)는 (다)보다 상용화된 시기가 늦다.
➡ 천연가스는 석유보다 상용화된 시기가 늦다.

ㄷ. (다)는 (가)보다 수송용으로 이용되는 비중이 ~~낮다~~.
↳ 높다
➡ 석유는 수송용으로 많이 이용되지만 석탄은 주로 산업용으로 이용된다.

ㄹ. 세계 1차 에너지 소비 구조에서 차지하는 비중은 ~~(다)>(나)>(가)~~ 순으로 높다.
↳ (다)>(가)>(나)
➡ 세계 1차 에너지 소비 구조에서 차지하는 비중은 석유가 가장 높고, 그 다음으로 석탄, 천연가스 순으로 소비 비중이 높게 나타난다.

03 국가별 화석 연료 생산량

자료분석 미국, 러시아, 이란, 캐나다, 카타르가 상위 5개 생산국에 해당하는 **(가)는 천연가스**이고, 중국, 미국, 인도, 오스트레일리아, 인도네시아가 상위 5개 생산국에 해당하는 **(나)는 석탄**이다.

[선택지 분석]

ㄱ. (가)는 주로 ~~고기 조산대 주변~~에 매장되어 있다. (→ 신생대 제3기층의 배사 구조)
➡ 천연가스는 주로 신생대 제3기층의 배사 구조에 석유와 함께 매장되어 있다.

ㄴ. ~~(나)~~는 냉동 액화 기술의 개발로 소비량이 급증하였다. (→ (가))
➡ 냉동 액화 기술의 개발로 소비량이 급증한 화석 연료는 천연가스이다.

ㄷ. (가)는 (나)보다 상용화된 시기가 늦다.
➡ 석탄은 18세기 산업 혁명기에 주요 에너지원이었다. 따라서 천연가스는 석탄보다 상용화된 시기가 늦다.

ㄹ. (나)는 (가)보다 연소 시 대기 오염 물질 배출량이 많다.
➡ 화석 연료 중에서 연소 시 대기 오염 물질 배출량은 석탄이 가장 많고 천연가스가 가장 적다.

04 온실가스 배출권 거래제

자료분석 그림은 배출 허용량에 비해 실제 배출량이 적은 A 기업의 초과 감축량을 배출 허용량보다 많이 배출하게 된 B 기업에게 배출권을 판매하도록 한 제도를 나타낸 것이다. 이러한 제도를 **온실가스 배출권 거래제**라고 한다.

[선택지 분석]

① 화석 연료의 소비를 ~~촉진~~할 수 있다. (→ 감축)
➡ 온실가스 배출권 거래제를 통해 화석 연료의 소비를 감축할 수 있다.

② 지구 온난화 문제를 완화할 수 있다.
➡ 온실가스 배출권 거래제를 통해 온실가스 배출 총량을 규제하고 감축을 유도할 수 있다. 따라서 온실가스 배출권 거래제를 실시하여 지구 온난화 문제를 완화할 수 있다.

③ 대기업의 내부 거래 행위를 막을 수 있다.
➡ 온실가스 배출권 거래제와 대기업의 내부 거래 행위와는 관련이 적다.

④ 공정 무역을 통한 윤리적 소비가 확대된다.
➡ 온실가스 배출권 거래제와 공정 무역과는 관련이 적다.

⑤ 신·재생 에너지의 공급량을 ~~감축할~~ 수 있다. (→ 증가시킬)
➡ 온실가스 배출권 거래제가 활성화되면 기업들은 화석 연료를 대체할 신·재생 에너지에 대한 투자와 사용을 늘리게 되므로 신·재생 에너지의 공급량이 늘어날 수 있다.

05 세계 1차 에너지 소비량의 변화

자료분석 세계 1차 에너지 소비량의 변화를 나타낸 그래프를 보면 **세계 1차 에너지 소비량**은 1965년에 비해 2015년에 **세 배 이상 증가**한 것을 알 수 있다. 2015년 현재 세계 1차 에너지 소비량은 석유 > 석탄 > 천연가스 > 수력 > 원자력 순으로 많은데, **화석 연료에 해당하는 석유, 석탄, 천연가스의 소비량이 세계 1차 에너지 소비량의 50% 이상**을 차지할 정도로 화석 연료에 대한 에너지 의존도가 높다.

[선택지 분석]

ㄱ. 석유는 석탄보다 2015년에 소비량이 많다.
➡ 석유는 현재 세계 1차 에너지 소비 구조에서 차지하는 비중이 가장 높은 에너지이다.

ㄴ. 석탄은 천연가스보다 1965~2015년의 소비량 증가율이 ~~높다~~. (→ 낮다)
➡ 그래프를 보면 석탄은 천연가스보다 1965~2015년의 소비량 증가율이 낮다는 것을 알 수 있다.

ㄷ. 1965년에 비해 2015년에 세계 1차 에너지 소비량은 세 배 이상 증가하였다.
➡ 그래프를 보면 1965~2015년에 세계 1차 에너지 소비량이 세 배 이상 증가한 것을 알 수 있다.

ㄹ. 세계 1차 에너지 소비량에서 화석 연료의 소비량이 차지하는 비중은 2015년에 50%를 넘는다.
➡ 그래프를 보면 2015년에 화석 연료의 소비량이 차지하는 비중은 50%를 훨씬 넘는다는 것을 알 수 있다.

06 국제 원유 가격의 불안

자료분석 국제 원유 가격의 변화를 나타낸 그래프를 보면 (가) 시기에 국제 원유 가격이 급격히 상승한 것을 알 수 있다. **자원 민족주의**로 인해 문제가 발생했던 대표적인 사례로는 1973년과 1979년에 발생한 **오일 쇼크**(Oil Shock)를 들 수 있다. 석유 파동을 의미하는 오일 쇼크는 석유 수출국 기구(OPEC)가 석유 판매로 인한 이익을 확대하기 위해 원유 생산량을 줄이자 **석유의 가격이 급등**하여 **세계 경제에 큰 영향**을 끼친 사건이다.

[선택지 분석]

① 석유가 언젠가는 고갈되는 비재생 자원이기 때문이다.
➡ 석유의 유한성과 단기간의 석유 가격 급등과는 관련이 적다.

② 내연 기관의 발명으로 석유에 대한 수요가 급증했기 때문이다.
➡ 내연 기관은 19세기에 발명되었으므로 그래프에 제시된 시기와는 일치하지 않는다.

③ 석유가 특정 지역에 편중되어 분포하는 경향이 강하기 때문이다.
➡ 석유는 편재성이 커서 소수의 국가가 생산을 독점할 수 있는 구조이기 때문에 석유의 원유 가격은 짧은 기간에도 급등하는 경우가 많다.

④ 석유가 대량으로 매장되어 있는 지역이 추가로 발견되었기 때문이다.
➡ 석유의 대량 매장지가 추가로 발견될 경우 공급 가능성이 높아지므로 석유 가격은 오히려 하락하게 된다.

⑤ 신·재생 에너지의 공급량을 확대하여 석유 소비량을 대체하였기 때문이다.
➡ 신·재생 에너지의 공급량 확대로 석유 소비량이 대체되면 석유에 대한 수요가 감소하여 석유의 가격은 오히려 하락하게 된다.

07 석유의 국제 이동

자료분석 | 자료 ❷는 석유의 주요 생산지와 국제 이동을 나타낸 것이다. **석유는 자원의 편재성이 큰 편**이어서 화석 연료 중에서도 **국제 이동량이 많은 편**이다. **자원 민족주의**의 심화로 수차례의 오일 쇼크(석유 파동)를 겪은 석유 수입국들은 에너지 자원의 안정적 수급을 위해 노력하고 있다. 자료 ❸은 지구 온난화로 북극해의 얼음이 녹으면서 자원 개발 가능성이 커지자 **북극해에 대한 소유권을 주장**하는 **주변 국가들 간의 갈등**을 나타낸 것이다.

[선택지 분석]

① ㉠ 석유는 생산지와 소비지가 대체로 ~~일치~~(→ 불일치)하여 국제 이동량이 ~~적은~~(→ 많은) 편이다.
➡ 석유는 생산지와 소비지가 일치하는 경우가 적어 국제 이동량이 많은 대표적인 자원 중 하나이다.

② ㉡ 자원 보유국의 자원 민족주의가 심화되면서 자원 수급 불안이 계속
➡ 자원 민족주의의 심화로 자원 수출국이 수출량을 인위적으로 조정하는 경우가 많아지면서 자원 수급 불안이 계속되고 있다.

③ ㉢ 지구 온난화로 인해 개발 가능성이 높아진 북극해
➡ 지구 온난화로 북극해의 얼음이 녹으면서 개발 가능성이 높아지고 있다.

④ ㉣ 북극해에 대한 소유권을 주장하기 시작
➡ 북극해의 개발 가능성이 높아지면서 북극해 주변 국가들이 북극해에 대한 소유권을 주장하기 시작했다.

⑤ ㉤ 석유, 천연가스의 확보를 위해 경계 획정을 놓고 주변국 간 갈등이 발생하고 있는 카스피해
➡ 카스피해에 많은 양의 석유, 천연가스가 매장되어 있는 것으로 알려지면서 카스피해의 경계 획정을 놓고 주변 국가 간에 갈등이 발생하고 있다.

03 지구촌의 미래와 우리의 삶

콕콕! 개념 확인 320쪽

01 (1) ○ (2) × (3) × (4) ○ (5) × (6) × (7) ○ (8) ○
02 (1) 전문가 합의법 (2) 시나리오 기법 (3) 전문가 합의법
03 (1) 사물 인터넷 (2) 딥 러닝 (3) 자율 주행 자동차 (4) 하이퍼루프
04 (1) 관용 (2) 비판 (3) 공동체

01 (2) 미래학이 독립된 학문 영역으로 발전하면서 미래 예측의 정확도가 높아졌다.
(3) 미래에는 국가 간, 지역 간에 상호 의존성이 높아질 것이다.
(5) 시나리오 기법은 미래에 중요할 수 있는 시나리오가 무시될 가능성이 있다.
(6) 교통과 통신 기술의 발달로 인간의 활동 범위가 확대될 것이다.

탄탄! 내신 문제 321쪽

01 ⑤ **02** ⑤ **03** ④ **04** ③

01 새로운 기술의 등장

[선택지 분석]

① 드론 → 우선 전파로 조정하는 무인 항공기
② 3D 프린팅 → 프린터로 물체를 뽑아내는 기술
③ 사물 인터넷 → 모든 사물에 인터넷이 연결되는 것
④ 인공 지능(AI) → 인간의 학습 능력과 추론·지각 능력 등을 컴퓨터 프로그램으로 실현한 기술
⑤ 내연 기관 자동차
➡ 내연 기관 자동차는 19세기에 이미 개발된 기술이므로 최근에 등장한 새로운 기술이라고 보기 어렵다.

02 새로운 기술의 등장과 미래 지구촌의 모습

[선택지 분석]

㉠ 인간의 활동 범위가 ~~축소~~(→ 확대)될 것이다.
㉡ 국가 간 상호 의존성이 증대될 것이다.
㉢ 특정 직업의 소멸로 인한 실업 문제가 발생할 것이다.
㉣ 정책 및 의사 결정에 대한 시민의 참여가 활발해질 것이다.

03 미래 예측 방법

자료분석 | (가) **시나리오**를 작성하여 미래에 대비하는 방법으로 여러 개의 미래를 가정하여 대비하는 미래 예측 방법은 **시나리오 기법**이다. (나) 각 분야의 **전문가**에게 설문을 반복하여 특정한 주제에 관해 **전문가 집단의 합의**를 도출하는 방식은 **델파이 기법**이라고도 불리는 **전문가 합의법**이다.

04 로하스의 실현을 위한 행동

자료분석 | **'로하스(LOHAS)'**는 개인의 **신체적·정신적 건강**은 물론, **환경, 사회 정의 및 지속 가능한 소비**에 높은 가치를 두고 생활하는 사람들의 새로운 생활 방식을 말한다. (가)에는 로하스를 실현하기 위한 행동이 들어가야 한다.

[선택지 분석]

① 환경 보호에 적극적으로 참여해야 한다.
② 주변에 친환경 제품의 기대 효과를 홍보해야 한다.
③ 1회용 제품 사용량을 늘려 공공 위생을 개선해야 한다.
➡ 1회용 제품 사용량을 늘리면 환경 오염을 유발할 수 있으므로, 1회용 제품 사용량을 줄이도록 한다.
④ 지구 환경에 미칠 영향을 고려하여 구매를 결정해야 한다.
⑤ 생산지 주민의 지속 가능성을 해치지 않고 생산된 제품을 구매해야 한다.

도전! 1등급 문제 322쪽

01 ② **02** ④ **03** ④ **04** ③

01 미래 예측 방법

자료분석 각 분야의 **전문가**에게 설문을 반복하여 특정한 주제에 관해 **전문가 집단의 합의**를 도출하는 방식인 **(가)는 전문가 합의법(델파이 기법)**, 미래에 일어날 일에 대해 **시나리오**를 작성함으로써 미래에 대비하는 방법인 **(나)는 시나리오 기법**이다.

[선택지 분석]

㉠ (가)는 익명성을 보장하여 자유로운 의견 제출과 객관적인 의견 수렴이 가능하다.

➡ 전문가 합의법은 익명성을 보장하여 전문가들이 자유롭게 의견을 제출하고 객관적인 의견 수렴을 할 수 있다는 장점이 있다.

✕ (나)는 모든 미래 상황에 대한 시나리오 작성이 ~~가능하다~~. ↳ 불가능하다

➡ 모든 미래 상황에 대비할 수 있는 미래 예측 방법은 없으며, 시나리오 기법은 미래에 중요할 수도 있는 시나리오가 무시될 수 있다는 단점이 있다.

✕ (가), (나)는 모두 미래에 대한 불확실성이 거의 없을 때만 사용한다.

➡ 미래 예측 방법은 모두 미래에 대한 불확실성을 최소화하기 위해 사용하는 방법이다.

㉣ (가)는 델파이 기법, (나)는 시나리오 기법이다.

➡ (가)는 전문가 합의법이라고도 불리는 델파이 기법, (나)는 시나리오 기법이다.

02 미래의 변화

[선택지 분석]

✕ 인간 활동의 공간적 범위가 ~~축소~~된다. ↳ 확대

➡ 교통과 통신 기술의 발달로 인간 활동의 공간적 범위가 확대될 것이다.

㉡ SNS를 통한 인간관계 형성이 보편화된다.

➡ 누리 소통망(SNS)을 통한 인간관계 형성이 보편화될 것이다.

✕ 의사 결정에 대한 시민의 참여율이 ~~낮아진다~~. ↳ 높아진다

➡ 정보화가 보편화·고도화되면서 의사 결정에 대한 시민 참여가 활발해질 것이다.

㉣ 가상 공간에서 익명성을 이용한 범죄가 증가한다.

➡ 인터넷과 같은 가상 공간에서 익명성을 악용한 사이버 범죄가 증가할 것이다.

03 미래 지구촌의 변화

자료분석 제시된 글은 **미래 지구촌에 나타날 것으로 예상되는 변화**를 나타낸 것이다. 글을 읽고 예상되는 변화 내용으로 적절하지 않은 것을 찾으면 된다.

[선택지 분석]

① ㉠ 국가 간 상호 의존성이 증대

➡ 자유 무역 확대, 국제기구의 활동 등으로 국가 간 상호 의존성이 확대될 것이다.

② ㉡ 국가 간 갈등의 발생 빈도가 증가

➡ 영토, 종교, 경제적 격차 등 다양한 원인에 의한 국가 간 갈등 발생 빈도가 증가할 것이다.

③ ㉢ 인간이 이용할 수 있는 자원과 환경의 범위가 축소

➡ 현재의 환경 문제를 해결하지 못할 경우 인간이 이용할 수 있는 자원과 환경의 범위가 축소될 것이다.

✓④ ㉣ 건강, 사회 복지, 환경 분야를 중심으로 직업이 ~~소멸~~ ↳ 증가

➡ 인구 고령화와 환경 오염 등으로 인해 건강, 사회 복지, 환경 분야와 관련된 직업의 수요는 더욱 증가할 것으로 예상된다.

⑤ ㉤ 생명 윤리 문제와 신종 바이러스의 등장을 유발하는 부작용이 나타날 가능성

➡ 생명 기술의 발달로 난치병 치료와 같은 긍정적 영향도 있겠지만 생명 윤리 문제, 신종 바이러스의 등장과 같은 부정적 영향도 있을 것이다.

04 미래의 삶을 위해 가져야 할 태도

[선택지 분석]

✕㉠ 공동체 구성원 간의 소통과 화합보다 개인의 자유와 이익이 우선시 되어야 한다.

➡ 공동체 구성원 간의 소통과 화합이 개인의 자유와 이익보다 우선시 되어야 이기적인 가치관이 확산되는 것을 막을 수 있다. 따라서 답에는 '아니요'에 V표를 해야 한다.

✕㉡ 사회 문제의 발생 원인과 배경을 명확하게 파악하여 비판적·과학적으로 분석할 수 있어야 한다.

➡ 사회 문제의 발생 원인과 배경을 명확하게 파악하여 비판적·과학적으로 분석하는 비판적 사고력을 증진시켜야 한다. 따라서 답에는 '예'에 V표를 해야 한다.

㉢ 인류 공통의 가치인 인간 존엄성, 자유와 평등, 정의 등을 전 지구적 차원에서 실현하려는 자세를 가져야 한다.

➡ 세계 시민으로서 공동체 의식을 함양해야 한다. 따라서 답에는 '예'에 V표를 해야 한다.

㉣ 사회 구성원이 합의한 기준과 절차를 준수하고, 적극적이면서도 책임감 있는 참여 자세를 갖춘다.

➡ 사회 구성원이 합의한 기준과 절차를 준수하고 책임감 있는 참여 자세를 갖춰야 한다. 따라서 답에는 '예'에 V표를 해야 한다.

한번에 끝내는 대단원 문제 325~328쪽

01 ② 02 ① 03 ② 04 ⑤ 05 ③ 06 ⑤ 07 ⑤
08 ① 09 ③ 10 ⑤ 11 ④ 12 ③

13 (1) 경제적 이동 (2) [모범 답안] 인구 유입 지역의 노동력 부족 문제 해결에 긍정적인 영향을 끼쳤다. 반면, 원거주민과 이주민 간의 문화 갈등을 심화시키는 부정적인 영향을 끼쳤다.

14 [모범 답안] 저출산으로 인한 노동력 부족 문제가 발생하며, 이를 해결하기 위해서는 출산과 육아 비용 지원, 유급 출산 휴가 기간 연장 등의 정책을 실시해야 한다.

15 (1) (가) 석유, (나) 석탄 (2) [모범 답안] (나) 석탄은 (가) 석유보다 상용화된 시기가 이르고 세계 1차 에너지 소비 구조에서 차지하는 비중이 낮으며, 수송용으로 이용되는 비중이 낮다.

16 [모범 답안] 개방적 태도와 관용의 정신을 갖추고 사회 현상을 비판적·과학적으로 분석할 수 있는 비판적 사고력을 가져야 한다. 또한, 세계 시민으로서 인류 공통의 가치를 전 지구적 차원에서 실현하려는 공동체 의식을 가져야 한다.

01 지역(대륙)별 인구 비중

자료분석 1960~2060년에 **인구 비중이 감소**할 것으로 예상되는 **(가)는 유럽**이고, **인구 비중이 크게 증가**할 것으로 예상되는 **(나)는 아프리카**이다. **모든 시기에 인구 비중이 가장 높은 (다)는 아시아**이다.

02 지역(대륙)별 특징

자료분석 **(가)는 유럽, (나)는 아프리카, (다)는 아시아**이다. 1960~2015년 **인구 증가율이 가장 높은 지역(대륙)은 아프리카**이고, 크게 **감소한 지역(대륙)은 유럽**이다. 아시아는 1960년, 2015년, 2060년(추정치) 모두 인구 비중이 가장 높게 나타난다.

[선택지 분석]

ㄱ. (가)는 (나)보다 산업화가 먼저 시작되었다.

ㄴ. (나)는 (다)보다 1960~2015년의 인구 증가율이 높다.

ㄷ. (다)는 (가)보다 1인당 지역 내 총생산이 많다.

ㄹ. (가)~(다) 중에서 출생률은 (가)가 가장 높다.

03 세계의 인구 분포

자료분석 **A는 서부 유럽, B는** 북부 아프리카의 **사하라 사막 일대, C는** 열대림이 울창하게 형성되어 있는 **아마존강 유역 일대**이다. A는 인구 밀집 지역, B, C는 인구 희박 지역이다.

[선택지 분석]

① 남반구는 북반구보다 인구가 많다.

② 오스트레일리아는 내륙보다 해안의 인구 밀도가 높다.
➡ 오스트레일리아는 내륙에 사막이 형성되어 있어 해안의 인구 밀도가 높다.

③ A 지역에서 인구 밀도가 높은 이유는 벼농사가 활발하여 인구 부양력이 높기 때문이다.
➡ 서부 유럽은 일찍부터 산업이 발달하여 인구 밀도가 높다.

④ B 지역에서 인구 밀도가 낮은 이유는 열대림이 울창한 숲을 이루고 있기 때문이다.
➡ 사하라 사막 일대는 사막이 넓게 형성되어 있다.

⑤ C 지역에서 인구 밀도가 낮은 이유는 사막이 넓게 형성되어 있기 때문이다.
➡ 아마존강 유역은 열대림이 울창한 숲을 이루고 있다.

04 지역(대륙)별 인구 순 이동

자료분석 2010~2015년에 **아시아 다음으로 인구 순 유출 규모가 큰 (가)는 아프리카**이고, **인구 순 유출 규모가 가장 큰 (나)는 아시아**이다. 2010~2015년에 **인구의 순 유입이 이루어지고 있는 (다)는 유럽**이다.

05 선진국과 개발 도상국의 인구 구조

자료분석 (가)는 (나)보다 **유소년층 인구 비중이 낮고, 노년층 인구 비중이 높다.** 따라서 (가)는 **선진국**인 일본이고, (나)는 **개발 도상국**인 나이지리아이다.

[선택지 분석]

① (가)는 현재 인구 변천 모형의 3단계에 해당한다.

② (나)는 출산 장려 정책을 적극적으로 실시할 필요성이 높다.
➡ 출산 장려 정책은 선진국인 일본에서 실시할 가능성이 높다.

③ (가)는 (나)보다 1인당 국내 총생산이 많다.
➡ 선진국인 일본이 개발 도상국인 나이지리아보다 1인당 국내 총생산이 많다.

④ (가)는 (나)보다 인구의 자연 증가율이 높다.

⑤ (나)는 (가)보다 중위 연령이 높다.

06 지역별 노년층 인구 비중

[선택지 분석]

① 출생률
➡ 개발 도상국에서 높게 나타나는 경향이 있다.

② 사망률
➡ 개발 도상국에서 높게 나타나는 경향이 있다.

③ 총인구
➡ 중국, 인도, 미국 등 인구 대국에서 높게 나타난다.

④ 인구 밀도
➡ 아시아 국가들에서 높게 나타나고 오스트레일리아에서는 낮다.

⑤ 노년층 인구 비중
➡ 선진국에서 수치가 높게 나타나는 반면 개발 도상국에서는 수치가 낮게 나타나고 있다. 따라서 지도는 노년층 인구 비중을 나타낸 것이다.

07 화석 연료의 대륙별 생산량

자료분석 **유럽 및 러시아**의 생산량이 많은 (가)는 **천연가스, 아시아 및 오세아니아**의 생산량이 많은 (나)는 **석탄, 서남아시아**의 생산량이 많은 (다)는 **석유**이다.

08 화석 연료의 특징

[선택지 분석]

① (가)는 냉동 액화 기술의 발달로 소비량이 급증하였다.
➡ 천연가스는 냉동 액화 기술의 발달로 운반과 이용이 편리해지면서 소비량이 급증하였다.

② (나)는 주로 신생대 제3기층의 배사 구조에 매장되어 있다.
➡ 석탄은 주로 고기 조산대 주변에 매장되어 있다.

③ (다)는 산업 혁명기의 주요 에너지원이었다.
➡ 산업 혁명기의 주요 에너지원은 석탄이다.

④ (가)는 (나)보다 연소 시 대기 오염 물질 배출량이 많다.
➡ 천연가스는 화석 연료 중 연소 시 대기 오염 물질 배출량이 가장 적다.

⑤ (나)는 (다)보다 세계 1차 에너지 소비 구조에서 차지하는 비중이 높다.
➡ 석유는 세계 1차 에너지 소비 구조에서 차지하는 비중이 가장 높다.

09 화석 연료의 지역별 매장량 비중

자료분석 중국, 인도, 오스트레일리아가 속한 **아시아·태평양**의 매장량 비중이 높은 (가)는 **석탄**이고, **서남아시아**의 매장량 비중이 가장 높은 (나)는 **석유**이며, 서남아시아 외에 러시아가 속한 **유럽 및 러시아**의 매장량 비중이 높은 (다)는 **천연가스**이다. 2015년 현재 **세계 1차 에너지 소비 구조에서 차지하는 비중이 가장 높은 A는 석유**이고 석유 다음으로 소비량이 많은 **B는 석탄**이며, 석탄 다음으로 소비량이 많은 **C는 천연가스**이다. 따라서 (가) 석탄은 B, (나) 석유는 A, (다) 천연가스는 C이다.

10 석유의 국제 이동과 특징

자료분석 지도는 **서남아시아**에서 우리나라, 미국, 일본 등으로 많은 양이 이동하고 있다. 따라서 이 자원은 서남아시아에 매장량이 집중되어 있는 **석유**이다.

[선택지 분석]

① 주로 ~~가정용~~으로 이용된다.
↳ 수송용, 산업용

② 주로 ~~고기 조산대 주변~~에 매장되어 있다.
↳ 신생대 제3기층의 배사 구조

③ 고갈의 위험이 없는 재생 가능한 에너지이다.
➡ 석유는 고갈의 위험이 있는 재생 불가능한 자원이다.

④ 지역적으로 고르게 매장되어 있어 국제 이동량이 적은 편이다.
➡ 편재성이 커서 국제 이동량이 많다.

⑤ 내연 기관의 발명, 자동차의 보급 등으로 소비량이 급증하였다.
➡ 석유는 내연 기관의 발명(19세기), 자동차의 보급 등으로 소비량이 급증하였다.

11 신·재생 에너지별 특징

자료분석 (가), (나) 모두 신·재생 에너지로, **(가)는 태양광**, **(나)는 풍력**에 해당한다. 신·재생 에너지는 화석 연료를 대체할 친환경적인 에너지로, 대표적 신·재생 에너지로 태양광, 풍력, 지열 등이 있다.

[선택지 분석]

ㄱ (가)는 ~~판의 경계부에서~~ 개발 가능성이 높다.
↳ 일조량이 많은 지역에서
➡ 판의 경계부에서 개발 가능성이 높은 신·재생 에너지는 지열이다.

ㄴ (나)는 바람이 지속적으로 부는 지역에서 이용하기에 유리하다.

ㄷ (가)는 (나)보다 발전 시 소음 발생량이 ~~많다~~.
↳ 적다

ㄹ (가), (나)는 모두 발전량이 기상 조건의 영향을 많이 받는다.

12 미래 지구촌의 변화

[선택지 분석]

①ㄱ 인간의 생활 공간은 지역, 국가를 넘어서 세계로 확장되고 있을 뿐만 아니라, 최근에는 가상 현실로 삶의 공간 개념이 확대

②ㄴ 생명 공학은 난치병 치료와 회생 불가능한 환자의 생명을 연장하는 데 이바지

ㄷ 건강, 사회 복지, 환경 분야를 중심으로 직업이 ~~소멸~~
↳ 증가
➡ 인구 고령화와 환경 오염 등으로 인해 건강, 사회 복지, 환경 분야의 직업에 대한 수요는 더욱 증가할 것으로 예상된다.

④ㄹ 정보 통신 기술에 따른 정보 격차, 전자 감시 체계, 개인 정보 유출, 인터넷 중독 등과 같은 문제가 심화

⑤ㅁ 생명 공학의 발달로 인간의 정체성과 도덕적 가치의 혼란이 발생

13 히스패닉의 이동

채점 기준

상	긍정적 영향과 부정적 영향을 모두 정확하게 서술한 경우
중	긍정적 영향과 부정적 영향 중 한 가지만 정확하게 서술한 경우
하	긍정적 영향과 부정적 영향 모두 부정확하게 서술한 경우

14 우리나라의 인구 문제

채점 기준

상	저출산으로 발생하는 문제와 이에 대한 대책을 모두 정확하게 서술한 경우
중	저출산으로 발생하는 문제와 이에 대한 대책 중 한 가지만 정확하게 서술한 경우
하	저출산에 대해서만 서술한 경우

15 석유와 석탄의 특징

채점 기준

상	상용화된 시기, 세계 1차 에너지 소비 구조에서 차지하는 비중, 수송용으로 이용되는 비중을 모두 정확하게 서술한 경우
중	상용화된 시기, 세계 1차 에너지 소비 구조에서 차지하는 비중, 수송용으로 이용되는 비중 중 두 가지만 정확하게 서술한 경우
하	상용화된 시기, 세계 1차 에너지 소비 구조에서 차지하는 비중, 수송용으로 이용되는 비중 중 한 가지만 정확하게 서술한 경우

16 지구촌 시대에 우리의 태도

채점 기준

상	세계의 주인으로서 책임 있게 행동하기 위해서 가져야 할 태도 두 가지를 정확하게 서술한 경우
중	세계의 주인으로서 책임 있게 행동하기 위해서 가져야 할 태도 중 한 가지만 정확하게 서술한 경우
하	세계의 주인으로서 책임 있게 행동하기 위해서 가져야 할 태도 두 가지 모두 부정확하게 서술한 경우

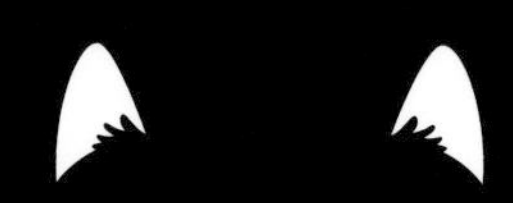

개념 학습과 정리가 한번에 끝나는 기본서

통합사회

사과탐 성적 향상 전략

개념 학습은?

개념풀

사과탐 실력의 기본은 개념,
개념을 알기 쉽게 풀어 이해가 쉬운
개념풀 기본서로 개념을 완성하세요.

사회	과학
통합사회	통합과학
한국사	물리학 I
생활과 윤리	화학 I
윤리와 사상	생명과학 I
한국지리	지구과학 I
세계지리	화학 II
정치와 법	생명과학 II
사회·문화	

시험 대비는?

개념풀 문제편

빠르게 내신 실력을 올리는 전략,
내신기출문제를 철저히 분석하여 구성한
개념풀 문제편으로 내신 만점에 도전하세요.

사회	과학
통합사회	통합과학
생활과 윤리	물리학 I
한국지리	화학 I
정치와 법	생명과학 I
사회·문화	지구과학 I

지학사 서포터즈 모집안내

모집 분야

개념 학습과 정리가 한번에 끝나는 기본서	수학을 쉽게 만들어 주는 자
개념풀	**풍산자**
• **대상** 고등학생(1~2학년)	• **대상** 중·고등학생(1~3학년)
• **모집 시기** 매년 3월, 12월	• **모집 시기** 매년 2월, 8월

활동 내용

❶ 교재 리뷰 작성

❷ 홍보 미션 수행

혜택

❶ 해당 시리즈 교재 중 1권 증정

❷ 미션 수행자에게 푸짐한 선물 증정

상기 모집 내용 및 일정은 사정에 따라 변동될 수 있습니다. 자세한 사항은 지학사 홈페이지 (www.jihak.co.kr)를 통해 공지됩니다.

발 행 인 권준구
발 행 처 (주)지학사 (등록번호 : 1957.3.18 제 13–11호) 04056 서울시 마포구 신촌로6길 5
발 행 일 2017년 12월 20일 [초판 1쇄] 2023년 9월 30일 [2판 3쇄]
구입 문의 TEL 02-330-5300 | FAX 02-325-8010 구입 후에는 철회되지 않으며, 잘못된 제품은 구입처에서 교환해 드립니다.
내용 문의 www.jihak.co.kr 전화번호는 홈페이지 〈고객센터 → 담당자 안내〉에 있습니다.

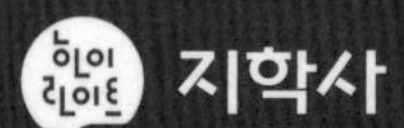

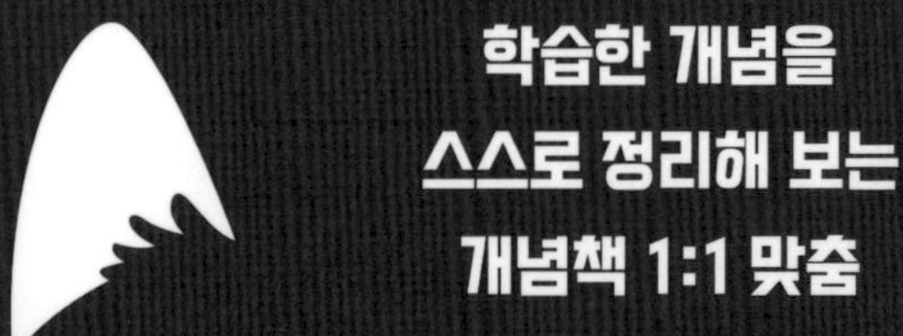

학습한 개념을
스스로 정리해 보는
개념책 1:1 맞춤

개념풀
통합사회

의 노트

개념 학습과 정리가 한번에 끝나는 기본서

개념풀

통합사회

개념책 1:1 맞춤

정리노트

contents

학습한 개념을 단권화 할 수 있는

개념풀 정리노트의 구성과 특징

정리노트를 작성하기 전, 대단원의 흐름을 살펴보면서 워밍업을 해 보세요.

❶ 노트 정리 전에 나만의 각오를 적고 마음을 다잡아 보아요.

학습 계획을 세워보는 것도 추천해요.

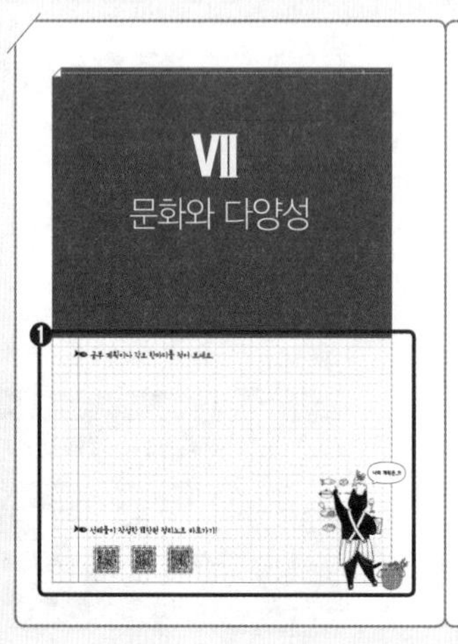

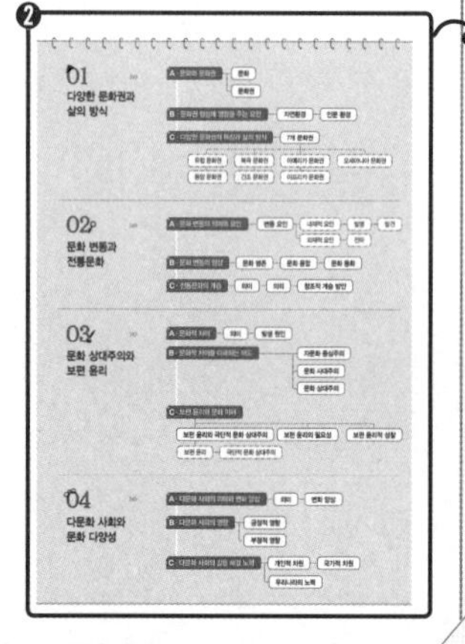

❷ 대단원의 흐름을 한번에 훑어 보세요. 공부했던 내용의 흐름이 기억날 거예요.

중단원의 세부 내용까지 기억한다면 진짜 대단한 친구! 기억나지 않아도 걱정 마세요. 이제부터 시작이니까요.

중단원별 중요 내용의 구조를 보고, 개념을 정리하세요.

❶ 선배들이 개념책을 보고 중단원 전체의 소제목과 내용 구조를 정리했어요.

무엇이 중요하고 무엇을 꼭 정리하여 공부해야 하는지 알 수 있어요.

❷ 문제풀이를 하면서 헷갈렸던 내용, 선생님과 수업하면서 새롭게 알게 된 내용 등을 자유롭게 적어보세요.

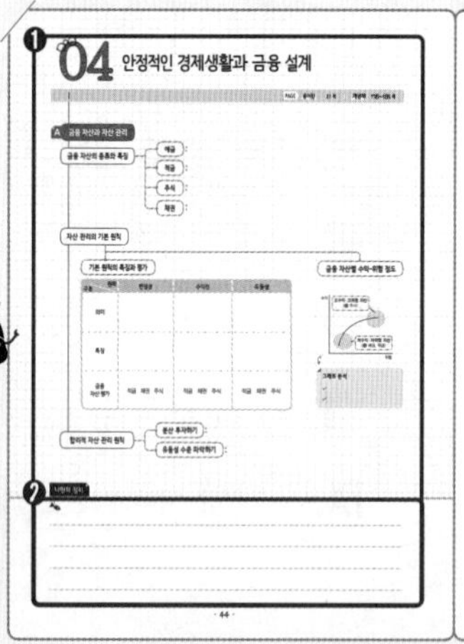

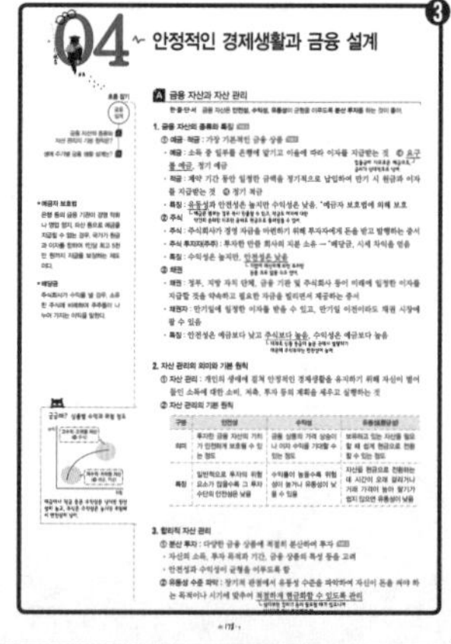

❸ 어디서부터 어떻게 정리해야 할지 모른다구요? 개념책을 펴 보세요. 흐름이 같지요? 개념책의 내용을 나만의 스타일로 정리해 보세요.

정리노트를 사용하는 2가지 방법

1. 개념책이나 교과서를 펴 놓고 중요 개념을 보면서 써 보기!
2. 외웠던 것을 확인하는 차원에서 스스로 정리해 보기!

정리노트를 작성하기가 막막하다면? 정리노트를 다시 쓰고 싶다면?

지학사 홈페이지(www.jihak.co.kr) 참고서 자료실에 들어오면, 빈 노트와 선배들의 정리노트를 다운받을 수 있어!

노트 정리 노하우를 볼 수 있는

선배들의 정리노트 이야기

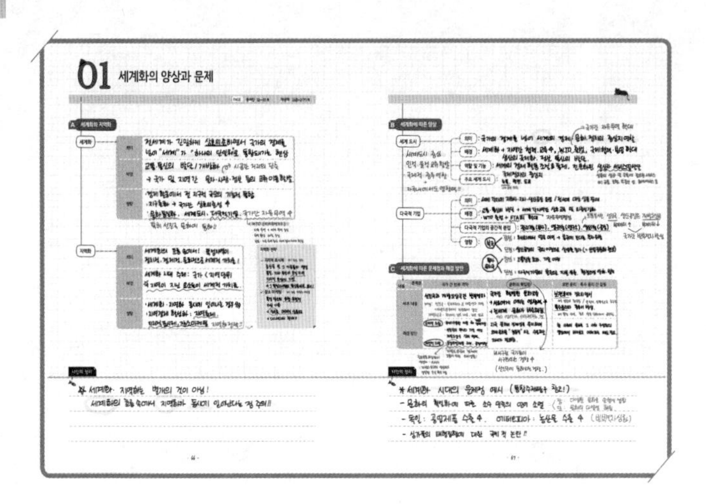
01 세계화의 양상과 문제

구인영 서울대 재학생

“개념풀 정리노트는 단원의 전체 흐름은 어떤지, 어떤 개념이 중요한지 한눈에 알 수 있도록 구성되어 있어. 하단에 자유롭게 적어볼 수 있는 넉넉한 공간도 있어 모르는 내용을 정리해 놓기 너무 좋아!”

◂ 구인영 학생의 노트 바로가기

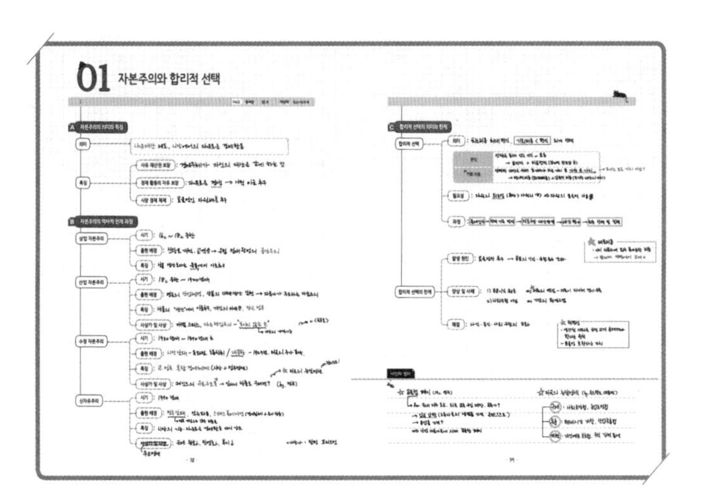
01 자본주의와 합리적 선택

김해랑 서울대 재학생

“꼭 외워야 하는 개념을 노트에 정리하고 싶어도 시간이 오래 걸려서 힘들었는데, 개념풀 정리노트에는 정리하기 쉽게 표와 그래프가 있어 필기할 시간도 절약되고 너무 좋아!”

◂ 김해랑 학생의 노트 바로가기

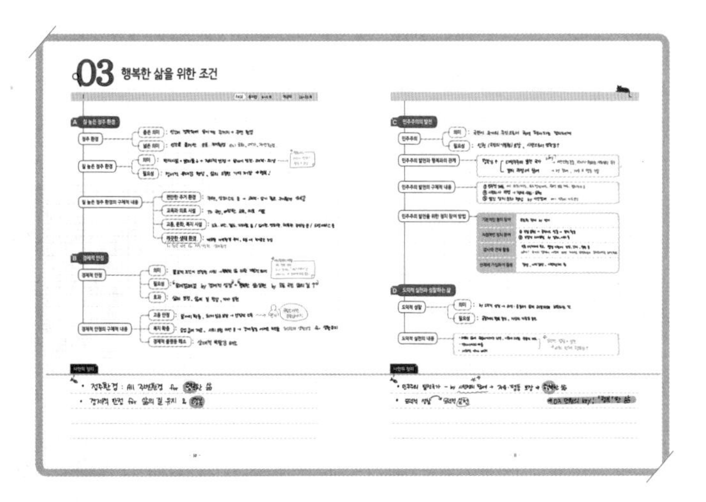
03 행복한 삶을 위한 조건

성예림 고려대 재학생

“시험 기간에 노트 정리를 하며 공부하려고 하면 막상 빈 노트에 무엇부터 써야 하는지 막막하잖아. 개념풀 정리노트는 빈 노트에 정리하기 두려운 친구들에게 조금이나마 도움이 될 거야!”

◂ 성예림 학생의 노트 바로가기

I

인간, 사회, 환경과 행복

공부 계획이나 각오 한마디를 적어 보세요.

선배들이 작성한 I 단원 정리노트 바로가기!

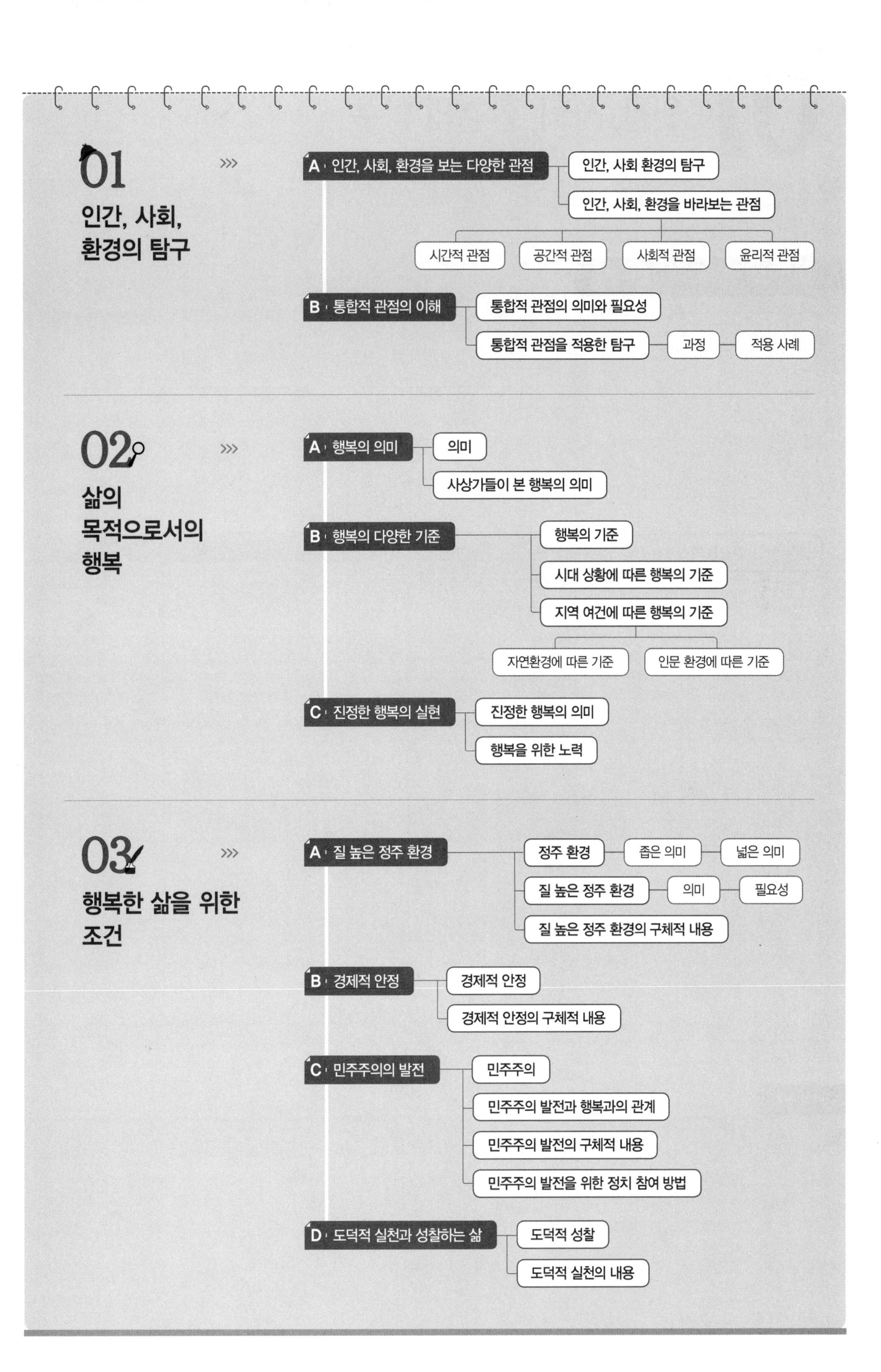
01
인간, 사회, 환경의 탐구
A 인간, 사회, 환경을 보는 다양한 관점
인간, 사회 환경의 탐구
인간, 사회, 환경을 바라보는 관점
시간적 관점
공간적 관점
사회적 관점
윤리적 관점
B 통합적 관점의 이해
통합적 관점의 의미와 필요성
통합적 관점을 적용한 탐구
과정
적용 사례
02
삶의 목적으로서의 행복
A 행복의 의미
의미
사상가들이 본 행복의 의미
B 행복의 다양한 기준
행복의 기준
시대 상황에 따른 행복의 기준
지역 여건에 따른 행복의 기준
자연환경에 따른 기준
인문 환경에 따른 기준
C 진정한 행복의 실현
진정한 행복의 의미
행복을 위한 노력
03
행복한 삶을 위한 조건
A 질 높은 정주 환경
정주 환경
좁은 의미
넓은 의미
질 높은 정주 환경
의미
필요성
질 높은 정주 환경의 구체적 내용
B 경제적 안정
경제적 안정
경제적 안정의 구체적 내용
C 민주주의의 발전
민주주의
민주주의 발전과 행복과의 관계
민주주의 발전의 구체적 내용
민주주의 발전을 위한 정치 참여 방법
D 도덕적 실천과 성찰하는 삶
도덕적 성찰
도덕적 실천의 내용

01 인간, 사회, 환경의 탐구

PAGE 용어집 2 쪽 | 개념책 12~19 쪽

A 인간, 사회, 환경을 보는 다양한 관점

인간, 사회, 환경의 탐구

인간, 사회, 환경을 바라보는 관점

	시간적 관점	공간적 관점	사회적 관점	윤리적 관점
의미				
특징				
탐구 방법				
탐구 사례				

나만의 정리

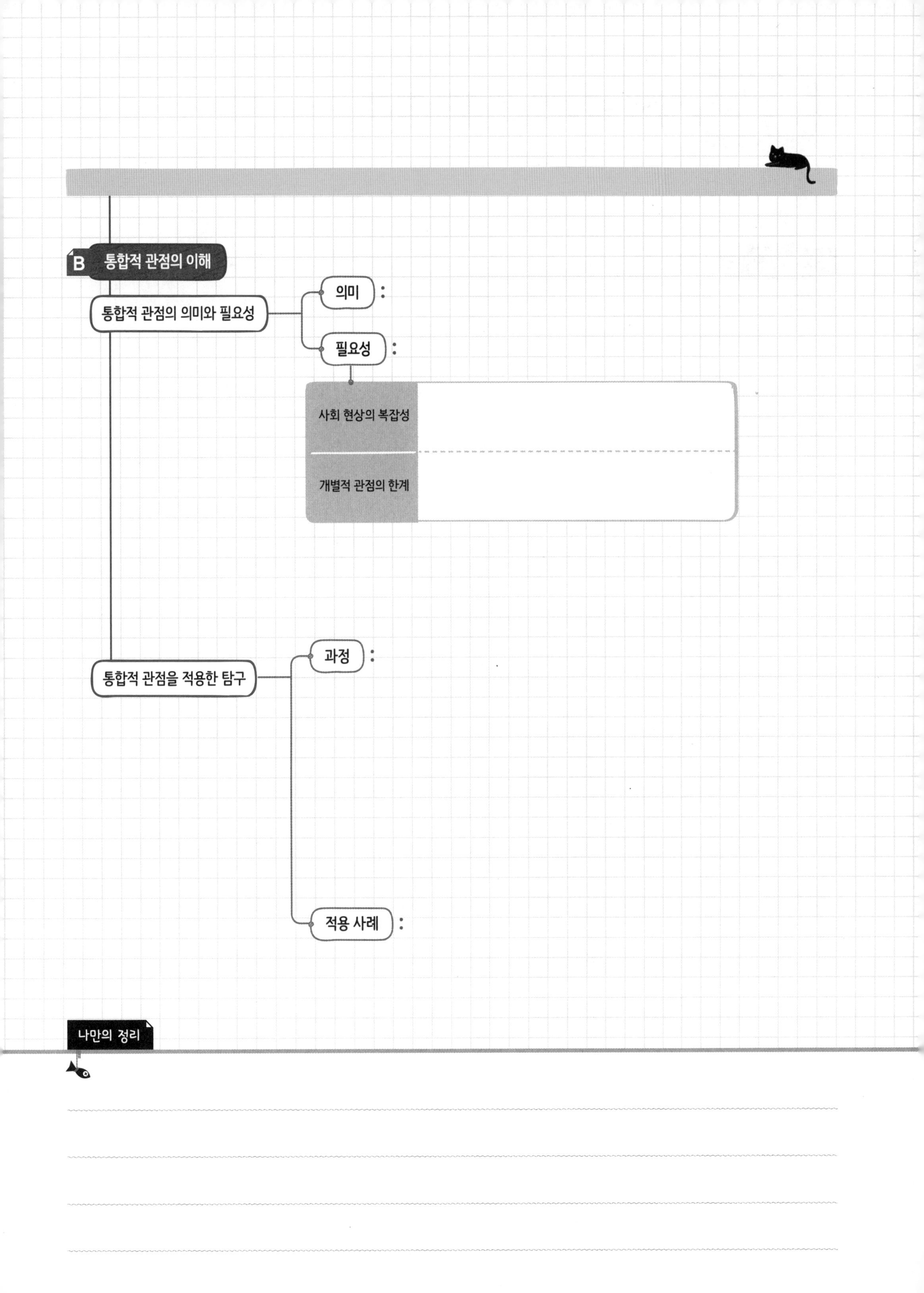

B 통합적 관점의 이해
통합적 관점의 의미와 필요성
의미 :
필요성 :
사회 현상의 복잡성
개별적 관점의 한계
통합적 관점을 적용한 탐구
과정 :
적용 사례 :
나만의 정리

02 삶의 목적으로서의 행복

PAGE 용어집 3 쪽 | 개념책 20~25 쪽

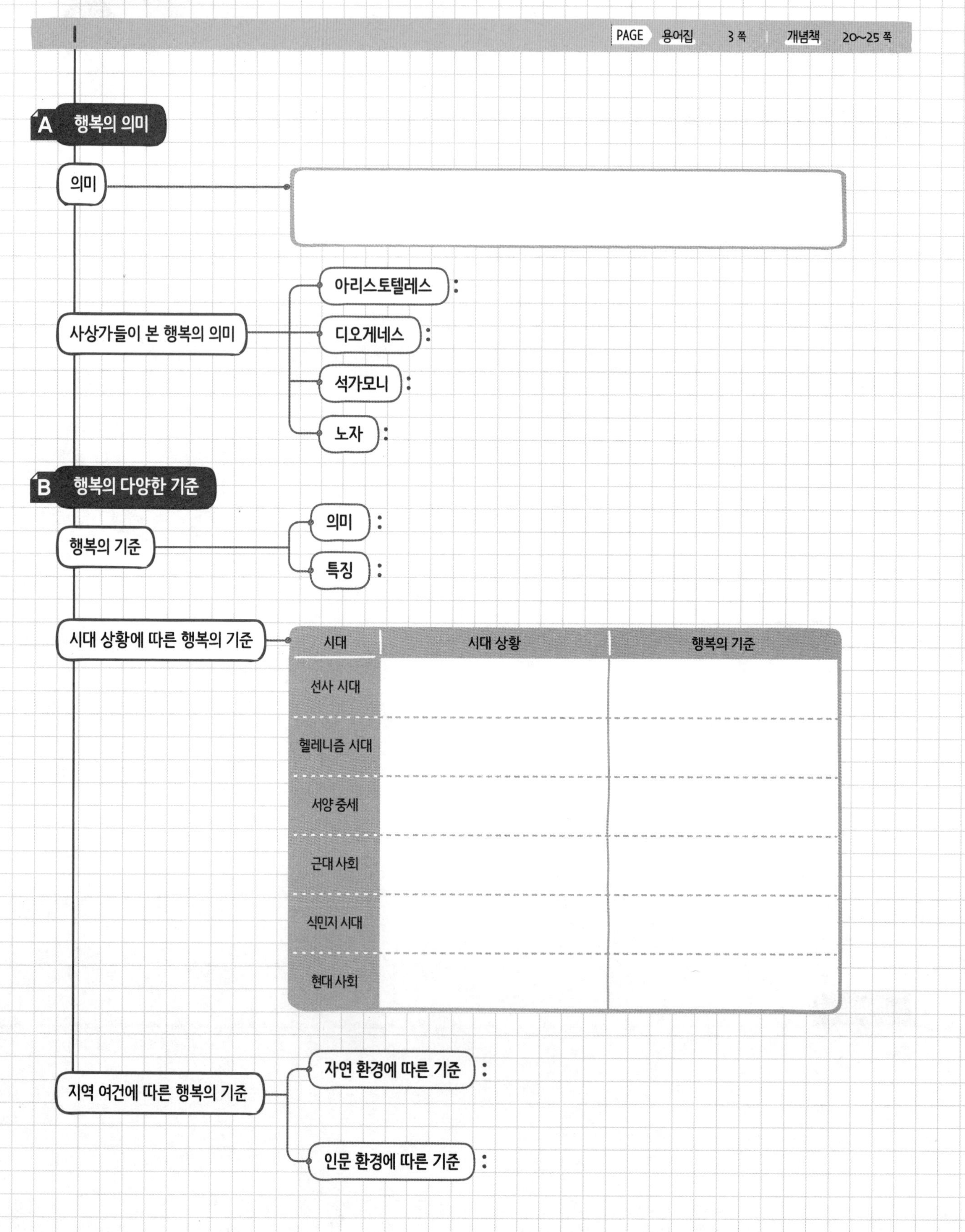

시대	시대 상황	행복의 기준
선사 시대		
헬레니즘 시대		
서양 중세		
근대 사회		
식민지 시대		
현대 사회		

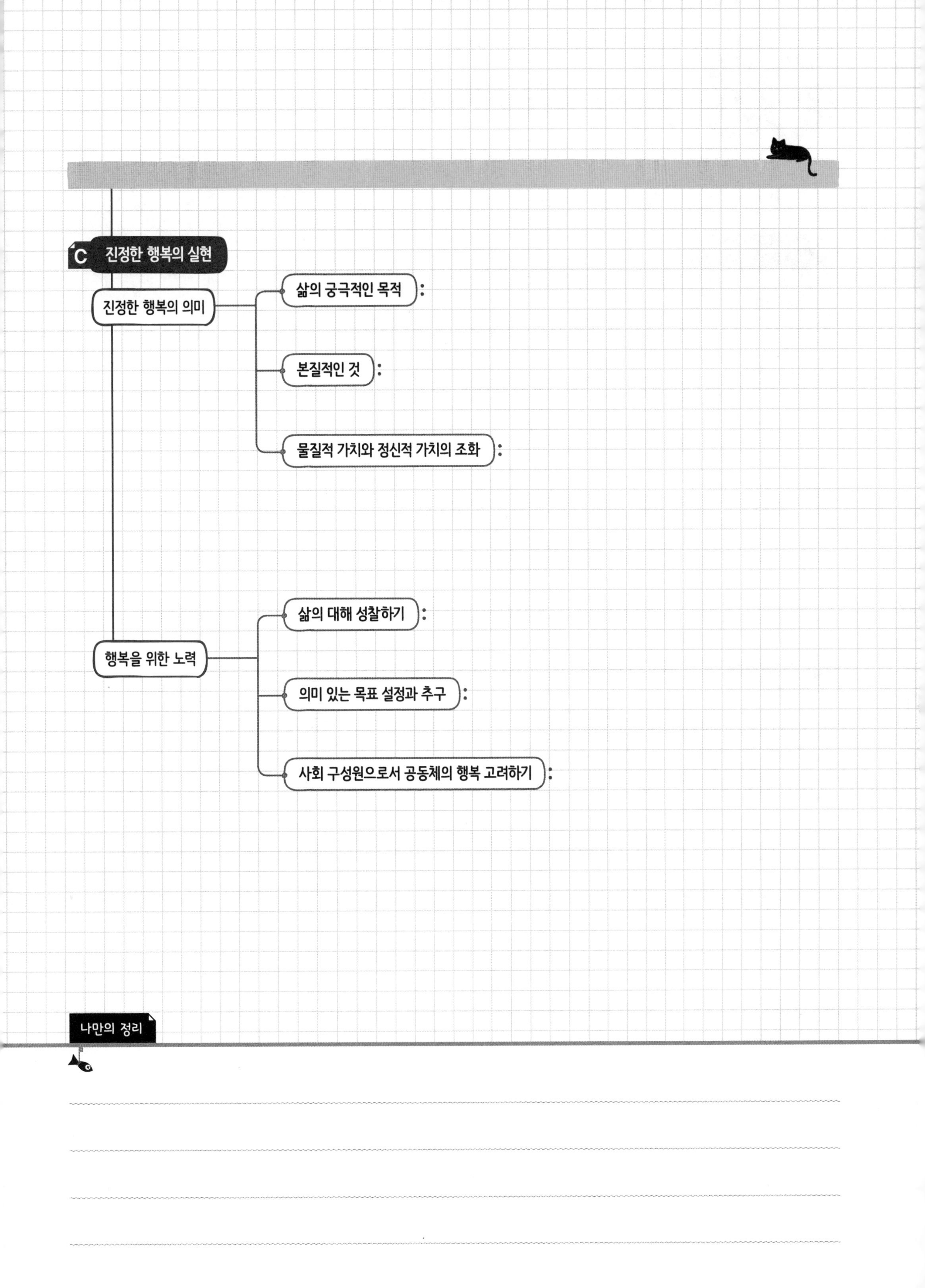
C 진정한 행복의 실현
진정한 행복의 의미
삶의 궁극적인 목적 :
본질적인 것 :
물질적 가치와 정신적 가치의 조화 :
행복을 위한 노력
삶의 대해 성찰하기 :
의미 있는 목표 설정과 추구 :
사회 구성원으로서 공동체의 행복 고려하기 :
나만의 정리

03 행복한 삶을 위한 조건

PAGE 용어집 4~5 쪽 | 개념책 26~35 쪽

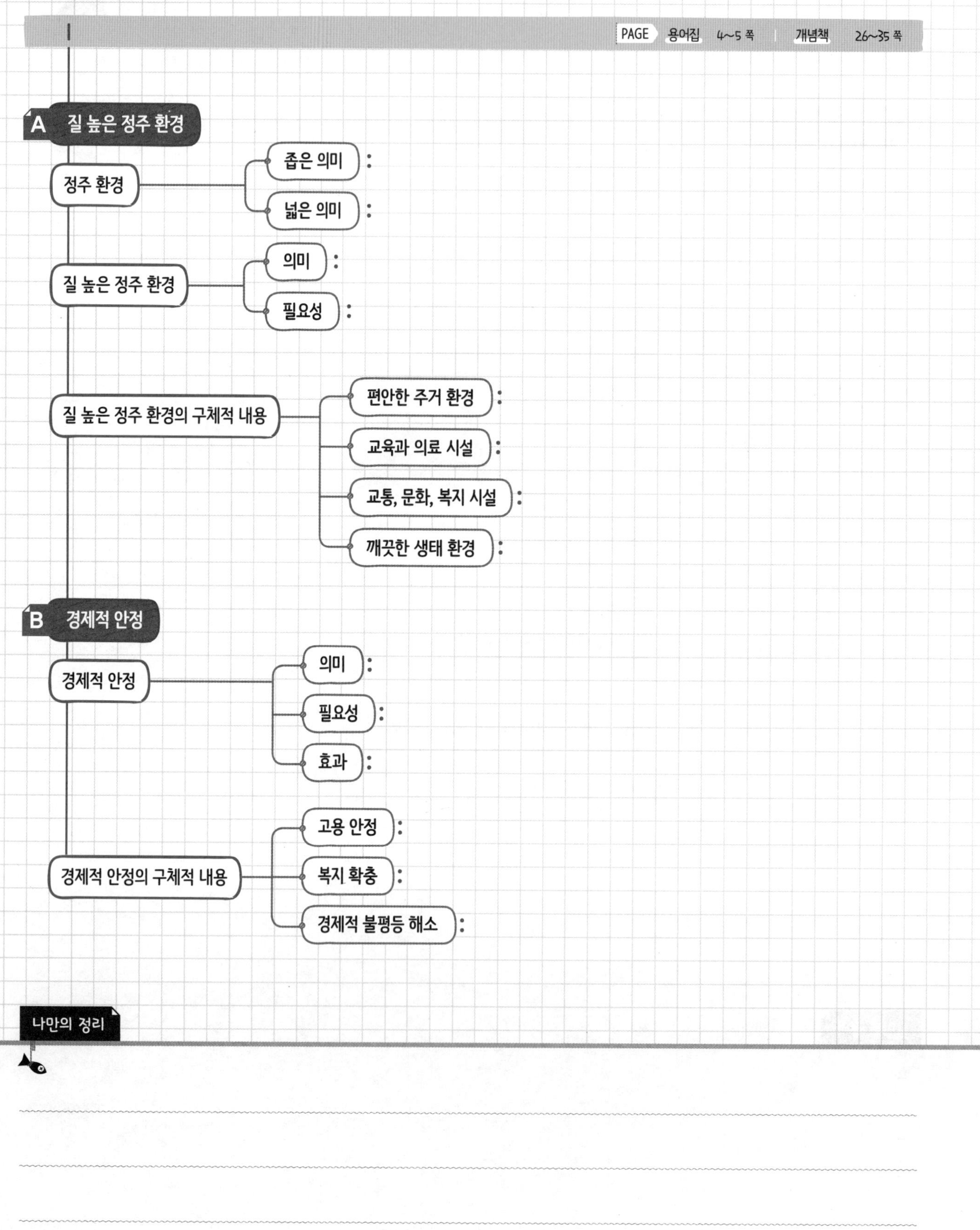

나만의 정리

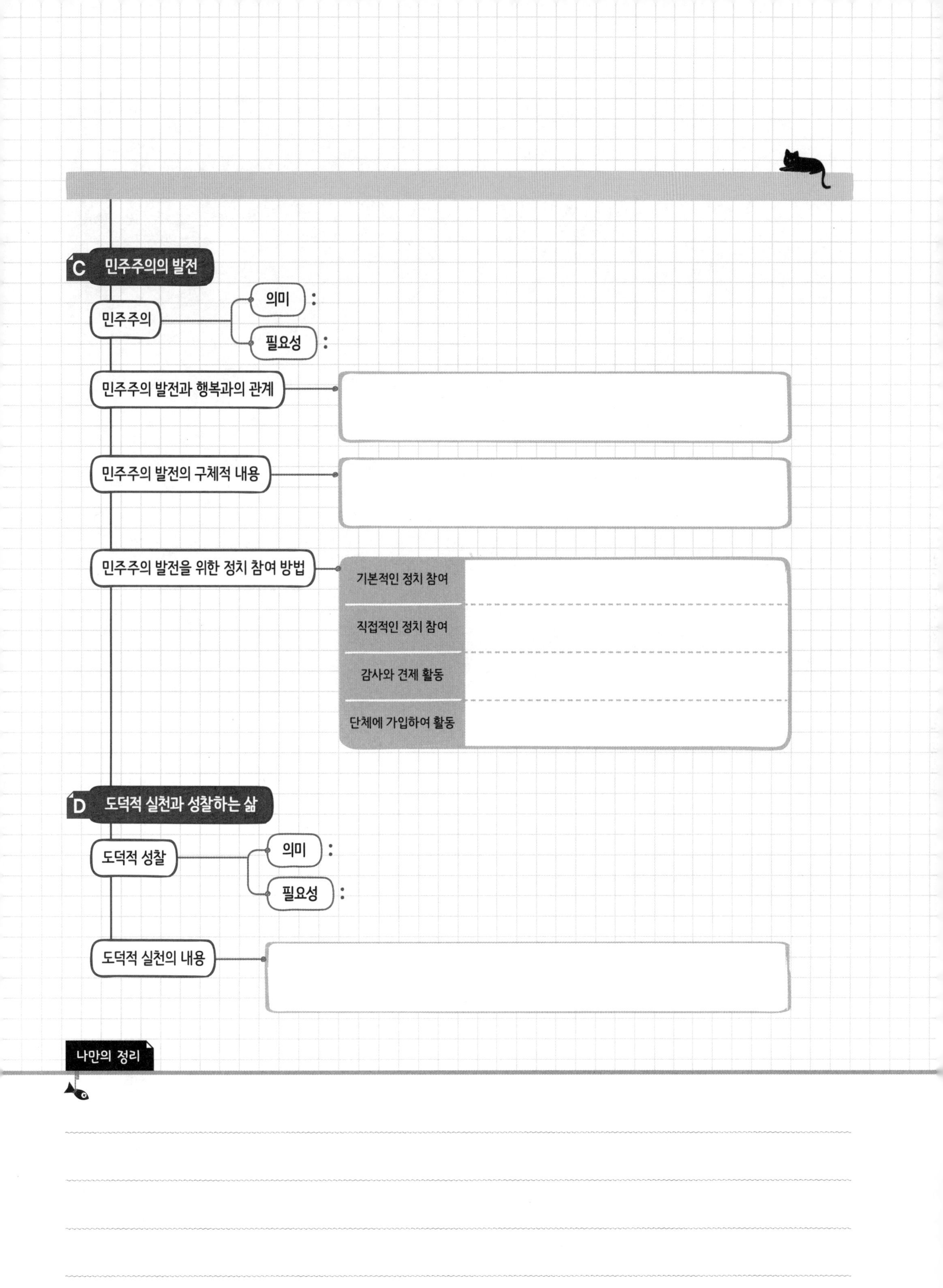
C 민주주의의 발전
민주주의
의미 :
필요성 :
민주주의 발전과 행복과의 관계
민주주의 발전의 구체적 내용
민주주의 발전을 위한 정치 참여 방법
기본적인 정치 참여
직접적인 정치 참여
감사와 견제 활동
단체에 가입하여 활동
D 도덕적 실천과 성찰하는 삶
도덕적 성찰
의미 :
필요성 :
도덕적 실천의 내용
나만의 정리

Ⅱ 자연환경과 인간

공부 계획이나 각오 한마디를 적어 보세요.

선배들이 작성한 Ⅱ단원 정리노트 바로가기!

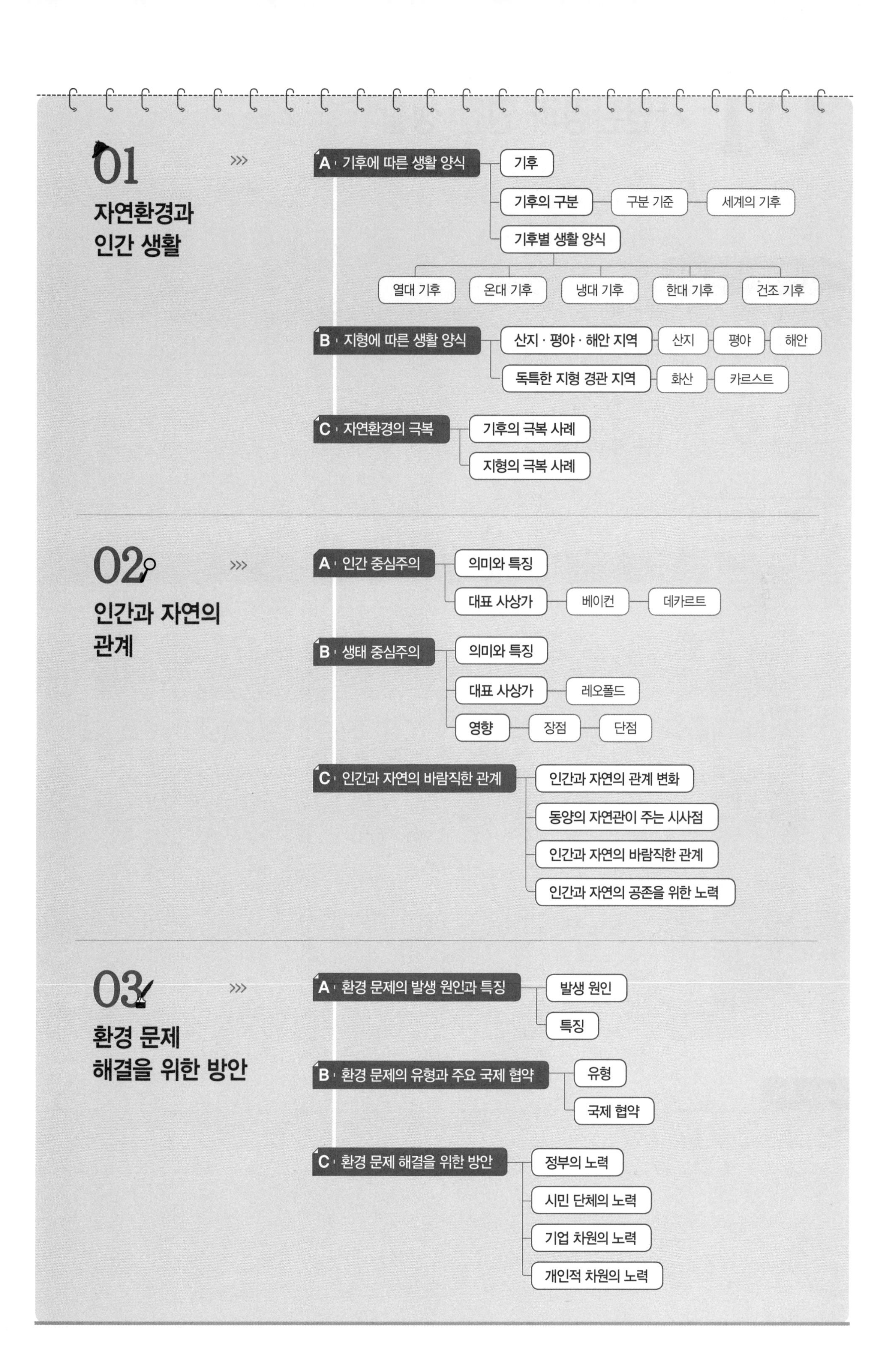
01
자연환경과
인간 생활
A 기후에 따른 생활 양식
기후
기후의 구분
구분 기준
세계의 기후
기후별 생활 양식
열대 기후
온대 기후
냉대 기후
한대 기후
건조 기후
B 지형에 따른 생활 양식
산지 · 평야 · 해안 지역
산지
평야
해안
독특한 지형 경관 지역
화산
카르스트
C 자연환경의 극복
기후의 극복 사례
지형의 극복 사례
02
인간과 자연의
관계
A 인간 중심주의
의미와 특징
대표 사상가
베이컨
데카르트
B 생태 중심주의
의미와 특징
대표 사상가
레오폴드
영향
장점
단점
C 인간과 자연의 바람직한 관계
인간과 자연의 관계 변화
동양의 자연관이 주는 시사점
인간과 자연의 바람직한 관계
인간과 자연의 공존을 위한 노력
03
환경 문제
해결을 위한 방안
A 환경 문제의 발생 원인과 특징
발생 원인
특징
B 환경 문제의 유형과 주요 국제 협약
유형
국제 협약
C 환경 문제 해결을 위한 방안
정부의 노력
시민 단체의 노력
기업 차원의 노력
개인적 차원의 노력

01 자연환경과 인간 생활

PAGE 용어집 6~7 쪽 개념책 44~57 쪽

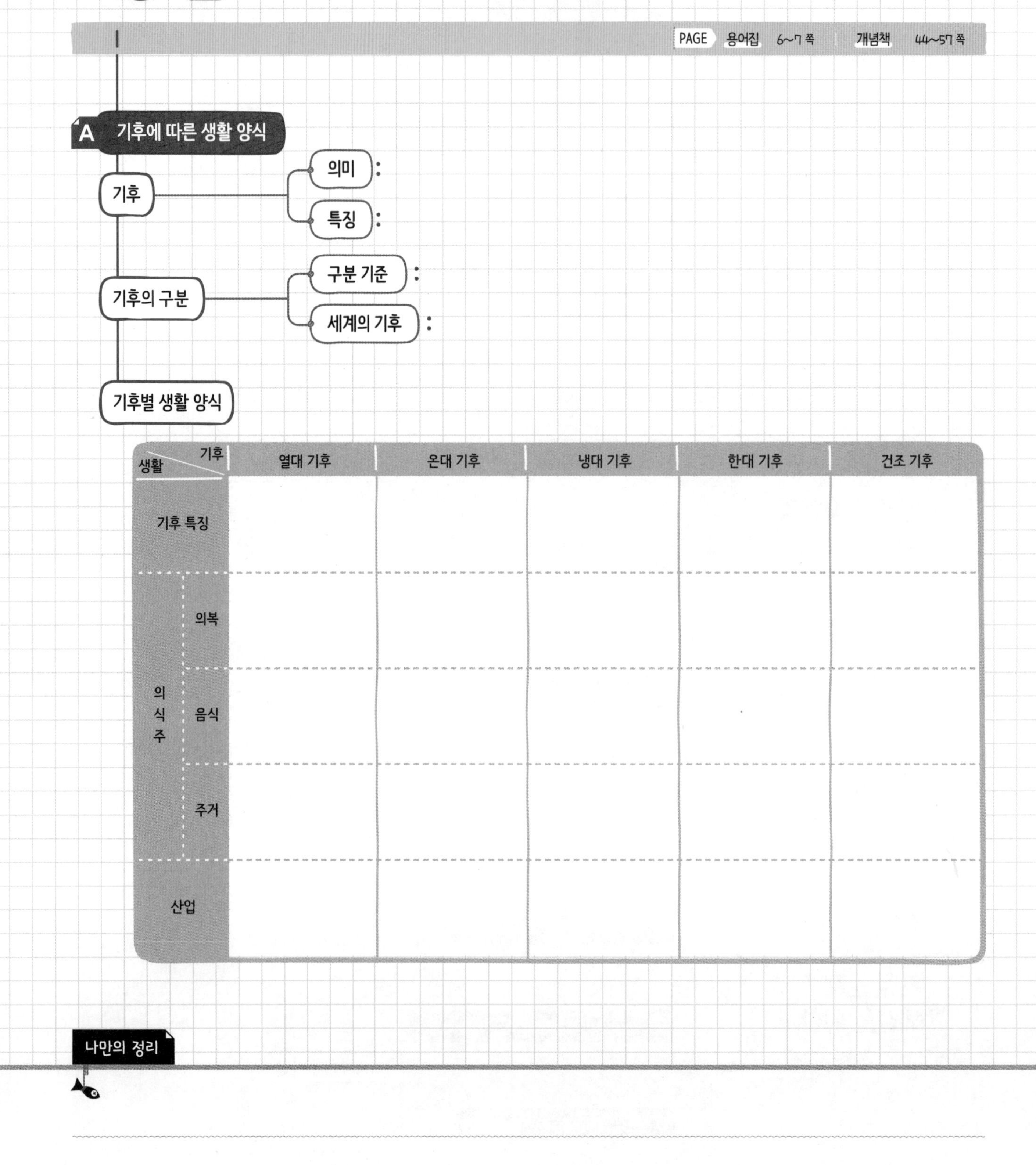

생활 \ 기후		열대 기후	온대 기후	냉대 기후	한대 기후	건조 기후
기후 특징						
의식주	의복					
	음식					
	주거					
산업						

나만의 정리

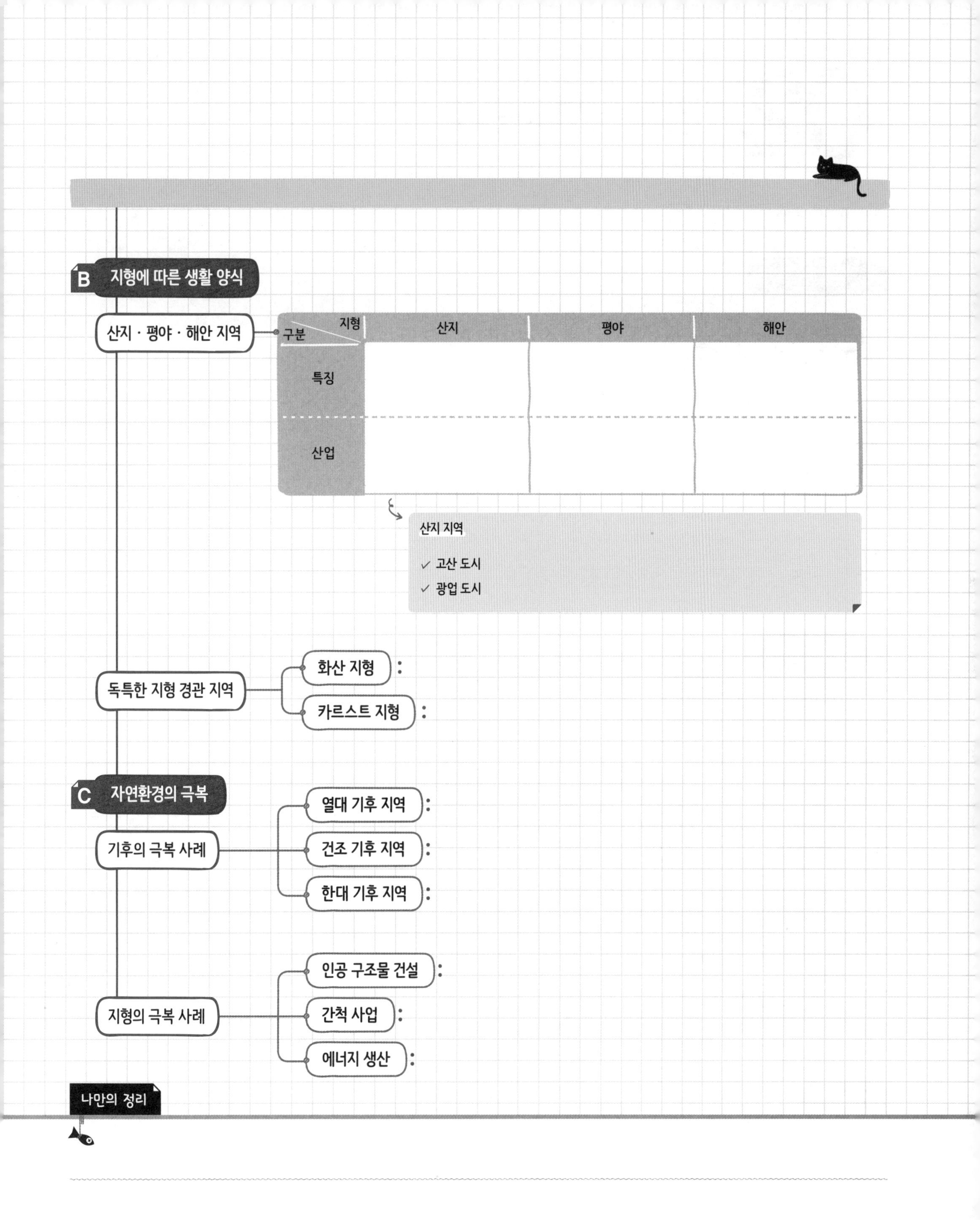

B 지형에 따른 생활 양식
산지 · 평야 · 해안 지역
지형
구분
산지
평야
해안
특징
산업
산지 지역
✓ 고산 도시
✓ 광업 도시
독특한 지형 경관 지역
화산 지형 :
카르스트 지형 :
C 자연환경의 극복
기후의 극복 사례
열대 기후 지역 :
건조 기후 지역 :
한대 기후 지역 :
지형의 극복 사례
인공 구조물 건설 :
간척 사업 :
에너지 생산 :

나만의 정리

02 인간과 자연의 관계

PAGE 용어집 8 쪽 | 개념책 58~67 쪽

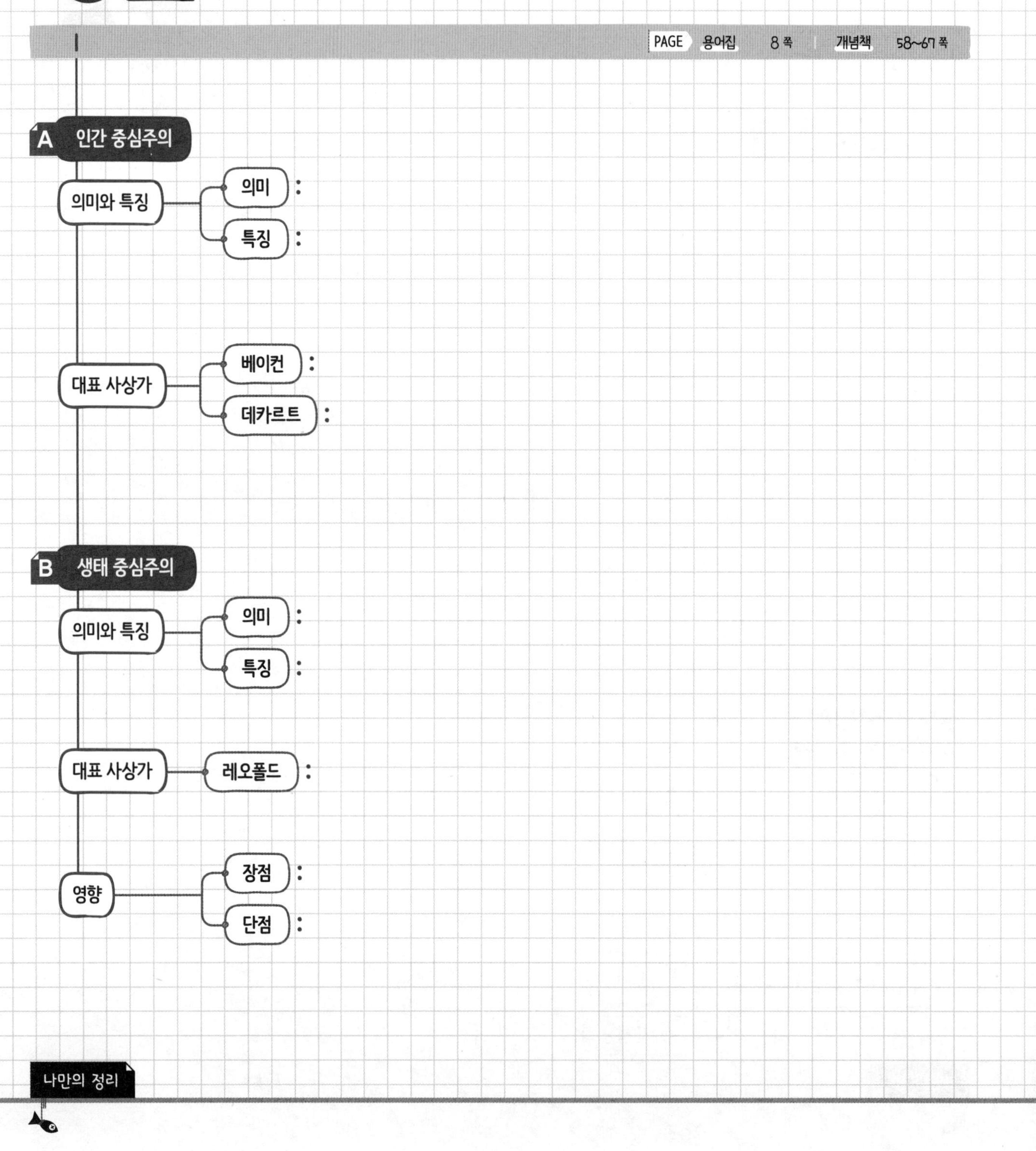

나만의 정리

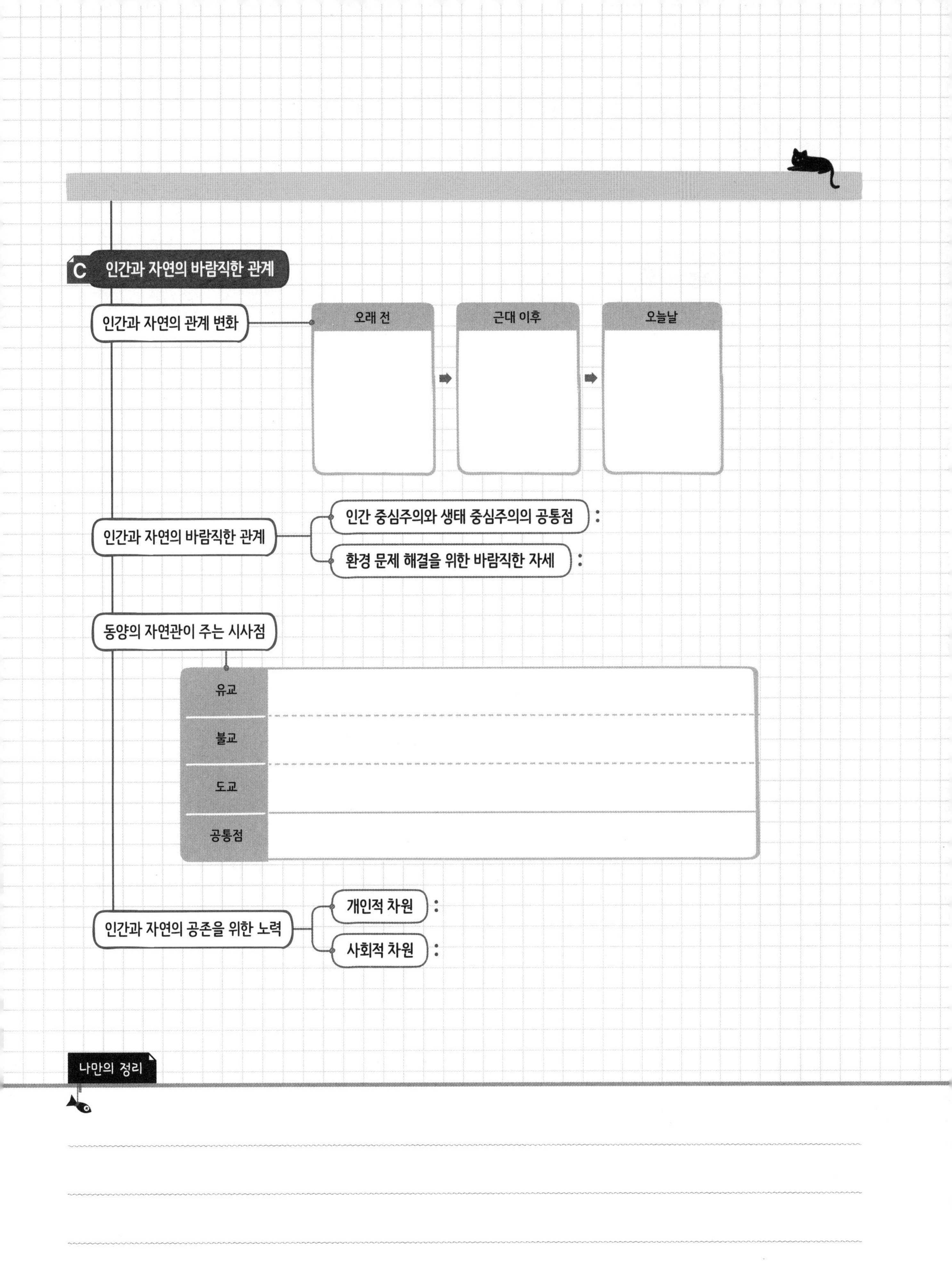
C 인간과 자연의 바람직한 관계
인간과 자연의 관계 변화
오래 전
근대 이후
오늘날
인간과 자연의 바람직한 관계
인간 중심주의와 생태 중심주의의 공통점 :
환경 문제 해결을 위한 바람직한 자세 :
동양의 자연관이 주는 시사점
유교
불교
도교
공통점
인간과 자연의 공존을 위한 노력
개인적 차원 :
사회적 차원 :
나만의 정리

03 환경 문제 해결을 위한 방안

PAGE 용어집 9 쪽 | 개념책 68~73 쪽

A 환경 문제의 발생 원인과 특징

발생 원인

특징

B 환경 문제의 유형과 주요 국제 협약

유형

유형	원인	영향
지구 온난화		
오존층 파괴		
사막화		
산성비		
열대 우림 파괴		

국제 협약

협약	특징
기후 변화 협약	
람사르 협약	
몬트리올 의정서	
사막화 방지 협약	
바젤 협약	
생물 다양성 협약	
제네바 협약	

나만의 정리

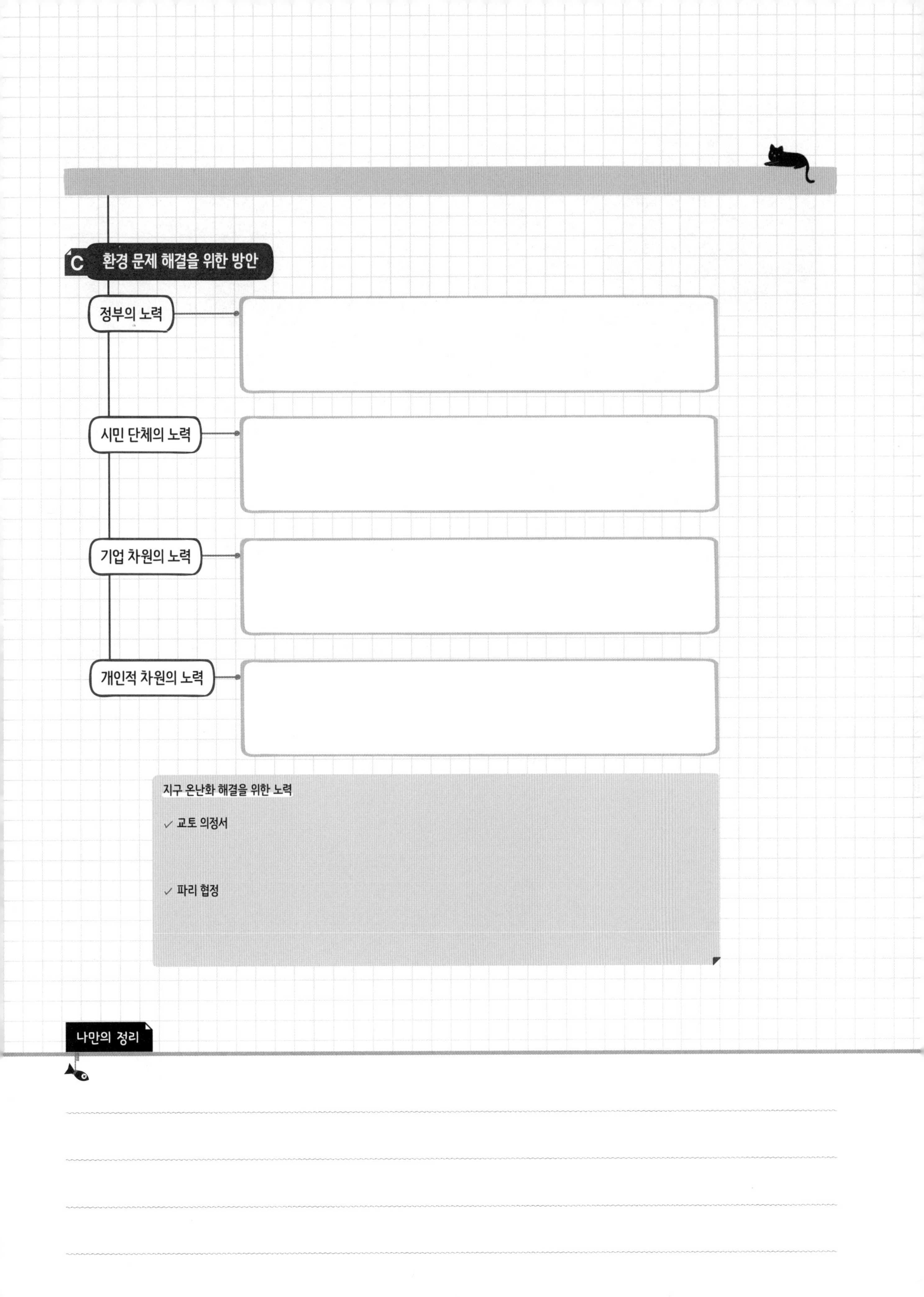
C 환경 문제 해결을 위한 방안
정부의 노력
시민 단체의 노력
기업 차원의 노력
개인적 차원의 노력
지구 온난화 해결을 위한 노력
✓ 교토 의정서
✓ 파리 협정
나만의 정리

생활 공간과 사회

공부 계획이나 각오 한마디를 적어 보세요.

선배들이 작성한 Ⅲ단원 정리노트 바로가기!

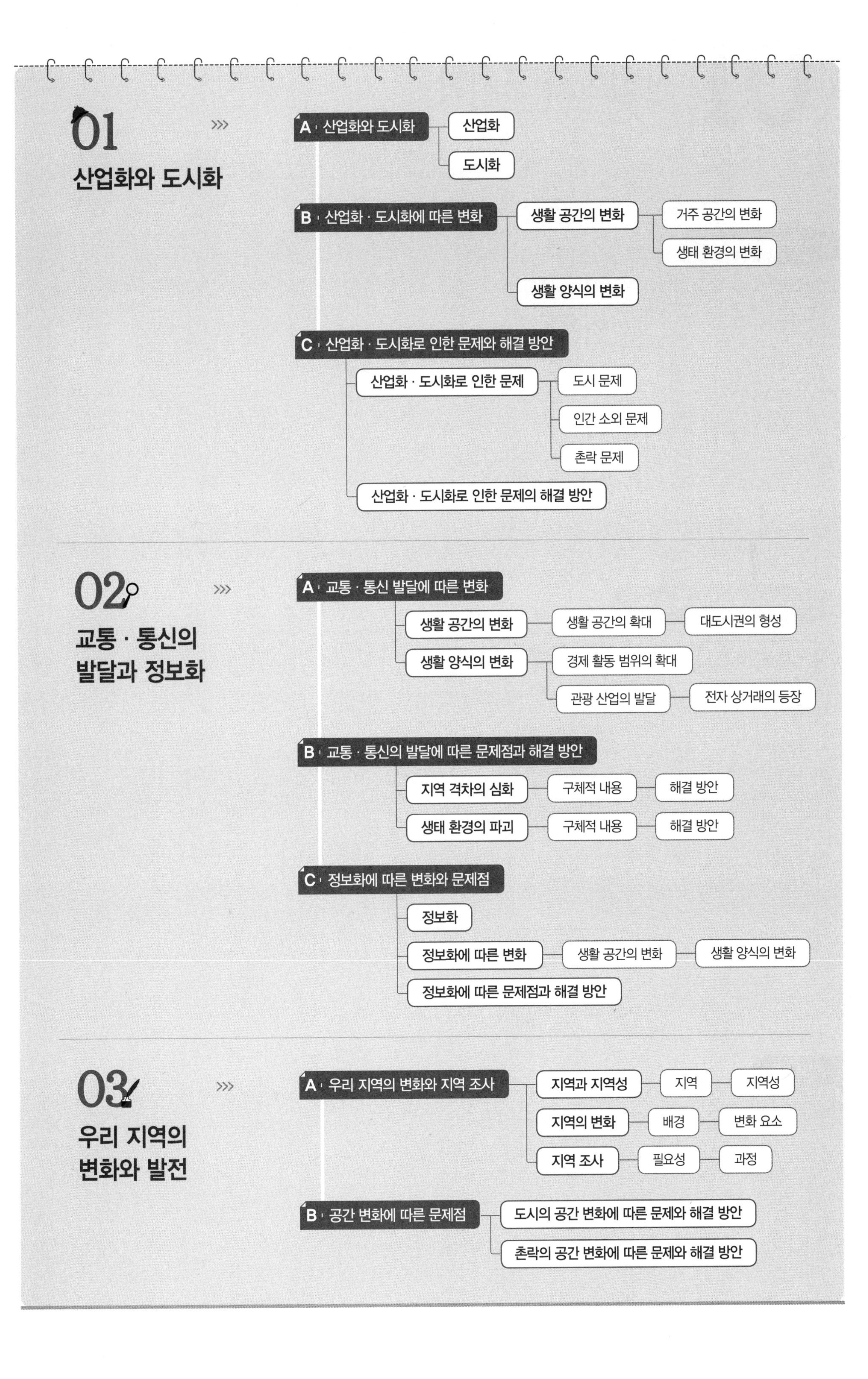
01
산업화와 도시화
A 산업화와 도시화
산업화
도시화
B 산업화 · 도시화에 따른 변화
생활 공간의 변화
거주 공간의 변화
생태 환경의 변화
생활 양식의 변화
C 산업화 · 도시화로 인한 문제와 해결 방안
산업화 · 도시화로 인한 문제
도시 문제
인간 소외 문제
촌락 문제
산업화 · 도시화로 인한 문제의 해결 방안
02
교통 · 통신의 발달과 정보화
A 교통 · 통신 발달에 따른 변화
생활 공간의 변화
생활 공간의 확대
대도시권의 형성
생활 양식의 변화
경제 활동 범위의 확대
관광 산업의 발달
전자 상거래의 등장
B 교통 · 통신의 발달에 따른 문제점과 해결 방안
지역 격차의 심화
구체적 내용
해결 방안
생태 환경의 파괴
구체적 내용
해결 방안
C 정보화에 따른 변화와 문제점
정보화
정보화에 따른 변화
생활 공간의 변화
생활 양식의 변화
정보화에 따른 문제점과 해결 방안
03
우리 지역의 변화와 발전
A 우리 지역의 변화와 지역 조사
지역과 지역성
지역
지역성
지역의 변화
배경
변화 요소
지역 조사
필요성
과정
B 공간 변화에 따른 문제점
도시의 공간 변화에 따른 문제와 해결 방안
촌락의 공간 변화에 따른 문제와 해결 방안

01 산업화와 도시화

PAGE 용어집 10 쪽 | 개념책 82~91 쪽

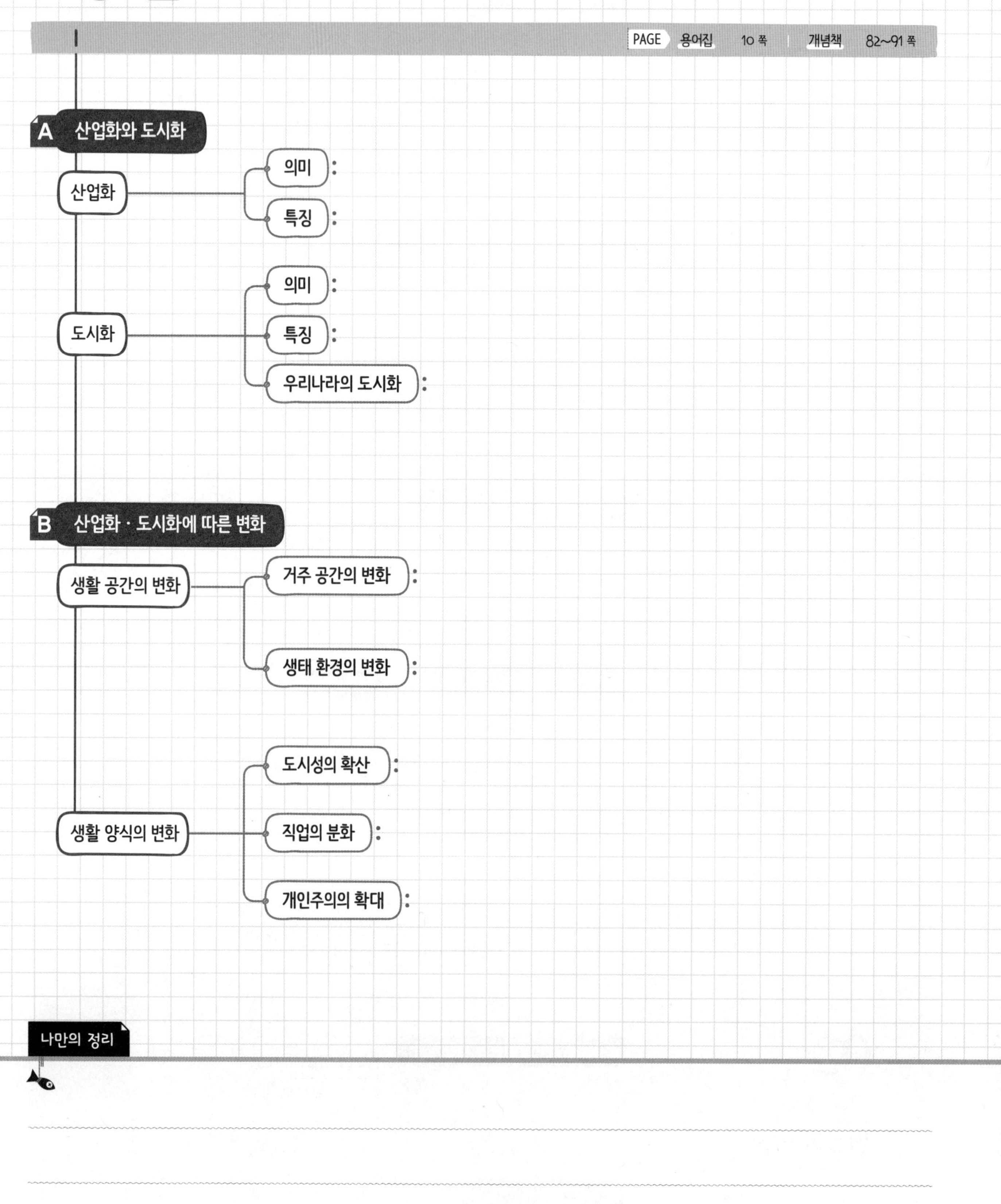

나만의 정리

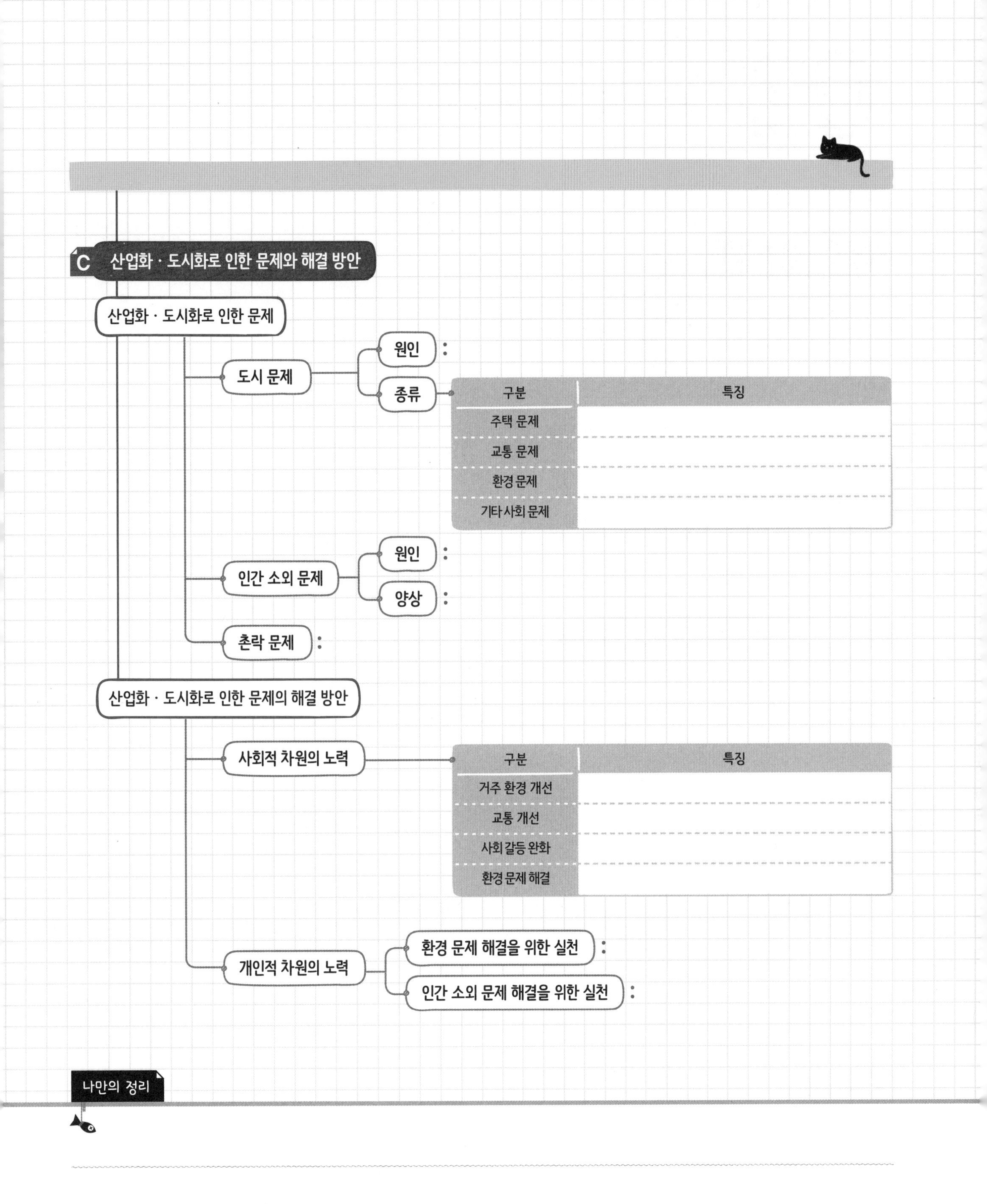

C 산업화 · 도시화로 인한 문제와 해결 방안

산업화 · 도시화로 인한 문제

- 도시 문제
  - 원인 :
  - 종류

구분	특징
주택 문제	
교통 문제	
환경 문제	
기타 사회 문제	

- 인간 소외 문제
  - 원인 :
  - 양상 :
- 촌락 문제 :

산업화 · 도시화로 인한 문제의 해결 방안

- 사회적 차원의 노력

구분	특징
거주 환경 개선	
교통 개선	
사회 갈등 완화	
환경 문제 해결	

- 개인적 차원의 노력
  - 환경 문제 해결을 위한 실천 :
  - 인간 소외 문제 해결을 위한 실천 :

나만의 정리

02 교통 · 통신의 발달과 정보화

PAGE 용어집 11~12 쪽 | 개념책 92~101 쪽

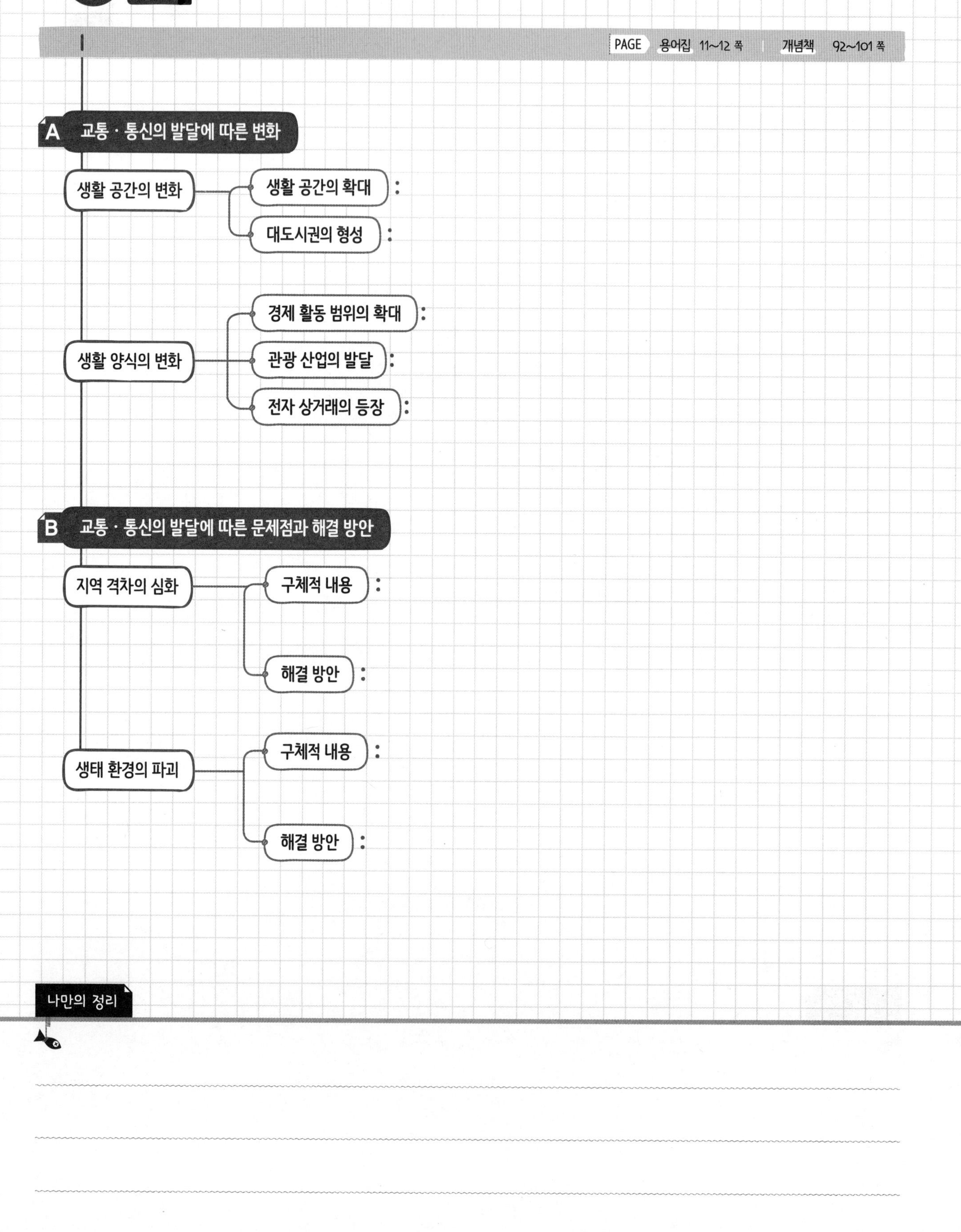

나만의 정리

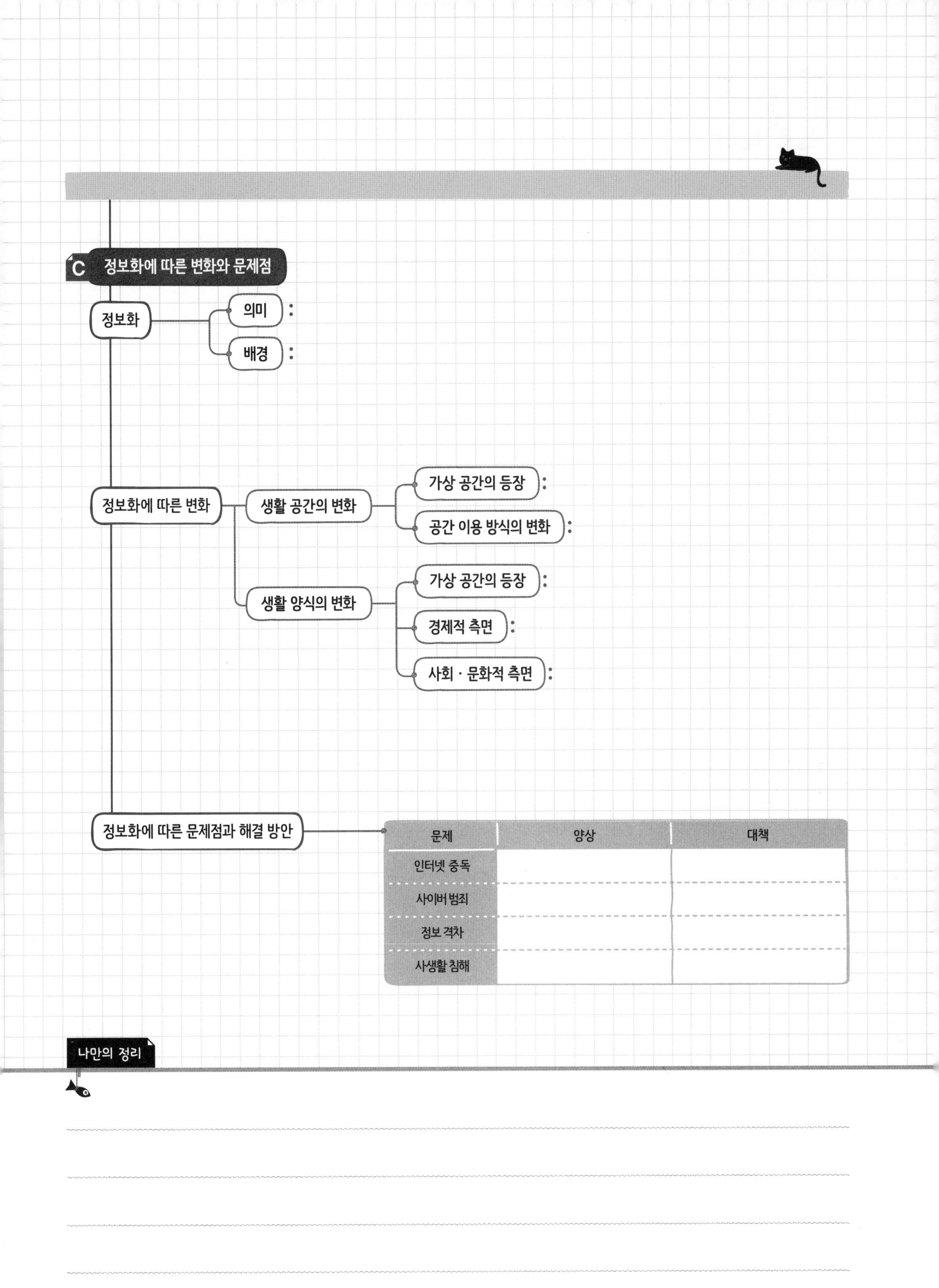

문제	양상	대책
인터넷 중독		
사이버 범죄		
정보 격차		
사생활 침해		

나만의 정리

03 우리 지역의 변화와 발전

PAGE 용어집 13 쪽 | 개념책 102~109 쪽

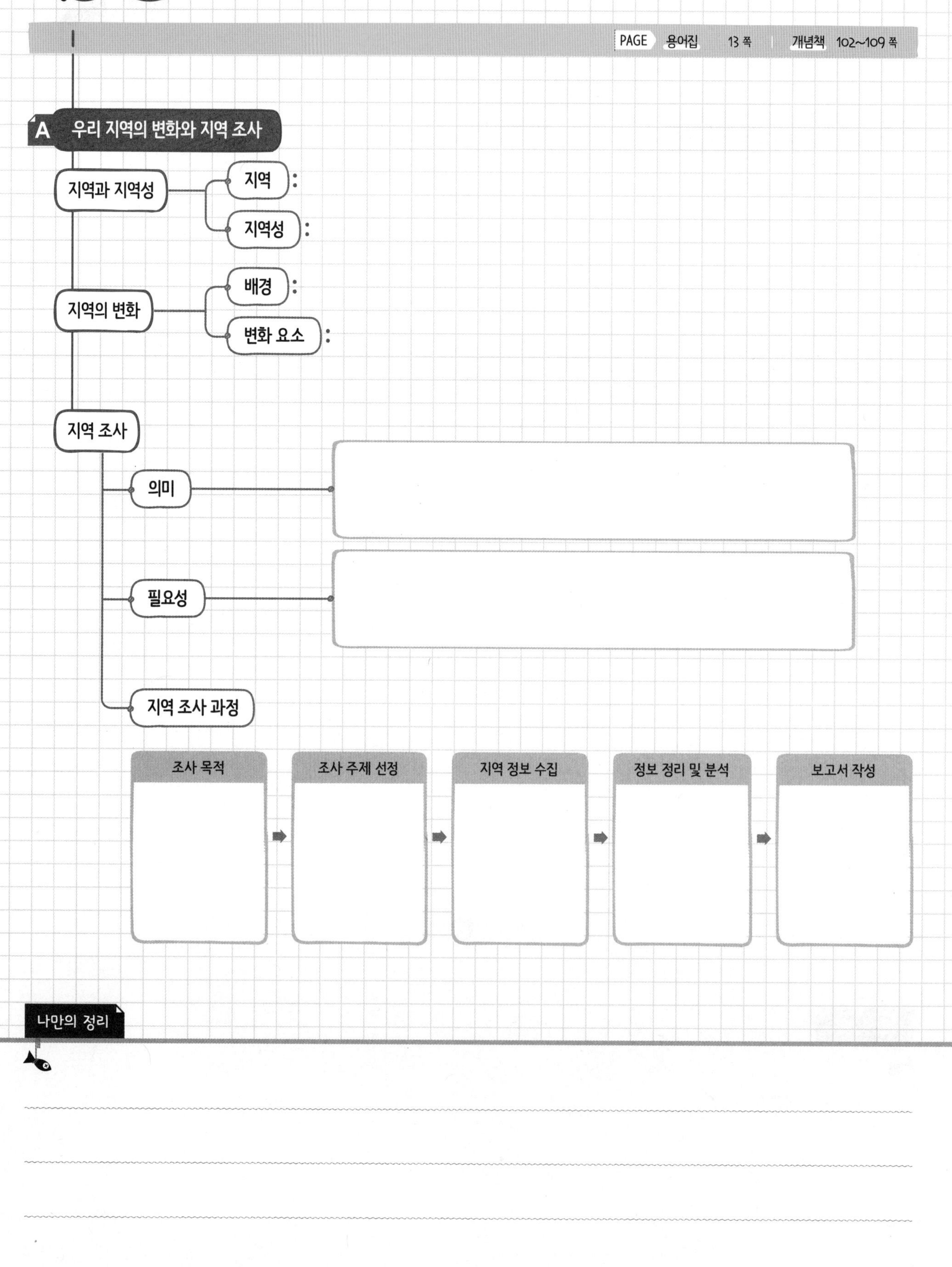

나만의 정리

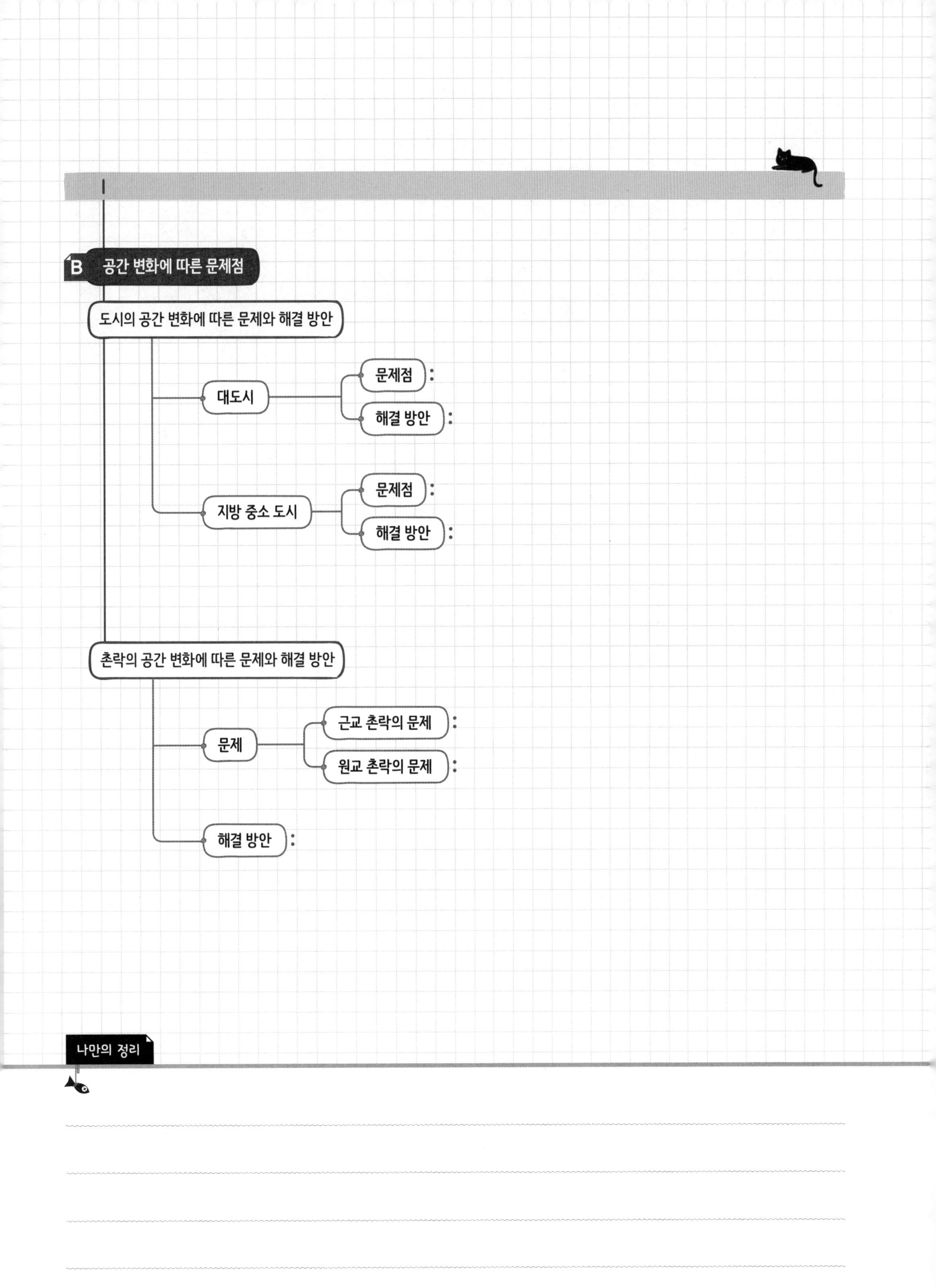
B 공간 변화에 따른 문제점
도시의 공간 변화에 따른 문제와 해결 방안
대도시
문제점 :
해결 방안 :
지방 중소 도시
문제점 :
해결 방안 :
촌락의 공간 변화에 따른 문제와 해결 방안
문제
근교 촌락의 문제 :
원교 촌락의 문제 :
해결 방안 :
나만의 정리

Ⅳ 인권 보장과 헌법

공부 계획이나 각오 한마디를 적어 보세요.

선배들이 작성한 Ⅳ단원 정리노트 바로가기!

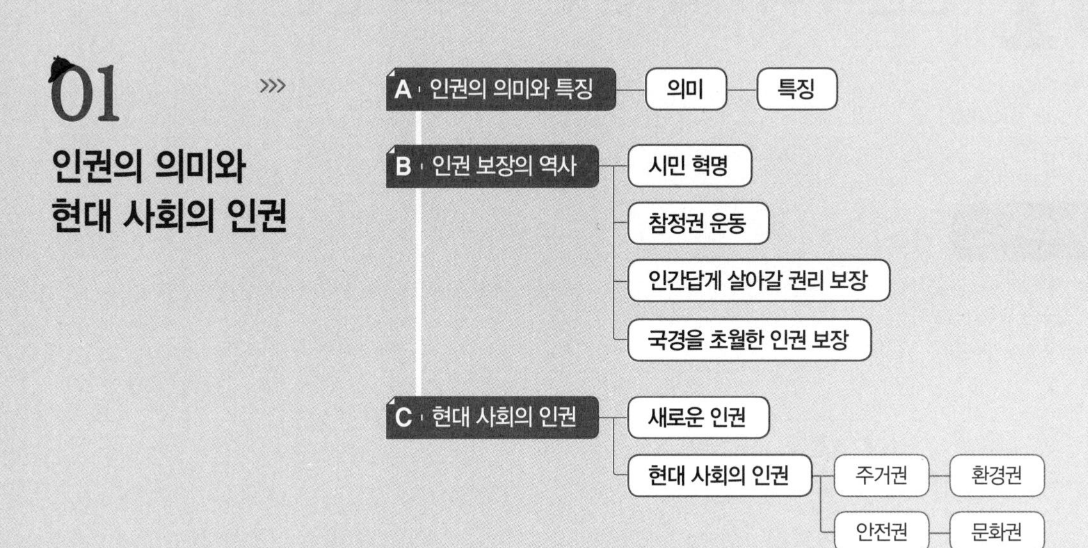

02 인권 보장을 위한 헌법의 역할과 시민 참여

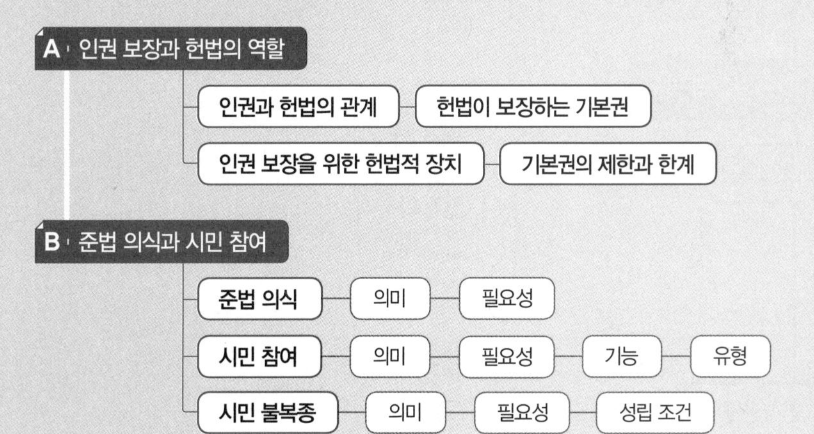

03 인권 문제의 양상과 해결 방안

- **A 우리 사회의 인권 문제**
  - 시대별 인권 문제 양상
  - 사회적 소수자의 인권 문제
  - 청소년 노동권 침해 문제
- **B 세계의 인권 문제**
  - 세계 인권 문제의 유형
  - 세계 인권 문제의 해결 방안
    - 국제 연합(UN) 차원의 노력
    - 비정구 기구 차원의 노력
    - 의식적 차원의 노력

01 인권의 의미와 현대 사회의 인권

PAGE 용어집 14 쪽 개념책 118~125 쪽

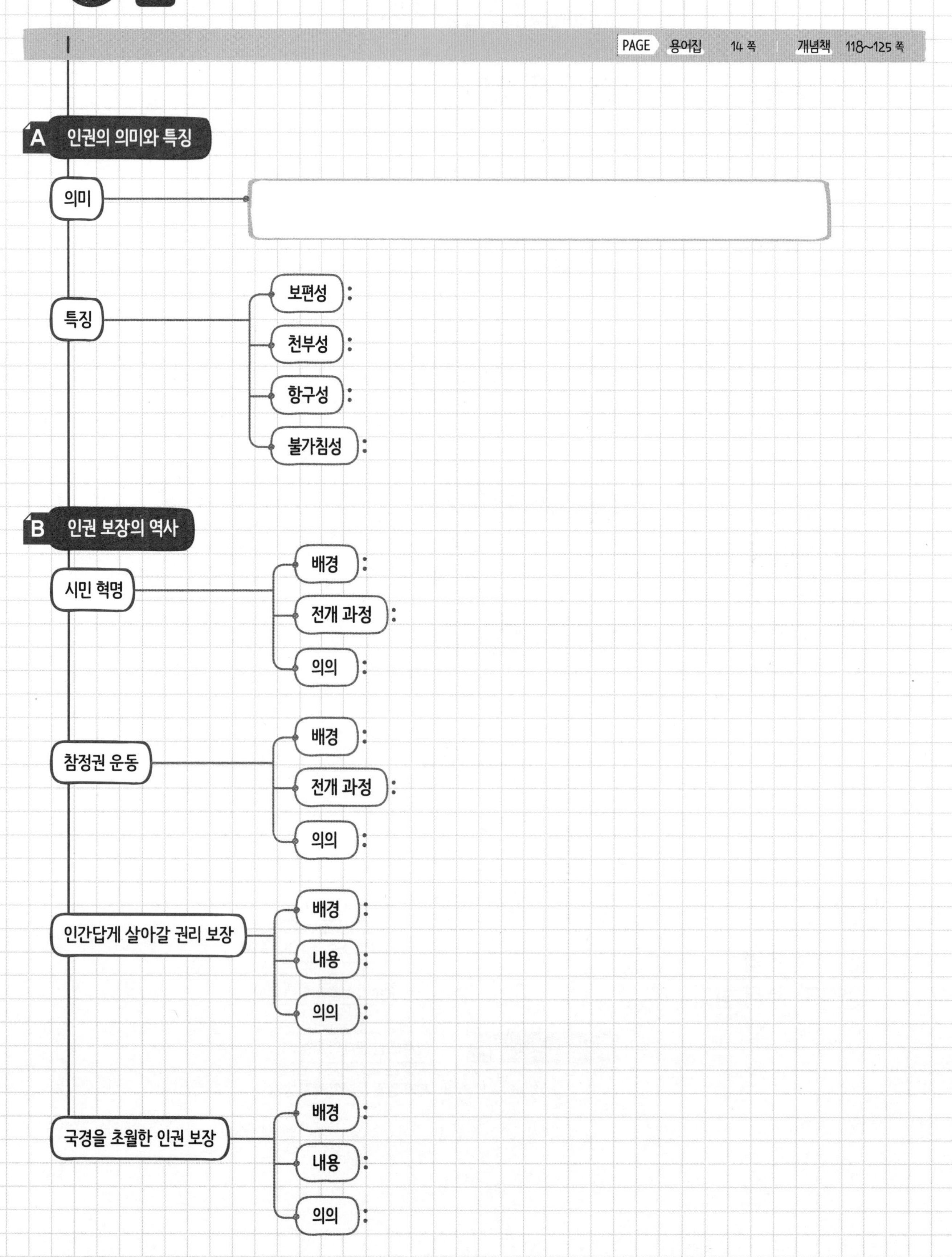

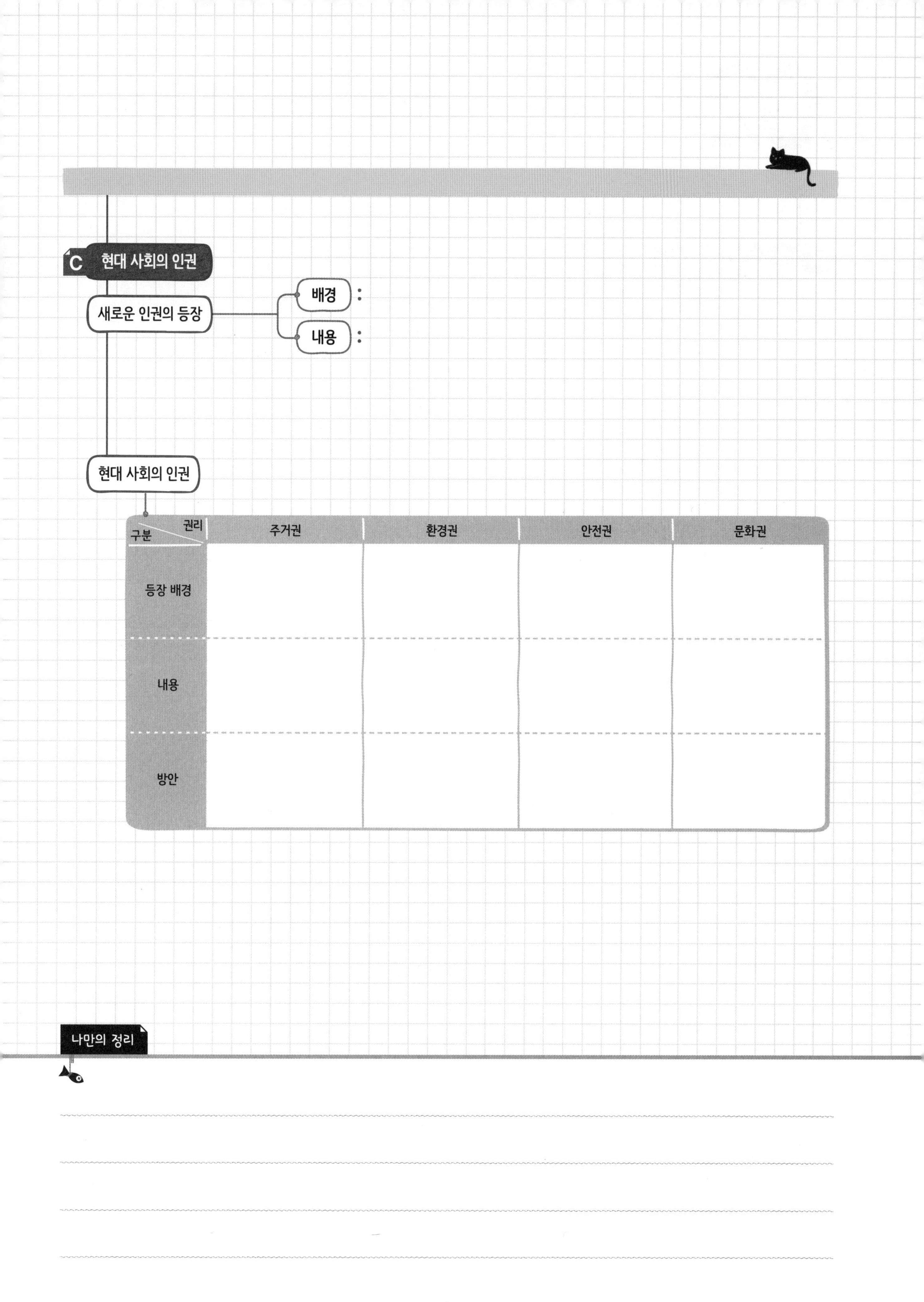

C 현대 사회의 인권

새로운 인권의 등장

- 배경 :
- 내용 :

현대 사회의 인권

구분 \ 권리	주거권	환경권	안전권	문화권
등장 배경				
내용				
방안				

나만의 정리

02 인권 보장을 위한 헌법의 역할과 시민 참여

PAGE 용어집 15~16 쪽 | 개념책 126~135 쪽

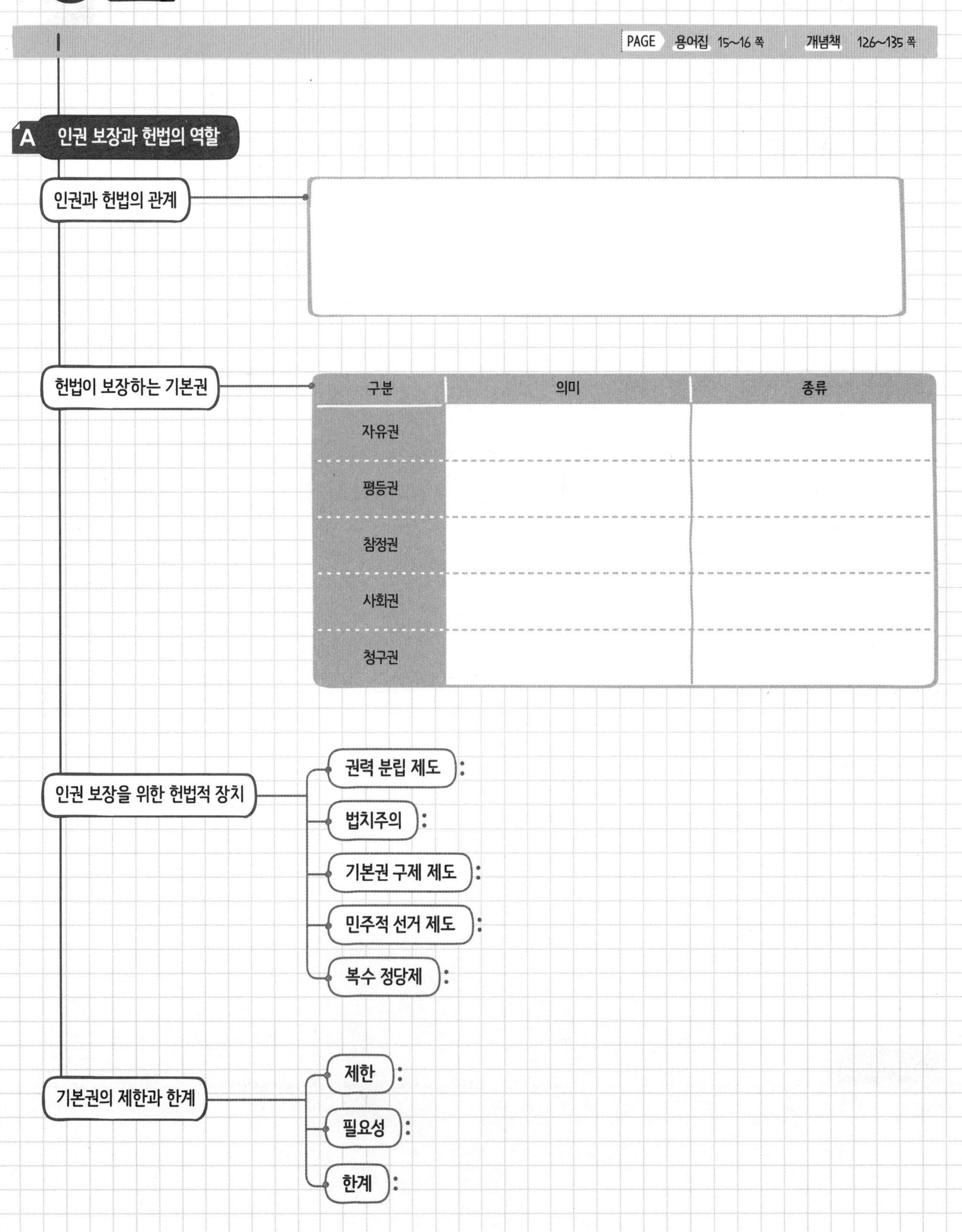

A 인권 보장과 헌법의 역할

인권과 헌법의 관계

헌법이 보장하는 기본권

구분	의미	종류
자유권		
평등권		
참정권		
사회권		
청구권		

인권 보장을 위한 헌법적 장치

- 권력 분립 제도 :
- 법치주의 :
- 기본권 구제 제도 :
- 민주적 선거 제도 :
- 복수 정당제 :

기본권의 제한과 한계

- 제한 :
- 필요성 :
- 한계 :

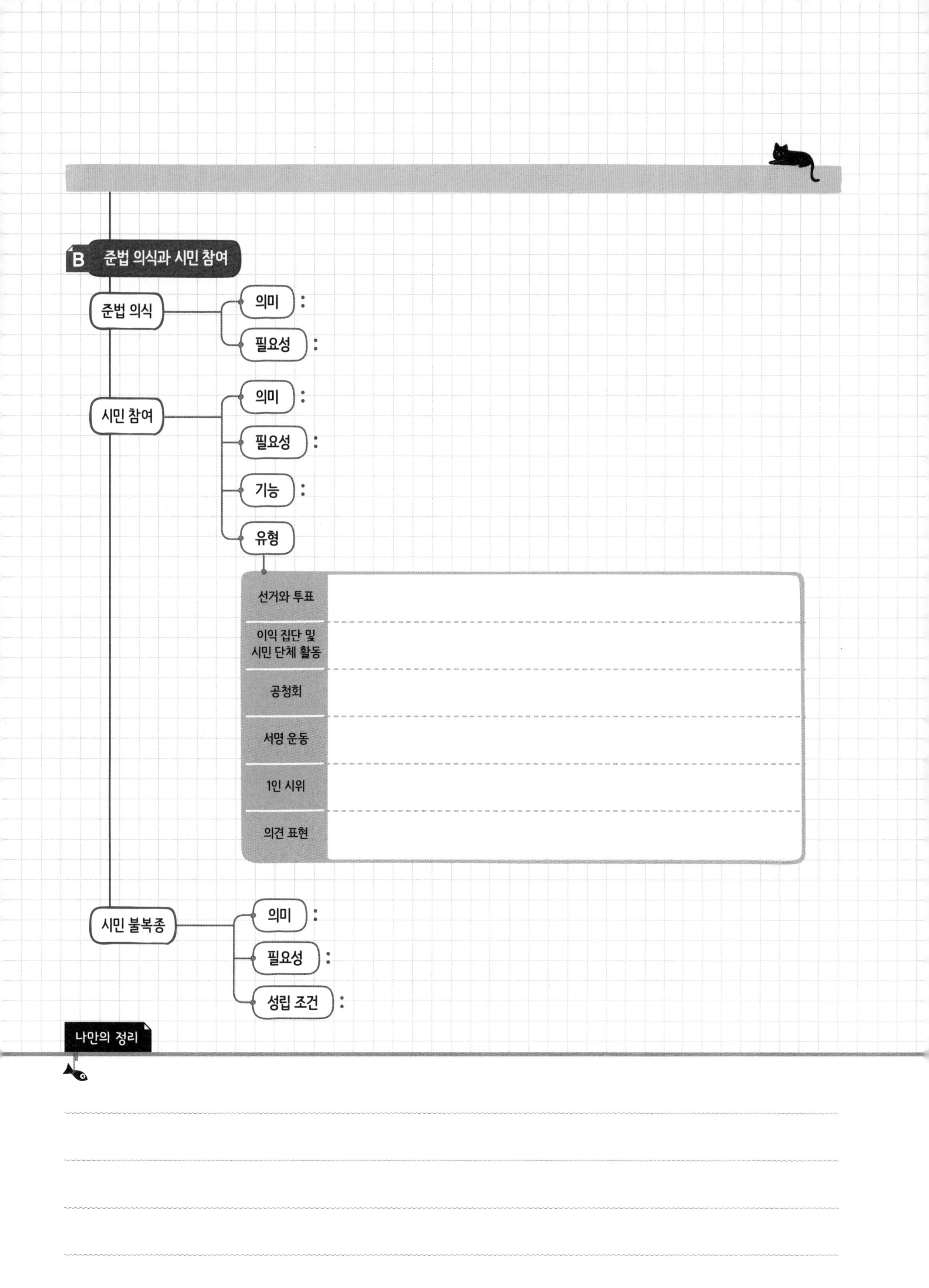
B
준법 의식과 시민 참여
준법 의식
의미 :
필요성 :
시민 참여
의미 :
필요성 :
기능 :
유형
선거와 투표
이익 집단 및 시민 단체 활동
공청회
서명 운동
1인 시위
의견 표현
시민 불복종
의미 :
필요성 :
성립 조건 :
나만의 정리

03 인권 문제의 양상과 해결 방안

PAGE 용어집 17 쪽 | 개념책 136~143 쪽

A 우리 사회의 인권 문제

시대별 인권 문제 양상

구분	주요 인권 문제	배경	특징
1980년대			
1990년대 이후			

사회적 소수자의 인권 문제
- 사회적 소수자 :
- 차별 문제 :
- 해결 방안
  - 사회 · 제도적 차원 :
  - 개인 · 의식적 차원 :

청소년 노동권 침해 문제
- 청소년 노동권 문제 :
- 해결 방안
  - 사회 · 제도적 차원 :
  - 개인 · 의식적 차원 :

나만의 정리

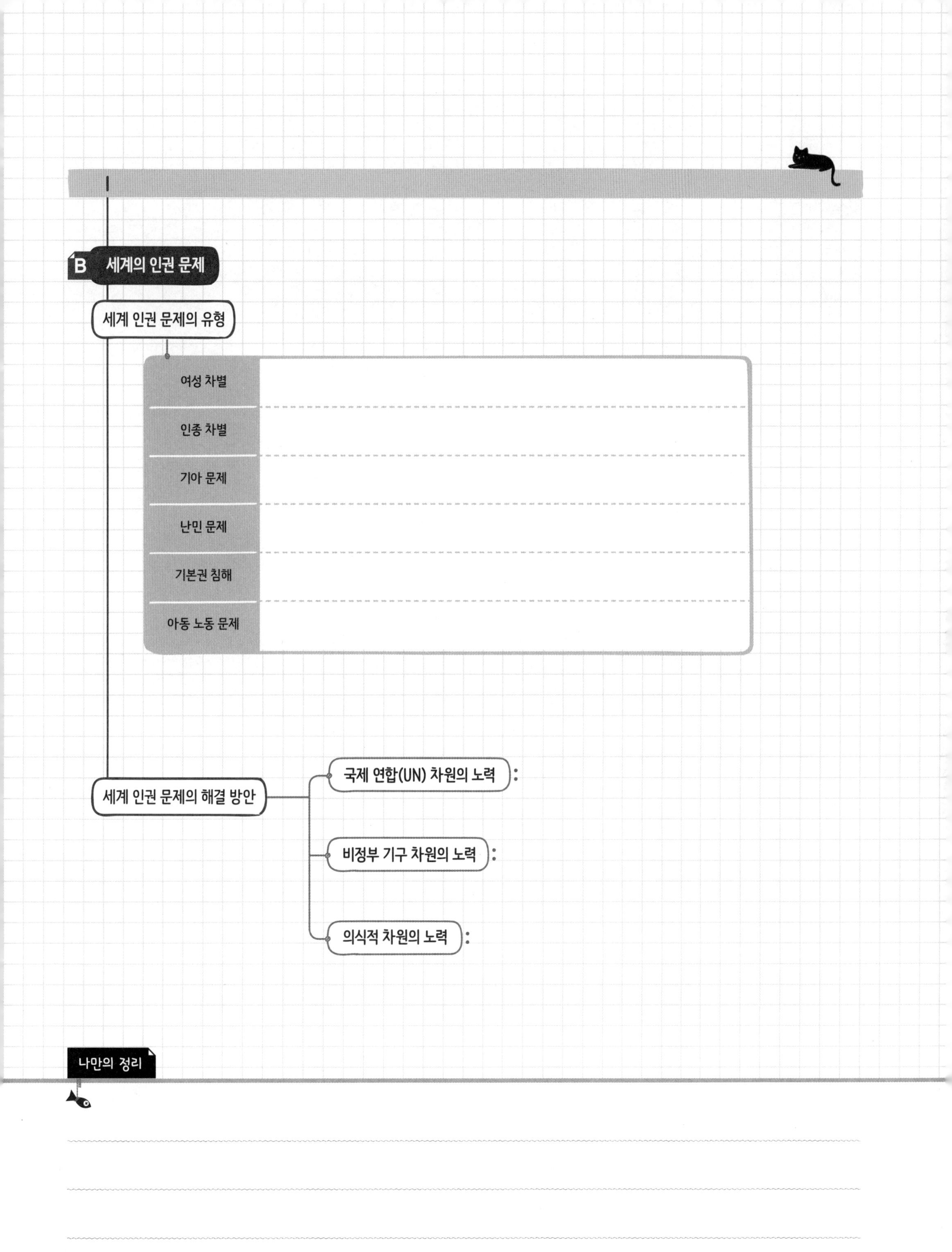
B 세계의 인권 문제
세계 인권 문제의 유형
여성 차별
인종 차별
기아 문제
난민 문제
기본권 침해
아동 노동 문제
세계 인권 문제의 해결 방안
국제 연합(UN) 차원의 노력 :
비정부 기구 차원의 노력 :
의식적 차원의 노력 :
나만의 정리

V

시장 경제와 금융

공부 계획이나 각오 한마디를 적어 보세요.

선배들이 작성한 V단원 정리노트 바로가기!

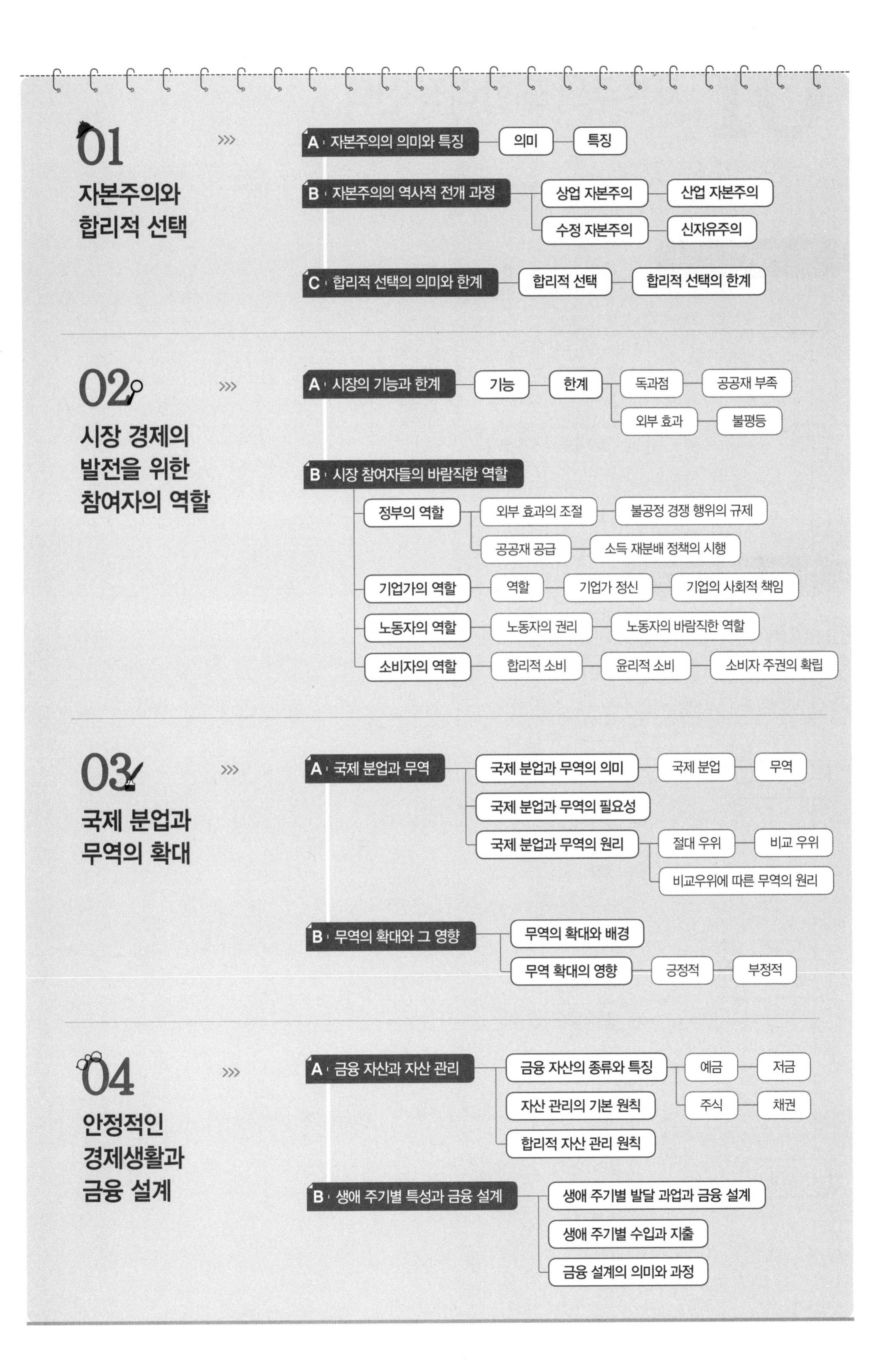

01
자본주의와 합리적 선택
A 자본주의의 의미와 특징
의미
특징
B 자본주의의 역사적 전개 과정
상업 자본주의
산업 자본주의
수정 자본주의
신자유주의
C 합리적 선택의 의미와 한계
합리적 선택
합리적 선택의 한계
02
시장 경제의 발전을 위한 참여자의 역할
A 시장의 기능과 한계
기능
한계
독과점
공공재 부족
외부 효과
불평등
B 시장 참여자들의 바람직한 역할
정부의 역할
외부 효과의 조절
불공정 경쟁 행위의 규제
공공재 공급
소득 재분배 정책의 시행
기업가의 역할
역할
기업가 정신
기업의 사회적 책임
노동자의 역할
노동자의 권리
노동자의 바람직한 역할
소비자의 역할
합리적 소비
윤리적 소비
소비자 주권의 확립
03
국제 분업과 무역의 확대
A 국제 분업과 무역
국제 분업과 무역의 의미
국제 분업
무역
국제 분업과 무역의 필요성
국제 분업과 무역의 원리
절대 우위
비교 우위
비교우위에 따른 무역의 원리
B 무역의 확대와 그 영향
무역의 확대와 배경
무역 확대의 영향
긍정적
부정적
04
안정적인 경제생활과 금융 설계
A 금융 자산과 자산 관리
금융 자산의 종류와 특징
예금
저금
주식
채권
자산 관리의 기본 원칙
합리적 자산 관리 원칙
B 생애 주기별 특성과 금융 설계
생애 주기별 발달 과업과 금융 설계
생애 주기별 수입과 지출
금융 설계의 의미와 과정

01 자본주의와 합리적 선택

PAGE 용어집 18 쪽 | 개념책 152~159 쪽

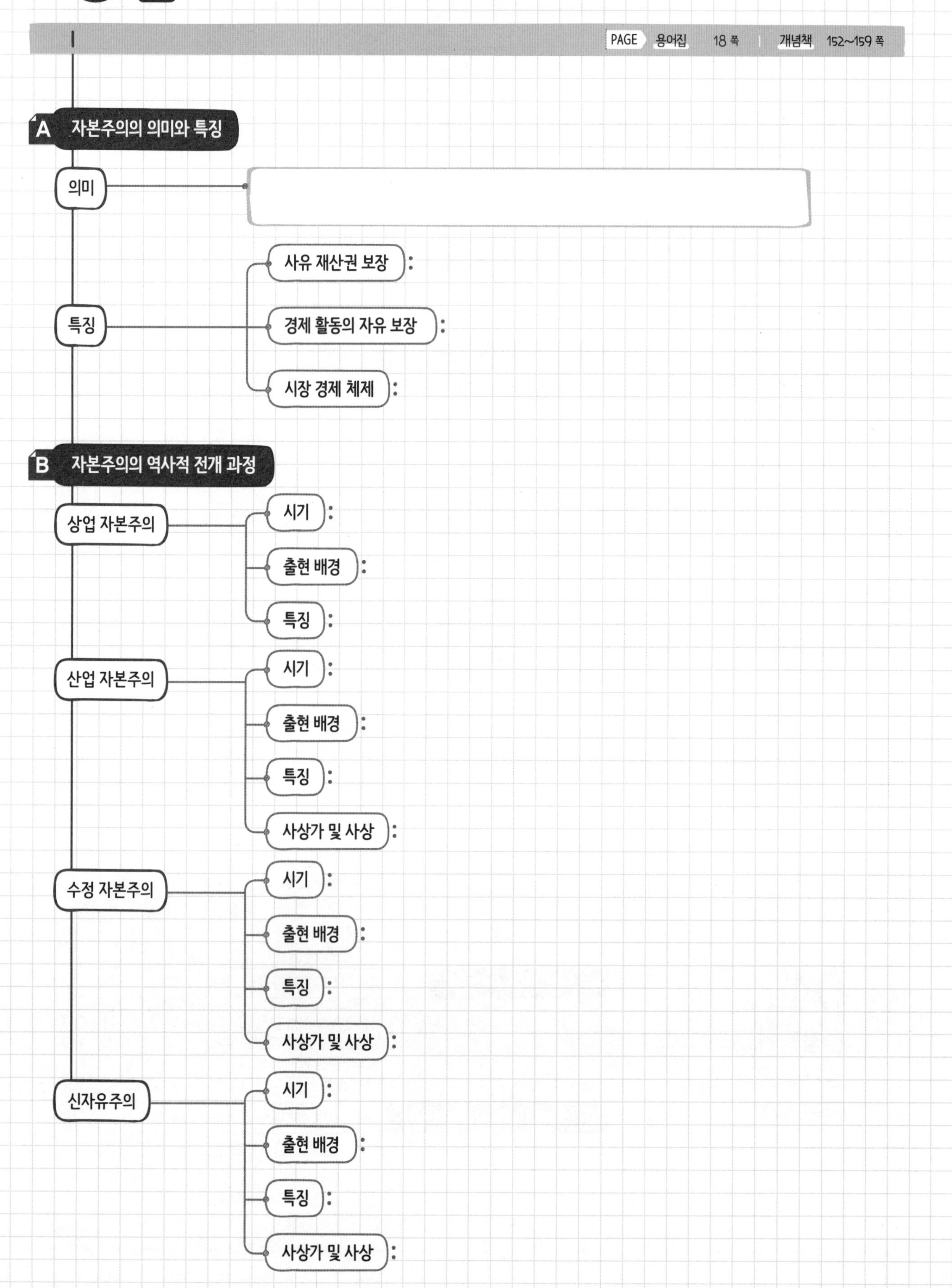

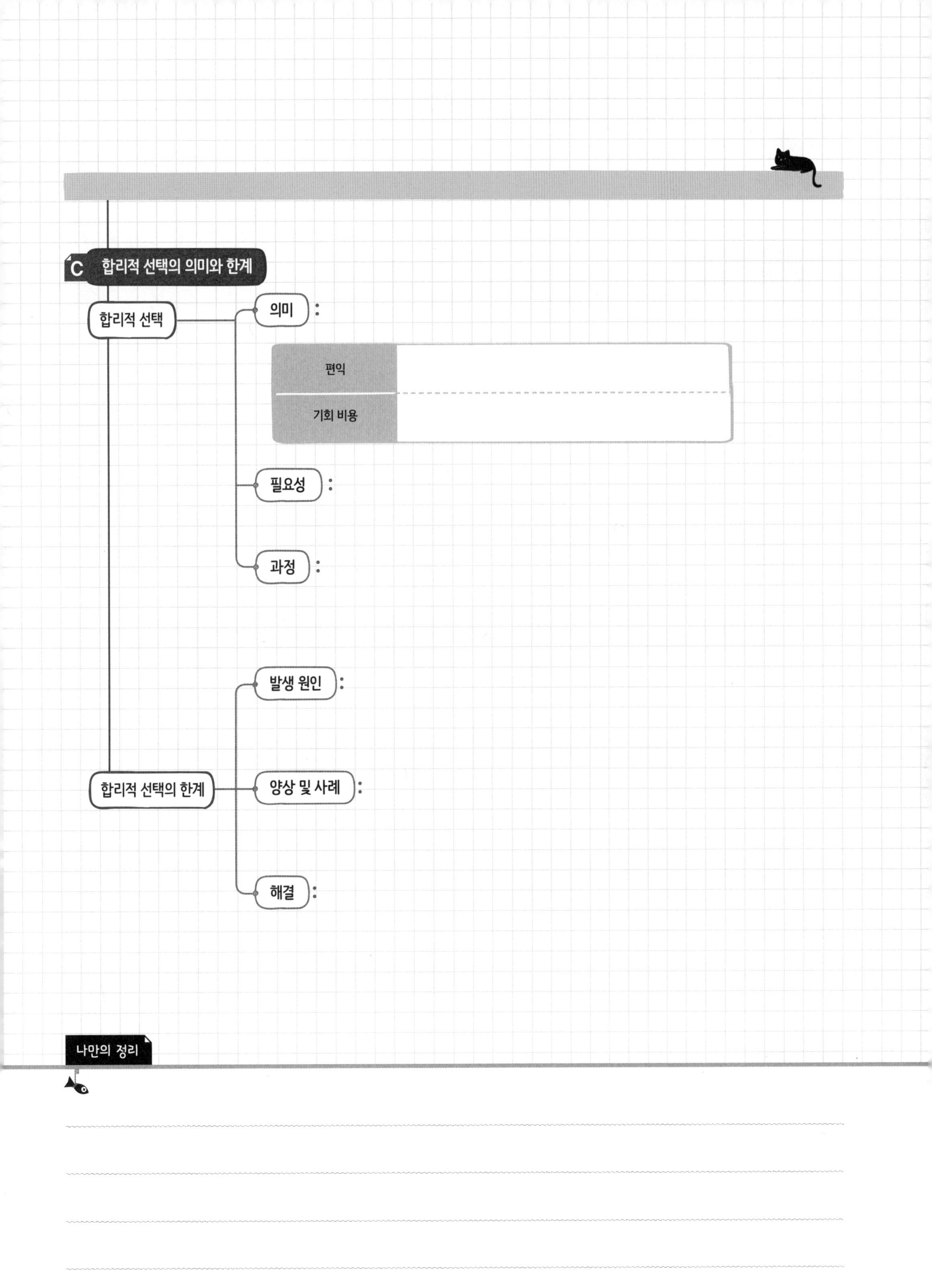
C 합리적 선택의 의미와 한계
합리적 선택
의미 :
편익
기회 비용
필요성 :
과정 :
합리적 선택의 한계
발생 원인 :
양상 및 사례 :
해결 :
나만의 정리

02 시장 경제의 발전을 위한 참여자의 역할

PAGE 용어집 19 쪽 | 개념책 160~167 쪽

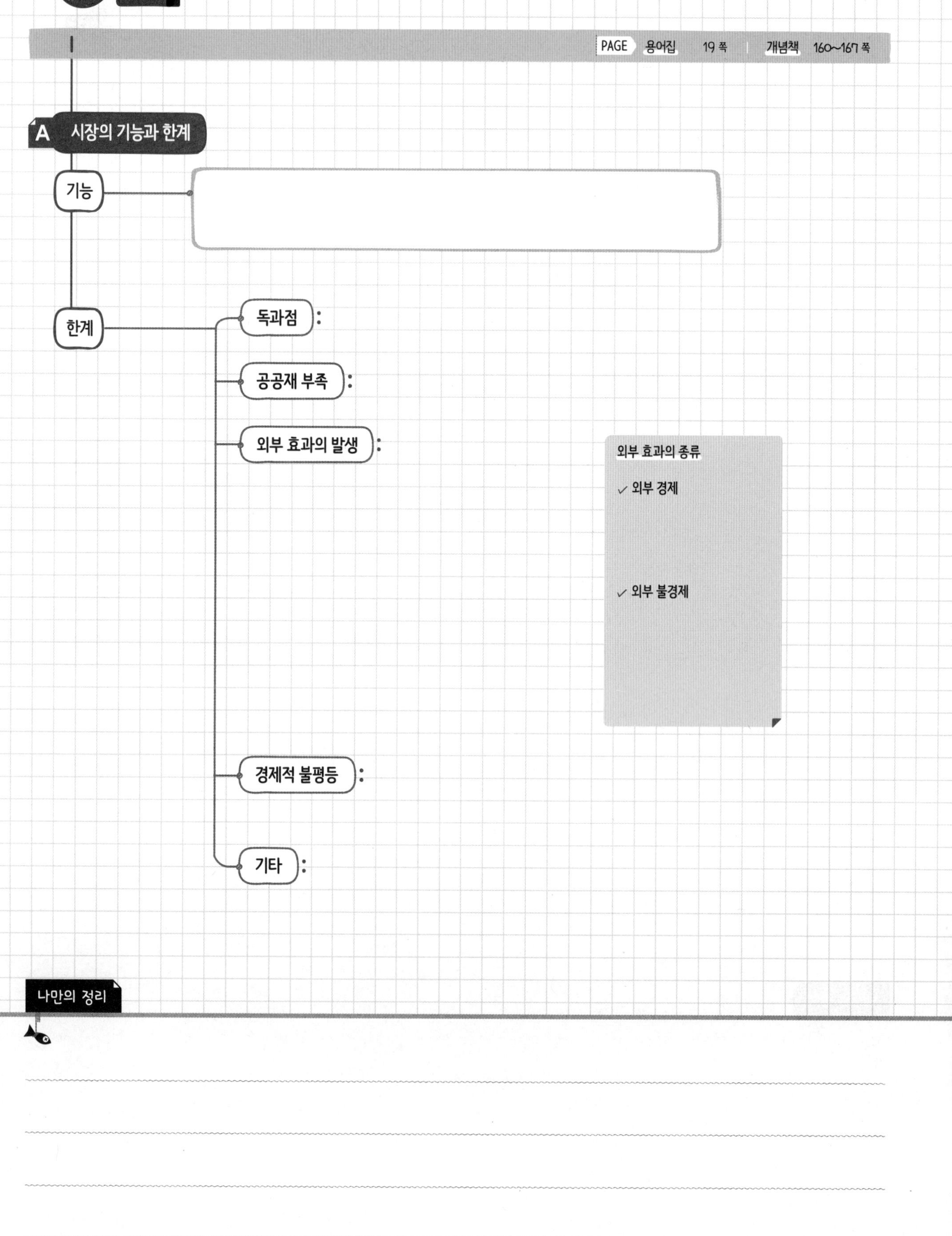

나만의 정리

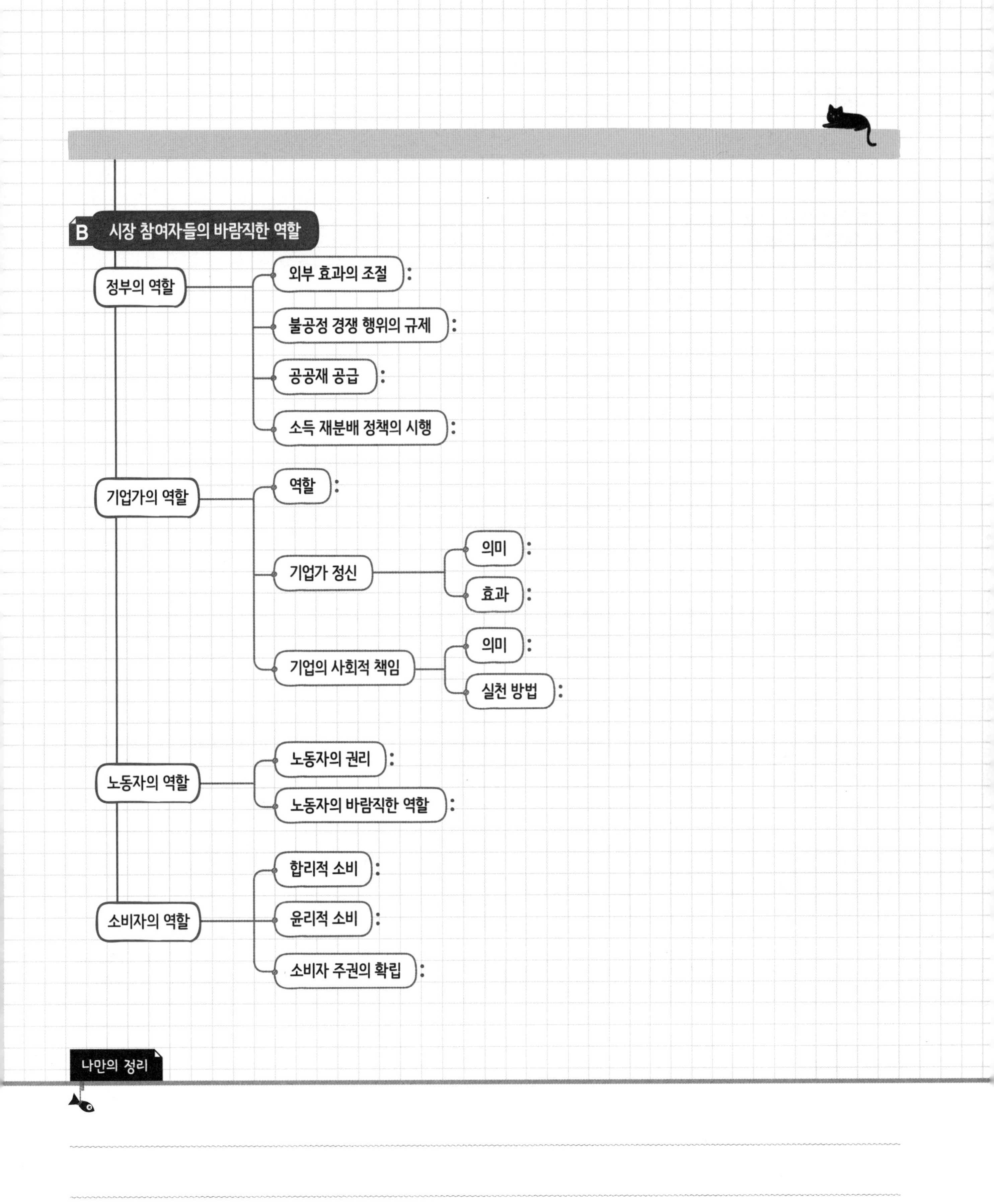
B 시장 참여자들의 바람직한 역할
정부의 역할
외부 효과의 조절 :
불공정 경쟁 행위의 규제 :
공공재 공급 :
소득 재분배 정책의 시행 :
기업가의 역할
역할 :
기업가 정신
의미 :
효과 :
기업의 사회적 책임
의미 :
실천 방법 :
노동자의 역할
노동자의 권리 :
노동자의 바람직한 역할 :
소비자의 역할
합리적 소비 :
윤리적 소비 :
소비자 주권의 확립 :

나만의 정리

03 국제 분업과 무역의 확대

PAGE 용어집 20 쪽 | 개념책 168~177 쪽

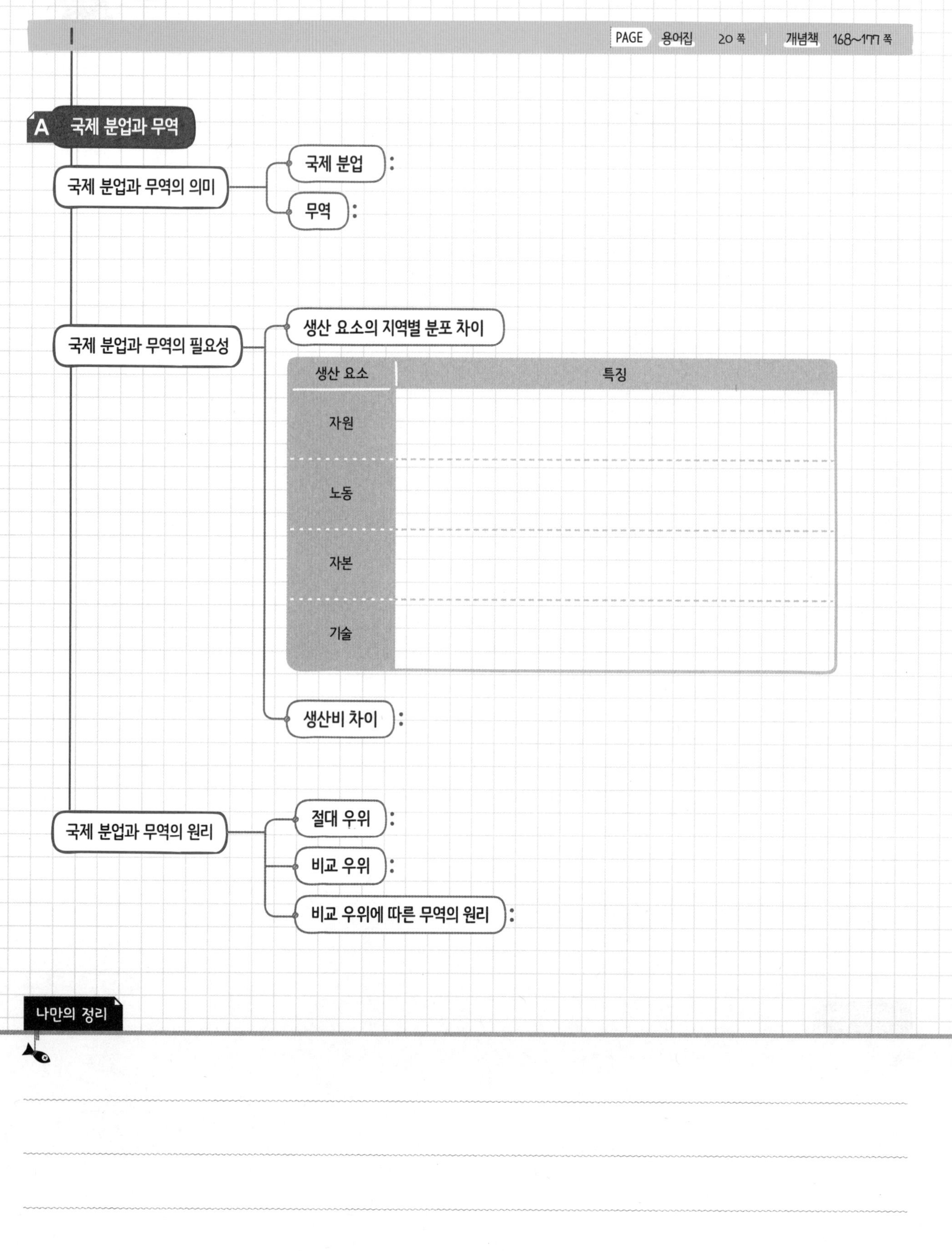

A 국제 분업과 무역

국제 분업과 무역의 의미
- 국제 분업 :
- 무역 :

국제 분업과 무역의 필요성
- 생산 요소의 지역별 분포 차이

생산 요소	특징
자원	
노동	
자본	
기술	

- 생산비 차이 :

국제 분업과 무역의 원리
- 절대 우위 :
- 비교 우위 :
- 비교 우위에 따른 무역의 원리 :

나만의 정리

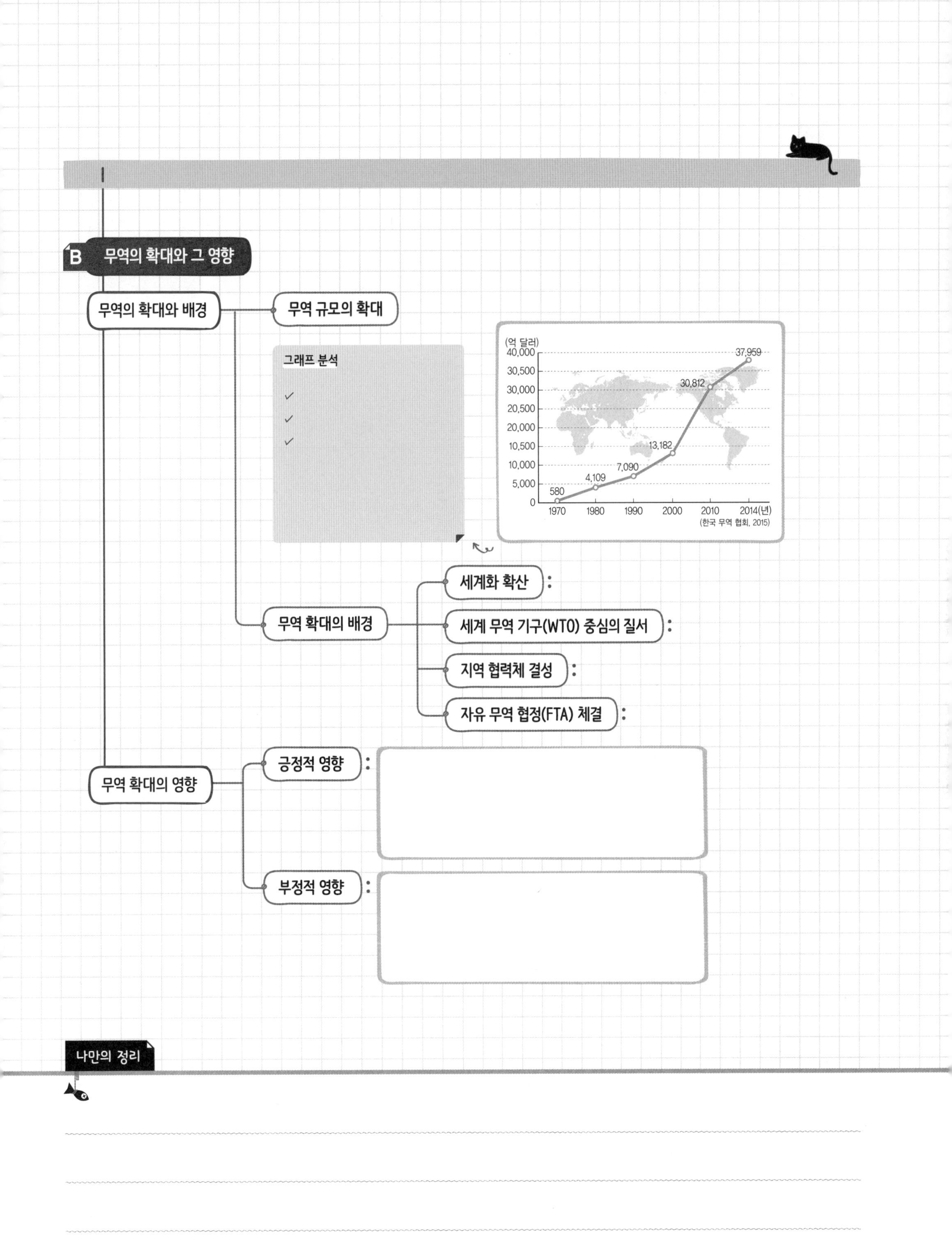
B 무역의 확대와 그 영향
무역의 확대와 배경
무역 규모의 확대
그래프 분석
(억 달러)
40,000
30,500
30,000
20,500
20,000
10,500
10,000
5,000
0
580
4,109
7,090
13,182
30,812
37,959
1970
1980
1990
2000
2010
2014(년)
(한국 무역 협회, 2015)
무역 확대의 배경
세계화 확산 :
세계 무역 기구(WTO) 중심의 질서 :
지역 협력체 결성 :
자유 무역 협정(FTA) 체결 :
무역 확대의 영향
긍정적 영향 :
부정적 영향 :
나만의 정리

04 안정적인 경제생활과 금융 설계

PAGE 용어집 21 쪽 | 개념책 178~185 쪽

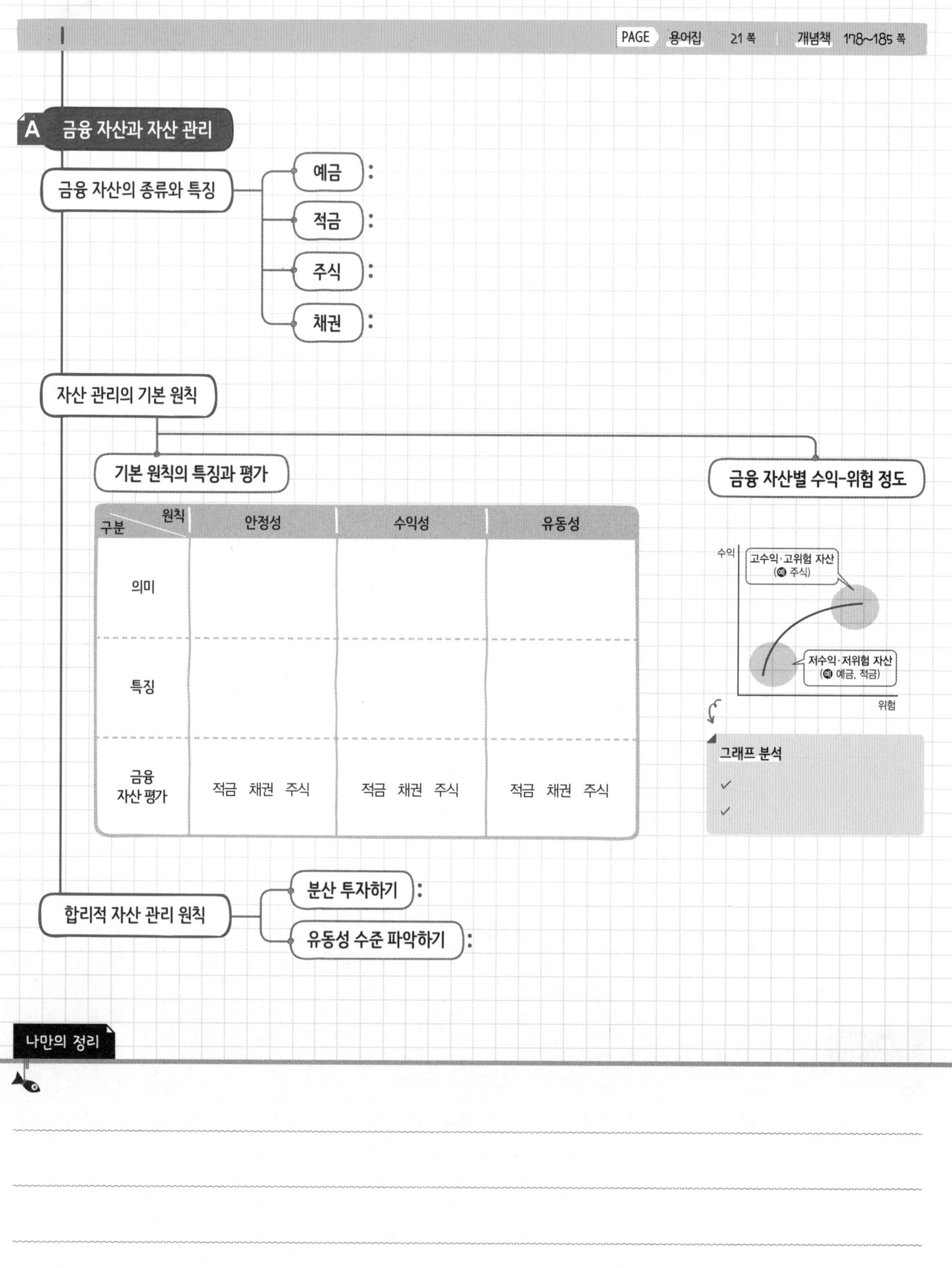

A 금융 자산과 자산 관리

금융 자산의 종류와 특징
- 예금 :
- 적금 :
- 주식 :
- 채권 :

자산 관리의 기본 원칙

기본 원칙의 특징과 평가

구분 \ 원칙	안정성	수익성	유동성
의미			
특징			
금융 자산 평가	적금 채권 주식	적금 채권 주식	적금 채권 주식

금융 자산별 수익-위험 정도

그래프 분석
- ✓
- ✓

합리적 자산 관리 원칙
- 분산 투자하기 :
- 유동성 수준 파악하기 :

나만의 정리

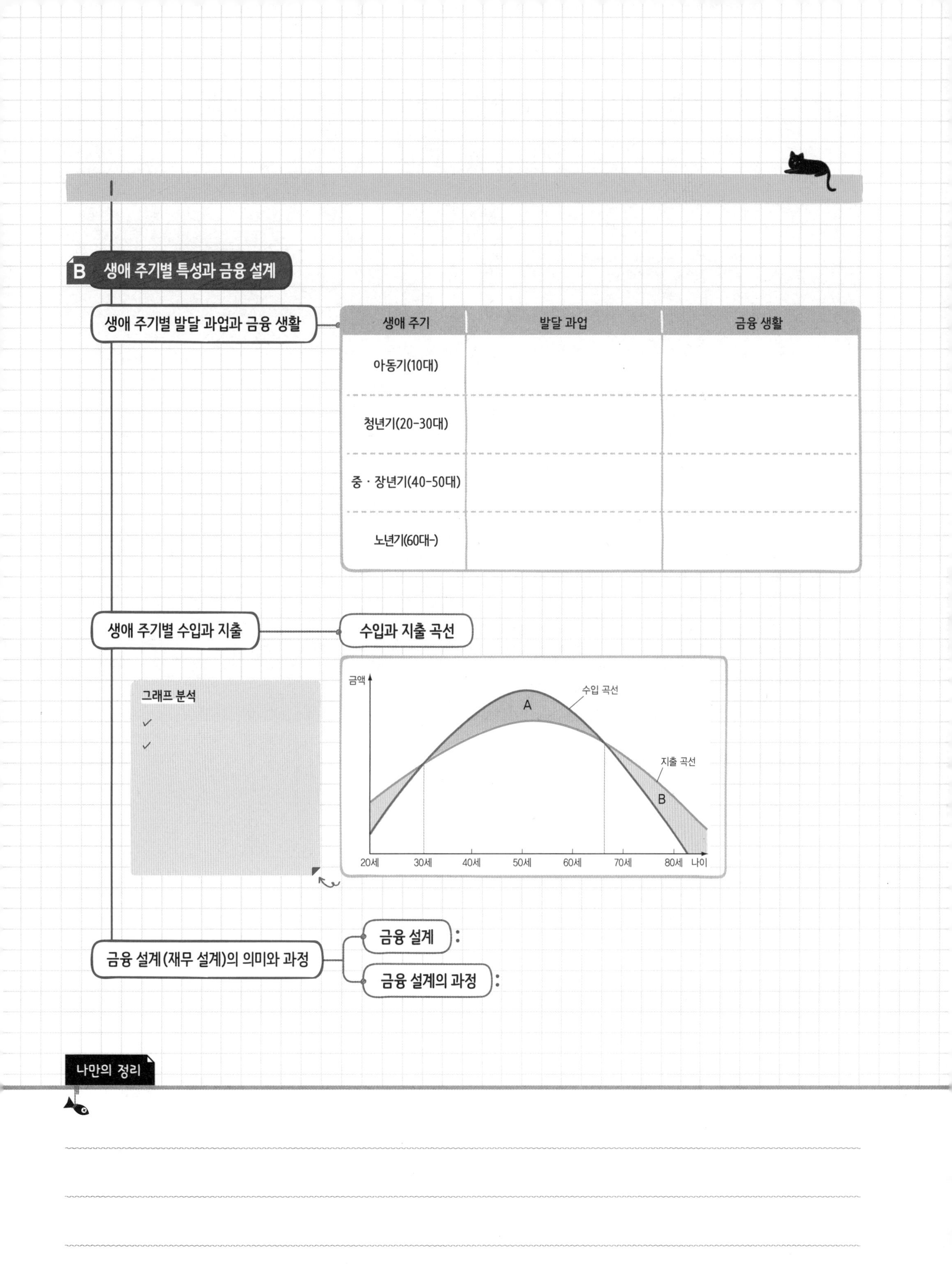
B 생애 주기별 특성과 금융 설계
생애 주기별 발달 과업과 금융 생활
생애 주기
발달 과업
금융 생활
아동기(10대)
청년기(20~30대)
중 · 장년기(40~50대)
노년기(60대~)
생애 주기별 수입과 지출
수입과 지출 곡선
그래프 분석
금액
수입 곡선
A
지출 곡선
B
20세
30세
40세
50세
60세
70세
80세
나이
금융 설계(재무 설계)의 의미와 과정
금융 설계 :
금융 설계의 과정 :
나만의 정리

Ⅵ 사회 정의와 불평등

공부 계획이나 각오 한마디를 적어 보세요.

선배들이 작성한 Ⅵ단원 정리노트 바로가기!

01 정의의 의미와 기준

- A 정의의 의미와 필요성
  - 정의의 의미
  - 정의의 필요성
- B 정의의 실질적 기준
  - 분배적 정의의 의미
  - 분배적 정의의 실질적 기준 — 업적 — 능력
    - 필요

02 다양한 정의관의 특징과 적용

- A 자유주의적 정의관
  - 자유주의
  - 자유주의적 정의관
- B 공동체주의적 정의관
  - 공동체주의
  - 공동체주의적 정의관
- C 자유주의적 정의관과 공동체주의적 정의관의 적용
  - 자유주의적 정의관의 적용
  - 공동체주의적 정의관의 적용
  - 자유주의적 정의관과 공동체주의적 정의관의 조화

03 사회 및 공간 불평등 현상과 정의로운 사회

- A 사회 불평등 현상
  - 사회 불평등 현상 — 의미 — 문제점
  - 사회 불평등 현상의 종류
    - 사회 계층의 양극화 — 사회적 약자에 대한 처벌
- B 공간 불평등 현상
  - 공간 불평등 현상 — 의미 — 발생 원인 — 문제점
  - 공간 불평등 현상의 종류
    - 수도권과 비수도권의 격차 — 도시와 촌락의 격차
- C 정의로운 사회를 위한 제도와 실천 방안
  - 제도의 필요성
  - 제도의 종류
  - 정의로운 사회를 위한 실천 방안

01 정의의 의미와 기준

PAGE 용어집 22 쪽 | 개념책 194~199 쪽

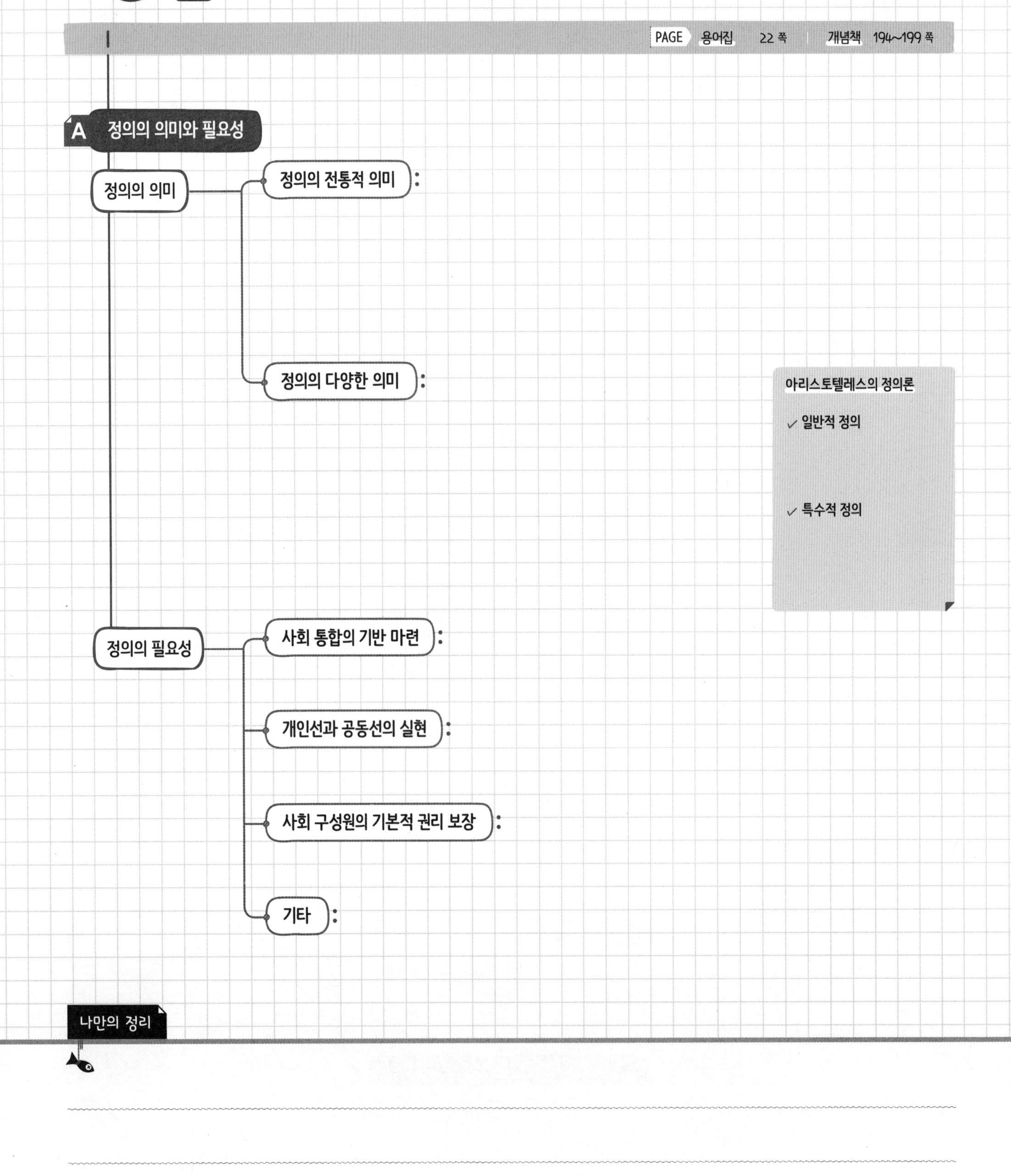

나만의 정리

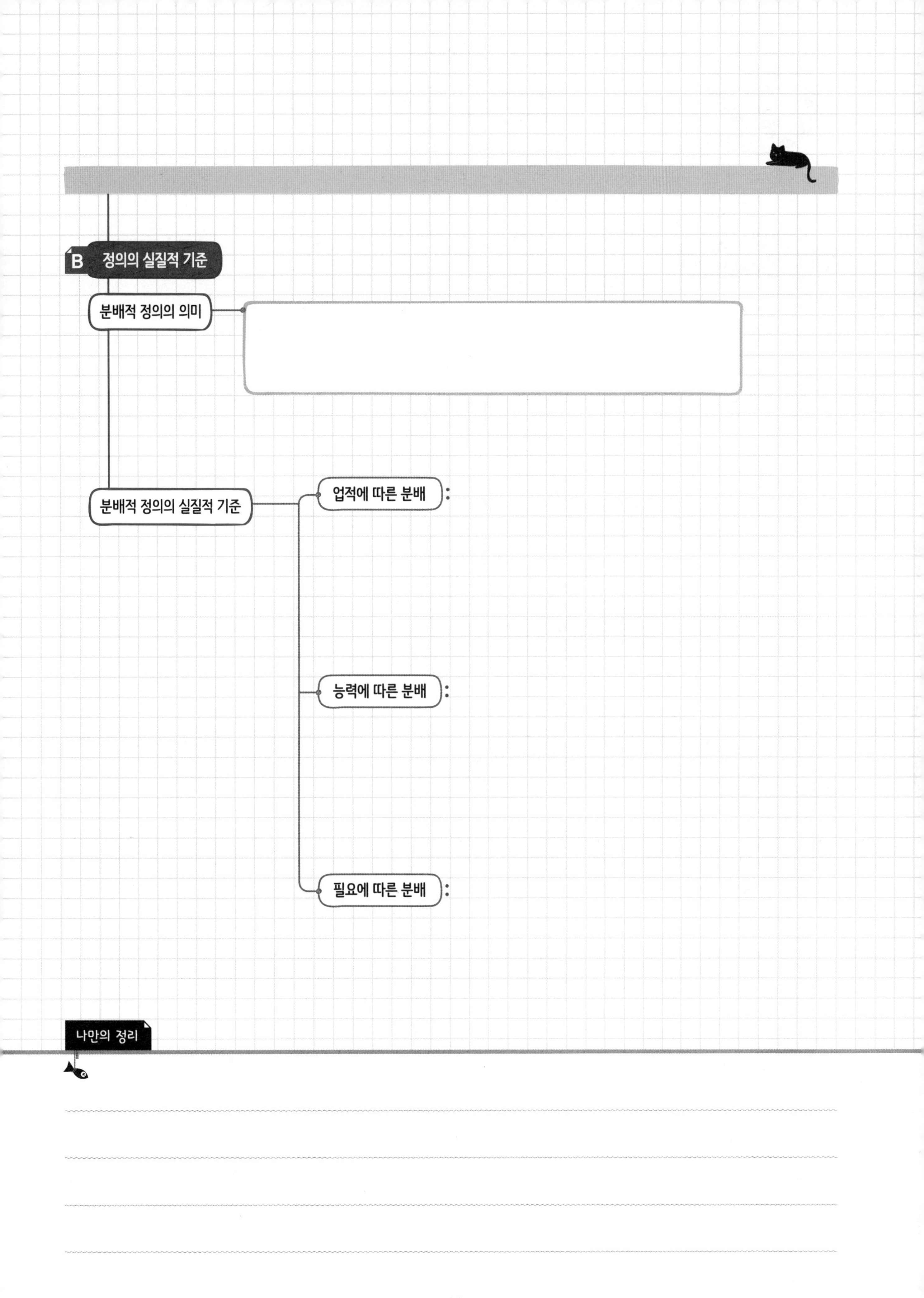
B 정의의 실질적 기준
분배적 정의의 의미
분배적 정의의 실질적 기준
업적에 따른 분배 :
능력에 따른 분배 :
필요에 따른 분배 :
나만의 정리

02 다양한 정의관의 특징과 적용

PAGE 용어집 23 쪽 | 개념책 200~209 쪽

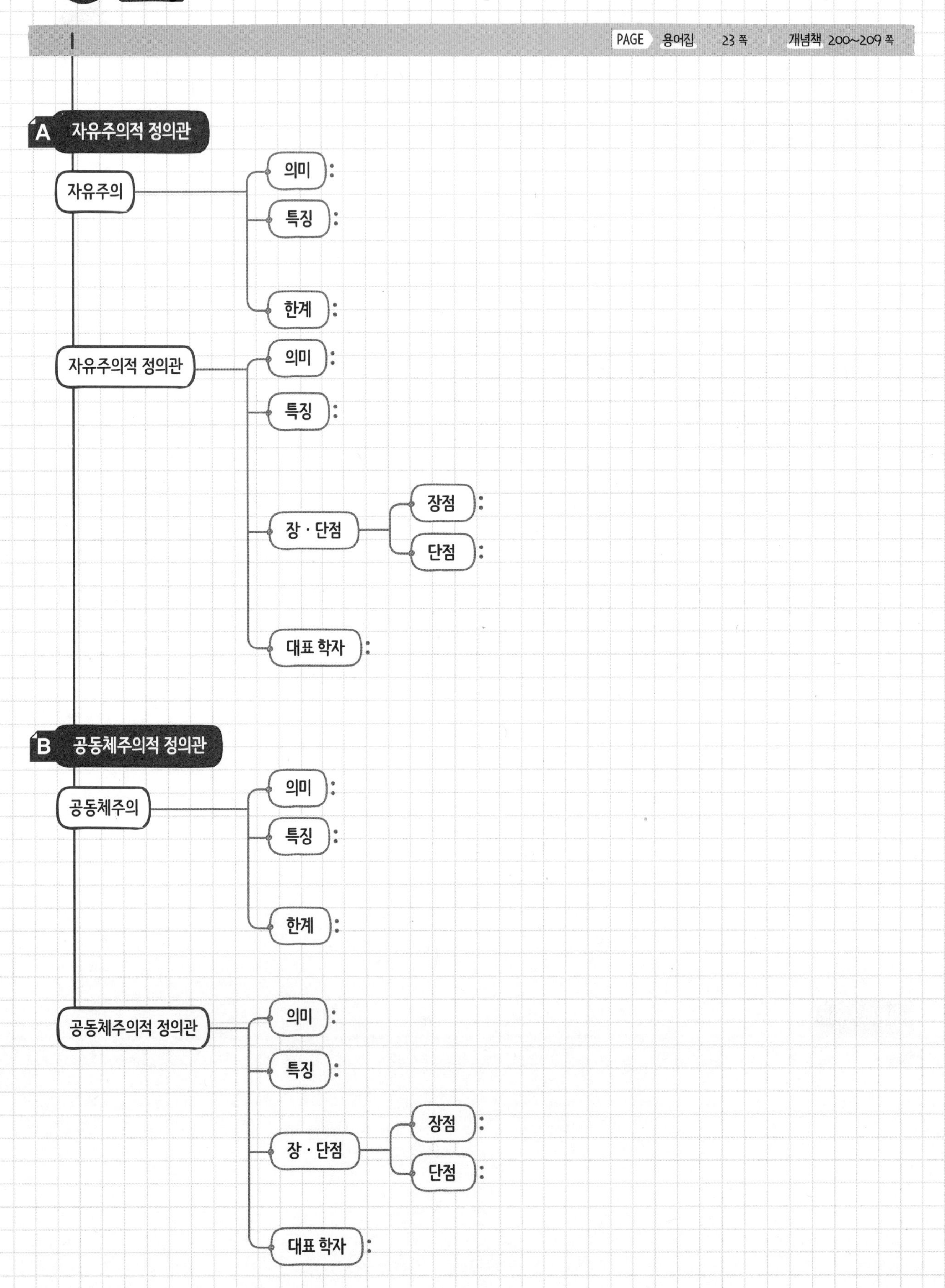

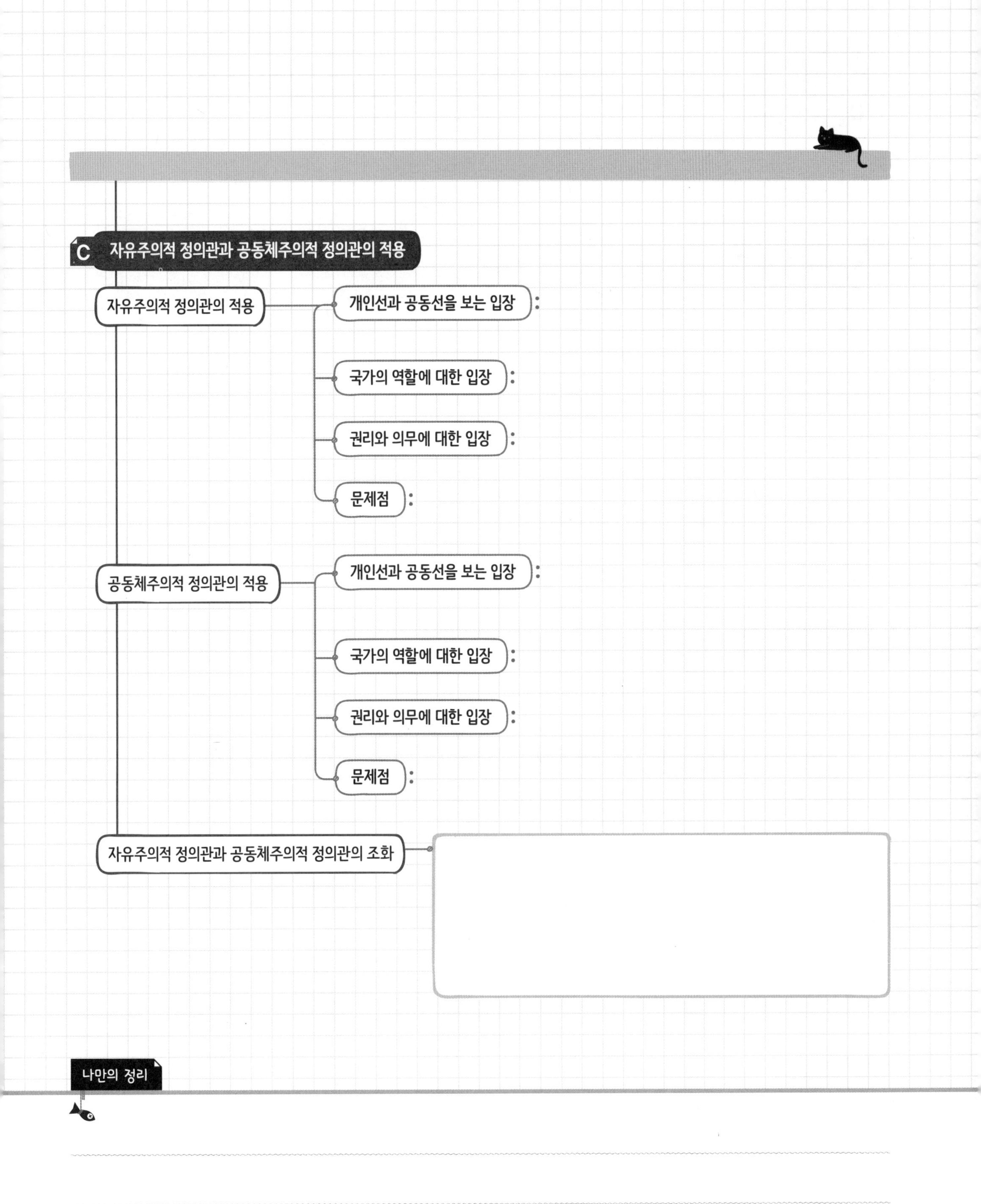
C 자유주의적 정의관과 공동체주의적 정의관의 적용
자유주의적 정의관의 적용
개인선과 공동선을 보는 입장 :
국가의 역할에 대한 입장 :
권리와 의무에 대한 입장 :
문제점 :
공동체주의적 정의관의 적용
개인선과 공동선을 보는 입장 :
국가의 역할에 대한 입장 :
권리와 의무에 대한 입장 :
문제점 :
자유주의적 정의관과 공동체주의적 정의관의 조화
나만의 정리

03 사회 및 공간 불평등 현상과 정의로운 사회

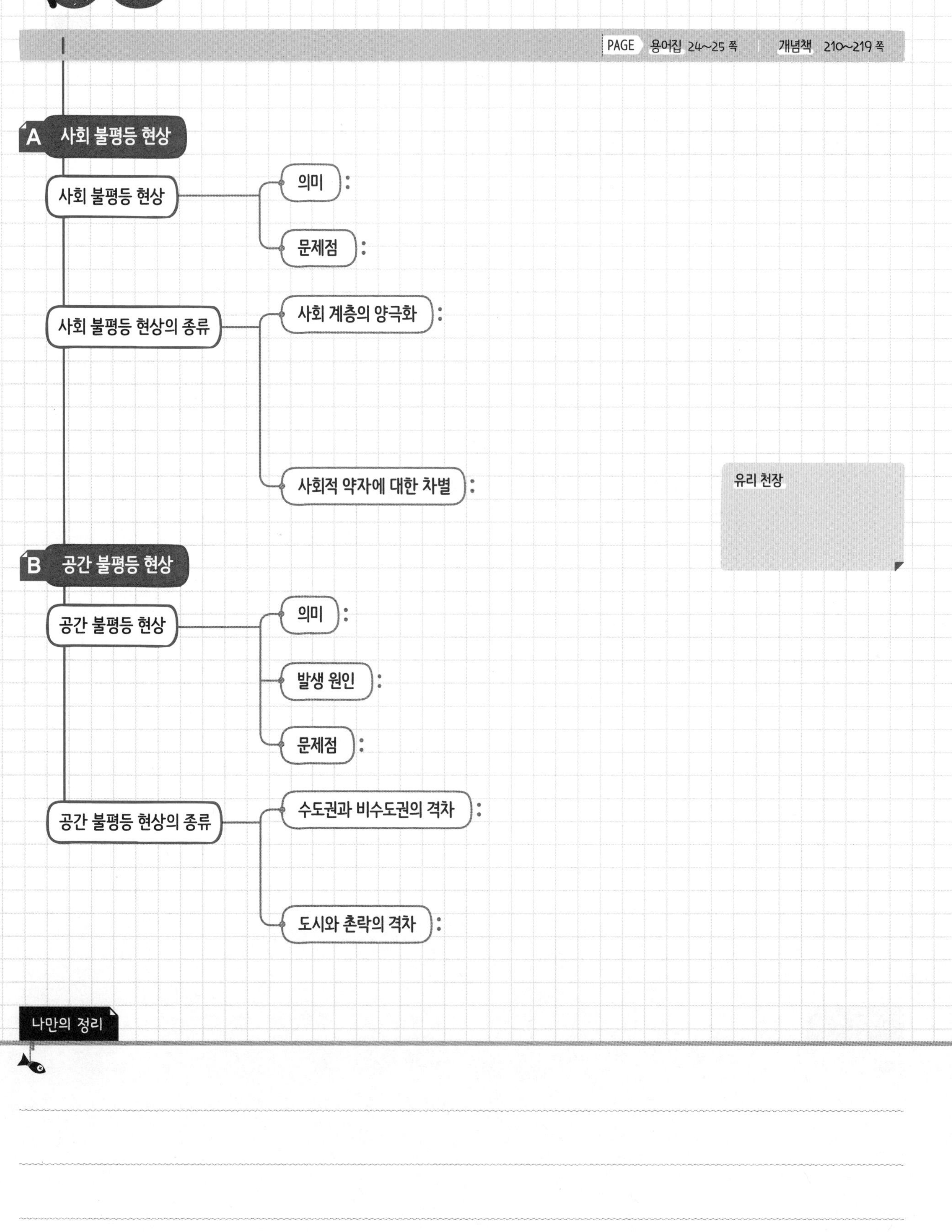

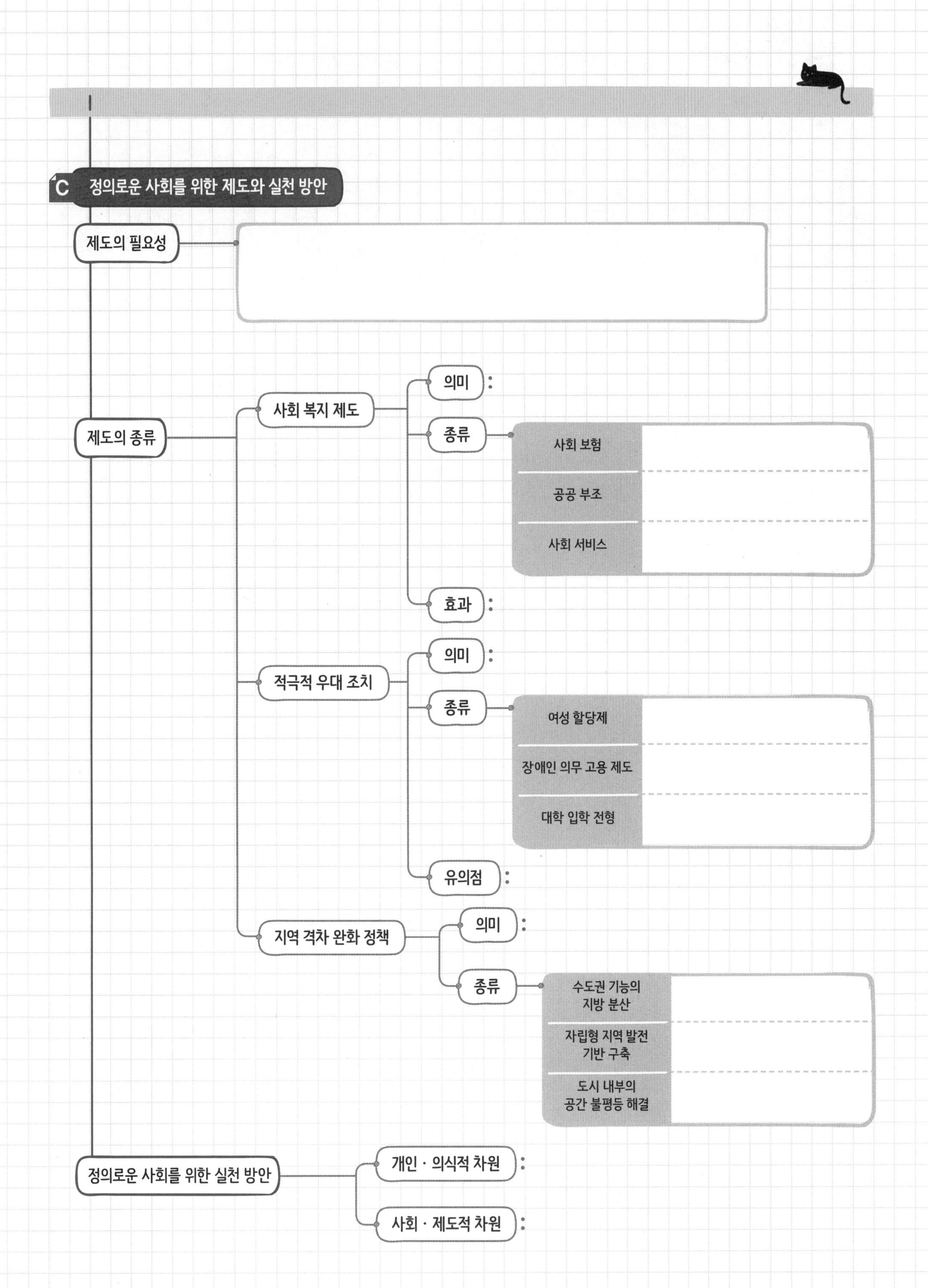
C 정의로운 사회를 위한 제도와 실천 방안
제도의 필요성
제도의 종류
사회 복지 제도
의미 :
종류
사회 보험
공공 부조
사회 서비스
효과 :
적극적 우대 조치
의미 :
종류
여성 할당제
장애인 의무 고용 제도
대학 입학 전형
유의점 :
지역 격차 완화 정책
의미 :
종류
수도권 기능의 지방 분산
자립형 지역 발전 기반 구축
도시 내부의 공간 불평등 해결
정의로운 사회를 위한 실천 방안
개인 · 의식적 차원 :
사회 · 제도적 차원 :

VII
문화와 다양성

공부 계획이나 각오 한마디를 적어 보세요.

선배들이 작성한 VII단원 정리노트 바로가기!

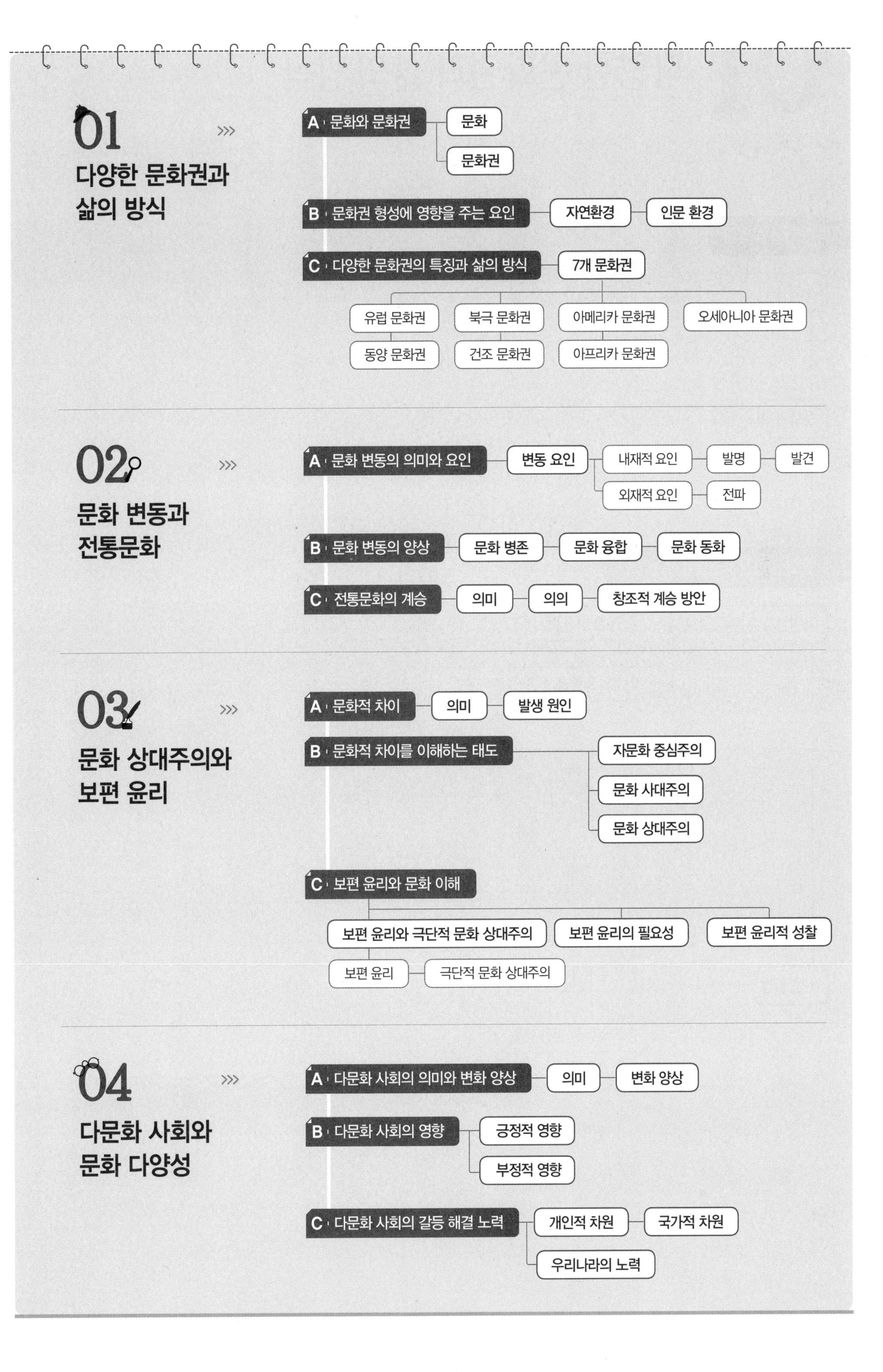
01
다양한 문화권과 삶의 방식
A 문화와 문화권
문화
문화권
B 문화권 형성에 영향을 주는 요인
자연환경
인문 환경
C 다양한 문화권의 특징과 삶의 방식
7개 문화권
유럽 문화권
북극 문화권
아메리카 문화권
오세아니아 문화권
동양 문화권
건조 문화권
아프리카 문화권
02
문화 변동과 전통문화
A 문화 변동의 의미와 요인
변동 요인
내재적 요인
발명
발견
외재적 요인
전파
B 문화 변동의 양상
문화 병존
문화 융합
문화 동화
C 전통문화의 계승
의미
의의
창조적 계승 방안
03
문화 상대주의와 보편 윤리
A 문화적 차이
의미
발생 원인
B 문화적 차이를 이해하는 태도
자문화 중심주의
문화 사대주의
문화 상대주의
C 보편 윤리와 문화 이해
보편 윤리와 극단적 문화 상대주의
보편 윤리의 필요성
보편 윤리적 성찰
보편 윤리
극단적 문화 상대주의
04
다문화 사회와 문화 다양성
A 다문화 사회의 의미와 변화 양상
의미
변화 양상
B 다문화 사회의 영향
긍정적 영향
부정적 영향
C 다문화 사회의 갈등 해결 노력
개인적 차원
국가적 차원
우리나라의 노력

01 다양한 문화권과 삶의 방식

PAGE 용어집 26~27 쪽 | 개념책 228~235 쪽

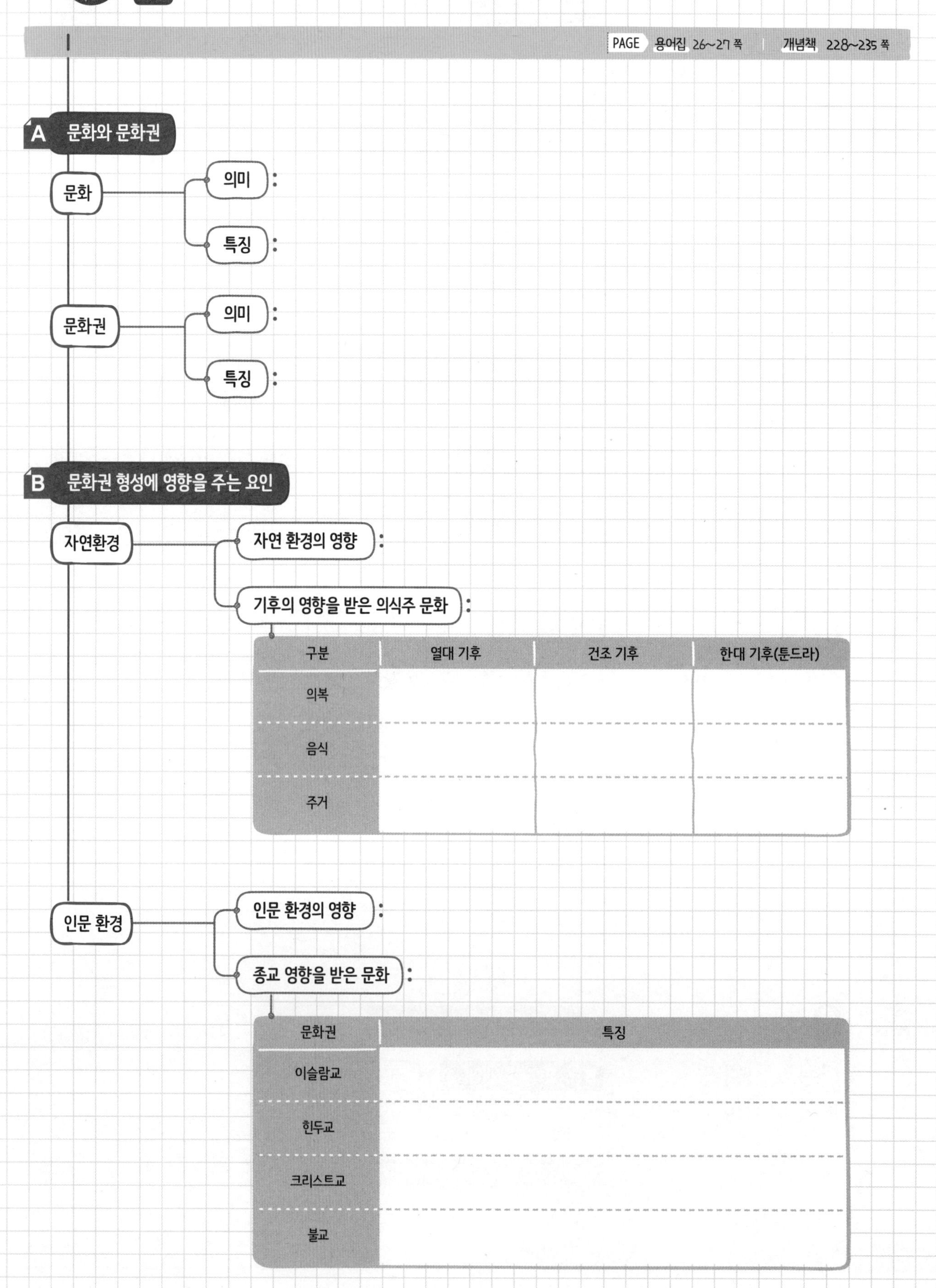

구분	열대 기후	건조 기후	한대 기후(툰드라)
의복			
음식			
주거			

문화권	특징
이슬람교	
힌두교	
크리스트교	
불교	

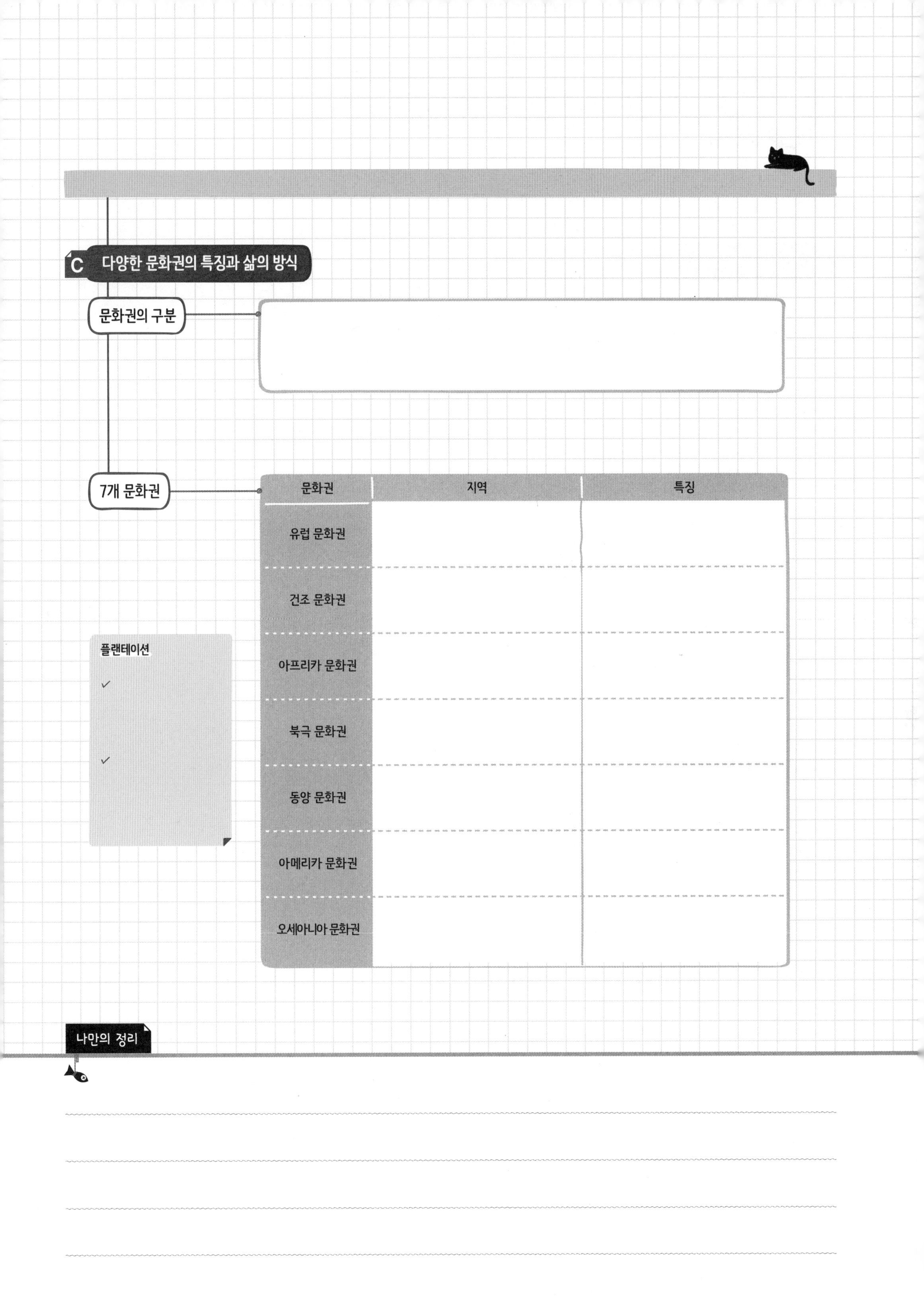

C 다양한 문화권의 특징과 삶의 방식

문화권의 구분

7개 문화권

문화권	지역	특징
유럽 문화권		
건조 문화권		
아프리카 문화권		
북극 문화권		
동양 문화권		
아메리카 문화권		
오세아니아 문화권		

플랜테이션

✓

✓

나만의 정리

02 문화 변동과 전통문화

PAGE 용어집 28~29 쪽 | 개념책 236~245 쪽

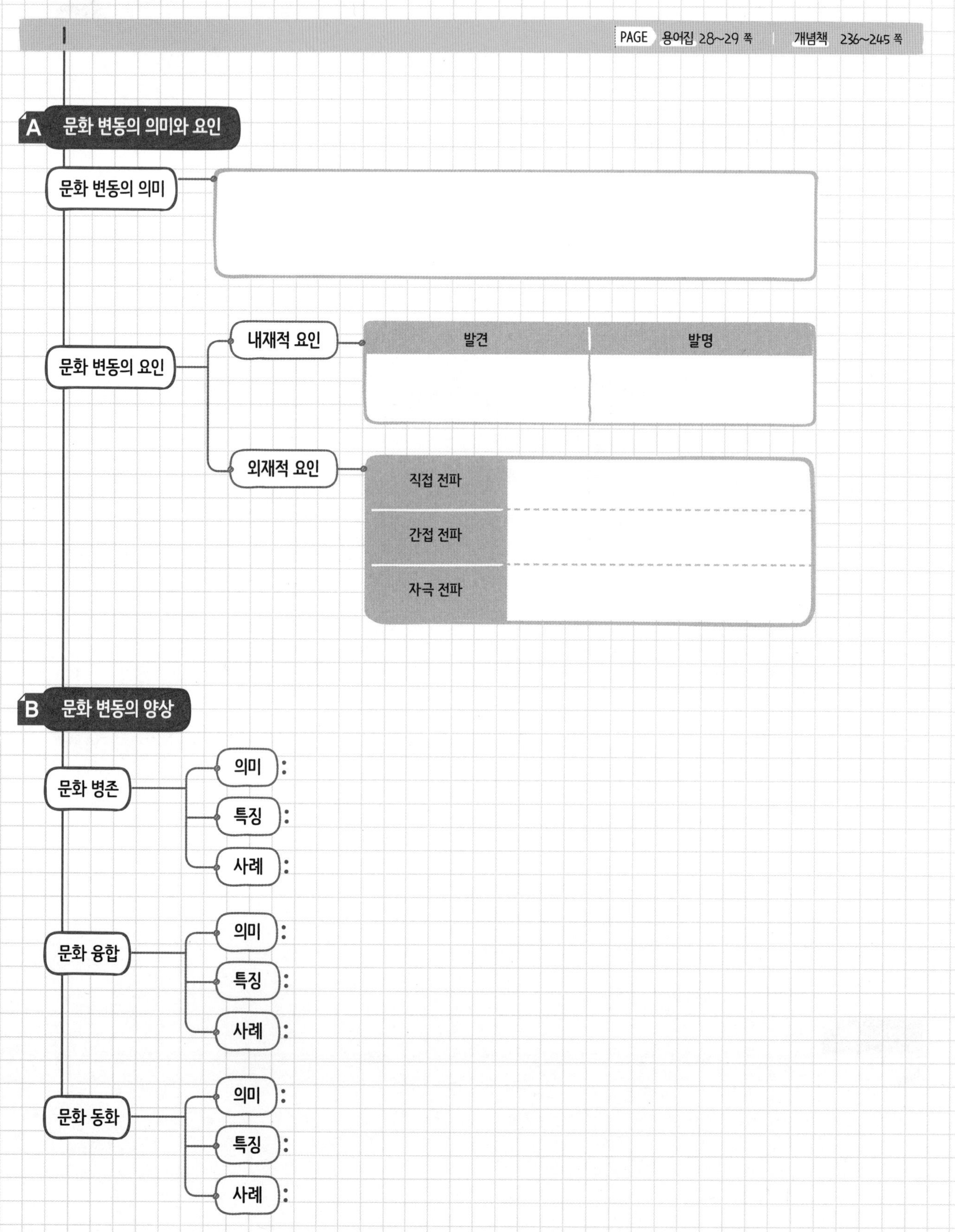

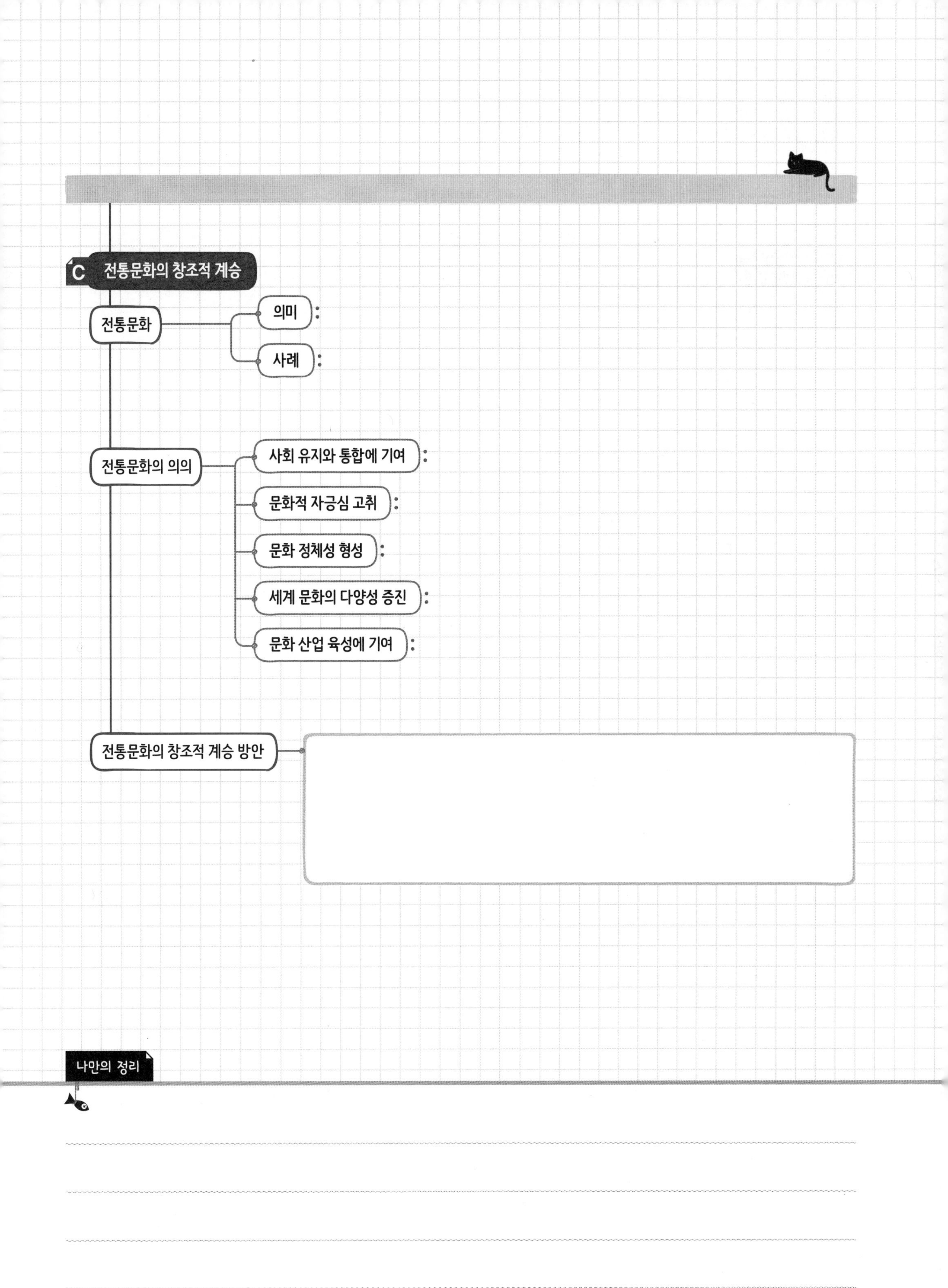
C 전통문화의 창조적 계승
전통문화
의미 :
사례 :
전통문화의 의의
사회 유지와 통합에 기여 :
문화적 자긍심 고취 :
문화 정체성 형성 :
세계 문화의 다양성 증진 :
문화 산업 육성에 기여 :
전통문화의 창조적 계승 방안
나만의 정리

03 문화 상대주의와 보편 윤리

PAGE 용어집 30 쪽 | 개념책 246~251 쪽

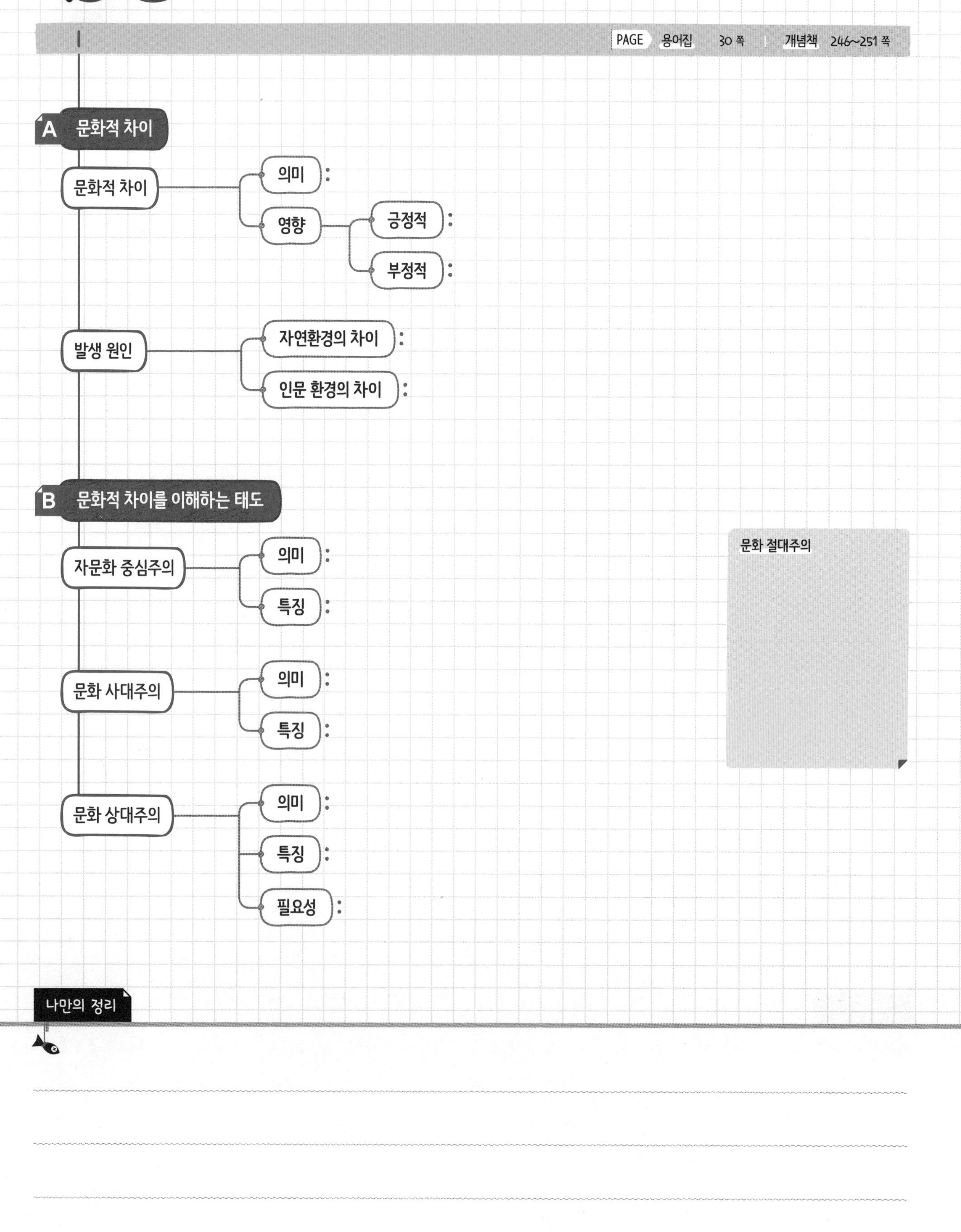

나만의 정리

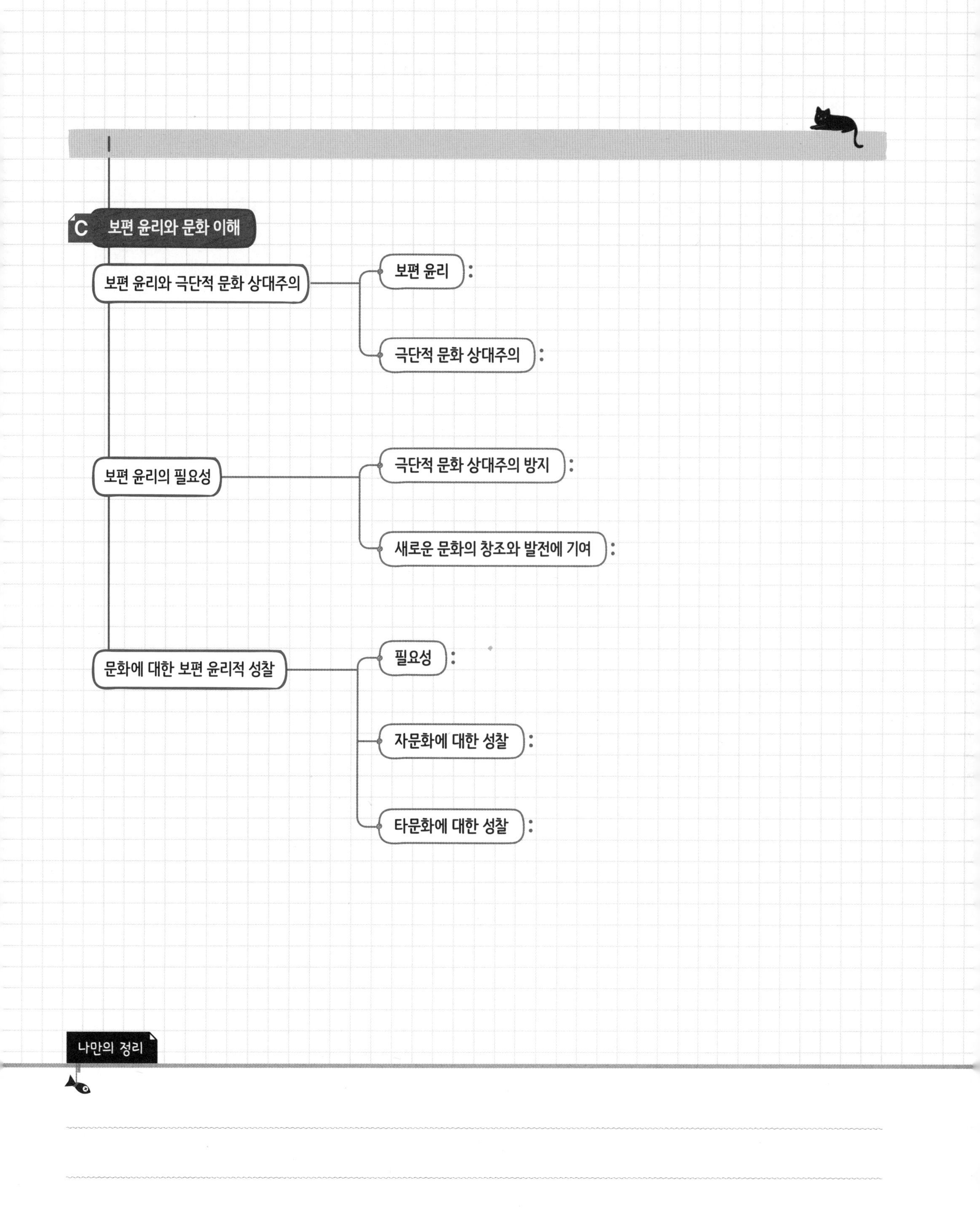
C 보편 윤리와 문화 이해
보편 윤리와 극단적 문화 상대주의
보편 윤리 :
극단적 문화 상대주의 :
보편 윤리의 필요성
극단적 문화 상대주의 방지 :
새로운 문화의 창조와 발전에 기여 :
문화에 대한 보편 윤리적 성찰
필요성 :
자문화에 대한 성찰 :
타문화에 대한 성찰 :
나만의 정리

04 다문화 사회와 문화 다양성

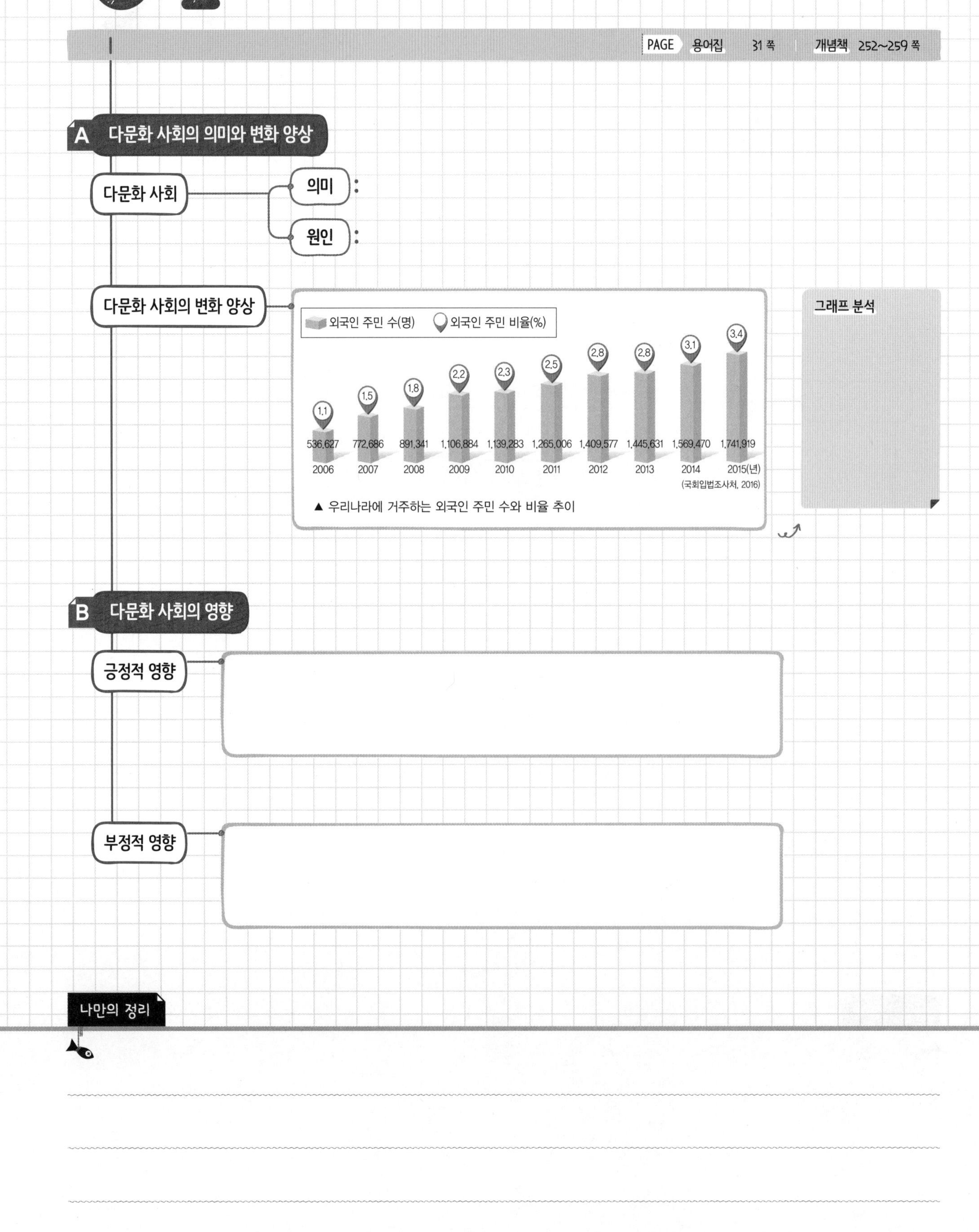

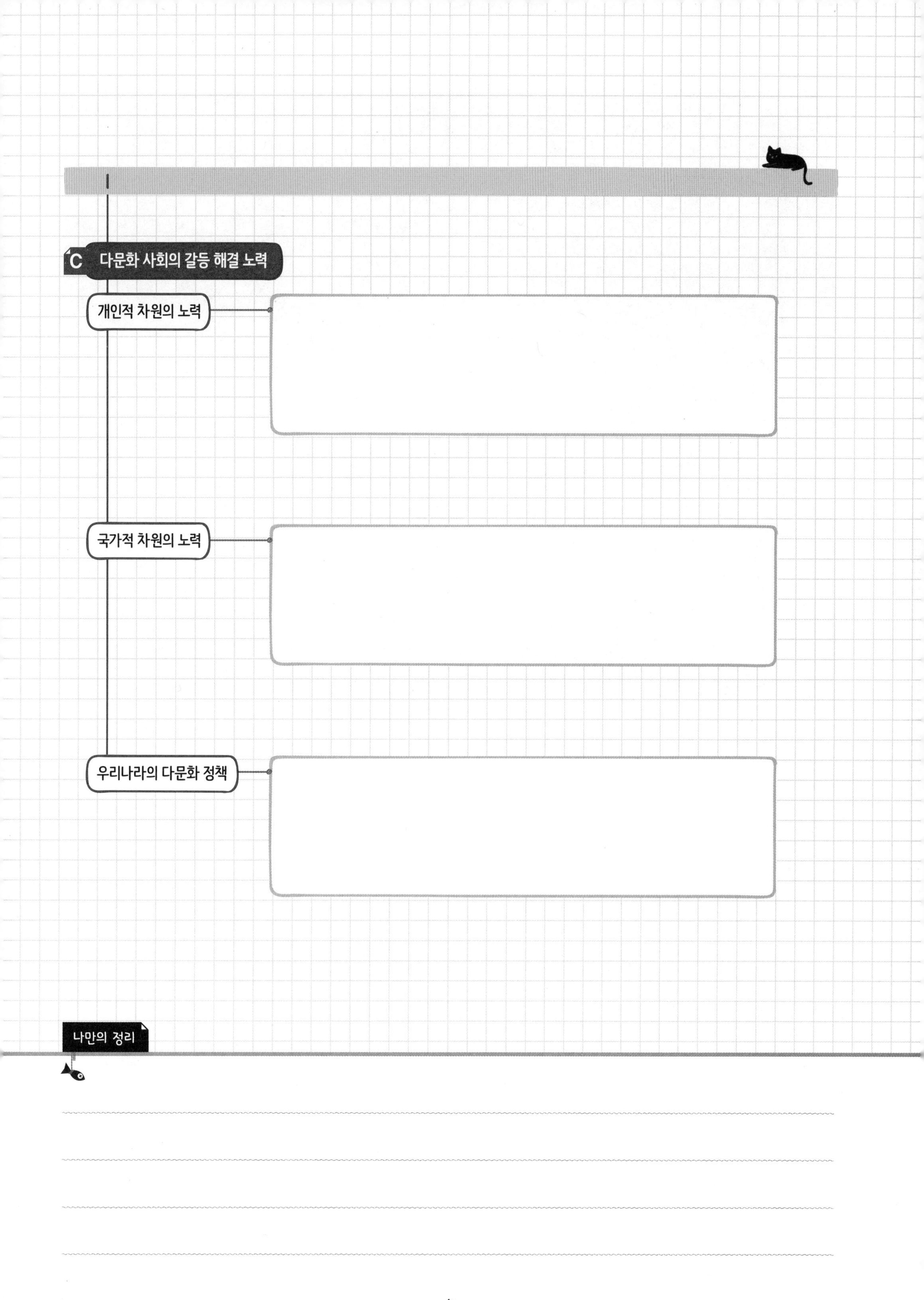
C 다문화 사회의 갈등 해결 노력
개인적 차원의 노력
국가적 차원의 노력
우리나라의 다문화 정책
나만의 정리

Ⅷ

세계화와 평화

공부 계획이나 각오 한마디를 적어 보세요.

선배들이 작성한 Ⅷ단원 정리노트 바로가기!

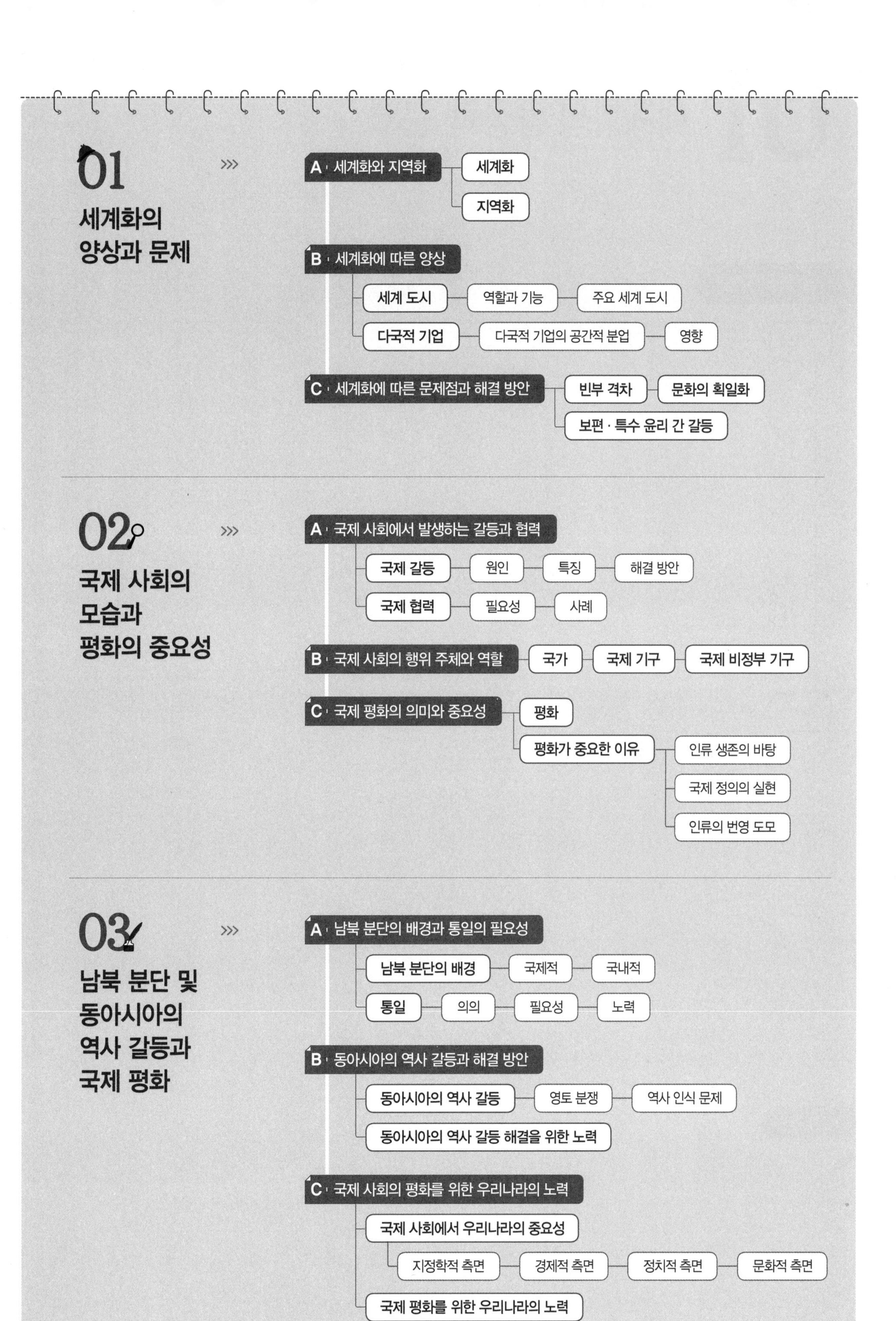
01
세계화의 양상과 문제
A 세계화와 지역화
세계화
지역화
B 세계화에 따른 양상
세계 도시
역할과 기능
주요 세계 도시
다국적 기업
다국적 기업의 공간적 분업
영향
C 세계화에 따른 문제점과 해결 방안
빈부 격차
문화의 획일화
보편 · 특수 윤리 간 갈등
02
국제 사회의 모습과 평화의 중요성
A 국제 사회에서 발생하는 갈등과 협력
국제 갈등
원인
특징
해결 방안
국제 협력
필요성
사례
B 국제 사회의 행위 주체와 역할
국가
국제 기구
국제 비정부 기구
C 국제 평화의 의미와 중요성
평화
평화가 중요한 이유
인류 생존의 바탕
국제 정의의 실현
인류의 번영 도모
03
남북 분단 및 동아시아의 역사 갈등과 국제 평화
A 남북 분단의 배경과 통일의 필요성
남북 분단의 배경
국제적
국내적
통일
의의
필요성
노력
B 동아시아의 역사 갈등과 해결 방안
동아시아의 역사 갈등
영토 분쟁
역사 인식 문제
동아시아의 역사 갈등 해결을 위한 노력
C 국제 사회의 평화를 위한 우리나라의 노력
국제 사회에서 우리나라의 중요성
지정학적 측면
경제적 측면
정치적 측면
문화적 측면
국제 평화를 위한 우리나라의 노력

01 세계화의 양상과 문제

PAGE 용어집 32~33 쪽 | 개념책 268~277 쪽

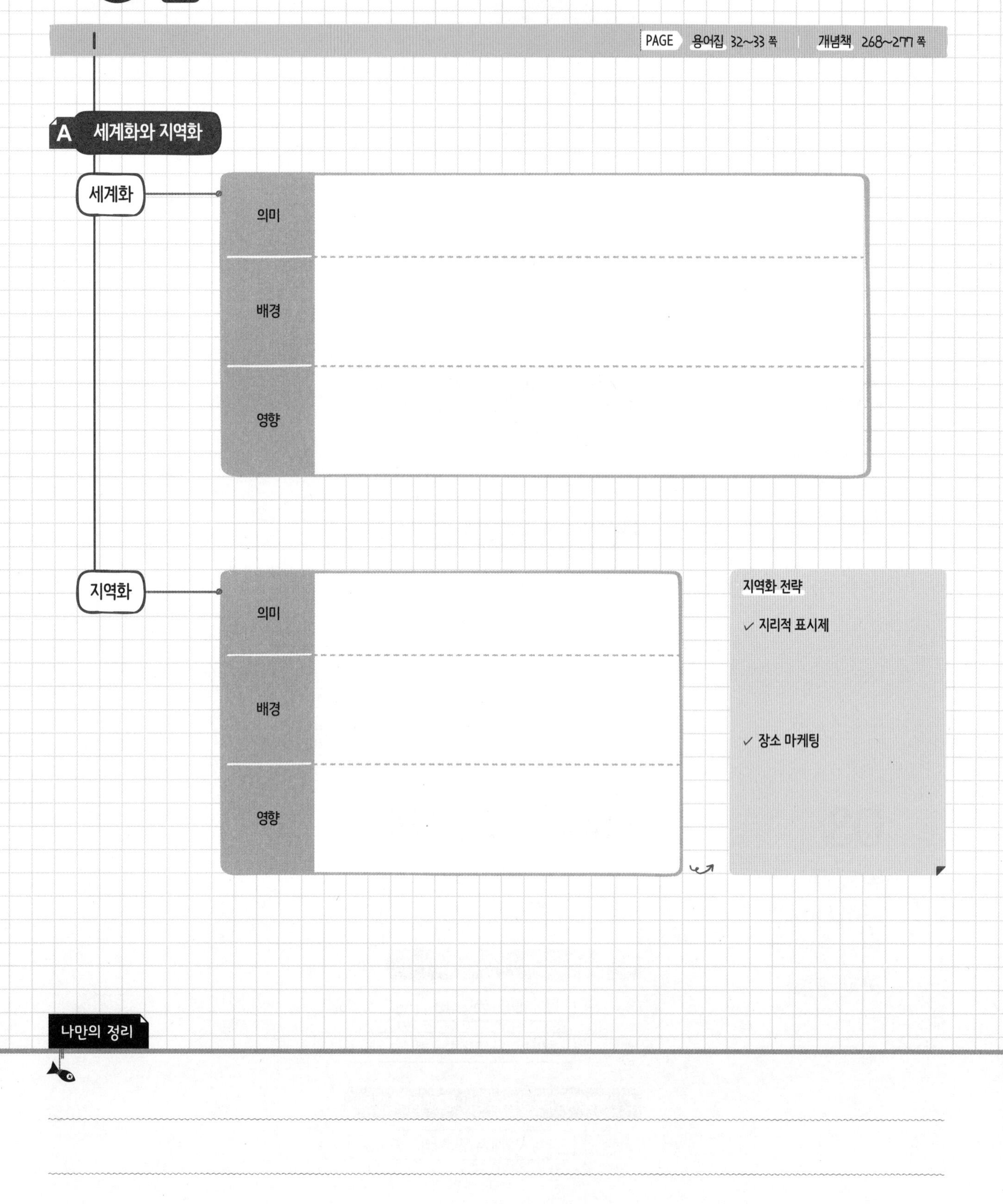

나만의 정리

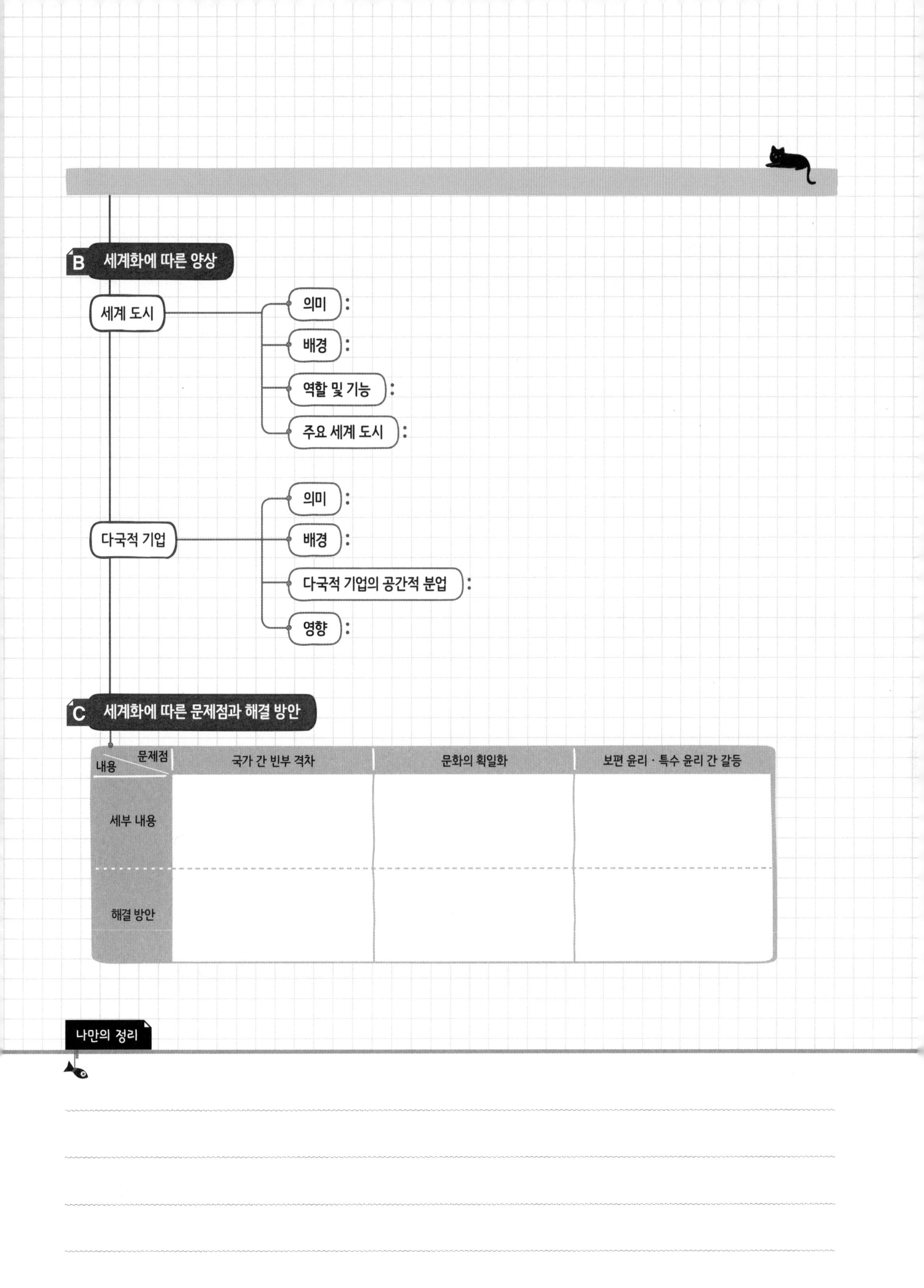

내용 \ 문제점	국가 간 빈부 격차	문화의 획일화	보편 윤리 · 특수 윤리 간 갈등
세부 내용			
해결 방안			

나만의 정리

02 국제 사회의 모습과 평화의 중요성

PAGE 용어집 34 쪽 | 개념책 278~285 쪽

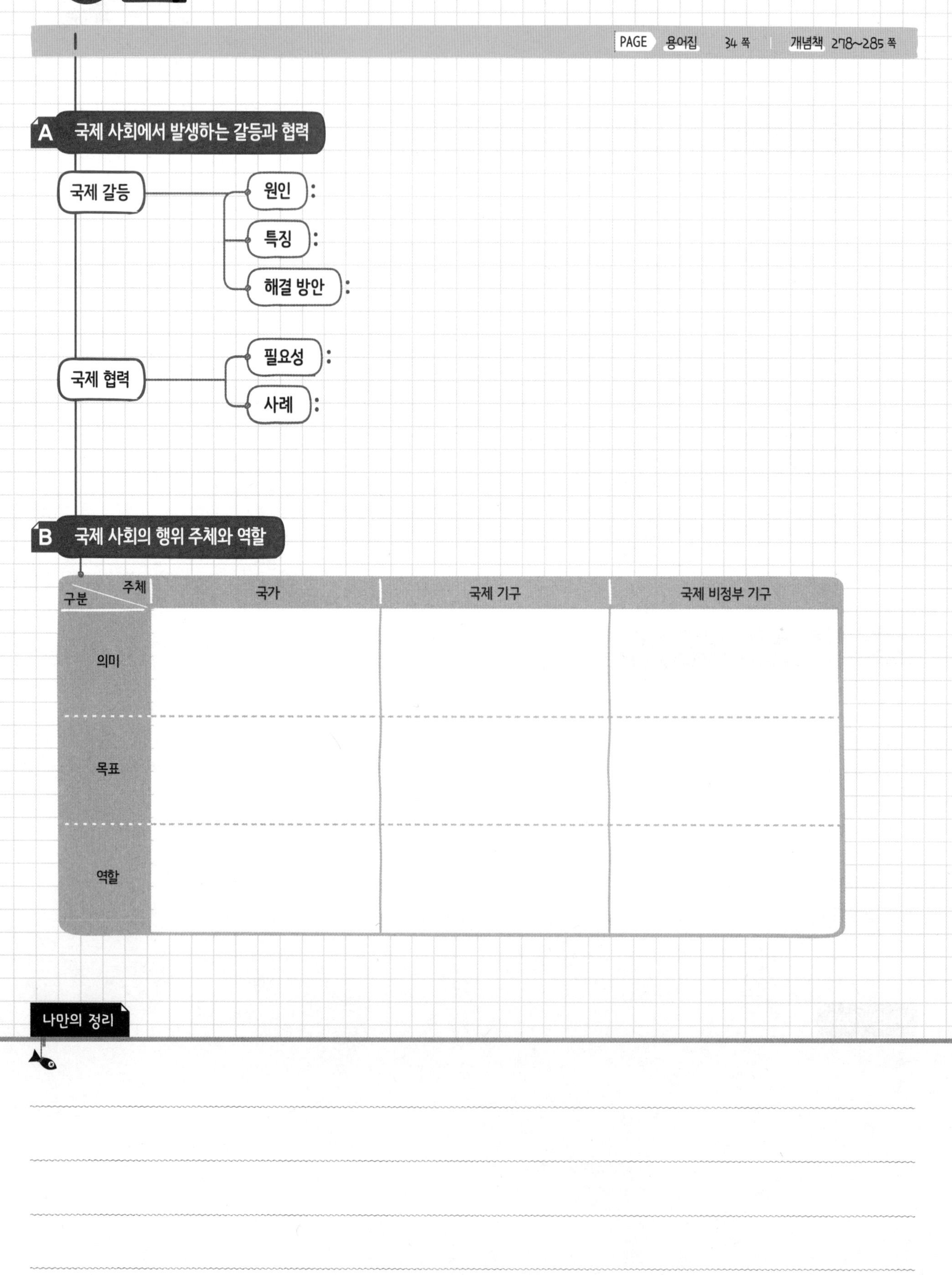

A 국제 사회에서 발생하는 갈등과 협력

- 국제 갈등
  - 원인 :
  - 특징 :
  - 해결 방안 :
- 국제 협력
  - 필요성 :
  - 사례 :

B 국제 사회의 행위 주체와 역할

구분 \ 주체	국가	국제 기구	국제 비정부 기구
의미			
목표			
역할			

나만의 정리

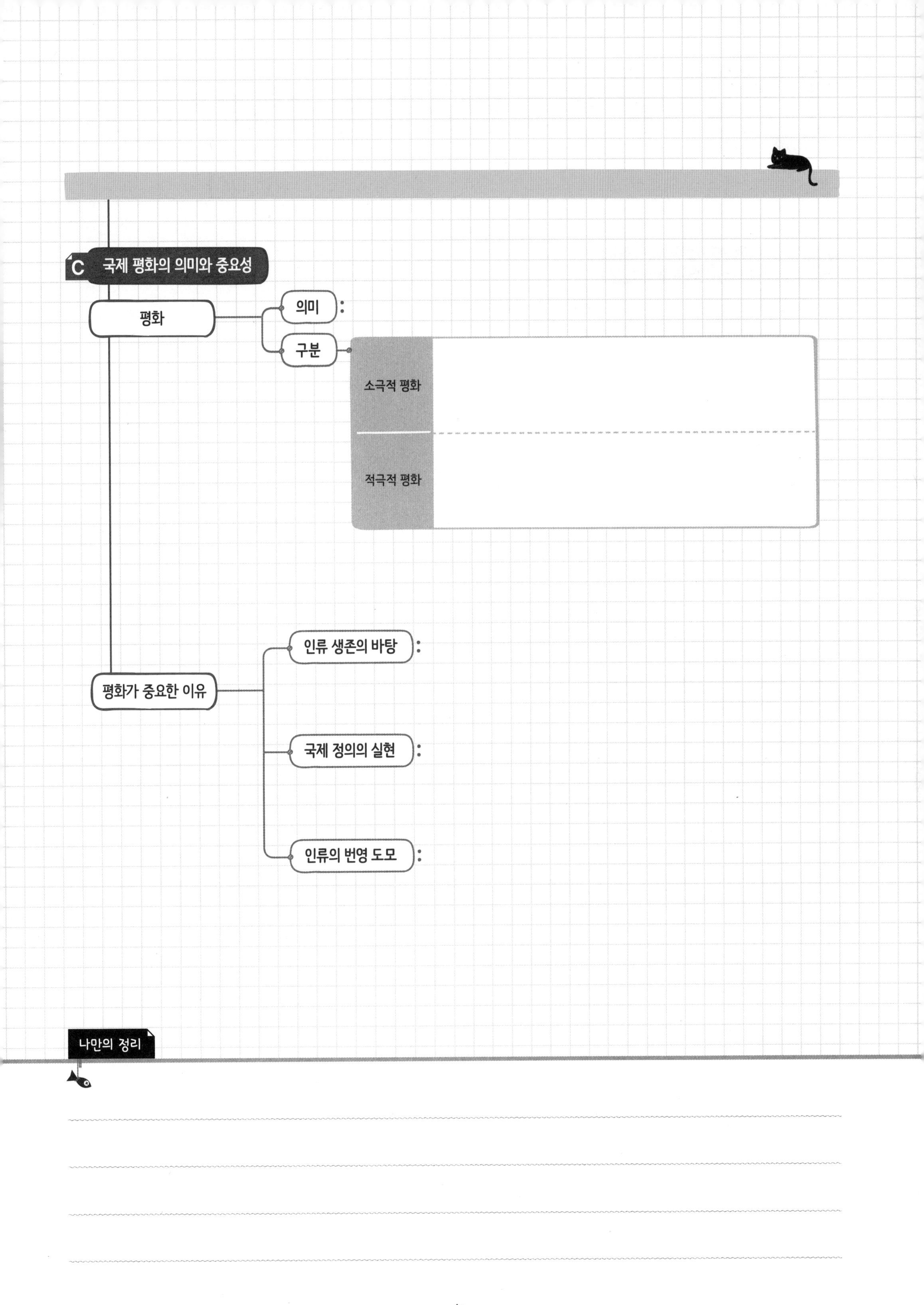
C 국제 평화의 의미와 중요성
평화
의미 :
구분
소극적 평화
적극적 평화
평화가 중요한 이유
인류 생존의 바탕 :
국제 정의의 실현 :
인류의 번영 도모 :
나만의 정리

03 남북 분단 및 동아시아 역사 갈등과 국제 평화

PAGE 용어집 35 쪽 | 개념책 286~291 쪽

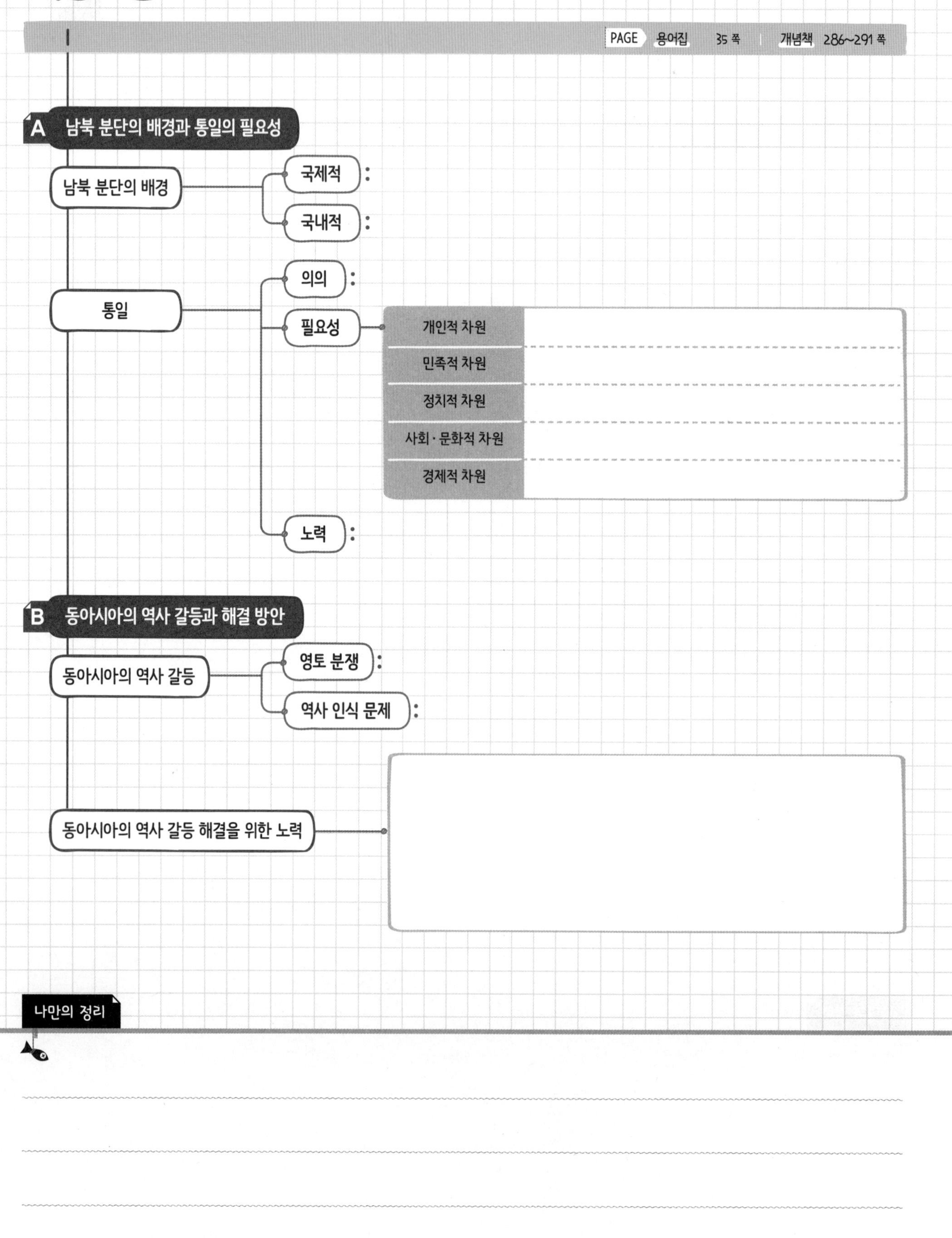

나만의 정리

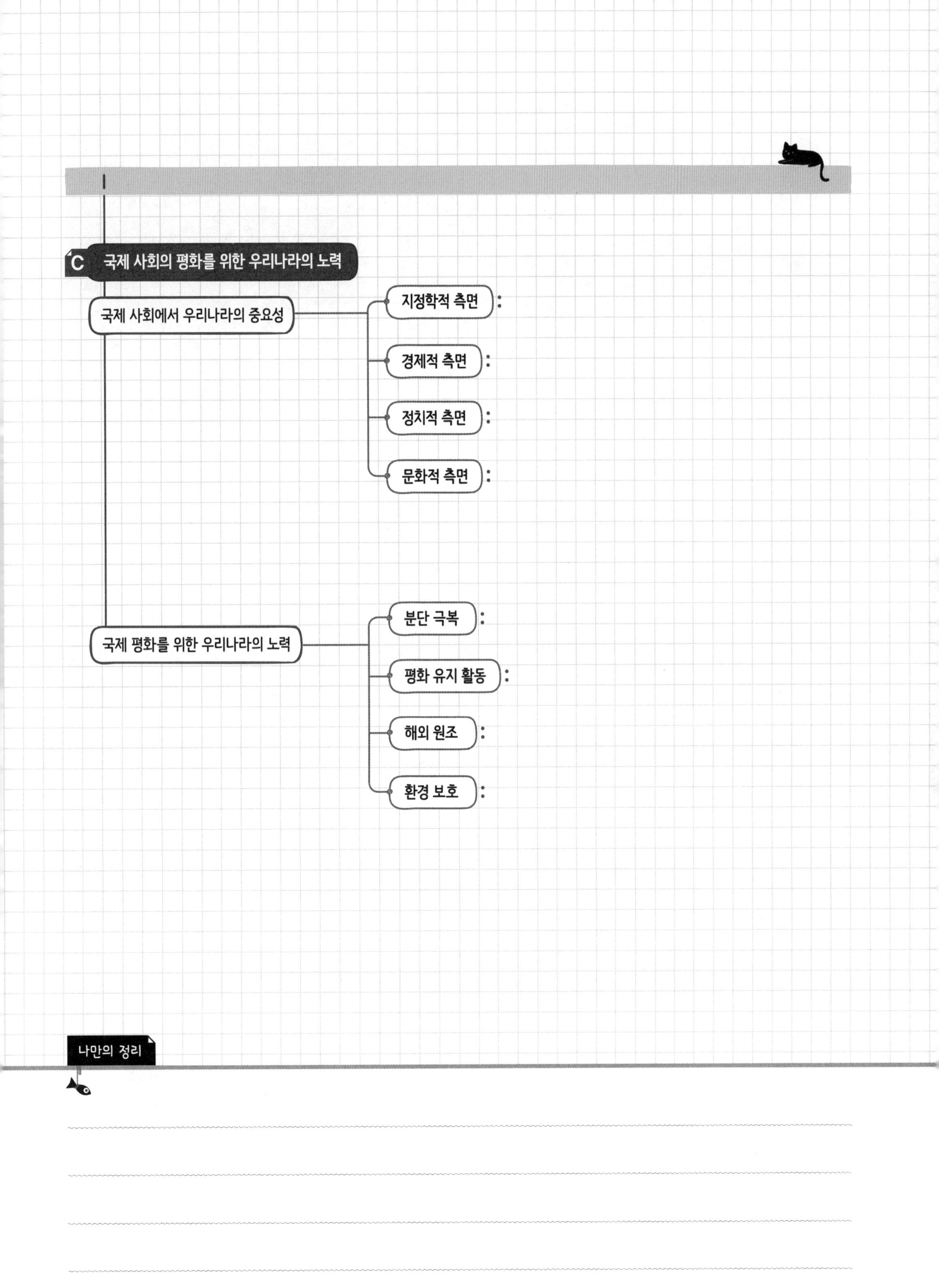
C 국제 사회의 평화를 위한 우리나라의 노력
국제 사회에서 우리나라의 중요성
지정학적 측면 :
경제적 측면 :
정치적 측면 :
문화적 측면 :
국제 평화를 위한 우리나라의 노력
분단 극복 :
평화 유지 활동 :
해외 원조 :
환경 보호 :
나만의 정리

IX

미래와
지속 가능한 삶

공부 계획이나 각오 한마디를 적어 보세요.

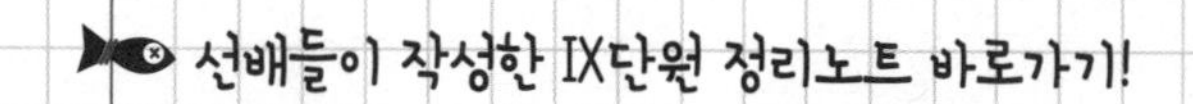

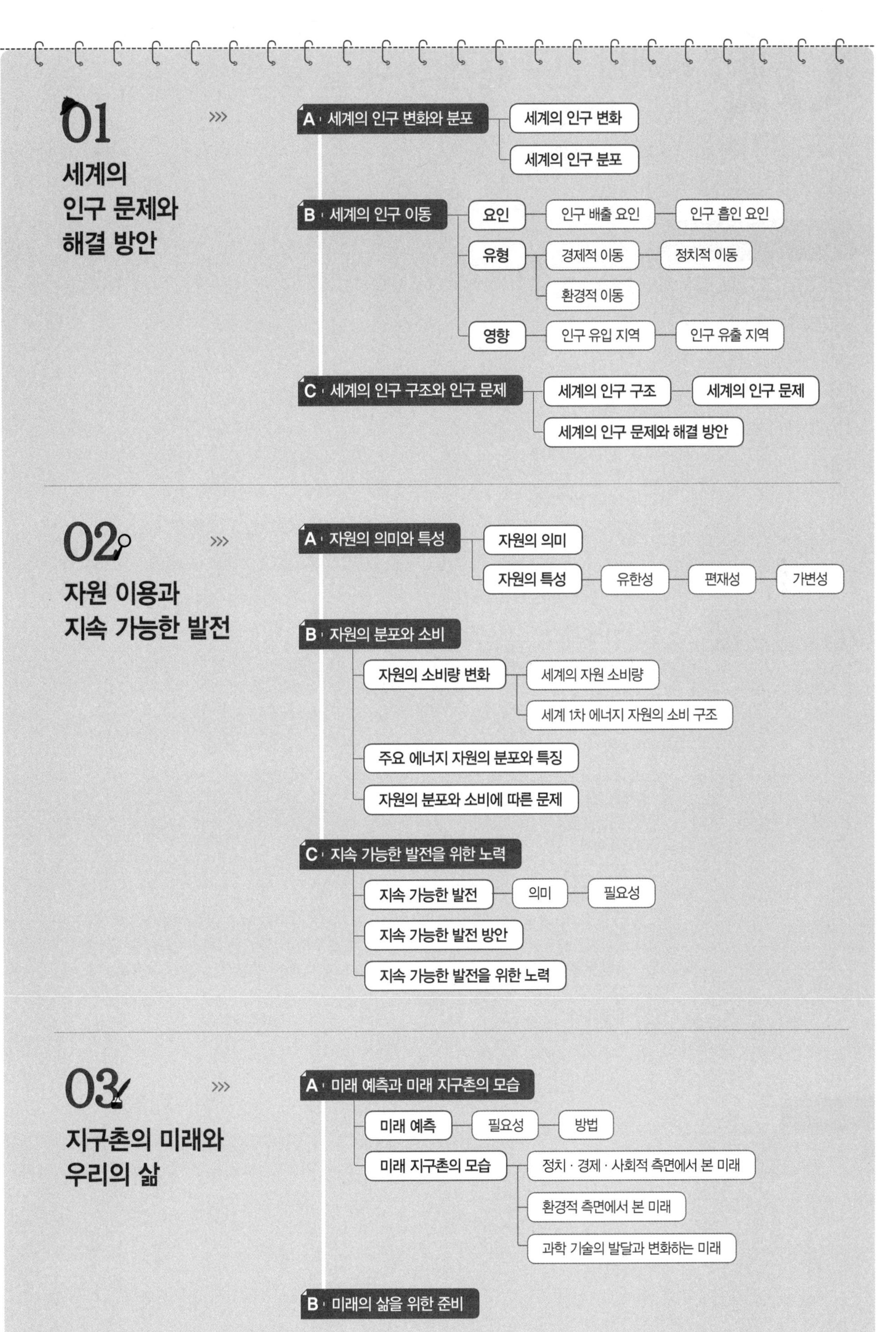
01
세계의
인구 문제와
해결 방안
A 세계의 인구 변화와 분포
세계의 인구 변화
세계의 인구 분포
B 세계의 인구 이동
요인
인구 배출 요인
인구 흡인 요인
유형
경제적 이동
정치적 이동
환경적 이동
영향
인구 유입 지역
인구 유출 지역
C 세계의 인구 구조와 인구 문제
세계의 인구 구조
세계의 인구 문제
세계의 인구 문제와 해결 방안
02
자원 이용과
지속 가능한 발전
A 자원의 의미와 특성
자원의 의미
자원의 특성
유한성
편재성
가변성
B 자원의 분포와 소비
자원의 소비량 변화
세계의 자원 소비량
세계 1차 에너지 자원의 소비 구조
주요 에너지 자원의 분포와 특징
자원의 분포와 소비에 따른 문제
C 지속 가능한 발전을 위한 노력
지속 가능한 발전
의미
필요성
지속 가능한 발전 방안
지속 가능한 발전을 위한 노력
03
지구촌의 미래와
우리의 삶
A 미래 예측과 미래 지구촌의 모습
미래 예측
필요성
방법
미래 지구촌의 모습
정치 · 경제 · 사회적 측면에서 본 미래
환경적 측면에서 본 미래
과학 기술의 발달과 변화하는 미래
B 미래의 삶을 위한 준비

01 세계의 인구 문제와 해결 방안

PAGE 용어집 36~37쪽 | 개념책 300~307쪽

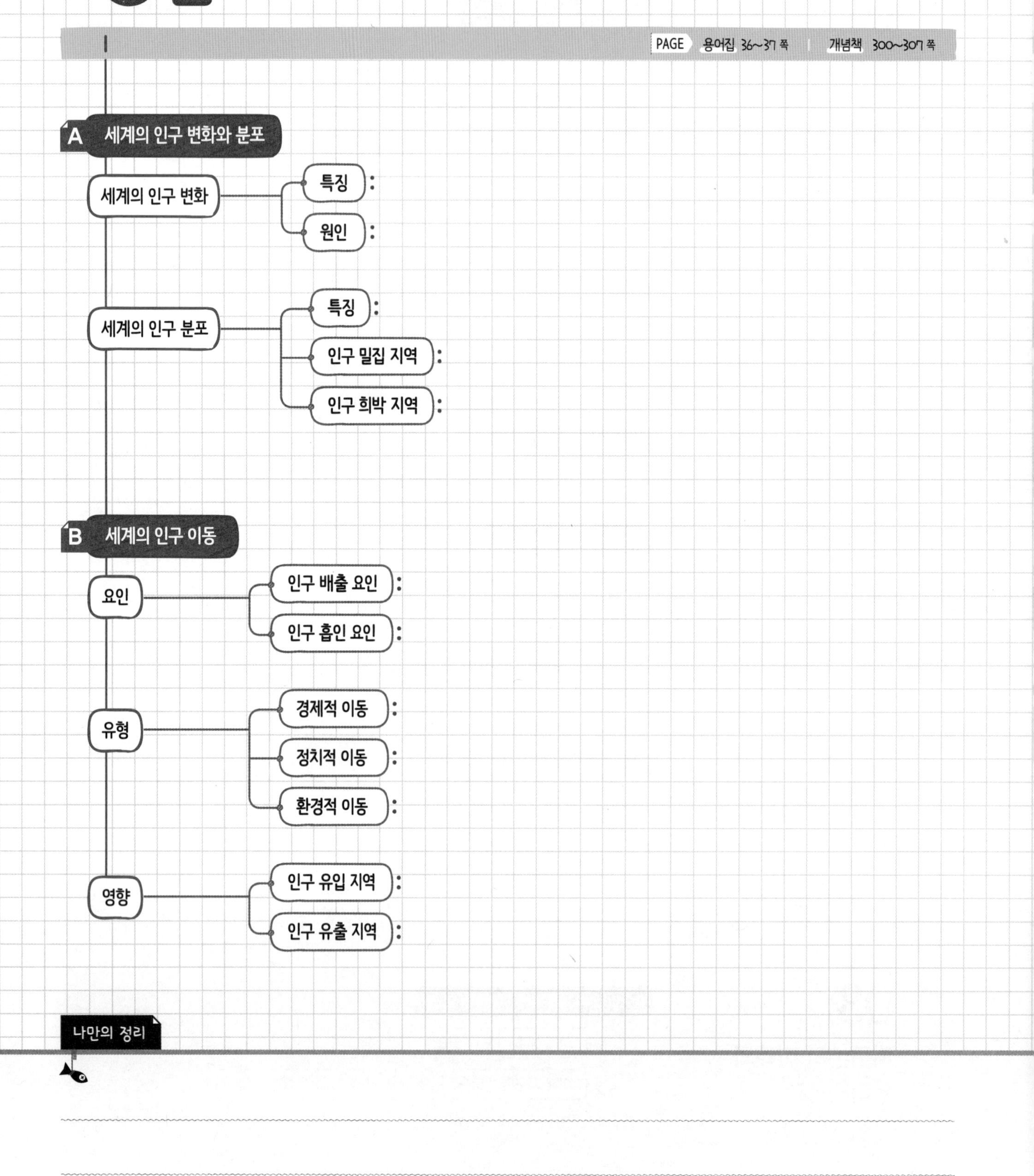

나만의 정리

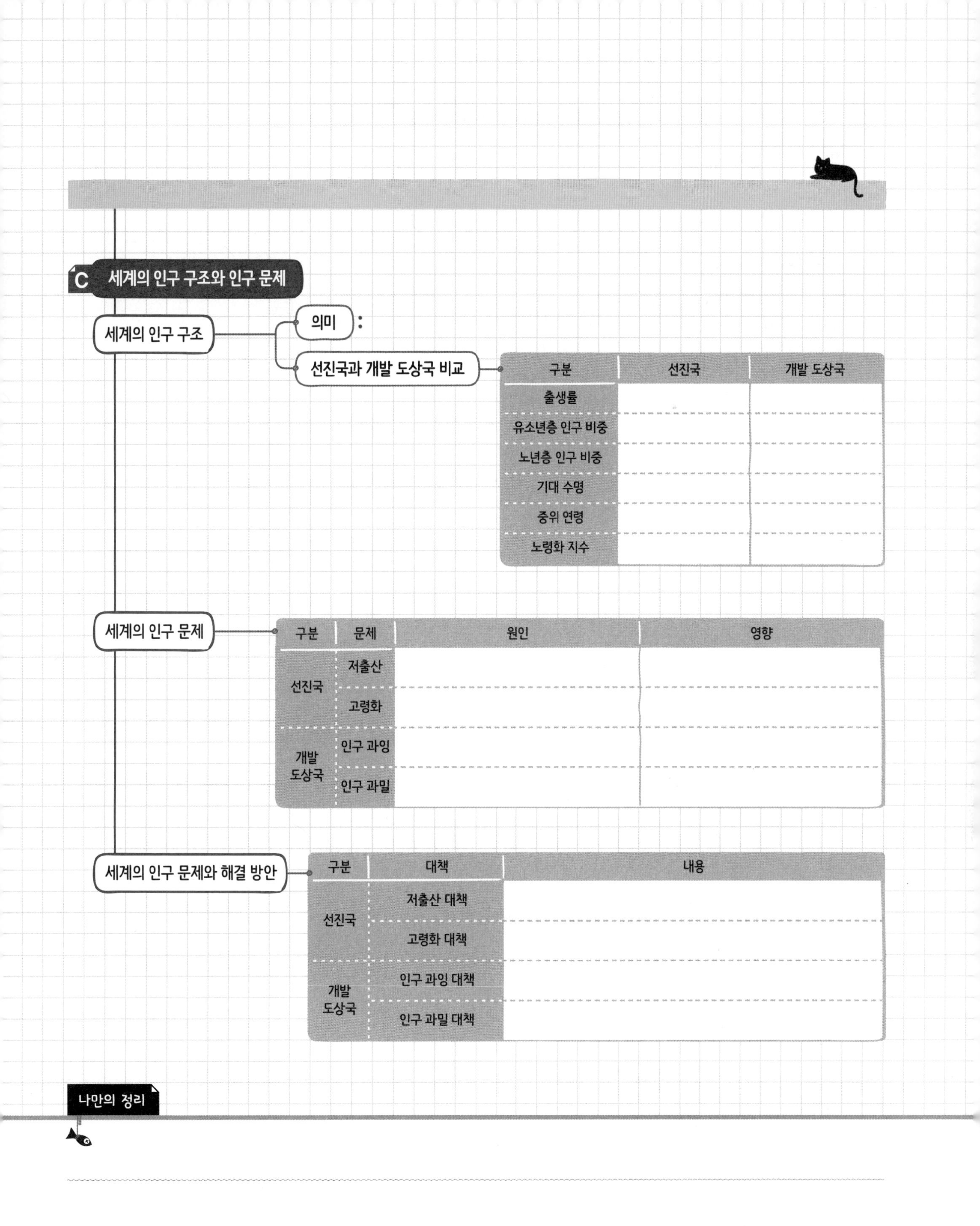

C 세계의 인구 구조와 인구 문제

세계의 인구 구조
- 의미 :
- 선진국과 개발 도상국 비교

구분	선진국	개발 도상국
출생률		
유소년층 인구 비중		
노년층 인구 비중		
기대 수명		
중위 연령		
노령화 지수		

세계의 인구 문제

구분	문제	원인	영향
선진국	저출산		
	고령화		
개발 도상국	인구 과잉		
	인구 과밀		

세계의 인구 문제와 해결 방안

구분	대책	내용
선진국	저출산 대책	
	고령화 대책	
개발 도상국	인구 과잉 대책	
	인구 과밀 대책	

나만의 정리

02 자원 이용과 지속 가능한 발전

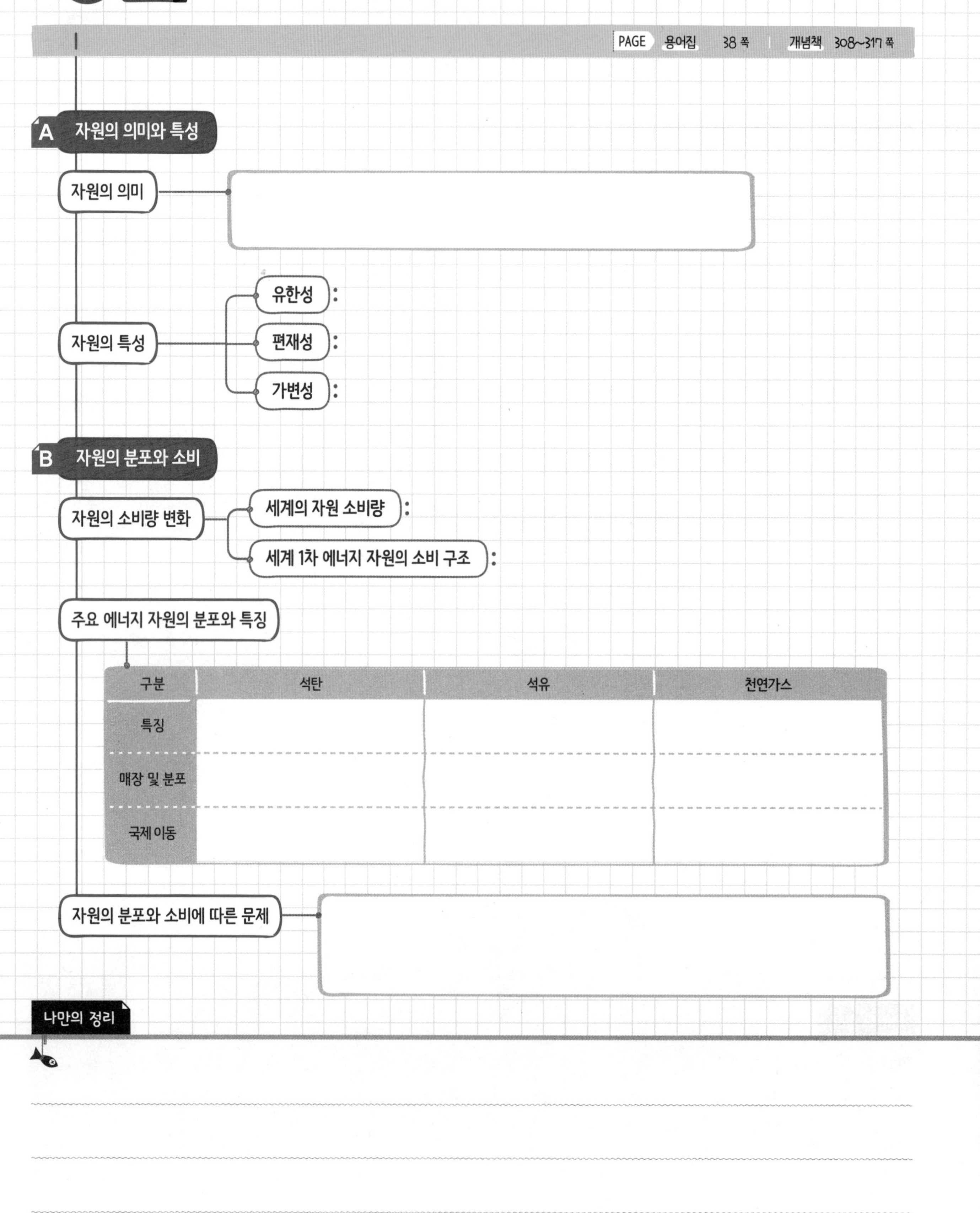

구분	석탄	석유	천연가스
특징			
매장 및 분포			
국제 이동			

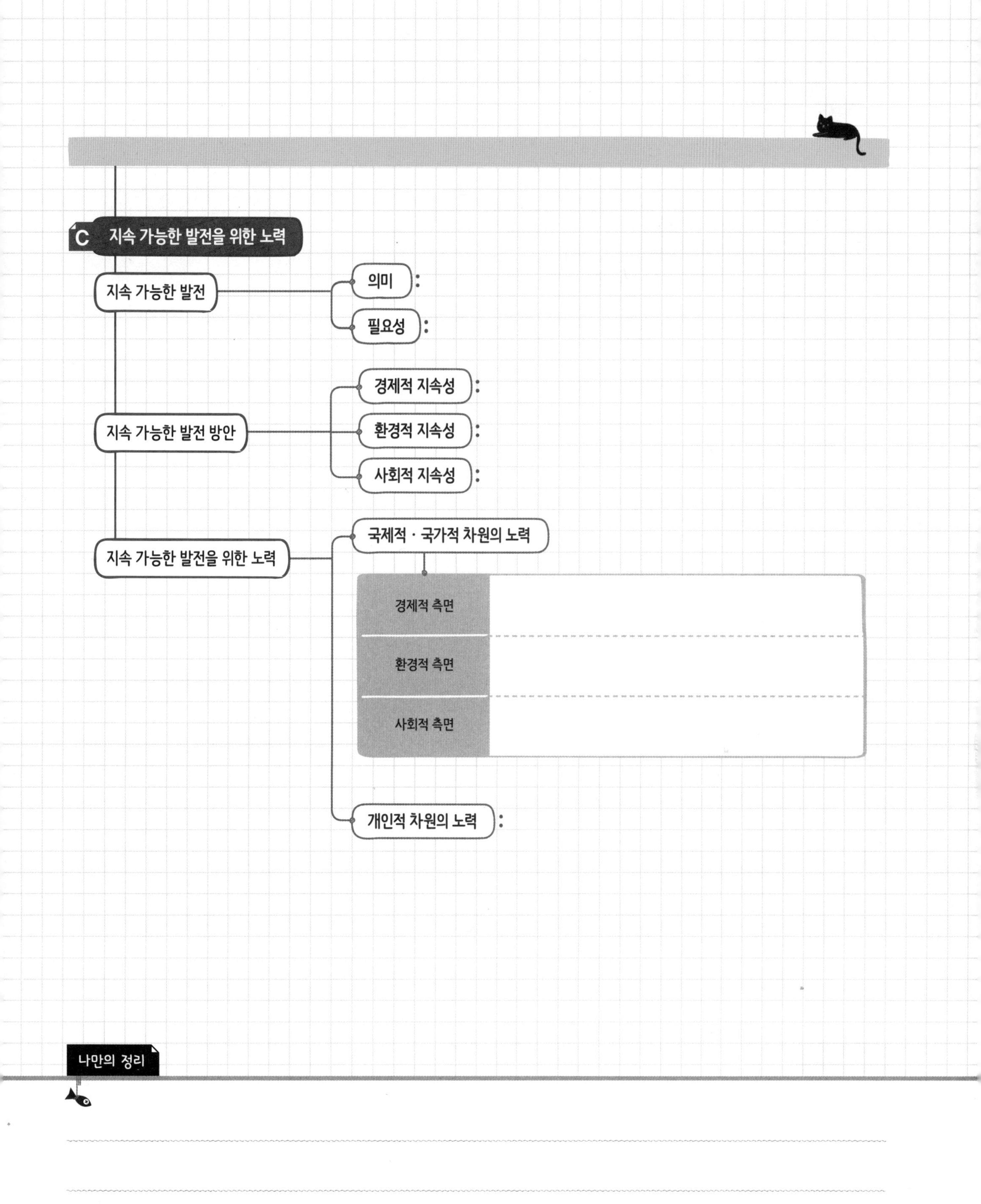
C 지속 가능한 발전을 위한 노력
지속 가능한 발전
의미 :
필요성 :
지속 가능한 발전 방안
경제적 지속성 :
환경적 지속성 :
사회적 지속성 :
지속 가능한 발전을 위한 노력
국제적 · 국가적 차원의 노력
경제적 측면
환경적 측면
사회적 측면
개인적 차원의 노력 :
나만의 정리

03 지구촌의 미래와 우리의 삶

PAGE 용어집 39 쪽 | 개념책 318~322 쪽

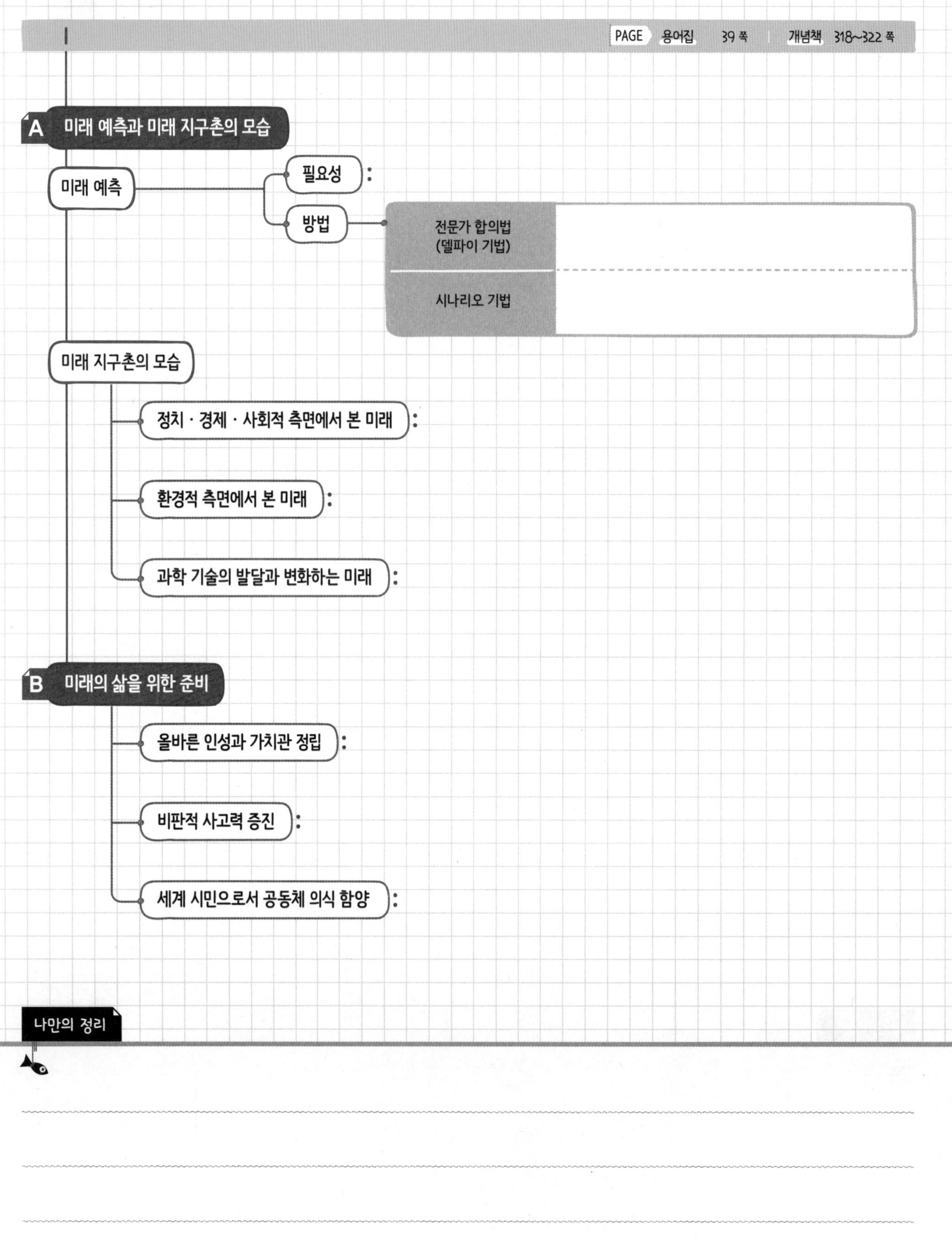

나만의 정리

개념풀 정리노트를 잘 활용했나요?
공부한 뒤 느낀 점을 자유롭게 적어 보세요.

고양이에게 생선을 맡긴 격

이 속담은
어떤 일이나 사물을 믿지 못할 사람에게 맡겨 놓고
마음이 놓이지 않아 걱정한다는 뜻이에요.
고양이가 생선을 그만큼 좋아해서
생긴 속담이겠죠?ㅋㅋㅋ

그렇다면
고양이는 정말 생선을 좋아할까요?

연구에 따르면,
고양이는 음식을 통해서만
타우린이라는 영양소를 얻을 수 있는데
생선에 이 타우린이 많대요.
그래서 고양이는
생선 냄새에 본능적으로 반응할 만큼
생선을 먹고싶어 한다고 하네요.

고양이가
생존을 위해 본능적으로 생선을 좋아하는 것처럼,
여러분들도 평소에
본능적으로 찾게 되는 음식이 있나요?